KU-600-777

MUSEO DEL PRADO

Catálogo de las pinturas

1 9 9 6

MINISTERIO DE EDUCACIÓN Y CULTURA

Advertencia preliminar

La última edición del *Catálogo de las pinturas* del Museo del Prado data de 1985. En ella se recogían las novedades e incorporaciones acaecidas en la colección desde 1972, fecha de la anterior publicación de este tipo. Ésta continuaba con un tipo de catálogo cuyo éxito queda bien patente si tenemos en cuenta su no sustancial variación desde 1945, con sucesivas ediciones en 1949, 1952, 1963 y, como decimos, en 1972 y 1985.

La edición que ahora aparece revisa y pone al día atribuciones y nuevas adquisiciones desde 1985, corrige errores y erratas, e incorpora, como sustancial novedad, una amplísima selección de imágenes en color y en blanco y negro, que hace todavía más útil esta publicación. El catálogo no sólo adquiere su funcionalidad en el momento de la visita al Museo del Prado, sino también a la hora de estudiar las pinturas con el apoyo de imágenes de referencia. La revisión de las anteriores ediciones comprende igualmente una uniformización y homogeneización de las noticias sobre la procedencia de las obras, así como de los inventarios más frecuentemente citados.

Los datos que en él se aportan tienen sustancialmente las mismas características que los de las ediciones arriba mencionadas, cuya utilidad ha contrastado el paso del tiempo; como en esas publicaciones las obras se clasifican por orden alfabético de autores, sin división por escuelas y sin tener en cuenta el orden topográfico de distribución de las pinturas en las salas del Museo. La revisión y puesta al día de los datos aquí recogidos ha sido realizada por el doctor Javier Portús y doña Montserrat Sabán.

Se recogen las pinturas (no las esculturas, ni las artes decorativas) que se exponen en el llamado edificio Villanueva, excluyendo, como en otras ocasiones, las obras de arte del siglo XIX que pueden verse en el Casón del Buen Retiro, así como la colección de dibujos y grabados. De esta última ha aparecido en 1992 un catálogo a cargo de la doctora Jesusa Vega.

Hay que señalar que en 1993 fue publicado el *Catálogo de la escultura clásica del Museo del Prado. Volumen I. Los retratos*, realizado por el doctor Stephan F. Schröder.

Mención aparte merecen las incorporaciones al Museo de obras de arte procedentes de donaciones y legados, destacando en estos últimos tiempos el Legado Villaescusa por el que el Museo del Prado ha adquirido importantes obras.

Desde 1985 se han sucedido varios directores al frente de la institución. El doctor Alfonso E. Pérez Sánchez (hoy director honorario) dirigió la institución hasta febrero de 1991. Le sucedió el doctor Felipe V. Garín Llombart (hoy también director honorario) hasta octubre de 1993. Le siguieron los doctores Francisco Calvo Serraller, hasta mayo de 1994, y José María Luzón Nogué, hasta mayo de 1996.

Igualmente, y desde 1985, se han sucedido los siguientes presidentes del Real Patronato: don Justino de Azcárate, hasta marzo de 1986, el doctor Gonzalo Anes, hasta julio de 1990. A éste le sucedió don José Angel Sánchez Asiaín hasta enero de 1993; desde esa fecha, y hasta noviembre de 1993, ejerció de presidente en funciones el doctor José Manuel Pita Andrade, y desde noviembre de 1993 hasta hoy el doctor José Antonio Fernández Ordóñez.

El Museo se encuentra en la actualidad en un amplio proceso de renovación no sólo físico y de superficie, sino también de su estructura científica. El acuerdo parlamentario de 6 de junio de 1995, por el que se aprobaba una Proposición no de ley, es la base sobre la que se sustenta la actual fase del Museo del Prado; este acuerdo se aprobó a la vista del informe para la reordenación de las colecciones de los Museos Nacionales del Prado y Centro de Arte Reina Sofía, que constituye otro de los factores de referencia esenciales de la actual situación.

Por fin, el Real Decreto 1142/1996 de 24 de mayo modificó las funciones de los órganos rectores del Museo, del director y del gerente y creó nuevos departamentos de conservación adecuándolos de una manera más precisa a las necesidades científicas de un museo actual. De esta forma los departamentos de conservación son ahora los siguientes:

A. Departamento de Pintura española y flamenca medieval y del primer Renacimiento.
B. Departamento de Pintura española del Renacimiento, Manierismo e inicios del siglo XVII.
C. Departamento de Pintura española del Barroco.
D. Departamento de Pintura española del siglo XVIII y Goya.
E. Departamento de Pintura italiana medieval y del Renacimiento.
F. Departamento de Pintura italiana del Barroco.
G. Departamento de Pintura flamenca y holandesa del Renacimiento, Manierismo y Barroco.
H. Departamento de Pintura francesa, alemana e inglesa.
I. Departamento de Pintura y Escultura del siglo XIX.
J. Departamento de Escultura clásica, medieval y de la Edad Moderna, y de Artes Decorativas.
K. Departamento de Dibujos y Estampas.

Es de esperar, por lo tanto, que este reforzamiento sustancial en la estructura científica del Museo se refleje tanto en las sucesivas ediciones de este *Catálogo de las pinturas,* como en la continuación del plan de catálogos razonados, una de las necesidades más perentorias del Museo del Prado.

Fernando Checa
Director

Los catálogos de los cuadros del Museo

No se había publicado hasta 1933 una relación, que se creía completa, de los Catálogos del Museo del Prado. En 1945 se añadió noticia del de 1878; ¿quedará todavía alguno no registrado?

Los nombres del modesto pintor y laborioso conserje del Museo, don Luis Eusebi, autor de los que se imprimieron de 1819 a 1828 y del ilustre escritor don Pedro de Madrazo, que figura en la portada de los que se publicaron desde 1843 a 1920, reclaman en este lugar un justo recuerdo que merecen compartir el del Ilmo. señor don Pedro Beroqui, secretario desde 1910 hasta 1934 del Museo y desde esa fecha hasta su muerte, en 1957, vocal de su Patronato; y el de don Francisco Javier Sánchez Cantón subdirector desde 1922 a 1960, y director desde 1960 a 1968, que tuvo a su cargo las sucesivas ediciones del Catálogo desde 1933 a 1972.

También lo merece don Gregorio Cruzada Villaamil que, al publicar, en 1865, su Catálogo provisional historial y razonado del Museo Nacional de Pintura, *conocido generalmente por Museo de la Trinidad, clasificó y estudió muchos cuadros que, al pasar al Museo del Prado, acrecieron el suyo.*

1819

Catálogo / de los / cuadros de Escuela Española / que existen / en el Real Museo del Prado / Madrid en la Imprenta Real / 1819.
21 págs. Su autor fue el conserje Luis Eusebi. Comprende 311 cuadros, ordenados en tres salas, con numeración repetida: I, de 1 a 154; II, de 1 a 133; III, de 1 a 21.

1821

Catálogo / de los / cuadros que existen colocados / en el Real Museo del Prado / Madrid en la Imprenta Nacional / Año de 1821.
38 págs. Comprende 512 cuadros, de ellos, 317 españoles; la numeración, corrida.

1823

Notice / des / Tableaux / exposés jusqu'à présent / dans le / Musée Royal de Peinture / au Prado / A Madrid / Chez Ibarra, imprimeur de la Chambre du Roi / 1823.
47 págs. «*Prix une piecette*».

1824

Catálogo / de los cuadros / que existen colocados / en el Real Museo de Pinturas / del Prado / Con Real licencia. / Madrid, 1824. / Oficina de D. Francisco Martínez Dávila, / impresor de Cámara de S. M.
48 págs. Comprende 512 cuadros españoles e italianos; en la *Advertencia* consta que «la explicación de los cuadros está brevemente redactada por D. Luis Eusebi, Pintor honorario de Cámara y Conserje del Real Museo».

1828

Noticia / de los cuadros / que / se hallan colocados / en la Galería / del Museo del Rey / nuestro señor / sito en el Prado de esta Corte / Su precio 6 reales vellón / en beneficio del Establecimiento. / Con Real licencia. / Madrid, 1828. / Por la hija de don Francisco Martínez Dávila, / Impresor de Cámara de S. M.
10 págs. sin numerar + 226 + 2. Hay ejemplares en papel de hilo sin indicación del precio en la portada y con un grabado en la primera hoja. Fue el autor Luis Eusebi, según se declara en la nota que sigue a la *Advertencia.* Comprende 755 cuadros, ordenados por salas. Muchas biografías y las pinturas más importantes llevan comentarios y juicios del autor. Cuadros italianos, españoles, franceses y alemanes.

1828

Noticie / des Tableaux exposés jusqu'à present / dans la galerie / du / Musée du Roi. / Prix 8 reaux. / Au profit de l'Establissement. / A Madrid. / Chez Ibarra, imprimeur du Roi, 1828.
8 págs. sin numerar + 233 + 4.

1828

Noticia / de Quadri / Esposti finora nella Galleria / del / Museo del Re. / Prezzo 10 reali. / In benefizio dello Stabbilmento. / In Madrid. / Per Ibarra. Stampatore del Re. / 1828.
8 págs. sin numerar + 240. Se hicieron también ejemplares especiales en papel de hilo.

1843

Catálogo / de los cuadros / del Real Museo de Pintura y Escultura de S. M. / redactado / con arreglo a las indicaciones del Director actual de este Real Establecimiento / por D. Pedro de Madrazo. / Madrid: / Oficina de Aguado, Impresor de Cámara. / 1843. / Su precio: 10 reales.

XIV + 433 + 3 págs. Comprende 1.833 cuadros, ordenados por salas y con numeración corrida. Adviértase que, en realidad, el número de pinturas expuestas asciende a 1.949; las que no se describen sólo podían verse los días en que estaba abierta la Galería de Escultura.

Es el primer *Catálogo* de Madrazo que aprovecha, además de las indicaciones de su padre, según se declara en la pág. XII, el *Catálogo* que preparaba Musso y Valiente para las escuelas flamenca y holandesa.

1845

Catálogo / de los / cuadros del Real Museo de Pintura / y Escultura de S. M. / Redactado con arreglo a las indicaciones del Director actual de este Real Establecimiento / por D. Pedro de Madrazo. / Segunda edición [*escudo real*]. / Madrid: / Imprenta de la viuda de Jordán e Hijos. / 1845.

6 págs. sin numerar + 429 + 1. Comprende 1.833 pinturas, ordenadas por salas, numeración corrida. En el verso de la anteportada se señala el precio de 10 reales.

1850

Catálogo / de los / Cuadros del Real Museo de Pintura / y escultura de S. M. / Redactado / con arreglo a las indicaciones del Director actual de este Real Establecimiento / por / D. Pedro de Madrazo. / Tercera edición / [*escudo real*]. / Madrid: 1850. / Imprenta de D. José María Alonso. / Salón del Prado núm. 8. En rústica 10 reales.

442 + 2 págs. Prólogo de 10 páginas; en extensas notas rebate el *Handbook* de Richard Ford (1847). Consta de 1.833 números, aunque advierte que el Museo posee 1.949; la diferencia sólo se veía cuando se abrían las salas de escultura.

1854

Catálogo / de los cuadros del Real Museo de Pintura / y Escultura de S. M. / redactado / con arreglo a las indicaciones del Director actual de este Real Establecimiento / por / D. Pedro de Madrazo. Cuarta edición / [*escudo real*] / Madrid: 1854. Imprenta de D. José M. Alonso. / Calle de Valverde, 5.

475 págs. Comprende 2.001 números, pero advierte que en las salas de escultura hay hasta el número 2.119. Repite el prólogo de 1850 y añade, págs. 455-9, un *Apéndice* con textos históricos sobre la batalla de Mühlberg.

1858

Catálogo / de los / Cuadros del Real Museo de Pintura / y Escultura de S. M. / redactado / con arreglo a las indicaciones del Excmo. Sr. D. José de Madrazo, / Director que fue de este Real Establecimiento / por D. Pedro de Madrazo. / Quinta edición / [*escudo real*] / Madrid: 1858. / Imprenta de D. Antonio Aoiz. / Calle del Baño, núm. 7.

477 págs. Comprende 2.001 números y advierte, como en la anterior edición, que el Museo cuenta con 2.119 números. Se repiten el *Prólogo* y el *Apéndice* de 1854.

1872

Catálogo / descriptivo e histórico / del Museo del Prado de Madrid / seguido / de una sinopsis de las varias escuelas / a que pertenecen sus cuadros y los autores de éstos / y de una noticia histórica / sobre las colecciones de pintura de los Palacios Reales de España, / y sobre la formación y progresos de este Establecimiento, / por D. Pedro de Madrazo / individuo de número de las Reales Academias de San Fernando y de la Historia, / Jefe superior de Administración. / Parte primera. / Escuelas italianas y españolas. / Madrid. / Imprenta y estereotipia de M. Rivadeneyra. / Calle del Duque de Osuna, número 3. / 1872. / Derechos reservados.

LXIV + 713 + 3 págs. Sólo se publicó esta primera parte. Se comenzó a imprimir en 1867 y se llegaba a la pág. 254 cuando, ocurrida la revolución de septiembre de 1868, hubo de cambiarse el nombre del Real Museo por el de «Museo del Prado de Madrid». Comprende el estudio y descripción de 1.145 + 6 cuadros.

1873

Catálogo de los cuadros / del / Museo del Prado de Madrid / por / Don Pedro de Madrazo, / de las Reales Academias de San Fernando y de la Historia. / Compendio / del Catálogo oficial descriptivo e histórico / redactado por el mismo autor. / Madrid. / Imprenta de la Biblioteca de Instrucción y Recreo. / Calle del Rubio, núm. 25, 1873.

X + 6 + 428 + 4 págs. Comprende 2.203 números, de ellos 2.119 del fondo antiguo, y el resto procedente del Museo de la Trinidad, incorporado al del Prado por Real Decreto de 22 de marzo de 1872. Además se registran cinco cuadros sacados de los almacenes, inaugurando con ellos el sistema de los números duplicados y múltiples por medio de letras.

En la *Advertencia* explica que, por Real Orden de 13 de mayo de 1872, fue reconocido el derecho a Pedro de Madrazo a publicar un compendio histórico descriptivo del catálogo. También declara que la segunda parte «se está imprimiendo», pero no se ha tenido nunca noticia ni del manuscrito ni del impreso, por lo que es probable que sólo estuviese en preparación y poco avanzada.

1876

Catálogo de los Cuadros / del / Museo del Prado de Madrid / por / D. Pedro de Madrazo. / De las Reales Academias de San Fernando y de la Historia, / Individuo de la Comisión inspectora de Museos, / Jefe superior de Administración. / Madrid. / Imprenta y fundición de Manuel Tello. / Isabel la Católica, 23. / 1876.

VI + 2 + 440 págs. Comprende 2.205 números. En la *Advertencia* (24 de julio) dice que por haber crecido demasiado la historia de las colecciones regias que proyectaba, decidió hacer un libro aparte; advierte, asimismo, que acompañan dos hojas con relación de los cartones para tapices de Goya (págs. 383-86) y otras dos con el suplemento de los cuadros sacados del depósito, estando compaginándose el *Catálogo* (págs. 387-90).

1878

Catálogo de los cuadros / del Museo del Prado de Madrid / por / D. Pedro de Madrazo / ... / Madrid / Imprenta de Enrique Teodoro / calle de Atocha, núm. 80 / 1878.

VI + 1 hoja + 499 + 1 pág. + 1 hoja. Comprende el mismo número de cuadros que el anterior: 2.205; pero en realidad, 2.525, por los números duplicados con letras. Añade la *Advertencia,* fechada en 1 de agosto de 1878, que, de las pinturas incluidas, 2.347 pertenecen a la dotación del Museo Real, y 178 proceden del Museo Nacional de la Trinidad.

No se incluyó nota de esta edición en los *Catálogos* de 1933 y de 1942 por ser desconocida hasta que Ricardo Martín Bañobre regaló un ejemplar a la Biblioteca del Museo.

1882

Catálogo de los Cuadros / del / Museo del Prado de Madrid / por D. Pedro de Madrazo. / De las Reales Academias Española, de San Fernando y de la Historia. / Individuo de la Comisión inspectora de Museos. / Cuarta edición. / Madrid. / Establecimiento Tip. de los Sucesores de Rivadeneira, / Impresores de la Real Casa. / Paseo de San Vicente, 20. / 1882.

504 + 2 págs. Comprende 2.205 números; algunos de ellos repetidos con letras para las intercalaciones, sistema que se defiende en la *Advertencia,* fechada el 30 de julio.

1885

Catálogo de los cuadros / del / Museo del Prado de Madrid / por / D. Pedro de Madrazo / de las Reales Academias Española, / de San Fernando y de la Historia, / Individuo de la Comisión inspectora de Museos. / Quinta edición. / Madrid. Tipografía de los Huérfanos. / Calle de Juan Bravo, 5. / 1885.

477 + 1 págs.; en la cubierta posterior, el precio: 4 pesetas. Comprende 2.205 números y además los intercalados con letras; pero faltan números por haber sido retirados cuadros para almacenes y depósitos. El *Prólogo* está fechado el 16 de julio.

1889

Catálogo de los cuadros / del / Museo del Prado de Madrid / por / D. Pedro de Madrazo / de las Reales Academias Española, de San Fernando y de la Historia. / Individuo de la Comisión inspectora de Museos. / Sexta edición. / Madrid. / Librería de la Viuda de Hernando y C.ª / Calle del Arenal, núm. II. / 1889.

444 + 1 págs. Comprende hasta el número 2.205, pero hay muchos intercalados con letras. El *Prólogo* es el mismo de 1885. Los cambios, con relación a la edición precedente, son insignificativos.

Es el primer *Catálogo* de los de Madrazo cuya propiedad, por haberla cedido al Estado, no consta como del autor.

1893

Catálogo de los cuadros / del Museo del Prado de Madrid / por / D. Pedro de Madrazo / de las Reales Academias Española, de San Fernando y de la Historia. / Individuo de la Comisión inspectora de Museos. / Séptima edición. / Madrid. / Librería de la viuda de Hernando y C.ª / Calle del Arenal, núm. II / 1893.

445 + 1 págs. Comprende hasta el número 2.205, con intercalaciones y supresiones como en los anteriores. El *Prólogo,* fechado el 1 de julio, habla de la reforma de la Sala de la Reina Isabel.

1900

Catálogo de los cuadros / del / Museo del Prado de Madrid / por / D. Pedro de Madrazo. / Octava edición. / Madrid. / Imprenta de la sucesora de M. Minuesa de los Ríos. / Miguel Servet, 13. Teléfono 651 / 1900.

458 págs. En la cubierta posterior, el precio: 4 pesetas. Lleva un plano. Se reproduce el *Prólogo* de 1893; en la *Advertencia* se indica que se cambian algunas atribuciones «después de un detenido estudio crítico».
Es el primer *Catálogo* publicado después de la muerte de Pedro de Madrazo (20 de agosto de 1898); pero es probable que desde años antes no hubiese hecho modificaciones. En 1900 dirigía el Museo Luis Álvarez.
Llega al número 2.205, como los anteriores. Incluye, con numeración especial, los cartones de Goya. Anuncia que se está confeccionando un nuevo catálogo.

1903

Catálogo de los cuadros / del / Museo Nacional de / Pintura y Escultura / por / D. Pedro de Madrazo / ampliado por D. Salvador Viniegra, / Subdirector y conservador de pintura del Museo. / Novena edición. / Madrid. / [*sin año, pero de 1903*]. / Imprenta y Fototipia de J. Lacoste. / Calle de Cervantes, núm. 26.
IX + 4 + 431 + 4 págs. El número más alto es el 2.206, pero faltan algunos, y otros se repiten con letras. Las adiciones de Viniegra son escasas y, en general, muy poco acertadas. De esta tirada hay ejemplares con fecha y sin ella.

1907

Catálogo de los cuadros / del / Museo Nacional / de Pintura y Escultura / por / D. Pedro de Madrazo. / Ampliado por D. Salvador Viniegra, / Subdirector y conservador de pintura del Museo. / Novena edición. / [*sin año en la portada, pero en la cubierta, 1907*] Madrid. / Imprenta de J. Lacoste. / Cervantes, 22.
429 + 1 págs. Repite con escasísimos cambios la edición de 1903.

1910

Catálogo de los cuadros / del / Museo del Prado / por / D. Pedro de Madrazo. / Décima edición. / Corregida y con la numeración reformada. / Madrid: 1910. / Imprenta y fototipia de J. Lacoste. / Calle de Cervantes, núm. 28.
En 8.º, de XIII + 3 + 445 + 3 págs. Incluye un plano. Figura ya el legado de Errazu. Las correcciones, anónimas, son debidas a Salvador Viniegra. En este *Catálogo* se hizo el cambio de numeración. Comprende 2.440 números que no corresponden a igual cantidad de cuadros por haberse dejado al final de cada escuela varios números disponibles en caso de nuevas adquisiciones.

1910

Catálogo de los cuadros / del Museo del Prado / por D. Pedro de Madrazo. / Décima edición. / Corregida, con la numeración reformada, / ilustrada con 100 láminas / fuera de texto y conteniendo 112 autógrafos de firmas / intercalados. / Madrid, 1910. / Imprenta y fototipia de J. Lacoste. / Calle de Cervantes, núm. 28. Precio en tela: 12 pesetas.
XXXV + 3 + 453 + 2 págs. Incluye planos.

1913

Catalogue des Tableaux / du / Musée du Prado / par / D. Pedro de Madrazo. / Première édition française. / Traduction d'après la dixième édition espagnole, corrigée, avec la / numération changée, illustrée de 100 gravures hors texte / et contenant 114 facsimilés de firmes [*sic*] intercalés. / Madrid, 1913. / Imprimerie de J. Lacoste / Photographe Editeur et Photographe Officiel / du Musée du Prado. / Calle de Cervantes, 28.
XLIV + 4 + 531 + 1 págs. Precede una extensa *Noticie historique sur le Musée,* firmada por el secretario del establecimiento, Pedro Beroqui, autor, además, de las abundantes ediciones y correcciones, por lo que esta edición debió llevar en la portada su nombre, acompañando al de Madrazo. Los títulos de los cuadros van también en inglés.

1920

Catálogo / de los cuadros del / Museo del Prado / por / D. Pedro de Madrazo. / Undécima edición / corregida y aumentada. / Madrid: 1920.
En 8.º, de XIII + 540 + 4 págs. Las ediciones y abundantísimas correcciones, la bibliografía en nota a cada autor, etcétera, son debidas a Pedro Beroqui. Comprende 2.440 números; pero, como se ha dicho respecto al *Catálogo* de 1910, las pinturas catalogadas no suman exactamente dicha cifra, porque, aparte de los números disponibles al fin de cada escuela, hay algunos duplicados, triplicados y aun múltiples, distinguidos con letras.
Además de los 24 cuadros del legado de Errazu, se registran ya los 89 del legado de Pablo Bosch y «la presentación de D. Juan de Austria a Carlos V», de Rosales, legado por la duquesa viuda de Bailén, hoy depositado, temporalmente, en el Museo de Arte Moderno.

1933

Museo del Prado Catálogo, Madrid MCMXXXIII.
En tela. En 8.º de XXI + 1 pág. + 3 hs. +909 + 1 págs. + 1 hoja.
Es el único, hasta ahora, en que se incluyeron las esculturas expuestas, por habérsele dado un orden topográfico. Firma la *Advertencia* Francisco Javier Sánchez

Cantón, que tuvo a su cargo la publicación de este *Catálogo.*

1942

Museo del Prado / Catálogo / de los / Cuadros / Madrid MCMXLII.

Encuadernado en media pasta. En 8.º de XXI + 1 + 876 págs. + 2 hs. El *Catálogo* va ordenado por autores, alfabéticamente; al final están colocados los anónimos que carecen de designación especial. Lleva índices que incluyen los asuntos. Firma la *Advertencia preliminar* Francisco Javier Sánchez Cantón, que tuvo a su cargo su redacción y publicación.

1945

Museo del Prado / Catálogo / de los / Cuadros. / Madrid MCMXLV.

Encuadernado en media pasta. En 8.º de XVIII + 850 págs. + 1 h. El *Catálogo* va ordenado por autores, alfabéticamente; al final están colocados los anónimos que carecen de designación especial. Lleva índices que incluyen los asuntos. Firma la *Advertencia preliminar* Francisco Javier Sánchez Cantón, que tuvo a su cargo su redacción y publicación.

1949

Museo del Prado / Catálogo / de los / Cuadros. / Madrid MCMXLIX.

Encuadernado en media pasta. En 8.º, de XVIII + 883 págs. + 1 h. El *Catálogo* va ordenado por autores, alfabéticamente; al final están colocados los anónimos que carecen de designación especial. Lleva índices que incluyen los asuntos. Firma la *Advertencia preliminar* Francisco Javier Sánchez Cantón, que tuvo a su cargo su redacción y publicación.

En el *Indice de Números* se indica en qué sala está cada cuadro.

1952

Museo del Prado / Catálogo / de los / Cuadros. / Madrid MCMLII.

Encuadernado en media pasta. En 8.º, de XXIII + 882 págs. + 2 hs. El *Catálogo* va ordenado por autores, alfabéticamente, con los anónimos que carecen de designación especial al final. Lleva índices que incluyen los asuntos. Firma la *Advertencia preliminar* Francisco Javier Sánchez Cantón, que tuvo a su cargo su redacción y publicación.

1963

Museo del Prado / Catálogo / de las / Pinturas / Madrid / MCMLXIII.

Encuadernado en media pasta. En 8.º de XXVI + 900 págs. + 2 hs. El *Catálogo* va ordenado por autores, alfabéticamente, con los anónimos que carecen de designación especial al final. Lleva índices que incluyen los asuntos. Firma la *Advertencia preliminar* Francisco Javier Sánchez Cantón, que tuvo a su cargo su redacción y publicación.

1972

Museo del Prado / Catálogo / de las / Pinturas. / Madrid / MCMLXII.

Encuadernado en media pasta. En 8.º de XXXII + 974 págs. + 2 hs. El cuerpo del *Catálogo* reproduce, fotostáticamente, el de 1963, añadiendo una *Advertencia preliminar* que firma Xavier de Salas, y una *Addenda* que incluye las pinturas incluidas en la exposición del Museo con posterioridad a 1963, y una relación de *Cuadros en depósito.*

1985

Museo del Prado / Catálogo / de las / Pinturas. / Madrid MCMLXXXV.

Encuadernado en media pasta. En 8.º de XXX + 870 págs. + 6 hs. Ordenado alfabéticamente por autores, excepto los anónimos, que se agrupan por escuelas en la parte final. Incluye índices onomástico, iconográfico y topográfico, y una relación de los cuadros que han cambiado de atribución respecto a la anterior edición del *Catálogo,* que afecta a 232 obras. Firma la *Advertencia preliminar* Alfonso E. Pérez Sánchez, entonces director del museo, que dirigió un numeroso equipo encargado de poner al día las atribuciones e integrado principalmente por el personal científico de la institución.

Inventarios generales de las colecciones

Dirigidos por Alfonso E. Pérez Sánchez y realizados por Mercedes Orihuela, recogen todos los cuadros que pertenecen o han pertenecido al Museo del Prado, a excepción de los que se incluyen en la sección de Arte del siglo XIX. *El criterio ordenador es su procedencia.*

1990

Museo / del / Prado. / Inventario / general de / Pinturas. / I. / La / Colección / Real. / Museo del Prado. Espasa Calpe. Madrid. 1990. 833 págs.

Reproduce el *Inventario* del Museo de 1849, que recoge todos los cuadros procedentes de las Colecciones Reales. Junto a cada entrada se reproduce la obra en cuestión y se ofrece información actualizada sobre su atribución, título, localización y números de catálogos e inventario.

Contiene una *Introducción* firmada por Alfonso E. Pérez Sánchez, índices de artistas, topográfico e iconográfico, y una tabla de concordancias.

1991

Museo / del / Prado. / Inventario / general de / Pinturas. / II. / El Museo / de la / Trinidad / (bienes desamortizados). / Museo del Prado. Espasa Calpe. Madrid. 1991. 523 págs.

Reproduce el *Inventario* de 1854, con similar criterio que en el volumen anterior. Contiene una *Presentación* de Felipe Vicente Garín Llombart, una introducción de Alfonso E. Pérez Sánchez, índices de artistas, topográfico e iconográfico, y una tabla de concordancias.

En prensa

Museo / del / Prado. / Inventario / general de / Pinturas. / III. / Nuevas adquisiciones. / (Desde 1856).

Relación de legados y donaciones

(Los legados se señalan con asterisco)

ALEXIADES, BASILIO: 3242 (1975)
ALMENAS, CONDE DE LAS: 4007 (1916)
ALLENDE-SALAZAR Y ZARAGOZA, JUAN: 2797 más 21 dibujos y un álbum de acuarelas (1939)*
AMBLARD, ARTURO: 5578 (1921)*
AMBOAGE, MARQUESA DE (FAUSTINA PEÑALVER Y FAUSTE): 4284, E800 (1916)*
APPLEBY, MR.: 3040 (1959)
ARANGO, PLÁCIDO: Primera edición de «Los Caprichos», de Goya (1991)
ARCOS, DUQUES DE (JOSÉ BRUNETTI Y GAYOSO DE LOS COBOS Y VIRGINIA WOODBURY): 2584 a 2592, 2597 (1935)*
ARENAZA, ADOLFO: 3211 (1968); 3145 (1969)
ARPE Y RETAMINO, MANUEL DE: 3003 (1958); 3050 (1962)
ASOCIACIÓN DE PROFESIONALES EN ARTE ANTIGUO Y MODERNO: D5529 (1990)
ASOCIACIÓN ESPAÑOLA DE AMIGOS DE GOYA: D5527, D5528 (1987)
AVRIAL, TERESA: 4527 (1892)
AYUNTAMIENTO DE MADRID: 2244 (1926): 2541 (1927)
BAILÉN, DUQUESA DE: 4610 (1919)*
BALBUENO, MARQUÉS DE (CARLOS DE GOYENECHE Y SILVELA): 7629 (1991)
BARINAGA DE LA LOMA, CECILIA: 2812 (1940)*
BEERS, JAN VAN: 5681 (1880)
BEN MAACHA, ALICE MUTH: 2983 (1954)*
BERNIER, CAMILO: 7677 (1881)
BEROQUI, PEDRO: D3637 a D3639, D3641 a D3645, D3648, D3649, D3651, D3655 a D3658, D3662, D3663, D3669 a D3671, D3749, D3750, D3758, D3763.
BLANCO ASENJO, RICARDO: 1253, 2224, 3308, 3746, 3747, 3962, más 169 estampas (1897)
BOSCH, PABLO: 2633 a 2721, 7135, 7136, más 25.000 pesetas para su instalación, una colección de 852 medallas y otra de 946 monedas (1915)*
BOUCHER, KARL: O-223 (1894)
BRUNOV, KATY: 4717 (1979)
CABAÑAS CABALLERO, CÉSAR: 2444 (1921)
CABRIÑANZA, MARQUESA VIUDA DE: 1318, 1319, 1618, 2127, 2131, 2185, 2543, 3306, 3307, 3326, 3737 a 3745, 3885, 3979, 4380, 4682, 4507, 5900, 5992, 6505, 6527, 6839, 7123 (1894)
CAJAL LÓPEZ, MÁXIMO: E-908 (1994)
CALVACHE Y ARÉCHAGA, MARGARITA: 2901 (1946)
CAMBÓ, FRANCISCO DE ASÍS: 2803 (1940); 2838 a 2844 (1941)
CARDERERA, VALENTÍN: 7124 (1880)
CARRERAS OBRADOR, JOSÉ: 3026 (1943)
CARTAGENA, CONDE DE (ANÍBAL MORILLO): Legó en 1930 300.000 pts., con las que se adquirieron los números 583, 2422, 2443, 2571, 2572, 2580, 2593, 2594, 2595, 2802, 2804, 2805, 2860, 2875.
CARVALLO, JOAQUÍN: 7234 (1922)
CASA TORRES, MARQUÉS DE (FERNANDO DE ARAGÓN Y CARRILLO DE ALBORNOZ): 3253-3255 (1975)
CASA-RIERA, MARQUESA DE (BLANCA DE ARAGÓN): 3002 (1960)
CASAMAR, MANUEL: D2119 (1982)
CASTAÑEDA, HEREDEROS DE LA CONDESA DE: 7117 (1915)
CASTRO Y SOLÍS, LUIS: 1329, 1331, 2515, 2544 (1925)*
CERVANTES, FRANCISCO: 2941 (1925)
CIMERA, CONDE DE LA (VALENTÍN MENÉNDEZ Y SAN JUAN): 2876 a 2887, más varios muebles y objetos de artes decorativas (1944)*
CRISTÓBAL Y PORTAS, FRANCISCO: 2236 (1906)*
CUESTA Y COBO DE LA TORRE, MARÍA: 2959 (1952)*
CUEVAS, ALMUDENA: 2533, 2534 (1932)*
DÍAZ ALVAREZ, MARÍA ANTONIA: 2863 a 2867 (1956)*
ELETA, CONDE DE (MANUEL GIRONA CANALETA): 2813, 2814 (1941)*
ENCISO MADOLELL, TERESA: D6028 a D6067 (1992)*
ENRÍQUEZ Y VALDÉS, LUISA: 740, 947, 950 (1896)*
ERLANGER, BARÓN ÉMILE D': 754 a 767 (1881)
ERRAZU, LUIS DE: 364, 2445, 2473 a 2475 (1926)*
ERRAZU, RAMÓN DE: 2604 a 2628 (1904)*
ESCOLAR ARAGÓN, CARLOS: 2916 (1956)*
ESSO IBERICA: Donación para la instalación de una vitrina para exponer los bocetos de Rubens (1972)

Esteban Collantes, condesa de (María Esteban Collantes y Sandoval): 3133 (1968)*

Estoup, Florencio d': 2934, 2940, 3754, 3755, 3863, 4092, 5421, 7017, 7094 (1917)*

Fenykovy, Sonia: 7001 (1984)*

Fernández de Araoz, Alejandro: (N.A. 1738) (1944)

Fernández Vallín, Acisclo; y Laureana González de Vallín: 3748 a 3753, 3843 a 3848, 3971, 3972, 4090, 4091, 5256, 5490, 5505, 5816, O-121 a O-127 (1896)*

Fernández-Durán, Pedro: 3825 (1922), 2722 a 2732, 2734 a 2796, 2799 2819, 2820, 2821; más tapices, muebles, bordados, piezas de armería, miniaturas, cerámica y dibujos (1930)*

Férriz, Cristóbal: 7109 a 7111 (1912)*

Flores, Pedro: 25.000 pts. en 1926; 10.000 francos en 1927 y 2.000 pts. en 1928.

Foley, Ghislaine: 6982 (1984)

Fontana, marqués de (Juan Gómez de Molina y Elio): 3119 más 82 piezas de cristal de La Granja (1966)

Forna, barón de (José Antonio González de la Peña): 2800 (1939)

Fortuny y Madrazo, Mariano: 2931 (1950) más 56 dibujos de Mariano Fortuny Marsal (1950)

Frick de López-Dóriga, Elsa: 6958 (1983)

Fundación Amigos del Museo del Prado: 6711 (1982, con la colaboración de la Caja Postal de Ahorros y del Banco de España); D3673, D3768, D4166 (1983); D5961 (1984); D3735 (1984, con la colaboración de Coca-Cola España); 7065 (1986, con la colaboración de la Fundación Bertrán); 7466 (1988); 7683, colección de estampas «El Museo del Prado visto por 12 artistas contemporáneos» (1994)

Gallagher, H. J.: 6717 (1981)*

Gambart, Ernesto: 4318 (1879); 3996 (1887)

García de Lama y Alvarez, María Paz: 3089, doce miniaturas y dos tibores de porcelana (1964)*

García Herraiz, Enrique: 7403 (1988)

García Jiménez, José María: 2911 (1942)

García López, Rafael: 3 estatuas de bronce y 10 ídolos chinos (1863)

García Palencia, Rafael: 1299 (1911)

Garralón Francesconi, Mario: 6159 (1980)

Gómez Moreno, Manuel: 2996 (1958)

González López, Manuel (en memoria de Manuel González Cardero): 7685 (1993)

González López, Manuel: 6999 (1984)

González Munuce, Luis: D2312 (1977)*

Harris, Enriqueta: D3734 (1984)

Harris, Tomás: E445 (1955); 3047 (1962); 129 estampas de Goya (1964); 3 litografías de Goya (1976)

Hugo, conde (Léopold Armand): 1554 (1865)

Infantas, conde de las (Joaquín Pérez del Pulgar y Campos): E483(1962)

Iruretagoyena y Errazu, Joaquín: 2982 (1953)*

Laffite, Xavier: 584, 2462, 2463, 2465, 2466, 2478, 2504, 2506 a 2508, 2512, 2513, 2527 a 2530, 2569 (1930)*

Lafora, Rafael: 3043 (1958)

Lampe, Luis: 5953 (1878)

Lanuza, Mariano: 1337, 2630, 2801, 2826, 2827, 2946 (1936)*

Larragoiti y Curdumí, Antonio: 3053 (1963)

Laurencín, marqués de (Francisco R. de Uhagón): 2532 (1920)

López de Ayala Ligues, Antonio: 4666 (1969)

López Giménez, Isabel (viuda de Figueroa): E443 (1925)

López Hernández, Julio: E906 (1991)

López Ortega, Domingo: 7663 (1989)*

Lledó, Vicente: 6943, 6944 (1983)

Madrazo, Federico: 4462, 6550, D4440, D5365 a D5401, D5403, D5404 (1895)*

Madrazo, Raimundo de: 743, 753 (1895)

Manso de Zúñiga, Gonzalo: Manuscrito de los *Discursos practicables...* de Jusepe Martínez (1978)

Manzanedo, marquesa de (Josefa Manzanedo e Intentas): 2603 (1927)*

Manzanedo, marquesa de (Josefa Manzanedo): 7163 (1987)*

Manzano Pastor, Carlos; y Enriqueta Gómez Gutiérrez: 3973 a 3978 (1951)*

Márquez, señora de: 5754 (1866)*

Mediano Foix, Antonio: 5504 (1895)*

Mendelsohn, Hilly: 6718 a 6723 (1982)

Milicua, Florencio: 3114 (1966)

Milicua, José: 3153 (1970)

Mille, viuda del general: 2531, 4171, 4172 (1930)*

Molet Yturralde, Luisa: 2999 (1959)*

Mont, Frederick: 2970 (1953); 3004 (1961)

Montesa, marqués de (Antonio Marichalar): 3233 (1973)*

Moriles, condesa viuda de los (Angeles Sáinz de la Cuesta): 3138-3144 (1969)

Morphy, condesa viuda de: 2602 (1933)*

Muguiro, II conde de (Juan Bautista de Muguiro): 2898(1946)*

Muguiro, III conde de (Fermín de Muguiro): 2899 (1946)*
Nemes, Marcel de: 7126 (1912)
Nesler, Sr.: 2947 (1901)*
Newhouse, Bertram M.: 2979 (1953); 2986 (1954)
Niebla, conde de (Alonso Alvarez de Toledo y Caro): 2447 a 2449, 2526 (1926)
Ocharán Aburto, María Luisa: 7600, 7601 (1991)*
Ortega Arredondo, Purificación: 4221, 4223 (1972)*
Orts, Pedro: 7077 (1985)
Osuna, descendientes de los duques de: 739 (1897)
Palencia, Antonia (1894): 3252, 3842, 3736 (1894)*
Paluiche, María de la Asunción: 4081, 5969, 6547 (1883)*
Parcent, duquesa de (Trinidad Scholtz): 7125 (1911)
Pastrana, duquesa viuda de (María Dionisia de Vives y Zires): 4406 (1887); 581, 2038 a 2044, 2174, 2454 a 2461, 2467, 2468, 2496, 2550, 2566, 2598, 2905, 2906, 3063, 3244, 3245, 3247, 3305, 3646-3655, 3657 a 3757, 3824, 3834, 3835, 3841, 3849 a 3852, 3855 a 3858, 3862, 3970, 3997 a 4000, 4002 a 4006, 4088, 4089, 4135, 4141, 4142, 4148 a 4155, 4721, 4802 a 4804, 4813, 5030 a 5033, 5035 a 5040, 5252 a 5255, 5534, 5742, 5814, 6283 a 6295, 6317, 6584, 6890, 6941, 6942, 6967, 6969, 6970, 7013 a 7016, 7155, 7156, 7187, 7193, 7288, D3889, D3890, O-2724 (1889)
Pedroso, Mercedes y Margarita (en memoria de Dolores Pedroso): 7303 (1987)
Peláez Martín, Andrés: Fondo documental sobre Federico de Madrazo.
Peñarrubia y Clemente, Esteban: 5716 (1892)
Perea González, Adela: 7692, 7693 (1995)
Perin, Félix: 6277, 4531, más 89 dibujos, ocho estampas y un busto de bronce
Pinohermoso, duque de (Carlos Pérez-Seoane y Cullén): 7160 a 7162 (1987)*
Pradere, conde de (Daniel de Carballo y Prat): 2551, 2553 a 2560 (1933)*
Puech, Marcel: D5539 (1991)
Pulido, Ángel: 2989 (1955); una miniatura (1966)
Puncel, Enrique: 2477, 2484 (1929)
Puncel Bouet, Enrique: 2980, 2981 (1953)*
Rábago Fernández, Concepción (viuda de Jiménez Díaz): 3147-3149 (1969)*
Revilla, Manuel de la: 3913, 6059 (1873)
Robledo, Juan Bautista: 6752 a 6765, 6963, 6976, 7047 y cinco dibujos (1982)
Roca, duquesa de la (María del Milagro Hurtado de Amézaga y Collado): 3238 (1976)*
Rocamora, Consuelo: 4214, 4560, 4561, 4699 (1971)*
Rodríguez Vaamonde de Fuente Alcázar, Rosa: 1305, 1315, 2963, 3033, 3034, 3064, 3229, 3309, 3310, 3821, 3959 a 3961, 5815, 6506 a 6509, 7627 (1898)*
Sainz y Hernando, Mariano: 2464 (1924)
Salamanca, Juana: 4404 (1976)
Saldaña Suanzes, José: 3264 (1978), 7038 (1985)
San Esteban de Cañongo, conde de (Luis de Pedroso y Madán): 2985 (1954)*
San Fernando, duque de (Alejandro Soler Durán): 2426, 2932, 5975 (1899)*
Soriano Roesset, María Eugenia: 7185 (1985); 7641, 7642 (1993)
Stein, Adolphe: D6014 (1993)
Suricalday, Luis: 4659, 4690, 6247, 6581 (1893)
Tarifa, duques de (Angeles Medina y Garvey, y Carlos Fernández de Córdoba): 2561 a 2565, 2567, 2568, O-1764 (1934)*
Ulibarri, Isidora: 34 (1897)
Van Buuren, Alice: 3085 (1965)
Várez Fisa, José Luis: 3150 (1970); 7402 (1988)
Vela y Querol, Sofía: 4449 (1910)*
Velázquez, María Ana: 2495 (1884)*
Villaescusa, Manuel: 7624 a 7626, E907; con fondos de su legado han sido adquiridas numerosas obras que se relacionan en la exposición «Un mecenas póstumo» (Museo del Prado, 1993)
Villahermosa, duquesa de (María del Carmen Aragón Azlor e Idíaquez): 1195, 1196 (1905)*
Villares Amor, Fernando de los: 2469, 7127 (1925)*
Vogel de Hinrichsen, Adelina: 3056 (1962)
Weissberger, José: E485 (1949)
Werboff, Michel: 3005 (1961)
Zaragoza, duque de (Francisco de Palafox y Soler): 725 (1884)*
Zayas, Mario: E435 a E441
Zenete, condesa viuda de (María Antonia Rolland y Miota): 4408, 4467 (1973)*
Zengotita-Bengoa, Matilde: 870 (1904)*
Zóbel, Fernando: D3736, D3737, D3738, D3739, D3740, D3741, D3742, D3789, D3790, D3791, D3792, D3793, D3794 (1984)

CATÁLOGO

Por orden alfabético de autores

ADRIAENSSEN. Alexander Adriaenssen

Bautizado el 17 de enero de 1587 en Amberes, donde murió el 30 de octubre de 1661. Escuela flamenca.

1341 *Bodegón*

Lienzo, 0,60 × 0,91.

Un gato al lado de una mesa en la que hay pescado y una fuente con ostras.
Firmado en el borde de la mesa, a la izquierda: *ALEX ADRIAENSSEN FE.*
Legado, con los tres siguientes, por el marqués de Leganés a Felipe IV en 1652. En el Alcázar en 1686 y 1734. En el Palacio Nuevo en 1772 y 1794.

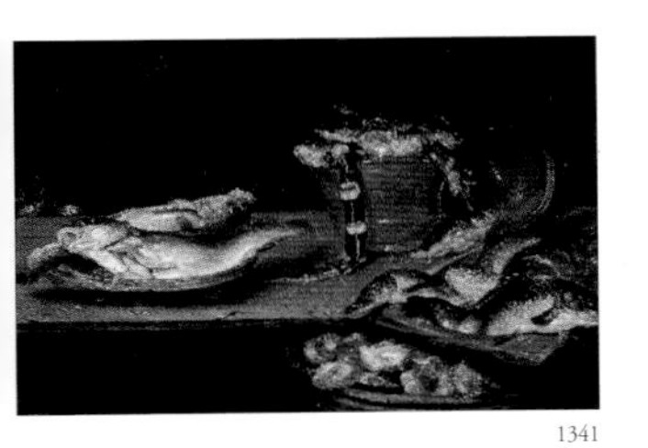

1341

1342 *Bodegón*

Tabla, 0,60 × 0,91.

Una liebre con pájaros muertos y pescados.
Firmado en el borde de la mesa, casi en el centro: *ALEX ADRIAENSSEN FE.*
Véase el n.° 1341.

1343 *Bodegón*

Tabla, 0,60 × 0,91.

Una mesa servida con vajilla, queso, sardinas y otro pescado; salchichón, mantequilla, pan, cerveza.
Firmado en el borde de la mesa, debajo del pan: *ALEX ADRIAENSSEN FE.*
Véase el n.° 1341.

1344 *Bodegón*

Tabla, 0,59 × 0,91.

Un gato detrás de una mesa en la que se ven trozos de salmón, merluza, platija y otros pescados.
Firmado en el borde de la mesa, a la izquierda: *ALEX ADRIAENSSEN FE.*
Véase el n.° 1341.

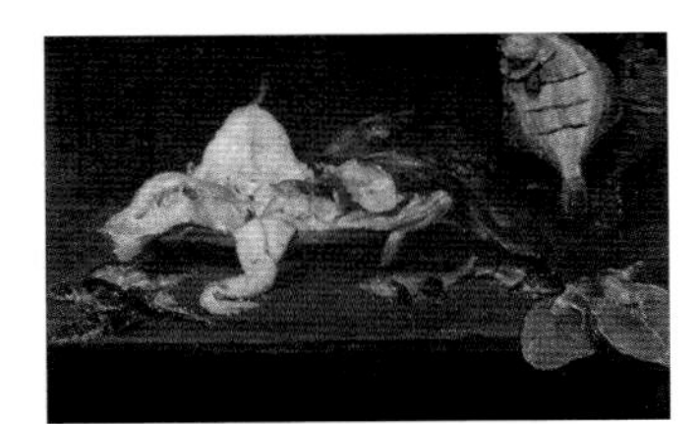

1344

AEKEN. Jerónimo van Aeken

Véase BOS

AELST. Peter Coecke van Aelst

Véase COECKE

AGNOLO. Andrea de Agnolo

Véase SARTO

AERTSEN. Pieter Aertsen, llamado Lange Pies o Pietro Lungo

Nació en Amsterdam hacia 1508, donde murió en 1575. Escuela holandesa.

6393 *Pareja de aldeanos en el mercado*

Tabla, 1,67 × 0,74.

Una mujer joven camina con un cesto al brazo y un grueso pez en la mano izquierda. Un anciano la coge del brazo derecho, con gesto de llamar su atención.
Firmado con anagrama y fechado *1565* en el tonel a la derecha.
Adquirido en 1981.

AGÜERO. Benito Manuel de Agüero

Nació en Burgos hacia 1626; murió hacia 1668. Escuela madrileña.

890 *Un puerto fortificado*

Lienzo, 0,54 × 1,96.

A la derecha, el mar; la orilla, amurallada, y con torres; a la izquierda, la fortaleza con puertas protegidas por baluartes.
Pintura para sobrepuerta.
Este y los demás paisajes de la serie, casi todos con figuras pequeñas mitológicas, se atribuían a Mazo, de antiguo; pero Tormo observó que en 1700 se registran en el Palacio de Aranjuez, siendo conserje del Sitio un hijo de Mazo, treinta y tres países de tamaños diversos (que convienen con varios de los del Prado), puestos a nombre de Agüero. El estudio de la técnica confirma que no son de Mazo.

6393

895 *Paisaje con Dido y Eneas*

Lienzo, 2,46 × 2,02.

El héroe troyano ayuda a descabalgar a Dido. País abrupto, con grandes rocas a la derecha.
Este y los siguientes vinieron el 16 de enero de 1848 de Aranjuez, donde se registran en 1794.

895

896 *Paisaje: salida de Eneas de Cartago*

Lienzo, 2,39 × 2,05.

Puerto; en el muelle, numerosas figuras; algunas se dedican a embarcar espléndidos regalos; a la izquierda, el héroe se despide de Dido. En el mar, una lujosa embarcación y muchos navíos. A la derecha, en alto, una fortaleza.
Inventario de Aranjuez de 1794.

897 *Paisaje con Latona y los campesinos cambiados en ranas*

Lienzo, 2,44 × 2,19.

A la izquierda, en alto, un castillo; en primer término, Latona y sus hijos Apolo y Diana; en el centro y a la derecha, la laguna y los licios convertidos en ranas por no haber permitido a Latona el uso del agua.
En Aranjuez en 1700 y 1794.

898 *Paisaje con dos figuras*

Lienzo, 2,46 × 3,25.

A la izquierda y en el medio, peñascos cortados; fondo con lejanías luminosas; a la derecha, una torre distante. En primer término, dos figuras y un perro herido.
Véase el n.° 895.

899 *Paisaje con Mercurio y Argos*

Lienzo, 2,48 × 3,25.

En primer término, arbolado; a la izquierda, Argos, dormido, la vaca Io y Mercurio. A la derecha, un arroyo y ganado. Lejanías luminosas y azules.
Véase el n.° 895.

ALBANI. Francesco Albani

Nació el 17 de marzo de 1578 en Bolonia, donde murió el 4 de octubre de 1660. Escuela italiana.

1 *El tocador de Venus*

Lienzo, 1,14 × 1,71.

La diosa, en un jardín, sentada; ninfas y amores la atavían; a la derecha, una fuente.
La composición del grupo central se repite en un tondo de la Galería Borghese, documentado en 1622, y en un lienzo, hoy en el Louvre, pintado en 1623 y retocado en 1633.
Un cuadro igual «vio» en Lerma la condesa d'Aulnoy, interpretándolo como si representase a la princesa de Eboli.
Estaba en el Buen Retiro en 1700. En 1772, en el estudio del Pintor de Cámara La Calleja. Enviado a la Academia el 17 de agosto de 1792, de donde vino el 5 de abril de 1827.

1

2 *El juicio de Paris*

Lienzo, 1,13 × 1,71.

El pastor del Ida, apoyado en un árbol contempla a las tres diosas: Juno, Venus y Minerva; a la izquierda, el rebaño.
Firmado en el ángulo inferior derecho FRANCESCO ALBANO F.
Una réplica, o copia antigua, con mucho mayor desarrollo en el paisaje, guarda la Real Academia de San Fernando.
Para la procedencia, véase el n.° 1.

ALINCBROT. Louis Alincbrot o Allyncbrood

Natural de Brujas, figura citado en los archivos de esta ciudad desde 1432 a 1437. A partir de esta fecha consta su estancia en Valencia, donde hizo testamento el 8 de octubre de 1460. Escuela flamenca.

2538 *Pasajes de la vida de Cristo*

Tabla, tríptico: alto, 0,78; ancho, tabla central, 0,67; tablas laterales, 0,335; comprendiendo el marco, porque es antiguo.
Abierto: Portezuela izquierda, *La Circuncisión:* la escena, dentro de un templo gótico; organistas. Tabla central: *Jesús disputando con los Doctores,* y a la puerta del Templo, María y san José; *Jesús con la Cruz a cuestas* sale de Jerusalén precedido de los ladrones, soldados armados, etc., seguido por María y san Juan, soldados, etc., y *La Crucifixión,* en la parte superior.
Portezuela derecha: *La Piedad* o *Quinta Angustia* y el *Sepulcro.*
Cerrado: *La Anunciación,* de claroscuro.

2538

Conserva el marco primitivo con versos de una paráfrasis del *Stabat Mater*. Según estudios de Salas, las armas pertenecen al rey de Hungría Matías Corvino, que casó con Beatriz, nieta de Alfonso V; y otros cuarteles al linaje valenciano de los Ruiz de Corella.
Es pintura que refleja la influencia eyckiana, anterior a 1432, por los años en que, seguramente, Alincbrot sería discípulo de Jan van Eyck. El pintor debió iniciar el tríptico hacia 1440, poco después de su llegada a Valencia. El tríptico procede del convento de monjas de la Encarnación, de Valencia.
Adquirido en 1931 con fondos del Ministerio de Instrucción Pública y Bellas Artes.

ALLEGRI

Véase CORREGGIO

ALLORI. Alessandro Allori

Nació en Florencia el 31 de mayo de 1535; fue enterrado en la misma ciudad el 22 de septiembre de 1607. Escuela italiana.

6 *La Sagrada Familia y el cardenal Fernando de Médicis*

Lienzo, 2,63 × 2,01.

San José, la Virgen con el Niño en brazos y santa Ana; de rodillas, el cardenal en hábito franciscano; a la derecha, balcón abierto.
Fernando de Médicis, hijo de Cosme, nació en 1551; cardenal en 6 de enero de 1563, heredó de su hermano Francisco el ducado de Toscana, renunciando a la púrpura el 28 de noviembre de 1588; murió el 7 de febrero de 1609.
El letrero, que está a la derecha, en bajo, dice: *A. S. E. MDLXXXIIII ALLEXANDER ALLORIVSS / CIV. FLO. ANGELI BRON / ZINI ALUMNVS MA / NDATO ILL.MI, ET EMI. / FERDINANDI / MEDICES S. R. C. / CARDINALIS PINGEBAT.*
Existe un dibujo preparatorio en los Uffizi, Inv. n.° 747 F.
Adquirido a don Carlos Mariátegui en 1864, para el Museo de la Trinidad.

6

511 *El Descendimiento*

Tabla, 0,70 × 0,54.

Atribuido dudosamente a Danielle da Volterra, por la semejanza de la composición con la del fresco de este artista en Sta. Trinità dei Monti, en Roma (1541), el cuadro fue considerado por Voss como obra de Jacopino del Conte y atribuido por Middeldorf a Allori en 1932, con cuya identificación se muestra hoy concorde la crítica. La composición deriva de un relieve recientemente atribuido a Antonio Susini, discípulo del escultor florentino Baccio Bandinelli en el Museo del Louvre, del que existió un dibujo, hoy perdido, del propio escultor. Borghini señala que A. Allori copió un dibujo del *Descendimiento,* de Bandinelli para Alamanno Salviati, del que puede ser reflejo esta composición.
Rearick (1989) ha querido ver en el joven de la parte inferior derecha que señala con el brazo un autorretrato.
Procede de las Colecciones Reales.

ALLORI. Cristófano Allori

Hijo de Alessandro, nació en Florencia el 17 de octubre de 1577; murió en 1621 en la misma ciudad. Escuela italiana.

7 *Cosme II, gran duque de Toscana*

Lienzo, 2,00 × 1,08.

En pie; media armadura damasquinada, gregüescos blanco y oro. Sobre una mesa, el casco y la corona; detrás, cortina azul.
Hijo de Fernando I y de Cristina de Lorena; nació en 1590, sucedió a su padre en 1609 y murió el 18 de febrero de 1621.
Es obra controvertida, que a veces se clasifica entre los anónimos toscanos.
El retrato habrá de ser de cuando heredó el gobierno, pues ya figura en el inventario de 1612.
En 1636 se registra en el Alcázar.

8 *Cristina de Lorena, duquesa de Florencia*

Lienzo, 2,18 × 1,40.

En pie. Viste de negro, basquiña con botones de oro, el abanico en la mano derecha y la izquierda apoyada sobre un bufete con terciopelo carmesí; la cortina, de lo mismo.
Hija de Carlos II de Lorena, nació en 1565, casó con Fernando I de Médicis en 1589 y murió el 19 de enero de 1637.
Existe un dibujo preparatorio para las manos en los Uffizi (Florencia).
En 1612 se describe en el Alcázar de Madrid, y también en 1636. En 1794 se registra en el Retiro.

ALSLOOT. Denis van Alsloot

Nació hacia 1570; trabajaba en Bruselas para los Archiduques Isabel Clara Eugenia y Alberto desde 1599; murió hacia 1626. Escuela flamenca.

1346 *Mascarada patinando*

Tabla, 0,57 × 1,00.

En Amberes, fuera de las fortificaciones; diversas comparsas y numerosos espectadores a pie y en coches.
Se conservan numerosas versiones.
En 1746, en La Granja, en la colección de Isabel de Farnesio. En 1794, en Aranjuez.

1347 *Fiestas del Ommeganck o Papagayo, en Bruselas: Procesión de Gremios*

Lienzo, 1,30 × 3,80.

Desfile, por la plaza de Bruselas, de los gremios de la ciudad, con sus insignias y gran número de cofrades; desde galerías y balcones presencian la comitiva numerosos espectadores.
Firmado en el ángulo inferior izquierdo: *DENIS VAN (ENLACE) ALSLOOT, 1616.*
Éste y el n.° 1348 son los cuadros I y VI de una serie de ocho, de las fiestas municipales celebradas el 31 de marzo de 1615.
Los núms. II y V, en el Victoria and Albert Museum, de Londres; el VIII en El Pardo, y los III, IV y VII, perdidos.
Proceden del Palacio de Bruselas. En 1636, la serie completa, en el Alcázar; en 1696 ya sólo había dos. Vinieron de Palacio en 24 de mayo de 1834.

1348 *Fiestas del Ommeganck o Papagayo, en Bruselas: Procesión de Ntra. Sra. de Sablon*

Lienzo, 1,30 × 3,82.

Desfile, por la plaza de Bruselas, de la procesión de las Ordenes religiosas y cofradías.
Firmado en el ángulo inferior izquierdo: *DENIS VAN ALSLOOT, 1616.*
Véase el n.° 1347.

2570 *Fiesta de Nuestra Señora del Bosque*

Lienzo, 1,53 × 2,35.

El estanque del bosque de Tervueren, rodeado por la multitud; a la derecha, el pabellón o galería de los Archiduques. En medio, Vivier d'Oye, que, según el cuento popular, intenta sostenerse sobre las aguas.
Firmado *DENIS VAN ALSLOOT F. 1616* en el ángulo inferior de la izquierda.
Una relación antigua refiere que no encontrando procedimiento un cervecero para vender mercancía averiada, hubo de aconsejarle Vivier d'Oye que anunciase que en tal fecha andaría sobre las aguas. La multitud curiosa llenó los alrededores del estanque; Vivier ni apareció; pero la cerveza hubo de agotarse.
El mismo asunto, desde un punto de vista más bajo, con variantes y agrandado (1,20 × 3,22), en el lienzo n.° 6 del Museo de Bruselas.
Por la fecha y el tema, y por figurar en los antiguos inventarios, debe considerarse como perteneciente a la serie del Ommeganck de 1615 (véase n.° 1347).
Perteneció al Archiduque Federico de Austria. Adquirido a G. Stein, de París, por el Patronato del Prado con fondos del Legado conde de Cartagena, en 1934.

ALVARO DE LUNA. Maestro de don Alvaro de Luna

Pintor castellano de la segunda mitad del siglo XVI. Escuela española.

1289 *La Virgen de la Leche*

Tabla, 1,12 × 0,71.

Sentada en un trono, María amamanta a su Hijo entre cuatro ángeles cantores. A la izquierda, ventana abierta sobre el paisaje poco detallado.
Compañera del n.° 2425. La composición, derivada de Van der Weyden, se repite en el retablo de la Capilla del Condestable, de la catedral de Toledo.
Legado Fernández-Durán (1930).

1346

2425 *El séptimo dolor de María*

Tabla, 1,05 × 0,71.

Cristo muerto sobre las rodillas de la Virgen, sostenida por José de Arimatea; Nicodemo, san Juan y tres santas mujeres.
Fondo de paisaje con torres y murallas; varias figuras.
La composición se repite en una tabla del primer cuerpo del retablo de la Capilla de don Alvaro de Luna, en la catedral de Toledo, contratado en 1488 por Sancho de Zamora, Juan de Segovia y Pedro Gumiel; obra, por tanto, del llamado «Maestro de don Alvaro de Luna». Procede de un original flamenco; quizá del círculo de Bouts.
Vino al Prado del Museo de la Trinidad.

AMBERGER. Christoph Amberger

Nació entre 1500 y 1510. Maestro en Augsburgo el 15 de mayo de 1530; murió entre el 1 de noviembre de 1561 y el 19 de octubre de 1562. Escuela alemana.

2183 *El orfebre de Augsburgo, Jörg Zörer (?)*

Tabla, 0,68 × 0,51.

Menos de medio cuerpo; gorra de amplio vuelo; ropón con cuello de piel; entre las manos, un clavel; sortija de sello con escudo; en éste, hacha y azada cruzadas (?). En el fondo se proyecta la sombra de la figura.
En la parte superior de la tabla: *MDXXXI AETATIS XXXXI.*
La identificación fue comunicada al Museo por el Director del Maximilianmuseum de Augsburgo, en julio de 1931. Desde 1919 se suponía retrato de Raimundo Fugger (Fúcar en España), por el parecido con una medalla; pero las armas de los Fuggers son dos flores de lis. Las armas del sello confirman que el retratado pertenece a la familia Zörer. El orfebre Jörg se conoce tan sólo por el modelo para una medalla de 1527, donde aparece sin barba y con la indicación de contar treinta y ocho años, cifras congruentes con las del retrato del Prado. K. Feuchtmayr, Director del Museo de Múnich, negó la identificación propuesta (1942). En 1746, en La Granja. En 1794, en Aranjuez.

2183

2184 *La esposa de Jörg Zörer (?)*

Tabla, 0,68 × 0,51.

Algo menos de medio cuerpo. Tocada con cofia blanca; en la diestra, un clavel blanco; en el fondo, a la derecha, la sombra de la silueta, incompleta.
En la parte alta: *MDXXXI AETATIS XXVIII.*
Pareja del n.° 2183.

2184

AMIGONI. Jacopo Amigoni o Amiconi

Nació en Nápoles en 1682; llegó a Madrid en 1747, murió en Madrid el 22 de agosto de 1752. Escuela italiana.

12 *La Santa Faz*

Lienzo, 1,21 × 1,56.

El lienzo de la Verónica entre cuatro ángeles llorosos.
Firmado en el ángulo inferior derecho: *G. AMICONI.*
Grabado por J. Wagner en el propio siglo XVIII.

12

En 1746, en La Granja, colección de Isabel Farnesio.

2392 *La infanta María Antonieta Fernanda*

Lienzo, 1,03 × 0,84.

De más de medio cuerpo; traje blanco; dos genios le ofrecen flores.
María Antonieta Fernanda, hija de Felipe V y de Isabel de Farnesio, nació en Sevilla en 1729, el 17 de noviembre, y murió en Mont-Caller el 19 de septiembre de 1785. Fue reina de Cerdeña.
Pintado hacia 1750.
Erróneamente se ha venido catalogando como retrato de su hermana María Teresa Antonia (1726-1746).
En La Granja ya se daba en 1774 la identificación exacta.

2939

2939 *El marqués de la Ensenada*

Lienzo, 1,24 × 1,04.

De más de medio cuerpo, ataviado con la riqueza proverbial en el personaje, ostenta el Toisón de Oro, la Orden de San Jenaro, etc. Fondo con arquitectura y mar, con navíos, y gentes en la orilla.

Don Zenón de Somodevilla nació en Alesanco (Logroño) el 2 de junio de 1702. Obtuvo el título de marqués en 1736. Hacendista y gobernante famosísimo, fue exonerado y desterrado en 1754. Murió en Medina del Campo el 2 de diciembre de 1781.

Pintado con posterioridad a 1750, en que se le otorgó el Toisón.

Fue de la colección de F. Rodríguez Villa. Adquirido por el Ministerio de Educación Nacional en 1950.

5260

5261

5260 *La copa en el saco de Benjamín*

Lienzo, 2,85 × 3,50.

Escenario de ricas arquitecturas. A la derecha, José, ricamente ataviado, contempla cómo el mayordomo saca del saco la copa de oro. A su lado, el joven Benjamín enjuga las lágrimas. A la izquierda, los hermanos de José suplican, prosternados.

Compañero del siguiente y como él pintado en los últimos años de su vida, para decorar la Sala de Conversación, del Palacio de Aranjuez, cuya bóveda pintó en 1748.

Probablemente inacabados a la muerte del pintor, por lo que no llegaron a colocarse en su emplazamiento.

5261 *José en el Palacio de Faraón*

Lienzo, 2,84 × 3,28.

En el centro de la composición, el faraón, en pie, coronado y con manto de armiño, coloca un collar al joven José. Un servidor, arrodillado, sostiene un rico turbante, varios personajes y dos niños que sostienen un lujoso cojín en primer término.

Pasó de Aranjuez al Palacio Nuevo y de allí al Prado. Véase el n.º 5260.

ANGELICO. Guido di Pietro da Mugello, en el claustro Fra Giovanni da Fiésole, y, generalmente, Fra o Beato Angélico

Nació hacia 1400 en Vicchio di Mugello, cerca de Florencia; murió en Roma el 18 de marzo de 1455. Escuela italiana.

15 *La Anunciación.* En el banco: *Nacimiento y desposorios de la Virgen-Visitación-Epifanía-Purificación-Tránsito de la Virgen.*

Tabla, 1,94 en cuadro. La tabla principal: *En el pórtico,* María y el Arcángel Gabriel. *En el paraíso:* Adán y Eva expulsados por un ángel. *El banco o predella:* Nacimiento de María, en el interior; fuera, los Desposorios. Las demás escenas, sin particularidades iconográficas, salvo en la última, la presencia de Cristo que recoge *el alma* de la Virgen.

Pintado en época temprana, hacia 1430, para Santo Domingo de Fiésole. Fue vendido en 1611 para construir el campanario; lo adquirió el duque Mario Farnese, para el duque de Lerma, quien lo instaló en la iglesia de los Dominicos de Valladolid; más tarde pasó al Monasterio de las Descalzas Reales de Madrid, de donde vino al Museo el 16 de julio de 1861.

ANGUISCIOLA. Lucía Anguisciola

Nació en Cremona hacia 1538, hermana de Sofonisba y de otras cuatro pintoras; murió en Cremona en 1565. Escuela italiana.

16 *Pietro Maria, médico de Cremona*

Lienzo, 0,96 × 0,76.

Figura de más de medio cuerpo; sentado; en la diestra, un libro; apoya la mano izquierda en el bastón con la sierpe enroscada. Viste toga con cuello de martas.

El retratado puede ser el médico conde Pietro Martire de Cremona, a quien hace referencia un documento publicado por Bonetti en 1928, en que se le reconoce como padre de Bianca Ponzona, madre de la pintora.

Firmado en el brazo del sillón: *LUCÍA ANGVISOLA AMILCARIS F[ILIA] ADOLESCENS F.*

Vasari cita este retrato del «signor Pietro Maria, medico excellente»: «si può vedere in Cremona».

15

Pintado antes de 1582, en que consta que el rey tenía la barba blanca. En el inventario de 1686 (Alcázar de Madrid, «Pieza de la Torre») se atribuía a Pantoja; pero se ha de advertir que ignoramos de este pintor cuanto precede a 1594, y este retrato no parece muy posterior a 1575, pues si no es pareja, se relaciona íntimamente con el retrato de doña Ana de Austria (n.° 1284). En los *Catálogos* anteriores del Museo del Prado se venía atribuyendo a Sánchez Coello, pero la edición de 1972 recoge la sugerencia de Angulo de que pudiese ser obra de Sofonisba Anguisciola, a quien la crítica posterior se inclina a reconocer como autora, por su semejanza estilística con otros retratos de su mano.

Fue uno de los 50 cuadros que se enviaron para el Museo Napoleón; entró en la Academia el 30 de junio de 1816; se reclamó para el Prado el 7 de junio de 1827.

Remitido por su padre Amilcare a Sofonisba a Madrid después de 1568. En 1686, en el Alcázar de Madrid; y después de su incendio, en el Retiro.

ANGUISCIOLA. Sofonisba Anguisciola

Nació en Cremona hacia 1530, hermana de Lucía y otras cuatro pintoras, fue pintora en la corte de Felipe II; murió en Génova en 1626. Escuela italiana.

16

1036 *Retrato de Felipe II*

Lienzo, 0,88 × 0,72.

De más de medio cuerpo. De negro con sombrero alto, cuello y puños de puntas; el toisoncillo sobre el pecho; en la mano izquierda, el rosario; la diestra en el brazo del sillón.

1036

ANONIMOS

Los que han logrado de los críticos denominación especial; por ejemplo. El Maestro de *Flémalle*, el de la *Muerte de María*, etc., véanse en el lugar correspondiente a *Flémalle, Muerte*, etc., y su lista, en MAESTROS Con los demás se ha hecho al final una sección ordenada alfabéticamente por escuelas: *alemana, española, flamenca, francesa, holandesa e italiana.*

ANTOLINEZ. Francisco Antolínez (?)

Nació en Sevilla en 1644; murió en Madrid en 1700. Escuela española.

585 *La Presentación de la Virgen*

Lienzo, 0,45 × 0,73.

En la escalinata del Templo, en lo alto, espera a María el sacerdote.

Este lienzo y sus compañeros (núms. 587-590), proceden del convento madrileño de San Felipe el Real.

Vinieron al Prado del Museo de la Trinidad.
Atribuidos tradicionalmente a Francisco Antolínez Angulo no los cree suyos, sino de un artista aún anónimo, cuyo estilo está entre Antolínez, Arteaga y Alfaro.

587 *Los desposorios de la Virgen*

Lienzo, 0,45 × 0,73.

El sacerdote, la Virgen y san José dándose la mano; a derecha e izquierda, los pretendientes con las varas que no florecieron.
Véase el n.° 585.

588 *La Natividad*

Lienzo, 0,45 × 0,73.

La Sagrada Familia, pastores y ángeles.
Véase el n.° 585.

590 *La huida a Egipto*

Lienzo, 0,45 × 0,73.

La Virgen con el Niño en brazos, sobre el asno que guía un ángel; detrás, san José; dos ángeles volando.
Véase el n.° 585.

ANTOLINEZ. José Antolínez

Nació en Madrid; bautizado el 7 de noviembre de 1635; murió en la misma ciudad el 30 de mayo de 1675.
Escuela española.

591 *El tránsito de la Magdalena*

Lienzo, 2,05 × 1,63.

Viste túnica morada; asciende sostenida e impulsada por ángeles entre nubes; rodéanla otros, uno de ellos músico, y otro con las disciplinas. En el suelo, libros. Fondo con lejanías verdes.
Existe una composición análoga, en la Galería Nacional de Bucarest; ambas obras deben corresponder a los últimos tiempos de de la carrera de Antolínez.
Este cuadro fue comprado por Fernando VII para el Museo, en 15 de junio de 1829.

1227

1227 *Una niña*

Lienzo, 0,58 × 0,46.

La figura, de medio cuerpo, mira de frente. Lleva vestido color avellana, lazo rojo al pecho; flores en las manos.
Se suponía, con dudas, retrato de una hija de Velázquez pintado por él. Forma pareja con el n.° 1228.
Angulo ha propuesto, muy convincentemente, la atribución a José Antolínez, en torno a 1660 a juzgar por el traje.

591

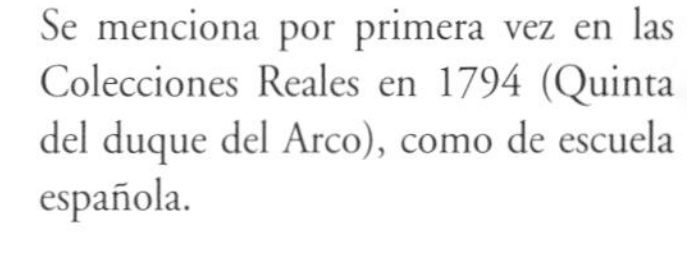

Se menciona por primera vez en las Colecciones Reales en 1794 (Quinta del duque del Arco), como de escuela española.

1228 *Una niña*

Lienzo, 0,58 × 0,46.

Figura de medio cuerpo; de frente. Lleva vestido color avellana, lazo rojo y blanco en el pecho; flor en las manos.
Parece hermana de la retratada en el número precedente, con la que forma pareja.

2443 *La Inmaculada Concepción*

Lienzo, 2,16 × 1,59.

Viste manto azul y túnica de lama de plata, corona de estrellas, nimbo de luz y encima el Espíritu Santo; a sus pies, cuatro ángeles. Uno, portador de palma y lirios; otro, del cetro y rosas; entre dos llevan el espejo; otros dos, en lo alto, la corona; uno, el ramo de azucenas, y otro, en fin, el ramo de olivo y lirios.
Firmado en el pie del espejo: *ANTOLÍNEZ, 1665.*
Muy semejantes son las versiones de la colección Ivisón, de Jerez de la Frontera y la del Museo Lázaro Galdiano, ambas firmadas y la última fechada en 1666.

2443

Adquirido a don Lucio González-Tablas, con fondos del legado del conde de Cartagena, en junio de 1931.

ANTONIAZZO ROMANO. Antoniazzo di Benedetto Aquilio Romano

Se conoce su actividad entre los años 1452 y 1508 en que hizo testamento. Escuela italiana.

577 *La Virgen con el Niño*

Pintura al fresco sobre un trozo de muro, 1,30 × 1,10.

La Virgen, de medio cuerpo, y el Niño, de cuerpo entero, como los dos ángeles portadores de la corona.
Según Tormo, proviene de Santiago de los Españoles, de Roma, y es repetición de una pintura que se conserva en Roma junto al Sodalizio dei Piceni.
Enviado al Museo por el Ministerio de Estado en 15 de enero de 1907.

7097 *Tríptico. Cerrado: san Juan Evangelista y santa Columba. Abierto: busto de Cristo entre san Juan Bautista y san Pedro*

Tabla, *Centro:* 0,87 × 0,62. *Portezuelas:* 0,94 × 0,35.

El Evangelista, con pluma y libro; santa Columba, con la palma y el oso, identificada también como santa Eufemia, san Juan Bautista y san Pedro. Debajo, escudos surmontados por un sombrero episcopal con seis borlas; las armas son un árbol y dos lises de plata sobre campo azur, y en la orla, DEO GRATIAS. Bajo el busto del Salvador, el letrero SPETIOSUS FORMA PRO FILIIS HOMINVM. San Pedro, con el rótulo TU ES XPS FILIUS DEI VIVI, y san Juan con el ECCE AGNUS DEI. Fondo de oro.
Según el marqués de Montesa, las armas, «un escudo con un ciprés grande que nace de un valle en campo azul y en los dos lados del ciprés dos flores de lis de oro», pertenecen al linaje valenciano de la familia Valeriola, por lo que la obra pudo ser encargada en Roma por un obispo de esa familia valenciana devoto de santa Columba, que tuvo aquí gran devoción.
Atribuido por primera vez a Antoniazzo por Schmarsow (1919).
Para atribuir el tríptico a Antoniazzo se ha tenido en cuenta su relación notoria con la *Virgen de la Rota* y con el altar de san Francisco en Subiacco.
Según Tormo, procede de Santiago de los Españoles, en Roma, aunque figura en el Museo de la Trinidad. Vino

7097

7097

del Museo Arqueológico Nacional en junio de 1917.

ARELLANO. Juan de Arellano

Nació en Santorcaz (Madrid) en 1614; murió en Madrid el 12 de octubre de 1676. Escuela española.

592 *Florero*
Lienzo, 0,83 × 0,63.
Canastillo de mimbres con tulipanes, rosas, campanillas, etc.
Procede de las Colecciones Reales.

593 *Florero*
Lienzo, 0,83 × 0,63.
Canastillo de mimbres con rosas, margaritas, tulipanes, etc.
Firmado: *JUAN DE ARELLANO.*
Pareja del n.° 592.

594 *Florero*
Lienzo, 1,03 × 0,77.
En un jarro de metal, un ramillete de rosas, tulipanes, bolas de nieve, etc.
Procede de las Colecciones Reales.

595 *Florero*
Lienzo, 1,03 × 0,77.
En un vaso de metal, un ramillete de diversas flores.
Pareja del n.° 594.

596 *Florero*
Lienzo, 0,60 × 0,46.
En un vaso de vidrio liso, rosas, tulipanes y lirios.
Procede de las Colecciones Reales.

597 *Florero*
Lienzo, 0,60 × 0,45.
Vaso de vidrio liso con tulipanes y otras flores.
Firmado en el centro, en bajo: *JUAN DE ARELLANO.*
Pareja del n.° 596.

2507 *Florero y paisaje*
Lienzo, 0,58 × 0,73.
Orla de flores que sirve de adorno al marco de un paisaje.
Firmado a la izquierda, en bajo: *JUAN DE ARELLANO, 1652.*
Legado de don X. de Laffite, en 1930.

2508 *Florero y paisaje*
Lienzo, 0,58 × 0,73.
Firmado a la izquierda, en bajo: *JUAN DE ARELLANO, 1652.*
Pareja del n.° 2507.

3138 *Florero*
Lienzo, 0,84 × 1,05.
Canastilla de mimbre con flores de diversas especies sobre una mesa con tapete.
Firmado: *JUAN DE ARELLANO.*
Compañero del siguiente. Donados ambos por la condesa viuda de los Moriles en 1969.

3139 *Florero*
Lienzo, 0,845 × 1,050.
Firmado: *JUAN DE ARELLANO.*
Compañero del n.° 3138.

7610 *Bodegón*
Lienzo, 0,28 × 0,37.
Naturaleza muerta con melocotones y peras sobre un plato de estaño.
Firmado a la izquierda, en bajo: *JUAN DE ARELLANO.*
Adquirido por el Estado, en Madrid, el 29 de octubre de 1991.

3138

7610

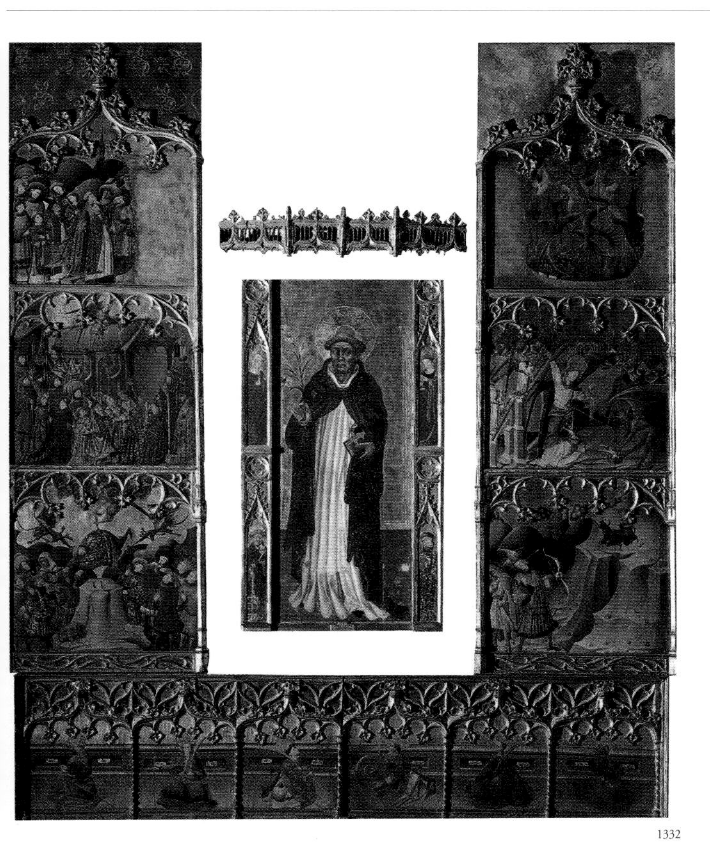

1332

ARGUIS. El Maestro de Arguis

Anónimo aragonés de hacia 1450, denominado por la procedencia de estas tablas. Escuela española.

1332 *La leyenda de san Miguel*

Tabla, de las medidas siguientes, de mayor a menor: 0,79 × 0,80; 0,78 × ancho incompleto; 0,65 × 0,46 y 0,57 × 0,80.

Predella o banco y seis tablas de un retablo, del que faltan la escultura, o la tabla central, y la «espina» o tabla alta.
En la *predella,* sentados en el suelo, con letreros: *SANT PAULO - SANTA CATALINA - SANT LORENCH UICENT - SANTA BARBERA - SANT PEDRO.*
Las tablas conservadas formaban dos calles; la primera: I. *Gárgano* herido por el rebote de la flecha que había disparado contra el toro huido de su rebaño; II. *El juicio de las almas;* III. *La lucha con los ángeles rebeldes.* La otra: I. *La victoria de san Miguel sobre el Anticristo,* cuando, por artes mágicas, se finge resucitado e intenta ascender al cielo; II. *Aparición de san Miguel al Papa san Gregorio* sobre el castillo, por esto llamado de Sant Angelo; III. *Aparición sobre el monte de Gárgano.*
Procede de Arguis (Huesca). Recogido por Savirón en 1869-71 para el Museo Arqueológico, de donde vino en 1920.

ARIAS. Antonio Arias

Nació en Madrid hacia 1614, donde murió en 1684. Escuela española.

598 *La moneda del César*

Lienzo, 1,91 × 2,30.

Cristo, en medio, contesta al que le muestra las monedas.
Es el pasaje que cuenta san Lucas en su *Evangelio,* cap. XX.
Firmado en el ángulo inferior izquierdo: *ANTONIO ARIAS 1646.*
Procede del Monasterio de Montserrat, en Madrid, al que fue regalado por los duques de Monteleón. Allí lo citan Ponz y Ceán. En 1819 ya estaba en el Museo.

599 *La Virgen y el Niño Jesús*

Lienzo, 0,91 × 1,29.

La Virgen sentada en el campo.
Firmado en el ángulo inferior derecho: *ANTONIO ARIAS FACI [EB] AT. 165...*
Del Museo de la Trinidad.

598

ARPINO. Giuseppe Cesari, llamado «el caballero de Arpino»

Nació en Arpino en febrero de 1568; murió en Roma el 3 de julio de 1640. Escuela italiana.

556 *La Sagrada Familia con san Juan*

Lienzo, 0,89 × 0,67.

La Virgen dando el pecho al Niño; san Juan, con rosas entre los brazos.

7038

No se excluye la colaboración del hermano de Giuseppe, Bernardino Cesari. Puede fecharse hacia 1620.
Procede de las Colecciones Reales.

ARREDONDO. Isidoro Arredondo

Bautizado en Colmenar de Oreja (Madrid) el 22 de noviembre de 1657; murió en marzo de 1702. Escuela española.

7038 *San Luis Obispo en gloria*

Lienzo 2,63 × 1,89.

La figura del santo, sobre un grupo de nubes, con carácter ascensional, la mirada en alto, vestido con la capa pluvial, aparece rodeada de ángeles, uno de los cuales porta el báculo.
Firmado: *YSIDORO ARREDONDO PR RE AÑO 1693.*
Procede del convento madrileño de franciscanas de Nuestra Señora de Constantinopla, en el que junto con la pintura de *Santa Clara ahuyentando a los infieles* (cat. n.° 3264) constituían los retablos colaterales de la iglesia.
Donado al Museo por don José Saldaña Suances, en 1985.

ARTHOIS. Jacques d'Arthois

Bautizado en Bruselas el 12 de octubre de 1613, donde murió en 1686. Escuela flamenca.

1351 *Paisaje*

Lienzo, 1,15 × 1,44.

Bosque y río; una pareja de paseo y un puesto de refrescos.
Firmado en la peña, a la derecha de la caída del agua: *JACQUES D'ARTHOIS F.*
Adquirido por Carlos IV. En 1794 en la Casita del Príncipe de El Escorial.

1353 *Paisaje con un lago*

Lienzo, 0,36 × 0,42.

Bosque; lago con un pescador; a la derecha, campo abierto.
Firmado en el suelo: *JACQUES D'ARTHOIS.*
Seguramente, obra juvenil.
En 1746, en la Colección de Isabel Farnesio, en La Granja; después, en Aranjuez.

1353

1354 *Paisaje*

Tabla, 0,41 × 0,66.

Bosque; un hombre y un perro; fondo de paisaje abierto, con una iglesia.
Salvado del incendio de 1734. En 1772 en el Palacio Nuevo.

1355 *Paisaje*

Tabla, 0,40 × 0,66.

Camino en un bosque; al fondo, un edificio.
Procede de las Colecciones Reales.

1359 *Paseo a la orilla de un río*

Lienzo, 2,45 × 2,42.

Grupo de figuras: dos damas, un niño, dos caballeros, un criado con un caballo y un mendigo; en una isleta, un pescador y un fraile. Al fondo, una iglesia; árboles frondosos y el arco iris.
En 1701 estaba en el Buen Retiro. Vino de Aranjuez el 16 de enero de 1848.

ARTHOIS. Peeter Bout

Nació en Bruselas el 5 de diciembre de 1658; murió el 28 de enero de 1719. Escuela flamenca.

1350 *Descanso a la orilla de un río*

Lienzo, 0,61 × 0,94.

Una pareja reposando a la orilla del agua; un hombre que lleva de la brida un caballo. Arboledas.
Se atribuyen a Peeter Bout las figuras.
Procede de Aranjuez. Lo adquirió Carlos IV.

ARTHOIS (?)

1357 *Paisaje*

Lienzo, 1,72 × 0,98.

Arboleda espesa, con caídas de agua; en el centro, izquierda, un ermitaño leyendo.
En 1794, en el Retiro; se atribuía a Dughet Le Guaspre.

ASSERETO. Gioacchino Assereto

Nació en 1600 en Génova, donde murió el 28 de julio de 1649. Escuela italiana.

1134 *El agua de la peña*

Lienzo, 2,45 × 3,00.

Los israelitas, sedientos, se apresuran a recoger el agua que brota de la roca por milagro de Moisés.

1134

Adquirida en Sevilla por Isabel de Farnesio, ha sido atribuida fantásticamente, a pintores sevillanos, como Roelas, Llanos Valdés o Legote. En 1781, el conde del Aguila decía que los viejos pintores de la Corte lo consideraban «de lo mejor de Guercino». Longhi, en 1926, lo devolvió a Assereto, de quien hoy se considera una de sus obras maestras, y señaló la existencia de un boceto en la colección Reneck, de Berlín.
Llamábase el cuadro «de la calabaza», por la figura de mujer que, a la derecha, bebe afanosamente en una calabaza. Indudablemente, Murillo se inspiró en él para su lienzo del Hospital de la Caridad.
Se cita en La Granja en 1746 y 1774 y en Aranjuez en 1794.

ASTORGA. Maestro de Astorga

Documentado en la primera mitad del siglo XVI. Escuela española.

3205 *Crucifixión*

Tabla, 1,33 × 1,00.

Cristo en la Cruz muerto, a su derecha las figuras de las tres Marías; san Juan y un soldado con armadura y lanza a su izquierda. Fondo de paisaje con río y ciudad.
Probablemente formó parte de un retablo, al que también pertenecieron: *La Resurrección* (n.° 4063), *La Oración en el Huerto* (n.° 4064), el *Prendimiento* (n.° 4118) y la *Imposición de las llagas a san Francisco.*

AVILA. Maestro de Avila

Pintor documentado en la segunda mitad del siglo XV, en la zona abulense. Escuela española.

2997 *El Calvario*

Tabla, 0,92 × 0,83.

Cristo muerto en la Cruz; al pie, la Virgen y san Juan Evangelista, de rodillas, llorosos. Fondo con dos iglesias, ciudad murada, con peñascales a derecha e izquierda.
Post y Camón Aznar lo creen obra de Gallego en su última época y como de este maestro consta en los *catálogos* del Museo hasta 1985. Según Yarza (1980), Díaz Padrón y Angelina Torné (1986), por su semejanza con el tríptico de la *Natividad* del Museo Lázaro Galdiano, es obra del Maestro de Avila.
Fue adquirida a la señora viuda de Weibel (Madrid), en 1959, por el Ministerio de Educación Nacional.

BACKER. Adriaen Backer

Nació en Amsterdam en 1636; murió en la misma ciudad el 23 de mayo de 1684. Escuela holandesa.

2557 *Un general*

Lienzo, 1,26 × 1,06.

De más de medio cuerpo; armado y con bengala; a la izquierda, tienda de campaña; a la derecha, el casco empenachado. Firmado a la izquierda: *A. B. 1680.* Procede de la Colección T. G. David de Bruselas, y fue vendido en 1898 como Rigaud. Legado del conde de Pradere (1934).

BADILE. Antonio Badile

Nació en Verona hacia 1517; murió en 1560. Fue el maestro del Veronés. Escuela italiana.

485 *Dama desconocida*

Lienzo, 1,10 × 0,93.

De más de medio cuerpo; sentada. En 1920, entre los cuadros del Veronés; pero advirtiendo que Berenson lo atribuye a Badile. Pignatti (1976) lo cree obra de la escuela de Veronés. Procede de las Colecciones Reales.

485

BALDUNG. Hans Baldung Grien

Nació en 1484-85 en Gmünd no lejos de Estrasburgo; murió en esta ciudad en 1545. Escuela alemana.

2219

2219 *La armonía o Las tres gracias*

Tabla, 1,51 × 0,61.

Dos jóvenes semidesnudas, en pie, sostienen un libro en el que lee la de la izquierda; otra, a la derecha, tiene un laúd en la mano y una viola «da braccio» a sus pies. Tres niños desnudos, el de primer término con un cisne y un papel de música. Una serpiente enroscada en un árbol.

Regalado por el conde de Solms a Juan de Ligne, en Francfort, el 23 de enero de 1547, según inscripción que en el reverso de la tabla se leía: *DOMINI FREDERICI MAGNI COMITIS DE SOLMS ET DNI IN MINTZEBERG GENEROSO DNO. IOANNI A LINGNE LIBERO BARONI IN BARBARSON ET DNO. IN BUISSIR ETC IN IMPERIALI URBE FRANCOFURTO AD*

2220

MOENUM XXIII DIE IANUARII ANNO MDXLVII AMICITIAE AC MEMORIAE ERGO DATUM.

Perteneció a Felipe II. En 1814, en el Palacio Nuevo.

2220 *Las edades y la Muerte*

Tabla, 1,51 × 0,61.

La Muerte lleva del brazo a una vieja que quiere arrastrar consigo a una joven. En el suelo, un niño dormido, bajo la lanza rota de la Muerte; a la izquierda, una lechuza. En el cielo, Cristo y una Cruz en el Sol; fondo de paisaje con una torre infernal.

Pareja del n.º 2219.

Esta pintura se relaciona con *La Vanidad,* que estaba en el Palacio de Sans-Souci, de Berlín.

BARBIERI

Véase GUERCINO

BAROCCI. Federico Fiori da Urbino Barocci o Baroccio

Nació en Urbino hacia 1535, donde murió el 30 de septiembre de 1612. Escuela italiana.

18 *El Nacimiento*

Lienzo, 1,34 × 1,05.

La Virgen adora al Niño; san José abre la puerta del establo a los pastores.

Consta que en 1597 pintó un cuadro de este asunto para el duque de Urbino, Francisco María de la Rovere, que en 1605 lo donó a Margarita de Austria, que lo colocó en su cámara.

Sin embargo, no se individualiza en los inventarios reales hasta el de Carlos IV, donde se cita en la Casita del Príncipe de El Escorial. En 1814 estaba en el Palacio Nuevo.

Se conservan numerosos dibujos preparatorios, repartidos entre Florencia, Berlín, Detroit, Cambridge, Milán, Amsterdan y Windsor Castle.

18

En la Ambrosiana de Milán hay una copia documentada de Alessandro Vitali (1560-1630).

7092 *Cristo en la Cruz*

Lienzo, 3,74 × 2,46.

Gran paisaje al fondo, con la ciudad y el castillo de Urbino.
Se pintó en 1604 para el duque de Urbino, quien lo legó a Felipe IV en 1628.

7092

Se conservan dibujos preparatorios en Berlín y Florencia. Estuvo en la Capilla del Alcázar, y en 1772 se cita en el Palacio Nuevo.

BARTOLOMEUS

Documentado en la segunda mitad del siglo XV. Escuela española.

1322 *La Virgen de la Leche*

Tabla, 0,52 × 0,35.

La Virgen con manto rojo y corpiño verde, de medio cuerpo, con el Niño en brazos semicubierto con un velo.
En el centro, cerca del borde inferior, la firma: BARTOLOMEUS.
Catalogado hasta 1949 como obra de Bermejo, se han suscitado dudas respecto a esa atribución: según Post constituyó tríptico con los santos Sebastián y Fabián, de la colección French en Nueva York, y quizá Bartolomeus sea Bartolomé Vallés; Angulo piensa en un pintor de la escuela de Fernando Gallego.
Fue del conde de las Almenas. Adquirido por el Patronato del Tesoro Artístico en 1927.

BASSANO. Francesco da Ponte Bassano

Nació en Bassano el 26 de enero de 1549; murió en Venecia el 4 de julio de 1592. Escuela italiana.

33 *La adoración de los Magos*

Lienzo, 0,86 × 0,71.

La escena, entre ruinas y con fondo de paisaje bañado por luz crepuscular.
Firmado: *FRÀNCESCO DA PONTE FAC.*
En 1746, en la Colección de Isabel de Farnesio, en La Granja.

34 *La última Cena*

Lienzo, 1,51 × 2,14.

Firmado en el pilar central: *FRANC. BASS. FAC* (la firma, restaurada).
Según Buttini, deriva del cuadro que pintó Jacopo hacia 1572.

1322

En 1746, entre los cuadros de Isabel de Farnesio en La Granja; después, en Aranjuez.

36 *Faenas campestres*

Lienzo, 1,19 × 1,71.

Jóvenes ocupados en ordeñar y en hacer manteca; cazadores en último término.
Procede de las Colecciones Reales.

40 *La huida a Egipto*

Lienzo, 0,86 × 0,71.

San José alumbra con una tea el camino por un bosque, entre cuyas ramas revolotean los ángeles.

33

Atribuido a Leandro Bassano en el catálogo del Museo de 1985.
Adquirido por Isabel de Farnesio.

BASSANO. Giacomo, o Jacopo da Ponte Bassano

Nació en Bassano entre 1510 y 1515; murió en esa ciudad el 13 de febrero de 1592. Escuela italiana.

21 *La reconvención a Adán*

Lienzo, 1,91 × 2,87.

Adán en el Paraíso, después del pecado, es reconvenido por Dios; a la izquierda, Eva; el campo, cubierto de animales.

21

22

Legado a Felipe IV por el príncipe Filiberto de Saboya. Se cita en el Alcázar en 1666, 1686 y 1700.

22 *Entrada de los animales en el arca de Noé*

Lienzo, 2,07 × 2,65.

En medio, Noé; a la izquierda, el arca, la familia y las parejas de animales llenan el primero y segundo términos. Comprado por Tiziano para Carlos V, lo que invalida la suposición de Frölich-Bume de que se trata de una composición de Leandro Bassano posterior a 1592. Ballarin lo fecha hacia 1569.
En 1636, en el Alcázar; en 1772 y 1794, en Palacio.
Inventariado siempre con el anterior.

25 *Adoración de los pastores*

Tabla, 0,60 × 0,49.

La Virgen sostiene los picos del pañal. Detrás, san José, y alrededor, grupo de pastores. Efecto de luz que irradia de la figura del Niño.
Inventariado en el Alcázar y en el Palacio Nuevo.

26 *La adoración de los pastores*

Lienzo, 1,28 × 1,04.

La escena figúrase iluminada por los resplandores que salen del Niño Jesús. Consta en el inventario de los cuadros de Isabel de Farnesio.

27 *Expulsión de los mercaderes del templo*

Lienzo, 1,50 × 1,84.

La composición difiere mucho de la del n.° 28.
Regalado a Felipe IV por el duque de Medina de las Torres. En 1636, en el Alcázar de Madrid; después en El Escorial. Ingresó en el Museo en 1839.

25

28 *La expulsión de los mercaderes del templo*

Lienzo, 1,49 × 2,33.

Cristo en segundo término, en sombra. Es lienzo que sufrió deterioros. Salvado del incendio de 1734; en 1772 y 1794, en el Palacio Nuevo.

30 *La Primavera*

Lienzo, 0,68 × 0,86.

Cabaña con labores campestres. Atribuido a Leandro Bassano en el catálogo del Museo de 1985. Ballarin lo cree de Francesco. En 1772, en Palacio; entre los salvados del incendio.

6312 *Los israelitas beben el agua milagrosa*

Lienzo, 1,46 × 2,30.

Mientras el pueblo de Dios sacia su sed, bebiendo agua emanada milagrosamente de la roca, Moisés y el Sumo Sacerdote Aarón prosiguen el viaje junto con otros israelitas. Al fondo de la composición, se divisan las tiendas de los amalecitas, que van a darles la batalla en Raphidin.
Ballarin (1990) lo supone pintado en torno a 1568 y Romani (1992) lo data en torno a 1563-1568.
Procede de las Colecciones Reales, en cuyos inventarios aparece ya atribuido a J. Bassano, aunque posteriormente Pérez Sánchez (1965) lo creyó de taller, y Rearick (1991) obra de colaboración entre Jacopo y Giambattista Bassano.

BASSANO. Leandro da Ponte Bassano

Nació en Bassano el 26 de junio de 1557; murió en Venecia el 15 de abril de 1622; hijo de Jacopo. Escuela italiana.

6312

:3 *Noé después del diluvio*

.ienzo, 0,80 × 1,13.

:l Patriarca hace un sacrificio, mien-
ras su familia edifica viviendas.
ialvado del incendio del Alcázar en
.734.

:9 *El rico Epulón y el pobre Lázaro*

.ienzo, 1,50 × 2,02.

\ la derecha, la comida del hombre
ico y Lázaro mordido por los perros.
.a parábola evangélica (San Lucas,
XVI) sirve de recurso al pintor para
epresentar animales y vajilla.
iegún Berenson, es un original de
.eandro Bassano; hasta el *Catálogo* de
920, adscrito a Jacopo.

32

Regalado a Felipe IV por el duque de Medina de las Torres. En 1700, en el Alcázar de Madrid.

32 *Retrato de J. Bassano*

Lienzo, 0,64 × 0,50.

Busto; gorro negro, ropa con guarnición de martas; cuello blanco.
Pudiera pensarse que sea obra de Leandro.
Alcázar: pinturas de Felipe V. Vino en 1827 del Palacio Nuevo.

39 *La vuelta del hijo pródigo*

Lienzo, 1,47 × 2,00.

En lo alto de la escalera, el padre recibe al hijo. En el resto del lienzo, los servidores preparan el espléndido banquete. La parábola (San Lucas, XV), como en el n.° 29, sirve para exhibir la maestría de Bassano en la pintura de naturaleza inanimada.
Es pareja del n.° 29.
Regalado a Felipe IV por el duque de Medina de las Torres.

41 *La coronación de espinas*

Pizarra, 0,54 × 0,49.

En 1636, en el Alcázar; en 1772 y en 1794, en el Retiro.

43 *La Virgen María en el cielo*

Lienzo, 1,75 × 1,40.

La Virgen ante la Trinidad; rodéanles ángeles y santos; en la parte baja, nueve santos; a derecha e izquierda, en el marco fingido, ocho medallones con veinte santos.
En 1636, en el Alcázar; en 1772, en el Retiro; en 1794, en el Palacio Nuevo.

44 *Venecia: embarco del Dux*

Lienzo, 2,00 × 5,97.

El «Bucentoro» atracado a la Riva dei Schiavoni, rodeado de numerosas embarcaciones; hacia él se dirigen el Dux, los senadores y su séquito. A la derecha, San Giorgio Maggiore.
Firmado a la izquierda, bajo la ventana inferior enrejada: *LEANDER APONTE BASS.IS AEQUES F.*
En tiempos de Felipe III estaba en Valladolid. En 1635 se trajo al Retiro; en 1666, 1686 y 1700 figuraba en el Alcázar; en 1772 y 1794, en el Retiro de nuevo.

45 *Magistrado o clérigo con un crucifijo*

Lienzo, 0,98 × 0,80.

De más de medio cuerpo. Traje negro con guarnición de piel; la capa o manto revuelto al brazo izquierdo; sobre la mesa, un birrete. A la derecha, un crucifijo; a la izquierda, en alto, un

41

48

49

escudo italiano. Quizá el retratado es un dignatario veneciano.
En el siglo XVII se atribuía a Tintoretto, y en el XVIII, a Tiziano, identificándosele absurdamente con santo Tomás Moro.
En 1700, en el «Pasillo de la Madonna» del Alcázar de Madrid.

BATONI. Pompeo Girolamo Batoni

Nació en Lucca el 25 de enero de 1708; murió en Roma el 4 de febrero de 1787. Escuela italiana.

48 *Un viajero en Italia*

Lienzo, 1,27 × 1,00.

Sentado, con un mapa de Italia en las manos; viste casaca encarnada y chaleco blanco; encima de la mesa, un busto de mármol, libros y tintero.
Firmado: *POMPEO DE BATONI PINX. ROMA, 1778.*
Una copia en el Museo de Sevilla, obra de Joaquín Cortés, fechada en 1796, identifica al personaje como el diplomático y anticuario inglés sir William Hamilton.
En 1814 en el Palacio Nuevo.

49 *Un caballero en Roma: Charles Cecil Roberts*

Lienzo, 2,21 × 1,57.

En pie, con un plano de Roma en la mano. Fondo: paisaje de Roma con San Pedro y el castillo de Sant Angelo.
Firmado en el pedestal del relieve: *POMPEIUS DE BATONI PINX. ROME 1778.*
Nació en 1754; residió en Roma, con su primo T. W. Coke, conde de Leicester, desde 1772 a 1778.
Información dada por su descendiente el novelista Cecil Roberts (mayo de 1950).
Una réplica firmada también el mismo año, de medio cuerpo, en la Academia de San Fernando.
En 1814 figuraba en la «Habitación de Infante Don Carlos», en el Palacio Nuevo

BATTAGLIOLI. Francesco Battaglioli

Nacido en Módena en 1722; murió en Venecia hacia 1790. En España desde 1754 a 1760. Escuela italiana.

4180 *Vista del Palacio de Aranjuez*

Lienzo, 0,68 × 1,12.

Firmado con la inscripción: *VISTA DELL ILUMINACIÓN CÕQUE EN EL / DELICIOSO REAL SITIO DE ARANJUEZ SE / CELEBRA EL DÍA DE SAN FERNANDO GLORIOSÍSIMO / NOMBRE DEL RE NTRO. SEÑOR, DISPUE / STO POR DON CARLO BROSCHI FARINELLI Y / PINTADA D FRANCESCO BATTAGLIOLI / 1756.*
Muestra el Palacio desde el exterior de los jardines, con la llegada de los invitados en coches y carrozas.
Estuvo en la Colección de Farinelli.
Adquirido en 1979.

4181 *Fernando VI y Bárbara de Braganza en los jardines de Aranjuez*

Lienzo, 0,68 × 1,12.

Firmado con la inscripción: *VISTA DE LA ILUMINACIÓN CÕQUE / EN EL DELICIOSO REAL SITIO DE / ARANJUEZ SE CELEBRA EL DÍA DE / S^N FERNANDO GLORIOSÍSIMO NOMB / RE DEL REY SEÑOR DISPU / ESTO*

4180

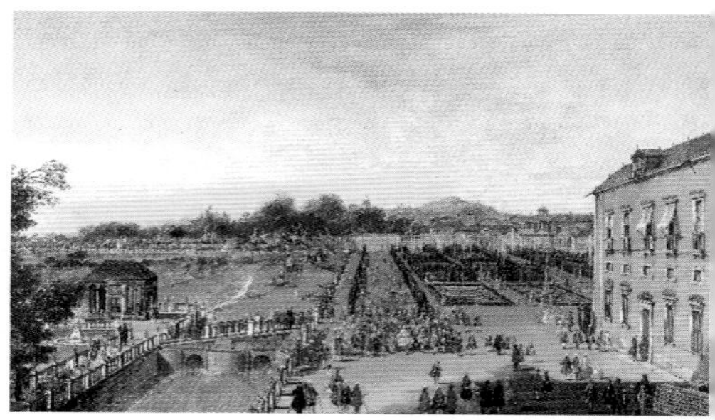
4181

600

601

POR DON CARLO BROSCHI FARINELLI / PINTADA DA FRANCESCO BATAGLIOLI 1756. Muestra el costado lateral del Palacio con el puente del Jardín de la Isla, con los reyes paseando.
Una réplica, en colección particular madrileña.
Estuvo en la Colección de Farinelli.
Adquirido en 1979.

BAYEU. Francisco Bayeu y Subías

Nació en Zaragoza el 9 de marzo de 1734; murió en Madrid el 4 de agosto de 1795. Discípulo de Mengs. Escuela española.

600 *La Asunción de la Virgen*

Lienzo, 1,37 × 0,81.

En la parte baja, la Virgen, destacando sobre un remate arquitectónico; encima, la Trinidad rodeada de ángeles.
Boceto para un segmento de la cúpula de la iglesia del monasterio de Santa Engracia, de Zaragoza, pintada hacia 1760.
Figura en la testamentaría del pintor (1795), de donde pasó a la Colección Chopinot. Aquirido por Fernando VII y la reina M.ª Cristina.

604

601 *El triunfo del Cordero de Dios*

Lienzo, 0,48 × 0,58.

El Padre Eterno; a su diestra, el Cordero; rodeándoles, ángeles cantores.
Boceto para un luneto de bóveda, en la capilla de la planta baja del palacio de Aranjuez (1778).
En el Museo del Prado existen dibujos preparatorios para las figuras de *Dios Padre, Angel mancebo* y *Busto de Angel.*
Fue grabado por Camarón.
Adquirido por Isabel II, en 1842, a Julián María Piñera.

604 *El Olimpo: batalla con los gigantes*

Lienzo, 0,68 × 1,23.

Júpiter, en el centro, fulminando rayos; Hércules, con la clava; Palas, etc., luchan con los gigantes.
Boceto para un techo del Palacio de Madrid, pintado en 1764. El Museo del Prado conserva veinte dibujos preparatorios; otro dibujo preparatorio del conjunto hay en la Biblioteca Nacional de Madrid; dos bocetos preparatorios, en Cogullada (Zaragoza), y otro en grisalla, en la Sociedad Económica de Amigos del País, en Zaragoza. Tanto en el boceto como en el fresco

definitivo se advierte la doble influencia de Mengs y de Giaquinto.
Figuraba en la testamentaría del pintor (1795), de donde pasó a la Colección de Chopinot. Adquirido por Fernando VII.

605 *El puente del Canal de Madrid*

Lienzo, 0,36 × 0,95.

Ejecutado en 1784 como boceto del cartón (2,00 × 6,90) para tapiz destinado al Palacio de El Pardo, pintado bajo su dirección por su hermano Ramón y depositado en el Museo Municipal.
En 1814 se atribuía a Goya.
Figuraba en la testamentaría del pintor (1795), de donde pasó a la colección de Chopinot. Adquirido por Fernando VII para el Museo Real en 1816.

606 *El Paseo de las Delicias, en Madrid*

Lienzo, 0,37 × 0,56.

Damas, caballeros y majos, en el paseo.
Pintado hacia 1785 como boceto del cartón para tapiz destinado al Palacio de El Pardo, pintado por Ramón Bayeu. El cartón (3,85 × 2,55), propiedad del Museo, está en depósito en el Museo Municipal de Madrid; el tapiz, en El Escorial. El Paseo de las Delicias, bajaba desde la Puerta de Atocha hasta la orilla del Canal del Manzanares, continuando el Prado.
Se conservan tres dibujos preparatorios en la Biblioteca Nacional.
En la testamentaría del pintor (1795). Tras figurar en las colecciones Chopinot y Godoy, fue adquirido por Fernando VII en 1818 con destino al Real Museo.

607 *Merienda en el campo*

Lienzo, 0,37 × 0,56.

En una huerta; majos y majas merendando. Al fondo, una casa, un pajar y una noria.
Firmado, a la izquierda: *F. BAYEU.*
Ejecutado en 1784 como boceto del cartón para tapiz para el Palacio de El Pardo, hoy en El Escorial, pintado bajo su dirección por su hermano Ramón.
El cartón se conserva como depósito del Prado en la Embajada de España en Londres. En la Biblioteca Nacional existen dos dibujos preparatorios para dos de las figuras femeninas sentadas.
En la testamentaría del pintor (1795). Tras figurar en las colecciones Chopinot y Godoy, fue adquirido por Fernando VII en 1818 con destino al Real Museo.

2480 *La creación de Adán*

Lienzo, 0,59 × 0,33.

Boceto para un segmento de la cúpula de la Colegiata de La Granja (1771).
Este boceto y sus compañeros, números 601, 2482, 2485-89, 2491-92, figuraron en la testamentaría del pintor (1795), de la que pasaron a la Colección Chopinot, y fueron adquiridos por Isabel II al sumiller de Corps don Julián María Piñero.
Gracias a los bocetos y dibujos preparatorios conocemos los temas que decoraban la destruida decoración de la cúpula de la Colegiata de La Granja, pintada de acuerdo a un programa iconográfico estudiado por Muller, iniciado con el tema de la Creación de Adán, continuando con Adán y Eva reconvenidos por su pecado, Abraham y los tres ángeles y el Sacrificio de la ley Mosaica. El paso al Nuevo Testamento se inicia con el Evangelista San Juan.
En el Museo del Prado se guarda un dibujo preparatorio para la figura de *Dios Padre.*

2481 *La Monarquía Española*

Lienzo, 0,63 × 0,59.

Boceto al claroscuro para el techo correspondiente en el Palacio Real de Madrid pintado en 1794. En el Museo del Prado se conservan siete dibujos preparatorios para diferentes figuras de la composición.
Adquirido por Isabel II al sumiller de Corps Julián María Piñero en 1842.

2482 *Abraham y los tres ángeles*

Lienzo, 0,59 × 0,33.

Aparición del ángel a Abraham, anunciándole que en su descendencia nacerá el Mesías.
Boceto para un segmento de la cúpula citada en el n.° 2480.
Figuraba en la testamentaría del pintor. Tras estar en las colecciones Chopinot, Godoy y Gómez, fue adquirido por Isabel II.

2485 *San Lucas*

Lienzo, 0,58 × 0,59.

El Evangelista, sentado; a su derecha, el toro; en la mano izquierda, el retrato de la Virgen con el Niño.
Boceto para una pechina de la cúpula citada, n.° 2480. El Prado conserva un dibujo preparatorio.
Figuraba en la testamentaría del pintor. Tras estar en las colecciones Chopinot, Godoy y Gómez, fue adquirido por Isabel II.

2486 *San Juan Evangelista*

Lienzo, 0,58 en cuadro.

Sentado, la diestra con la pluma sobre el libro; al lado, el águila.
Boceto para una pechina de la cúpula citada, n.° 2480. En el Museo del Prado existen dos dibujos preparatorios.
Véase el n.° 2485.

2487 *San Mateo*

Lienzo, 0,58 en cuadro.

El Evangelista, sentado, con la pluma en la diestra escucha al ángel.
Boceto para una pechina de la cúpula citada, n.° 2480. En el Museo del Prado se guarda un dibujo preparatorio para la cabeza del santo.
Véase el n.° 2485.

2488 *San Marcos*

Lienzo, 0,59 en cuadro.

Sentado, un libro abierto sobre las rodillas; a la izquierda, el león.
Boceto para una pechina de la cúpula citada, n.° 2480. Dos dibujos preparatorios en el Museo del Prado.

2489 *La profecía de Isaías*

Lienzo, 0,47 × 0,57.

El Profeta, sentado entre ángeles, señala al que despliega un rótulo en el que se lee: ECCE VIRGO CONCEPIET ET HABET FILIUM ET, VOCABITUR NOMEN EJUS EMMANUEL.
Boceto para un luneto de la bóveda en la capilla del Palacio Real de Aranjuez, pintado en 1778.
Véase el n.° 2485.

2491 *Adán y Eva reconvenidos por su pecado*

Lienzo, 0,59 × 0,32.

Nuestros primeros padres, desnudos, escuchan al Creador, que se aparece rodeado de ángeles.
Boceto para un segmento de la cúpula citada, n.° 2480. Existen tres dibujos preparatorios parciales, en el Museo del Prado, y otro a lápiz para toda la composición en la Galería Nacional de Edimburgo.
Figuraba en la testamentaría del pintor (1795). Tras estar en las colecciones Chopinot, Godoy y Gómez, fue adquirido por Isabel II en 1843 a Carlos Luis Peñarredonda.

2493 *Sacrificio de la Ley Mosaica*

Lienzo, 0,59 × 0,33.

Aarón (?), arrodillado ante Jehová; a la izquierda, el ara con el fuego.
Boceto para un segmento de la cúpula citada, n.° 2480. Dos dibujos preparatorios en el Museo del Prado.
Véase el n.° 2491.

2531 *Santa Teresa de Jesús en la gloria*

Lienzo, 0,43 × 1,00.

La santa, arrodillada; detrás, varias carmelitas; a la derecha, la Trinidad.
Boceto para un fresco neto de un arco.
Legado de la señora viuda del general Mille.
Véase el n.° 2491.

2599 *Cuadro con trece bocetitos para cartones de tapices*

Lienzo, 0,45 × 0,96.

Los bocetos, de izquierda a derecha, comenzando por los de abajo, son: I. *Auxilio al caminante:* el cartón está hoy en el Colegio de España, de la Ciudad Universitaria de París. —II. *El choricero:* El cartón es el n.° 2451.—III. *El majo de la guitarra:* el cartón es el n.° 2521 del Prado.—IV. *El vendedor de flores.*—V. *Junto al pozo:* el cartón, en el Colegio de España, como el n.° I.—VI. *Obsequio campestre:* el cartón es el n.° 2453 del Prado.—VII. *La vendedora de rosquillas.*—VIII y IX. Dos tiras para entrepaños muy estrechos, con árboles.—X. *Chicos jugando al toro.*—XI. *La partida de naipes.*—XII. *La Nochebuena en la cocina.*—XIII. *El juego de los bolos:* el cartón, en el Ministerio de Educación.
Tradicionalmente considerados como de Ramón Bayeu por ser suyos los cartones para los tapices tejidos de estas composiciones, Jutta Held los atribuyó a Francisco, y desde entonces se acepta esta opinión.
Adquirido por el Patronato, en 1934, a don B. M. Ruiz, de Madrid.

5119 *Sagrada Familia*

Lienzo, 1,08 × 0,80.

Firmado: FRAN^co BAYEU.
En primer término la Virgen sentada con el Niño; detrás, a la derecha, san José en pie, portando la vara florecida.
Procede de las Colecciones Reales.

7109

7109 *Feliciana Bayeu, hija del pintor*

Lienzo, 0,38 × 0,30.

Busto. Tocado con lazos azules y rosa. Fondo verdoso; en partes queda visible la imprimación del lienzo.
A la izquierda, en el ángulo inferior, de letra de Francisco Bayeu: RT.° DE LA FELICIANA NIÑA DE 13 AÑOS.
Pintado hacia 1788. Tenido como de Goya por quien lo legó al Museo.
Feliciana era hija de Francisco Bayeu y de Sebastiana Merklein, y nació hacia 1775. Casó en junio de 1795; murió el 13 de noviembre de 1808.
Legado por don Cristóbal Férriz en 1912.

BAYEU. Ramón Bayeu y Subías

Nació en Zaragoza el 2 de diciembre de 1747; murió en Aranjuez el 2 de marzo de 1793. Escuela española.

2451 *El choricero*

Lienzo, 2,22 × 1,06.

Un vendedor de embutidos y jamones; las alforjas al hombro y en la mano derecha varios chorizos; en el suelo, un jamón partido. Detrás, un aguador. Al fondo, una casa y una iglesia.
Cartón para el tapiz de la Sala de Embajadores de El Escorial. El bocetito, en el n.° 2599 del Prado.

2452

2453

2452 *Abanicos y roscas*

Lienzo, 1,47 × 1,87.

Un vendedor de abanicos y otro de roscas ofrecen su mercancía. A la derecha, dos majas y un joven. Fondo de campo.
Cartón pintado en 1778 para el tapiz de la sobrepuerta del comedor en el Palacio del Pardo. Se conocen (Biblioteca Nacional y colección particular de Londres) dibujos preparatorios de mano de su hermano Francisco.
Colecciones Reales.

2453 *Obsequio campestre*

Lienzo, 1,83 × 1,46.

Un petimetre ofrece fruta a dos damiselas, sentadas; al fondo, un mozo embozado.
Cartón para tapiz.
El bocetito, en el n.° 2599 del Prado.
Colecciones Reales.

2523

2521 *El majo de la guitarra*

Lienzo, 1,84 × 1,37.

En un campo, canta el majo acompañándose con la guitarra; dos majas, sentadas.
Cartón para tapiz.
El bocetito, en el n.° 2599 del Prado.
Colecciones Reales.

2522 *El ciego músico*

Lienzo, 0,93 × 1,45.

Un ciego tañe la zanfonía; a su son baila un perro, y el lazarillo acompaña con las castañuelas.
Cartón para tapiz.
Colecciones Reales.

2523 *El muchacho de la esportilla*

Lienzo, 0,93 × 1,41.

Joven sentado, con un capacho al brazo izquierdo y un costal blanco en la diestra; a la derecha, una pareja de majos.
Cartón para tapiz.
Un boceto de mano de Francisco Bayeu se conserva en colección particular inglesa.

3373 *Mozas tocando el pandero*

Lienzo, 1,72 × 1,42.

Cinco mozas, en primer término, una en pie, toca la pandereta; otra sentada, el pandero. Fondo de árboles y casas.
Cartón para tapiz, entregado en 1777, para una sobrepuerta del comedor de los Reyes en El Pardo.
Colecciones Reales.

BEAUBRUN. Charles y Henri Beaubrun

El primero nació en Amboise en 1604 y murió en París en 1692. Bautizado el segundo en Amboise el 2 de febrero de 1603; murió en París el 17 de mayo de 1677. Eran primos y trabajaban juntos, sin que pueda diferenciarse la labor de uno de la del otro. Escuela francesa.

2231 *Ana María Luisa de Orleáns*

Lienzo, 1,09 × 0,88.

De más de medio cuerpo; sentada, viste traje de raso blanco; al cuello, en las orejas y en la cabellera, gruesas perlas; rodean el pecho tres vueltas de aguas marinas; en la diestra, un ramo de flores.
Hija de Gastón, nieta de Enrique IV, nació en el Louvre el 29 de mayo de 1627. Llamada primero «Mademoiselle d'Orléans», se denominó más tarde «La grande mademoiselle» y «Mademoiselle de Montpensier»; murió el 5 de abril de 1693.
Este lienzo estuvo firmado: *BEABRUNS FACT. 1655*, según el *Catálogo* de 1854; firma desaparecida, quizá en la forración. Véase el n.° 2234.
En el Alcázar de Madrid, en 1666. En el Retiro, en 1772 y 1794.
Esta obra, así como otros retratos (núms. 2240, 2233, 2234, 2300, 2298) más de la misma época, fueron enviados en 1655 desde París por Ana

2231

de Austria a Madrid para su hermano Felipe IV, a fin de preparar el enlace matrimonial de Luis XIV con María Teresa de Austria.

2232 *El Gran Delfín, padre de Felipe V*

Lienzo, 1,29 × 0,98.

En pie; viste traje de ceremonia carmesí con delantero blanco, caperuza y sombrero; al pecho, el Saint-Esprit; la diestra, apoyada encima de la corona. Luis de Francia, hijo de Luis XIV, nació en Fontainebleau el 1 de noviembre de 1661; casó el 30 de diciembre de 1679 con María Ana de Baviera; fue padre de Felipe V, quien por herencia suya recibió el llamado «Tesoro del Delfín»; murió el 14 de abril de 1711.
Firmado en el peldaño: *BEAUBRUNS FECERUM [sic] 1663.*
Salvado del incendio de 1734, pasó al Retiro.

2234 *Ana de Austria, reina de Francia*

Lienzo, 1,12 × 0,88.

De más de medio cuerpo; viste de viuda, velo en punta sobre la frente; cuello y puños anchos y blancos; la diestra sobre un bufete; reloj con marco de piedras.
Ana de Austria, hija de Felipe III, nació en Valladolid el 22 de septiembre de 1601; casó con Luis XIII el 25 de noviembre de 1615; murió en el Louvre el 20 de enero de 1666.
Firmado al dorso, puede leerse: *BEAUBRUN.*
Salvado del incendio, pasó al Retiro; se trajo de Palacio en 1847.
Véase el n.º 2231.

2291 *María Teresa de Austria, reina de Francia, y el Gran Delfín*

Lienzo, 2,25 × 1,75.

Por una galería pasean madre e hijo; viste la reina de máscara, colores rojo, negro y plata, y el antifaz en la diestra; el delfín, de oro viejo y manto bordado; en la mano izquierda, una alabarda. María Teresa, hija de Felipe IV y de Isabel de Francia, nació el 20 de septiembre de 1638, casó con Luis XIV el 9 de junio de 1660 y murió el 30 de julio de 1683.
Anteriormente se atribuía a Mignard. Hoy se le considera de los Beaubrun, con intervención del taller.
Sobre el Gran Delfín, véase el n.º 2232.
Salvado del incendio de 1734. Pasó al Retiro.

2292 *María Teresa de Austria, reina de Francia*

Lienzo, 1,05 × 0,87.

De medio cuerpo; traje azul con lises.
Sobre María Teresa, véase el n.º 2409.
La atribución no es segura. Antes atribuido a Mignard, quien consta retrató a la reina en septiembre de 1660.
Salvado del incendio de 1734. Vino de Palacio en 1847.

BEAUBRUN. Charles y Henri Beaubrun

(Copia de un original de Pourbus.)

2233 *María de Médicis, reina de Francia*

Lienzo, 1,08 × 0,88.

De más de medio cuerpo; traje de terciopelo azul brochado con lises de oro y guarnición de armiño; enorme cuello de encaje de Venecia, igual al de los puños, con *M M* y *H H*, iniciales de su nombre y del de su marido.
Sobre María de Médicis, véase el n.º 1624. Es pareja de un *Enrique IV* hoy perdido. Según el inventario del Museo de 1834, el lienzo estuvo firmado por Beaubrun en 1655, firma desaparecida probablemente al forrarlo.
El original de Pourbus, de cuerpo entero, se conserva en el Louvre.
Salvado en el incendio de 1734, se registra en el Retiro en 1794.
Véase el n.º 2231.

BEAUFORT. Jacques-Antoine Beaufort

Nació en París en 1721. Murió en Rueil en 1784. Escuela francesa.

6073 *La muerte de Calanus*

Tabla, 0,22 × 0,20.

Sintiéndose morir, el anciano filósofo sube a una pira para ser incinerado y anuncia a Alejandro Magno que tres meses más tarde se encontrarán ambos en Babilonia, profecía clara de la muerte del emperador macedonio.
Es el boceto para el cuadro de asunto semejante pintado para Luis XVI y destruido en Caen durante la Segunda Guerra Mundial.
Adquirido en 1979, procedente de la Colección Cheramy.

BECERRIL. Maestro de Becerril

Documentado a principios del siglo XVI. Escuela española.

2682 *Santa Bárbara*

Tabla, 1,45 × 0,65.

En pie, la palma en la mano izquierda, y la diestra apoyada en la torre, en la que se lee: *SANTA VARBARA.*
De escuela palentina, hacia 1520, muy influida por Juan de Flandes. Se considera en la actualidad obra del Maestro de Becerril, de tipos y técnica muy concretos.
Legado Pablo Bosch.

BEET. Osías Beet o Beert

Nació en Amberes en 1580, donde murió en 1624. Escuela flamenca.

1606 *Bodegón*

Tabla, 0,43 × 0,54.

Plato con ostras, vasos, pan, uvas, dulce.
Firmado en la caja de dulce mayor: *O. BEET F.* En 1746, en La Granja.
Se atribuyó hasta 1972 a Osías Beert, el Joven (1622-1678). Díaz Padrón lo

1606

supone fragmento de una composición mayor, de la que se guarda otro fragmento en el Palacio Real.
En La Granja en 1746, Colección de Isabel de Farnesio, y en 1774.

BELLEVOIS. Jacob Adriaensz Bellevois

Nació en 1621 en Rotterdam, donde fue enterrado el 17 de septiembre de 1675. Escuela holandesa.

2047 *Marina*

Tabla, 0,59 × 0,81.

Un barco turco y otro holandés; más distante, otro velero menor; a la derecha, una población.
Firmado a la izquierda, sobre la bandera: *J BELLEVOIS.*
Adquisición de Carlos IV.

2047

BELLINI. Giovanni Bellini

Hijo de Jacopo y hermano menor de Gentile, nació después de 1429; murió en Venecia el 26 de noviembre de 1516. Escuela italiana.

50

50 *La Virgen y el Niño entre dos santas*

Tabla, 0,77 × 1,04.

Figuras de medio cuerpo. La santa de la izquierda se ha identificado con la Magdalena y con santa Catalina. La de la derecha parece representar a santa Ursula, por la flecha.
Firmado: *IOANNES BELLINUS P.*
Repite el cuadro, en parte, una tabla de la Academia de Venecia; difieren del todo la figura de la derecha y el traje de la santa de la izquierda.
Perteneció a Maratta.
En 1746 aparece en La Granja; Colección de Felipe V.

BELLINI. Copia

576 *El Salvador*

Tabla, 0,44 × 0,34.

Busto. Copia del cuadro de la Academia de Bellas Artes de San Fernando; firmado y original. El dibujo se conserva en el British Museum.
Según Berenson, la copia podría ser de mano española.
Montagna, en su *Ecce-Homo,* firmado, del Louvre, repitió el modelo.
Procede quizá de San Pascual, de Madrid.
Al Museo vino del de la Trinidad.

BELVEDERE. Andrea Belvedere

Nació hacia 1652 en Nápoles, donde murió en 1732.
Residió en Madrid entre 1694 y 1700.
Escuela italiana.

549 *Florero*

Lienzo, 1,51 × 1,00.

En un florero de bronce con genios, un gran ramo de flores diversas.
Firmado a la derecha, cerca del borde, con enlace de *A B.*
Compañero del siguiente; ambos se identificaron con los del inventario

549

que publicó el P. Zarco de los cuadros que reunió Carlos IV, siendo príncipe, en su «Casita» de El Escorial, sin duda cuadros distintos.
En 1772 en el Palacio del Buen Retiro, donde seguía en 1794. En 1814 en el Palacio Nuevo.

550 *Florero*

Lienzo, 1,51 × 1,00.

En un vaso de bronce, con tritones, un ramo grande de flores, variadas.
Firmado a la izquierda, cerca del borde, con enlace de *A B.*
Véase el n.° 549.

BENEDETTI. Andries Benedetti

Pintor flamenco, documentado en Amberes entre 1636 y 1650.

2091 *Mesa con postres*

Lienzo, 1,21 × 1,45.

Tapete verde y mantel blanco medio recogidos; ostras, limones, uvas, queso, vasos, pipa, etc.; a la izquierda, columnata abierta.
Atribuido a un discípulo anónimo de Jan Davidsz. de Heem hasta 1972. La atribución actual es de Díaz Padrón.
En 1746, en La Granja, Colección de Isabel de Farnesio. Vino de Aranjuez en 1827.

2091

2093 *Mesa*

Lienzo, 1,21 × 1,45.

Encima de la mesa, fruta, jamón, limones, pan, vasos, etc.; a la izquierda, columnata.
Compañero del n.° 2091. Estuvo como él atribuido a discípulo anónimo de J. D. de Heem.

BENSON. Ambrosius Benson

En 21 de agosto de 1519, maestro en la Guilda de San Lucas, de Brujas, donde murió en enero de 1550. Durante un tiempo se identificó con el Maestro de Segovia. Escuela flamenca.

1303 *Santo Domingo de Guzmán*

Tabla, 1,04 × 0,57.

En pie en el campo, con una palma verde en la diestra, y en la mano izquierda un libro.
Perteneció, con otras seis tablas, al convento de dominicos de Santa Cruz, de Segovia; números 1304, 1927, 1928, 1929, 1933 (?) y 1935.
Vinieron del Museo de la Trinidad.

1303

1304 *Santo Tomás (?) y un donador*

Tabla, 1,04 × 0,57.

El santo dominico, con un templo gótico en la mano, y un donador de rodillas. Fondo de paisaje.
Con dudas se identificaba el orante con Fray Tomás de Matienzo, pero el marqués de Lozoya asegura que será el canónigo y bachiller Juan Pérez de Toledo sepultado en la capilla.
Véase el n.° 1303.

1927 *La Piedad*

Tabla, 1,24 × 0,60.

Cristo, muerto, sostenido por san Juan y la Virgen, mientras la Magdalena lava sus pies; a la derecha, José de Arimatea y Nicodemo; lleva uno el sudario y otro un tarro —de loza hispanomorisca— de ungüento. Detrás, paisaje con ciudad y figuras.
Véase el n.° 1303.

1928 *El entierro de Cristo*

Tabla, 1,25 × 0,60.

Los tres santos varones depositan el cuerpo en el sepulcro, mientras María

1929

1935

Magdalena tapa el ungüentario; detrás, la Virgen, María Cleofé, san Juan. Al fondo, ciudad con torres góticas.
Véase el n.° 1303

1929 *El nacimiento de la Virgen*

Tabla, 1,15 × 0,60.

Al fondo, la presentación de la Virgen en el Templo. Véase el n.° 1303.

1933 *Santa Ana, el Niño Jesús y la Virgen*

Tabla, 1,25 × 0,90.

Sentadas en un trono gótico florido, en el campo; santa Ana y la Virgen dan una manzana al Niño Jesús.
Por diferir las medidas, no es seguro que pertenezca al mismo conjunto que las tablas anteriores y la siguiente. Procede del Museo de la Trinidad.
Véase el n.° 1303.

1935 *El abrazo ante la puerta dorada*

Tabla, 1,15 × 0,60.

Al fondo, un ángel se aparece a san Joaquín. Véase el n.° 1303.

BERMEJO. Bartolomé de Cárdenas Bermejo o (latinizado) Rubeus

Nació en Córdoba; trabajaba entre 1474 y 1495. Escuela española.

1323 *Santo Domingo de Silos entronizado como abad*

Tabla, 2,42 × 1,30.

Sentado en un trono rico, de talla. Viste de pontifical, con mitra, báculo y libro. Entre la talla dorada, simúlanse siete estatuas policromadas de las Virtudes: Fortaleza, Justicia, Fe, Caridad (en lo alto), Esperanza, Prudencia y Templanza.
Contratado el retablo para Santo Domingo de Silos, de Daroca, el 5 de septiembre de 1474; el 17 de noviembre de 1477 estaba ya pintada esta tabla. Recogida por Savirón para el Museo Arqueológico en 1869-1871. Vino al Prado en 1920.

BERNAT. Martín Bernat

Pintor aragonés, documentado entre 1468-1497. Escuela española.

6709 *Fernando I de Castilla acogiendo a santo Domingo de Silos (?)*

Tabla, 1,45 × 0,94.

En primer término un rey abrazado a un santo dominico acompañado por otro fraile y un peregrino a la izquierda, cortesanos y un paje con espada cierran la composición a la derecha. El suceso ocurre ante la puerta de un recinto amurallado.
Existen varias interpretaciones sobre el tema y el autor de esta pintura. Para Post es obra aragonesa y la clasifica como del «Maestro de Alfajarín»; Gudiol la identifica como de Martín Bernat, que es la que se ha aceptado. Procede de la colección Parcent.
Adquirido por el Ministerio de Cultura en 1980.

BERNINI. Gian Lorenzo Bernini (?)

Nació en Nápoles el 7 de diciembre

1323

de 1598; murió en Roma el 28 de noviembre de 1680. Escuela italiana.

2476 *Autorretrato (?)*

Lienzo, 0,46 × 0,32.

Cabeza abocetada. En relación con varias versiones de Roma y de Florencia. Puede datarse hacia 1640.
Adquirido por el Patronato del Tesoro Artístico en 1929.

BERRETINI

Véase CORTONA

BERRUGUETE. Pedro Berruguete

Nació en Paredes de Nava (Palencia) hacia 1450; pintaba en Urbino en 1477; murió antes del 6 de enero de 1504. Escuela española.

123 *San Pablo*

Lienzo, al aguazo (sarga), 3,50 × 2,06.

En pie, con una espada y un libro. Fondo de hornacina arquitectónica.
Véase el n.° 125.

124 *San Pedro*

Lienzo, al aguazo (sarga), 3,50 × 2,06.

En pie, con las llaves y un libro abierto. Fondo de hornacina arquitectónica.
Véase el n.° 125.

125 *La adoración de los Reyes*

Lienzo, al aguazo (sarga), 3,50 × 2,06.

Compañero del siguiente y los dos anteriores. La Virgen, con el Niño, sentada en alto sitial; el rey, arrodillado, presenta una caja de oro, de la que el Divino Niño recoge monedas. La escena, en un templete del Renacimiento, en el campo; al fondo, la mula y el buey.
Este lienzo y sus compañeros proceden de Avila. Fueron puertas de órgano o de retablo.
Vinieron del Museo de la Trinidad.

126 *Dos Reyes Magos*

Lienzo, al aguazo (sarga), 3,50 × 2,06.

Parte derecha de *La Adoración* (n.° 125). Los dos Magos, a pie: detrás, su séquito. La escena encuadrada por un arco gótico.
Véase el n.° 125.

609 *Santo Domingo y los albigenses*

Tabla, 1,22 × 0,83.

En la hoguera arden los libros heréticos, mientras el católico se mantiene en el aire. En primer término, hombre que arroja tomos al fuego, y otro lo atiza; detrás, el santo con un fraile y varias personas; a la derecha, grupo de albigenses. El n.° 1305 repite la composición con variantes. Esta tabla y sus compañeras, con otras tres, perdidas, proceden del claustro alto del convento de Santo Tomás, de Avila, y seguramente en su origen formaron dos retablos dedicados a santo Domingo y a san Pedro Mártir de Verona. Se fechan a finales del siglo XV, después de la etapa italiana. Cruzada Villaamil, en su *Catálogo* del Museo de la Trinidad, de donde provienen, advierte que estaban en mal estado de conservación. Los atribuye a Pedro Berruguete y Santos Cruz.

610 *Santo Domingo resucita a un joven*

Tabla, 1,22 × 0,83.

El santo hace incorporarse al joven Napoleón, sobrino del cardenal Esteban; a la izquierda, los padres, a la derecha, el cardenal, un fraile y tres testigos del milagro. Al fondo, una capilla con retablos de pintura y dos dominicos rezando. Por un arco se ve en el campo el caballo que arrastra el cuerpo del joven.

Véase el n.° 609.

6709

125

609

611 *Sermón de san Pedro Mártir*

Tabla, 1,32 × 0,84.

La escena, en un pórtico abierto. Predica el santo en un púlpito de madera; en la escalerilla medita fray Domingo. Dieciocho personas escuchan el sermón, entre ellas dos jinetes. Fondo, de plaza, con figuras.
Véase el n.º 609.

612 *San Pedro Mártir en oración*

Tabla, 1,33 × 0,86.

El santo arrodillado ante el crucifijo. En el fondo de brocado de oro se leen las frases:
— *EGO DOMINE IN TE INNOCENS PATIOR.*
— *ET EGO, PETRO, QUID FECI?*
Véase el n.º 609.

613 *Muerte de san Pedro Mártir*

Tabla, 1,28 × 0,82.

El santo cae herido por el puñal del asesino, que viste armadura; detrás, fray Domingo, aterrado; a la derecha, dos ballesteros y un perro. Al fondo, ciudad y río.
Véase el n.º 609.

614 *El sepulcro de san Pedro Mártir (?)*

Tabla, 1,31 × 0,85.

Un ciego con lazarillo y nueve personas de varia condición, ante el sepulcro de un santo dominico, san Pedro Mártir o santo Domingo.
Véase el n.º 609.

615 *Aparición de la Virgen a una comunidad*

Tabla, 1,30 × 0,86.

La Virgen, rodeada por seis ángeles músicos, bendice a una comunidad de dominicos; a la izquierda, en la puerta, cuatro hombres. A la derecha, en el claustro, el demonio golpea a un fraile. En el altar, la Virgen y el Niño, de escultura.
Véase el n.º 609.

616 *Santo Domingo de Guzmán*

Tabla, 1,77 × 0,90.

En pie; con el ástil de la Cruz sujeta al demonio bajo sus plantas. Detrás, dosel de brocado de oro; a la izquierda, el campo. En el nimbo se lee: *SANTO DOMINGO ENQUISIDOR.*
Seguramente fue la tabla central del retablo del fundador de la Orden en Santo Tomás de Avila, que se forma-ría con las tablas números 609, 610 y 615; faltan dos, según los datos de Cruzada, que afirma que en un princi-pio había doce colgadas en el claustro alto.
Véase el n.º 609.

617 *San Pedro Mártir*

Tabla, 1,77 × 0,90.

De pie; en la diestra, la palma con tres coronas; en la mano izquierda, un libro en el que se lee el *CREDO.* Por el pecho sale la punta de la daga; la cuchilla, clavada en la cabeza. Fondo, un dosel de brocado; a derecha e izquierda, campo.
Tabla central del retablo de San Pedro Mártir en Santo Tomás de Avila. Pertenecían a este retablo los números 611, 612, 613 y 614, faltando sólo una.
Véase el n.º 609.

618 *Auto de fe presidido por santo Domingo de Guzmán*

Tabla, 1,54 × 0,92.

Desde una tribuna con dosel dorado, preside el santo, entre seis jueces, uno de ellos dominico, otro porta el estandarte de la Inquisición, con la cruz florenzada; acompáñanles hasta doce inquisidores. A la izquierda, en otra tribuna, los condenados; otro con sambenito y coraza es exhortado por un fraile. A la derecha, dos reos desnudos en el quemadero; dos al pie con sambenito y coraza y letreros *CONDENADO ERÉTICO:* soldados y otras personas.
Procede de la sacristía de Santo Tomás de Avila, donde había una tabla compañera. Se adquirió por R. O. de 10 de abril de 1867. En 1865 decía

616

617

Cruzada Villaamil que en Londres se conservaba una tabla pareja de ésta, y que ambas acompañaban en Santo Tomás de Avila a la tabla de la *Virgen de los Reyes Católicos,* n.° 1260.

1305 *La prueba del fuego*

Tabla, 1,13 × 0,75.

En medio, la hoguera, en la que arde un libro herético, mientras el ortodoxo está suspendido en el aire. A la izquierda, santo Domingo; varias personas presencian el prodigio.
Repite el asunto del n.° 609.
Donativo de doña Rosa Vaamonde, en 1898.

2709 *La Virgen con el Niño*

Tabla, 0,58 × 0,43.

El Niño, desnudo, sentado sobre un cojín; la Virgen tiene un libro abierto; a la izquierda, por la ventana, paisaje con un río.
Para Berenson, la composición recuerda a Justo de Gante; pero la factura tal vez es española.
Legado Pablo Bosch.

3109 *Resurrección de Cristo*

Tabla 0,96 × 0,58.

Sobre un fondo de paisaje y arquitectura amurallada, considerada como representación de la ciudad de Jerusalén, las tres Marías se aproximan al sepulcro. En el centro de la composición destaca la figura de Cristo triunfante, saliendo de la tumba, rodeado de soldados, algunos de los cuales dormitan.
Adquirido por la Junta de Exportación en 1962. Ingresó en el Museo en 1966.

618

1305

BERRUGUETE. Discípulo de Pedro Berruguete

2574 *San Antonio de Padua*

Tabla, 1,05 × 0,53

Figura de cuerpo entero, con el Niño en brazos; un joven donador arrodillado; fondo de paisaje. En el marco, el escudo.
Pintura castellana de los primeros años del siglo XVI.

6972

7024

Presenta analogías con tablas vallisoletanas influidas por Pedro Berruguete. Díaz Padrón y Alonso Blázquez lo atribuyen al Maestro de don Alvaro de Luna.
Adquirido en 1934 a don Rafael Lafora con cargo a la subvención del Estado.

BEUCKELAER. Joachim Beuckelaer

Nació en Amberes hacia 1530; murió hacia 1573. Escuela flamenca.

6972 *Cristo en casa de Marta y María*

Lienzo, 1,26 × 2,43.

En primer plano, una cocina; a la izquierda, una mesa y una alacena repleta de aves de caza, liebres, jamones, cacharros de barro, de cobre, cestos y platos; a la derecha, una anciana con un repollo y una joven con una cesta de frutas y pescados; detrás, una chimenea flanqueada por dos cariátides y, al fondo, una galería de columnas bajo la que se desarrolla la escena evangélica. Fechado en 1568.
Antes de la Guerra Civil se localizaba en Madrid.
Adquirido por derecho de tanteo el 9 de febrero de 1984.

7024 *Mercado*

Tabla, 1,37 × 1,97.

Cesta, aves y otros alimentos llenan el primer plano, cinco figuras completan la composición, formando dos grupos ligeramente distanciados.
Firmado en el ángulo inferior de la izquierda en monograma *JB*.
Díaz Padrón opina que fue pintado en los años juveniles del artista, hacia 1564-1565.
Adquirido por derecho de tanteo en fecha 22 de marzo de 1985.

BIGOT. Throphime Bigot (?)

Documentado en 1620-1635. Escuela francesa.

325 *Magdalena Penitente*

Lienzo, 0,58 × 0,83.

La Magdalena de medio cuerpo, con cabellera rubia y manos unidas en oración, apoyadas en una calavera en primer término. Al fondo, el pomo de los perfumes.
Considerada como obra del estilo de Rusticci en los inventarios del Museo y próxima al estilo de Throphime Bigot para Pérez Sánchez, la personalidad de su autor sigue siendo una incógnita.
Procede de las Colecciones Reales.

BILIVERT. Giovanni Bilivert o Biliverti

De origen flamenco, nació en Florencia en 1576, donde murió el 16 de julio de 1644. Escuela italiana.

7093 *El agradecimiento de Tobías*

Lienzo, 1,71 × 1,48.

Tobías, habiendo recuperado la vista, ofrece sartas de perlas al Arcángel san Rafael; detrás, Tobías el Viejo y dos mujeres.
Cuéntase el pasaje en los vers. 11-15 del cap. XII del *Libro de Tobías*.
Réplica del cuadro de la Galería Pitti, de Florencia, firmado en 1622; réplicas, en el Ermitage y en la Galleria Pallavicini de Roma.
En 1700 y 1794, en el Retiro.

BLOEMEN. Jan Frans van Bloemen, llamado «Orizzonte»

Nació el 12 de mayo de 1662 en Amberes; murió en 1748 ó 1749 en Roma, en donde vivía desde 1686. Escuela flamenca.

1608 *Paisaje*

Lienzo, 0,35 × 0,47.

Tres figuras; un río; monte al fondo.
En 1746, Colección de Felipe V, en La Granja. En 1749, en el Palacio de Aranjuez.

BLOEMEN. Peeter van Bloemen, llamado «Standardo»

Nació en Amberes en 1657; donde murió en 1720. Hermano de Frans, llamado «Orizzonte». Escuela flamenca.

1362 *Caravana*

Lienzo, 0,46 × 0,49.

Caballo con un mono encima, mula con cajas, ganado lanar, hombre y muchacho.
Firmado: *P. V. B. 1704.*
Adquirido por Carlos IV. Estuvo en la Casita del Príncipe de El Escorial; y en Aranjuez, en 1818.

1607 *Paisaje romano*

Lienzo, 0,47 × 0,56.

Pastores con ganado.
Firmado en el sepulcro que está a la derecha: *P. V. B. 1704.*
Hasta 1972 se atribuyó a Jan Frans, «Orizzonte».
En 1746, en La Granja, entre las pinturas de Felipe V.

BOCANEGRA. Pedro Atanasio Bocanegra

Nació en Granada; bautizado el 12 de mayo de 1638; murió el 17 de enero de 1689. Escuela española.

1608

1607

619 *La Virgen y el Niño Jesús con santa Isabel y san Juan*

Lienzo, 1,27 × 1,66.

El precursor besa la mano de Jesús.
Adquirido, en mayo de 1873, a doña María del Carmen Cabrero de Larrañaga.

7159 *El triunfo de David*

Lienzo, 0,56 × 0,81.

David con la cabeza de Goliat aparece rodeado de mujeres, una de las cuales danza ante él.
Adquirido por el Estado, por derecho de tanteo, en 1986.

BOEL. Peter Boel

Nació en Amberes el 22 de octubre de 1622; murió en París el 3 de septiembre de 1674. Escuela flamenca.

619

1363 *Caza y perros*

Lienzo, 1,72 × 3,13.

Tres perros; a la izquierda, un montón de caza; fondo de paisaje amplio.
Firmado cerca del ángulo inferior izquierdo *P. B.*
En 1746, en La Granja, Colección de Isabel de Farnesio. Después, en Aranjuez.

1364 *Despensa*

Lienzo, 1,72 × 2,51.

Mesa abastecida con caza y fruta; un muchacho, a la derecha, que saca agua. Detrás de la mesa, un sillón, que en el respaldo tiene un escudo con creciente de luna y cuatro estrellas sobre fondo azul.
En 1818 en Aranjuez, de donde vino en 1827, con el siguiente.

1365 *Despensa*

Lienzo, 1,72 × 2,51.

Aves vivas y muertas; pescados, hortalizas, etc.; un hombre, un asno cargado de caza y un perro.
Véase el n.º 1364.

1366 *Bodegón*

Lienzo, 1,68 × 2,37.

Caza y pescados; un perro; fondo de costa y mar.
Firmado en el borde de la piedra, a la izquierda del cuello del pavo: *P. BOEL.*
En 1746, en La Granja, Colección de Isabel de Farnesio. Pasó a Aranjuez.

1367 *Armas y pertrechos de guerra*

Lienzo, 1,69 × 3,13.

Un perro, vajilla, armas, piezas de armadura.
Firmado *P. B.* debajo de los platos, a la izquierda, entre la flauta y la base del jarro.
En 1746, en La Granja, Colección de Isabel Farnesio. Después, en Aranjuez.

1879 *Nutrias acometidas por perros*

Lienzo, 0,64 × 1,77.

En un pantano, las nutrias son acosadas por cuatro perros.
En 1746 en La Granja, Colección de Isabel de Farnesio.
Hasta 1972 se consideraba obra dudosa de Paul de Vos.
Vino de Aranjuez en 1848.

BONITO. Giuseppe Bonito

Nació en Castellamare di Stabia en 1707; murió en Nápoles el 19 de mayo de 1789. Escuela italiana.

54 *La embajada turca en Nápoles, año de 1741*

Lienzo, 2,07 × 1,70.

El embajador Hagi Hussein Effendi, sentado y rodeado de su séquito.
Firmado en una cartela, en el ángulo inferior derecho: *GIUSEPPE BONITO. F. 1741.*
En 30 de agosto de 1741 llegó a Nápoles la embajada de la Sublime Puerta para devolver, al que había de reinar en España como Carlos III, la visita que había hecho en su nombre al sultán el príncipe de Francavila, después de concluido el Tratado de Paz.
Una réplica en el Palacio Real de Nápoles, y un dibujo con muchas variantes en la Biblioteca Nacional.

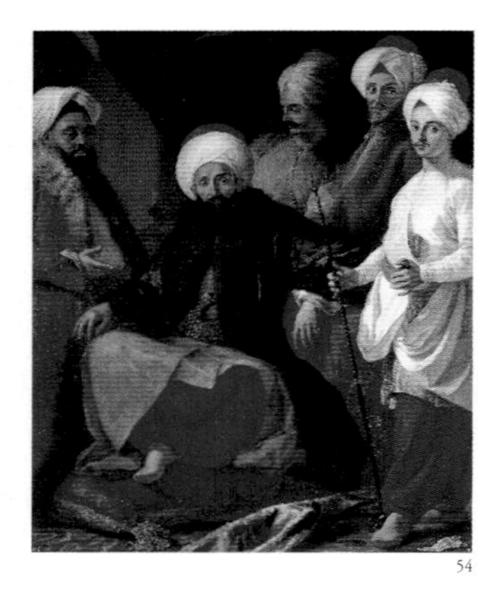

54

En 1746 figura entre las pinturas de Isabel de Farnesio, en La Granja. En 1794 estaba en Aranjuez.

2357 *La reina María Amalia de Sajonia*

Lienzo, 1,25 × 1,02.

De tres cuartos, vestida con un traje de corte de color gris plata. Su pecho realzado por riquísima pedrería, sus muñecas adornadas con brazaletes de plata y portando un abanico en su mano derecha.
Sobre el cojín descansa la corona real, utilizada por don Carlos el día de su entronización en Palermo.
Véase el n.° 2358.
En 1772, en el Palacio Nuevo, en 1818 en La Granja.

BONZI. Pier Paolo Bonzi, «il Gobbo dei Frutti», o «il Gobbo dei Carraci»

Nació en Cortona en 1576; murió en Roma en 1636. Escuela italiana.

1226 *Cabeza de viejo*

Lienzo, 0,39 × 0,31.

De perfil; barbado.
Catalogado hasta 1920 como «atribuido a Velázquez»; pero advirtiendo que ya en 1746, en La Granja, entre los cuadros de Felipe V, adscribíase a «il Gobbo dei Carraci».
Procede de la Colección Maratta. En 1814 estaba en el Palacio Nuevo.

BORDON. Paris Bordón

Bautizado en Treviso el 5 de julio de 1500; murió en Venecia el 19 de enero de 1570. Escuela italiana.

372 *Autorretrato*

Lienzo, 1,04 × 0,76.

De más de medio cuerpo. De negro. El lienzo en un principio fue ovalado, y al hacerlo rectangular (siglo XVIII ?) se le añadiría la mano izquierda.
Se identifica por la estampa que publica Ridolfi, que también ha servido para identificar el óleo del Museo de Treviso, que se fecha entre 1530 y 1540.
Atribuido a Tintoretto en los inventarios de Palacio y antiguos catálogos del Museo, lo negaron Ormaston y Berenson, aunque recientemente. Rossi vuelve a aceptar la antigua atribución. Probablemente citado en el Alcázar en 1666, 1686 y 1700.

BORGIANNI. Orazio Borgianni

Nació en Roma hacia 1576; murió en Roma el 11 de enero de 1616. Documentado en España en 1601 y, nuevamente, en 1605; en 1604 consta su estancia en Roma.

877 *Autorretrato (?)*

Lienzo, 0,95 × 0,71.

De más de medio cuerpo, pintando en un lienzo; en la mano izquierda, la paleta.
Creíase antes retrato de Mazo; en 1920, el *Catálogo,* recogió la opinión de que era un autorretrato de March, pero la publicación, en *Dibujos españoles* (t. III, lám. CCLV), de un dibujo de la Colección Fernández-Durán, con letrero antiguo, obliga a abandonar la identificación; R. Longhi propuso la identificación actual, basada en el retrato de Borgianni de la Academia romana de San Lucas. Posteriormente, se ha avanzado la hipótesis, no del todo rechazable, de que se trate de un autorretrato de Luis Tristán, artista que, evidentemente, conoció a Borgianni, y que presenta a veces con él analogías notables.
Procede de las Colecciones Reales.

997 *San Francisco stigmatizado*

.ienzo, 1,44 × 1,04.

emiarrodillado, de frente, con los razos alzados. En segundo término, l hermano León, derribado en tierra, on gesto de asombro.
Restos de firma, casi ilegibles.
Obra relativamente juvenil, pintada eguramente en España hacia 1605.
Adquirida en 1984.

7402 *San Cristóbal*

.ienzo, 1,65 × 1,20.

El santo, de cuerpo entero, excepcionalmente joven y de anatomía potente, porta sobre sus hombros al Niño esús. Fondo de paisaje de extraños peñascos.
Firmado: ORATIUS BORGIANI ROMANU obre una piedra, abajo a la izquierda.
Perteneció a la Colección Milicua. Fue donada al Museo, en 1988, por don osé Várez Fisa.

7402

BORGOÑA. Juan de Borgoña

Seguramente de procedencia borgoñona. Trabaja en Toledo, donde muere hacia 1534.

3110

3110 *La Magdalena y tres santos dominicos*

Tabla, 1,56 × 1,07.

La Magdalena, arrodillada; tras de ella, san Pedro Mártir, santa Catalina de Siena y la beata Margarita de Hungría.
Para Pérez Sánchez, fragmento que, con otro compañero, serviría de fondo a un Cristo en la Cruz. Fechable hacia 1515. Adquirido por el Ministerio en 1962.

BORGOÑA. Juan de Borgoña «El Joven»

Nació en Toledo, en torno a 1500; murió en Ciudad Rodrigo en 1565. Seguidor y discípulo de su padre Juan de Borgoña. Identificable para Díaz Padrón con los Maestros de Pozuelo y Toro. Escuela española.

3112 *San Gregorio, san Sebastián y san Tirso*

Tabla, 1,47 × 1,24.

A la izquierda, san Gregorio, con tiara y báculo; san Sebastián, en el centro, y, a la derecha, san Tirso, con inscripción a sus pies.
Catalogada como anónima de escuela burgalesa del primer tercio del siglo XVI, por Manuel Gómez Moreno, en 1929. Registrada, en el catálogo del Museo del Prado de 1985, como anónima de la escuela toledana del primer tercio del siglo XVI. Atribuida por Díaz Padrón a Juan de Borgoña «El Joven». Adquirida por el Ministerio de Cultura en 1962.

BORKENS. Jean Baptiste Borrekens, o Borkens

Nació en Amberes el 17 de mayo de 1611, donde murió el 3 de febrero de 1675. Escuela flamenca.

1368 *La apoteosis de Hércules*

Lienzo, 1,89 × 2,12.

El héroe es llevado al Empíreo en carro tirado por una cuadriga.
Firmado en la rueda del carro: *BORKENS F.*
La composición es de Rubens; su boceto, se conserva en el Museo de Bruselas.
En 1700, en la Torre de la Parada. En 1772 y 1794, en el Palacio Nuevo.

1368

BORKENS. Copia

1369 *La apoteosis de Hércules*

Lienzo, 0,98 en cuadro.

El semidiós en las nubes en su carro dorado, que arrastra una cuadriga, guiada por un genio; otro le corona. Fondo de paisaje a la derecha.
Salvado del incendio del Alcázar, donde se registra en 1686; en 1772 y 1794 estaba en el Buen Retiro.

Aunque se ha considerado a veces como un boceto, es en realidad copia, posiblemente por Mazo, de la composición de Rubens pintada por Borkens (n.° 1368).

BORRASA. Discípulo de Luis Borrasá

Las fechas extremas conocidas de Borrasá son 1380 y 1424. Escuela española.

2675 *La Crucifixión*

Tabla, 0,48 × 0,35.

Cristo en la Cruz, entre María y san Juan.
Fondo repintado. Tabla de la espina de un retablo. Según Tormo, es catalana, del siglo XIV, de tradición senesa.
Legado Pablo Bosch.

2677 *Un milagro de san Cosme* (?)

Tabla, 0,69 × 0,62.

En el lecho, el paciente, al que un santo recompone una pierna; delante, la Virgen y el Niño y cuatro ángeles.
Clasificado por Post, quien en la Colección Dohen (Darling) descubrió otra tabla del mismo conjunto; duda acerca del asunto de la del Prado.
Legado Pablo Bosch.

BOSCH. Hieronymus van Aeken Bosch, o «el Bosco»

Nació en Bois-le-Duc hacia 1450; donde murió en 1516. Escuela flamenca.

2048 *La adoración de los Magos*

Tríptico: Tabla, alto, 1,38; ancho de cada puerta, 0,33; de la tabla central, 0,72.
Cerrado: *La misa de san Gregorio,* pintada de claroscuro, salvo dos orantes. En el altar figura el Calvario con las escenas de la Pasión; en el centro, la aparición de Cristo al Papa oficiante.
Abierto: Centro, *La adoración de los Reyes,* fondo de paisaje con Belén al fondo, ciudad de enormes y fantásticos edificios; en el campo, tres cabalgatas, grupos de figuras, etc. En la entrada del portal, desnudo y encadenado, Adán (?) o el Anticristo (?).
Puerta izquierda: El donador, orante; detrás, san Pedro y el escudo de armas; san José calienta los pañales; en el campo, pastores danzando.
Puerta derecha: Donadora, orante; detrás, santa Inés; escudo de armas. Fondo de campo y lago o ría con isla fortificada; un hombre que lucha con un oso, etc.
Firmado en la tabla central con letras de oro: IHERONIMUS BOSCH.
Los escudos, según Justi, son de la familia Scheyven, y según Lafond, de Brouckhorst y Bosschuyse, que son las familias a las que pertenecían los donadores, según el inventario del embargo.
Según Lotte Brand, la figura tras la cortina será la de Bosch, que señala con un dedo a su hijo.
Para Friedländer es la obra maestra del Bosco, pintada hacia 1495.
Estaba en la capilla de la cofradía de Notre-Dame, en la catedral de Bois le-Duc. En su Ayuntamiento se salv de la revuelta iconoclasta de 154 Fue confiscada en Vilvoorde el 16 d abril de 1567 a Jan Casembroo Felipe II la envió a El Escorial e 1574. Vino de El Escorial el 13 d abril de 1839.

2049 *Las tentaciones de san Antonio*

Tabla, 0,70 × 0,51.

El santo, sentado en el hueco de u árbol seco, está rodeado de monstruo grotescos pequeños que se extiende por el campo frondoso y ameno, co edificios y canales.
Para Delevoy, obra de madurez muestra al santo ermitaño en la pa tras haber triunfado de todas la tentaciones.
Es tabla de ejecución primorosa admirablemente conservada. Segú Friedländer, data de hacia 1490. Procede de El Escorial.
Terminaba, en un principio, con traz de medio punto, según ya advertía e *Catálogo* de 1920.

204

2049

2052

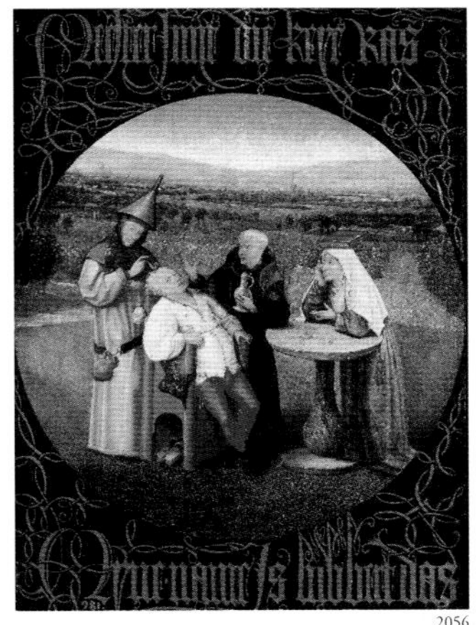
2056

2052 *El carro de heno*

Tríptico: Tabla, alto, 1,35; ancho: cada puerta, 0,45; el centro, 1,00 m.

Cerrado: *El camino de la vida:* Un viandante y los peligros del viaje.
Abierto: En el centro, *El carro de heno,* o de los placeres carnales, seguido por el Papa, el Emperador, el Rey y demás dignidades; se afanan por subir a él las gentes y mueren aplastadas o en riña; en primer término, varias escenas de género. Portezuela izquierda: *El Paraíso terrenal,* con la creación de Eva, la tentación y la expulsión del Paraíso. Portezuela derecha: *El Infierno,* con la construcción de una torre y múltiples tormentos.
Firmada la tabla central: *IHERONIMUS BOSCH,* con letras negras.
Inspirado en el salmo 102 de David.
Por su calidad ha de considerarse original, y no copia, como se ha supuesto, del tríptico de El Escorial.
En el Museo Van Beuningen, de Rotterdam, se repite con variantes la figura del viandante. Según Delevoy es un buhonero que se trocará en el Hijo Pródigo en la versión del museo holandés.
Es el primer tríptico del pintor.
Comprado por Felipe de Guevara; vendido a Felipe II hacia 1570.

2056 *Extracción de la piedra de la locura*

Tabla, 0,48 × 0,35.

Cuatro figuras en el campo, rodeando un velador; el cirujano, con un embudo por sombrero; el paciente, sentado; el practicante y una mujer, con un libro en la cabeza. Fondo de paisaje con un pueblo en la lejanía.
En las letras góticas ornamentales se lee:
MEESTER SNYT DIE KEYE RAS.
MYNE NAME IS LUBBERT DAS.
Develoy traduce:
Maestro, opérame en seguida.
Mi nombre es Lubbert Das.
Según Friedländer, excelente original pintado hacia 1490.
Perteneció a don Felipe de Guevara y fue adquirido por Felipe II de su mujer e hijo. En 1794 estaba en la Quinta del duque del Arco.

2695 *Un ballestero*

Tabla, 0,28 × 0,20.

Cabeza de uno de los soldados de la *Coronación de espinas.*
Repite con variantes —adición de la venera en la gorra y del ristre de la ballesta— la figura del soldado que clava la corona a Jesús en el cuadro del Museo de Amberes.
Legado Pablo Bosch, n.° 62.

2822 *Mesa de los pecados mortales*

Tabla, 1,20 × 1,50.

Alrededor de Cristo, varón de dolores, con el letrero: *CAVE, CAVE, D[OMIN]US VIDET,* la rueda de los siete pecados, escenas de aguda observación y magistral desempeño. En los círculos de la mesa, cuatro círculos con las postrimerías: Muerte, Juicio, Infierno y Gloria.
Firmada: *HIERONIMUS BOSCH.* A pesar de ello y de su excelencia, al hablar de un anónimo discípulo del Bosco, escribe don Felipe de Guevara (murió en 1560) en sus *Comentarios de la Pintura:* «Exemplo de este género de pintura es una mesa que V. M. tiene, en la cual en círculos están pintados los siete pecados mortales mostrados en figuras y exemplos; y aunque toda la pintura en sí sea maravillosa, el cuadro de la Invidia a mi juicio es tan raro y ingenioso y tan exprimido el efecto de ella que puede competir con Arístides, inventor de estas pinturas que los griegos llamaron *Ethice*».
Texto tan explícito de un conocedor y coleccionista cercano al pintor, ha arrastrado a Dollmayr y a Gossart a negar la originalidad de la obra; pero otros, como Lafond, incluyen la admirable tabla entre las del maestro.
Por tal la tenía el padre Sigüenza, que la menciona en el aposento de Su Majes-

2822

tad, como «cuadro y tabla excelente»; mas, al describirla no la recordaba bien, pues convierte los cuatro círculos de los Novísimos en siete de los Sacramentos. Descríbese en el documento de entrega de las pinturas a San Lorenzo del 12 al 16 de abril de 1574. Se exhibe en el Prado desde 1939.

2823 *El jardín de las delicias o la pintura del Madroño*

Tríptico en tabla, 2,20 × 1,95.

En el centro se acumulan las más variadas representaciones y alegorías de la sensualidad.
En la hoja, o puerta izquierda, *La Creación;* en la derecha, *El Infierno.* En el tríptico cerrado se pinta al claroscuro *La Creación del mundo,* con el nacimiento de los primeros vegetales.
El padre Sigüenza escribió en 1605: «La otra tabla de la gloria vana y breve gusto de la fresa o madroño, y su olorcillo que apenas se siente cuando ya es pasado, es la cosa más ingeniosa y de mayor artificio que se puede imaginar».
Según las investigaciones del norteamericano Nicolás Calas (1945), serían precedentes del tríptico los comentarios de san Agustín a los salmos y de san Gregorio al libro de Job. En cambio, para Fraenger (1947) el cuadro se refiere a la secta herética del «libre espíritu», que daba culto a Adán. Supone que el maestro será el hombre vestido del ángulo inferior derecho; mas no está probado que el Bosco fuese adepto de la secta.
El documento de la entrega al Monasterio, el 8 de julio de 1593, le llama *Una pintura de la variedad del Mundo,* cifrada con diversos disparates de Hierónimo Bosco que llaman *del Madroño,* y dice «que se compró en la almoneda del prior don Fernando»; de la Orden de San Juan, hijo natural del gran duque de Alba (murió en 1591). Se conocen dos ejemplares de taller de la tabla central y uno de la puerta izquierda propiedad del Museo del Prado, n.° 2053, en depósito en El Escorial.
Se exhibe en el Prado desde 1939.

2913 *Las tentaciones de san Antonio Abad*

Tabla, 0,70 × 1,15.

Media figura de tamaño natural. Fondo con escenas grotescas.
No se conoce otro ejemplar de esta composición excepcional y, por ello, ha motivado dudas en la atribución que parecen infundadas.

BOSCH (?)

3085 *Tentaciones de san Antonio*

Tabla, 0,88 × 0,72.

Apoyado sobre una roca, con un libro entre las manos y la cabeza vuelta hacia el espectador. En la mitad inferior, monstruosas figuras; en el ángulo derecho, una figura humana semidesnuda. En la parte superior, monstruos de tamaño menor acosan al santo. A la derecha, dos desnudos femeninos. Un fondo de incendio y, a su izquierda, un paisaje marítimo.
Se ha supuesto fuese una de las tres *Tentaciones* enviadas por Felipe II al Escorial en 1574. Se la relacionó, como parte de un mismo tríptico, con las dos hojas laterales del Prado núms. 2050 y 2051, y así se indica en el texto del *Catálogo* de 1963.
Donado por Mme. D. M. Van Buuzen en 1965.

BOSCH. Copias

2050 *Las tentaciones de san Antonio Abad*

Tabla, 0,90 × 0,37.

Véase al santo arrebatado en los aires por demonios, y en tierra rodeado de monstruos grotescos.
Es copia reducida con algunas variantes. Como el n.° 2051, de una portezuela del admirable tríptico de Lisboa. El centro de nuestras tablas se ha identificado, de reciente, en Bélgica.
Como el siguiente, procedente de El Escorial, de donde se trajeron el 14 de abril de 1839.

2051 *Las tentaciones de san Antonio Abad*

Tabla, 0,90 × 0,37.

Interrumpen la lectura del santo ermitaño visiones obscenas y monstruosas a su alrededor, en la lejanía y en los aires.
Firmado con letras negras: *JERONIMUS BOSCH.*

2823

BOSCH. Imitación

2055 *Un ángel conduce a un alma por las regiones infernales*

Tabla, 1,35 × 0,78

Paisaje de monte y mar, alumbrado por incendios; monstruos volando sobre tierra y agua.
Para Friedländer, imitación endeble de Bosch.
Procede de las Colecciones Reales.

2096 *Paisaje infernal*

Tabla, 0,54 × 0,78.

Según Friedländer, es una imitación endeble del Bosco.
Antes del *Catálogo* de 1933 figuraba como de estilo de Huys. Marlier (1969) lo creyó obra juvenil de Brueghel de Velours y Díaz Padrón (1995) lo vincula al taller de su hijo Jan.
Procede de El Escorial.

BOSMANS. Andries Bosmans

Nació en Amberes en 1621; murió en Roma hacia 1681 (donde vivía desde 1664). Escuela flamenca.

1370 *Guirnalda con santa Ana, la Virgen y el Niño*

Tabla, 0,83 × 0,55.

El asunto religioso, pintado al claroscuro, se cree de mano de Cornelio Jan van den Hoecke.
Firmado a la izquierda, en bajo: *AN. BOSMAN F. BRUXLIS.*
Procede de las Colecciones Reales.

BOTH. Andries Both

Nació hacia 1608; murió ahogado en Venecia en 1641.

BOTH. Jan Both

Nació hacia 1615 en Utrech, donde murió el 9 de agosto de 1652. Escuela flamenca.

2060 *Bautizo del eunuco de la reina Candace*

Lienzo, 2,12 × 1,55.

El oficiante es san Felipe, Apóstol; en un alto, a la derecha, los que presencian el bautizo.
Pasaje de los *Hechos de los Apóstoles,* capítulo VIII, vers. 27-38.
Los *Catálogos* del Prado, desde 1920 a 1972, atribuyeron las figuras a Jan Miel; Waddingham (1964) y Burke (1976), con más acierto, a Andries Both.
En 1709, en el Palacio del Buen Retiro.
En 1814, en Palacio, atribuido a Agüero.

2061 *Salida al campo*

Lienzo, 2,13 × 1,53.

Amanecer. Un bosque atravesado por un camino, con una pareja de pastores con vacas.
Pertenece a la serie de temas bíblicos y de anacoretas encargada para el Buen Retiro. Para Luna (1984) podría tratarse del viaje de Tobías y Sara. Burke (1976) considera las figuras probablemente de mano de Andries Both y fecha la obra entre 1640-1641.
En 1700, en el Palacio del Buen Retiro.

2062 *El jardín Aldobrandini, en Frascati*

Lienzo, 2,10 × 1,55.

Vista de la rotonda; en primer término, tres caballeros; varios grupos.
Waddingham (1964) y Burke (1976) atribuyeron con razón las figuras a Andries Both.
Véase n.° 2061.

2066 *Una cascada*

Lienzo, 2,10 × 1,55.

Entre montañas se despeña un río. A la izquierda, dos pescadores.
Waddingham (1964) y Burke (1976) consideran acertada la tradicional atribución del paisaje a Jan Both, pero Burke atribuye las figuras a Andries Both, y no a Jan Miel, como constaba en los *Catálogos* anteriores.
En 1814 se registra en el Palacio Nuevo como obra de Agüero.

5451 *El paso del puerto*

Lienzo, 1,75 × 2,74.

Una mujer sobre una caballería, seguida de un hombre a pie, a quien indica el camino un pastor. Fondo de bosque y río a la izquierda.
Las figurillas deben ser de la mano de Andries Both, por su toque seco y sintético.
En 1700, en el Palacio del Buen Retiro.

2838

2839

2840

BOTTICELLI. Alessandro Filipepi del Botticelli, llamado Sandro Botticelli

Nació en Florencia el 1 de marzo de 1444 ó 1445. Fue enterrado en la misma ciudad, el 17 de mayo de 1510. Escuela italiana.

2838 *La historia de Nastagio Degli Onesti (Cuadro I)*

Tabla, 0,83 × 1,38.

El protagonista, con varios amigos, cerca de la tienda (escena I); paseando sus tristezas, motivadas porque su amada no le corresponde (escena II), encuentra la visión de la mujer mordida por dos perros y perseguida por el amante a quien desdeñó; después de su suicidio y de la muerte de ella, están condenados a salir del infierno los viernes en trágica peregrinación (escena III). Fondo de la Pinetta, bosque cercano a Rávena, y de mar con navíos.
Esta tabla, las dos siguientes y la que pertenece a la Colección Watney, de

Londres, que desarrollan la novela octava de la jornada V del *Decamerón,* de Boccaccio, fueron pintadas en 1483, con motivo de un enlace entre las familias Pucci y Bini, y constituían la cabecera de una cama nupcial. Vasari habla de esta serie «di pittura molto vaga e bella». Ha habido numerosas dudas sobre su paternidad, aunque existe un general consenso en considerar su concepción como obra de Botticelli y en admitir la intervención parcial de su taller en la ejecución.
Adquirió las tablas, en Florencia, Alexander Barker, en 1868, a la familia Pucci, para la que fueron pintadas; a su muerte, en 1879, pasaron a la Colección de I. R. Leyland; en 1892 fueron compradas por el francés G. Aynard, diputado del departamento del Ródano, el cual vendió tres a Joseph Spiridon y la cuarta a Vernon Watney. En mayo de 1929, al dispersarse la Colección Spiridon en Berlín, compró las tres tablas don Francisco de Asís Cambó, que el 8 de diciembre de 1941 las regaló al Museo del Prado.

2839 *La historia de Nastagio Degli Onesti (Cuadro II)*

Tabla, 0,82 × 1,38.

A la izquierda, Nastagio aterrado de la acción que presencia: el jinete, habiendo dado alcance a la perseguida, abre su espada y le arranca las entrañas (escena IV), que devoran los perros. En segundo término, continúa la persecución, inacabable. Fondo, como en la tabla precedente, de pinar y monte.
Véase el n.° anterior.

2840 *La historia de Nastagio Degli Onesti (Cuadro III)*

Tabla, 0,84 × 1,42.

Represéntase el banquete que Nastagio da en el bosque de su retiro, el viernes siguiente, a la mujer que ama y le desdeña, y a su familia y amigos. A la hora precisa entra en el cercado de la fiesta la aparición de los amantes condenados (escena V); Nastagio explica a los asombrados comensales el misterio que presencian. El ejemplo terrible alecciona a la amada, que le concede su amor, avisándole, a la mañana siguiente, mediante su criada, que le habla al lado de la tienda de campaña (escena VI).
La fiesta nupcial se representa en el cuadro IV.
Véase el n.° 2838.
Los críticos han reconocido en esta tabla la colaboración del discípulo de Botticelli, Bartolommeo di Giovanni, llamado «l'Alumno di Domenico». De igual modo que se supone de mano de Jacopo del Sellaio la tabla de la Colección Watney, última de la serie.

BOUCHER. François Boucher

Nació en París el 29 de septiembre de 1703; murió el 30 de mayo de 1770. Escuela francesa.

7066 *Pan y Syringa*

Lienzo, 0,95 × 0,79.

El dios Pan persigue a Syringa, ninfa de la Arcadia, hija del río Ladón, que huye hacia las aguas paternas, donde desaparecerá transformada en caña.
Ha pertenecido a diversas colecciones francesas hasta que fue adquirido por el Ministerio de Cultura, en 1985.

7066

BOUCHER. Copias de François Boucher

2854 *Amorcillos jugando con pichones*

Lienzo, 0,67 × 0,81.

Tres amorcillos en el campo con una jaula, de la que han sacado un pichón. Sobrepuerta. Copia de *L'Amour oiseleur.*
Ingresó en el Museo en 1942.

2855 *Amorcillos vendimiando*

Lienzo, 0,67 × 0,81.

Tres amorcillos en un viñedo; el del centro alza una cesta de uvas. Sobrepuerta. Copia de *L'Amour vendageur.*
Ingresó en el Museo en 1942.

BOUDEWIJNS. Adriaen Frans Boudewijns o Baudewijns

Nació el 3 de octubre de 1644 en Bruselas, donde murió en 1711. Escuela flamenca.

1372 *Paisaje con casas*

Tabla, 0,31 × 0,43.

Entre las casas, camino transitado por carros y viandantes.
En 1746, en La Granja, Colección de Isabel de Farnesio; en 1794, en Aranjuez.

1373 *Paisaje*

Tabla, 0,31 × 0,43

Camino en un bosque, con jinetes y viandantes; al fondo, un río vadeable. A la izquierda, una iglesia.
Compañero del n.° 1374.

1374 *Camino al borde de un río*

Tabla, 0,31 × 0,43.

Caminantes; al fondo, puente, castillo e iglesia.
En 1746, entre las pinturas de Isabel de Farnesio, en La Granja.

1375 *Paisaje con pastores*

Tabla, 0,25 × 0,35.

En el fondo, un pueblo con castillo; a la derecha, pescadores. A la izquierda, pastores, ganado, caminantes, etc.
En 1746, en La Granja, Colección de Isabel de Farnesio.

1376 *Rebaño*

Tabla, 0,32 × 0,43.

El ganado vadea un río; al fondo, un cerro con edificios.
Se trajo de Aranjuez en 1827, con el anterior.

1377 *Un puerto*

Tabla, 0,32 × 0,43.

Jinetes y peatones a la orilla del mar; barcos de vela; a la derecha, un edificio.
En 1746, en La Granja, Colección de Isabel de Farnesio.

1378 *Paisaje con pastores*

Tabla, 0,23 × 0,35.

En medio, un castillo; a la derecha, pastores, caminantes, etc.
En 1746, en La Granja, Colección de Isabel de Farnesio.

1379 *Un puerto*

Lienzo, 0,35 × 0,57.

Ocupa casi todo el cuadro un gran edificio mixto de iglesia y de fuerte; a la izquierda, barcos.
Vino de Aranjuez en 1848.

1382 *Un santuario*

Tabla, 0,35 × 0,44

A la derecha, la iglesia; en la escalinata y al pie, eclesiásticos; damas, caballeros, etc. Fondo de paisaje.
Atribuido a Bloemaert, en La Granja, 1746. En 1794 se cita en Aranjuez.
Los *Catálogos*, hasta 1972, lo atribuían a Peter Bout.

2082 *Paisaje con pastores y ganado*

Lienzo, 0,42 × 0,61.

A la izquierda, campesinos que vuelven del mercado; a la derecha, otros con cabras y vacas. Fondo de bosque, agua y montes.
El lienzo fue atribuido a Bloemaert en los antiguos inventarios de La Granja.
En los *Catálogos* del Prado, hasta 1972, figura como de Jan Glauber.
Para Díaz Padrón y Valdivieso, es obra de Boudewijns.
En 1746, en La Granja, en la colección de Isabel de Farnesio. Después, en Aranjuez.

BOULLOGNE. Jean de Boullogne, llamado «Valentin»

Nació en Coulommiers (Brie) en 1594; murió en Roma en 1632. Escuela francesa.

2346 *El martirio de san Lorenzo*

Lienzo, 1,95 × 2,61.

El santo, desnudo, al que el verdugo coloca sobre la parrilla; soldados, espectadores y una mujer con un niño.
En 1686, en el Alcázar, atribuido a *Monsu Pusin*. En 1709 también en el Alcázar, atribuido a «Poussin, escuela de Caravaggio». Al parecer formaba grupo con otras dos obras del mismo autor, que hoy se encuentran fuera de España.

2346

1503

BOURDON. Sébastien Bourdon

Nació en Montpellier el 2 de febrero de 1616; murió en París el 8 de mayo de 1671. Escuela francesa.

1503 *Cristina de Suecia a caballo*

Lienzo, 3,83 × 2,91.

Viste de gris; cabalga a mujeriegas; en la diestra, el látigo; detrás, un paje portador del halcón y guía de los perros. Fondo de paisaje.
Cristina, hija de Gustavo Adolfo, nació el 8 de diciembre de 1626; murió en Roma el 19 de abril de 1689.
Consta que, entre 1653-54, Bourdon pintó un retrato ecuestre de la Reina de Suecia para enviar a Felipe IV, que se dice, inexactamente, perdido en un naufragio.
En 1666, este cuadro adornaba la «Pieza donde el Rey cenaba», en el Alcázar. En 1772, en el Retiro, entre las pinturas deterioradas.

2237 *San Pablo y san Bernabé, en Listra*

Lienzo, 0,47 × 0,36.

Los Apóstoles rechazan el sacrificio de los bueyes que los gentiles, guiados por el sacerdote de Júpiter, quieren dedicarles por haber curado a un cojo. Figuras de cuerpo entero.

Pasaje narrado en los vers. 6-17 del cap. XIV de los *Hechos de los Apóstoles*. En 1746 figuraba en La Granja (de donde vino en 1828) entre las pinturas de Felipe V, ya atribuido a Bourdon.

2402 *Cristina de Suecia*

Lienzo, 1,05 × 0,98.

La reina aparece sentada, vestida de negro, en actitud serena y majestuosa. Procede de las Colecciones Reales.

4717 *La serpiente de metal*

Lienzo, 1,13 × 1,51.

Legado por Katy Brunov en 1979.

4717

BOUT. Peter Bout

Nació en Bruselas el 5 de diciembre de 1658; murió el 28 de enero de 1719. Escuela flamenca.

1380 *Los patinadores*

Tabla, 0,27 × 0,43.

Gente solazándose en trineos y patines; molinos de viento; al fondo, una población.
Firmado en el ángulo inferior izquierdo: *P. BOUT, 1678.*
En La Granja, Colección de Felipe V; 1746. En 1749 en Aranjuez.

1380

1381 *Plaza de aldea*

Tabla, 0,27 × 0,43.

Un buhonero, en medio, vendiendo su mercancía; a la derecha, un albergue; al fondo, la iglesia.
Firmado en medio, en la parte baja: *PETER BOUT, 1678.*
En 1746, en la Colección de Felipe V, en La Granja. En 1794 en Aranjuez.

BOUTS. Albert Bouts (?)

Hijo de Dierick; nació probablemente en Lovaina hacia 1452/1460; donde murió en marzo de 1549. Escuela flamenca.

2698 *Cabeza de Cristo*

Tabla, 0,30 de diámetro.

De frente, coronado de espinas.
La clasificación actual se debe a Friedländer.
Legado Pablo Bosch.

BOUTS. Discípulo de Albert Bouts

2672 *Cristo*

Tabla, 0,33 × 0,23.

Busto.

Semejante al del Palacio de Justicia de Dijon.
Legado Pablo Bosch.

BOUTS. Dierick, Dirk o Thierry Bouts

Nació en Harlem entre 1400 y 1420. Testó en Lovaina el 25 de abril de 1475 y murió el 6 de mayo. Escuela flamenca.

1461 *La Anunciación - La Visitación - La adoración de los ángeles - La adoración de los Magos*

Tríptico: el centro, formado por dos historias. Tabla, alto, 0,80 m; ancho de las portezuelas, 0,56 m, y del centro, 1,05 m.
Las escenas, encuadradas por arcos de medio punto que simulan piedra, con grupos de esculturas en la vuelta y medallones en albanegas o enjutas, son: *La Anunciación:* Dos profetas, Creación de Eva, Prohibición de comer fruta del árbol del Bien y del Mal, El pecado original, Expulsión del Paraíso, Las penalidades de Adán y Eva y La muerte de Abel.
La Visitación: La venta de Judas (?), La Oración en el huerto, El Prendimiento, Cristo ante Pilatos, La Flagelación, Los

1461

Improperios y Dos Profetas sobre repisas.
La adoración de los ángeles: La calle de la Amargura, la Crucifixión, La bajada al Limbo, El Descendimiento, El Santo Entierro, La Resurrección, Dos Profetas.
La adoración de los Magos: «Noli me tangere», La cena de Emaús, La pesca milagrosa, La incredulidad de santo Tomás, La Ascensión, La Pentecostés, Dos profetas.

Procede de El Escorial, adonde se llevó en 1584 como anónimo. Vino el 15 de marzo de 1839.
Atribuido antes a Petrus Cristus, hoy se cree obra de juventud de Dierick Bouts, de hacia 1445, según Friedländer.

2701 *Dolorosa*

Tabla, 0,35 × 0,24.

Busto; las manos juntas. Probablemente es una Dolorosa pero el letrero del marco antiguo la identifica con santa Mónica. Recuerda el tipo de rostro de la santa mujer que aparece al borde derecho del *Descendimiento,* de Dierick Bouts, de la Capilla Real de Granada, y deriva de modelos de *Dolorosa* creados por el mismo pintor. Será obra de un próximo seguidor de fines del siglo XIV.
Legado Pablo Bosch.

BRAMER. Leonard Bramer

Nació el 24 de diciembre de 1596 en Delft, donde fue enterrado el 10 de febrero de 1674. Escuela holandesa.

2069 *El dolor de Hécuba*

Cobre, 0,45 × 0,59.

Arrodillada ante el cadáver de su hijo Polidoro, arrojado por las olas; una doncella, a la derecha, descubre el cuerpo de Polixena. Fondo de ruinas, castillo y mar.
Inscripción: *HECVBA OVIDIVS?LIB. 13.*
Firmado: *L. BRAMER.*
Se ha venido interpretando este tema como de las *Metamorfosis* de Ovidio (Lib. 13), siguiendo el inventario primitivo de los cuadros de Carlos IV, donde aparece como «fábula de Hécuba», atribuido a Rembrandt. Otros historiadores creyeron representaba el tema de Hero y Leandro.
Adquirido por Carlos IV, como el siguiente. En 1779 estaban en El Escorial.

2070 *Abraham y los tres ángeles*

Tabla, 0,47 × 0,74.

Ruinas; el Patriarca, de rodillas.
Firmado, a la izquierda, en la columna caída: *BRAMER BANLON F. 1630.*
La correcta lectura de la firma y la fecha confirma la supuesta por Widman en 1923.
Véase el n.° 2069.

2069

2070

BRAY. Salomón de Bray

Nació en Amsterdam en 1597 y murió en Harlem en 1664. Escuela holandesa.

2097 *Judith y Holofernes*

Tabla, 0,89 × 0,71.

Judith, de más de medio cuerpo, con corona blanca, lazos rojos y azules y capa de ceremonia, porta en sus manos la cabeza de Holofernes; en segundo término, su sirviente contempla la escena.

Hasta el catálogo del museo de 1985, figura como *Ofrenda*. Durante su reciente restauración, al levantar los repintes, ha aparecido la cabeza de Holofernes, que responde al dibujo preparatorio, firmado y fechado por Bray en 1636.

Atribuido a Salomón Koninckg por Madrazo; Bredius lo creyó obra de Pieter Frans Geber, figurando así en los *Catálogos* desde 1943 a 1972; catalogado correctamente como de Salomón de Bray por Van Moltken en 1956.

Procede de las Colecciones Reales.

2097

BREENBERG. Bartholomeus Breenberg

Nació en Deventer el 13 de noviembre de 1598; murió en Amsterdam en 1657. Escuela holandesa.

2293 *Bendición episcopal*

Lienzo, 0,96 × 1,12.

La escena, en el interior de un templo; el obispo Felipe Rovenius bendice a una familia arrodillada; a la ceremonia asiste concurrencia de fieles.

En los *Catálogos* anteriores al de 1933 atribuíase a Le Nain. Posteriormente fue inexplicablemente atribuido a Frans Pourbus. El profesor Regten Altena observó vestigios de firma, en el peñasco donde planta el Obispo, que interpreta como la del pintor Bartholomeus Breenberg y encontró en el Museo de Darmstad el dibujo para el Obispo firmado *B. B. F.*, lo que confirma la atribución. El mismo crítico identificó al obispo como Felipe Rovenius.

Adquisición de Carlos IV. En 1814 estaba en la «Pieza de vestir», de Aranjuez.

BREKELENKAM. Quiringh Gerritsz van Brekelenkam

Nació hacia 1620 en Zwammerdam; murió en Leyden en 1668. Escuela holandesa.

2136 *Una vieja*

Tabla, 0,48 × 0,36.

De cuerpo entero, sentada ante la chimenea; a la derecha, mesilla con jarro, pan y platos; en el suelo, chirivías y barreño con pescado.

En el ángulo inferior derecho, la firma apócrifa: *D. TEN* [iers].

En los *Catálogos* anteriores al de 1933, atribuido a Hendrik Martensz. Sorgh (nació hacia 1611; murió el 28 de junio de 1670); pero tanto Bredius como Schmidt-Degener lo creían, sin dudas, obra importante de Brekelenkam.

En 1772 estaba en el Palacio Nuevo.

BRILL. Paul Brill, ó Bril

Nació en Amberes en 1554; murió el 7 de octubre de 1626 en Roma. Escuela flamenca.

1849 *Paisaje con Psique y Júpiter*

Lienzo, 0,93 × 1,28.

Entre peñascos, con cascada y arco iris, y, en la cima, un castillo. A la izquierda, Psique da de beber ambrosía al águila de Júpiter.

En una piedra, ángulo inferior izquierdo, quizá la fecha: «1610».

En 1666 se atribuía en el Alcázar de Madrid a Bril; en los *Catálogos* del Prado anteriores al de 1920, a nombre de Van Uden. La atribución a Rubens de las figuras se debe a Bredius y se acepta unánimemente en la actualidad. Parece proceder de la testamentaría de Rubens.

En 1666, 1668 y 1686 en el Alcázar.

BROECK (?). Crispín van den Broeck

Nació en Malinas en 1524; murió antes del 6 de febrero de 1591. Escuela flamenca.

1389 *Sacra Familia*

Tabla, 0,88 × 1,04.

Zacarías, santa Isabel, san Juanito, el Niño Jesús, la Virgen y san José.

Firmado, según el *Catálogo* de 1920;

1389

en el diccionario de Wurzbach dice que se lee *Crispinus;* hoy, ilegible.
En 1818, en Aranjuez. Lo había adquirido Carlos IV.

BRONZINO. Agnolo di Cosimo di Mariano Bronzimo

Nació el 7 de noviembre de 1503; murió el 23 de noviembre de 1572. Escuela italiana.

5 *Don García de Médicis*

Tabla, 0,48 × 0,38.

Figura de medio cuerpo; en la diestra, una flor de azahar y con la izquierda coge el cordón, del que cuelga un joyel con un cuerno por amuleto.
Hijo de Cosme I, Gran Duque de Toscana, y de doña Leonor de Toledo. Nació el 1 de julio de 1547; murió el 6 o el 12 de diciembre de 1562.
Procede de las Colecciones Reales, adonde llegó procedente de la Colección del marqués de Serra.

BROUWER. Adriaen Brouwer, o Brauwer

Nació en Audenarde en 1605-06; enterrado en Amberes el 1 de febrero de 1638. Escuela flamenca.

2731 *El peinado*

Tabla, 0,17 × 0,14.

Un viejo limpia la lendrera; otro hombre, en ademán de matar un parásito. El «paciente» tiene casi oculto el rostro por el pelo.
Obra de primera época. Existe otro ejemplar, publicado por F. Schmidt-

Degener, hoy en la Colección Hal- dring (Oosterbeck, Holanda).
Pero el mejor es el firmado *A. B.* y con la caricatura de Brouwer en el muro núm. 24 de la venta del doctor A. Hommel, de Zúrich (Colonia, 20 de agosto de 1909).
Legado de Fernández-Durán (1930).

BRUEGEL. Pieter Bruegel, el Viejo

Nació probablemente en Bruegel, cerca de Breda, en el Brabante holandés, hacia 1525-30. Maestro en Amberes en 1551; murió en Bruselas el 5 de septiembre de 1569. Escuela flamenca.

139

1393 *El triunfo de la muerte*

Tabla, 1,17 × 1,62.

Escenas en el camino al reino de la Muerte; su entrada se ve a la derecha. Fondo de montañas con incendios, y de mar. Innumerables episodios llenan la tabla.
Según Friedländer, esta obra maestra la pintaría Bruegel el Viejo hacia 1560. Las relaciones temáticas con *Dullet Griet* y la *Caída de los ángeles rebeldes,* firmadas por el artista en 1562, invitan a fechar esta tabla en torno a esos años.
En la venta de la Colección de Ch. Kreglinger (Bruselas Le Roy, febrero-marzo 1936) aparecía un cuadro con variantes y con dos textos: ECCE EQUUS PALLIDUS... (Apocalipsis, 6-8) e ISIT HOMO... (Ecles., 5), reveladores de las fuentes del tema. La tabla del Prado la menciona Van Mander y aparece inventariada en San Ildefonso en 1774; de allí vino en 1827.

BRUEGEL, el Viejo. Copia por Pieter Bruegel, el Joven, llamado «Bruegel d'Enfer»

2045 *País nevado*

Tabla, 0,40 × 0,57.

Sobre el río helado, patinadores; iglesia y casas; al fondo, otro pueblo con altas torres.
Firmado en el ángulo inferior de la derecha: P. BRUEGHEL.
Copia de un cuadro perdido, que se conoce además por los ejemplares de Nápoles, Viena y Génova.
Antes de 1920 se atribuía al holandés Beerestraaten (1628-1666).
En 1746, en la Colección de Isabel de Farnesio, La Granja. Después, en Aranjuez, de donde vino en 1827.

BRUEGEL, el Joven. Pieter Bruegel, llamado «d'Enfer»

Nació en Bruselas hacia 1564; murió probablemente en Amberes en 1637 ó 1638. Escuela flamenca.

1415

1415 *Guirnalda con la adoración de los Reyes*

Cobre, 0,35 × 0,29.

Firmado: P. BRUEGHEL.
Se venía atribuyendo al taller de Jan Brueghel el Mozo.
El carácter de la escena de la Adoración de los Reyes y la forma permiten atribuirlo a Pieter Bruegel el Joven, que sabemos cultivó también la pintura de flores.
Adquirido por Carlos IV.

1454 *El rapto de Proserpina*

Tabla, 0,43 × 0,64.

Figuras de cuerpo entero: entrada en el Averno del carro de Plutón llevando a Proserpina.
En 1794 estaba en la Quinta del duque del Arco.

1456 *Paisaje con caminantes*

Tabla, 0,30 × 0,47

Camino en un cerro; peatones, caballerías y carros; en la lejanía, iglesias, caseríos y molinos.
Díaz Padrón lo cree una réplica de taller de un original de Brueghel el Mozo en el Wellington Museum de Londres.
Salvado en el incendio de 1734; en 1772, en el Palacio Nuevo.

1457 *Construcción de la Torre de Babel*

Tabla circular, convertida en cuadrada, de 0,44.

El rey, en primer término, a la derecha, llega a visitar las obras, que están ya en la séptima planta.
Para Friedländer, no es de Bruegel «d'Enfer». Un cuadro semejante hay firmado por Abel Grimmel en 1595 (maestro en Amberes en 1592, muerto después del 1619); ambos inspirados en una tabla de Bruegel el Viejo, firmada en 1563 (Museo de Viena).
En 1774 en el palacio de La Granja.

1458 *Incendio y saqueo de una población*

Tabla circular, convertida en cuadrada; 0,43 × 0,44.

Compañero del n.° 1457 e inferior en calidad.

2470 *La adoración de los Magos*

Lienzo, 1,19 × 1,65.

En medio, la choza, con la Sagrada Familia; los Magos presentan sus dones; a derecha e izquierda, el séquito. Fondo de río, apenas visible.
Se conocen de esta composición varios ejemplares: uno a temple —1,55 × 1,63 m—, del Museo de Bruselas; otro al óleo, del de Amberes; el tercero, en la Colección Johnson, hoy en el Museo de Pensilvania, en Filadelfia, y el cuarto en las Descalzas Reales de Madrid.
El ejemplar de Bruselas ha sufrido mucho. También está mal conservado el de Madrid, restaurado de antiguo.
Adquirido por el Patronato del Tesoro Artístico, en noviembre de 1930.

2816 *Paisaje nevado*

Tabla, 0,45 × 0,76.

A la salida de un pueblo, un puente; en el cauce helado del río patinan algunos hombres; grupos diversos por los caminos, con carros.

Está en relación con el n.° 2045, que se atribuye a Pieter Bruegel el Joven, copia de un cuadro perdido de Bruegel el Viejo, que se conoce por la copia de la Galería Doria.
Ingresó en el Prado en 1941.

BRUEGHEL DE VELOURS. Jan Brueghel de Velours

Nació en Bruselas en 1568; murió en Amberes el 12 de enero de 1625. Escuela flamenca.

1394 *La Vista*

Tabla, 0,65 × 1,09.

Una ninfa desnuda, apoyada en una mesa, contempla un cuadro: La curación del ciego, que le presenta un amorcillo; la sala está llena de cuadros y estatuas, clásicas éstas, y de Rubens y su escuela los más de aquéllos —retratos de los Archiduques, Sileno, etc.—. En las mesas y en el suelo, joyas, monedas e instrumentos de óptica y cosmografía; un mono con lentes examina una marina. Por la puerta se divisa una fuente con pavos reales y edificios; a la derecha, galería de pinturas y esculturas.
Firmado en un papel próximo al asiento de la ninfa: *BRUEGUEL F. 1617.*
Compañero de los números 1395 al 1398; véase la nota del último.

1395 *El Oído*

Tabla, 0,65 × 1,07.

Una ninfa desnuda canta acompañándose con un laúd; a su lado, un amorcillo y un ciervo; llenan la estancia ave instrumentos de música, armas d fuego, cuerno de caza, relojes, campa nillas, pinturas alusivas al sonido; sobr la mesa, abierto, el libro *De madrigali sei voci,* de «Pietro Philipp Inglese organista de los Archiduques. Al fond galería abierta sobre el paisaje con castillo de Mariemont; y a la izquierda pieza en la que se celebra un concierto.
Compañero de los números 1394 1398; véase el último.

1396 *El Olfato*

Tabla, 0,65 × 1,09.

Una ninfa desnuda huele las flores qu le ofrece un amorcillo; delante, u gato de algalia echado entre botes d perfumes; detrás, un pebetero y u perro; por todas partes, flores, y, en fondo, un parque con arquitectura una fuente, pavos reales y ciervos.
Firmado en el borde inferior, a l derecha: *BRVEGHEL.*
Compañero de los números 1394 1398; véase el último.

1394

139

1395

139

139

1397 *El Gusto*

Tabla, 0,64 × 1,08.

Una ninfa comiendo en una mesa surtida con los más diversos manjares; un sátiro le escancia el vino. El suelo, ocupado por caza, pesca, hortalizas, frutas y el cuadro *Cibeles y las estaciones,* (n.° 1414), etc. En las paredes, pinturas alusivas, como *Las bodas de Caná.* Fondo de bosque y el castillo de Tervueren con foso; aves de corral y caza; a la izquierda, una cocina.
Firmado en el borde inferior, a la derecha: *BRVEGHEL. 1618.*
Compañero de los números 1394-1398; véase el último.

1398 *El Tacto*

Tabla, 0,65 × 1,10.

Venus y Cupido besándose en una estancia, llena de armas y armaduras, herramientas, instrumentos de cirugía y de cosmética adornada con pinturas —*Flagelación, Limbo e Infierno,* etc.—. Al fondo, fragua, con piezas de artillería y campo; en él, dos campanas, hombre que apalea a un burro, etcétera.
Compañero de los números 1394-1397. Serie de cuadros que «regaló (en 1634) el duque de Pfalz-Neoburg al Cardenal-Infante y Su Alteza al duque de Medina de las Torres y el duque a Su Magestad», como dice el inventario del Alcázar de 1636. El inventario afirma que las figuras son de Rubens y lo demás de Brueghel, y ésta es la teoría en la actualidad aceptada.

1399 *Los cuatro elementos*

Tabla, 0,62 × 1,05

En un bosque frondoso; a la izquierda, el Agua, riachuelo abundante en peces; en medio, tres ninfas con bienes de la Tierra, frutas, rebaños; a la derecha, genios cogiendo flores; en el Aire, aves y una pareja de enamorados con antorcha y lámparas encendidas, símbolos del Fuego.
Las figuras son de Hendrick van Balen. El Prado conserva otra versión de Brueghel el Mozo (n.° 1400).
Antes de 1734 estaba en el Alcázar de Madrid. En 1747 estaba en el Buen Retiro; y en 1772 y 1794 en el Palacio Nuevo.

1403 *La Vista y el Olfato*

Lienzo, 1,75 × 2,63.

Dos ninfas y dos amorcillos alrededor de una mesa; la que está en pie, huele unas flores, y la sentada se mira en el espejo. Sobre la mesa, joyas, monedas y flores. En el suelo, a la izquierda, cesta de flores, pebetero, instrumentos de óptica y dos monos examinando un cuadro... Cubren todas las paredes pinturas. También hay estatuas. Puerta a un parque.
Compañero del siguiente (1404). Son ambos réplicas de los regalados por Cornelio van der Geest a los Archiduques en 1612, hechos por los doce pintores mejores de la ciudad, bajo la dirección de Jan Brueghel.
Se trajeron de Flandes en 1623 para la reina Isabel de Borbón. En 1636 estaba en el Alcázar; tras el incendio de 1734 pasaron a El Pardo, y en 1794 se citan en el Palacio Nuevo.

1404 *El Gusto, el Oído y el Tacto*

Lienzo, 1,76 × 2,64.

Rodean la bien abastecida mesa una ninfa, con una nutria en brazos, que escucha un laúd, y dos genios que cantan abrazados; otra ninfa, con una ostra y un vaso. Debajo de la mesa, un perro y un mono. A la izquierda, instrumentos músicos y un genio con un mono; y, a la derecha, un aparador con manjares y cinco servidores, con fuentes, bandejas y vasos. Cuadros en las paredes. Fondo de galería abierta y paisaje dominado por el castillo de Mariemont.
Compañero del n.° 1403.

1410 *El Paraíso terrenal*

Tabla, 0,59 × 0,41.

Selva espesa en la que conviven leones, ciervos, gatos monteses, toros, monos, aves diversas, etc. Al fondo, Adán y Eva al pie del árbol de la ciencia del Bien y del Mal.
Tradicionalmente atribuido a Brueghel de Velours. Ertz y Díaz Padrón lo creen de Brueghel el Mozo.
En 1734 estaba en el Alcázar. En 1772 y 1794 se cita en el Palacio Real.

1412 *Paisaje con san Juan predicando*

Cobre, 0,44 × 0,57.

El precursor predica bajo un roble a variado concurso, en el que predominan los soldados; a la derecha, casas al borde del agua y embarcaciones.
Díaz Padrón (1995) lo cree del taller de Brueghel el Mozo.
En 1772 estaba en el Palacio Nuevo.

1414 *Cibeles y las estaciones dentro de un festón de frutas*

Tabla, 1,06 × 0,75.

Dos ninfas y doce amorcillos sostienen el festón; fondo de cielo, con pájaros. En el medallón, Cibeles, a la que corona Primavera y ofrecen frutas Verano; uvas, Otoño, y un plato con viandas, Invierno. En torno, trece genios que vuelan, juegan y trabajan.
De atribución dudosa en catálogos anteriores se cree el festón de Jan Brueghel y las figuras de Van Balen; Ertz lo atribuye a Brueghel el Mozo, bajo cuyo nombre lo coloca también Díaz Padrón (1995). Aparece el cuadro copiado puntualmente en el n.° 1397 del Prado: *El Gusto,* que firma J. Brueghel en 1618. En el Museo de La Haya hay una réplica. El boceto se guarda en la Casa de Goethe, en Weimar.
En 1794 se atribuía a Van Kessel, en el Palacio Nuevo.

1416 *Guirnalda de flores y frutos con la Virgen y el Niño*

Tabla, 0,48 × 0,41.

La Virgen, de más de medio cuerpo, con el Niño en brazos y una corona de flores en la mano izquierda; simúlanse pintados en un cuadro, rodeado por festón de flores y frutas con simios y pájaros.
Según Díaz Padrón, realizado en colaboración por Brueghel y Van Balen. Enviado por Isabel Clara Eugenia. En 1794 en el Palacio Nuevo.

1421 *Florero*

Cobre, 0,48 × 0,35.

Ramo de rosas, tulipanes y otras flores, con insectos, en un vaso de loza de Delft (?). Sobre la mesa se ven orugas, crisálidas y mariposas.
Repite originales de Brueghel en colecciones de Londres y La Haya. Obra de atribución controvertida, se ha creído de Kessel, Abraham Brueghel y, recientemente, del taller de Brueghel de Velours.
Compañero del n.° 1424.
Procede de las Colecciones Reales.

1422 *Florero*

Tabla, 0,44 × 0,66.

Las flores, en una vasija de loza.
Ha perdido unos 10 cm de su anchura original. Probablemente el que se cita en 1772 en el Palacio Nuevo.

1423 *Florero*

Tabla, 0,49 × 0,39.

Al lado del vaso, una rana.
Hairs, Ertz y Díaz Padrón lo atribuyen a Brueghel el Mozo.
Colecciones Reales.

1423

1424 *Florero*

Tabla, 0,47 × 0,35.

Ramo de tulipanes, rosas y lirios en un vaso de porcelana china. Sobre la mesa, un insecto, una rama y flores.
Compañero del n.° 1421. Díaz Padrón los cree del taller de Brueghel de Velours.
Procede de las Colecciones Reales.

1425 *Flores sobre un plato*

Lienzo, 0,43 × 0,33.

Sobre un plato de puntas, encima de un paño azul, rosas y otras flores.
Obra de sus últimos años con evidentes sugestiones de Daniel Seghers.
Colecciones Reales.

1426 *Florero*

Lienzo, 0,41 × 0,33.

En un vaso de vidrio, rosas, tulipanes, jazmines, etc.
Colecciones Reales.

1427 *Camino en un bosque*

Tabla, 0,46 × 0,75.

Jinetes, galeras, viandantes; a la izquierda, un río.
Ertz y Díaz Padrón lo atribuyen a Brueghel el Mozo.
Colecciones Reales.

1430 *Paisaje con molinos de viento*

Tabla, 0,34 × 0,50.

Campo de molinos; en la lejanía, un pueblo; tres carros cargados de sacos y cestas y cuatro carreteros.
Ertz y Díaz Padrón lo creen de Brueghel el Mozo.

1431 *Paisaje*

Tabla, 0,40 × 0,62.

Fondo de montes con un molino de

1433

viento. A la derecha, un río y un puente; a la izquierda, varias parejas de campesinos que llevan leche, huevos y pescado.
Vino en 1828 del Palacio de Aranjuez. Lo había adquirido Carlos IV.

1432 *Recua y gitanos en un bosque*

Cobre, 0,36 × 0,43.

A la izquierda, paisaje abierto con un poblado; a la derecha, bosque con camino; al borde, gitanos, recua de nueve caballerías y cinco arrieros.
Fechado en 1614.
Figura entre los cuadros de Felipe V, en La Granja, 1746.

1433 *Paisaje con galeras*

Tabla, 0,32 × 0,43.

Camino por cerros con cruce de galeras y carros. Campo dilatado con caminantes; a la derecha, una cruz.
Firmado en el ángulo inferior izquierdo: *BRUEGHEL 1603.*
En 1746 en La Granja, Colección Farnesio. Después, en Aranjuez.

1434 *Los archiduques, de caza*

Lienzo, 1,35 × 2,46.

Descanso de los cazadores bajo unos árboles; al fondo, Mariemont.
Traído para la reina doña Isabel de Borbón. En 1636, en el Alcázar.
Atribuido en el último catálogo a Jan Brueghel el Joven, es obra segura de su padre, Brueghel de Velours.

1435 *Molinos de viento*

Cobre, 0,16 × 0,27.

Dos molinos y varios hombres cargando y descargando sacos.
Inspirado en un original de Brueghel de Velours de 1611, hoy perdido, Díaz Padrón lo atribuye a su hijo Jan. En el catálogo de 1985 aparece bajo Brueghel de Velours.
Vino de Aranjuez en 1848, con el n.° 1436, su compañero.

1436 *Camino en la montaña*

Cobre, 0,16 × 0,27.

Un coche y un jinete, dos mujeres y vacas.
Sigue a un original de Brueghel de Velours en el Museo de Franckfort.
Véase el n.° 1435, con el que comparte atribuciones.

1438 *Banquete de bodas*

Lienzo, 1,28 × 2,69.

Campo, la iglesia a la izquierda, casas a la derecha; ante el grupo central de árboles, un dosel y la mesa de los novios; dos mesas mayores a los lados. La concurrencia baila, come, bebe o descansa.
Firmado, en la silla triangular de la derecha: *BRUEGUE FECIT, 1623.*
Traído de Flandes para la reina Isabel de Borbón en 1623. En 1636 estaba en el dormitorio de verano de Felipe IV, en el Alcázar de Madrid. Después pasó a El Pardo; en la Zarzuela estaba en 1703 y 1794; y en 1828 ingresó en el Museo.

1439 *Baile campestre ante los archiduques*

Lienzo, 1,30 × 2,66.

En un campo, los archiduques Isabel Clara Eugenia y Alberto, sentados bajo un árbol; al fondo, y acompañados de damas y caballeros, presencian una danza popular, que presiden desde un tablado siete campesinas; soldados y aldeanos asisten a la fiesta. A la derecha, lejanía de prados.
Firmado: *BRUEGHEL, 1623.*
Compañero del n.° 1438, con el que comparte procedencia.

1441 *Boda campestre*

Lienzo, 0,84 × 1,26.

En el centro del amplio paisaje, la iglesia, gótica; delante de la puerta, danza de aldeanos. La comitiva, compuesta por el tamborilero, el novio con una flor en la mano, grupo de hombres, tres músicos y tres jóvenes; la de en medio lleva un cirio, y la novia, una maceta, entre dos mancebos, y acompañamiento; varios vecinos presencian el desfile.
En 1666, 1686 y 1700 en el Alcázar. En 1772 y 1794 en el Palacio Nuevo.

1442 *Banquete de bodas presidido por los archiduques*

Lienzo, 0,84 × 1,26.

En el campo, bajo robles corpulentos, dos mesas; en la cabecera de la del fondo, la novia, en la de la otra, los archiduques; los comensales son cam-

1441

1411

pesinos; detrás, en pie, damas, caballeros, alabarderos, etc.; a la izquierda, los servidores, pobres comiendo, etc.
Compañero del n.° 1441, con el que comparte procedencia.

1444 *La vida campesina*

Lienzo, 1,30 × 2,93.

Grupos diversos llenan el campo, ordeñando, haciendo manteca, bebiendo leche, jugando, etc.; muchas cabezas de ganado vacuno; paisaje llano y suave.
Obra de la última década del pintor con muchos elementos procedentes de Rubens.
Se trajo de Flandes para la reina Isabel de Borbón en 1623. En 1636 estaba en el Alcázar. En 1700, en El Pardo; en 1772 y 1794, en el Palacio Nuevo.

1885 *Bosque*

Tabla, 0,47 × 0,80.

Carruajes, jinetes y caminantes en el cruce de sendas, en un bosque.
Se conservan tres réplicas literales, fechadas en 1607.
Hasta 1972 se consideró obra de Brueghel y S. Vranck.
En 1746, en La Granja, cuadros de la Colección de Isabel de Farnesio. Luego, en Aranjuez.

2029 *Camino en el bosque*

Lienzo, 0,63 × 0,81.

Coche, jinete y viandantes; a la izquierda, una charca; al fondo, un pueblo lejano.

BRUEGHEL y Hendrick de Clerk

1401 *La abundancia y los cuatro elementos*

Cobre, 0,51 × 0,64.

En el centro, Cibeles o la Abundancia con espigas en la diestra y el cuerno de frutas en su mano izquierda. A un lado, el Agua, y al otro, la Tierra; detrás, monte con caza; volando, el Aire, entre aves, y el Fuego con antorcha y rayos. Dos genios con coronas. En primer término: peces, frutos y flores. Al fondo, leones y ciervos.
El paisaje es obra de J. Brueghel, como consta en los antiguos catálogos del Museo, y las figuras se deben a Clerck.
Procede de las Colecciones Reales. En 1746 estaba en La Granja entre los cuadros de Felipe V, atribuyéndose, en parte, al alemán Johann Rottenhammer (1564-1623).

BRUEGHEL y Peter Paul Rubens

1411 *La visión de san Huberto*

Tabla, 0,63 × 1,00.

El santo cazador, rodeado por sus perros, cae de rodillas al ver una cruz luminosa entre las astas del ciervo; detrás del santo, su caballo. Fondo de bosque.
En los *Catálogos* anteriores se le suponía enteramente de Brueghel.
En Berlín hay una réplica con un perro ante el ciervo, y en Múnich, otro ejemplar firmado por Brueghel en 1621.
Perteneció al marqués de Leganés.
En 1686 se registra en el Alcázar como de Rubens y Brueghel. En 1747 estaba en el Retiro, y en 1772 y 1794, en el Palacio Nuevo.

BRUEGHEL. Taller y copias

1406 *El Paraíso terrenal*

Cobre, 0,57 × 0,88

En segundo término, Eva ofreciendo a Adán el fruto prohibido; variedad de animales; a la izquierda, paisaje abierto.
Copia de un original de Brueghel de Velours en el Museo de Budapest.
Atribuido a Brueghel en los *Catálogos* hasta 1972, y a su taller en el de 1985, Ertz y Díaz Padrón lo creen de Brueghel el Mozo.
Como el siguiente, fue adquirido por Carlos IV. En 1814, en el Palacio Nuevo.

1407 *La entrada en el Arca de Noé*

Cobre, 0,56 × 0,88.

El campo casi cubierto por variedad de animales; al fondo, a la izquierda, el arca; a la derecha, una iglesia.
Compañero del n.° 1406, con el que comparte procedencia y atribuciones.

BRUEGHEL. Discípulo de Jan Brueghel

1447 *Florero*

Tabla, 0,37 × 0,27.

En un vaso de vidrio, rosas, jazmines, un tulipán, etc.; una mariposa.
Pareja del siguiente.
Colecciones Reales.

1448 *Florero*

Cobre, 0,37 × 0,27.

En un vaso de vidrio, rosas, clavelinas y otras flores.

1449 *Florero*

Lienzo, 1,81 × 0,70.

En un jarrón de barro, pintado con medallones mitológicos, un gran ramo de rosas, crisantemos, tulipanes, azucenas, jazmines, etc.
Pareja del n.° 1450.
Díaz Padrón los considera obra autógrafa de Jan Brueghel.
Colecciones Reales.

1450 *Florero*

Lienzo, 1,81 × 0,70.

En un jarrón de barro, pintado con relieves y figuras mitológicas, un gran ramo de azucenas, lirios, tulipanes, girasoles, etc.
Compañero del n.° 1449.

1455 *Bosque y casas*

Tabla, 0,57 × 0,86.

Pastores con ganado; al fondo, una torre.
Atribuido hasta 1972 a P. Brueghel el Joven y en 1985 al taller de Brueghel de Velours, Díaz Padrón lo cree de Brueghel el Mozo.
En 1746, en La Granja, Colección de Isabel de Farnesio. Luego, en Aranjuez.

1400

BRUEGHEL II. Jan Brueghel, el Mozo

Nació en Amberes el 13 de septiembre de 1601, donde murió el 1 de septiembre de 1678. Escuela flamenca.

1400 *La Abundancia y los cuatro elementos*

Tabla, 0,65 × 1,11.

La Abundancia recibe la ofrenda de flores y frutos de la Tierra; a su derecha, el Agua con un caracol; volando abrazados, el Aire y el Fuego; aves, peces y diversidad de animales y plantas. Dos genios cortan flores. En el fondo, pastores con ganados.
Obra probablemente de Jan Brueghel el Mozo copiando un original fruto de la colaboración de su padre y Van Balen.
Hasta 1972 se consideraba original de estos maestros.
Salvado del incendio de 1734; en 1772 y 1794 adornaba el Palacio Nuevo.

1402 *La Abundancia*

Cobre, 0,40 × 0,58.

Matrona con seis pechos y una cornucopia de frutas, rodeada de genios y dones naturales.
Se consideraba, hasta 1972, obra de Brueghel de Velours y de H. de Clerck.
Salvado del incendio de 1734; en 1746 estaba en el Buen Retiro y en 1772 en el Palacio Nuevo.

1408 *Adán y Eva en el Paraíso: La Tentación*

Cobre, 0,40 × 0,50.

En medio, Adán y Eva bajo el manzano; rodéanles los animales.
En los *Catálogos* hasta 1972, considerado obra de J. Brueghel de Velours.
En 1746, en La Granja, entre las pinturas de Isabel de Farnesio. Después, en Aranjuez.

C

CABEZALERO. Juan Martín Cabezalero

Nació en Almadén (Ciudad Real) hacia 1634; murió en Madrid en 1673. Escuela española.

621 *Pasaje de la vida de san Francisco*

Lienzo, 2,32 × 1,95.

San Francisco recibe en la orilla a un joven que, vestido con hábitos negros, golilla y sombrero, es traído por Cristo por encima del agua. Al fondo, una barca, y un ribazo con dos figuras.

Se ha supuesto que el joven es el conde Orlando de Cattani, señor de Chiusi, propietario del monte Alvernia, donde el santo recibió los estigmas. En San Hermenegildo, de Madrid, de donde procede, se interpretaba su asunto en 1786 como una visión de san Francisco, «donde Cristo le manifiesta a un sacerdote que no quería admitir a voto».

En dicho convento era pareja del *San Pedro de Alcántara*, del Museo de Múnich, firmado por Coello, al que en el citado inventario se atribuyen los dos.

Fue uno de los cincuenta cuadros elegidos para el Museo Napoleón. En 1815 fue devuelto a España y desde entonces estuvo en la Academia de San Fernando, de la que pasó en 1901 al Museo.

658 *La Asunción*

Lienzo, 2,37 × 1,69.

La Virgen llevada al cielo por ángeles; los Apóstoles rodean el sepulcro; unos retiran la tapa, otros miran al interior, y otros, en fin, presencian la asunción gloriosa.

658

Atribuida tradicionalmente a Mateo Cerezo, Soria propuso (1959) la atribución a Cabezalero, que parece segura por comparación con sus obras documentadas, de la Venerable Orden Tercera de Madrid.

Adquirido por Fernando VII a los herederos de Antonio Ruiz en 1829, llegó al Prado desde el Palacio de Aranjuez.

CAFFI. Margarita Caffi

Nacida, probablemente, en Vicenza. Documentada en 1680-1700. Escuela italiana.

3997 *Flores*

Lienzo 1,52 × 1,96.

Sobre un fondo oscurecido surgen, directamente del suelo, ocupando gran parte de la composición, un rosal florecido y una mata de tulipanes.

Atribuido, tradicionalmente, a Bartolomé Pérez; en el catálogo de la Exposición «Pintura Española de Bodegones y Floreros de 1600 a Goya» (1983), Pérez Sánchez lo cree obra de Margarita Caffi.

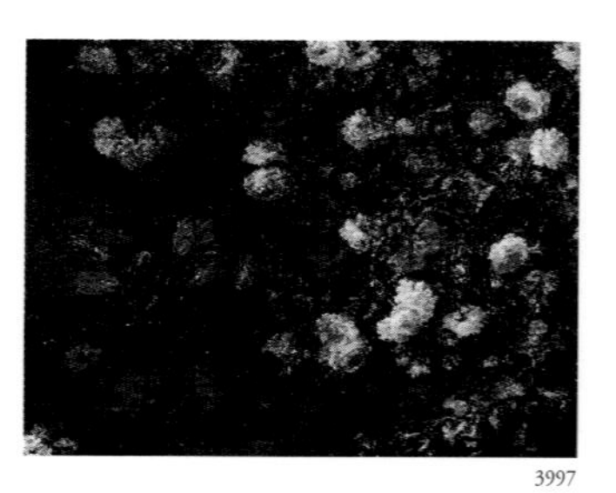

3997

Procede de la Colección Pastrana y fue donado al Museo en 1889.

CAJES. Eugenio de Cascese, Caxés o Cajés

Nació en Madrid el 10 de enero de 1574; murió el 15 de diciembre de 1634. Escuela española.

653 *Recuperación de San Juan de Puerto Rico*

Lienzo, 2,90 × 3,44.

Don Juan de Haro habla con un ayudante suyo, a la derecha; al fondo, el fuerte conservado por los españoles y desde el cual obligaron a los holande-

653

ses a reembarcarse (1625); la ciudad, incendiada al abandonarla los holandeses, que van a las naves «con grande riesgo, el agua a la cinta». En el mar, un barco holandés.

Es uno de los lienzos de la serie del Salón de Reinos del Buen Retiro. Caxés dejó inacabados a su muerte los dos lienzos que tenía encargados, concluyéndolos Antonio Puga y Luis Fernández. En éste se hace muy difícil discernir las diversas manos, pero la belleza del paisaje hace evocar los elogios que Puga recibía en su tiempo como paisajista.

Hasta 1952, a nombre de Félix Castelo.
Aparece en los inventarios del Buen Retiro de 1700 y 1794. Fue uno de los 50 cuadros elegidos para el Museo Napoleón. Devuelto de Francia en 10 de junio de 1816. Entró en el Museo en 1827.
Véase el n.° 635.

657 *Imposición de la casulla a san Ildefonso*

Tabla, 0,40 × 0,51.

El santo, arrodillado, recibe la casulla de manos de la Virgen. Angeles acompañan la escena.
Firmado: *EUGENIUS CAXES F.*
Debe ser cuadro de banco de retablo. Procede del Museo de la Trinidad.

3120 *Virgen con el Niño*

1,60 × 1,35.

La Virgen, sentada, con las manos juntas, contempla al Niño dormido en sus rodillas. Angeles niños revolotean y calientan unos pañales. Al fondo, a la derecha, el taller de san José.
Firmado, de modo hoy casi ilegible, *EUGENIUS CAXESIUS CATHOLICI REGIS PHILIPPI TERTII PICTOR FECIT 1618*. La fecha a veces se ha leído como 1618.
Hay dibujo en la Colección Witt de Londres para la Virgen y el Niño.
Aparece en todos los inventarios del Palacio del Buen Retiro.

CAJES. Copia de Correggio

Véase éste.

CALIARI

Véase VERONESE

CALLET. Antoine François Callet

Nació en París en 1741; murió en la misma ciudad en 1825. Escuela francesa.

2238

2238 *Luis XVI*

Lienzo, 2,75 × 1,93.

Junto al trono, vistiendo el traje de su consagración: manto de terciopelo morado sembrado de lises y con armiños; la diestra apoyada en el cetro; sobre un almohadón azul, la corona y «la mano» (cetro de los reyes de Francia); el sombrero, en la izquierda; en el respaldo del sillón, la Justicia.
Hijo del delfín y nieto de Luis XV, nació el 25 de agosto de 1754, consagrado el 11 de junio de 1775; murió guillotinado el 21 de enero de 1793.
Callet pintó tres ejemplares de este retrato en 1778, 1779 y 1789. Este es seguramente el segundo, porque en el marco, que es el original, dice una cartela: *DONNÉ PAR LE ROI À MR. LE CTE. D'AVANDA, AMBASSADEUR DE LA COUR D'ESPAGNE AUPRÈS DE SA MAJESTÉ EN L'ANNÉE 1783*.
Adquirido por Isabel II en la testamentaría del duque de Híjar (muerto el 16 de noviembre de 1863) y enviado al Museo en 28 de junio de 1864.

CAMARON. José Camarón Boronat

Nació en Segorbe (Castellón) el 17 de mayo de 1731; murió en Valencia el 13 de julio de 1803. Escuela española.

622 *La Dolorosa*

Lienzo, 1,62 × 1,15.

María, al pie de la Cruz, acompañada por ángeles.
Se compró en 1829 a doña Salvadora Jara, viuda del pintor José Camarón Meliá (1760-1819), hijo de José Camarón Boronat. Es posible que se trate de obra de Camarón Meliá.

6732 *Una romería*

Lienzo, 0,83 × 1,08.

Una pareja de majos bailan al son de la música. Al fondo, paisaje imaginario y figuras sentadas al borde del camino contemplando la escena.
Obra, como su compañera (n.° 6733), muy característica del estilo «galante» de Camarón.
Adquirido por el Estado, lo mismo que el siguiente, por Orden Ministerial de 24 de abril 1980.

6733

6733 *Parejas en un parque*

Lienzo, 0,83 × 1,08.

Dos jóvenes conversando, una sentada y otra en pie delante de una estatua de Venus con el amorcillo. A la derecha un majo charla con una dama, a la izquierda, una pareja de majos y una dama sentada con su hijo al borde del riachuelo. Compañero del n.° 6732.

CAMASSEI. Andrea Camassei

Nació en Bevagna en 1602; murió en Roma en 1649.

Escuela italiana.

122 *Fiestas lupercales*

Lienzo 2,37 × 3,65.

Fiestas romanas, en las que se ofrecían sacrificios al dios Pan y a la diosa Lucina, relacionados ambos con la fecundidad y el nacimiento. En ellas los hombres flagelaban a sus mujeres para que fuesen más fecundas.
Procede de las Colecciones Reales, y formó parte de la serie de asuntos de la vida romana pintados para el Retiro. Fue considerada como «de manera romana» en el inventario del Buen Retiro de 1700, y de «escuela de Andrea Sacchi» en el del Palacio Nuevo de 1772. En el inventario del Prado de 1857 se catalogó como obra de Cortona. Voss, en 1924, la adscribe de nuevo a Sacchi y, finalmente, Shutherland-Harris propone la atribución a Camassei por su analogía con otras obras de este mismo pintor, realizadas para la familia Barberini.

CAMBIASO. Lucca Cambiaso, o Camgiaso, llamado «Luqueto»

Nació el 18 de octubre de 1527, en Moneglia (Riviera di Levante); murió en El Escorial el 6 de septiembre de 1585. Escuela italiana.

60 *La Sagrada Familia*

Lienzo, 1,31 × 1,03.

San José, la Virgen y el Niño besando a san Juan. Adquisición de Carlos IV. En 1818 en Aranjuez.

61 *Amor dormido*

Lienzo, 0,64 × 0,72.

El Amor, en figura de niño con alas, recostado en el suelo y dormido, con la aljaba y el arco.
Procede de las Colecciones Reales.

62

62 *Muerte de Lucrecia*

Lienzo, 1,23 × 1,20.

La figura, de tres cuartos, en pie, de frente, apoyada en el lecho y dándose muerte con el puñal.
Figuró como obra de Tiziano y Veronés, hasta la correcta atribución a Cambiaso hecha por F. Madrazo.
Procede de las Colecciones Reales.

CAMILO. Francisco Camilo

Nació en Madrid, en 1615, donde murió en agosto de 1673. Escuela española.

623 *El martirio de san Bartolomé*

Lienzo, 2,05 × 2,49.

Un verdugo le ata a un árbol; otro le desuella.
Firmado: CAMILO FT.

60

Procede, como el siguiente, del convento de Carmelitas Descalzos de Madrid y estuvo en el Museo de la Trinidad.

2966 *San Jerónimo azotado por los ángeles*

Lienzo, 2,05 × 2,48.

Sentado en el suelo, semidesnudo, el santo recibe los azotes que le dan dos ángeles mancebos. En primer término, a la izquierda, un ángel niño señala los libros de Cicerón en cuya lectura se complacía el santo.
Véase el n.° 623, su compañero.

3876 *Sagrada Familia o La Trinidad en la Tierra*

Lienzo, 1,57 × 1,20.

Una Sagrada Familia, con la Virgen, san José y el Niño de la mano; en la parte alta el Padre Eterno y el Espíritu Santo. El tema representado suele conocerse como «La doble Trinidad».
Procede del Museo de la Trinidad.

4751 *Muerte de san Pablo Ermitaño*

Lienzo 2,64 × 1,80.

En primer término, san Antonio con la mirada en alto y el báculo a sus pies, ordena a los leones caven la fosa para enterrar a san Pablo, que yace tendido sobre una roca, en el centro de la

3876

composición. El alma del santo, representada en una figura femenina, es transportada por los ángeles al cielo.
Firmado, abajo, en el centro: *F^co CAMILO F 16.*
Es compañero de un Santiago fechado en 1649 y depositado por el Museo en la catedral de Ciudad Rodrigo (n.º 4933).
Estuvo en la Cartuja de El Paular, donde la cita Ceán, y de allí pasó al Museo de la Trinidad, en cuyo inventario consta como anónimo.

CAMPI. Antonio Campi

Nació en Cremona en 1524; murió en 1587. Escuela italiana.

59 *San Jerónimo meditando*

Tabla, pasada a lienzo, 1,83 × 1,22.

Sentado, la pluma en la diestra. A los pies, el león.
Firmado bajo el pie izquierdo del santo: *ANTONIVS CAMPVS CREMONS.*
Ingresó en las Colecciones Reales en 1664, procedente de la Colección del marqués de Serra. En 1667 estaba en El Escorial, de donde se trajo el 13 de abril de 1839.

CAMPI. Vicencio Campi

Nació en 1536 en Cremona; murió el 3 de octubre de 1591. Escuela italiana.

7094 *La Crucifixión*

Lienzo, 2,10 × 1,41.

Los soldados clavan la diestra de Jesús; a la izquierda, en segundo término, san Juan y María.
Detrás se lee: *VICENTIVS CAMPVS CREMOÑESIS PINXIT 1577.*
Legado al Museo por don José María d'Estoup el 6 de febrero de 1917.

CAMPIN. Robert Campin

Pintor de Tournai que identifica al anónimo «Maestro de Flemalle». Nació, probablemente, en Valenciennes, hacia 1375. Consta documentalmente que fue maestro de Roger van der Weyden y de Jacques Daret; murió en Tournai el 26 de abril de 1444. Escuela flamenca.

1513

1514

1513 *San Juan Bautista y el maestro franciscano Enrique de Werl*

Tabla, 1,01 × 0,47.

Portezuela del tríptico, como el n.º 1514. Fondo de paisaje, visible por las ventanas; espejo convexo que refleja la habitación. En el extremo inferior corre el letrero de tres hexámetros en letra gótica, que traducido dice: «En el año 1438, pinté esta efigie de Maestre Enrique de Werl, doctor de Colonia».
El teólogo Werl asistió al Concilio de Basilea; el 1 de diciembre de 1435 estaba en Tournai, quizá como visitador de los franciscanos, y fue catedrático de teología de la universidad de Colonia hasta su muerte en 1463. Del grupo puesto bajo el nombre de Robert Campin («Maestro de Flemalle») son este cuadro y su compañero las obras magistrales, además de las únicas con fecha cierta: 1438.
Adquirido, como el siguiente, por Carlos IV. Se trajo de Aranjuez en 1827.

1514 *Santa Bárbara*

Tabla, 1,01 × 0,47.

Compañera del n.º 1513; portezuela de un tríptico.
La santa, leyendo, de espaldas a la chimenea; pudiera pensarse en la Virgen de la Anunciación, pero por la ventana se ve en el campo la construcción de una torre, característica iconográfica de santa Bárbara.
Es pieza capital de la pintura de interior entre los primitivos flamencos.
El exterior estuvo pintado; bajo una capa gruesa de pintura basta se distinguen dos nimbos, pero la radiografía no ha tenido éxito. Renders cree que el dibujo de la Virgen con el Niño, de Dresde, atribuido a Weyden, puede recordar el perdido reverso de la *Santa Bárbara.*

1887

1887 *Los desposorios de la Virgen.* Exterior: *Santiago el Mayor y santa Clara*

Tabla, 0,77 × 0,88.

La tabla está dividida en dos escenas. En el edificio circular, de la izquierda, todos los episodios que decoran los capiteles, relieves y vidrieras pertenecen al Antiguo Testamento. Los personajes representan la *Elección de Esposo* y el *Milagro de la vara florecida.* En la derecha, se desarrolla la escena de los *Desposorios de la Virgen* ante un pórtico gótico, en construcción, que se relaciona con el de Notre-Dame du Sablon, de Bruselas. La simbólica yuxtaposición de las antiguas y nuevas arquitecturas y el pórtico sin concluir puede aludir al futuro establecimiento de la Iglesia de Cristo con su llegada a la vida.

Exterior: *Santiago y santa Clara,* a manera de esculturas, en claroscuro.

Entregado a El Escorial en 1584; tenía por puertas dos hojas con letreros; disposición poco explicable. Vino el 14 de abril de 1839 con el siguiente. Se ha atribuido a Roger van der Weyden. Véase lo que se dice en el n.° 1915.

1915 *La Anunciación*

Tabla, 0,76 × 0,70.

La Virgen, leyendo, sentada en el pórtico de un templo gótico; el ángel Gabriel, de rodillas en la cima de la escalera; en el cielo, el Padre Eterno entre ángeles.

Se creyó que pudo formar un díptico con la tabla n.° 1887, pero se advierten notables diferencias de calidad y color. Su atribución a Robert Campin no es unánime pero reuniendo las opiniones de los principales expertos (Friedländer, Winkler, Hulin de Loo, Campbell y Fischel) podría considerarse como obra temprana de Campin con colaboración de discípulo.

La composición se asemeja a la de la *Anunciación* del retablo de Merode.

Adquirido a Jacome Trezzo. Entregado en El Escorial en 1577. Entró en el Museo en 1839.

3144 *Virgen con el Niño, «de la Leche»*

Tabla, 0,18 × 0,13.

Copia, en busto, la composición de cuerpo entero, con la *Virgen de la Leche,* de Robert Campin, del Museo de Franckfurt (Inv. n.° 939 A; 1,68 × 0,68) que se conoce por numerosas versiones. La mayoría de estas tablas son en forma de tondo, pero el hecho de que este cuadro aparezca amputado puede indicar que se hiciera para acoplarlo a un marco rectangular. Su autor parece artista de la escuela de Brujas.
Donada al Museo en 1969, por doña Luisa Illera y Camino, condesa viuda de los Moriles.

CANO. Alonso Cano

Bautizado en Granada el 19 de marzo de 1601; murió en la misma ciudad el 3 de septiembre de 1667. Escuela española.

625 *San Benito en la visión del globo y los tres ángeles*

Lienzo, 1,66 × 1,23.

De más de medio cuerpo, las manos cruzadas sobre el pecho; contempla el globo y los tres ángeles. En un rompimiento de gloria, la Santísima Trinidad. Sobre la mesa, el báculo abacial, el libro y el crucifijo.
La radiografía ha revelado que la pintura se ha hecho sobre otra composición inacabada, que presenta la imagen de la Virgen, de vestir, en su trono, y un grupo de niños colegiales en la parte inferior.
Wethey lo fecha de entre 1657 y 1660.
En 1700 estaba en el Obrador de los Pintores de Cámara del Alcázar de Madrid. En 1772, en la sacristía del Palacio Nuevo; en 1794, en la «Pieza de paso a la librería».

3144

626 *San Jerónimo penitente*

Lienzo, 1,77 × 2,09.

Píntase al ermitaño de Belén, penitente, con el ángel trompetero que anuncia el Juicio Final.
Es composición repetida, con variantes, en el taller del artista. Se conocen varios ejemplos, uno de excelente calidad en el Museo de Granada.
Figuraba en el Alcázar de Madrid en 1700.

627 *La Virgen y el Niño*

Lienzo, 1,62 × 1,07.

La Virgen, sentada, con el Niño en su regazo; fondo de campo con un árbol y un arroyo a la izquierda.
Muy semejante al n.° 630, hoy depositado en el Museo de Granada.
Adquirido por Carlos IV. En 1814, en la «Antecámara de la Princesa», del Palacio Nuevo.
Para Wethey, obra de hacia 1646-1650.

629 *Cristo muerto sostenido por un ángel*

Lienzo, 1,37 × 1,00.

Cristo sentado; detrás, sosteniéndole, un ángel mancebo; a la izquierda, en el suelo, los clavos, la corona de espinas y, en una jofaina de azófar, la esponja. A la derecha, fondo de paisaje con una ciudad.
Semejante al lienzo n.° 2637, del legado Pablo Bosch, firmado. Para Wethey este ejemplo es obra de taller. Adquirido al marqués de la Ensenada en 1769. En 1772 estaba en el «Paso al dormitorio del Rey», en el Palacio Nuevo, y en 1794, en el «Oratorio reservado».

632 *Un rey de España*

Lienzo, 1,65 × 1,25.

Sentado. Viste traje ostentoso y teatral.
Formaba, con el n.° 633, parte de una serie pintada por varios artistas en la cornisa del «Salón de Comedias» o «Salón dorado» del Alcázar, entre 1639-1641. Se registra, en el inventario de 1636, el modelo que había dado Vicencio Carducho. María Luisa Caturla adujo razones documentales para dudar de la atribución, y sugiere la hipótesis de que sean de Jusepe Leonardo.

633 *Dos reyes de España*

Lienzo, 1,65 × 2,27.

Sentados, con los atributos de la realeza y vestidos como el del número precedente.
Pasó al Retiro después del incendio.
Véase el n.° 632.

627

2637

2806

3134

7290

2637 *Cristo muerto sostenido por un ángel*

Lienzo, 1,37 × 1,00.

Sentado casi de perfil, un ángel tras él le sostiene por las axilas y alza los ojos al cielo.
Firmado en la piedra en que está Jesús, con enlaces de Alo y Cano.
Es asunto varias veces interpretado por Cano, inspirándose en estampas manieristas de origen miguelangelesco. Una versión casi idéntica, con un ángel muy juvenil, en propiedad particular madrileña. Otra, de composición diversa, en el propio Prado (n.º 629).
Legado Pablo Bosch.

2806 *El milagro del pozo*

Lienzo, 2,16 × 1,49.

San Isidro Labrador, a la izquierda; a la derecha, el pozo de donde acaba de salir el hijo salvado; su madre, dos mujeres más y dos niños.
Palomino escribió que la pintura está con tanto acierto dibujada y colorida, «que verdaderamente es un milagro».
Puede fecharse hacia 1638-1640.
Procede de la iglesia madrileña de la Almudena y luego estuvo en las Bernardas del Sacramento.
Ingresó en el Museo en 1941.

3041 *San Antonio de Padua*

Lienzo, 0,28 × 0,19.

Mantiene en brazos al Niño que le ha entregado la Virgen.
Boceto para el cuadro de la Pinacoteca de Múnich, que Wethey fecha en 1645-52.
Adquirido por el Patronato en 1961.

3134 *San Bernardo y la Virgen*

Lienzo, 2,67 × 1,85.

El santo, arrodillado, recibe en su boca el chorro de leche que brota del seno de una imagen de la Virgen. En primer término, a la izquierda, de espaldas, un cardenal contempla el prodigio. En el ángulo superior derecho, ventana enrejada con paisaje.

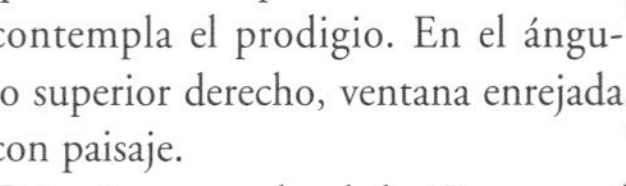

Ceán cita un cuadro de la *Virgen con el Niño y san Bernardo* en el remate de un retablo, en los Capuchinos de Toledo, que pudiera ser éste.
Figuró en la Colección del infante don Sebastián Gabriel de Borbón y estuvo unos años en el Museo de la Trinidad, al incautarse aquélla.
Adquirido por el Ministerio en 1968.

7290 *San Pedro liberado por un ángel*

Lienzo, 0,90 × 1,95.

El santo, de edad avanzada, en actitud de incorporarse, es cogido de la mano por el ángel que le lleva a la libertad.
Pintado para una sobrepuerta del convento del Santo Angel, de Granada, para el que el propio Cano realizó los planos de su reconstrucción y diversas pinturas entre 1652 y 1657.
Se conserva un dibujo preparatorio en la Kunsthalle de Hamburgo.

Permaneció en el convento hasta la guerra de la Independencia. Adquirido a José Osuna Gómez del Rosal, en 1987.

CANO. Alonso Cano (?)

3185 *Cristo a la columna*

Lienzo 2,03 × 1,03.

El cuerpo de Jesús se apoya en una media columna con basa, mientras Cristo eleva su cabeza aureolada por las tres potencias y una soga le ciñe el cuello. En el suelo los instrumentos de su martirio.
Muy semejante al cuadro de «las Madres» de Avila.
Datado hacia 1657-1660.
Procede del Museo Nacional de la Trinidad, donde aparece inventariado como anónimo.

CANTARINI. Simone Cantarini «il Pesarese»

Nació en Pésaro el 21 de abril de 1612; murió en Verona el 15 de octubre de 1648. Escuela italiana.

63 *La Sagrada Familia*

Lienzo, 0,75 × 0,55.

La Virgen con el Niño en brazos; san José leyendo un libro.

63

65

Obra cercana a la estancia del pintor en Roma en 1645, otro ejemplar hay en colección particular de Bolonia, y una copia hubo en la Colegiata de Gandía.
Perteneció a Carlos IV, en la Casita del Príncipe de El Escorial, donde ya se atribuía a Cantarini.

CARACCIOLO. Giovanni Battista Caracciolo, llamado «Battistello»

Nació en Nápoles hacia 1570, donde murió en 1637. Escuela italiana.

2759 *Los santos médicos Cosme y Damián*

Lienzo, 0,96 × 1,21.

De más de medio cuerpo, ante una mesa, con libros y utensilios de escritorio.
En el Museo de Berlín existe un ejemplar casi igual (n.° 1981), firmado, con enlace de *G. B.* (?), que mide 0,98 × 1,25. Este es probablemente, réplica autógrafa o buena copia antigua.
Legado de Fernández-Durán (1930).

CARAVAGGIO. Michelangelo Merisi, llamado «Caravaggio»

Nació en Caravaggio (Bérgamo) el 28 de septiembre de 1573; murió en Porto Ercole (Grosseto) entre el 26 y el 29 de julio de 1610. Escuela italiana.

65 *David, vencedor de Goliat*

Lienzo, 1,10 × 0,91.

David, niño, ata por los cabellos la cabeza del gigante.
De atribución controvertida, en la actualidad se reconoce casi unánime-

mente como obra del maestro, aceptando la atribución Longhi, Mahon, Hind, etc. Se considera obra juvenil.
Del Palacio del Buen Retiro, donde se inventariaría en 1794.

CARBONE. Giovanni Bernardo Carbone

Nació en Albaro (Génova) en 1614; murió en Génova en 1683.

2564 *Retrato de niño*

Lienzo, 1,72 × 1,11.

En la diestra, el sombrero; la izquierda, en la taza de la espada; fondo de arquitectura y paisaje. Al pie, bandeja de frutas.
La clasificación es dudosa; pero el lienzo parece, desde luego, obra italiana de un imitador de Van Dyck.
Legado del duque de Tarifa; ingresó en el Museo en 1934.

CARDENAS

Véase BERMEJO

CARDUCHO. Bartolomé Carducci, o Carducho

Nació en Florencia hacia 1560; murió en El Pardo en 1608. Escuela italiana.

66 *El Descendimiento*

Lienzo, 2,63 × 1,81.

Al pie de la Cruz, san Juan y las tres Marías; al fondo, el campo con la puerta del sepulcro.
Firmado en el ángulo inferior derecho: *BARME CARDVCHI FLORN. INVENTOR, 1595.*
Pintado para la Capilla de Santa Rita, en San Felipe el Real, de Madrid, donde lo vio Ponz.
Una copia, con la adición de los retratos de dos donadores en traje de hacia 1600, se conserva en el Museo de Davenport.

68 *La última Cena*

Lienzo, 2,56 × 2,44.

Fondo de arquitectura.
Firmado en el azulejo de en medio: *BARTOLOMEVS CARDVCIVS PICTOR REGIVS FACIEBAT, 1605.*
Según Palomino, pintado para el Oratorio de la Reina, en el Alcázar de Madrid.
Salvado del incendio de 1734, pasó al Retiro, donde se cita en 1794.

CARDUCHO. Vicencio Carducci, o Carducho

Nació en Florencia hacia 1576; hermano menor de Bartolomé, vino a España en 1585; murió en Madrid en 1638. Escuela española.

635 *Victoria de Fleurus*

Lienzo, 2,97 × 3,65.

A la derecha, don Gonzalo de Córdoba, hijo del duque de Sessa, da órdenes; detrás otro caballero, jinete también. El campo, lleno de combatientes. En primer término, un cuerpo a cuerpo, a la izquierda, y, en el centro, un cadáver desnudo.
Batalla de la guerra de los Treinta Años ganada por las tropas españolas, mandadas por don Gonzalo (n.° 1585, muerto en 1631), el 29 de agosto de 1622, cerca de Fleurus (Bélgica).
En la cartela: *VICTORIAM IUXTA FLORU, ANNO MDCXXII A DON GUNDIZALVO DE CORDOVA OBTENTAM, VICENTIUS CARDUCHI REGIAE MAJESTATIS PICTOR, ANNO DUODECIMO A BELLO CURRENTE PINGEBAT.*
Firmado, por consecuencia, en 1634.
Pertenece este lienzo a la serie de doce, de varios artistas, pintada para el Salón de Reinos del Palacio del Retiro.
Un dibujo preparatorio para las figuras de los jinetes guardan los Uffizi de Florencia.

636 *Socorro de la plaza de Constanza*

Lienzo, 2,97 × 3,74.

La ciudad suiza, asediada, es liberada por las tropas españolas al mando del duque de Feria, quien, a la izquierda, está arengando; detrás, un grupo de jinetes, y, a pie, un soldado con lanza; al fondo, la ciudad amurallada.
Acción de la guerra de los Treinta Años.
La cartela dice: *CONSTANZAM PER*

635

DVCEM DE FERIA ANNO MDCXXXIII AB OBSIDIONE LIBERATA, VINCENTIVS CARDVCHI REGIAE MAIESTATIS PICTOR ANNO ALTERO PINGEBAT.
Firmado, por tanto, en 1634.
El duque de Feria nació en 1587; murió en 1634.
Véase el n.° 635.

637 *Expugnación de Rheinfelden*

Lienzo, 2,97 × 3,57.

La ciudad de Rheinfelden (Suiza), tomada en 1633 por las tropas españolas al mando de don Gómez Suárez de Figueroa, duque de Feria. El duque, en pie, a la derecha, da órdenes a un caballero descubierto; detrás, lanceros. Al fondo, los muros torreados de la ciudad asaltada. El campo, cubierto por tropas.
Acción de la guerra de los Treinta Años.
En la cartela se lee: *EXPUGNATAM REINFELT, CAPLASQ WALDZVT, SECHIM, EL LAVFEMBVRG PER DVCEM DE FERIA ANNO MDCXXXIII. VINCENTIVS CARDUCHI REGIAE MAJESTATIS PICTOR, ELAPSO ANNO PINGEBAT.*
Firmado, por tanto, en 1634.
El British Museum guarda el dibujo para este cuadro.
Véase el n.° 635.

638 *Cabeza colosal de hombre*

Lienzo, 2,46 × 2,05.

Estudio a enorme escala.
En 1700, en el Alcázar. A finales del siglo XVIII, en el Retiro.

639 *Muerte del venerable Odón de Novara*

Lienzo, 3,42 × 3,02.

Al venerable cartujo, con una cruz en la diestra, se le aparece Cristo; a la izquierda, varios sacerdotes; en el primero, con el bonete en la mano, se autorretrató Carducho; detrás se reconoce a Lope de Vega, de perfil.
Firmado, en bajo, a la derecha: *VIN. CARDVCHI, P. P. FAC, 1632.*

639

De la serie de 54 lienzos contratados en 1626 para la Cartuja de El Paular, como los números 2501-2502, 2227, 2501-2, 2956, 3061-2 y 7099.
Vinieron del Museo de la Trinidad.

643 *La Sagrada Familia*

Lienzo, 1,50 × 1,14.

Santa Ana, y la Virgen con el Niño en brazos, que coge una pera de una cesta de frutas; detrás, San Joaquín y San José.
Firmado por encima de la cesta de labor: *V. C., 1631.*
Cedido al Prado por el Ministerio de Hacienda, en R. O. de 10 de marzo de 1911.

2227 *Milagro del albañil realizado por la oración del R.P.D. Bosson, XIX General de la Orden*

Lienzo 3,45 ×, 3,15.

En el centro de la composición, un grupo de personajes presenta el cadáver de un hombre al R.P.D. Bosson. A la izquierda, la figura del fraile cartujo mira al cielo, con las manos unidas, implorando el milagro. Fondo de paisaje.
Firmado: *V.C.P.R.F.*, abajo, a la izquierda, sobre la piedra.
Véase el n.° 639.

2501 *Aparición del P. Basilio de Borgoña a su discípulo el futuro san Hugo de Lincoln*

Lienzo, 3,42 × 3,02.

El venerable desciende del cielo e introduce en el pecho del joven cartujo la llama del amor divino. A la derecha, huyen demonios, uno en figura de sátiro.
Erróneamente se ha titulado este cuadro *San Bruno se aparece a un cartujo.*
Un dibujo preparatorio para la composición, en la Biblioteca Nacional; y un estudio para el diablo-sátiro, en el propio Prado.
Firmado en la parte baja, a la derecha: *VIN. CARDUCHI. P.R.F.A., 1632.*
Véase el n.° 639.

2502 *San Bruno renuncia a la mitra de Regio*

Lienzo, 3,42 × 3,02.

A la izquierda, el papa Urbano II; a la derecha, san Bruno, y, en medio, las insignias arzobispales, que el fundador rehúsa.
Firmado, a la derecha: *V.C.P.R.F.*
Véase el n.° 639.

2956 *Martirio de los venerables padres D. Vicente Herck y D. Juan Leodiense de la cartuja de Ruremuda*

Lienzo 3,45 × 3,04.

A la izquierda, dos personajes a caballo, precedidos de varios soldados, presencian la muerte de los dos frailes cartujos. En la parte superior, dos ángeles portan las coronas del martirio.
Firmado: *VINC. CARD. P.R.F.*
Su boceto en tabla, de 0,60 × 0,48, se conserva en el Museo de Castres (Francia) y en el Museo de Castellón existe una copia de menores dimensiones.
Véase el n.° 639.

3061 *San Bruno, con sus seis discípulos, trata de retirarse a la soledad*

Lienzo 3,45 × 3,15.

A la derecha de la composición, vestido de canónigo, san Bruno comunica a sus discípulos su deseo de re-

tirarse a una cartuja, que aparece representada al fondo de la composición.
Firmado: *VIN. CAR. P.R.F.*, en el ángulo inferior izquierdo.
En la colección Salas de Madrid se conserva un boceto de la obra.
Véase el n.° 639.

3062 *San Bernardo de Claraval, padre y doctor de la Iglesia, visita al reverendo padre general, D. Guido, y V prior de la cartuja de Grenoble*

Lienzo, 3,43 × 3,01.

A la figura de san Bernardo, que aparece representada sobre un fondo de arquitectura, le sale a recibir el padre D. Jiffon, prior de la cartuja, acompañado por tres frailes. Al fondo, a la derecha, se ve un cartujo de rodillas y otros dos en pie.
Firmado y fechado: *VIN. CARDUCHI. PRF. A 1632.*
Un boceto, en tabla, ha sido adquirido por el Museo del Louvre, entre los años 1980-1982 y en el Museo de Castellón se conserva una copia.
Véase el n.° 639.

3265 *San Juan de Mata renuncia al doctorado y lo acepta luego por inspiración divina*

Lienzo, 2,40 × 2,34.

En primer término, a la izquierda san Juan de Mata hace ostentoso gesto de rechazo ante un obispo y otros doctores que le ofrecen el birrete. Al fondo, a la derecha, aparece en oración ante san Pedro, que le indica en aparición celeste que debe aceptar el doctorado.
Forma parte de una serie de once lienzos pintados en 1634 para el convento de la Trinidad Descalza de Madrid; todos los cuadros pasaron al Museo de la Trinidad.

3364 *San Juan de Mata entrega las cartas del papa al rey de Marruecos en la primera redención*

Lienzo, 2,41 × 1,98.

En primer lugar san Juan, acompañado de otro fraile, entrega la carta del pontífice Inocencio al rey de Marruecos. En segundo término, el santo acordando la cantidad convenida para el rescate de los cautivos. Véase el n.° 3265.

7099 *El milagro de las aguas*

Lienzo, 3,42 × 3,02.

San Bruno y sus seis primeros discípulos dan gracias a Dios por las abundantes aguas que brotan de una roca. Al fondo, templos en construcción.
Firmado debajo del chorro: *VINC. CAR. P. R. F.*
Un dibujo preparatorio para la figura del hombre con la azada, en la Academia de San Fernando.
Véase el n.° 639.

CARNICERO. Antonio Carnicero

Nació en Salamanca el 18 de enero de 1748; murió en Madrid el 21 de agosto de 1814. Escuela española.

640 *Vista de la albufera de Valencia*

Lienzo 0,64 × 0,85.

Grupo de labradores y, a la orilla de la laguna, varios faluchos atracados.
Firmado en la parte baja, a la derecha: *ANT° CARNICERO.*
Forma parte de la serie de puertos españoles encargada a Mariano Sánchez, que éste no pudo acabar por enfermedad.
Procede de las Colecciones Reales.

641 *Ascensión de un globo Montgolfier en Madrid*

Lienzo, 1,70 × 2,84.

Grupos variadísimos presencian cómo sube el globo.
El *Catálogo* de 1945 suponía fuese la ascensión de Vicente Lunardi en el Retiro el 12 de agosto de 1792, pero después se ha demostrado que se trata de la ascensión del francés Bouclé en los jardines de Aranjuez el 5 de junio de 1784.
Adquirido en la almoneda de la Casa de Osuna (1896).

2649 *Doña Tomasa de Aliaga, viuda de Salcedo*

Lienzo 0,93 × 0,69.

De más de medio cuerpo, sentada, el abanico en la mano izquierda.
En el papel que hay encima de la mesa se lee: *ILLMA. SRA. D.ª THOMASA ALIAGA, VIUDA DE DN. MAN. PABLO DE SALZEDO, DEL CONSEJO Y CÁMARA DE INDIAS, Y TENIENTE AYA DE LA SSMA. INFANTA AMALIA.*
Nació en Valencia; fue tenienta aya de la infanta doña María Amalia (9 de enero de 1779; murió 27 de julio de 1798); murió la retratada el 14 de diciembre de 1803.
Legado Pablo Bosch.

64

2786 *Torero*

Lienzo, 0,41 × 0,28.

Figura de cuerpo entero, con la capa terciada, chaquetilla con alamares y calañés. A la orilla del mar.
Esta obra y su compañera (Cat. n.° 2787) han sido atribuidas a Antonio Carnicero en los *Catálogos* del Prado. Salas (1961) las atribuyó a José Camarón Boronat.
Legado de Fernández-Durán (1930).

2787 *Maja de rumbo*

Lienzo, 0,42 × 0,28.

Figura de cuerpo entero con chal por encima del sombrero. Al fondo, un petimetre.
Véase el n.° 2786, compañero de este lienzo.
Legado de Fernández-Durán (1930).

CARPI. Girolamo da Carpi

Nació en Ferrara en 1507; murió a fines de 1556. Escuela italiana.

69 *Alfonso II de Este (?)*

Tabla, 1,01 × 0,64.

Figura de más de medio cuerpo; la diestra, sobre un libro abierto; la mano izquierda, sobre los gavilanes de un montante o mandoble.
Alfonso II fue hijo de Hércules II; nació el 22 de noviembre de 1533 y murió el 27 de octubre de 1597; su segunda esposa fue Bárbara, hija del emperador Fernando I.
Retrato atribuido a Bronzino. El *Catálogo* de 1872 lo puso a nombre de Carpi, por seguir a Mündler. Serafini (1915) acepta esta atribución y propone la identificación; consta que Carpi retrató a los hijos de Hércules II.
Berenson, siguiendo a Frizzoni, juzga este cuadro obra de Bronzino, a quien ya se atribuye en 1746, en La Granja, entre las pinturas de Felipe V.

69

CARRACCI. Agostino Carracci

Hermano de Annibale y primo de Ludovico, nació en Bolonia en 1557; murió en Parma el 23 de febrero de 1602. Escuela italiana.

404 *La Santa Cena*

Lienzo, 1,72 × 2,37.

Judas mete la mano en el plato. San Juan, recostado sobre el hombro izquierdo del Salvador. Delante, un servidor con cesta de panes y utensilios de cocina.
Otro ejemplar, en cobre, en la cartuja de Ferrara, de 1596-97. El del Prado, seguramente algo anterior, como ha señaló Voss, estuvo catalogado como de la escuela de Tintoretto.
Colecciones Reales: Inventario del Palacio Nuevo, de 1772 y 1794.

CARRACCI. Annibale Carracci

Hermano de Agostino y primo de Ludovico, nació en Bolonia el 3 de noviembre de 1560; murió en Roma el 15 de julio de 1609. Escuela italiana.

72 *Virgen con el Niño y san Juan*

Tabla circular, 0,29 de diámetro.

San Juan ofrece unas manzanas al Niño.
De la Colección de Carlo Maratta, de cuyos herederos la adquirió Felipe V. En 1746 y 1772 en La Granja, Colección de Felipe V.

75 *La Asunción*

Lienzo, 1,30 × 0,97.

El tema se desarrolla según la iconografía tradicional.
Según Voss, este bellísimo original está cercano a la gran *Asunción,* de Dresde, pintada en 1587.
Lo trajo de Italia el conde de Monterrey. En la sacristía de El Escorial lo elogia el P. Santos en 1657. En 1746, en la colección de Felipe V; en 1814, en Palacio. Ingresó en el museo el 13 de abril de 1839.
Un dibujo del Louvre ha sido señalado como probable diseño preparatorio.

76 *Apoteosis de san Francisco*

Fresco pasado a tela. Ovalo, 1,55 × 1,05.

Figúrase al santo en éxtasis, sobre nubes.
Con los dos siguientes y otras trece pinturas al fresco decoraba la capilla de San Diego de Alcalá, en la iglesia de San Jacopo degli Spagnuoli, de Roma, encargados por su fundador, don Diego de Herrera, a Carracci, que da los dibujos para todos, y a Albano. Trabajan también Badalocchio y Lanfranco. Se pasaron a lienzo a instancias del escultor don Antonio Solá y a costa de Fernando VII; llegaron en 1850, quedando nueve en Barcelona, y siete, del Museo de la Trinidad, vinieron al Prado: los tres que aquí se registran y cuatro menores, apaisados, núms. 2908-11.

77 *Apoteosis de Santiago el Mayor*

Fresco pasado a lienzo. Ovalo, 1,55 × 1,05.

En la diestra, un libro; en la mano izquierda, el bordón de peregrino.
Véase el n.º 76.

78 *Apoteosis de san Lorenzo*

Fresco pasado a lienzo. Ovalo, 1,55 × 1,05.

Viste de diácono y ostenta la parrilla en la diestra, sobre la que fue martirizado.
Los *Catálogos* de 1920 y anteriores advierten que, a pesar de que no se menciona esta pintura como de la mano de Annibale Carracci, no hay manera de acreditar su diferencia técnica con los anteriores, números 76 y 77.

132 *Paisaje con bañistas*

Lienzo, 0,47 × 0,56.

De carácter muy clásico y semejante a otros paisajes atribuidos a Annibale Carracci (*Cacería* de la Galería Doria), este lienzo ha sido atribuido a Domenichino, a pesar de que ya en la Colección Maratta, de donde procede, se consideraba de Annibale.
En 1746 se cita en La Granja, Colección de Felipe V; y en 1814 en el Palacio Nuevo.

2631 *Venus, Adonis y Cupido*

Lienzo, 2,12 × 2,68.

A la izquierda, Venus desnuda, sentada sobre un manto rojo, con un amorcillo que sostiene la flecha a su lado, contempla a Adonis dispuesto para partir a la caza con sus perros. Fondo de paisaje.
Obra de hacia 1590. Se conservan varios dibujos preparatorios, uno de ellos en la Academia de San Fernando. Otros, para la figura de Adonis y para el perro, en los Uffizi y el British Museum.

2631

Una copia antigua, considerada original hasta la publicación de éste, guarda el Museo de Viena.
Ingresó en las Colecciones Reales en 1664, procedente de la Colección Serra de Cassano. Inventario de El Alcázar, 1666, 1686, 1700, 1747. Inventario del Gabinete Reservado de la Academia de San Fernando, de donde pasó al Prado.

2908 *San Diego de Alcalá recibe el hábito franciscano*

Fresco pasado a lienzo. Trapecio, 1,25 × 2,20 en la base.

El santo, desnudo y de rodillas, es investido de fraile menor.
Compañero de los dos siguientes, que fueron pintados sin cartones previos, por Annibale, y todos ellos partes del conjunto de que se habla en el n.º 76.

2909 *La refacción milagrosa*

Fresco pasado a lienzo. Trapecio, 1,25 × 2,20 en la base.

San Diego de Alcalá y un fraile que le acompaña son socorridos en su camino por un ángel con un sustento frugal.
Compañero del anterior y del siguiente.

2910 *San Diego salva al muchacho dormido dentro del horno*

Fresco pasado a lienzo. Trapecio, 1,25 × 2,20 en la base.

El santo saca del horno al muchacho que, escondiéndose de su madre, se había quedado dormido.
Compañero de los dos precedentes.

132

CARRACCI. Ludovico Carracci

Primo de Annibale y Agostino, nació en Bolonia el 21 de abril de 1559, donde murió el 13 de noviembre de 1619. Escuela italiana.

74

70 *San Francisco de Asís*

Lienzo, 2,00 × 1,47.

Aparición a san Francisco de Cristo y la Virgen, rodeados de ángeles.

Atribuido en los viejos *Catálogos* del Prado, hasta 1952, a Agostino Carracci, es en realidad, como ya indicaba el inventario de la Casita del Príncipe, obra capital de Ludovico, hacia 1595-97.

En 1818, en Aranjuez; adquirido por Carlos IV.

Se conserva dibujo preparatorio en el Louvre (Inv. 7707).

74 *Oración del huerto*

Lienzo, 0,48 × 0,55.

En los *Catálogos* del Prado, hasta 1920, se atribuyó a Annibale Carracci, pero ya en la Colección Maratta, de donde procede, se atribuía correctamente a Ludovico. Puede fecharse hacia 1590-1600, y es obra de notable calidad.

Colecciones de Felipe V en La Granja, 1746. En Aranjuez, en 1794.

CARREÑO. Juan Carreño de Miranda

Nació en Avilés el 25 de marzo de 1614; murió en Madrid el 3 de octubre de 1685. Escuela española.

642 *Carlos II*

Lienzo, 2,01 × 1,41.

En pie. Viste de negro con golilla, puños y medias blancas; toisón al cuello, el sombrero en la mano izquierda y un papel en la diestra. Fondo: salón de los Espejos del Alcázar de Madrid; a la derecha, una consola sostenida por leones de bronce, de los conservados en Palacio y en el Museo.

Carlos II, hijo de Felipe IV y doña Mariana, nació el 6 de noviembre de 1661 y murió el 1 de noviembre de 1700. En 1734, en el Alcázar; en 1794, en el Retiro.

De esta composición se conservan múltiples ejemplares. El prototipo es seguramente el del Museo de Bellas Artes de Asturias, fechado en 1671. El del Museo de Berlín, lo está en 1673. El Prado posee otros dos ejemplares, uno (n.° 7100) en el propio Museo y otro depositado en el Museo de Córdoba.

642

644 *La reina doña Mariana de Austria*

Lienzo, 2,11 × 1,25.

Sentada ante una mesa. Viste tocas de viuda. Está retratada en el salón de los Espejos del Alcázar de Madrid.

Doña Mariana de Austria, hija del emperador Fernando III y de doña María, hermana de Felipe IV, nació en Neustad el 21 de diciembre de 1634, casó con su tío el 7 de octubre de 1649 y murió el 16 de mayo de 1696.

644

645

El lienzo datará, probablemente, de 1669, año del nombramiento de Carreño como pintor del Rey, firmado por doña Mariana, en 27 de septiembre.
El cuadro vino de El Escorial en agosto de 1845.

645 *Pedro Ivanowitz Potemkin, embajador de Rusia*

Lienzo, 2,04 × 1,20.

De cuerpo entero, en pie; la diestra en un bastón; viste túnica y manto rojos con labores doradas, y gorro alto con borde de piel. Cinturón y daga pendiente.
Pintado probablemente en 1681.
Potemkin era Stolnik y Namestnik de Boronsk y prelado de Ullech, enviado por Fedor II, vino a España dos veces: en 1668 y en 1681. El retrato data del segundo de estos viajes.
En 1686 estaba en el Obrador de los pintores de Cámara del Alcázar; en 1701, en la Zarzuela.

646 *Eugenia Martínez Vallejo «la Monstrua»*

Lienzo, 1,65 × 1,07.

De cuerpo entero, en pie, vestida de encarnado. La niña gigante, retratada

646

en 1680 a los seis años, era natural de Bárcena (Arzobispado de Burgos), y fue llevada a la Corte en esa fecha para mostrar su singularidad física.
Carreño la retrató también desnuda (véase el n.° 2800), y a ambos cuadros se refiere una relación anónima de 1680 que identifica a su autor. En 1686 y 1694, en el Alcázar; en 1701, en la Zarzuela. Ingresó en el Museo en 1827.

647 *El bufón Francisco Bazán*

Lienzo, 2,00 × 1,01.

En pie: Ropa negra con ancha valona llana de lienzo; sombrero en la mano izquierda, y con la diestra presenta un pliego doblado.
La actividad del retratado en la corte está documentada entre 1679 y 1689.
Estaba representado también —con otros personajes— en un cuadro de Herrera el Mozo hoy perdido.
En el Alcázar en 1686, 1695, 1701, 1734; y en el Buen Retiro en 1747 y 1794.

648 *Carlos II*

Lienzo, 0,75 × 0,60.

De medio cuerpo. Viste de seda negra y golilla. Ostenta el toisón y muestra la guarnición de la espada.

65

Sobre el retratado véase el n.° 642
Por la edad que representa en est
lienzo, datará de hacia 1685.
Aparece por primera vez en el inven tario de La Granja (Colección d Isabel de Farnesio) de 1746, com obra de Claudio Coello.

649 *San Sebastián*

Lienzo, 1,71 × 1,13.

Atado al árbol; a la derecha, en tierra el casco, la armadura y las ropas.
Firmado en el ángulo inferior izquierdo: *JV.° CARREÑO F. AÑO 1656.*
Mencionado por Palomino y Ponz en el convento de monjas Vallecas (Madrid); vino del Museo de la Trinidad.

650 *El duque de Pastrana*

Lienzo, 2,17 × 1,55.

Viste ropa negra con golilla; de una cinta con pasador cuelga la venera de santiaguista; la cruz de la Orden también se ostenta en la capa, revuelta al brazo izquierdo; espada con guarnición de taza; en la diestra, la fusta. Un servidor le pone las espuelas; detrás, otro criado con el caballo enjaezado de azul.
Don Gregorio de Silva Mendoza y Sandoval nació en Pastrana el 22 de marzo de 1640; santiaguista en 1666, caballero del Toisón el 11 de mayo de 1693; murió el 10 de noviembre del mismo año. Fue duque de Pastrana y

de Estremera, príncipe de Mélito y de Eboli, y conde de Saldaña.
Adquirido en la subasta de la Casa de Osuna (1896).

651 *Santa Ana enseñando a leer a la Virgen*

Lienzo, 1,96 × 1,68.

En lo alto, cinco querubines.
Firmado a la derecha, en bajo: *CARREÑO, P^R. REG. ANNO* [la fecha es ilegible]. Probablemente es «el cuadro de mi señora santa Ana, que está en el remate del retablo principal de las Carmelitas Descalzas de esta Corte», al que alude Palomino.
Del Museo de la Trinidad.

2800 *La Monstrua desnuda*

Lienzo, 1,65 × 1,08.

De cuerpo entero. Coronada de hojas de viña y racimos; otros cuelgan de la mano izquierda, y otros, en fin, encima de la mesa, donde apoya el codo derecho.
«La Monstrua», al ser representada en figura de Baco, pierde el aspecto teratológico.
Pareja del n.° 646. En los inventarios palatinos constan juntos, por última vez, en la Zarzuela en 1701. Fernando VII regaló la desnuda al pintor don Juan Gálvez. En 1871, al morir don Sebastián Gabriel de Borbón, se registra entre los cuadros que poseía en Pau. Fue después de su primogénito el duque de Marchena.
Donó este cuadro, en septiembre de 1939, don José González de la Peña.

CASTELLO. Félix Castello

Nació en Madrid en 1595; murió en la misma ciudad en 1651. Escuela española.

654 *Recuperación de la isla de San Cristóbal*

Lienzo, 2,97 × 3,11.

654

Don Fadrique de Toledo aparece a la derecha hablando con un caballero y acompañado por varios soldados, todos a pie. Al fondo, una fortaleza en llamas cercada de empalizadas, ante las que se desarrolla el combate. De las naves españolas desembarcan en botes numerosas tropas.
Firmado en una roca, en el centro: *FÉLIX CASTELLO P. F., 1634.*
La isla de San Cristóbal, de las Antillas (hoy es la inglesa de Saint Christopher o Saint Kitts), fue recuperada a los ingleses en 1629.
Don Fadrique de Toledo era marqués de Villanueva de Valdueza. Nació en Nápoles hacia 1588, murió en Madrid el 10 de diciembre de 1634.
De la serie del Salón de Reinos del Buen Retiro. Atribuido siempre correctamente a Castello, se catalogó entre 1952 y 1973, ignorando su firma, como de Cajés por aplicarle, erróneamente, unos documentos hallados por María Luisa Caturla.
Un dibujo preparatorio se guarda en los Uffizi florentinos.
En 1700 y 1795 se cita en el Retiro; y en 1814 en el Palacio Nuevo.

CASTIGLIONE. Giovanni Benedetto Castiglione, llamado «Grechetto»

Nació en Génova hacia 1610; murió en Mantua hacia 1663-65. Escuela italiana.

88 *Diógenes*

Lienzo, 0,97 × 1,45.

88

El filósofo cínico, con la linterna, a la izquierda; al fondo, entre animales, vasos y restos clásicos un fauno ebrio y un hombre dormido.
Firmado en una piedra, a la derecha, en bajo: *GIO. BENED. CASTILLIONUS GENUEN.*
Relacionado con una estampa del mismo autor.

Se compró en la testamentaría de Maratta.
En 1746, en la Colección de Felipe V, en La Granja. En 1794 estaba en Aranjuez.

CASTILLO. Antonio del Castillo Saavedra

Nació en Córdoba el 10 de julio de 1616; murió allí el 2 de febrero de 1668. Escuela española.

951 *José y sus hermanos*

Lienzo, 1,09 × 1,45.

José, a caballo, a la derecha; a la izquierda, el grupo de los hermanos maquinando echarle a la cisterna.
Pasaje del *Génesis,* cap. XXXVII, vers. 17-21. Compañero de los otros cinco lienzos siguientes de la *Historia de José,* adquirida para el Museo de la Trinidad, por R. O. de 8 de abril de 1863, a don Pedro Victoria Ahumada.
Hasta el *Catálogo* de 1913 estuvo esta serie atribuida a Pedro de Moya.

952 *José vendido por sus hermanos*

Lienzo, 1,09 × 1,45.

La caravana de los ismaelitas, que van a Egipto, compra José a sus hermanos.
Vers. 28 del cap. XXXVII del *Génesis.*
Véase el n.° 951.

953 *La castidad de José*

Lienzo, 1,09 × 1,45.

Huye José de la mujer de Putifar; al fondo, José en la prisión explicando sus sueños al copero y al panadero del faraón.
Vers. 11 y 12 del cap. XXXVII del *Génesis.*
Véase el n.° 951.

954 *José explica los sueños del faraón*

Lienzo, 1,09 × 1,45.

Al fondo, salen del Nilo las vacas gordas y las vacas flacas del vaticinio de los años de abundancia y de hambre que habían de sobrevenir.
Vers. 14 y siguientes del cap. XLI del *Génesis.*
Véase el n.° 951.

955 *El triunfo de José en Egipto*

Lienzo, 1,09 × 1,45.

José, ricamente vestido, en un carro tirado por dos servidores palatinos, recibe el homenaje de los egipcios. Fondo de paisaje con edificios, uno de ellos redondo.
Es el pasaje referido en el *Génesis* (cap. XLI, vers. 42-43).
Véase el n.° 951.

956 *José ordena la prisión de Simeón*

Lienzo, 1,09 × 1,43.

A la izquierda, José en un sitial; ante él, tres hombres suplicantes; a la derecha, dos soldados con alabardas. Al fondo, los servidores llenan los costales, escondiendo dinero entre el trigo; un obelisco y, en la lejanía, otros monumentos.
Representa el pasaje que refiere el *Génesis* en el cap. XLII, vers. 25.
Véase el n.° 951.

2503 *San Jerónimo penitente*

Lienzo 1,41 × 1,05.

En la gruta, sentado, leyendo; a la izquierda, el crucifijo, la calavera, el capelo, libros y volúmenes enrollados; a la derecha, el león.
Firmado en el ángulo inferior derecho: *A C* (enlazadas) *S.F. AÑO 1635.* El «3» está corregido, y es posible que originariamente fuera un «5».
Semejante al dibujo firmado que perteneció a la Colección Boix.
Adquirido en 1930 por el Patronato del Tesoro Artístico.

CASTILLO. José del Castillo

Nació en Madrid el 14 de octubre de 1737; murió en la misma ciudad el 5 de octubre de 1793.

2894 *Bodegón de caza*

Lienzo, 1,34 × 1,34.

Varias aves con una liebre, agrupadas con frutas y ruinas de fábrica.
Cartón para tapiz, entregado a la Real Fábrica, el 20 de enero de 1774. Realizado para una sobrepuerta de la Cámara del Príncipe de Asturias, futuro Carlos IV, en el Palacio de El Escorial. Considerado como anónimo durante mucho tiempo en los *Catálogos* del Museo, para Sambricio es obra de José del Castillo.

3311 *Muchachos jugando al peón*

Lienzo, 0,96 × 1,57.

Cuatro muchachos, dos de pie y otros echados en tierra, juegan al peón: Juego de madera, terminado en una punta de hierro, al que se enrolla una cuerda para lanzarlo y hacerlo girar.
Este cartón para tapiz, junto con los números 3312, 3313, 3314 y 3534, formaron parte de una serie realizada para el tocador de la princesa de Asturias, futura reina M.ª Luisa, en el Palacio de El Pardo. Fueron entregados a la Real Fábrica el 28 de abril de 1780.

3312 *Muchachos solfeando*

Lienzo, 1,00 × 1,33.

Dos hombres sentados al aire libre, en el suelo; uno, tocando el violín, y el otro, leyendo una partitura musical.
Véase el n.° 3311.

3313 *Muchachos jugando al boliche*

Lienzo, 1,01 × 1,41.

Dos muchachos, de pie al aire libre, juegan al boliche; juego que se compone de un palo terminado en punta por uno de sus extremos, por una cazoleta en el

otro y de una bola sujeta por un cordón al medio del palo, que lanzada al aire hay que procurar recoger en la cazoleta, o bien insertar en la punta.
Véase el n.° 3311.

3314 *Tres muchachos jugando al chito*

Lienzo, 1,01 × 1,61.

Dos muchachos de pie y otro sentado juegan al chito, consistente en tirar con tejos a una pieza de madera, sobre la que se coloca el dinero en juego, para derribarla; ganará el tejo que esté colocado más próximo al dinero caído.
Véase el n.° 3311.

3534 *Estudio de dibujo*

Lienzo, 1,00 × 1,59.

Interior abierto a un jardín con tres muchachos; uno de ellos intenta hacer saltar a un gato; otro, sentado en actitud de dibujar, mientras que un tercero contempla la escena. En el muro del fondo, un dibujo de academia y, en primer plano, a la derecha, un busto clásico refleja lo que debía ser un estudio de pintor de la época.
Véase el n.° 3311.

3535 *El vendedor de abanicos*

Lienzo, 1,05 × 1,48.

Un fabricante de abanicos vende su mercancía a una mujer sentada. Cartón para tapiz, realizado para una sobrepuerta del dormitorio del Infante en el Palacio de El Pardo. Entregado a la Real Fábrica de Tapices en agosto de 1786.

CATENA. Vincenzo di Biagio, llamado Catena

Nació en Venecia (?) hacia 1470; murió en 1531. Escuela italiana.

20 *Cristo dando las llaves a san Pedro*

Tabla, 0,86 × 1,35.

Asisten a la escena tres jóvenes, representación de las Virtudes teologales, y que también se interpre-tan como los tres patriarcados de san Pedro. Salvo el Apóstol, las figuras son de más de medio cuerpo.
Berenson había creído este cuadro réplica del que existe en el Isabella Stewart Gardner Museum de Boston, pintado hacia 1521; después supuso que el del Prado es una primera idea, que datará de hacia 1517. El ejemplar de Boston es de colorido más claro, y la dama de en medio viste de rojo. La atribución en los *Catálogos* del Museo fue la cierta hasta el de 1900, en que, sin justificación, se cambió por la de Basaiti.
Ingresó en las Colecciones Reales en 1664, procedente de la Colección del marqués de Serra. En 1667 estaba en El Escorial.
Fue uno de los 50 elegidos para el Museo Napoleón.
Se trajo de El Escorial en 13 de abril de 1839.

CAULERY. Louis de Caulery

Nació probablemente en Cambrai hacia 1580; murió en Amberes en 1621 ó 1622. Escuela flamenca.

6779 *Crucifixión*

Tabla, 0,75 × 0,56.

Centrando la composición, se encuentra Cristo crucificado y, a izquierda y derecha, los dos ladrones, rodeados por una multitud de personajes, algunos de ellos a caballo. A los pies de la cruz, la Magdalena arrodillada y detrás de las figuras de la Virgen y san Juan. En primer término, un grupo de soldados se reparten las vestiduras, mientras una mujer con un niño en brazos contempla la escena.
Considerada, tradicionalmente, como obra de Frans Francken II, fue restituida a Caulery por Díaz Padrón, en 1975.
Perteneció a la Colección del infante Sebastián de Borbón. Adquirido por el Estado con destino al Museo del Prado, en fecha 11 de enero de 1982.

CAVALLINO. Bernardo Cavallino

Nacido en Nápoles en 1616; murió hacia 1656. Escuela italiana.

3151 *Curación de Tobías*

Lienzo, 0,76 × 1,03.

A la derecha, Tobías sentado con dos

3151

7466

figuras detrás. A la izquierda, un ángel y otra figura. Perrillo en primer término.
Versiones casi idénticas en la Colección Capelli de San Demetrio dei Venisti, en el Museo Coreale, de Sorrento, y en la Colección Gualtieri, de Nápoles.
Adquirido en 1969 junto con el n.° 3152.

3152 *Desposorios de Tobías*

Lienzo, 0,76 × 1,03.

En el centro, Tobías y su esposa dándole la mano; detrás, el sacerdote y figuras. A la derecha, una mesa con manjares y, en el suelo, vajilla.
Compañero del n.° 3151.

7466 *Martirio de san Esteban*

Lienzo, 0,70 × 0,90.

El santo aparece solo en el centro de la composición, con las manos sobre el pecho y la cabeza alzada, acompañado de los sayones, en el momento de su lapidación. Pintado después de 1645.
Donado en 1989 al Museo por la Fundación Amigos del Museo del Prado, en los años cincuenta se cita en el mercado londinense.

CAVAROZZI. Bartolomeo Cavarozzi

Nació en Viterbo hacia 1590; murió en Roma el 21 de septiembre de 1625. Trabajó en España entre 1617 y 1619. Escuela italiana.

146 *La Sagrada Familia y santa Catalina*

Lienzo, 2,56 × 1,70.

La Virgen, coronada por ángeles, con el Niño en los brazos, que bendice a santa Catalina, arrodillada; detrás, san José.
Obra característica del caravaggismo dulcificado del pintor. Fue obra muy famosa de la que se conservan abundantes versiones y copias (Museo de Stuttgart, Museo de Bilbao, Colección del duque del Infantado, Comendadoras de Santiago de Madrid, Colecciones particulares inglesa e italiana, etc.).
Atribuido a Reni en la Colección de Isabel de Farnesio, se catalogó mucho tiempo como de O. Gentileschi, por indicación de Longhi, luego rectificada. En 1746 se cita en La Granja; en 1796 en Aranjuez.

CAVEDONE. Giacomo Cavedone o Cavedoni

Nació en Sassuolo (Módena) el 14 de abril de 1577; murió en Bolonia en 1660. Escuela italiana.

95 *La adoración de los pastores*

Lienzo, 2,40 × 1,82.

Tres pastores se acercan reverentes al establo; san José, la Virgen y el Niño sobre las pajas; tres querubines vuelan a la derecha.
Fechado en la traviesa del pesebre: *1628.*
Variante del cuadro del mismo asunto pintado por Cavedone en un colateral de San Paolo, de Bolonia.
Un dibujo preparatorio se guarda en Chatsworth.
Adquirido por Carlos IV, consta en el inventario de la Casita del Príncipe de El Escorial en 1779 con la atribución exacta.
En 1818 se atribuía a Ribera, en Aranjuez.

CAXES

Véase CAJES

CECCO DE CARAVAGGIO. Francesco Buoneri, llamado Cecco de Caravaggio

Discípulo de Caravaggio, en Roma, documentado en 1619-1620.

148 *Mujer con paloma*

Lienzo, 0,66 × 0,47.

De medio cuerpo, de frente metiendo el dedo en el pico de una urraca. Sobre la mesa, un pichón y claveles.
Atribuido a Artemisa Gentileschi, considerándolo autorretrato en el *Catálogo* de 1963, Pérez Sánchez señaló que es compañero de un retrato de hombre con un conejo, conservado en Palacio, suponiendo, a través de los símbolos eróticos del conejo y la paloma, que se trate de un doble

148

retrato de esponsales. Se atribuye a Cecco de Caravaggio, a quien también lo atribuyen Longhi y A. Moir. Papi (1992) duda de esta atribución.
En 1746 en La Granja, Colección de Isabel de Farnesio; en 1794, en Aranjuez.

7678 *Angel custodio con santa Ursula y santo Tomás*

Lienzo 2,08 × 1,06.

En primer término, la santa arrodillada, con la mirada en alto y la flecha del martirio atravesándole la garganta. A la derecha, la figura de santo Tomás con un libro en la mano y, en la parte superior, un ángel sostiene con su mano izquierda una figura juvenil, símbolo del alma cristiana.
Por su formato alargado y estrecho, puede tratarse, probablemente, del lateral derecho de un retablo.
Fue comprado a un coleccionista español por Henry Duveen, quien lo vendió al Nelson-Atkins Museum de Kansas City. En 1993 lo adquirió el Museo con fondos del legado Villaescusa.

CELEBRANO. Francesco Celebrano

Nacido en Nápoles en 1729; murió allí en 1814. Escuela italiana.

2496 *Montería*

Lienzo, 1,21 × 1,54.

En primer término, a la izquierda, dos damas que presencian el acoso de los jabalíes desde un coche; a la derecha, los servidores que transportan las piezas cobradas, y dos jinetes, uno de ellos con traje de abate. Por el campo, monteros, perros y jabalíes.
Tradicionalmente atribuido al pintor francés Charles-François de La Traverse (murió en 1787), Urrea ha mostrado convincentemente su relación con otra *Cacería de Carlos III,* del Museo de San Martino de Nápoles, firmado por Celebrano y fechable entre 1760 y 1770, que podría también convenir a este lienzo.
Donativo de la duquesa de Pastrana, aceptado el 28 de mayo de 1889.

CEREZO. Mateo Cerezo

Nació en Burgos en 1637; murió en Madrid el 29 de junio de 1666. Escuela española.

620 *El juicio de un alma*

Lienzo, 1,45 × 1,04.

Se figura desnuda y de rodillas entre santo Domingo, con un rosario, y san Francisco, con un pan, sus intercesores; en la parte alta, la Virgen y el Salvador.
Atribuido a Cabezalero; en 1920, a nombre de Cerezo. Juan Carreño tasó en la colección de Luis Hurtado un lienzo similar que se atribuía a sí mismo y que Pérez Sánchez (1987) piensa que podría tratarse de esta misma obra.
Procede del Museo de la Trinidad.

659 *Los desposorios de santa Catalina*

Lienzo, 2,07 × 1,63.

La santa, de rodillas; el Niño Jesús, en los brazos de la Virgen, le coloca el anillo; a la derecha, san Juanito y san José.

659

Firmado sobre las patas del cordero, a la derecha: *MATHEO CEREZO F. 1660.*
Don Félix Boix poseía en 1927 un presunto boceto de este lienzo. Otra versión de mayores dimensiones, firmada y fechada en 1661, se guarda en la catedral de Palencia.
Adquirido por Fernando VII en 15 de junio de 1829 a los herederos del comerciante valenciano don José Antonio Ruiz, como original de Escalante.

2244 *San Agustín*

Lienzo, 2,08 × 1,26.

Viste hábito de la Orden de su nombre. Arrodillado, las manos cruzadas

2244

sobre el pecho, contempla la aparición de la Virgen con el Niño en brazos. Delante, una mesa con un libro; al pie, la mitra.
Firmado, a la izquierda en la parte baja, próximo a la mitra, con caracteres caligráficos: *D. MATHEO ZEREZO FT. 1663.*
Adquirido en 1926 (con la subvención del Ayuntamiento de Madrid) a los herederos de la marquesa de Argelita.

3159 *Bodegón*

Lienzo, 1,00 × 1,27.

Un cordero y un gallo muertos, cabeza de ternera partida, un tordo, pan y diversos utensilios de cocina.
Su atribución a Mateo Cerezo se sustenta en su identidad de técnica con los bodegones firmados de éste, conservados en el Museo de San Carlos, de México.
Adquirido por el Ministerio en 1970.

3256 *Estigmación de san Francisco*

Lienzo, 1,70 × 1,10.

El santo, arrodillado y sostenido por dos ángeles, recibe los estigmas.
Pérez Sánchez lo atribuyó a Cerezo, fechándolo hacia 1660.
Adquirido en 1887.

CERQUOZZI. Michelangelo Cerquozzi

Nació en Roma en 1602; murió allí en 1660. Escuela italiana.

96 *Cabaña*

Lienzo, 0,51 × 0,41.

A su puerta, un pastor. Varios animales y un caballo blanco.
Procede de la Colección Moratta. En 1746 en La Granja, Colección de Felipe V; en 1794 en Aranjuez. Inventario de La Granja, 1746.

6077 *Niños cogiendo fruta*

Lienzo, 1,98 × 1,70.

Junto a una enorme parra de la que penden grandes racimos, un niño coge higos de una higuera, y los pasa a una niña que, arrodillada junto a montones de fruta, los coloca en un cesto.
De composición y carácter análogos a un lienzo de la Colección Briganti de Roma, de dimensiones casi idénticas, que quizá constituyese su pareja.
Puede fecharse hacia 1640-45.
Adquirido en 1980.

CERRINI. Giovanni Domenico Cerrini

Nació en Perugia en 1609; murió en Roma en 1681. Escuela italiana.

97 *El Tiempo destruyendo la Hermosura*

Lienzo, 2,58 × 2,29.

El Tiempo, representado como un anciano alado de gran corpulencia e identificado por la clepsidra y la guadaña, destruye a su paso a la Hermosura, simbolizada en una figura femenina de gran belleza.
Atribuido a Carlo Cesi en los catálogos del Museo hasta 1920; Voss (1924) lo supone obra de Cerrini.
Procede de la Colección Real, donde aparece registrado en 1814 en los inventarios de Palacio.

97

2240

CHAMPAIGNE. Philippe de Champaigne

Nació en Bruselas el 26 de mayo de 1602; murió en París el 12 de agosto de 1674. Escuela francesa.

2240 *Luis XIII de Francia*

Lienzo, 1,08 × 0,86.

De más de medio cuerpo, armado, ostenta la cruz del Saint-Esprit; el casco empenachado sobre un bufete.
Hijo de Enrique IV y María de Médicis, nacido el 27 de septiembre de 1601 en Fontainebleau; casó en Burdeos el 25 de noviembre de 1615 con Ana, hija de nuestro Felipe III; murió el 14 de mayo de 1643.
El lienzo —según los inventarios— estuvo firmado: *CHAMPAGNE FECIT, 1655.*
Forma parte de un grupo de diez retratos reales enviados desde París en 1655 al Alcázar, para impulsar la política matrimonial entre las cortes de España y Francia. Otras obras pertenecientes a este grupo son los números 2233, 2234, 2291 y 2300.
En 1686 en el Alcázar; en 1772 en el Buen Retiro.

CHRISTUS. Petrus Christus, o Christi

Nació en Baerle, cerca de Tilburg, hacia 1415-1420. Adquirió el derecho de ciudadanía en Brujas, en 1444; murió en Brujas en 1474. Escuela flamenca.

1921 *La Virgen con el Niño Jesús*

Tabla, 0,59 × 0,34.

La Virgen, sentada en un pórtico abierto a un paisaje de amplios horizontes que divide en profundidad un río. Un ángel volando porta una corona. El Niño tiene en la izquierda un globo de cristal rematado en la Cruz.
Lavalleye, en 1953, dio a conocer, en colección particular madrileña, una réplica de esta tabla en la que sólo varían ligeramente sus dimensiones.
Fue recogido en 1839 por la comisión incautadora en el convento del Risco, Piedrahita (Avila), e ingresó en el Museo de la Trinidad.

CIGNAROLI. Giovanni Bettino Cignaroli

Nació en Verona el 4 de julio de 1706; murió el 1 de diciembre de 1770. Escuela italiana.

99 *La Virgen y el Niño Jesús, con varios santos*

Lienzo, 3,14 × 1,71.

A la izquierda, san Lorenzo y santa Lucía; a la derecha, san Antonio de Padua y santa Bárbara; en primer término, el Angel de la Guarda y un niño. Firmado en el pedestal de la columna: *GIGNAROLIVS P.*
Un boceto en la Colección del marqués de Rafal. Otro (quizá el mismo) pasó por el mercado anticuario inglés. Encargado para el altar de la capilla del Palacio de Riofrío por Isabel de Farnesio en 1759. Estuvo allí desde 1762 a 1782, pasando luego a La Granja de San Ildefonso.

1921

CIMA. Giovanni Battista Cima da Conegliano

Nació en Conegliano hacia 1460 y murió en septiembre de 1517 ó 1518. Escuela italiana.

2638 *La Virgen y el Niño*

Tabla, 0,63 × 0,44.

La Virgen, sentada; a los lados del dosel, paisaje con río y castillo. Firmado, en el banco, a la derecha: *10 BTA. CIMA F.* A pesar de la firma, Berenson cree que es un cuadro de Marco Basaiti, en su primera época. Legado Pablo Bosch.

CIPPER. Giacomo Francesco Cipper, «Il Todeschini»

Nació en Feldkirch (Austria) en 1664; murió después de 1747.

3263 *Vendedor de dulces y rosquillas*

Lienzo, 1,11 × 0,92.

Sentado en un banco de madera, con un cesto de mimbres sobre un taburete. Un mozalbete quiere alcanzar una rosquilla que alza en la mano izquierda.
Adquirido en 1978.

2638

6076 *Jugadores de morra*

Lienzo, 1,12 × 1,44.

En primer término, un muchacho toca la flauta. Dos hombres jóvenes gesticulan con las manos. Al fondo, en segundo término, una muchacha sentada les observa.
Obra característica, quizá de sus primeras obras conocidas, hacia 1705-1710.
Ingresado en el Museo en 1980.

7474 *Una hilandera*

Lienzo, 0,74 × 0,59.

Muchacha sonriente, de más de medio cuerpo y vuelta hacia el espectador, con un huso en la mano, en actitud de hilar.
Adquirida el 31 de octubre de 1989.

7474

2753

CLAESZ. Pieter Claesz

Nació en 1598 en Steinfurt (Westfalia). Sepultado en Haarlem el 1 de enero de 1661. Escuela holandesa.

2753 *Bodegón*

Tabla, 0,83 × 0,66.

Un vaso con vino, una copa cincelada volcada, limón sobre un plato de peltre; en otro, un pan y cuchillo, nueces y un vaso vuelto.
Firmado a la izquierda del vaso: *PC ENLACE TENESIUS 1637.*
Análogos elementos, ostras en vez de nueces, etc., se agrupan de similar manera en el cuadro firmado en 1640 de la Universidad de Wurzburgo y en el firmado en 1641 del Hospicio de van Aerden de Leeuwardem. Asimismo, se relaciona con el n.° 985 A del Museo de Berlín.
Legado de Fernández-Durán (1930).

CLERK. Hendrik de Clerk o Clerck

Nació en Bruselas hacia 1570; sepultado en Bruselas el 27 de agosto de 1630. Escuela flamenca.

2071 *El banquete de Aqueloo*

Cobre, 0,36 × 0,51.

Los dioses asisten al banquete que les ofrece Aqueloo. Ninfas y amorcillos preparan y sirven los manjares; a la derecha, un concierto de tritones y nereidas.
Firmado, junto al pie derecho de la mujer de túnica verde, con un enlace *DC 160.*
Mayer supone que esta pintura fue enviada por D. Juan de Austria a España hacia 1659. Figuraba a nombre de Hendrick de Clerk en el inventario de la archiduquesa Isabel Clara Eugenia, en el Palacio de Bruselas. Atribuido a David de Colins en los *Catálogos* de 1920-1972, donde figura como *El banquete de los dioses.* Díaz Padrón (1995) lo cataloga bajo el nombre del «Anagramista C. D.». Colecciones Reales.

2071

CLERK y Denis van Alsloot

1356 *Paisaje con Diana y Acteón*

Tabla, 0,70 × 1,05.

Fondo de paisaje. A la derecha, la diosa Diana, después del baño entre sus ninfas y perros, es sorprendida por Acteón, que aparece en el centro de la composición.
Catalogado, hasta 1933, como obra de d'Arthois; atribuido a J. Brueghel de Velours y Hendrich de Clerk en el *Catálogo* de 1972. Es considerada, por Díaz Padrón (1975), obra de Clerk en colaboración con Denis van Alsloot. Alsloot, en el paisaje, sigue de cerca a Gillis van Coninxloo, y Clerk, en las figuras, se mantiene fiel a la tradición manierista de fines de siglo. La composición se inspira en *Diana y Calisto* de Tiziano de la National Gallery of Scotland.
Firmado: *H. D. C.*
Se salvó, en 1734, del incendio del Alcázar de Madrid; pasó al Retiro y luego al Palacio Nuevo.

CLERK y Jan Brueghel de Velours

1401 *La abundancia y los cuatro elementos*

Cobre, 0,51 × 0,64.

En el centro, Cibeles o la Abundancia con espigas en la diestra y el cuerno de frutas en la mano izquierda. A un lado, el Agua, y, al otro, la Tierra; detrás, monte con caza; volando, el Aire, entre aves, y el Fuego, con antorcha y rayos. Dos genios con coronas. En primer término, peces, frutos y flores. Al fondo, leones y ciervos juntos.
En 1746 estaba en La Granja entre los cuadros de Felipe V, donde se

atribuía a Brueghel y al alemán Johann Rottenhammer. En 1794 en Aranjuez, y en 1824 ya estaba en el Prado.

CLEVE. Cornelis van Cleve o Cleef (?)

Nació en Amberes en 1520. Hijo de Joos van Cleve, con el que a veces se le ha confundido. Murió en Amberes en 1567. Escuela flamenca.

1924 *Circuncisión del Señor*

Tabla, 0,52 × 0,42.

En el interior del templo, el sacerdote procede a la circuncisión sobre un ara cubierta de blanco paño. Abundantes espectadores.
Considerado anónimo flamenco de hacia 1560, Díaz Padrón lo atribuye a Cornelis van Cleve. La composición se inspira en la de Peter Aertsen en el Museo de Colonia.
Adquirido por Carlos IV. En 1818, en Aranjuez.

2710 *Virgen con el Niño*

Tabla, 0,26 × 0,23.

La Virgen, de más de medio cuerpo, sostiene al Niño que le acaricia la barbilla.
Atribuido en los *Catálogos* del Prado hasta 1956 a Lambert Lombart, con ciertas dudas, se trata de obra de un seguidor de Joos van Cleve, que se ha identificado con su hijo Cornelis.
Se conocen otras versiones de la misma composición.
Legado Pablo Bosch.

CLEVE (?). Joos van der Beke, o van Cleve

Identificación aceptada del llamado «Maestro de la Muerte de María». Nació hacia 1485. Maestro en 1511; murió en Amberes entre el 10 de noviembre de 1540 y el 13 de abril de 1541. Escuela flamenca.

2654 *El Salvador*

Tabla, 0,60 × 0,47.

De menos de medio cuerpo; bendiciendo, tiene el Mundo —con un paisaje— en la mano izquierda. Las figuras se atribuyen a Clerck y el paisaje es obra de J. Brufhel.
Friedländer lo fecha hacia 1530 y lo juzga obra de taller, probablemente; para Hulin de Loo puede ser del maestro en su última época.
Con muy escasas variantes en los pliegues de la túnica, en la cabellera, etc., hay una repetición de este cuadro en el *Catálogo* de la tercera venta de Sedelmeyer (París, 1907), n.° 238.
Legado Pablo Bosch.

CLEVE. Copia de Joos van Cleve

2213 *El emperador Maximiliano I*

Tabla, 0,50 × 0,35.

Figura de menos de medio cuerpo, ostenta el collar del Toisón y un clavel rojo en la mano. En la parte superior, EL EMPERADOR MAXIMILIANO.
Nació en 1459; fue emperador desde 1493; murió el 12 de enero de 1519, sucediéndole su nieto Carlos V. De escaso valor artístico. Procede de un original perdido, del cual hay una copia fechada en 1510. En Viena hay un ejemplar superior al del Prado, que se ha solido atribuir a Lucas de Leyden, pero que modernamente se adjudica a Van Cleve.
Se describe en 1600 en el Alcázar de Madrid.

CLOUET. Discípulo anónimo de François Clouet

Nació en Tours en 1522; murió el 22 de septiembre de 1572. Escuela francesa.

2355 *Dama con un clavel amarillo*

Tabla, 0,61 × 0,47.

Retrato de algo menos de medio cuerpo. Viste traje rojo, amarillo y blanco, bordado de oro y perlas, con cuello y puños de puntas. En la diestra tiene un clavel amarillo sobre el pecho.
Se ha identificado, sin motivos convincentes, con María Estuardo; Perera propuso la identificación del retrato con Francisca Babou de la Bourdaissière, señora de Estrées, la Astrea que cantó Ronsard; madre de la célebre Gabriela de Estrées, favorita de Enrique IV.
Procede de las Colecciones Reales.

COCK. Jan Wellens de Cock

Nació hacia 1480. Trabajó en Amberes; murió antes de 1529. Escuela flamenca.

2700

2700 *Santa Ana, la Virgen y el Niño*

Tabla, 0,35 × 0,26.

En un huerto; a la derecha, edificios y dos ángeles. Atribución de Friedländer.
Legado Pablo Bosch.

510

CODAZZI. Viviano Codazzi

Nació en Bérgamo hacia 1604; murió en Roma el 5 de noviembre de 1670. Escuela italiana.

510 *Exterior de San Pedro, en Roma*

Lienzo, 1,68 × 2,20.

Vista de la escalinata y fachada de San Pedro, y de parte de la plaza, tal como se proyectaba por Carlo Maderno (muerto en 1629), con los campanarios laterales que no se construyeron.
Pintado, seguramente, hacia 1630 y las figurillas obra probable de Aniello Falcone.
En las Colecciones Reales, desde 1666, en que se le cita en el Alcázar de Madrid.

COECKE. Pieter Coecke van Aelst

Nació en Alost el 14 de agosto de 1502; murió en Bruselas el 6 de diciembre de 1550. Escuela flamenca.

1609 *Santiago el Mayor y once orantes*

Tabla, 1,12 × 0,44.

Portezuela izquierda de un tríptico. El centro representaría el Juicio Final.
Cara interior: Santiago y once orantes de hábito blanco y capa negra; casi todos llevan el pelo cortado en cerquillo. Fondo de colina, con fuente gótica, y bienaventurados conducidos por ángeles, uno de ellos volando.
Cara exterior: San Jorge, a juzgar por el emblema de la medalla, armado. Fondo de paisaje.
Todavía en la edición de 1942 se interpretaban los santos como san Cristóbal y san Guillermo.
Atribuíanse hasta el *Catálogo* de 1933 a Van Orley, con dudas. Friedländer las adscribió a Coecke.
Esta tabla y la siguiente vinieron al Prado en 25 de mayo de 1870.

1610 *San Juan Evangelista con dos damas y dos niñas orantes*

Tabla, 1,12 × 0,44.

Portezuela derecha de un tríptico.
Cara interior: El Evangelista; las orantes vestidas con tocas monjiles. Al fondo, en alto, el infierno entre llamas.
Cara exterior: San Adrián, con el arca en la mano y un león; fondo de paisaje.
Véase el n.º 1609.

2223 *La Adoración de los Magos*

Tabla. Tríptico: alto, 0,87; ancho de cada puerta, 0,23, y del centro, 0,55.

Puerta izquierda: Melchor, en el portal, que es de ruinas clásicas. Fondo de paisaje con pastores. *Centro:* La Virgen, el Niño, san José y Gaspar ofreciendo un cáliz; al fondo, puente y puerta con el séquito; a la derecha, dos pastores. *Puerta derecha:* Baltasar; fondo de paisaje con la cabalgata de los Reyes.
Procede del Museo Nacional de la Trinidad

2703 *La Anunciación - La adoración de los Magos - La adoración de los ángeles y de los pastores*

Tabla, 0,81 × 0,67. Tríptico: *abierto.*

Fondo con arquitecturas; en la tabla central, pórtico lujoso; paisaje con casas y figuras.
Atribución de Hulin de Loo.
Legado Pablo Bosch.

3232 *Tentaciones de san Antonio*

Tabla, 0,41 × 0,53.

El santo, a la izquierda de la composición, con rosario en la mano y gesto de bendecir; a la derecha, contempla a una joven desnuda que le ofrece una rica copa. Tras ésta, una vieja de aspecto diabólico. Fondo de paisaje con diablesas donde se advierte inequívoca influencia de El Bosco.
Es composición de la que se conocen varios ejemplares estudiados por Marlier.
Adquirida en 1973.

COELEMBIER. Jan Coelembier (?)

Documentado en La Haya de 1632 a 1671. Escuela holandesa.

1580 *Paisaje de costa*

Tabla, 0,52 × 0,83.

Pescadores y veleros; molino de viento, casas, etc.

2223

2703

Los *Catálogos* antiguos, hasta 1920, lo consideran del pintor flamenco Cornelis Molenaer. Desde 1933 se aceptó la atribución de Bredius a Pieter Nolpe, ya indicada desde 1910. Valdivieso (1973) ha propuesto el nombre de Jan Coelembier, seguidor de Jan van Goyen.
Procede de las Colecciones Reales.

COELLO. Claudio Coello

Nació en Madrid, bautizado el 2 de marzo de 1642; murió en Madrid el 20 de abril de 1693. Escuela española.

660 *La Virgen y el Niño entre las virtudes teologales y santos*

Lienzo, 2,32 × 2,73.

La Virgen y el Niño, en su trono; a sus pies, san Juan con el cordero; a la izquierda; la Fe, la Esperanza, la Caridad, san Miguel y un niño con el ángel de su guarda; y a la derecha: santa Isabel de Hungría, san Pablo, san Pedro, san Francisco de Asís y san Antonio de Padua.
En el escudo de san Miguel se lee: *ANCHORA FIRMAE ITER. SI IGNITUS FLAMMIGER ORNAT ET VITTATA: DESFUXERIT ATQUE VIA.*
Firmado en el borde del primer peldaño: *CLAVDIO COELLO FA. 1669.*
Figura en el Inventario de Aranjuez de 1818.
Se conservan sendos dibujos preparatorios en el Prado y en el Louvre.

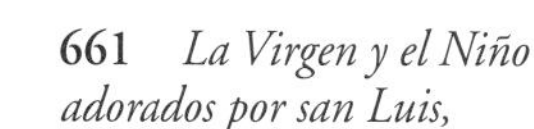

661 *La Virgen y el Niño adorados por san Luis, rey de Francia*

Lienzo, 2,29 × 2,49.

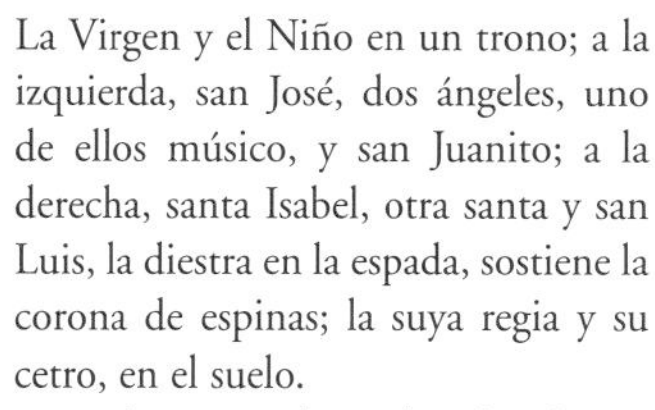

La Virgen y el Niño en un trono; a la izquierda, san José, dos ángeles, uno de ellos músico, y san Juanito; a la derecha, santa Isabel, otra santa y san Luis, la diestra en la espada, sostiene la corona de espinas; la suya regia y su cetro, en el suelo.
Firmado junto al pie derecho de san Juan: *CLAUDIO COELLO FT.*
Se ha identificado con el lienzo que, según Palomino, se pintó para don Luis Faures, archero de la guardia de corps de doña Mariana de Austria; Carlos III lo adquirió del marqués de la Ensenada.
En 1772 estaba en Palacio, «Cuarto del infante don Xabier».

660

661

662 *Santo Domingo de Guzmán*

Lienzo, 2,40 × 1,60.

De pie. Tratado a manera de escultura de altar. La diestra, apoyada en el astil de la cruz; en la mano izquierda, un libro y azucenas. A los pies, el globo del Mundo y el can con la antorcha encendida. Fondo arquitectónico.
Vino al Prado, con el lienzo compañero n.° 663, del Museo de la Trinidad, donde se atribuían con dudas a Claudio Coello. Proceden del convento llamado del Rosario de Madrid, de cuya iglesia constituyeron los retablos colaterales.
El lienzo del retablo central, *Santo Domingo recibiendo el rosario,* está en la Academia de San Fernando.

663 *Santa Rosa de Lima*

Lienzo, 2,40 × 1,60.

A manera de escultura en un retablo. Un ángel la corona de rosas; las mismas flores en las manos; al pie, tres ángeles, uno con rosas y otro con un libro en el que se lee: *ROSA CORDIS MEI TU MIHI SPONSA ESTOANCILLA TVA SVM DOMINE...* Fondo de arquitectura.
Compañero del n.° 662.

664 *El triunfo de san Agustín*

Lienzo, 2,71 × 2,03.

Viste de pontifical, sobre nubes y entre ángeles.

664

A la derecha, en bajo, el dragón infernal y la estatua de un dios pagano. Fondo de arquitectura y paisaje.
Firmado en el ángulo inferior izquierdo en un elemento arquitectónico: *CLAUDIO COELLO FAT. AÑO DE 1664.* Recogido del convento de agustinos recoletos de Alcalá de Henares en 1836 donde lo citan Ponz y Ceán (con atribución a Francisco de Solís), y desde donde ingresó en el Museo de la Trinidad.

665 *Doña Mariana de Austria, reina de España*

Lienzo, 0,97 × 0,79.

De más de medio cuerpo, con tocas de viuda y un libro de horas en la mano izquierda.
Sobre el personaje véase el n.º 644.
Allende-Salazar sospechaba que este retrato pudiera ser del pintor flamenco François Duchatel que en 1676 cobró un retrato de Carlos II.
En 1794, en el Retiro.

992 *El padre Cabanillas*

Lienzo, 0,76 × 0,62.

De medio cuerpo. Hábito pardo. Fondo de paisaje.
Se desconoce la biografía y aun el nombre de este fraile franciscano.
Da la identificación el Inventario de Isabel de Farnesio, de 1746, donde se atribuye a Claudio Coello. En los *Catálogos* anteriores al de 1933, aunque se hacía constar este dato, se adjudicaba a Murillo.

2504 *Carlos II*

Lienzo, 0,66 × 0,56.

Busto; armado, dentro de un óvalo.
Sobre el personaje véase el n.° 642.
Legado de don Xavier Laffitte, en 1930.

2583 *Jesús niño en la puerta del templo*

Lienzo, 1,68 × 1,22.

La Virgen, san José o san Joaquín y santa Ana conversan con Jesús niño. El asunto pudiera interpretarse también como la despedida de san Juan Bautista de sus padres, si la edad de la madre conviniese con la de santa Isabel.
Firmado en el peldaño: *CL. COELLO MDCLX.*
La firma, si no es falsa como se ha pensado alguna vez, debió aparecer al limpiar el lienzo, porque cuando el cuadro pertenecía al marqués de las Marismas (n.° 135 de la *Notice des tableaux... dans la Galerie du Marquis,* París, 1837, y 215 del *Catálogo* de 1839), atribuíase entonces a Carlo Dolci: a su nombre se grabó por Conquy en el magnífico álbum *Galerie Aguado,* publicado por Ch. Gavard.
Fue comprado en la venta de la Colección del marqués de las Marismas —1843— por la princesa Orloff, de París. A continuación pasó a manos de la colección madrileña de Apolinar Sánchez Villalba; y en 1935 fue adquirido por el Patronato.

COFFERMANS. Marcellus Coffermans

Documentado en Amberes entre 1549 y 1575. Escuela flamenca.

2719 *El entierro de Cristo*

Tabla, 0,17 × 0,13.

Figuras de cuerpo entero; fondo de paisaje.
La composición procede de una estampa de Schongauer.
Legado Pablo Bosch.

2723 *La Flagelación - El Descendimiento - La Anunciación - San Jerónimo - Descanso en la huida a Egipto*

Tabla, 0,33 × 0,23 cada una, excepto la última, que mide 0,21 × 0,14; todas ellas montadas en un retablito en este siglo.

Como casi todas las pinturas de Coffermans, están inspiradas en modelos anteriores. La primera recuerda al

Piombo de San Pietro in Montorio; *El Descendimiento* procede de Van der Weyden, quizá a través de la tabla bruselesa, hacia 1510, de la Colección Freiherr Bissing, de Múnich. *La Anunciación* parece la del altar de Santa Columba, de Múnich, por Weyden, invertida.
Legado de Fernández-Durán (1930).

101

102

COLLANTES. Francisco Collantes

Nació en Madrid hacia 1599; murió hacia 1656. Escuela española.

666 *Visión de Ezequiel: La Resurrección de la carne.*

Lienzo, 1,77 × 2,05.

El profeta, en un campo de ruinas y sepulcros, de los que salen los esqueletos. Cuéntase el vaticinio en el capítulo XXXVII del libro de Ezequiel.
Firmado en el sepulcro medio abierto de la derecha: *FRAN^CO^. COLLANTES FT. 1630.*
Procede del Buen Retiro, donde se cita desde 1635 a 1800. Fue uno de los 50 cuadros destinados al Museo Napoleón en 1811; devuelto en 1816, vino de la Academia en 1827.

2849 *Paisaje*

Lienzo, 0,75 × 0,92.

Terreno montuoso y arbolado, con las ruinas de un castillo en segundo término.
Firmado sobre una roca, en el centro: *FRAN^CO^ COLLANTES F.*
Procede del Palacio del Buen Retiro.

3027 *San Onofre*

Lienzo, 1,68 × 1,08.

Cubierto con una estera, en pie, apoyado en su báculo, recibe el pan que le trae un cuervo. A los pies, corona y cetro, que han hecho creer alguna vez se tratase de san Guillermo de Aquitania.
En 1746 la Colección de Isabel de Farnesio, en La Granja, como obra de Ribera.

3086 *El incendio de Troya*

Lienzo, 1,45 × 1,97.

Plaza de ciudad con ricas arquitecturas. El caballo en el centro. En primer término, multitud de combatientes. Al fondo, el incendio. A la derecha, columna historiada; detrás de ella, Eneas llevando a su padre Anquises y a su hijo Ascanio, huyendo del incendio.
Firmado: *FRAN^CO^ COLLANTES.*
Procede del Palacio del Buen Retiro, donde se cita en 1700 y 1794.

COLOMBO. Giovanni Batista Colombo

Nacido en Arogno (Lugano) en 1717; murió en el mismo lugar en 1793. Escuela italiana.

3194 *Escenas en un jardín*

Lienzo, 1,22 × 0,92.

Un jardín umbroso con arquitecturas neoclásicas, grupos de damas y caballeros paseando y conversando.
Firmado en el pedestal del busto: *G. B. COLOMBO PINX.*
De las Colecciones Reales.

CONCA. Sebastiano Conca

Nació en Gaeta el 8 de enero de 1680; murió en Nápoles el 1 de septiembre de 1764. Escuela italiana.

101 *Alejandro Magno en el templo de Jerusalén*

Lienzo, 0,52 × 0,70.

El Rey, de rodillas ante el Arca de la Alianza; el Sumo Sacerdote, en pie; detrás, soldado y paje; a la izquierda, servidores del Templo, uno de los cuales conduce dos terneras para el sacrificio.
Boceto para un cuadro de la serie de ocho, encargada, según plan del arquitecto Juvara, para la decoración de dos salones de La Granja (1735), a los más importantes artistas italianos del momento, ilustrando la vida de Alejandro. El boceto se recibió el 1 de abril de1 736, el cuadro estaba pintado a fines de 1737. Se conserva en el palacio de Riofrío. El dibujo preparatorio está en la Albertina de Viena.

102 *La idolatría de Salomón*

Lienzo, 0,54 × 0,71.

El rey, en pie, ante el altar de una diosa (¿Diana?), a la que va a incensar; rodéanle sus concubinas. Al fondo, ofrendas a Minerva (?).
Boceto para una obra no conocida. Aunque se suele considerar compañero del n.° 101, no parece obra del mismo momento estilístico.
En 1818, en Aranjuez.

2869 *La educación de Aquiles*

Lienzo, 0,59 × 0,74.

Sobre una roca horadada y batida por el mar, Tetis entrega el niño Aquiles al centauro Quirón.
Boceto preparatorio para la decoración levantada en la plaza de España

de Roma, bajo la dirección de Conca con motivo del nacimiento del infante Luis Antonio Jaime, último hijo varón de Felipe V, nacido el 25 de julio de 1727.
El aparato definitivo lo conocemos por un lienzo de Panini firmado en 1727, que representa las fiestas de la Embajada de España entonces celebradas, y que se conserva en el Victoria and Albert Museum de Londres. En 1780, en el Palacio del Buen Retiro, donde lo cita Ponz, atribuyéndolo correctamente a Conca.

CONINXLOO. Gillis van Coninxloo

Nació en Amberes en 1544; murió en Amsterdam en 1607. Escuela flamenca.

1385 *Paisaje*

Cobre, 0,24 × 0,19.

Bosque; al fondo, un castillo, puente y pueblo.
Atribuido a Paul Bril hasta 1972. La atribución a Coninxloo la han propuesto simultáneamente diversos críticos.
Procede de las Colecciones Reales.

CONSTANTIN D'AIX. Jean-Antoine Constantin

Nació en Marsella en 1756, donde murió en 1844. Escuela francesa.

2795 *Paisaje con castillo y guerreros*

Tabla, 0,47 × 0,66.

Anteriormente se atribuía a Pillement, pero se trata de una obra de Constantin imitando a Salvador Rosa.
Pareja del n.° 2796.
Legado de Fernández-Durán (1930).

2796 *Paisaje, con guerreros a la orilla de un río*

Tabla, 0,48 × 0,65.

Pareja del n.° 2795.

CONTE (?). Jacopo, o Jacopino del Conte

Nació en Florencia en 1510; murió en Roma el 9 de enero de 1598. Escuela italiana.

329 *La Sagrada Familia*

Tabla, 1,09 × 0,86.

La Virgen y san José casi de cuerpo entero, y el Niño.
En los *Catálogos* anteriores al de 1933 se atribuye a Francesco Salviati. Berenson afirmó que es de la misma mano que los frescos de S. Giovanni Decollato, en Roma, reconocidos como de Jacopino del Conte. Voss rechazó asimismo la clasificación antigua y lo supone obra de un pintor romano, hacia 1550, quizá Jacopino. Se identifica con el cuadro que envió Felipe II a El Escorial el 15 de abril de 1574 como «de mano de Salviate Romano, pintor del Rey de Francia»; las medidas difieren bastante, ya que «5 pies de alto y 4 de ancho» son en centímetros 1,54 × 1,26; diferencia explicable porque medirían el marco. Después estuvo en Palacio y en el Retiro.

329

COOSEMANS. Alexander Coosemans, o Coaseimas

Bautizado el 19 de marzo de 1627 en Amberes, donde fue enterrado el 28 de agosto o el 28 de octubre de 1689. Escuela flamenca.

1462 *Bodegón*

Tabla, 0,53 × 0,77.

Uvas, granadas, espárragos, camarones, frascos y vasos.
Firmado en el borde de la mesa, a la izquierda: *A COOSEMANS.*
Procede de las Colecciones Reales.

2072 *Frutero*

Tabla, 0,49 × 0,40.

En una bandeja, sobre un paño azul, encima de una mesa, melocotones, uvas, una copa de vino blanco.
Firmado: *J. D. COOSEMANS FT.*
En 1818, en Aranjuez. Ingresó en el Museo en 1827.

CORNEILLE DE LYON (?)

Nació probablemente en La Haya hacia 1500; murió en 1574 o después. Escuela francesa.

1958 *Caballero*

Tabla, 0,28 × 0,21.

De poco más de medio cuerpo; viste traje y capa negros, como la gorra.
En 1746, en la Colección de Isabel de Farnesio, en La Granja.

CORREA. Juan Correa de Vivar

Nacido en la villa de Mascaraque (Toledo) hacia 1510; murió en Toledo en 1566. Escuela española.

671 *El tránsito de la Virgen*

Tabla, 2,54 × 1,47.

Los apóstoles rodean el lecho; san Pedro, como sacerdote, entrega a María una vela encendida; san Juan y otro apóstol leen arrodillados. El movi-

671

niento y colorido más oscuro del apostolado hace fijar más la atención del espectador en la blanca y serena cabecera del lecho de la Virgen. A la izquierda, orante el caballero de Calatrava don Francisco de Rojas. En el hueco central, la Asunción. Vidrieras con blasones de los Rojas y Ayala. Encima de la mesilla, un plato de fruta. Hijo de don Francisco de Rojas y Ayala y de doña Juana Rivera, el retratado casó con doña Juana de Castilla. Está enterrado en el Tránsito, de Toledo, de donde procede esta tabla; ocupaba la hornacina plateresca del lado de la Epístola.
La aproximación estilística de esta tabla al retablo de Correa para la iglesia de Herrera del Duque (Badajoz), documentado entre 1546 y 1550, hace pensar que fuera ejecutada hacia finales de la década de los cuarenta.
Procede del Museo de la Trinidad.

672 *La Virgen, el Niño y santa Ana*

Tabla, 0,94 × 0,90.

María y su santa Madre, sentadas en un aposento con vistas a un ameno paisaje. Jesús mira un libro que santa Ana le pone delante.
Perteneció al convento cisterciense de San Martín de Valdeiglesias. Constituye la parte central de un tríptico cuyas tablas laterales se hallan como depósito del Prado en el Museo de Vigo con los números 681 y 682, representando a santa Lucía y a santo Domingo. Estilísticamente puede fecharse entre 1540-1545.
Vino al Prado del Museo de la Trinidad.

672

673 *San Benito bendiciendo a san Mauro*

Tabla, 0,94 × 0,87.

El santo fundador da permiso a san Mauro para que salve a san Plácido, a punto de ahogarse; pasaje que se representa al fondo.
De igual procedencia que el n.° 672. Constituía también parte central de un tríptico cuyas tablas laterales se hallan, en el Museo de Santa Cruz, de Toledo, con el n.° 679, representando a san Clemente Papa, y en el depósito del propio Museo, con el n.° 3610, representando a san Bernardo.
Se pueden fechar por los años del n.° 672.

687 *La presentación de Jesús en el templo*

Tabla, 2,19 × 0,78.

Simeón recibe al Niño de manos de María. Al fondo, san José, con la cesta de las tórtolas, y santa Ana.
Portezuela derecha del tríptico de Estación de la *Natividad* (n.° 690), que procede del monasterio de Guisando, de donde lo sacó la Comisión incautadora de la Real Academia de San Fernando. Vino al Prado del Museo de la Trinidad.
La tabla fue partida posiblemente en el siglo pasado y el reverso, con el tema de la *Oración de Jesús en el Huerto o en el Monte de los Olivos,* se halla en el depósito del propio Museo (n.° 688). En el Museo de Santa Cruz, de Toledo, se hallan otras cuatro tablas con *profetas,* perte-

687

690

689

necientes al mismo tríptico, con los números 683-686.

689 *La Visitación.* Reverso: *San Jerónimo penitente*

Tabla, 2,18 × 0,77.

Santa Isabel se inclina ante María. Zacarías sale de la casa.
Portezuela izquierda del tríptico de Estación de la *Natividad,* n.° 690, y compañero del n.° 687.
Al dorso: san Jerónimo de rodillas, fondo de paisaje.

690 *La Natividad*

Tabla, 2,28 × 1,83.

El portal, de arquitectura del Renacimiento. María y José, arrodillados, adoran al Niño encima de un pañal, en un poyo. A la izquierda, la mula y el buey; por la derecha llegan los pastores. Fondo de paisaje con río y puente, y el ángel que anuncia el nacimiento. Vuelan ángeles en coro de músicos y cantores de gloria.
Procede del monasterio de Guisando, y constituye la tabla central de un tríptico de Estación, cuyas alas son los números 687 y 689. Por sus caracteres estilísticos podría fecharse hacia 1535.

2828

692 *Descendimiento*

Tabla, 1,23 × 0,90.

A los pies de la Cruz, Jesucristo muerto, en el regazo de su madre, es sostenido por san Juan. A los lados los Santos Varones y las Marías.
Citado como de Correa en el inventario de la Trinidad, en cambio Cru zada y Madrazo lo consideraron de s escuela.
La composición la repite el maestro lo largo de toda su obra. El modelo c san Juan es el mismo de la *Crucifixió* del retablo de D.ª María y D.ª Teres Colón, y el de la antigua colecció Portalegre.

6996

1300 *San Lorenzo*

Tabla, 1,82 × 0,79.

San Lorenzo, de cuerpo entero y ta maño natural, es representado con l parrilla en la mano derecha, aludiend a su martirio, y un libro en la izquier da. Fondo de paisaje.
Procede del monasterio de jerónimc de Guisando, desde donde llegó a Museo de la Trinidad en 1836.
Junto con la figura de san Esteba (n.° 1301) formaban parte del tríptic de la Estación del claustro, cuyo tem central era la Anunciación (n.° 2928, En el reverso lleva la figura del erm taño san Hilario.

1301 *San Esteban*

Tabla, 1,82 × 0,79.

La figura de san Esteban protomárti aparece representada de cuerpo enter y tamaño natural, sobre un fondo d paisaje. En la mano derecha port palma y se recoge el ropaje.
En el reverso aparece la escena de l imposición de la casulla a san Ilde fonso, siguiendo un modelo repetid con frecuencia por el pintor.
Véase el n.° 1300.

2828 *La Anunciación*

Tabla, 2,25 × 1,46.

La parte superior, en forma de medi punto. María arrodillada, escuchand la salutación del ángel. Presencia l escena el Padre Eterno sobre una nub de querubes.
Constituía un tríptico de Estación co los números 1300 y 1301.
Documentado y fechado el tríptic

en 1559, se pintó para el monasterio de jerónimos de Guisando; se citan también pintados, en la parte baja del anverso de las puertas, *San Juan Bautista con san Andrés,* y *San Juan Evangelista con Santiago,* actualmente desaparecidos y que justificarían la diferencia de medidas, hoy, entre las tablas laterales (1,82 × 0,79) y la del centro.
Estuvo en el Museo de la Trinidad.

2832 *Aparición de la Virgen a san Bernardo*

Tabla, 1,70 × 1,30.

El santo abad, arrodillado ante la visión celestial, recibe el premio por sus escritos marianos. Fondos de paisaje.
Procede esta tabla del monasterio de San Martín de Valdeiglesias como: la *de la enfermedad del Santo,* en depósito en el Museo de Pontevedra (n.° 5988); *San Martín* (n.° 5326); *La Resurrección,* en el Museo Provincial de Bellas Artes de Zaragoza (n.° 675); *El Descendimiento,* en el Museo de Málaga (n.° 678), entre otros. Constituiría el centro de uno de los retablos.

5326 *San Martín*

Tabla, 1,04 × 0,74.

San Martín a caballo, con una espada en la mano, en el momento de partir su capa para dársela a un pobre. El santo viste a la moda de la época y cubre su cabeza con un típico sombrero que se puso en boga hacia la mitad de la década de los años treinta del siglo XVI.
Procede del monasterio de San Martín de Valdeiglesias.
Aparece por primera vez mencionada, como obra anónima, en el inventario que hizo Zabaleta de dicho monasterio, en 1836, tras la Desamortización.
I. Mateo lo atribuye a Correa.

111

6996 *Descendimiento de la Cruz*

Tabla, 2,25 × 1,78.

Sobre un fondo de paisaje, la figura de Cristo desciende de la Cruz, sostenido por los Santos Varones; a los pies su madre desmayada en los brazos de las Marías.
Estuvo en el Museo de la Trinidad, pero fue devuelto al infante don Sebastián en 1861. Adquirido por O. M. de 13 de junio de 1984 a Manuel González López.

CORREGGIO. Antonio Allegri da Correggio

Nació en Correggio (Emilia) antes del 30 de agosto de 1493; murió el 5 de marzo de 1534. Escuela italiana.

111 *«Noli me tangere»*

Tabla, pasada a lienzo, 1,30 × 1,03.

Cristo, de hortelano, se aparece a María Magdalena; fondo de arboleda y paisaje. Según Gronau, se pintaría hacia 1525 este cuadro, que para Berenson es una obra maestra. Quizá es la pintura que elogia Vasari en casa de Ercolani de Bolonia. Parece ser que fue regalado a Carlos V con motivo de su coronación. El lo debió de obsequiar a algún miembro de la familia Aldobrandini, de la que pasó, en el siglo XVII, a los Ludovisi. Detrás tiene dos sellos: uno, enlace de A y R; el segundo, el conocido de Carlos I de Inglaterra.
Fue regalado por el duque de Medina de las Torres a Felipe IV, quien lo envió a El Escorial, y lo encomia el padre Santos (1657) en la sacristía. Vino al Museo en abril de 1839.

112

112 *La Virgen, el Niño Jesús y san Juan*

Tabla, 0,48 × 0,37.

Fondo oscuro, como de cueva; a la derecha, paisaje.
Según Selwyn Brinton, pintado hacia 1515-17. Fue de Isabel de Farnesio (La Granja, 1746).

CORREGGIO. Copias por Eugenio Cajes

119 *El rapto de Ganimedes*

Lienzo, 1,75 × 0,72.

El mancebo, arrebatado por Júpiter transformado en águila; el perro, a la izquierda. Fondo de paisaje.
Copia del original que perteneció a Antonio Pérez y está hoy en el Museo de Viena.
Cajes cobró, el 19 de agosto de 1604, 1.500 reales por esta copia y la siguiente.
En 1636 estaban en el Alcázar.

120 *La fábula de Leda*

Lienzo, 1,65 × 1,93.

Leda y sus esclavas, en el baño; genios y cisnes.
El original, regalado en 1603 por Felipe III al emperador Rodolfo, está hoy en el Museo de Berlín.
Véase el n.° 119.

CORREGGIO. Copias anónimas

115 *El descanso en la huida a Egipto, o «La Madonna della scudella»*

Lienzo, 2,11 × 1,40.

La Sagrada Familia, al pie de una palmera; varios ángeles entre nubes. La Virgen, con una escudilla en la diestra; ángeles en el cielo y en tierra.
El original está en la Pinacoteca de Parma.
En el inventario de Pompeo Leoni, en Madrid, se registra un ejemplar de esta composición.
Se trajo de El Escorial en 1837; allí se había entregado en 1593.

117 *La quinta angustia*

Tabla, 0,39 × 0,47.

Reducción del cuadro que de San Juan Evangelista, de Parma, pasó al Museo de la misma ciudad, pintado entre 1520 y 1524.
Procede de la Colección Maratta.

118 *Martirio de los santos Plácido, Flavia, Eutiquio y Victorino*

Tabla, 0,39 × 0,47.

Véase lo dicho para el cuadro compañero, n.° 117.

CORTE. Juan de la Corte

Nació en Madrid en 1597; murió en 1660. Escuela española.

3102 *El rapto de Helena*

Lienzo, 1,50 × 2,22.

Helena, esposa de Menelao, rey de Esparta, es transportada, a la fuerza, en una barcaza, dirigida por Paris, hijo de Príamo y Hécuba. Un grupo de soldados trata de impedirlo. Al fondo, a la izquierda, un edificio clásico, que recuerda al Panteón de Agripa en Roma, cierra la composición.
Se conocen varias versiones, con pequeñas variantes, del mismo tema, en colecciones privadas de Madrid, Murcia y Torremolinos.
Procede de las Colecciones Reales, figurando en 1700 y 1794 en el Palacio del Buen Retiro. Inventariado por primera vez en el Museo, en 1857, como de escuela italiana.

3103 *Incendio de Troya*

Lienzo, 1,40 × 2,38.

A la izquierda de la composición y en primer término, Eneas, llevando a su padre Anquises sobre sus hombros, es seguido por su esposa Creusa, que arrastra de la mano a su hijo Ascanio. A la derecha, la lucha entre griegos y troyanos, con la silueta del caballo, destaca sobre un fondo arquitectónico en llamas.

3103

Probablemente, compañero del anterior.
Firmado: *JUAN DE LACORTE LO FECIT.*
En el Museo existe una réplica, muy similar (Cat., n.° 4728). Se conocen varias versiones del mismo tema: en la Universidad de Murcia, en el Palacio de Riofrío y en colecciones privadas de Madrid, Torremolinos y Valencia.
Procede de las Colecciones Reales. Palacio del Buen Retiro, 1700 y 1794.

CORTONA. Pietro Berretini da Cortona

Nació en Cortona el 1 de noviembre de 1596; murió en Roma el 16 de mayo de 1669. Escuela italiana.

121 *La Natividad*

Venturina, 0,51 × 0,40.

Angeles y pastores adoran al Niño Dios.
Un dibujo, con ciertas variantes, se guarda en los Uffizi.
Regalado a Felipe IV por el cardenal Barberini en 1656, como pieza de suma estimación, adornada con un lujoso marco de plata y lapislázuli. Fue colocada en el oratorio del cuarto bajo del Alcázar.
Figuró luego siempre en las Colecciones Reales.

COSSIERS. Jan Cossiers, Coetsiers o Caussiers

Fue bautizado el 15 de julio de 1600 en Amberes; donde murió el 4 de julio de 1671. Escuela flamenca.

1463 *Júpiter y Licaón*

Lienzo, 1,20 × 1,15.

Figuras casi de cuerpo entero: Júpiter convierte a Licaón en lobo por haberle dado a comer carne humana.
Firmado en el trono del dios: *COSSIERS.*
Pintado sobre un boceto de Rubens (Museo de Rochefort-sur-Mer) para la Torre de la Parada, donde se cita en 1700 y 1747. En 1772 y 1794 estaba en el Palacio Nuevo.

1464

1464 *Prometeo trayendo el fuego*

Lienzo, 1,82 × 1,13.

Baja del Empíreo con una tea encendida en la diestra; vuelve la cabeza, recelando que le persigan.
Pintado sobre un boceto de Rubens (Prado, n.° 2042) para la Torre de la Parada, donde se cita en 1700 y 1747. En 1792 se depositó en la Academia de San Fernando, y en 1827 pasó al Museo.

1465 *Narciso*

Lienzo, 0,97 × 0,93.

El adolescente, a la orilla del agua en que se contempla reflejado. Fondo de campo.
Firmado bajo el pie izquierdo: *COSSIERS.*
Pintado para la Torre de la Parada. El boceto, de Rubens, está en la Colección D. G. Beuningen (Holanda). En 1700 y 1747 en la Torre de la Parada. En 1772, 1794 y 1818 se cita en el Palacio Nuevo.

COTES. Francisco Cotes

Nació en Londres en 1726 y murió en la misma ciudad en 1770. Fue uno de los fundadores de la Royal Academy de Londres. Escuela inglesa.

6992 *Retrato de Mrs. Sawbridge*

Lienzo, 1,24 × 1,00.

Muestra a la dama de más de medio cuerpo, recortándose sobre un paisaje.
Pintado entre 1767 y 1770.
Estuvo en colección privada española, y antes en la colección Windener. Fue adquirido en 1984 por el Ministerio de Cultura.

COURTILLEAU

Sólo se conoce la firma del cuadro siguiente, a menos que sea el mismo Diego Cortillo quien firma, en 1700, un mal retrato de Mariana de Neuburgo, en los depósitos del Prado. Escuela francesa.

2241 *Princesa de Saboya*

Lienzo, 0,72 × 0,63, óvalo.

De medio cuerpo; cabellera empolvada; traje y manto azul, con nudo y flor, emblemas de la casa de Saboya. Representa a María Giovanna Battista, duquesa de Saboya.
En la orla del manto, encima del brazo izquierdo: *COVRTILLEAV FECIT 1702.*
Se trajo en 1847 del Palacio Nuevo.

COURTOIS. Jacques Courtois, «le Bourguignon»

Nació en St.-Hippolyte (Franco Condado) el 12 de febrero de 1621; murió en Roma el 14 de noviembre de 1676. Escuela francesa.

2242 *Batalla entre cristianos y musulmanes*

Lienzo, 0,96 × 1,52.

Combaten en primer término moros y cristianos; a la derecha, el abanderado

1468, 1469, 1470

cristiano; a la izquierda, lejanía con ciudad y montes que se ven a través de unas ruinas.
Atribuido de antiguo a Falcone; desde 1873 a nombre de «el Borgoñón», de quien es obra maestra. Adquisición de Carlos IV. En 1814 estaba en el Palacio de Madrid.

2243 *Lucha por la posesión de una fortaleza*

Lienzo, 0,76 × 1,55.

Las fuerzas que ocupan un castillo elevado, a la izquierda, intentan apoderarse de la fortaleza situada en bajo, a la derecha; al lado, el general y el abanderado; en el centro, un cuerpo a cuerpo.
Fue de Felipe V; en 1746 y 1774 estaba en La Granja. En 1794 se cita en Aranjuez.

COXCIE. Michiel Coxcie, Coxie, Coxcien, Coxyen...

Nació en Malinas en 1499, donde murió, el 10 de marzo de 1592. Escuela flamenca.

1467

1467 *Santa Cecilia*

Lienzo, 1,36 × 1,04.

La santa, sentada, toca el clavicordio; acompáñanla tres ángeles cantores.
Firmado en medio del costado del clavicordio: *MICHAEL DE COXSYEN ME FECIT.*
Pagado por Felipe II el 18 de noviembre de 1569. Estuvo en la iglesia vieja de El Escorial, adonde se envió en abril de 1574. Vino en 1839.

1468, 1469, 1470
La vida de la Virgen

Tríptico de tabla, 2,08 × 3,35.

Cerrado: portezuela izquierda, *La Anunciación* y *La adoración de los pastores,* de claroscuro. Portezuela derecha, *La Visitación* y *La Adoración de los Magos,* de claroscuro.
Abierto: portezuela izquierda, *El Nacimiento de María.* Centro: *La Muerte de la Virgen y la Asunción.* Portezuela derecha, *La Presentación del Niño Dios en el templo.*
Pintado para Santa Gúdula de Bruselas, adquirido por Felipe II y enviado a El Escorial el 31 de julio de 1586, aunque en la descripción se dice por error que en el interior de la portezuela derecha está pintada la *Circuncisión.*

1518 *La muerte de Abel*

Lienzo, 1,51 × 1,25.

Abel muerto. Caín huye maldecido por Dios; al fondo, altar y pira.
Atribuido hasta 1973 a Frank Floris. Es obra característica de Miguel

Coxie. Se conocen sendos dibujos para las figuras de Caín y Abel, que fueron adquiridos y retocados por Rubens.
En 1746, en La Granja, atribuido a Van Dyck.

2641 *Jesús con la Cruz a cuestas*

Tabla, 0,81 × 0,50.

De medio cuerpo; túnica verdosa, corona de espinas.
Firmado en el ángulo izquierdo con letras de oro. Se ha supuesto si ésta podría ser la tabla grande de la calle de la Amargura, del maestro Miguel, que tuvo Carlos V en Yuste; parece más verosímil que sea la que se guarda en el Palacio Real, en la que se figura la escena con muchos personajes.
Legado Pablo Bosch.

COYPEL. Antoine Coypel

Nació el 11 de abril de 1661 en París, donde murió el 7 de enero de 1722. Escuela francesa.

2247 *Susana acusada de adulterio*

Lienzo, 1,49 × 2,04.

La acusada, en medio los ancianos, Daniel, familiares, etc. Arquitectura suntuosa.
Figuró en el Salón de 1699 y en el de 1704. Sirvió de modelo para un cartón de tapicería (el Louvre) para la Manufactura de Gobelinos.
Se conservan varios dibujos preparatorios en el Louvre.
La atribución a Coypel se da ya en el inventario de 1772 de Palacio. Comprado a Kelly en 1764.

CRAESBEECK. Joost van Craesbeeck

Nació en Neerlinter (Brabante) hacia 1606; murió en Bruselas entre 1654 y 1661. Escuela flamenca.

1390 *Terceto burlesco*

Tabla, 0,30 × 0,24.

Tres hombres cantando.
Firmado C. B. en el ángulo izquierdo del pupitre, sobre el que está leyendo uno de ellos. Antes de 1920 se atribuía a Brouwer.
Procede de la Colección de Carlos IV.

1471 *El contrato matrimonial*

Tabla, 0,71 × 0,54.

Los padres, sentados a una mesa formada sobre toneles; los novios, en pie, se abrazan. Encima de la mesa, lo que aportan en dote. Al fondo, dos hombres.
Hasta 1873, atribuido a Ryckaert.
Adquirido por Carlos IV, se registra en la Casita de El Escorial. En Aranjuez, en 1794 y 1818.

CRANACH, el Viejo. Lucas Sunder, o Muller de Cranach

Nació en Kronach (Franconia) en 1472; murió en Weimar el 16 de octubre de 1553. Escuela alemana.

2175 *Cacería en honor de Carlos V en el castillo de Torgau*

Tabla, 1,14 × 1,75.

Al fondo, el castillo; a los lados, montería de jabalíes; en el centro del campo, acoso de venados hacia el agua; en su orilla, a la izquierda, el elector Juan Federico, duque de Sajonia y el emperador, con dos ballesteros; a la derecha, un grupo de damas.
En bajo, como a un tercio del extremo derecho, en el tronco de un árbol, el dragoncillo, firma del pintor y la fecha de 1544. Sin embargo, Winkler cree que los dos cuadros deben atribuirse al hijo.
Prieto Llovera negaba que el emperador esté retratado en estas tablas, pues no asistió a cacerías en Torgau. Sin embargo, el personaje que en la tabla n.° 2176 ostenta el toisón no parece posible que sea otro. Se suponía que el cuadro y su compañero n.° 2176 representaban cacerías en el castillo de Moritzburgo; pero ya en 1904 Baillie-Grohman había dado la verdadera localización al publicar el ejemplar en lienzo que repite el n.° 2176, perteneciente a lord Powerscourt.
Cuadros de cacerías del elector, pintados por Cranach y su hijo, hay dos en Viena (1544); uno en Estocolmo (de 1546); otros en Copenhague y Moritzburgo (de 1540).
Una de estas tablas se describe entre los bienes que trajo María de Hungría a España en 1556, y la otra se cita en la Colección de Carlos V en 1545.
En 1636 estaban en el Alcázar.

2175

7440

2176 *Cacería en honor de Carlos V en el castillo de Torgau*

Tabla, 1,18 × 1,77.

Otros episodios de la misma cacería (n.° 2175). Vista del castillo por el lado del foso con agua. En la parte baja, a la izquierda, el grupo del elector y el emperador con sus ballesteros. Detrás de Carlos V, un caballero del Toisón, anciano. A la derecha, las damas. En el ángulo inferior del mismo lado, en la barca, la firma —dragoncillo— y la fecha, 1545.
Figura en el inventario de La Granja de 1746, extrañamente, entre las pinturas de Isabel de Farnesio.

7440 *Virgen con el Niño Jesús y san Juanito*

Tabla, 1,21 × 0,83.

Sobre un rico cortinaje de fondo, sostenido por tres angelitos, destaca la figura de la Virgen con el Niño Jesús en brazos, que tiende sus manos hacia el racimo de uvas, que porta san Juanito, símbolo del sacrificio sobre la Cruz, haciendo alusión a la sangre de Cristo. En el lado superior izquierdo, un fondo de paisaje y montañas.
En el extremo izquierdo inferior, aparece la firma del pintor, el dragoncillo, símbolo de la familia, y la fecha de ejecución de la obra, 1536.
A principios de siglo era propiedad de la duquesa de Valencia. Adquirido para el Museo en 1988.

CRAYER. Gaspar de Crayer

Bautizado en Amberes el 18 de noviembre de 1584; murió en Gante el 27 de enero de 1669. Escuela flamenca.

127 *La caridad romana*

Lienzo, 1,28 × 1,44.

Cimón, alimentado en la cárcel por su hija Pera.
Atribuido en los *Catálogos* antiguos a Benedetto Crespi, «el Bustino»; de modo difícilmente justificable, Longhi lo atribuyó a Matías Stomer.
La atribución a Crayer es de Vlieghe. Se conocen otras versiones de la composición, una de ellas, muy fiel, en el Museo de Budapest.
En 1746, en la Colección de Isabel de Farnesio, en La Granja, donde se atribuía a Ribera. En 1794, en Aranjuez.

1472 *El infante don Fernando de Austria, vestido de cardenal*

Lienzo, 2,19 × 1,22.

En pie; a la izquierda, puerta abierta a un paisaje.
Don Fernando, hijo de Felipe III, nació el 16 de mayo de 1609; cardenal desde el 29 de julio de 1619; gobernador de Flandes desde 1634; murió en Bruselas el 9 de noviembre de 1641.
Firmado debajo de la cortina a la derecha: *GASPAR DE CRAYER PICTR. SERMO PRINC. CARD F. 1639.*
Fue enviado a Felipe IV en 1639; en 1772 estaba en el Buen Retiro.

1553 *Felipe IV, a caballo*

Tabla, 0,28 × 0,22.

Armado, fondo de paisaje. El rey representa unos veinte años.
Felipe IV, hijo de Felipe III y de doña Margarita de Austria-Stiria, nació en

Valladolid el 8 de abril de 1605; murió en Madrid el 17 de septiembre de 1665.
La atribución a Gaspar de Crayer la propuso Vlieghe en 1967. En los *Catálogos* anteriores al de 1933 se atribuía a J. Van Kessel el Joven (nació en 1654); luego se creyó del Viejo.
Adquirido por Carlos IV, vino de Aranjuez en 1828.

3337 *La aparición de la Virgen a Simón de Rojas*

Lienzo, 3,13 × 1,77.

Bajo un arco imaginario, La Virgen y el Niño Dios entregan el cíngulo de castidad al santo, arrodillado. El Espíritu Santo y la figura de Dios Padre contemplan la escena desde lo alto. Un grupo de ángeles, en penumbra, rodean la composición. En primer término, en el suelo, un ramillete de azucenas, símbolo de pureza, un libro, probablemente, de la Orden de la Trinidad, a la que el santo pertenecía, y una filacteria con la inscripción «Ave María».
Procede del Museo de la Trinidad, donde aparece inventariado como obra anónima de la escuela de Rubens y se identifica como «Asunto de la vida de san Juan de la Mata». Díaz Padrón (1967) lo restituyó a G. de Crayer.
En la catedral de Valladolid existe una copia atribuida por Ponz al pintor Pitti.

1472

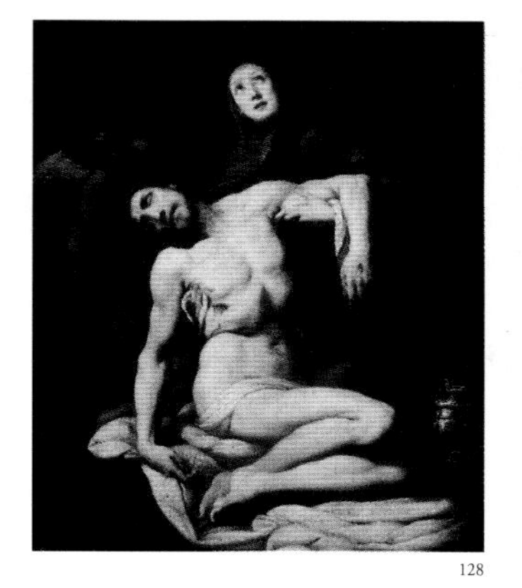
128

CRESPI. Daniele Crespi

Nació en Busto Arsizio (Lombardía) entre 1598 y 1600; murió en Milán en 1630. Escuela italiana.

128 *La Piedad*

Lienzo, 1,75 × 1,44.

La Virgen y Jesús, muerto; detrás, un ángel.
Firmado entre la rodilla de Cristo y el vaso: *DANIELE CRISPI. OP.*
Ribera debió conocerlo, pues evidentemente se inspiró en él, en el lienzo del ático de las Angustias de Monterrey en Salamanca, fechado en 1647.
Fue obra muy copiada desde antiguo.
Un dibujo preparatorio se guarda en Bérgamo.
Podría fecharse hacia 1626.
Adquirido en la almoneda del marqués del Carpio, en 1689. Salvado del incendio del Alcázar. En 1772 y 1794, en el Palacio Nuevo.

129 *La Flagelación*

Tabla, 1,29 × 1,00.

Cristo entre dos sayones; figuras de más de medio cuerpo.

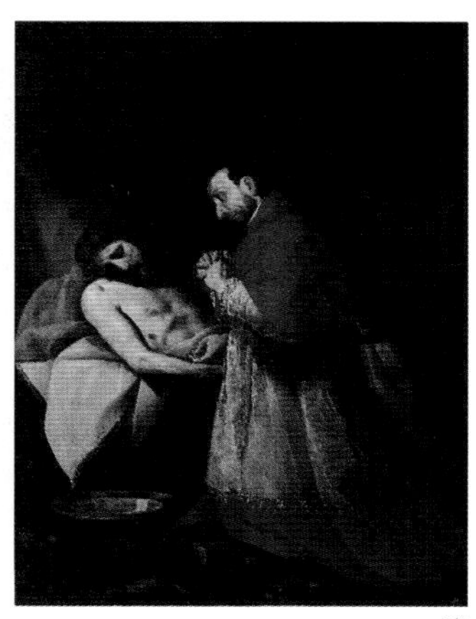
547

Original, según Voss; antes clasificado como de estilo de Crespi.
Ingresó en las Colecciones Reales en 1664, procedente de la Colección del marqués de Serra. En 1667 estaba en El Escorial, de donde vino al Museo.

CRESPI. Giovanni Battista Crespi, llamado «il Cerano»

Nació en Cerano (Novara) hacia 1575; murió en Milán en 1633. Escuela italiana.

547 *San Carlos Borromeo y Cristo, muerto*

Lienzo, 2,09 × 1,56.

El santo arzobispo de Milán, arrodillado, en meditación, ante Cristo yacente.
Repite, simplificándola, la gran composición pintada hacia 1610 para Santo Stefano de Milán. En España hay varias copias de este lienzo.
Procede de la catedral de Segovia, de donde lo obtuvo Carlos IV en 1794.

1965 *Descanso en la huida a Egipto*

Cobre, 0,43 × 0,31.

Considerado en los *Catálogos* del Prado obra flamenca, de un imita-

dor de Baroccio, Pevsner en 1925 lo devolvió a su verdadero autor, de quien es obra característica, en torno a 1600.
Una copia sobre tabla, sin los ángeles, hay en una colección particular de Milán.
Procede de la Colección de Isabel de Farnesio.

CRONENBURCH. Adriaen, antes supuesto Anna Cronenburch

Nació en Pietersbierun (Frisia). Se conocen firmas suyas de 1587 y 1590. Escuela holandesa.

2073 *Dama con una flor amarilla*

Tabla, 1,07 × 0,79.

De más de medio cuerpo, en pie. Viste de blanco, justillo carmesí y cuello blanco; la diestra apoyada en la mesa, en que está el sombrero con plumas, y en la mano izquierda, una flor amarilla.
Firmado en el borde inferior a la derecha. *AAAA I I V. CRONEBUS IN T. F.* Esta tabla, los números 2074, 2075 y 2076, y una quinta, hoy perdida, se registran en el inventario de 1636 en el Alcázar de Madrid, «Pieza oscura junto a la Galería de Mediodía».

2073

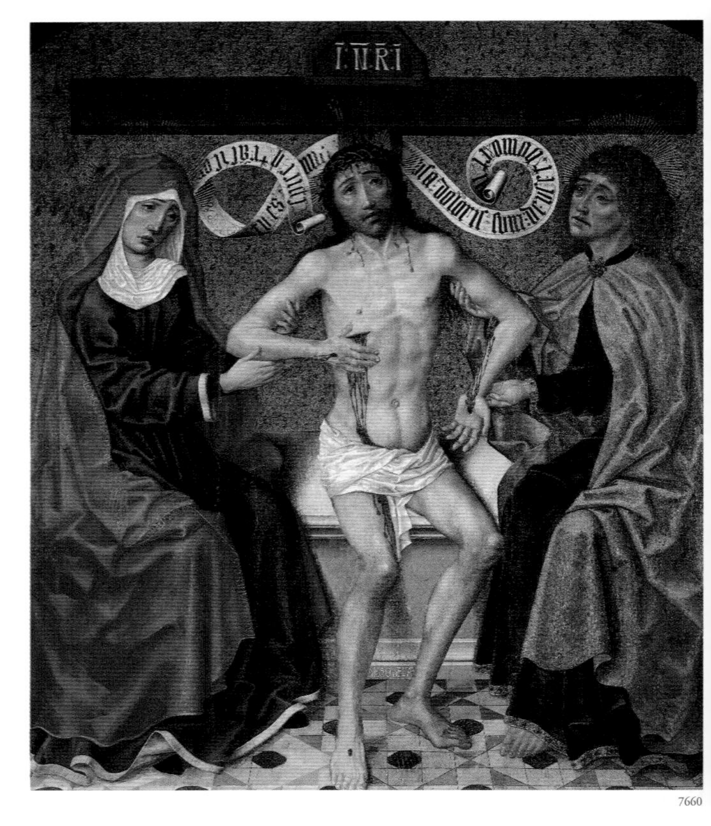

7660

Después del incendio de 1734 estaban en el Retiro.

2074 *Dama y niña*

Tabla, 1,04 × 0,78.

Ambas de más de medio cuerpo, visten de negro con cuellos y puños blancos; peinado con trenza. La niña ostenta en la mano izquierda una flor amarilla. Fondo de arquitectura como el de las tablas de la misma serie; cortina verde.
Véase el n.° 2073.

2075 *Dama y niña*

Tabla, 1,05 × 0,78.

De más de medio cuerpo. La dama viste de negro con mangas encarnadas, redecilla, cuello y puños blancos; la niña, de gris, con mangas moradas, de un cinturón cae una sarta de corales; en la mano izquierda, tres claveles blancos y rojos; sobre la mesa, una calavera. Un nicho al fondo; en sus pilastras, *NASCENDO-MORIMVR.*
Firmado en el ángulo inferior izquierdo: *A + AAA V CRONENBURCH* [casi ilegible]..., *1537.*
Esta firma se interpreta: *A más tres [dri] aes;* esto es, jeroglífico de *Adrien.* Véase otra forma de esta curiosa firma en los números 2073 y 2076.

2076 *Dama holandesa*

Tabla, 1,07 × 0,79.

De más de medio cuerpo. Traje negro, cofia, cuello y puños blancos. Detrás, cortina verde y la misma arquitectura que en los demás cuadros de la serie.
Firmado en el borde inferior, a la derecha: *A AAA V. C. F.*
Véase el n.° 2073.

CRUZ. Diego de la Cruz

Artista que desarrolla su actividad entre 1475-1500, en torno a Burgos. Escuela hispano-flamenca.

7660 *Cristo entre la Virgen y san Juan*

Tabla, 1,50 × 1,60.

La figura de Cristo, concebida con gran sentido escultórico, resalta sobre un fondo de oro. Su mano derecha la coloca en la herida de su costado, mientras que su cuerpo lo sujetan por los brazos la Virgen y san Juan. Una gran filacteria rodea su cabeza.

Firmado: † *DIEGO DE LA* †, entre los pies desnudos de Cristo.

De procedencia desconocida. En 1966, cuando fue publicado por J. Gudiol, pertenecía a su propia Colección. Adquirido con los fondos del legado Villaescusa a M.ª Gudiol Corominas, en 1993.

CUYP. Benjamin Gerritsz. Cuyp

Nació en Dordrecht, diciembre de 1612, y murió en 1652 en la misma ciudad. Escuela holandesa

2984 *La adoración de los pastores*

Tabla, 0,81 × 0,65.

En el interior de un cobertizo rústico, con aperos de labranza, un pastor arrodillado ante el Niño Jesús, la Virgen y san José. En el suelo un cordero. Penetran otros pastores.

En el tronco, las letras *R. F.* puestas, seguramente, para que se interpretasen *REMBRANDT FECIT;* sin embargo, la atribución a Cuyp parece segura. En el Museo de Burdeos hay una versión casi igual firmada, y otra similar en la Galería Hoogsteder de La Haya.

Adquirido por el Patronato del Museo a don José Almenar, de Valencia, en 1954.

2984

2167

CUYP. Jacop Gerritsz Cuyp

Nació en Dordrecht en diciembre de 1594 y murió en la misma ciudad en 1652. Escuela holandesa.

2167 *Jan van Oldenbarneveldt*

Tabla, 0,78 × 0,60, óvalo.

Figura de poco menos que medio cuerpo; sombrero y traje negros; gola rizada blanca, en ademán de hablar.

Hymans identificó al retratado con este político holandés, que nació en Amersloot el 14 de septiembre de 1547; rival de Mauricio de Orange, firmó con Spínola «La tregua de los doce años», el 9 de abril de 1609; fue decapitado en La Haya el 13 de junio de 1619.

Bredius supone esta tabla obra de J. Gerritsz. Cuyp. Valdivieso (1973) considera que debió ser realizada a través de una estampa de André Vaillant.

Adquisición de Carlos IV. En 1814 se registra en la «Sexta pieza de librería» del Palacio Nuevo.

d

DALEM. Cornelis van Dalem, o Dale

Pintor de Amberes, trabajaba en 1545; murió entre 1573 y 1576. Escuela flamenca.

1856 *Paisaje con pastores*

Tabla, 0,47 × 0,68.

Tierra quebrada y peñascosa; pastores en traje oriental, con camellos, ovejas, etc. Al fondo, al pie de una colina verde, un edificio al borde del agua.
Atribución de Sterling, quien lo fecha entre 1550 y 1560; advierte influencia de Bles y sobre todo de Lucas Gassel (murió hacia 1570). Antes tenido como obra de Valckenborch.
Procede de las Colecciones Reales.

1856

DAUPHIN. Charles Dauphin

Nació en Lorena hacia 1620 y murió en Turín en torno a 1677. Escuela francesa.

2371 *Carlos Manuel II de Saboya y su familia*

Lienzo, 2,99 × 3,00.

El duque, de pie; sentada, su mujer, María Giovanna de Nemours, y en medio, su hijo, el futuro Víctor Amadeo II. Fondo de columnas y cortinaje; genios que traen flores.
Carlos Manuel II nació el 20 de junio de 1634; murió el 12 de junio de 1675.
Encargado en julio de 1666, dos meses después del nacimiento del heredero.
Salvado del incendio de 1734.

DAVID. Gérard David

Nació en Oudewater hacia 1450-1460; murió en Brujas el 13 de agosto de 1523. Escuela flamenca.

1512 *La Virgen, el Niño y dos ángeles que la coronan*

Tabla, 0,34 × 0,27.

La Virgen es de medio cuerpo. Fondo de oro.
Es tabla muy semejante a la de la sala capitular de la catedral de Toledo y a otra de la Colección Cabot, de Barcelona. Según Friedländer, se pintaría en Brujas hacia 1520, como derivación de «la Virgen del Mono», de Durero.
Procede de las Colecciones Reales.

1512

1537

1537 *La Virgen con el Niño*

Tabla, 0,45 × 0,34.

La Virgen, de más de medio cuerpo, en el exterior de una ventana baja; fondo de paisaje con río, puente y castillo.
Dudosa la atribución para Waagen, Bodenhausen —que lo cree copia antigua de un David perdido— y Friedländer. Hulin de Loo cree que puede ser original de David, aunque un tanto extraño.

2643

rocede de El Escorial, de donde se
rajo en 1839.

2643 *Descanso en la huida*
Egipto

abla, 0,60 × 0,39.

a Virgen, con el Niño, sentada en ierra; detrás, en el bosque, la Sagrada amilia también. A la izquierda, fondo le paisaje con río y castillo.
déntico al ejemplar de la Colección toop de Londres, también de mano le David; hay una versión, quizá de Isenbradt, según Friedländer, en el Museo de Amberes; otro ejemplar, en la Colección Böhler, de Múnich.
Estuvo en un convento de Navarra.
Legado Pablo Bosch.

DAVID. Discípulo de Gérard David, de hacia 1510

2542 *La Crucifixión*

Tabla, 0,45 × 0,33.

Cristo en la Cruz, la Magdalena al pie

3125

entre la Virgen y san Juan. Paisaje frondoso con un castillo o un templo en la lejanía.
Adquirido por el Patronato del Tesoro Artístico, en 1928.

DELEITO. Andrés Deleito, o Deleyto

Trabaja en Madrid y Segovia hacia 1680. Escuela española.

3125 *Expulsión de los mercaderes del templo*

Lienzo, 0,60 × 0,80.

Firmado: *ANDRÉS DELEITO.*
Es, por ahora, la única escena religiosa que poseemos de este artista especializado en naturalezas muertas, pero que también sabemos pintó cuadros de composición.
Procede del Museo de la Trinidad.

DOMENICHINO. Domenico Zampieri, llamado «Domenichino»

Nació en Bolonia el 21 de octubre de 1581; murió en Nápoles el 6 de abril de 1641. Escuela italiana.

130 *Aparición de los ángeles a san Jerónimo*

Lienzo, 1,84 × 1,29.

El santo escriturario, en la cueva de Belén; a la izquierda, el león; fondo de paisaje.
Se conocen varias réplicas. Deriva de un prototipo de Annibale Carracci. Atribúyese en los inventarios a Lucio

131

Massari, boloñés, nacido el 22 de enero de 1569 y murió el 5 de noviembre de 1633; la modestia del artista induce a dar cierto crédito a la indicación del documento, señalado por Pérez Sánchez en 1960. Se ha sugerido también por algunos críticos la atribución a Albani.
Probablemente, adquisición de Carlos IV; en 1814, en Palacio; antes estuvo en la Casita del Príncipe de El Escorial.

131 *El sacrificio de Abraham*

Lienzo, 1,47 × 1,40.

El ángel detiene el brazo de Abraham; Isaac, sobre el haz de leña.
La obra fue encargada al pintor por el conde de Oñate entre 1627-1628. Se conservan algunos dibujos preparatorios en la Colección Real de Windsor.
Se documenta en las Colecciones Reales, desde 1636: en 1636 en el Alcázar; en 1700 en El Pardo y en 1794 en el castillo de Viñuelas.

540 *Arco de triunfo*

Lienzo, 0,70 × 0,60.

En el ático del arco, lápida dedicatoria de Giovanni Battista Agucchi a su santo patrono san Juan Bautista. Todo el arco está decorado con emblemas y jeroglíficos.
Obra singularísima por acertar a unir con espíritu armonioso la devoción cristiana y las formas del más riguroso clasicismo pagano. Giovanni Battista Agucchi (1570-1632) fue uno de los teóricos del clasicismo romano, secretario y consejero del papa Gregorio XV. Se pintaría el lienzo entre 1607 y 1615.
Procede de la Colección Maratta, adquirida para Felipe V en 1722.

540

542 *El martirio de san Andrés*

Lienzo, 1,02 × 0,85.

A la izquierda, san Andrés en cruz en forma de aspa, un ángel con la palma del martirio va a coronar al santo; mientras, numerosos personajes, en diferentes actitudes, contemplan la escena. En primer término, a la derecha, una mujer sentada sostiene a un niño entre sus brazos.
Repetición o copia del cuadro que hoy está en Múnich.
Wittkower supone que se hizo sobre dibujos de Annibale Carracci.
Colección de Isabel de Farnesio, en el Palacio de La Granja en 1746.

2926 *Exequias de un emperador*

Lienzo, 2,27 × 3,63.

La pira, en el centro de una plaza, es encendida por los sacerdotes *ustores*; encima, el cadáver revestido de púrpura; al pie, luchas de gladiadores; en torno, los carros. A la derecha, las plañideras, y a la izquierda, danzarinas.
Pintado en 1635 en Nápoles para complacer al virrey Medina de las Torres y con destino al Palacio del Buen Retiro, formando parte de una extensa serie de lienzos de asuntos romanos. Hay dibujos preparatorios en Windsor.
El cuadro se catalogó en el Prado como de Camassei y, a veces (1952), se confundió con el de Lanfranco, de igual asunto (n.° 234).
Se documenta en el Buen Retiro entre 1700 y 1794.

DOMENICHINO. Copia

80 *Paisaje con la huida a Egipto*

Lienzo, 1,19 × 1,68.

En el centro, un cerro con árboles y edificios en su cima; a la derecha, un río, y tras él un pueblo. En primer término, a la derecha, la Sagrada Familia de camino, y en el centro, en una presa del río, pescadores y muchachos que hacen música en un barco.
Atribuido a Annibale Carracci en los *Catálogos* viejos es, en realidad, copia del cuadro de Domenichino que guarda el Louvre. En la Colección Maratta (1722), de donde procede, se consideraba obra de Grimaldi.

DONOSO

Véase JIMENEZ DONOSO

DOSSI. Giovanni di Niccolo Luteri, Dosso Dossi

Nació en Ferrara entre 1475 y 1479; murió allí antes del 27 de agosto de 1542. Escuela italiana.

416 *La dama del turbante verde*

Lienzo, 0,64 × 0,50.

De menos de medio cuerpo. Tiene la mano derecha sobre los guantes.
La atribución ha sido muy discutida.

416

2079

Según Berenson, es obra de Dosso Dossi; mientras que para Venturi es de Battista Dosso, su hermano (murió en 1548); Suida lo cree de Parmigianino y Gamba lo publicó creyéndolo de mano de Niccolo dell'Abbate (hacia 1512, murió en 1571). Ballarin no lo incluye entre las obras de Dosso Dossi o de su hermano.
Procede de las Colecciones Reales.

DOU. Gerrit Dou (copia)

Nació en Leyden el 7 de abril de 1613; enterrado allí el 9 de febrero de 1675. Escuela holandesa.

2078 *Anciano con un libro*

Lienzo, 0,23 × 0,21.

De más de medio cuerpo, sentado; la pluma, en la diestra.
Es una copia del original de Gerard Dou del Museo del Ermitage, de San Petersburgo (737), de iguales dimensiones.
En los inventarios del Palacio Nuevo de 1814 y del Real Museo de 1843, está citado como de Rembrandt.

DROOCHSLOOT. Joost Cornelissz, Droochslool o Droogsloot

Nació en Utrecht en 1586; murió en Utrecht el 14 de mayo de 1666. Escuela holandesa.

2079 *Paisaje invernal con patinadores*

Lienzo, 0,75 × 1,11.

En un río helado, trineos y patinadores. A la izquierda, unos pobres, dos damas y cuatro caballeros en la orilla.
Firmado en el ángulo inferior izquierda: *JOOST CORNELIS DROOCH SLOTA, 1629.*
En 1746, en la Colección de Isabel de Farnesio en La Granja. En 1794, en Aranjuez.

DROUAIS. Hubert Drouais

Nació en La Roque en 1699 y murió en París en 1767. Padre de François-Hubert y abuelo de Jean Germain. Escuela francesa.

2377 *El Delfín Luis, hijo de Luis XV*

Lienzo, 0,68 × 0,57.

Menos de medio cuerpo; viste casaca de terciopelo azul; lleva el Toisón y el Saint-Esprit.

2377

Hijo de Luis XV y de María Leczinska, nació en Versalles el 4 de septiembre de 1729, casó el 23 de febrero de 1745 con María Teresa, hija de Felipe V; murió en Fontainebleau el 20 de diciembre de 1765, sin reinar; fue padre de Luis XVI, Luis XVIII y Carlos X.
Anteriormente se consideraba copia de Maurice Quentin de La Tour.
Procede de las Colecciones Reales.

DROUAIS. François-Hubert Drouais

Nació en París el 14 de diciembre de 1727; murió el 21 de octubre de 1775. Escuela francesa.

2467 *Madame de Pompadour*

Lienzo, de 0,54 de diámetro.

Busto. Traje blanco; lazo en el pecho, igual al que sujeta el tocado de encaje. Antonieta Poisson, favorita de Luis XV, nació en París el 29 de diciembre de 1721; murió en Versalles el 14 de abril de 1764.
De este retrato se hicieron numerosas repeticiones. La obra base fundamental pertenece a la National Gallery de Londres.
Donativo de la duquesa de Pastrana, aceptado en 1889.

2468 *Madame du Barry*

Lienzo, ovalado, 0,62 × 0,52.

De medio cuerpo; traje blanco, manto color de rosa; coronada de rosas, y en las manos, otra corona de la misma flor.
Firmado en el centro del borde inferior: *J. DROUAIS, 1770.* Jeanne Bécu nació el 19 de agosto de 1743; favorita de Luis XV, con el nombre de Comtesse du Barry, por su matrimonio con Guillermo du Barry, murió guillotinada el 8 de diciembre de 1793.
Véase el n.º 2467.

DUBBELS. Hendrick Jacobsz Dubbels

Nació en 1620 ó 1621 en Amsterdam, donde fue enterrado el 9 de junio de 1676. Escuela holandesa.

2080 *Patinadores*

Lienzo, 0,67 × 0,91.

En un puerto; trineos y patinadores; barcos; al fondo, una población distante.
Firmado a la izquierda, en el puentecillo de madera: *DUBBELS.*
Antes del *Catálogo* de 1920 se atribuía a Jan, hijo del autor.
Según Valdivieso, debe ser una obra temprana del artista, de la década 1640-1650.
En 1814, en el Palacio Nuevo.

DUBOIS. Simon Dubois

Nació en Amberes en 1632; murió en Londres en 1708. Fue pintor de paisajes y retratos. Escuela inglesa.

3158 *Retrato de viuda*

Lienzo, 0,76 × 0,84.

Ostenta la firma *S. DU BOIS FECIT 1689.* Muestra a una dama severamente vestida dentro de un óvalo de moldura pétrea, figurado en trampantojo. La retratada debe ser una dama inglesa.
Adquirido en 1969 por el Ministerio de Educación a don José Luis Canes de Barcelona.

DUGHET. Gaspard Dughet, llamado «La Guaspre Poussin» o «Pussino»

Nació en Roma en 1615 y murió allí en 1675. Fue cuñado de Nicolás Poussin. Escuela italiana.

79 *Paisaje con cascada*

Lienzo, 0,30 × 0,26.

Obra de exquisita calidad, sin duda de lo más fino del maestro. Puede fecharse entre 1650-60, en su momento más clásico.
En los viejos *Catálogos* del Prado se atribuyó a Annibale Carracci.

2080

79

137

Procede de la Colección Maratta, con la atribución correcta, que se repite en el inventario de La Granja de 1746. En 1774 y 1794 se cita allí también, y en 1814 estaba en el Palacio Nuevo.

134 *La tempestad*

Lienzo, 0,49 × 0,66.

Paisaje con un río; iglesia al fondo; los pastores huyen aterrados de la caída de un rayo.
En 1746, en La Granja, entre los cuadros de Felipe V. Allí se cita también en 1774, 1794 y 1814.

135 *El huracán*

Lienzo, 0,74 × 0,98.

Paisaje con figuras que huyen de la tempestad, que desgaja árboles y ennegrece el cielo.
Perteneció a Maratta. En 1746, entre los cuadros de Felipe V, en La Granja.

136 *La Magdalena penitente*

Lienzo, 0,76 × 1,30.

La penitente, a la izquierda; río y cascadas; al fondo, edificios.
Perteneció a Maratta.
En 1746, en La Granja, cuadros de Felipe V; en 1794 y 1818, en Aranjuez.

137 *Paisaje*

Lienzo, 0,73 × 0,96.

Al fondo, una fortaleza; en el campo, un rebaño lanar.
Pintado hacia 1644-1645.
Procede de la Colección Maratta.
En 1746, en La Granja, cuadros de Felipe V; en 1774, también en La Granja; en 1814, en el Palacio Nuevo.

138 *Paisaje*

Lienzo, 0,74 × 0,98.

A la derecha, cascadas, y al fondo, una fortaleza; a la izquierda, dos pastores.
Fechable hacia 1645, en su momento más próximo a Nicolás Poussin.
En 1746, en La Granja, cuadros de Felipe V. En 1774 y 1794 también en La Granja. En 1814 en el Palacio Nuevo.

552 *La Magdalena, penitente*

Lienzo, 0,61 × 0,75.

Desnuda. Fondo de paisaje.
El paisaje de Dughet y la figura de Maratta. Procede de la Colección de éste, vendida en 1722.
En 1746, en La Granja. En 1794 en el Palacio de Aranjuez. En 1814, en el Palacio Nuevo.

2305 *Paisaje con un anacoreta bendiciendo a los animales*

Lienzo, 1,59 × 2,33.

En la umbría del bosque, un solitario habla a un perro, un oso, un león, un caballo, un zorro y otros animales, que le escuchan. Fondo de montes.
Se ha identificado con san Martín de Tours, san Benito o san Francisco de Asís.
Pintado para Felipe IV hacia 1637-1638 y destinado al Buen Retiro, en cuyo inventario de 1701 aparece recogido, juntamente con otros lienzos de análogo asunto de Claudio Lorena y Poussin.

2307 *Paisaje*

Lienzo, 0,72 × 0,95.

En primer término, a la derecha, un mancebo y un anciano; en medio, un río con puente torreado; edificio con columnata y frontón, etc.
De atribución discutida, autores como Mahon o Luna creen que es obra de Dughet. En el *Catálogo* de 1985 figuraba bajo el nombre de Lemaire.
Procede de la Colección Maratta. Estaba en 1746 y 1774 en La Granja y en 1794 y 1818 en Aranjuez.

DUPRA. Domenico Duprá, o Duprat

Nació en Turín en 1689; murió allí el 21 de febrero de 1770. Escuela italiana.

2250 *Doña Bárbara de Braganza, reina de España*

Lienzo, 0,75 × 0,60.

De medio cuerpo; viste traje blanco, con forro malva; camisa con ricos encajes; manto azul.
El *Catálogo* de 1873 señala que estaba firmado.
Doña Bárbara, hija de Juan V de Portugal, nació en Lisboa el 4 de diciembre de 1711, casó con Fernando VI el 20 de enero de 1729 y murió en Aranjuez el 27 de agosto de 1758.

2250

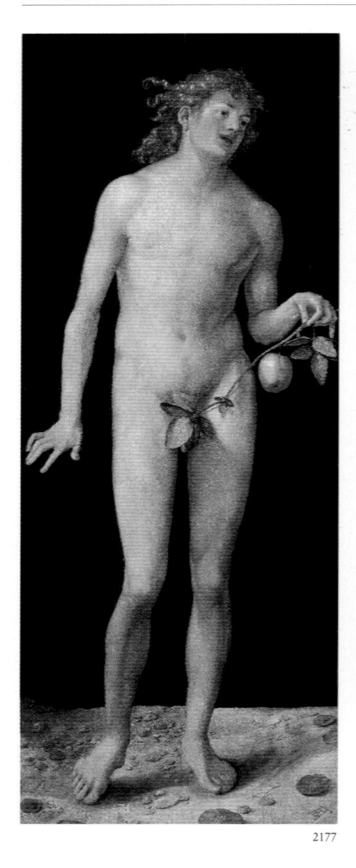

2177

2178

En 1725 era Duprá el único pintor afamado de Lisboa, y entonces pintó este retrato, por encargo del marqués de Capicciolatro, embajador de España, al negociarse la boda.
En 1774 se hallaba en La Granja, de donde vino el 11 de febrero de 1848.

DURERO. Albrecht Dürer, conocido en España como Alberto Durero

Nació en Nüremberg el 21 de mayo de 1471; murió el 6 de abril de 1528. Escuela alemana.

2177 *Adán*

Tabla, 2,09 × 0,81.

En pie. Está desnudo. En la mano izquierda, una rama de manzano. Suelo pedregoso; fondo negro.
En el ángulo inferior de la derecha, el monograma *A D.*
En el Museo de los Uffizi, de Florencia, hay copias, con variantes, de estas dos tablas.
Regaladas a Felipe IV por Cristina de Suecia en 1655.
Estuvieron en la Academia desde 1792 hasta 1827 en que ingresaron en el Prado.

2178 *Eva*

Tabla, 2,09 × 0,80.

En pie. Está desnuda. Con la mano izquierda coge la manzana que le ofrece la serpiente enroscada en la rama del árbol; tiene la diestra en otra rama, de la que pende una cartela de madera, donde se figura un papel con el letrero

ALBERTUS DÜRER ALMANUS
FACIEBAT POST UIRGINIS
PARTUM 1507 A. D.

Fondo y suelo como los de *Adán* n.° 2177.

2179 *Autorretrato*

Tabla, 0,52 × 0,41.

De medio cuerpo, asomado en una ga lería; fondo de paisaje con monte nevados. Viste de blanco con guarni ciones negras y la camisa con puntill dorada; pelo largo, gorro y capa; lo guantes son blancogrisáceos.
Junto al alféizar de la ventana y en letras blancas, puede leerse la siguient inscripción:

1498
DAS MALT ICH NACH MEINER GESTALT
ICH WAR SEX UND ZWANZIG JOR ALT
ALBRECH DÜRER.

Debajo, el monograma.
Traducción: «1498. Lo pinté segúr mi figura. Tenía yo veintiséis años Albrecht Dürer».
En 1636 el Ayuntamiento de Nüremberg regaló esta tabla y un retrato de padre de Durero a Carlos I de Inglaterra, en cuya almoneda la compr David Murray, de donde pasó en 1654 —a través de Alonso de Cárdenas— a las Colecciones Reales.
En el Alcázar, en 1686.
Vino al Museo en 1827.

2180

2179

2180 *Desconocido*

Tabla, 0,50 × 0,36.

De menos de medio cuerpo, con un rollo de papel en la mano izquierda. Tócase con gran sombrero y viste ropa con cuello de piel. Firmado en el fondo, a la derecha: *1524.* A. D. (monograma). La fecha, frecuentemente, se lee como *1521.*

La identificación del retrato con Hans Imhoff el Viejo fue propuesta por Thausing e impugnada por Reicke. Frizoni pensó en Hieronymus Holzschner, y otros supusieron que representa al tesorero de Sterk.

La lectura de la fecha descarta la identificación con Imhoff, que nació en

1473

1461 y murió en 1522. En 1686 se registra en las bóvedas de Tiziano, en el Alcázar de Madrid.

DYCK. Anton van Dick, o Dyck

Nació en Amberes el 22 de marzo de 1599; murió en Blackfriars (Londres) el 9 de diciembre de 1641. Escuela flamenca.

1473 *San Jerónimo, penitente*

Lienzo, 1,00 × 0,71.

De poco menos que cuerpo entero; ante una cruz de palo y una calavera; en la diestra, una piedra. Fondo de cueva y campo.
De compleja historia atributiva, ha sido puesto bajo los nombres de Mateo Cerezo, Brueghel de Velours y Rubens, aunque la crítica ya está de acuerdo desde hace tiempo en considerarlo obra de Van Dyck.
Bode lo cree estudio preliminar del *San Jerónimo* de Dresde, que es mucho mayor y figura completa, con amplio fondo.
Pintado entre 1618 y 1620.
Adquirido en la almoneda de Rubens, en 1667 y 1698 estaba en El Escorial. En 1746 en La Granja, Colección de Isabel de Farnesio. Luego, en el Palacio Nuevo.

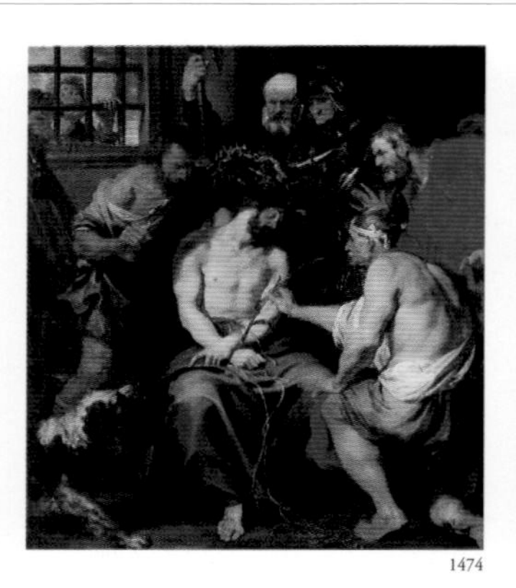

1474

1474 *La coronación de espinas*

Lienzo, 2,23 × 1,96.

Un soldado, armado, y un verdugo colocan la corona a Jesús; otro le ofrece la caña por cetro; detrás, un alabardero; en la reja, al fondo, dos figuras.
Fue regalado por Van Dyck a Rubens; se compró probablemente en su almoneda. Es repetición, con variantes, del cuadro destruido que perteneció al Museo de Berlín. Van Dyck se inspiró en un *Ecce-Homo* de Tiziano. Característico del estilo del pintor en los años 1618-1620.
Se conservan varios dibujos preparatorios.
Vino de El Escorial, donde se cita desde 1656, el 13 de abril de 1839.

1477 *El prendimiento*

Lienzo, 3,44 × 2,49.

En medio, hacia la derecha, Jesús y Judas que va a besarle. A la izquierda, san Pedro esgrime la espada contra Malco, caído. Detrás, los perseguidores de Jesús. Alumbra la escena una tea. Fondo de bosque.
Se conocen un boceto (Institute of Art de Mineapolis) y varios dibujos preparatorios.
Obra juvenil. Rubens la poseía antes de 1621. Adquirida para Felipe IV en su almoneda.
En 1666 estaba en el Alcázar; después de su incendio pasó al Retiro, donde estaba en 1746; y en 1772 y 1794 se cita en el Palacio Nuevo.

1477

1478 *San Francisco de Asís*

Lienzo, 1,23 × 1,06.

De más de medio cuerpo; reclinado, en contemplación de visiones interiores; abrazado a la cruz; una calavera en la diestra; sobre la roca, un libro Fondo de paisaje. En lo alto, un ángel músico.
Según Schäffer, pintado entre 1627 y 1632. En el Museo de Viena se guarda una versión de dimensiones ligeramente inferiores.
Probablemente adquirido en Sevilla por Isabel de Farnesio, en cuya Colección de La Granja se registra en 1746. En 1794 estaba en Aranjuez.

1479 *El pintor Martín Ryckaert*

Tabla, 1,48 × 1,13.

De poco menos que cuerpo entero. Sentado, con bata y balandrán turco guarnecido y forrado de martas; gorra. Detrás, una cortina.
Fue bautizado en Amberes el 8 de diciembre de 1587 y enterrado el 28 de octubre de 1631. Era manco de la mano izquierda. En los *Catálogos* anteriores a 1913 se suponía retrato de su hermano David.
Pintado entre 1627 y 1632.
Fue propiedad de María, hermana del retratado, de la que pasó a Felipe IV. Se cita en 1666, 1686 y 1700 en el

Alcázar, y en 1772, 1794 y 1834 en el Palacio Nuevo.

1480 *El cardenal-infante don Fernando de Austria*

Lienzo, 1,07 × 1,06.

De más de medio cuerpo. En la diestra, bastón de general; la espada es la que Carlos V había llevado en Mühlberg. Viste de rojo y oro; es el traje con que entró en Bruselas el 4 de noviembre de 1634, después de la victoria de Nördlingen (6 de septiembre).
Sobre el modelo, véase el n.º 1472.
Se conserva un dibujo preparatorio en el British Museum y varias réplicas o cartas, una de ellas en el Prado (n.º 5157).
Trajo el lienzo a Felipe IV el marqués de Leganés y estaba en 1636 en el Alcázar, donde se cita en 1666, 1686, 1700 y 1734. En 1747, 1772 y 1794 estaba en el Palacio Nuevo.

1481 *Diana Cecil, condesa de Oxford*

Lienzo, 1,07 × 0,86.

De algo más que medio cuerpo; apoya el brazo derecho en un resalte de la peña que le sirve de fondo. Viste de seda negra, escotada, y tiene una rosa en la mano derecha. Paisaje.
Firmado en la piedra donde tiene las manos: *THE COUNTES OF OXFORD A. VAN DYCK, 1638.*
Probablemente Diana fue la esposa de Robert de Vere, que sucedió en el condado a su primo segundo Henry (murió en 1625). No se encuentra este cuadro en inventario anterior al de 1794 de la Quinta del duque del Arco.

1482 *Federico Enrique de Nassau, príncipe de Orange*

Lienzo sobre tabla, 1,10 × 0,95.

De más de medio cuerpo, armado, en la diestra la bengala de general. Casco empenachado sobre un bufete.
Hijo de Guillermo el Taciturno, nació en 24 de febrero de 1584; y murió el 14 de marzo de 1647.
Se conocen varias versiones y copias. Adquirido por Isabel de Farnesio; de La Granja, donde estaba en 1746, se llevó a Aranjuez, donde se cita en 1794. En 1828 ingresó en el Museo.

1483 *Amalia de Solms-Braunfels*

Lienzo sobre tabla, 1,05 × 0,91.

De más de medio cuerpo, sentada. Viste traje negro escotado, con lazos anaranjados. Luce dos vueltas de collar y gargantilla de perlas.
Nació el 31 de agosto de 1602; casó con Federico Enrique de Nassau en 1625; murió el 8 de septiembre de 1675.
Compañero del n.º 1428.

1485 *Desconocida*

Lienzo, 1,06 × 0,75.

Retrato de las rodillas arriba, en pie; traje negro, gorguera ancha y alta encañonada. Tres vueltas de collar de cuentas de oro, que coge con la diestra.
Según Glück, pintado hacia 1628, aunque la moda del traje que viste la retratada es anterior.
En el Alcázar en 1686 y 1700; y en el Palacio Nuevo en 1772 y 1794.

1486 *El conde Enrique de Bergh*

Lienzo, 1,14 × 1,00.

De más de medio cuerpo, armado, con un lazo rojo en el brazo izquierdo; fondo de paisaje.
Sobrino de Mauricio de Nassau; nació en Brema en 1573; primero luchó por España, y desde 1632, en contra; murió en 1638.
Firmado: *A. VA.DYK F.* en el puño del bastón.

1479

1481

1480

1482

1487

1489

Se conoce una réplica en el Museo Condé y al menos dos copias, una de las cuales (Windsor Castle) se creía en *Catálogos* anteriores el original en el que estaría basado el cuadro del Prado. Posiblemente adquirido en la almoneda de Carlos I. Inventariado, en 1794, en la Quinta del duque del Arco.

1487 *Un músico. Jacobo Gaultier?*

Lienzo, 1,28 × 1,00.

Retrato de las rodillas arriba. Viste de negro y coge entre las manos un archilaúd.
Aunque identificado por Allende-Salazar y Sánchez Cantón con el músico Jacobo Gaultier (laúd de la corte inglesa desde 1617 a 1647), no hay ninguna prueba sólida que permita asegurar dicha identidad. Es posible incluso que el modelo en cuestión no se dedicase profesionalmente a la música.
Pintado, según Schäffer y Larsen, entre 1622-1627.
Glück lo data entre 1627 y 1632, y de Laurencie lo cree pintado en Londres durante su segundo viaje, es decir, no antes de 1632.
En 1772 y 1794 se registra en el Palacio de Madrid, en donde estaba cuando el incendio de 1734.

1488 *El grabador Paul du Pont (?)*

Lienzo, 1,12 × 1,00.

Más de medio cuerpo. Ropa de seda negra, acuchillada; capa, negra también, sobre el hombro izquierdo y alrededor de la cintura; cuello de encaje; espada.
Nació en Amberes el 27 de mayo de 1603; murió el 16 de enero de 1658. Suele conocérsele por su firma latinizada: PAULUS PONTIUS.
La identificación no es segura, pero sí probable, y está basada en la comparación con un retrato grabado. Se fecha en el segundo período de Amberes (1627-1632).
Aparece inventariado en 1794 en la Quinta del Duque del Arco.

1489 *Sir Endimion Porter y Van Dyck*

Lienzo, ovalado, 1,15 × 1,41.

Figuras de algo más de medio cuerpo. Porter viste traje gris plata de seda, y el pintor, de negro. Fondo de paisaje.
Nacido en Madrid en 1587, fue paje de Olivares, secretario de Buckingham, poeta y agente de compras artísticas de Carlos I; visitó Madrid en 1622 y en 1628; murió el 20 de agosto de 1649. Era amigo íntimo del pintor.
Se tiende a fechar entre 1632 y 1637. Figura en La Granja en 1746, Colección de Isabel de Farnesio. En 1794 estaba en Aranjuez; y en 1814 y 1834 se cita en el Palacio Nuevo.

1490 *El músico Enrique Liberti*

Lienzo, 1,07 × 0,97.

De más de medio cuerpo, apoya el brazo derecho en el pedestal de una columna; un papel de música en la mano izquierda; viste de negro con gran cadena.
Nació en 1600 en Groninga; organista de la catedral de Amberes, en 1621 publicó un libro de música sacra; murió en 1661.
Pintado entre 1627 y 1632. Se conocen varias copias y réplicas, entre ellas una excelente en el Museo de Múnich.
Fue adquirido por Carlos IV siendo príncipe.
Figura en el inventario de Palacio de 1818.

1493

1491 *Cabeza de viejo*

Lienzo, 0,47 × 0,36.

Cabeza barbada y cana, vuelta hacia la izquierda. De atribución controvertida, los catálogos anteriores a 1933 lo creían de Rubens; y Larsen (1988) duda que sea obra del siglo XVII. Hymans, Rosembaum y Díaz Padrón piensan que es obra juvenil de Van Dyck, emparentable con el n.° 1694 y en relación con *El Prendimiento* (Inv. n.° 1477).

Procede de la almoneda de Rubens, y estaba en el Alcázar, en 1734.

1492 *Diana y Endimión, sorprendidos por un sátiro*

Lienzo, 1,44 × 1,63.

Diana (o Selene, según algunos) y Endimión, dormidos, como el perro; a la derecha, el sátiro que los descubre. Caza muerta, arco y aljaba, en primer término. Fondo de paisaje.

Schäffer y Glück consideran que es obra del periodo italiano, entre 1622 y 1627. Wehle lo cree más próximo a esta última fecha, y Larsen lo fecha entre 1626 y 1628.

En el Alcázar en 1686; en 1772 en el Retiro. En 1792 pasó a la Academia, de donde vino el 5 de abril de 1827.

1493 *Doña Policena Spínola, marquesa de Leganés*

Lienzo, 2,04 × 1,30.

Sentada, con gran gola encañonada; viste de negro con cadena y botones de oro.

Hija de Ambrosio Spínola; nació hacia 1600; casó con el marqués de Leganés en 1628; y murió el 14 de junio de 1637.

Pintado entre 1622 y 1627.

Posiblemente es la pintura que se cita en el inventario del marqués de Leganés. Estaba en el Alcázar en 1734. En 1772 en el Retiro, de donde pasó a la Zarzuela, y de allí, en 1827, al Museo.

1494 *Santa Rosalía*

Lienzo, 1,06 × 0,81.

De más de medio cuerpo, la diestra sobre el pecho. A la izquierda, en alto, un ángel portador de una corona de rosas.

El estilo responde al periodo italiano (entre 1622 y 1627).

Descrito como de Van Dyck por el padre Santos, en El Escorial (1667), donde lo cita también Ponz, y de donde vino en 1839.

1495 *María Ruthwen*

Lienzo, 1,04 × 0,81.

De más de medio cuerpo; viste de azul; traje escotado; perlas en los pendientes, en el cuello y en la muñeca izquierda.

Un retrato grabado de María Ruthwen despejó en 1946 las dudas que había creado la identificación que hizo en 1917 Beroqui de la modelo con la mujer del pintor. También confirmó la autoría del artista flamenco. María Ruthwen, o Ruten, nieta del conde de Gowrie, era escocesa y casó con el pintor en 1639; murió en 1645.

Adquisición de Isabel de Farnesio. Figura en el inventario de 1746 de su colección en La Granja, donde permanecía en 1774. Luego pasó a Aranjuez, y en 1814 estaba en el Palacio Nuevo.

1544 *Los desposorios místicos de santa Catalina de Alejandría*

Lienzo, 1,21 × 1,73.

Figuras de poco menos que cuerpo entero. La Virgen con el Niño en brazos; detrás, un ángel con una palma; enfrente, santa Catalina, y en el extremo de la derecha, san Francisco de Asís y otro franciscano.

Atribuido a Jordaens en el Museo desde 1834 hasta 1972, ya Wurzbach, Hulin de Loo y Oldenbourg lo consideran de Van Dyck cuando estudiaba

1544

1637

a los venecianos, hacia 1618-1620. Se conocen diversos dibujos preparatorios y Van Dyck repitió el modelo del ángel en otras composiciones.
Fue del marqués de Leganés. Adquirido, seguramente, por Isabel de Farnesio. En 1746 se atribuía, en La Granja, a Rubens. Pasó después a Aranjuez, donde se cita en 1794 y 1818.

1545 *El Niño Jesús y san Juan*

Tabla, 1,30 × 0,74.

El Niño Jesús acaricia el Cordero; al lado, san Juan con la cruz y el rótulo *AGNUS DEI*. A la derecha, una fuente.
En los *Catálogos* de 1843 a 1858 se atribuía a Rubens. Federico Madrazo lo creía «más bien de Jordaens», opinión seguida en las sucesivas ediciones del *Catálogo*, hasta 1972. Adquirido en la almoneda del marqués del Carpio (murió 1687).
La atribución a Van Dyck y la fecha en torno a 1618-1620 son de Díaz Padrón (1975), quien recientemente (1995) se inclina por atribuirlo a Rubens.
Adquirido por la Corona en 1688 de la Colección del marqués de Heliche. En 1700 figuraba en el Palacio de la Zarzuela como de Rubens. En 1772 y 1794 se cita en el Palacio Nuevo.

1637 *La serpiente de metal*

Lienzo, 2,05 × 2,35.

Once figuras. Moisés, a la izquierda; en su diestra la serpiente de metal, enroscada a una rama; a la derecha, los israelitas, atacados por serpientes, impetran perdón (*Números*, cap. XXI).
Ostenta la firma *P. P. RUBENS FECIT.* La atribución de este lienzo ha sido causa de muchas vacilaciones, aunque desde el *Catálogo* de 1920 se adscribe a Van Dyck; esta opinión, generalizada, tenía como apoyo el suponer que la firma se añadiría tardíamente, por cuanto en el inventario de 1772 se decía «original flamenco» y en el de 1794 ya como de Van Dyck; pero en el más antiguo de 1666 se declara «de mano de Rubens», testimonio que puede hacer replantear el problema. Se conservan varios estudios de cabezas y varios dibujos relacionados con este cuadro.
Puede fecharse entre 1618 y 1620.
En el Alcázar en 1666, 1686 y 1700; y en el Palacio Nuevo en 1772, 1794 y 1814.

164

1642 *La Piedad*

Lienzo, 1,14 × 1,00.

Cristo muerto; la Virgen, María Mag dalena y san Juan.
Tradicionalmente tenido por obra d Rubens. Díaz Padrón lo atribuy decididamente a Van Dyck y lo fech hacia 1618-20.
Enviado por Felipe IV a El Escoria después de 1657. Allí lo citan Ponz y Ceán.

1694 *Cabeza de anciano*

Papel sobre tabla, 0,45 × 0,34.

Tamaño natural, de perfil; mira haci la izquierda. Según Rooses, estudic para un cuadro de composición. Los catálogos anteriores a 1972 lo consideraban obra de Rubens.
Pintado entre 1618 y 1620.

169

En el Alcázar, en 1734. En 1794 en el Palacio Nuevo.

2526 *El conde de Arundel y Tomás, nieto suyo*

Lienzo, 1,87 × 1,62.

El conde, armado; el niño viste de raso color salmón. Retratos hasta las rodillas.
Tomás Howard, conde de Arundel, fue diplomático, coleccionista y mecenas inglés, nacido en Finchinfield (Essex) el 7 de julio de 1585; murió el 24 de septiembre de 1646.
El nieto era el primogénito de lord Maltravers y nació en 1627.
En la Casa de Niebla se tenía en el siglo XVIII por retrato de Guzmán el Bueno y su hijo, y como tal lo grabaron Carmona (1787) y Alegre (1791), para la «Colección de Españoles Ilustres». Desde 1975 se considera copia de taller del original de Van Dyck que se conserva en Arundel Castle.
Este cuadro u otro ejemplar igual se describe en el inventario de las pinturas que fueron de don Luis Méndez de Haro o de su hijo don Gaspar. Legado por el conde de Niebla en 1926.

DYCK. Copia o taller de Anton van Dyck

1475 *La Piedad*

Lienzo, 1,14 × 1,00.

Cristo muerto, la Virgen, María Magdalena, que besa la mano izquierda de Jesús, y san Juan.
Repite, con algunas variantes en el árbol y en las hierbas, el gran lienzo del Museo de Amberes, pintado hacia 1628, para el altar mayor de las Beguinas de aquella ciudad. Fluck, Larsen y Díaz Padrón (1995) lo creen autógrafo. Otra réplica pertenecía al vizconde de Cobham, en Hagley Hall (Worcestershire).
Se salvó del incendio en 1734, en el Alcázar de Madrid. En 1746 estaba en el Retiro; y en 1772 y 1794 se cita en el Palacio Nuevo.

1484 *Carlos I de Inglaterra*

Lienzo, 1,23 × 0,85.

A caballo, armado; fondo de paisaje.
Nació el 19 de noviembre de 1600. Fue decapitado el 9 de febrero de 1649. Estuvo en Madrid desde el 17 de marzo hasta el 9 de septiembre de 1623.
Réplica del original fechado en 1633 de Buckingham Palace.
En los *Catálogos,* hasta 1972, como original del maestro.
Aunque en los *Catálogos* del Prado se identifica con el que pertenecía a la Colección de Isabel de Farnesio en La Granja en 1746, es posible que se trate del citado en el Alcázar en 1666, 1686 y 1700.

1499 *Carlos II de Inglaterra*

Lienzo, 1,37 × 1,11.

En pie, armado, una pistola en la diestra; la izquierda, sobre el casco empenachado. Representa unos siete años.
Hijo de Carlos I, nacido en Londres el 2 de mayo de 1630, reinó desde el 29 de mayo de 1660; murió en 1685, a 26 de febrero.
El original se conserva en el castillo de Windsor; aunque Bredius creía éste también de mano de Van Dyck, y en 1666 —en la «Galería del Cierzo», del Alcázar— se daba como original.
En 1666, 1686 y 1700 en el Alcázar; en 1772 y 1794 en el Palacio Nuevo.

1501 *Carlos I de Inglaterra*

Lienzo, 3,66 × 2,81.

A caballo, armado; detrás del rey, sir Tomás Morton, portador del yelmo. Fondo de bosque.
El original, pintado hacia 1636, se conserva en la National Gallery, de Londres (mide 3,67 × 2,92); en Buckingham Palace se conserva el boceto, En 1746, en la Colección de Felipe V, en La Granja.

1502 *Don Francisco de Moncada, marqués de Aitona*

Lienzo, 1,14 × 0,98.

De más de medio cuerpo. Con la diestra coge el cordón, del que pende la venera de santiaguista.
Nació en 1586; murió en Gosch (Cleves) el 10 de agosto de 1635. Militar e historiador. Escribió la *Expedición de los catalanes y aragoneses contra turcos y griegos* (1623).
Copia, con variantes y cambios en los blasones del escudo, del original del Museo de Viena, pintado en Bruselas en 1634.
Colecciones Reales. Probablemente es el cuadro de tema similar atribuido a Van Dyck citado en la testamentaría del marqués de Leganés.

2556 *Santa Rosalía de Palermo*

Lienzo, 1,27 × 1,08.

La santa, llevada por ángeles. Fondo de paisaje marino siciliano.
Es evidente la relación de este cuadro con Van Dyck, a quien Tormo y Larsen lo atribuyen, si bien Díaz Padrón y Lietke lo consideran copia de los originales de Nueva York y Múnich.
Legado de Daniel de Carvallo y Prat, conde de Pradere.

2565 *La infanta Isabel Clara Eugenia*

Lienzo, 2,18 × 1,31.

Con tocas de viuda.
Sobre doña Isabel Clara, véase el n.° 113.
Copia de un original perdido.
Legado del duque de Tarifa; ingresó en el Museo en 1934.

e

ELSHEIMER. Adam Elsheimer, llamado «Adamo Tedescio»

Nació en Francfort el 18 de marzo de 1578; murió en Roma y fue enterrado el 11 de diciembre de 1610. Escuela alemana.

2181 *Ceres en casa de Bécuba*

Cobre, 0,30 × 0,25.

Bécuba, con una vela en la mano y Stelio desnudo a su izquierda, acoge a Ceres errante en busca de su hija Proserpina. Al fondo, una joven y un anciano a la lumbre; aperos de labranza.
La hospitalidad de Bécuba o Bando es contada por Ovidio en el libro 5 de las *Metamorfosis*.
Según Weisacker, hay estampa del propio Elsheimer del cuadro del Prado en la Kunsthalle de Hamburgo; lo titula *Ceres und Stellio*.
Gerstenberg publicó el curioso texto latino de Juan Faber, puesto por nota en la *Nova plantarum, animalium... mexicanorum historia,* de Francisco Hernández, al publicarla con otros naturalistas en Roma en 1628; describe y encomia la pintura al identificar el reptil mexicano «techichicolt» con la salamanquesa o «stellio». Stellion, que se rió de la avidez con que Ceres bebía, fue convertido en reptil.
Andrews (1985) cree que se trata de una copia.
La grabaron, hacia 1640, A. Haelwegh y también H. Goudt.
Procede de la Colección de Pedro Pablo Rubens. Ingresó en las Colecciones Reales en 1645.
Salvado del incendio de 1734.

1504

ES. Jacob Fopens van Es, o Esch

Nació hacia 1596. Enterrado en Amberes el 11 de marzo de 1666. Escuela flamenca.

1504 *Ostras y limones*

Tabla, 0,27 × 0,32.

Mesa, cuchillo y vaso.
Colecciones Reales.

1505 *Bodegón*

Tabla, 0,27 × 0,32.

Sobre una mesa, uvas, limón, ostras, cuchillo y vaso.
Compañero del n.° 1504.
Colecciones Reales.

1506 *Flores y frutas*

Tabla, 0,30 de diámetro.

Encima de una mesa, uvas, una manzana y dos claveles.
Colecciones Reales.

ESCALANTE. Juan Antonio de Frías y Escalante

Nació en Córdoba en 1633; murió en Madrid en 1669. Escuela española.

695 *La Sagrada Familia*

Lienzo 0,54 × 0,46.

San José sostiene al Niño Jesús sobre sus rodillas; a la izquierda san Juanito, en pie, en actitud de reverencia; a la derecha, la Virgen contempla la escena. En la zona alta, nubes con ángeles.
Copia libre de una pintura realizada con Veronés que se guarda en El Escorial.
Procede de las Colecciones Reales.

696 *El Niño Jesús y san Juan*

Lienzo, 0,46 × 1,22.

De cuerpo entero, con el cordero, y el Mundo en medio; a la derecha, un cesto con fruta.
Figura ya en el *Catálogo* de 1819.

697 *Cristo yacente*

Lienzo, 0,84 × 1,62.

De cuerpo entero; sobre un sudario, con el rótulo de la cruz y la calavera.
Firmado: *IOANNES ANTO. ESCALANTE FA*T *ANNO D*E *1663.*
Quizá sea el *Cristo difunto* que Palomino elogia extremadamente en la iglesia del Espíritu Santo de Madrid, diciendo que «parece de Tiziano».
Adquirido por R. O. de 19 de mayo de 1910.

698 *La prudente Abigail*

Lienzo, 1,13 × 1,52.

A la izquierda, David armado y sus soldados; a la derecha, Abigail arrodillada presenta al caudillo corderos, ganado vacuno, camellos y panes para alimento y auxilio de las tropas.
Firmado: *ESCALANTE FAT. 1667,* ángulo inferior izquierdo.
Refiérese en los caps. XXI y XXV del libro I de los *Reyes* cómo Abigail socorrió a los soldados de David, enojado contra Nadal, que no había querido contribuir a los gastos del ejército.
Compañero del n.° 699 y ambos pertenecientes a una serie de 18 de la Merced calzada, de Madrid, recogida en 1836 y que pasó al Museo de la Trinidad.

699 *Triunfo de la Fe sobre los sentidos*

Lienzo, 1,13 × 1,52.

La Fe, con el cáliz y la Cruz, está sentada; a la derecha, el Tacto y el Gusto; a la izquierda, la Vista, el Oído y el Olfato, matronas que en la diestra tie-

699

3046

nen la Sagrada Forma. En el cielo, ángeles y el letrero: *PRAESTET FIDES SVPPLEMENTVM... SENSVVM DEFECTVI* del himno *Pange lingua.*
Firmado en la piedra en que está sen- tada la Fe: *ESCALANTE FAT 1667.*
Compañero del n.º 698.

3046 *La comunión de santa Rosa de Viterbo*

Lienzo, 2,15 × 1,90.

Un franciscano administra el sacramento de la Eucaristía a la santa; dos ángeles asisten con cirios, otro con ncensario. A la derecha, en lo alto, la Santísima Trinidad y san Francisco como intercesor.
El hábito del fraile y las rosas obligan a la identificación con la bienaventurada que habiendo querido ser clarisa, por no haber sido admitida, falto de espacio el monasterio, anunció que sería franciscana al morir.
Firmado: *IVANES ANT.º ESCALANTE FAT,* parte inferior izquierda.
Adquirido por el Patronato en mayo de 1962 a don J. Maragall.

3114 *Ecce Homo*

Lienzo, 1,05 × 0,82.

De perfil, de más de medio cuerpo, se asoma a una balaustrada. Detrás, soldado con armadura. Cortina blanca al fondo.
Firmado: *ESCALANTE FAT,* ángulo inferior derecho.
Donado por don Florencio Milicua en 1966.

ESPINOS. Benito Espinós

Nació en Valencia, en 1748; murió en 1818.

4293 *Florero*

Tabla, 0,60 × 0,42.

Sobre un basamento de piedra, un jarrón de cristal, en el que se aprecia, entre otras flores, rosas, nardos, tulipanes y alhelíes.
Firmado: *BENITO ESPINOS F,* abajo a la derecha.
Fue regalado, por el propio pintor, al Príncipe de Asturias en 1788. Aparece inventariado en la Casita del Príncipe de El Escorial con el n.º 360.

4293

ESPINOSA. Jerónimo Jacinto de Espinosa

Nació en Cocentaina (Valencia) el 18 de julio de 1600; murió en Valencia el 20 de febrero de 1667.
Escuela española.

700 *Santa María Magdalena*

Lienzo, 1,06 × 0,84.

Más de media figura. La mano izquierda, en la calavera, puesta sobre una piedra.
Regalado a Fernando VII por la Academia de San Carlos de Valencia el 22 de abril de 1814.

701 *San Juan Bautista*

Lienzo, 1,12 × 0,91.

El Precursor, mancebo, sentado; en la mano izquierda, la cruz; con la diestra señala al Cordero.
Se desconoce su procedencia.

700

701

3087 *San Ramón Nonato*

Lienzo, 2,45 × 1,80.

Revestido del capelo cardenalicio, adora la Eucaristía, que aparece en un rompimiento de gloria sostenida por varios ángeles niños.
Procede de la Colección del marqués de la Romana. Adquirido por el Patronato en 1967.

7403 *La misa de san Gregorio*

Lienzo, 1,91 × 1,39.

Mientras san Gregorio celebraba misa, un acólito dudó de la Transustanciación del Pan en el Cuerpo de Cristo. En el momento de la elevación de la Sagrada Forma, se produce el milagro de la aparición de Cristo, como Varón de Dolores.
Soria lo considera obra juvenil del artista.
Donación de Enrique García Herráiz, en 1988.

7621 *La Magdalena penitente*

Lienzo, 1,12 × 0,88.

Figura de más de medio cuerpo, sentada, con la cabeza alzada y un hombro al desnudo, sostiene una calavera entre sus manos. A la derecha, sobre una mesa, el pomo de perfumes y la Cruz.
Tanto su actitud, como el modelado anatómico de su cuerpo, guarda un evidente parecido con el *San Juan Bautista* del propio Museo (Catálogo n.° 701). Un ejemplar idéntico se encuentra en el Museo de Bellas Artes de Valencia, procedente, probablemente, de la familia de los marqueses de Scala. Perteneció a la colección de D. Luis Felipe de Orleáns, donde figuró como de Francisco Ribalta; tras su venta, en 1853, pasó a Londres, de donde salió de nuevo al mercado en 1910. Fue adquirida por Eric Young en 1975, con atribución a Juan Jacinto Espinosa. Adquirida por el Estado, por derecho de tanteo, en Madrid en 1992.

7658 *El martirio de san Pedro de Verona*

Lienzo, 1,98 × 1,03.

El santo semiarrodillado, con la cabeza ya abierta, alza los ojos hacia la corona de gloria que portan los ángeles. En primer término, de espaldas, un sayón corpulento con el puñal en la mano. Al fondo, otro fraile eleva las manos, en actitud de asombro.
Pintado hacia 1650, para la iglesia de San Nicolás de Valencia, donde ocupaba el recuadro principal del retablo de San Pedro Mártir. Allí se conservó hasta la Guerra Civil.
Adquirida con los fondos del legado Villaescusa el 18 de mayo de 1993.

7671 *La Virgen y el Niño Jesús en un trono de ángeles*

Lienzo, 1,91 × 1,48.

La Virgen, rodeada de ángeles, arcángeles y querubines, aparece sentada en un trono, como *Regina Angelorum.* Sobre su regazo sostiene al Niño Jesús, que apoya su mano izquierda sobre la bola del mundo, aludiendo a su condición de futuro Mesías.
Adquirido por el Museo en 1994.

7671

702

ESPINOSA. Juan de Espinosa

Madrileño, especializado en la pintura de bodegón; documentado entre 1624 y 1651.

702 *Manzanas, ciruelas, uvas y peras*

Lienzo, 0,76 × 0,59.

Las manzanas, en un plato; los racimos y las ciruelas, sobre la mesa o colgadas. Un frasco de barro rojo.
Firmado según el *Catálogo* de 1872. En la actualidad la firma no es visible, pero el Museo de Louvre posee un bodegón evidentemente de la misma mano, firmado con claridad Juan Bautista Espinosa, lo que confirma la vieja atribución.
Procede de las Colecciones Reales.

703 *Uvas y manzanas*

Lienzo, 0,50 × 0,39.

En primer plano, sobre un estante, tres manzanas; en la parte superior, dos racimos de uvas blancas y negras, colgadas de una rama de roble con bellotas.
Atribución formulada por Madrazo en el siglo pasado, y ratificada por Pérez Sánchez (1983-1984). Sin embargo, Jordan (1985), por su semejanza estilística con una pintura de colección privada madrileña, lo cree de Juan Labrador.
Procede de las Colecciones Reales.

1989 *Bodegón*

Tabla, 0,23 × 0,30.

Una vasija de barro rojo, racimo de uvas, un pájaro muerto y una caracola. Considerado de «escuela flamenca», ha sido devuelto en 1978 a Espinosa, de quien es obra típica.
En Aranjuez en 1847.

ESTEVE. Agustín Esteve

Nació en Valencia el 12 de mayo de 1753. Vivía el 5 de abril de 1820.

2581 *Doña Joaquina Téllez-Girón, hija de los duques de Osuna*

Lienzo, 1,90 × 1,16.

Viste de blanco; el brazo derecho, apoyado en el soporte de una esfera. En la parte baja se lee: *SU EDAD, 13 AÑOS Y 4 MESES — ESTEVE.* El cuadro se fecha, por tanto, en enero de 1798, porque la retratada nació en Madrid el 21 de septiembre de 1784. La pintó Goya con sus padres y hermanos en el cuadro n.° 739, y en 1805, con una lira, echada sobre un «canapé», n.° 7070. Casó el 11 de junio de 1801 con don José Gabriel de Silva Bazán, que había de ser marqués de Santa Cruz; murió el 17 de noviembre de 1851.
El lienzo es seguramente pareja del retrato de su hermana, que fue marquesa de Camarasa, representada al lado de un tablero de «tric-trac».
Adquirido en 1934 con cargo a la subvención del Estado.

2876 *Don Mariano San Juan y Pinedo, conde consorte de la Cimera*

Lienzo, 1,28 × 0,89.

Representa unos diez años de edad; viste de colegial. Fondo de parque.
Nació en 17 de enero de 1803; casó en 1834 con doña María Salomé Mendinueta y Múzquiz, condesa de la Cimera, título creado en 1795.
La atribución del retrato a Esteve,

2876

unánimemente aceptada, se debe a Tormo.
Legado del conde de la Cimera (1944).

ESTIMARIU. Maestro de Estimariú

Catalán. Siglo XIV. Se le denomina, por su obra típica: el retablo de San Vicente de Estimariú, localidad cercana a la de Seo de Urgel, que se conserva en el Museo de Barcelona. Escuela española.

2535-6 *Leyenda de santa Lucía*

1,61 × 0,97 cada tabla, contando con la guarnición, que es la primitiva, en que están engargoladas.

Dos tablas que representan las escenas seguidas en tres filas: I. Santa Lucía y su madre ante el sepulcro milagroso de santa Agueda, en Catania.—II. Aparición en sueños a santa Lucía de santa Agueda, que le anuncia la curación de su madre.—III. Santa Lucía vende sus tierras y alhajas y reparte el importe a los pobres.—IV. Santa Lucía ante el juez, acusada de cristiana por el pretendiente desairado.—V. La santa, condenada a ser llevada a un lupanar; tiran de ella, en vano, cuatro hombres.—VI. Tampoco son capaces de arrastrarla dos bueyes.—VII. El juez ordena se encienda una hoguera a su alrededor, mas permanece incólume.—VIII. Es degollada.—IX. Recogida con vida por los cristianos, recibe la comunión.—X. El entierro de la santa.
Procede este retablo de la ermita de Arcabell, al norte de la Seo de Urgel, y de Estimariú. Fue adquirido a don Apolinar Sánchez Villalba, en enero de 1931.

2535 2536

EYCK. Gaspard van Eyck

Bautizado en Amberes el 6 de febrero de 1613; murió en Bruselas en 1673. Escuela flamenca.

1507 *Marina*

Lienzo, 0,81 × 1,07.

Muelle con una iglesia, barcos fondeados delante y barcas con gente.
Adquisición de Carlos IV, como el n.° 1508.

1508 *Combate naval entre turcos y malteses*

Lienzo, 0,87 × 1,18.

A la derecha, una nao de malteses hace fuego contra la turca; en el centro y a la izquierda, diversas fases del combate.
Firmado en la popa de la nao maltesa: *VAN EYCK F. 1649.*
Perteneció a la colección de Carlos IV.

1509 *Marina*

Lienzo, 0,87 × 1,18.

Navíos grandes fondeados; un fuerte, al fondo.
Compañero del n.° 1508.

EYCK. Jan van Eyck, Aeyck o Hans Yck

Aprendiz en Amberes (1626-1627) y Maestro en 1632-1633. Escuela flamenca.

1345

1345 *La caída de Faetón*

Lienzo, 1,97 × 1,80.

El hijo de Apolo, los cuatro caballos y el carro caen al Erídano.
Firmado en la rueda del carro: *VAN EYCK.*
Pintado para la Torre de la Parada sobre un boceto de Rubens que se guarda en el Museo de Bruselas.
En 1700 se cita en la Torre de la Parada, 1747 y 1772 en el Palacio Nuevo y en 1794 en el castillo de Viñuelas.

EYCK. Escuela de Jan van Eyck

Nació hacia 1385 y murió en Brujas el 24 de junio o el 22 de julio de 1441. Estuvo en Portugal y en España en 1428-29.

1511 *La Fuente de la Gracia y triunfo de la iglesia sobre la sinagoga*

Tabla, 1,81 × 1,16.

La escena está dispuesta en tres planos, como la representación de un *misterio,* Dios en el trono, con el Cordero a los pies, entre la Virgen y san Juan; por bajo fluye un manantial, en cuya corriente flotan unas hostias. En el plano medio, doce ángeles cantores en las torres y seis ángeles músicos fuera de ellas. En el inferior, centrado por la fuente, dos grupos: a la izquierda un papa, un cardenal, un obispo, un abad, un teólogo, un emperador, un rey y otros cuatro personajes; a la derecha un sumo sacerdote con los ojos vendados y diez judíos conturbados y en fuga. En el trono, a manera de custodia, hay 17 estatuillas de profetas y en los brazos, los emblemas de los Evangelistas.
La atribución de esta tabla ha sido y es muy discutida: desde creerla de mano de Van Eyck, o juzgarla de la escuela de Gante algo anterior, hasta suponerla copia de un original hoy perdido o imitación contemporánea del retablo de San Bavón, en obra del holandés Oudewater, de Petrus Christus o de seguidor tardío de Van Eyck. El caballero que sigue al Rey ostenta el collar de la orden del Knostigen Stock o bastón nudoso, y se ha supuesto que es retrato del donador que podría ser Luis II de Borbón (murió en 1410).
Procede de la sacristía del monasterio de Jerónimos, del Parral, de Segovia donde estaba ya en 1454, quizá donada por Enrique IV, fundador del monasterio. De allí pasó, en 1838, al Museo de la Trinidad.

1508

1511

Ponz describe una tabla similar en la capilla de San Jerónimo, de la catedral de Palencia, que ha de ser la que conserva, en la actualidad, el Allen Memorial Art Museum de Oberlin (Ohio). Copia española es la conservada en la catedral de Segovia, fechada en 1560.

EYCK. Copias

1510 Por Jan Gossart de Mabuse (véase bajo su nombre)

Por Jan van Scorel (1495-1562)

2716 *Cristo bendiciendo*

Tabla, 0,52 × 0,39.

Copia de la figura central del políptico de Gante, con adición de ángeles y arquitectura.

Friedländer, de quien es la clasificación, recuerda que Scorel restauró el altar de San Bavón.

Legado Pablo Bosch.

Por «El Maestro de Hoogstraten»

Anónimo discípulo de Quintín Metsys.

1617 *San Francisco de Asís recibiendo los estigmas*

Tabla, 0,47 × 0,36.

Acompaña al santo el hermano León. Paisaje con peñascales y al fondo un pueblo, con puente sobre un río. Se ha identificado la ciudad con Dinant. Copia libre, con cambios esenciales en la proporción en el paisaje y aun en el tipo del santo, del original de Van Eyck, o de un émulo del que hay ejemplares en Filadelfia (Museo), procedente de la Colección Johnson, y en el Museo de Turín. La atribución actual es de Friedländer, que fecha la tabla hacia 1510. En los *Catálogos* anteriores al de 1933 se atribuía a Patinir, porque el paisaje recuerda su estilo. En 1746, en La Granja.

EZQUERRA. Jerónimo Antonio de Ezquerra

Probablemente de origen burgalés, nació entre 1659-1662; murió a finales de 1732 o comienzos de 1733. Escuela española.

704 *El agua*

Lienzo, 2,48 × 1,60.

Paisaje con bosque y mar; en él, Neptuno con tritones y nereidas; en las

704

aguas, abundancia de peces, y en primer término, un tritón echado; en las orillas, conchas, tortugas, etc.

En el inventario de 1747 de las pinturas salvadas en el incendio del Palacio de Madrid forma serie con otros *elementos* pintados por Palomino, y por Vaccaro. En 1772 y 1794, en el Retiro.

FALCONE. Angelo o Aniello Falcone

Nació en Nápoles en 1607, murió en la misma ciudad en 1656. Escuela italiana.

87

87 *Un concierto*

Lienzo, 1,09 × 1,27.

A la derecha, un músico toca el clavicordio; detrás canta un niño y un anciano lleva el compás. A la izquierda, otro músico toca el violoncello y detrás asoma un criado con un jarrón de frutas y flores en la cabeza.
Es obra de madurez. En Palacio se atribuía (1722) a Stanzione. Los *Catálogos* de Eusebi lo consideraron de Cavallino. El inventario del Museo y los *Catálogos* lo creyeron de Castiglione. Venturi, en 1927, lo atribuyó a Strozzi. Voss lo devolvió a Falcone, seguido por Soria y Pérez Sánchez.
En 1772 en el Palacio Nuevo.

92 *Gladiadores*

Lienzo, 1,86 × 1,83.

Grupo de gladiadores antes de la lucha; al fondo, las gradas del circo.
Es obra característica y magistral de Falcone. Un dibujo preparatorio guardan los Uffizi.
En los *Catálogos* anteriores al de 1933, como de Castiglione.
Pintado para el Buen Retiro, donde estaba en 1700. En 1772 y en 1794, en Palacio.

93 *Soldados romanos en el circo*

Lienzo, 0,92 × 1,83.

Represéntanse unos ejercicios ecuestres, a la manera de un carrusel.
Importante por su carácter clásico, que lo aproxima a Poussin. En el

Museo se atribuyó mucho tiempo a Castiglione. Un dibujo preparatorio guardan los Uffizi.
Pintado para el Buen Retiro, donde estaba en 1700. En 1772 y en 1794, en el Palacio Nuevo.

94 *La expulsión de los mercaderes del templo*

Lienzo, 1,01 × 1,135.

Cristo empuña el látigo; a la izquierda, la mesa de un cambista; a la derecha, jaula con palomas.
Obra característica, atribuida algún tiempo, como las otras obras de Falcone del Museo, al genovés Castiglione.
Procede de las Colecciones Reales.

139 *Batalla*

Lienzo, 1,33 × 2,15.

Combate encarnizado; a la derecha tres columnas de un templo corintio. Según Saxl, este cuadro es de atribución segura por el cotejo con las pinturas firmadas de Nápoles. Se tiende a fechar en los años 30.
En 1746 estaba en La Granja, Colección de Felipe V; en 1794, en Aranjuez.

FATTORE

Véase PENNI

FERNANDEZ. Alejo Fernández

Nació en Córdoba hacia 1475; murió en Granada en 1545-146. Escuela española.

2935

2936

2938

1925 *La Flagelación*

Tabla, 0,48 × 0,35.

La escena, en un pórtico clásico en ruinas. Berenson lo clasifica como obra de un pintor influido por «el Bosco», que trabajó en España. Friedländer, lo cree más bien español, de comienzos del XVI. Tormo lo publicó atribuyéndolo, con dudas, a Juan de Soreda —que pintó en Sigüenza—. Angulo señaló que la misma composición se repite en gran tamaño en el coro alto de San Agustín, de Osuna, y la clasifica como de Alejo Fernández, señalando que el fondo repite, con variantes, una estampa de Bramante en su período milanés.
En 1746, en La Granja, entre los cuadros de Isabel de Farnesio; en 1814, en Madrid.

FERNÁNDEZ. Juan Fernández «el Labrador»

Documentado en Madrid entre 1629 y 1657, fecha en que muere un Juan Fernández Labrador, quizá nuestro pintor.

2888 *Florero*

Lienzo, 0,44 × 0,34.

Vaso con claveles, azucenas, uvas y una rosa. Atribuido a Zurbarán, se considera en la actualidad obra de Juan Fernández «el Labrador», por su semejanza con la única obra firmada de este artista, conservada en una colección holandesa. Adquirido por el Ministerio de Educación Nacional en 1946.

FERRO. Véase Martínez del Barranco

FINSONIUS. Ludovico Finsonius

Nació en Brujas antes de 1580 y murió en Amsterdam en 1617. Escuela flamenca.

3075 *Anunciación*

Lienzo, 1,73 × 2,18.

Firmado: LUDEWICUS FINSONIUS FECIT.
Se conocen cuatro versiones más, fechadas en 1612 y 1614.
En 1767 se cita en la Academia Real de Toulouse. Adquirido por el Patronato en 1964.

FLANDES. Juan de Flandes

Se ignora su verdadero nombre; se ha supuesto que es Juan Sallaert, maestro en Gante en 25 de abril de 1480.
Entró al servicio de la Reina Católica el 26 de octubre de 1496; murió en Palencia antes del 16 de diciembre de 1519. Escuela hispano-flamenca.

2935 *La resurrección de Lázaro*

Tabla, 1,10 × 0,84.

El resucitado sale del sepulcro ante un grupo de gentes; fondo de arquitectura. Esta tabla, las tres siguientes y *La Anunciación, La Natividad, La Epifanía* y *El bautismo de Cristo,* de la National Gallery de Washington, proceden de la iglesia de San Lázaro, de Palencia, y en ellas trabajó el pintor entre 1510 y 1518.
Tras la Guerra Civil se vendió el retablo, y en 1952 el Prado adquirió estas tablas.

2936 *La oración del huerto*

Tabla, 1,10 × 0,84.

En la cima de un cerro, Jesús orante; en primer término, los Apóstoles dormidos.
Véase el n.° 2935.

2937 *La ascensión del Señor*

Tabla, 1,10 × 0,84.

Se ve la parte inferior del cuerpo de Jesús, cuyas plantas han quedado impresas en la peña. En la parte baja, los discípulos.
Véase el n.° 2935.

2938 *La venida del Espíritu Santo*

Tabla, 1,10 × 0,84.

María en el cenáculo rodeada por Apóstoles y discípulos.
Véase el n.° 2935.

FLAUGIER. José Bernart Flaugier

Nació en Martigues (cerca de Marsella) el 10 de diciembre de 1757. Vivió casi siempre en Cataluña; fue enterrado el 3 de enero de 1813. Escuela francesa.

2646 *Joven desconocido*

Lienzo, 0,67 × 0,27.

Busto, recortado.
Legado Pablo Bosch.

FLEMALLE (?). Bertholet Flémalle

Nació en Lieja el 23 de mayo de 1614; murió el 10 de julio de 1675. Escuela francesa.

2239 *La Virgen y santa Ana*

Lienzo, 1,45 × 1,85.

María, en pie; santa Ana, sentada; a la derecha, de espaldas, san Joaquín; fondo de arquitectura con calle y paisaje, y otras figuras.
Clasificado como obra de Felipe de Champaigne, pero ya con dudas desde el *Catálogo* de 1873. La atribución a Bertholet Flémalle ha sido dada por Demonts.
En 1814 se registra como de Poussin, en el Palacio Nuevo, «Cuarto del Mayordomo Mayor».

FLEMALLE, Maestro de

Véase CAMPIN

FLIPART. Charles Joseph Flipart

Nació en París el 9 de enero de 1721; murió en Madrid el 2 de agosto de 1797. Escuela francesa.

13 *La rendición de Sevilla a san Fernando*

Lienzo, 0,72 × 0,56.

Fernando III, con la espada y el globo del mundo en las manos; el rey moro,

13

arrodillado, le presenta las llaves de la ciudad, que se ve al fondo; a la izquierda, un león; a los lados, el séquito de los dos reyes.
En el *Catálogo* de 1920, atribuido a Amiconi (siguiendo el inventario de Palacio de 1794); pero es boceto para el cuadro de Flipart que se conserva en la iglesia de Santa Bárbara (Salesas Reales), de Madrid, en el altar del crucero, lado del Evangelio.
Estaba en el Palacio Nuevo en 1794

FONTEBASSO. Francesco Fontebasso

Nació en Venecia en 1709; murió en la misma ciudad en 1769.

6079 *El Esposo y las vírgenes necias*

Lienzo, 0,59 × 0,80.

El Esposo, con los rasgos tradicionales de Cristo, abre la puerta, sorprendiendo a las vírgenes adormiladas, con las lámparas apagadas.
El asunto —poco frecuente en la pintura— procede del Evangelio de san Mateo (cap. 25, 1-13).
Adquirido en 1980.

FOS. Urbano Fos

Nació hacia 1610; murió en Valencia el 30 de diciembre 1678.

2629 *San Vicente Ferrer*

Lienzo, 1,13 × 0,90.

Muestra la iconografía tradicional valenciana del santo dominico iniciada por Juanes y muy repetida por el círculo ribaltesco.
Compañero del n.° 3230.
Catalogados como anónimos hasta 1985, su semejanza con el cuadro *San Eloy y santa Lucía,* de la iglesia de San Agustín de Castellón, cuyo autor ha sido recientemente identificado con Urbano Fos, ha hecho que sean catalogados bajo este nombre.
Adquiridos por Carlos IV en 1802 en Valencia, de donde pasaron a Aranjuez.

3230 *San Vicente Mártir*

Lienzo, 1,13 × 0,90.

Representa al santo según su iconografía tradicional, como diácono y con la piedra de molino.
Véase el n.° 2629, su compañero.

2251

FOSSE. Charles de la Fosse

Nació en París el 15 de junio de 1636; murió allí el 13 de diciembre de 1716. Escuela francesa.

2251 *Acis y Galatea*

Cobre, 1,04 × 0,90.

Acis, sentado, casi desnudo, y a su izquierda, tendida, Galatea, son sorprendidos por Polifemo desde el Etna;

al pie de este monte discurre el río donde tuvo desenlace la historia.
Probablemente es el cuadro que se expuso en el Salón de 1704.
En 1814 estaba en el Palacio Nuevo.

FRACANZANO. Cesare Fracanzano

Nacido en Bisceglia hacia 1605; murió en Barletta en 1651. Escuela italiana.

142 *Dos luchadores*

Lienzo, 1,56 × 1,28.

Luchan sujetándose por la cintura.
Firmado en el ángulo inferior izquierdo: *CESARE FRACANZANO G.*
Según Ponz, represéntase el combate de Hércules y Anteo.
En el Retiro, en 1700 y 1794.

FRANCIA. Giacomo y Giulio Francia

Hijos de Francesco Raibolini, «il Francia».
El primero nació hacia 1486 y murió en 1557. El segundo nació el 20 de agosto de 1487 y murió en 1540. Escuela italiana.

143 *San Jerónimo, santa Margarita y san Francisco*

Tabla, 1,56 × 1,45.

Las tres figuras, en pie; fondo de paisaje.

143

Firmado en una cartelera: *I. I. FRANCIA MDXVIII-X-IVLII.*
Se conocen otros cuadros firmados por los dos hermanos. En el *Catálogo* de 1913, el facsímil de la firma convirtió en F la primera I. En el *Catálogo* de 1920, puesto el cuadro a nombre de Giacomo.
Del Colegio de San Clemente, de Bolonia, se trajo al Museo de la Trinidad.

FRANCFORT. El Maestro de Francfort

Anónimo cuya obra se agrupa alrededor de dos tablas que se conservan en Francfort. Su vida transcurriría entre 1460 y 1515 ó 1520. En Amberes, desde 1491. Escuela alemana.

1941 *Santa Catalina*

Tabla, 0,79 × 0,27.

La santa, vestida a la moda rica del tiempo. Fondo de paisaje amplio, con río y ciudad torreada en la lejanía. Se ve grupo diminuto de la decapitación de la santa.
Portezuela de un tríptico como el n.° 1942.
Según Friedländer, es obra tardía del «Maestro de Francfort»; según Winkler, de B. van Orley.
Proceden del convento de Santa Cruz, de Segovia.
Vinieron del Museo de la Trinidad.

1942 *Santa Bárbara*

Tabla, 0,79 × 0,27.

Detrás de la santa, la torre y paisaje con río y molino.
Tabla compañera del n.° 1941.

FRANCKEN II, el Mozo. Frans Francken

Nació en Amberes el 6 de mayo de 1581, donde murió el 6 de mayo de 1642. Escuela flamenca.

1519 *La sentencia de Jesús*

Tabla, 0,58 × 0,81.

A la izquierda, el pretorio, desde donde se lee la sentencia; a la derecha, la cruz y un carro; al fondo, Jesús, sayones y soldados camino del Calvario. Más distante, Jerusalén y su templo.
Firmado en el ángulo inferior derecho: *D.° FFRANCK IN.* Que ha de interpretarse: *Den ouden Franck invenit:* «Franck el Viejo inventó».
Por la fecha del subsiguiente (número 1520), posterior a la muerte de Franck el Viejo, debe atribuirse la ejecución de ambos cuadros al hijo, que a partir de la muerte de su padre y para distinguirse del tercero de la dinastía firmó siempre como «el Viejo».
En 1818 estaba en Aranjuez. Vino al Prado en 1849.

1520 *La predicación de san Juan Bautista*

Tabla, 0,56 × 0,91.

En el campo cercano a una ciudad, predica el Bautista; rodéale gente humilde; a la izquierda, Herodes Antipas y su séquito.
Firmado en una piedra del ángulo inferior derecho: *D.° FRANCK IN. F. A.° 1623.* Véase el n.° 1519.
Vino del Palacio de Aranjuez, donde se cita en 1818. Adquirido por Carlos IV.

1521 *«Ecce-Homo»*

Cobre, 0,33 × 0,23.

Pilatos muestra a Jesús al pueblo; a la derecha, la turba, y edificios distantes.
Firmado: *D.° FRANCK.*
Atribuido en los catálogos anteriores a 1985 a Francken «el Viejo».
De la Colección de Isabel de Farnesio en La Granja. 1746. En 1794 estaba en Aranjuez.

1522 *El prendimiento*

Cobre, 0,44 × 0,23.

Judas besa a Jesús; rodéanles los soldados.
Firmado en el ángulo inferior de la derecha: *D. ° FRANCK.*
Atribuido hasta 1972 a Francken el Viejo. En 1746, en La Granja, Colección de Isabel de Farnesio. En 1794 en Aranjuez.

1523 *Neptuno y Anfitrite*

Cobre, 0,30 × 0,41.

Ambos dioses, en un carro, rodeado de náyades, tritones y nereidas.
Firmado en el ángulo inferior izquierdo: *D. ° FFRANCK IN. F.*
En 1794 estaba en la Quinta del duque del Arco.

1523

2734 *El pecado original*

Cobre, 0,68 × 0,86.

A la izquierda, la creación de Eva. En el centro, la Tentación. A la derecha, la expulsión del Paraíso.
Firmado: *D. ° FFRANCK IN,* en el ángulo inferior izquierdo.
Forma con los once siguientes una serie.
Legado de Fernández-Durán (1930).

2735 *Caín matando a Abel*

Cobre, 0,68 × 0,86.

A la izquierda, Caín y Abel ofrecen a Dios frutos de la tierra y ganados. En el centro, el fratricidio. A la derecha, Caín huye.
Firmado: *D. ° FFRANCK. IN.* en el ángulo inferior izquierdo.
Véase el n.° 2734.
Legado de Fernández-Durán (1930).

2736 *Noé dirige la entrada en el arca*

Cobre, 0,68 × 0,86.

A la derecha, el arca, hacia la que se encaminan los animales emparejados. A la izquierda, el Patriarca y su familia.
Firmado: *D. ° FFRANCK IN.* en el centro, sobre el tronco del árbol.
Véase el n.° 2734.
Legado de Fernández-Durán (1930).

2737 *La construcción de la torre de Babel*

Cobre, 0,68 × 0,86.

Al fondo, a la izquierda, el edificio en construcción; a la derecha, el arquitecto y un grupo de hebreos.
Firmado: *D. ° FFRANCK,* en el ángulo inferior derecho.
Véase el n.° 2734.
Legado de Fernández-Durán (1930).

2738 *Abraham y Melquisedec*

Cobre, 0,68 × 0,86.

El sacerdote y rey de Salem presenta al Patriarca el pan y el vino.
Firmado: *D. ° FFRANCK IN,* abajo a la izquierda.
Véase el n.° 2734.
Legado de Fernández-Durán (1930).

2739 *Agar y el ángel*

Cobre, 0,68 × 0,86.

Agar, fugitiva, es hallada por un ángel, que la hace volver al lado de Sara (*Génesis*, cap. XVI, vers. 7-14).
Firmado: *D. ° FFRANCK IN.*
Véase el n.° 2734.
Legado de Fernández-Durán (1930).

2740 *Abraham y los tres ángeles*

Cobre, 0,68 × 0,86.

El Patriarca cae de rodillas ante los tres emisarios celestes que le anuncian que Sara concebirá un hijo (*Génesis*, capítulo XVIII, vers. 1-5).
Firmado: *D. ° FFRANCK IN.*
Véase el n.° 2734.
Legado de Fernández-Durán (1930).

2741 *Lot y sus hijas*

Cobre, 0,68 × 0,86.

El Patriarca, embriagado, con sus dos hijas. A la derecha, el fuego destruye Sodoma. A la izquierda, los ángeles

2737

sacan de la ciudad a Lot y su familia, mientras su mujer vuelve la cabeza y queda convertida en estatua de sal.
Firmado: *D.° FFRANCK IN,* en el ángulo inferior izquierdo.
Legado de Fernández-Durán (1930).

2742 *El sacrificio de Isaac*

Cobre, 0,68 × 0,86.

El ángel habla de Abraham para que suspenda el sacrificio de su hijo (*Génesis,* cap. XXII, vers. 2-13). A la derecha, el carnero en el zarzal, que fue ofrecido en holocausto.
Firmado: *FFRANCK,* abajo en el centro.
Véase el n.° 2734.
Legado de Fernández-Durán (1930).

2743 *Rebeca y Eliecer*

Cobre, 0,68 × 0,86.

El mayordomo de Abraham encuentra a Rebeca al lado de la fuente, le pide de beber, y queda elegida para esposa de Isaac (*Génesis,* cap. XXIV, vers. 13-26).
Firmado: *D.° FFRANCK.*
Véase el n.° 2734.
Legado de Fernández-Durán (1930).

2744 *La escala de Jacob*

Cobre, 0,68 × 0,86.

Jacob ve en sueños «una escala cuyo pie estaba sobre la tierra y su remate tocaba en el cielo, y ángeles de Dios que subían y bajaban por ella» (*Génesis,* cap. XXVIII, vers. 11-17).
Firmado: *D.° FFRANCK IN,* abajo, a la izquierda.
Esta misma composición fue repetida, casi en todo, por Murillo en su cuadro del Ermitage.
Véase el n.° 2734.
Legado de Fernández-Durán (1930).

2745 *La lucha de Jacob con el ángel*

Cobre, 0,68 × 0,86.

A la izquierda, Jacob de camino; en el centro, la lucha con el ángel que le mudó su nombre por el de Israel; a la derecha, el Patriarca dispone a los suyos para el encuentro con Esaú. (*Génesis,* caps. XXXII y XXXIII, vers. 24-8 y 1-2).
Firmado: *FFRANCK.*
Legado de Fernández-Durán (1930).

144

FRIS. Pieter Fris, o Frits, Fritz

Nació en Amsterdam en 1627-1628; murió en Delft hacia 1708. Escuela holandesa.

2081 *Orfeo en los infiernos*

Lienzo, 0,61 × 0,77.

Orfeo y Eurídice abrazados; detrás, Proserpina y Plutón. Por todo el lienzo, demonios y condenados.
Firmado en el ángulo inferior izquierdo de la barca de Caronte: *PIETER FRIS, 1652.*
Colecciones Reales.

FURINI. Francesco Furini

Nació en Florencia en 1604; donde murió el 19 de agosto de 1646. Escuela italiana.

144 *Lot y sus hijas*

Lienzo, 1,23 × 1,20.

Las tres figuras, de más de medio cuerpo. Refleja el pasaje narrado en el capítulo XIX del *Génesis.*
En los Uffizi se conservan dos dibujos para las figuras de las hijas de Lot.
El fondo ha sido agrandado en el siglo XVII por las partes superior e izquierda. Según Baldinucci, pintado por encargo del gran duque de Toscana, Fernando II, quien lo regaló en 1649 a Felipe IV en ocasión de sus bodas con Mariana de Austria.
Una copia de figuras pequeñas, con la adición de una Sodoma en llamas en el fondo, en una colección particular madrileña.
En 1701, en el Retiro; enviado a la Academia en 1792, se trajo al Museo en 1827.

1528

1531

1534

FYT. Jan Fyt

Bautizado en Amberes el 15 de marzo de 1611; donde murió el 11 de septiembre de 1661. Escuela flamenca.

1526 *Gallinero*

Lienzo, 1,23 × 2,42.

Una gallina en el ponedero; otras y el gallo, picoteando, etc. A la izquierda, vista de Amberes.
En 1746, en la Colección de Isabel Farnesio, en La Granja; después pasó a Aranjuez, donde se cita en 1794.

1527 *Un milano*

Lienzo, 0,95 × 1,34.

El milano baja sobre un grupo de gallinas, un pato y dos conejos. Fondo de agua.
Díaz Padrón, que en 1975 lo atribuía a Fyt, en 1995 lo cree de David de Coninck.
Procede de la Colección de Felipe V. En La Granja, en 1746.

1528 *Caza muerta, con un perro*

Lienzo, 0,72 × 1,21.

Un perro guardando la caza que le rodea; liebre, perdices, etc.; la jaula del reclamo. Fondo de campo con un tronco y cardos a la derecha, y la flecha de una iglesia lejana a la izquierda.
Firmado en la jaula: *IOANNES FYT. 1649.*
Antes de 1734, en el Alcázar de Madrid. En 1772 y 1794 en el Palacio Nuevo.

1529 *Bodegón con un perro y un gato*

Lienzo, 0,77 × 1,12.

Sobre una mesa, cesta con uvas y membrillos, una liebre y aves muertas. Un gato en el extremo y un perro ladrando.
Estuvo firmado en el borde de la mesa. Díaz Padrón (1995) lo atribuye a Frans Ykens, dada su relación con el bodegón firmado por éste en 1664 (Colección particular de Alemania).
Vino de Aranjuez al Museo.

1530 *Liebres perseguidas por perros*

Lienzo, 1,13 × 1,63.

Tres perros, uno de los cuales ha alcanzado a una liebre; otra corre delante.
Firmado a la derecha del centro, parte baja, lectura dudosa: *FYT.*
En 1746, entre los cuadros de Isabel de Farnesio, en La Granja. En 1794 se cita en Aranjuez.

1531 *Anades y gallinas de agua*

Lienzo, 1,27 × 1,63.

Las aves acuáticas son acometidas por dos perros, al borde del agua.
Firmado a la izquierda del centro, bajo: *JOANNES FYT.*
Compañero del n.° 1530, y de igual procedencia.

1532 *Riña de gallos*

Lienzo, 1,14 × 1,67.

La riña dentro de un gallinero; rodéanles gallinas; a la izquierda, un perdigón.
De las pinturas de la Colección de Isabel de Farnesio. En 1746 y 1794, en La Granja. En 1814 en el Palacio Nuevo.

1533 *Anades y gallinas de agua*

Lienzo, 1,19 × 1,70.

Un perro sorprende a las aves entre las hierbas de la orilla del río.
Composición semejante a la del número 1531.
En 1746, en la Colección de Isabel de Farnesio en La Granja. En 1794 en Aranjuez.

1534 *Conciertos de aves*

Lienzo, 1,35 × 1,74.

Un pavo real, un papagayo, un gallo, etc., cantan en un árbol. A la izquierda, en un papel de música, se lee: *LA MUSICA, 1661.*
Firmado en el ángulo inferior izquierdo: *JOANNES FYT F., 1661.*
En 1746, en La Granja, Colección de Isabel de Farnesio.

g

GAGLIARDI. Filippo Gagliardi

Arquitecto y pintor. Trabajaba en Roma hacia 1640; murió en 1656. Escuela italiana.

145 *Interior de San Pedro de Roma*

Lienzo, 2,10 × 1,56.

Perspectiva desde la nave, viéndose el baldaquino de Bernini.
Firmado en la base de un pilar, a la derecha: *PHILIPPUS GAGLIARDUS ROMANUS PINXIT 1640.* En otro pilar del mismo lado, la escala o pitipié.
Como corresponde a su fecha, muestra el presbiterio desnudo, antes de que se iniciase por Bernini el altar de la Cátedra de San Pedro (1656).
En 1701 y 1794 estaba en el Retiro.

145

GAINSBOROUGH. Thomas Gainsborough

Bautizado en Sudbury el 14 de mayo de 1727; murió en Londres el 2 de agosto de 1788. Escuela inglesa.

2979

2979 *El médico Isaac Henrique Sequeira*

Lienzo, 1,27 × 1,02.

Sentado, con un libro en las manos, en actitud meditativa.
Nació en Portugal, de familia judía; emigró a Burdeos, estudió en Leyden y ejerció la Medicina en Londres; murió, longevo, en 1816. Fue médico del retratista.
El cuadro permaneció en la familia de Sequeira hasta su venta, en Londres, el 27 de abril de 1901. Regalado al Museo por Mr. Bertram Newhouse, de Nueva York, en 1953.

2990 *Mr. Robert Butchert of Walthamstown*

Lienzo, 0,75 × 0,62.

Busto prolongado. Peluca. Viste casaca púrpura oscura.
Adquirido por el patronato a Marshall Spink, de Londres, en 1955.

GALLEGO. Fernando Gallego

Su primera fecha conocida es 1446-47, y la última, 1507. Escuela española.

2647 *Cristo bendiciendo*

Tabla, 1,69 × 1,32.

Sentado en el trono; rodéale el Tetramorfos, y a los lados están la iglesia y la sinagoga. Tabla central del retablo donado a San Lorenzo del Toro por don Pedro de Castilla, que murió en 1492. Fue adquirida por F. Kleinberger, quien la envió a la Exposición del Toisón (Brujas, 1907) y la vendió a don Pablo Bosch en 1913.
Legado Pablo Bosch.

2998 *La Piedad, o quinta angustia*

Tabla, 1,18 × 1,02.

María, con el cuerpo de Cristo muer-

2647

2998

to en los brazos, al pie de la Cruz; pareja de donantes, arrodillados con el letrero MISERERE MEI. DOMINE. Al fondo, entre rocas, Jerusalén como ciudad gótica, con murallas y castillo. Firmado en el suelo, por debajo del brazo derecho de Cristo: FERNANDUS GALLECUS.

Obra juvenil, según Post, anterior al retablo de la catedral de Zamora; los donantes recuerdan todavía los del «estilo internacional» y ya, también, los tipos y trajes de Dierick Bouts.

Adquirida a la señora viuda de Weibel (Madrid), en 1959, por el Ministerio de Educación.

3039 *El martirio de santa Catalina*

Tabla, 1,25 × 1,09, la parte pintada.

La santa, desnuda, de rodillas entre las dos ruedas con puntas, que rompen tres ángeles; a la izquierda, el juez y dos servidores; los cuatro verdugos, heridos. Fondo, con una ciudad y, además, en la lejanía, edificios.

Obra de gran expresionismo. Se ha pensado pueda ser obra de Fernando Gallego, hermano de Francisco y colaborador habitual.

Adquirida en 1961.

3039

1324

GARCIA DE BENABARRE. Pedro García de Benabarre

Nació, seguramente, en Benabarre (Huesca). Hay documentos que acreditan su actividad en 1455 y 1456. Escuela española.

1324 *San Sebastián y Policarpo destruyen los ídolos. —San Sebastián habla a Marcos y Marceliano*

Tabla, 1,60 × 0,68.

El primer título excusa la descripción. El segundo se refiere a la visita de san Sebastián a Marcos y Marceliano, presos, para evitar que las lágrimas de sus deudos lograsen quebrantar su fe.

En el *Catálogo* de 1933 se clasificaba esta tabla y su compañera (n.° 1325) como obras de un anónimo influido por Pere Huguet. Post las publicó, con dudas, como originales de García de Benabarre, y posteriormente las

1325

consideró seguras de su mano. Por sus caracteres y sus medidas emparentan con el retablo de Ainsa.

1325 *Martirio de san Sebastián*

Tabla, 1,60 × 0,68.

La escena inferior muestra al santo apaleado ante Diocleciano y cuando lo arrojan a un pozo. La superior representa al mártir asaeteado.

Véase el n.° 1324.

GARCIA HIDALGO. José García Hidalgo

Nacido hacia 1645, en Villena; murió en Madrid el 28 de julio de 1717. Escuela española.

652 *María Luisa de Orleans, reina de España*

Lienzo, 0,96 × 0,68.

De medio cuerpo, viste de rojo florea-

do; un clavel en la diestra y un abanico en la mano izquierda. Hija del duque Felipe de Orleáns, nació el 27 de marzo de 1662, casó con Carlos II en Quintanapalla (Burgos) el 19 de noviembre de 1679; murió el 12 de febrero de 1689. El hallazgo en el castillo de Rychnov nad Knëznou (Bohemia) de un ejemplar casi idéntico, pareja de otro de Carlos II, firmado y fechado en 1688, permite su atribución segura a García Hidalgo. Hasta 1972, como anónimo madrileño de hacia 1680.
En 1772 estaba en el Retiro.

GARCIA SALMERON. Cristóbal García Salmerón

Nació en Cuenca hacia 1603; murió en Madrid en 1666.

3363 *San Juan Evangelista*

Lienzo, 1,42 × 1,07.

Figura de tres cuartos, de frente, en actitud expectante, cabeza hacia lo alto, representado de más edad de lo habitual, con el cáliz en la mano derecha y una cartela, con un versículo del Credo, en la mano izquierda, en la que se puede leer: «Creatorem Caeli et Terrae».
Forma parte de una de las series de *Apóstoles* pintadas por el artista.
Procede del Museo Nacional de la Trinidad.

GARGIULO (?). Doménico Gargiulo, llamado «Micco Spadaro»

Nació en Nápoles entre 1609-10; murió en 1675 (?). Escuela italiana.

237 *Entrada triunfal de Vespasiano en Roma*

Lienzo, 1,55 × 3,63.

El emperador, en carro tirado por una cuadriga, a la derecha; le preceden y siguen los que le aclaman. Fondo de edificios.
Según De Dominici, éste y el n.° 238 serán obras de Doménico Gargiulo; el Inventario del Retiro de 1701 los atribuye a Orazio Borgianni, y luego se consideraron de la escuela de Lanfranco. En 1794 seguían en el Retiro. Pérez Sánchez ha apuntado la posibilidad de que el fondo arquitectónico sea obra de Codazzi.

238 *Entrada triunfal de Constantino en Roma*

Lienzo, 1,55 × 3,55.

El emperador, a la izquierda, en un carro, precedido de músicos, etc. Fondo de palacios.
Véase el n.° 237.

GELLEE

Véase LORENA

GENTILESCHI. Artemisia Gentileschi

Nació en Roma el 8 de julio de 1593; murió en Nápoles entre 1652-53. Hija de Orazio Gentileschi. Escuela italiana.

149 *El nacimiento de san Juan Bautista*

Lienzo, 1,84 × 2,58.

A la izquierda, Zacarías escribe el nombre de Juan; a la derecha, las piadosas vecinas lavan al niño.
Firmado en un papel, a la izquierda: *ARTEMISA GENTILESCHI.*
Según Longhi, «el mejor logrado estudio de interior de la pintura italiana del siglo XVII».
Pintado en Nápoles hacia 1635, forma serie con los pintados por Máximo Stanzione (núms. 256, 257, 258 y 291.)
En 1701, en el Retiro; desde 1772, en Palacio.

GENTILESCHI. Orazio Lomi de Gentileschi

Nació en Pisa en 1563; murió en Londres el 7 de febrero de 1639. Escuela italiana.

147 *Moisés salvado de las aguas del Nilo*

Lienzo, 2,42 × 2,81.

La hija del faraón y siete servidoras; Moisés, dentro de una cesta.
Firmado en la pulsera de la servidora arrodillada, a la derecha: *ORATIO GEENTILESCHI FIOREN.*
Pintado en Inglaterra y rechazado por Carlos I, fue enviado a Felipe IV por el propio artista en 1633, y en 1636 estaba en la «Pieza nueva sobre el zaguán» en el Alcázar, y se atribuía «a un pintor del Rey de Inglaterra». Luego pasó al Pardo (1674) y al Palacio Nuevo (1794).
Una réplica con variantes se guarda en Howard Castle. En el siglo XVIII se grabó, atribuyéndolo a Veronés.

1240 *El Niño Jesús dormido sobre la Cruz*

Lienzo, 0,75 × 1,00.

Hasta 1920 se catalogó a nombre de

149

147

Zurbarán. Desde 1920 se aceptó la atribución a Gentileschi propuesta por Voss. En la actualidad otros críticos lo consideran de Bartolomeo Cavarozzi. En cualquier caso, es obra romana de un caravaggista matizado de clasicismo. Adquirida en la venta de los cuadros del marqués de la Ensenada (1746); en 1772, en Palacio como de escuela de Guido; en 1794 se creía de Murillo.

3122 *San Francisco sostenido por un ángel*

Lienzo, 1,26 × 0,98.

El santo, arrodillado, desfallece sostenido por el ángel adolescente de alas desplegadas.
Considerado de la escuela de los Carracci hasta que Pérez Sánchez lo relacionó con el cuadro semejante de la Galleria Nazionale de Roma, de Gentileschi. Es algo posterior a 1605.
Colecciones Reales, a las que quizás llegó desde la Colección Maratta.

3122

3188 *Verdugo con la cabeza de san Juan*

Tabla pasada a lienzo, 0,82 × 0,61.

El verdugo, de medio cuerpo; en la mano derecha, la espada; en la izquierda, la cabeza del Bautista.
Firmado: HORA... LOM en la hoja de la espada.
De su etapa juvenil. La iconografía, poco frecuente. Una copia en miniatura, firmada por Juan Montenegro, guarda la Academia de San Fernando (inventario n.° 456).
Adquirido en 1969.

GERARD. Barón François Gérard

Nació en Roma en 1770 y murió en París en 1837. Escuela francesa.

3221 *Carlos X de Francia*

Lienzo, 2,54 × 1,82.

Muestra al monarca con el espectacular atuendo de la consagración monárquica.
La obra es réplica del original hecho para la Corona de Francia y fue regalada a Fernando VII.

GHERING. Anton Günther Ghering o Gerinck

Murió en Amberes en 1668, donde se le documenta desde 1662. Escuela flamenca.

1535 *La iglesia de los jesuitas, de Amberes*

Lienzo, 0,84 × 1,21.

En el altar mayor se ve el *San Ignacio* de Rubens, hoy en el Museo de Viena. La iglesia, construida en 1615, se quemó en julio de 1718.
En 1746, en la Colección de Felipe V, en La Granja.

GIAQUINTO. Corrado Giaquinto

Nació en Molfetta el 8 de febrero de 1703. Estuvo en Madrid de 1753 a 1762; murió en Nápoles el 16 de abril de 1766. Escuela italiana.

103 *El nacimiento del Sol y el triunfo de Baco*

Lienzo, 1,68 × 1,40.

En los aires, Apolo, en su carro, y Juno; en tierra, Baco; en medio, Diana; a la derecha, en el mar, Venus.
Es boceto para el techo del Salón de Columnas del Palacio de Madrid, pintado en 1762.
En 1791 estaba en el Retiro.

104 *La Justicia y la Paz*

Lienzo, 2,16 × 3,25.

Las dos figuras principales, sentadas en un trono de nubes; rodéanlas genios con pertrechos de guerra y con frutos; un león y un cordero, emparejados; a la izquierda, el templo.
Firmado en el peso o rodillo de piedra: CORRADO GIAQUINTO.
La misma composición, con muchas variantes, la repitió Giaquinto para la Sala de Juntas Generales de la Academia, hoy en el Prado.
Ceán lo menciona en Palacio, donde estaba ya en 1772, en la pieza del cuarto del Infante don Antonio.

105 *El sacrificio de Ifigenia*

Lienzo, 0,75 × 1,23.

El rey Agamenón empuña el cuchillo para sacrificar a su hija, cuando aparece Diana, ordenando que sustituya la víctima por una cierva. Detrás, los sacerdotes, músicos, etc.
Fechable hacia 1759-60.
Procede de las Colecciones Reales.

106 *La batalla de Clavijo*

Lienzo, 0,77 × 1,36.

Boceto. El apóstol Santiago, a caballo, pelea con los moros; síguenle caballeros cristianos.
Composición pintada en el platillo de la bóveda de ingreso a la capilla del Palacio Nuevo.
Una copia, de Andrés Ginés de Aguirre, en la Academia de San Fernando, ha sido a veces considerada original.
Procede de las Colecciones Reales.

103

104

107

106

107 *La oración del huerto*

Lienzo, 1,47 × 1,09.

Cristo y el ángel. En bajo, los apóstoles dormidos, y detrás, el tropel de soldados con antorchas.

Pertenece a una serie de lienzos de la vida de Cristo, que registra el inventario del Retiro en 1772, en el Reclinatorio del Rey.

A la misma serie pertenecen los núms. 108, 3131 y 3132.

108 *El descendimiento de la Cruz*

Lienzo, 1,47 × 1,09.

Cristo en brazos de la Virgen; acompáñanles la Magdalena, san Juan y tres santos varones.

Véase el n.° 107.

109 *Gloria de santos*

Lienzo, 0,97 × 1,37.

En primer término, a la izquierda, san Lorenzo; en el resto del lienzo, patriarcas y otros personajes bíblicos: David, Judith; ángeles entre nubes.

Compañero de otros dos lienzos, depositados por el Prado en el Museo Arqueológico de Burgos, bocetos todos para la cúpula de la capilla del Palacio Nuevo, concluida ya en 1755.

En 1772, en el Palacio Nuevo.

110 *El triunfo de san Juan de Dios*

Lienzo, 2,13 × 0,98.

En la parte baja, actos de caridad del santo, que en la parte superior es coronado por la Virgen, en el cielo, entre santos y ángeles.

Estudio para la bóveda de San Giovanni Calibita en el Hospital de Fate Bene Fratelli (Roma). Obra de 1740.

Otras versiones, en colección particular italiana y en el Hospital de la Orden, en Venecia.

En 1772 estaba en la sacristía grande del Palacio Nuevo.

3131 *La coronación de espinas*

Lienzo, 1,41 × 0,97.

Interior de la prisión. En el centro, Cristo sentado con el torso desnudo. A su alrededor, los verdugos. Detrás, soldados con armaduras.

Véase el n.° 107.

3192

3132 *Camino del calvario*

Lienzo, 1,41 × 0,97.

Cristo, rodeado de soldados, caído en tierra, es ayudado a levantar la cruz por el Cirineo. Fondo de paisaje y acompañamiento.
Véase el n.° 107.

3192 *Paisaje con cascada*

Lienzo, 1,56 × 2,29.

En primer término, dos pastores. A la otra orilla del río, dos figuras desnudas de bañistas.
Obra curiosa, como su compañera (n.° 3193), pues no se conocen otros paisajes de su mano.
En el Buen Retiro, en 1775.

3193 *Paisaje con cazadores*

Lienzo, 1,56 × 2,29.

Un sendero por el que avanzan los cazadores precedidos por su perro. Fondo de paisaje rocoso, y en primer término, un árbol casi desnudo.
Véase el n.° 3192, su compañero.

3204 *La Trinidad*

Lienzo ovalado, 0,80 × 0,68.

Cristo, muerto, en brazos de un ángel. Detrás, Dios Padre. Al fondo, angelito portando la corona de espinas.
En relación muy estrecha con el fresco de la bóveda del presbiterio de la capilla del Palacio Nuevo.
En 1794, en el Palacio Nuevo.

5118 *El paraíso*

Lienzo, 0,90 × 1,80.

Escena celestial con figuras evangélicas y de santos sobre nubes. En primer término, santo Tomás de Aquino, santo Domingo y san Francisco; detrás, san Antonio de Padua; a la derecha, santa Inés con el cordero, santa Cecilia y, detrás, la figura de san Francisco, santa Clara con la custodia. En segundo plano, a la derecha, san Genaro, y en la parte superior, santa María Magdalena, semidesnuda, y dos santas.
Boceto realizado, hacia 1754, para la cúpula de la capilla del Palacio Nuevo de Madrid.
En 1772, en el Palacio Real.

5441 *La Trinidad y santos*

Lienzo, 0,99 × 1,38.

Escena celestial entre nubes. En la parte superior, la Santísima Trinidad coronando a la Virgen, que aparece rodeada de una serie de santos, entre los que se pueden distinguir: abajo a la derecha, san Jorge y santa Bárbara; detrás, san Juan Bautista y san Juan Evangelista; y, a la izquierda de la composición, san José.
Boceto realizado, lo mismo que el n.° 5118, para la cúpula de la capilla del Palacio Nuevo; se corresponde con el motivo central de la misma.
En 1772, en el Palacio Nuevo.

5444 *La Santísima Trinidad*

Lienzo, 2,95 × 1,70.

En la parte superior, en una gloria rodeada de ángeles y serafines, el Sagrado Corazón de Jesús con la Trinidad; en la parte inferior, la Virgen, san José, san Juan Bautista, santo Domingo, san Francisco, María Magdalena, santa Catalina, san Hermenegildo, san Fernando, san Ignacio, san Francisco de Borja, santa Bárbara, san Isidoro, Santiago, santa Cecilia y santa Juana Chantal; todos ellos muy de la devoción de los soberanos españoles.
La obra, pintada hacia 1753, se registra en el «Reclinatorio del Rey» del Palacio del Buen Retiro.

GINER. Tomás Giner

Pintor aragonés, discípulo de Huguet, documentado en 1454-1480. Escuela española.

1334 *San Vicente, diácono y mártir*

Tabla, 1,85 × 1,17.

En pie, pisa a un moro; a su izquierda la cruz en aspa; a su derecha, la rueda de molino; la palma y el libro, en la diestra a los lados, dos ángeles músicos, y en el ángulo izquierdo, el donador arrodillado; inscripción: *SANCTE VICENTI ORATE PRO NOBIS AMEN.*
Tormo y Post consideran esta tabla obra del maestro del arzobispo Dalmáu de Mur, conocido por el retablo del Palacio Arzobispal de Zaragoza, que lleva las armas de este prelado.
Gudiol ha identificado el anónimo maestro con Tomás Giner.
Procede de la capilla del Arcediano, de

1334

a Seo de Zaragoza. Vino al Prado esde el Museo Arqueológico.

IORDANO. Luca Giordano, amado en España Lucas Jordán

lació en Nápoles en 1634. Llegó a ladrid en mayo de 1692; marchó el de mayo de 1702; murió en Nápo- s el 12 de enero de 1705. Escuela aliana.

51 *Abraham oye las promesas el Señor*

ienzo, 0,66 × 1,80.

n primer término, Abraham, echado a tierra, en actitud implorante. Dios adre señala a los reyes de las tribus. A la izquierda, figura orante. En 1701 en la ermita de San Juan del Buen Retiro; en 1794 en el Palacio Nuevo.

152 *Abraham adorando tres ángeles*

Lienzo, 0,65 × 1,68.

A la izquierda, Abraham, en actitud orante, ante los tres ángeles adolescentes.
Véase el n.º 151.

153 *Lot embriagado por sus hijas*

Lienzo, 0,58 × 1,54.

Pasaje que se refiere en el cap. XIX del *Génesis.*
En 1701, en la ermita de San Juan del Buen Retiro.

157 *Viaje de Jacob a Canaán*

Cobre, 0,59 × 0,58.

Caravana de caballos, camellos, rebaños, etcétera.
Pasaje del cap. XXXI del *Génesis.*
En 1700, en el Salón de los Espejos, del Alcázar; en 1772 y 1794, en el Palacio Nuevo.

159 *El cántico de la profetisa María*

Cobre, 0,58 × 0,84.

La hermana de Moisés canta después del paso del mar Rojo, acompañada por las mujeres de Israel.
Pasaje del cap. XV del *Exodo.*
Pareja del n.º 157.

160 *La derrota de Sísara*

Lienzo, 1,02 × 1,30.

En el cielo, a la izquierda, un ángel con el mazo y el clavo con que Jael había de matar a Sísara.
Pasaje del cap. IV del Libro de los *Jueces.*
Esta obra y la siguiente son bocetos para los frescos de la cúpula de la iglesia de Santa María Donnarómita, de Nápoles.
En 1772, en el Palacio Nuevo, procedente de la Colección del marqués de la Ensenada.

161 *Victoria de los israelitas y cántico de Débora*

Lienzo, 1,02 × 1,54.

En medio, sobre una roca, la profetisa Dévora; Jehová, entre nubes y ángeles.
Igual origen que el boceto n.º 160.

162 *Hércules en la pira*

Lienzo, 2,24 × 0,91.

Compañero del n.º 194.
Se registra en el Buen Retiro en 1772 y en 1794.

163 *Sansón y el león*

Lienzo, 0,95 × 1,42.

Sansón, vencedor, abriendo la boca del león. Fondo de paisaje.
En 1701 en la ermita de San Juan del Buen Retiro; en 1772 en el Palacio Nuevo.

157

159

166

165 *Bethsabé en el baño*

Lienzo, 2,19 × 2,12.

Bethsabé, a quien enjuga los pies una servidora, al borde del baño, junto a una fuente, es contemplada por David, asomado a un balcón al fondo.
En 1772, en el Palacio Nuevo.

166 *La prudente Abigail*

Lienzo, 2,16 × 3,62.

David, ante él de hinojos Abigail que le presenta los víveres para el ejército; a su derecha, un bufón enano.
Refiérese el hecho en el libro I de los *Reyes,* cap. XXV.
En 1701 en El Pardo, sin nombre de autor; en 1772 y en 1794, en el Palacio de Madrid.

167 *Sueño de san José*

Tabla, 0,62 × 0,48.

En primer término, san José dormido. Encima, el Padre Eterno con ángeles, entre nubes. Al fondo, a la derecha, la Virgen orando.
Los inventarios antiguos señalan la evidente imitación del estilo de Correggio.
En 1746 en La Granja, donde lo citan también Ponz y Ceán Bermúdez.

168 *Sagrada Familia*

Tabla circular, 1,04 de diámetro.

En el centro, la Virgen con el Niño en brazos, al que besa el pie san Juanito; san José, a la izquierda, observa la escena. Fondo de paisaje.
Firmado con falso monograma de Rafael.
Imitación de las pinturas del siglo XVI.
Inventario del Palacio Nuevo de Madrid de 1772.

171 *El beso de Judas*

Lienzo, 0,43 × 0,66.

En el centro, Cristo sujeto por los soldados recibe el beso de Judas. A la derecha, san Pedro cortando la oreja a Malco. Al fondo, el Monte de los Olivos.
Compañero del n.° 172 y, como él, evocador del estilo flamenco.
En 1746 en La Granja, colección de Isabel de Farnesio.

172 *Pilato lavándose las manos*

Cobre, 0,43 × 0,66.

A la derecha, Pilato lavándose las manos. Un grupo de sayones le presenta a Cristo. Paisaje a través de un vano. Es evidente la imitación del estilo flamenco.
Compañero del n.° 171 y de la misma procedencia. Se conocen otros ejemplares de esta composición, como el de la Colección Santamarca de Madrid.

174 *Cristo con la cruz a cuestas*

Lienzo, 0,77 × 0,71.

Busto, con manos, de tamaño natural. Colecciones Reales. Probablemente e cuadro que cita Ponz en el Oratori del Palacio Nuevo.

178 *San Antonio de Padua*

Lienzo, 1,21 × 0,93.

Más de media figura, con el Niño Jesús en los brazos.
Palmaria imitación del estilo de Ribera.
Procede de las Colecciones Reales.

179 *Santa Rosalía*

Lienzo, 0,81 × 0,64.

En contemplación con una azucen en la mano.
En 1746 en La Granja, colección d Isabel de Farnesio.

181 *San Francisco Javier*

Lienzo, 0,97 × 0,71.

Media figura; tiene en la diestra e crucifijo.
En 1746 figura entre los cuadros d Isabel de Farnesio.

182 *Santa salvada de un naufragio*

Lienzo, 0,62 × 0,77.

Un ángel la presenta a la Virgen, que acompañada por ángeles, la acoge.
En 1772 y en 1794, en Palacio.
Ferrari y Scavizzi (1992) la identifica con santa Brígida, y creen que es e cuadro citado en 1700 en el Salón d los Espejos del Alcázar.

183 *Toma de una plaza fuerte*

Lienzo, 2,35 × 3,43.

A la derecha, las murallas y soldados el general, a caballo, recibe indicacio nes de una guía.
Probablemente formaba parte de un serie sobre las «Empresas de Fernand el Católico» a la que también perte

ecían la *Batalla del Salado* y la *Bata-* *'a,* del Patrimonio Nacional.
:n 1701 estaba en el Retiro, ermita de an Juan.

84 *La batalla de San Quintín*

ienzo, 0,53 × 1,68.

oceto.
)e la serie de bocetos para los frescos el friso de la escalera de El Escorial. n 1701 en el Retiro, donde lo vieron ımbién Ponz y Ceán.

87 *Prisión del condestable 'e Montmorency en la batalla 'e San Quintín*

ienzo, 0,53 × 1,68.

ste y los dos siguientes se ha dicho ue son bocetos para los frescos de la calera de El Escorial, si bien Ferrari Scavizzi (1992) piensan que se trata e réplicas, con colaboración de taller. dquirido a Pilar de la Torre en 21 de nio de 1876.

88 *Prisión del Almirante e Francia en la batalla e San Quintín*

ienzo, 0,53 × 1,68.

éase el n.° 187.

89 *Felipe II con sus arquitectos ıspecciona El Escorial*

enzo, 0,53 × 1,68.

la derecha, el rey con su séquito exainando los planos que le presentan s arquitectos. A la izquierda, los ›reros se afanan en la construcción. éase el n.° 187.

)0 *Rubens, pintando: legoría de la paz*

enzo, 3,37 × 4,14.

ıbens, sentado sobre la Discordia, nta a una matrona que ahuyenta el ıror; está rodeado por figuras alericas: matronas, genios, atributos, cétera.
obablemente es la que se cita entre los bienes que en 1682-1683 tenía en Roma el marqués de Caspio. En 1711 figura en el inventario de la Colección del IX duque de Medinaceli. En 1754 aparece entre los bienes del marqués de la Ensenada.
En 1772, en Palacio.

193 *La muerte del centauro Neso*

Lienzo, 1,14 × 0,79.

El centauro, herido por la flecha de Hércules, dirige moribundo la mirada a Deyanira. Fondo de paisaje.
En 1794, en Palacio.

194 *Perseo, vencedor de Medusa*

Lienzo, 2,23 × 0,91.

El héroe, empuñando por los cabellos la cabeza de Medusa, se presenta en el banquete de las Gorgonas, causando terror.
Compañero del n.° 162.
Se registra en el Retiro en 1794.

195 *Andrómeda*

Lienzo, 0,78 × 0,64.

Figúrasela encadenada a un peñasco y amenazada por el dragón que sale del mar.
Anotaban los *Catálogos* antiguos que en este lienzo imita Jordán la técnica veneciana.
Se ha atribuido al pintor madrileño Juan Antonio Escalante.
Procede de las Colecciones Reales.

196 *Eneas, fugitivo con su familia*

Lienzo, 2,79 × 1,25.

El héroe huye de Troya, llevando a su padre, Anquises, y seguido por su esposa, Creusa, y su hijo Ascanio.
En 1700, en la Zarzuela; en 1772, en Palacio.

197 *Carlos II, a caballo*

Lienzo, 0,81 × 0,61.

En la parte alta, dos figuras con la cruz y el cáliz.

190

193

197

Sobre el retratado, véase el n.° 642.
En 1772, en el Retiro, donde lo citan Ceán y Frédérel, que lo vieron allí en 1825.

3179

198 *Doña María Ana de Neubourg, reina de España, a caballo*

Lienzo, 0,81 × 0,61.

En la parte alta, dos genios de la Abundancia.
Doña María Ana, segunda mujer de Carlos II. Hija de Felipe Guillermo, duque de Neubourg. Nació el 28 de octubre de 1667; casó en Valladolid el 4 de mayo de 1690; murió en Guadalajara el 16 de julio de 1740.
Compañero del anterior.

1105 *La Magdalena, penitente*

Lienzo, 1,53 × 1,24.

Sentada en una piedra, apoya el codo derecho en una calavera; un libro abierto en la mano izquierda.
En 1746, en La Granja, Colección de Isabel de Farnesio, donde se atribuía a Veronés. Ponz lo vio en el Palacio Nuevo, en cuyo inventario de 1794 aparece como obra de Giordano.
Vino al Museo en 1827.
Se atribuyó en el Museo a Murillo, hasta 1904, y a Ribera o su escuela hasta 1972.
La atribución a Giordano es hoy generalmente aceptada.

2761 *Carlos II, a caballo*

Lienzo, 0,68 × 0,54.

El rey, armado y con sombrero. Al pie, un paje con el casco; en primer término, a la derecha, piezas de armadura; al fondo, una batalla.
Boceto para un cuadro no conocido.
Carlos II, n.° 642.
Legado de Fernández-Durán (1930).

2762 *Carlos II, a caballo*

Lienzo, 0,80 × 0,62.

Boceto: ejemplar sin variantes respecto al n.° 197.
Legado de Fernández-Durán (1930).

2763 *Doña María Ana de Neubourg, reina de España, a caballo*

Lienzo, 0,80 × 0,62.

Boceto. Sin variantes respecto al número 198.
Compañero del precedente.
Legado de Fernández-Durán (1930).

2993 *San Carlos Borromeo*

Lienzo, 1,26 × 1,04.

El santo Arzobispo de Milán reparte limosnas a los pobres.
Se conocen otras versiones análogas de la misma composición.
Adquirido en Madrid por el Ministerio de Educación Nacional en el añ
1956.

3178 *Juicio de Salomón*

Lienzo, 2,50 × 3,60.

A la derecha, en lo alto, el rey sobr un solio. A la izquierda, las dos mu jeres, el verdugo con el niño, y en e suelo, el niño muerto y acompaña miento. Fondo de arquitectura.
El lienzo, como el siguiente, *Sueñ de Salomón,* forma parte de una seri de ocho lienzos de dimensiones se mejantes, seis de los cuales guard hoy el Palacio Real, que repiten la composiciones pintadas al fresco e las bóvedas del coro de El Escoria en 1693, con historias de David Salomón. Estas composiciones e lienzo, que se mencionan varias vece en los inventarios de Palacio, sirviero de modelos para los cartones de un serie de tapices en la Real Fábrica d Santa Bárbara, que hoy se guarda también en Palacio.
En la sala del Tesoro de la catedral d Toledo hay réplica, quizá cartón pa tapiz.
En 1701 en la ermita de San Juan d Buen Retiro; en 1772, en Palacio.

3179 *Sueño de Salomón*

Lienzo, 2,45 × 3,61.

A la derecha, Salomón dormido en u lecho. Entre nubes, Dios Padre rode do de ángeles. Sobre el rey, Minerv que simboliza la Sabiduría.
El asunto representado, poco frecuen te, procede del *Libro I de los Rey* cap. III, vers. 5-14. Compañero d anterior.
Una réplica más débil, que quizá sea cartón para tapiz, se guarda en la ant sacristía de la catedral de Toledo.
En 1701 en la ermita de San Juan d Buen Retiro; en 1772, en Palacio.

3195 *Riña de Isaac e Ismael*

Lienzo, 1,75 × 0,84.

En primer término, los dos niños, p

leándose. Al fondo, sobre una escalinata, a la derecha, Sara; a la izquierda, Abraham despidiendo a Agar con Ismael.
En 1701 en el Buen Retiro.

3261 *Mesina restituida a España*

Lienzo, 2,72 × 4,43.

Debajo, a la derecha, en una cartela, un soneto que describe el hecho.
Mesina figura desnuda, coronada de torres; se acoge a España, matrona entronizada sobre las cuatro partes del mundo. Genios de la Paz ahuyentan al genio de Francia, la Ira y la Discordia. A los pies, el Tiempo.
Mesina, que había sido ocupada por las tropas francesas, fue abandonada por Luis XIV en 1678, y Giordano pintó entonces un completo cuadro minuciosamente descrito por Dominici, del cual es sin duda derivación simplificada el presente. Bajo la inscripción, los rayos infrarrojos han revelado la firma: *JORDANUS 1678.*
Estuvo en el Buen Retiro.

GIORDANO. Copia de Luca Giordano

573 *Autorretrato*

Lienzo, 0,58 × 0,44.

De menos de medio cuerpo.
En 1794, en la Quinta del duque del Arco.

GIORGIONE. Giorgio da Castelfranco Giorgione (?)

Nació hacia 1478 en Castelfranco Veneto (Marca de Treviso); murió en Venecia, en 1510, poco antes del 25 de octubre. Escuela italiana.

288 *La Virgen, con el Niño en brazos, entre san Antonio de Padua y san Roque*

Lienzo, 0,92 × 1,33.

La Virgen, sentada. Fondo de paisaje.
Cuadro sin acabar.

288

Fechable hacia 1510.
El padre Santos (1657) lo describe de sobrepuerta en la sacristía de El Escorial y como de «mano del Bordonon». Se ve en *La Santa Forma* de Claudio Coello.
Morelli lo atribuyó con seguridad a Giorgione; según Justi, es la primera obra de la madurez del artista. Por el texto del siglo XVII se consideró del pincel de Pordenone, y en un tiempo se creyó también obra juvenil de Tiziano, idea a la que ha vuelto la crítica más reciente. En cambio, Adolfo Venturi, después de haber sostenido que era de Tiziano, en su *Storia* la restituyó a Giorgione. Es ejemplo elocuente de las vacilaciones de los críticos.
Según Morassi, regalado por el duque de Medina de las Torres, virrey de Sicilia, a Felipe IV, aunque es información sin confirmar. Se trajo de El Escorial en 13 de abril de 1839.

GOBERT. Pierre Gobert

Nació en Fontainebleau el 1 de enero de 1662; murió en París el 13 de febrero de 1744. Escuela francesa.

2262 *Luis XV, niño*

Lienzo, 1,29 × 0,98.

Viste traje amarillo rameado de blanco rojo con adornos de plata; ostenta el Saint-Esprit; el brazo derecho sobre el perrillo que desde un sillón ladra al mono.
Hijo del duque de Borgoña y de María Adelaida de Saboya, nació el 15 de febrero de 1710. Delfín desde el 8 de marzo de 1712, subió al trono el 1 de septiembre de 1715 y murió el 10 de mayo de 1774.
Debajo del sillón, el letrero *LUDOVICUS. DELPHINUS FRANCIAE AETATIS SVAE MENSE QUARTO SUPRA ANNUM IV GOBERT PINXIT MENSE JUNI AN. 1714.*
Salvado en el incendio de 1734.

2263 *La duquesa de Berry*

Lienzo, 1,29 × 0,98.

Viste traje encarnado; en la diestra, un antifaz negro.
Puede tratarse de la esposa del tercer hijo varón del Gran Delfín; por tanto, nieto de Luis XIV y hermano de Felipe V. Retrato de atribución e identificación inciertas. Madame Charagat, conservadora del Museo de Carnavalet, señaló (1960) otros cinco ejemplares, atribuidos a Gobert y a Mignard; y para la retratada, además del que en-

2274

cabeza la papeleta, los de Mlle. de Clermot, superintendente de la reina María Leczinska, duquesa de Bouillon, Mlle. de Nantes y Margarita Bethume, hija del duque de Sully.
Los *Catálogos* anteriores al de 1933 lo atribuían a René Antoine Houasse, que murió en 1710.
Salvado del incendio de 1734; pasó al Retiro.

2274 *La duquesa de Borgoña con sus hijos*

Lienzo, 2,16 × 2,68.

Será un retrato familiar, con aire mitológico, de Adelaida de Saboya, esposa del duque de Borgoña, padres de Luis XV, quien debe ser el que lleva una antorcha.
Se advierte que las cabezas están superpuestas. En 1747, en vida suya, se atribuía este lienzo a Gobert, en el inventario del Palacio Nuevo.
Hasta 1972 se consideró que representaba a Leda y el cisne.

2295 *María Luisa de Orleáns, duquesa de Berry*

Lienzo, 1,38 × 1,05.

Casi de cuerpo entero, sentada; traje color malva, manto azul con lises y armiño.
Hija del regente Felipe de Orleáns, nació en Versalles el 20 de agosto de 1695, casó el 6 de julio de 1710 con el duque de Berry, hermano de Felipe V; murió el 21 de julio de 1719.
Fue identificado en 1920 como retrato de mademoiselle de Nantes, hija de Luis XIV y la Montespan (1673-1743).
En 1772 se registra en el Retiro.

2296 *La primera mademoiselle de Blois, princesa de Conty (?)*

Lienzo, 0,80 × 0,66.

De más de medio cuerpo, camisa blanca y túnica carminosa; en la diestra, la lira.
María Ana de Borbón fue hija legítima de Luis XIV y de la Valière; nació el 2 de octubre de 1666; murió el 3 de mayo de 1739.
Salvado del incendio de 1734.

2297 *Niña con una jaula*

Lienzo, 0,82 × 0,65.

De más de medio cuerpo; traje azul con galortes dorados, gorro con plumas, una mariposa en la diestra, y [...] izquierda sobre la jaula.
En los *Catálogos* anteriores a 1933, [...] nombre de Jean Nattier. En 1794, e[...] el Retiro, se atribuía a Meléndez.

6896 *El duque de Chartres*

Lienzo, 0,75 × 0,62.

Aparece personificando a Cupid[...] dentro de la moda de los retratos m[...]tológicos, e inscrito en un medalló[...] ovalado.
Estaba en el Alcázar de Madrid e[...] 1734.

GOMEZ. Jacinto Gómez Pastor

Nació en San Ildefonso en 1746; mu[...]rió en Madrid en 1812. Escuela es[...]pañola.

715 *Adoración del Espíritu San[...] por los ángeles*

Lienzo, 0,46 × 0,46.

Boceto para el techo del oratorio d[...] Palacio de La Granja.
Procede de las Colecciones Reales.

GONZALEZ. Bartolomé González

Nació en Valladolid en 1564; mu[...]rió en Madrid en 1627. Escuela es[...]pañola.

716 *La reina doña Margarita de Austria*

Lienzo, 1,15 × 1,00.

Más de media figura. La diestra sob[...] la cabeza del perro Baylan *(Vaillant)* [...] un pañuelo en la izquierda. Traje [...] tocado con joyas.
Hija del archiduque Carlos de Aus[...]tria-Stiria y de María de Baviera, na[...]ció el 23 de diciembre de 1584, ca[...]só con Felipe III en Valencia el 18 d[...] abril de 1599 y murió el 6 de octub[...] de 1611.
Firmado: *BARME. GONZALEZ FT., 160[...]*

Se describe en el inventario del Alcázar de Madrid de 1621.

GONZALEZ DE LA VEGA. Diego González de la Vega

Pintor madrileño nacido hacia 1628; muerto en 1697. Escuela española.

3816 *Jesucristo coronando a san Ramón Nonato*

Lienzo, 1,36 × 1,99.

En el centro de la composición, rodeados de ángeles, Cristo impone al santo la corona de espinas, alusiva a los sufrimientos que éste había soportado. A ambos lados, distintos episodios relativos a la vida del santo mercedario.
Firmado en el ángulo inferior izquierdo: *DIEGO GONZALEZ FT., 1673.*
Un dibujo preparatorio se conserva en la Biblioteca Nacional de Madrid.
Procede del convento de la Merced Calzada de Madrid, de donde pasó al Museo Nacional de la Trinidad.

GONZALEZ VELAZQUEZ. Antonio González Velázquez

Nació en Madrid en 1723, hizo testamento en la misma ciudad el 12 de enero de 1794.

716

7459

7459 *Retrato de doña Manuela Tolosa y Abylio, esposa del artista*

Lienzo, 0,79 × 0,56.

Figura femenina sentada, de medio cuerpo, mirando al espectador y ataviada según la moda Imperio. Lleva un tocador de flores, diadema de perlas, pendientes de colgante, un medallón sobre el pecho y abanico en la mano derecha.
Adquirido en 1988.

7460 *Autorretrato*

Lienzo, 0,90 × 0,68.

Figura de medio cuerpo, sentada, mirando al espectador, con la paleta en la mano izquierda y el pincel en la derecha, haciendo alusión a su oficio de pintor. Fondo de cortinaje.
Del mismo lienzo se conservan dos copias con variantes, una en la Academia de San Fernando y otra en el Museo del Prado (n.º 2495), atribuidas a su hijo Zacarías.
Adquirido en 1988.

GONZALEZ VELAZQUEZ. Zacarías González Velázquez

Nació en Madrid en 1763, donde murió el 31 de enero de 1834. Escuela española.

7460

2897 *Pescador*

Lienzo, 1,10 × 1,96.

Sentado, saca del agua un copo, o esparabel.
Pintado, según documento aportado por Sambricio, para la pieza de damas del cuarto de la Princesa del Palacio de El Pardo (29 de diciembre de 1785).
En el *Catálogo* de 1952 como de Goya, con interrogante.

3076 *Retrato de dama*

Lienzo, 0,45 × 0,35.

Mirando al espectador y ataviada según la moda Imperio.
Adquirido por el Patronato en Madrid, en 1964.

GOSSAERT

Véase MABUSE

GOWY. Jacob Pieter Gowy

Discípulo de Paul van Oberbeeck, en Amberes, en 1632-1633; maestro en 1636-1637. Escuela flamenca.

1538 *Hipomenes y Atalanta*

Lienzo, 1,81 × 2,20.

Fondo de paisaje.
Firmado en el pedestal de la derecha:

J. P. GOWI F. Pintado para la Torre de la Parada, sobre un boceto de Rubens que fue de la Colección del duque de Osuna, vendido en 1896.
En 1700 y 1747 en la Torre de la Parada. En 1772 y 1794 en el Palacio Nuevo.

1540 *La caída de Icaro*

Lienzo, 1,95 × 1,80.

Las figuras de Icaro, que cae, y de su padre Dédalo, que vuela. Fondo de mar y costa con un pueblo murado y dos pescadores en la orilla con red y un pescado.
Firmado en el peñasco de la izquierda: *GOUI F.*
Pintado para la Torre de la Parada, sobre un boceto de Rubens, en el Museo de Bruselas.
Vino al Museo del castillo de Viñuelas, donde estaba en 1794 procedente del Retiro.

1538

1540

719

72[illegible]

GOYA. Francisco de Goya

Nació en Fuendetodos (Zaragoza) el 30 de marzo de 1746; murió en Burdeos el 16 de abril de 1828. Escuela española.

719 *Carlos IV, a caballo*

Lienzo, 3,36 × 2,82.

Viste de uniforme azul marino, de coronel de Guardias de Corps. Lleva el toisón y las bandas de Carlos III y San Jenaro; guantes amarillos. Fondo de campo, con un arroyo; nubes tormentosas.
Se pintó entre junio de 1800 y julio de 1801 como compañero del número siguiente.
Carlos IV, hijo de Carlos III y de María Josefa Amalia de Sajonia, nació en Portici el 12 de noviembre de 1748; casó con María Luisa de Parma el 4 de septiembre de 1765. Sucedió a su padre el 14 de diciembre de 1788; murió en Nápoles el 19 de enero de 1819.
Con su pareja (n.° 720) estaba en el Palacio en 1814 y, ya en 1819, en el Prado.

720 *La reina María Luisa, a caballo*

Lienzo, 3,38 × 2,82.

Viste uniforme de coronel de Guardias de Corps; monta a horcajadas. Fondo de paisaje; a la izquierda, un edificio con cúpula.
Pintado en El Escorial a primeros de octubre de 1799, con sólo tres sesiones del modelo. Al caballo llamaban «el Marcial», regalo de Godoy. María Luisa, hija de don Felipe, duque de Parma, y de Luisa Isabel de Francia, nació en Parma el 9 de diciembre de 1751; casó con su primo Carlos IV el 4 de septiembre de 1765; murió en Roma el 2 de enero de 1819.
Sobre su procedencia véase el número anterior.

721 *El pintor Francisco Bayeu*

Lienzo, 1,12 × 0,84.

De más de medio cuerpo, sentado en un sillón tapizado de verde, el pincel en la diestra; viste un batín gris perla, chaleco azulado y faja, camisa blanca.
Pintado en 1795; se expuso «sin concluir» en la Academia de San Fernando en el mes de agosto, en que murió Bayeu. Goya siguió al pintarlo el *Autorretrato* de Bayeu, que poseía el marqués de Toca.
Francisco Bayeu (1734-1795) era hermano de Ramón y Fr. Manuel, también pintores, y cuñado de Goya.
Adquirido para el Museo de la Trinidad (R. O. de 16 de noviembre de 1866), a Andrés Mollinedo, descendiente de Pedro Ibáñez, marido de Feliciana Bayeu, que fue quien encargó el lienzo a Goya.

722 *Josefa Bayeu*

Lienzo, 0,82 × 0,58.

De más de medio cuerpo, sentada en una silla; pañoleta de tul, las mangas con adornos dorados; guantes grises; entre las manos, el abanico cerrado.

Parece pintado hacia 1798, según Allende-Salazar.

No es segura la identificación tradicional. Un dibujo fechado en 1805 y que al dorso dice: *DOÑA JOSEFA BAYEU POR GOYA,* que pertenecía al marqués de Casa-Torres, no la refuerza ciertamente.

Hermana de Francisco Bayeu (número 721). Nació en Zaragoza en 1747, casó con Goya en 1773 y murió el 20 de junio de 1812.

Adquirido para el Museo de la Trinidad, a don Román de la Huerta, por R. O. de 3 de abril de 1866.

723 *Autorretrato*

Lienzo, 0,46 × 0,35.

Busto. Ropa castaño muy oscuro y camisa abierta dejando ver el cuello.

Firmado en el fondo, parte alta: *FR. GOYA. ARAGONES. POR EL MISMO.*

En la Academia de San Fernando, un ejemplar semejante está fechado en 1815.

Adquirido por el Museo de la Trinidad a don Román de la Huerta (R. O. de 5 de abril de 1866).

724 *Fernando VII en un campamento*

Lienzo, 2,07 × 1,40.

En pie, la mano derecha en la cintura, el bicornio bajo el brazo; la mano izquierda sobre la guarnición de la espada; viste casaca negra con entorchados y pantalón amarillo; fajín de general; banda de Carlos III y Toisón. Detrás caballos y soldados, y al fondo, tiendas de campaña e incendios de batallas.

Firmado en el ángulo inferior izquierdo: *GOYA,* invertidas las letras.

Hijo de Carlos IV y María Luisa, nació en El Escorial el 14 de octubre de

723

721

722

724

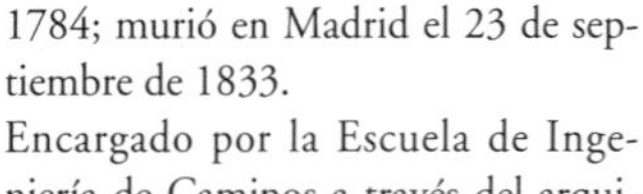

1784; murió en Madrid el 23 de septiembre de 1833.
Encargado por la Escuela de Ingeniería de Caminos a través del arquitecto Francisco Javier Mariategui.
Vino del Museo de la Trinidad, adonde se llevó (R. O. de 24 de mayo de 1869) de la Escuela de Ingenieros de Caminos.

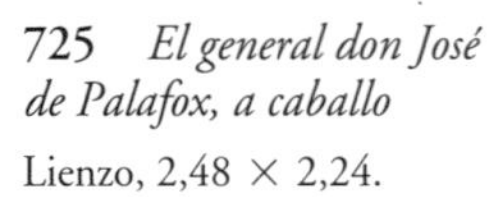

725 *El general don José de Palafox, a caballo*

Lienzo, 2,48 × 2,24.

En actitud de dar órdenes, empuña el

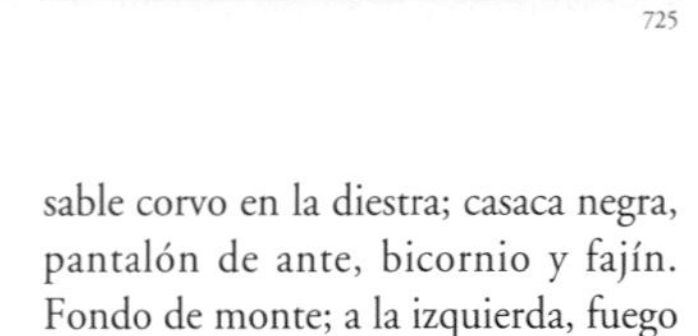

725

sable corvo en la diestra; casaca negra, pantalón de ante, bicornio y fajín. Fondo de monte; a la izquierda, fuego y humo.
Firmado en la parte baja, a la izquierda: *EL EXCMO. Sr. Dn. JOSEF PALAFOX Y MELCI, POR GOYA, AÑO DE 1814.*
Don José Rebolledo de Palafox y Melci nació en Zaragoza el 28 de octubre de 1775; murió el 15 de abril de 1847. Fue hecho duque de Zaragoza por la heroica defensa de la ciudad en 1808.
Legado por Francisco, hijo del general; entró en el Museo el 23 de febrero de 1884.

727

728

726 *La familia de Carlos IV*

Lienzo, 2,80 × 3,36.

De izquierda a derecha aparecen: don Carlos María Isidro, vestido de rojo; Goya, pintando; el príncipe (después Fernando VII), de azul; doña María Joefa, de blanco; la futura princesa de Asturias, de blanco y amarillo, con el rostro vuelto, por ignorarse cuál sería; doña María Isabel, de blanco y verde; la reina María Luisa, de blanco y amarillo; don Francisco de Paula, de rojo; el rey Carlos IV, de castaño; don Antonio Pascual, de azul; doña Carlota Joaquina (?); don Luis, príncipe de Parma, de anaranjado, y su mujer doña María Luisa, de blanco y oro, con su hijo Carlos Luis en brazos. Fondo de salón con dos cuadros. Pintado en Aranjuez en la primavera de 1800. El Prado posee los estudios para este lienzo, que llevan los números 729-733.
Datos de los retratados.—Don Carlos María Isidro, n.° 731; Fernando VII, n.° 724; doña María Josefa, n.° 729; doña María Isabel, hija de Carlos IV y María Luisa, nació el 4 de julio de 1789; casó con Francisco I de las Dos Sicilias el 6 de diciembre de 1802; murió en Portici el 13 de septiembre de 1848; la Reina María Luisa, n.° 720; don Francisco de Paula, hijo de Carlos IV y María Luisa, nació en Madrid el 10 de marzo de 1794; murió en Madrid el 13 de agosto de 1865; Carlos IV, n.° 727; don Antonio Pascual, n.° 733; doña Carlota Joaquina, hija mayor de Carlos IV y María Luisa, nació en Madrid el 25 de abril de 1775, reina de Portugal; murió en Queluz el 7 de enero de 1830; don Luis, n.° 732; doña María Luisa, hija de Carlos IV, nació en La Granja el 6 de julio de 1782; murió en Roma el 13 de marzo de 1824; don Carlos Luis, hijo de don Luis y de doña María Luisa, nació en Madrid el 22 de diciembre de 1799; fue rey de Etruria entre 1803 y 1807; murió en 7 de abril de 1883. Dos

726

problemas de identificación plantea este cuadro: primero, la joven que tiene el rostro vuelto (indicio de que Goya no la conocía ni por retrato) se ha dicho que es Carlota Joaquina, que era de menor estatura y gallardía, de la que no faltaban retratos en Palacio y que parece figura en otro lugar del lienzo. Se ha supuesto, por otros, que representa a doña María Antonia (hija de Fernando I de las Dos Sicilias, nació en Nápoles el 4 de diciembre de 1784; murió en Aranjuez el 21 de mayo de 1806); pero no se casó con Fernando VII hasta el 4 de octubre de 1804, y en 1800 no se pensaba en esta boda, ni en ninguna concreta; segundo, en la dama que está entre don Antonio Pascual y don Luis, se ha querido ver a la esposa de aquél, doña María Amalia (hija de Carlos IV, nació en Aranjuez el 9 de enero de 1779), pero había muerto hacía dos años, 27 de julio de 1798; en cambio, por la estatura y por otros rasgos, se puede creer retrato de doña Carlota Joaquina.

En 1814 estaba el lienzo en el Palacio Nuevo, y veinte años después figura ya en el Museo.

727 *Carlos IV*

Lienzo, 2,07 × 1,27.

En pie; viste uniforme de coronel de Guardias de Corps, casaca azul forrada de rojo; rojos el chaleco y el calzón; ostenta el Toisón y las bandas de Carlos III y San Jenaro; el sombrero, en la mano izquierda; apoya la diestra en el bastón.

Compañero del número siguiente, y, como él, muy probablemente realizado por Esteve copiando el original de Goya del Palacio Real.

Tras ser secuestrado a Godoy en 1808, ingresó en el Palacio Nuevo en 1815, y entró en el Museo en una fecha indeterminada del siglo XIX.

728 *La reina María Luisa*

Lienzo, 2,08 × 1,27.

En pie. Viste traje negro de maja con mantilla y lazo rosa; abanico en la diestra. Fondo de paisaje, sin concretar.

Sobre la retratada véase el n.º 720.

La reina escribía a Godoy desde La Granja, el 24 de septiembre de 1799: «Me retrata Goya de mantilla, de cuerpo entero; dicen sale muy bien». En Palacio está el primer ejem-

730

731

plar; en carta de María Luisa a Godoy (15 de octubre del mismo año) escribe: «Quiero que tengas una copia echa por Esteve, de el de mantilla». El lienzo del Prado, que procede del secuestro de pinturas Godoy, es, pues, con casi toda seguridad obra de Esteve.
Su origen es similar al del número anterior.

729 *La infanta doña María Josefa*

Lienzo, 0,72 × 0,59.

Estudio del natural para el cuadro n.° 726. Menos de medio cuerpo. En la cabeza, una pluma de ave del Paraíso. Rodea la mancha la imprimación del lienzo.
María Josefa, hija de Carlos III y de María Josefa Amalia de Sajonia, nació en Gaeta el 16 de julio de 1744; murió soltera en Madrid el 8 de diciembre de 1801.
Procede de las Colecciones Reales. Se cita en el Museo desde 1857, aunque es probable que ingresara con el n.° 726.

730 *El infante don Francisco de Paula Antonio*

Lienzo, 0,72 × 0,59.

Estudio del natural para el cuadro n.° 726. De más de medio cuerpo. Casaca roja; el pantalón sin pintar. La mancha ocupa casi todo el lienzo.
Don Francisco de Paula Antonio casó el 12 de junio de 1819 con Luisa Carlota de Borbón (Nápoles); de este matrimonio nació el rey consorte don Francisco de Asís.
Procedencia similar a la del número anterior.

731 *El infante don Carlos María Isidro*

Lienzo, 0,74 × 0,60.

Estudio del natural para el cuadro n.° 726. De menos de medio cuerpo. Ostenta el Toisón y la banda de Carlos III. Alrededor de la figura queda visible la imprimación del lienzo.
Don Carlos María Isidro, hijo de Carlos IV y de María Luisa, nació el 29 de marzo de 1788; suscitó la cuestión dinástica, titulándose Rey; murió en Trieste el 10 de marzo de 1855.
Procedencia similar a la del n.° 729.

732 *Don Luis de Borbón, príncipe de Parma y rey de Etruria*

Lienzo, 0,74 × 0,60.

Estudio del natural para el cuadro n.° 726.
De menos de medio cuerpo. La mancha ocupa mayor porción del lienzo que en otros bocetos de la serie.
Don Luis, hijo de don Fernando, duque de Parma, y de la archiduquesa María Amelia de Lorenza, nació en Piacenza el 5 de julio de 1773. Casó el 25 de agosto de 1795 con doña Marí Luisa Josefina (hija de Carlos IV). Re de Etruria desde el 2 de agosto d 1801; murió en Florencia el 27 d mayo de 1803.

733 *El infante don Antonio Pascual*

Lienzo, 0,72 × 0,59.

Estudio del natural para el cuadr n.° 726.
Menos de medio cuerpo. La manch de la figura, rodeada por la impri mación del lienzo.
Don Antonio Pascual, hijo de Car los III y de María Amalia de Sajonia nació en Nápoles el 31 de diciembr de 1755; casó con su sobrina doñ María Amalia el 25 de agosto d 1795; murió en Madrid el 20 de abri de 1817.

734 *Isidoro Máiquez*

Lienzo, 0,72 × 0,59.

De medio cuerpo, sentado en u sofá azul. Viste de gris con chalec amarillo.
Firmado en el sofá, a la derecha *MAYQUEZ. POR GOYA, 1807.*
El gran actor nació en Cartagena e 17 de marzo de 1768; y murió e Granada el 17 de marzo de 1820.
El Ministerio de la Gobernación en vió el lienzo al de Fomento por R. O de 15 de marzo de 1872. Entró en e Museo de la Trinidad en el mes d junio del mismo año.

735 *Fernando VII con manto real*

Lienzo, 2,06 × 1,43.

En pie; el cetro, en la diestra. Mant rojo forrado de armiño, calzón, me dias blancas. Collar del Toisón y banda de Carlos III.
Semejante al que se conserva en el Ca nal Imperial de Zaragoza, que se en cargó el 20 de septiembre de 1814, y el 15 de julio siguiente estaba pintado Sobre el retratado véase el n.° 724.

Enviado el 29 de marzo de 1871 por el Ministerio de la Gobernación al Museo de la Trinidad.

736 *El general Urrutia*

Lienzo, 1,99 × 1,33.

Viste uniforme, casaca azul con vueltas y forro rojo, chaleco blanco, pantalón de ante, botas de montar, fajín; en la diestra, el catalejo; la mano izquierda con el sombrero apoyada en el bastón. Fondo de paisaje.

Firmado en el ángulo inferior derecho: *GOYA AL GENERAL URRUTIA.*

Don José de Urrutia y de las Casas nació en el concejo de Zalla (Vizcaya) el 16 de noviembre de 1739 y murió en Madrid el 1 de marzo de 1809. Comendador de Almodóvar del Campo en la Orden de Calatrava. La cruz de San Jorge que ostenta se la concedió Catalina de Rusia el 14 de abril de 1789.

Pagado por los duques de Osuna en 1798, permaneció en propiedad de esta casa ducal hasta que en 1896 fue comprado por el Ministerio de Fomento para el Museo.

737 *Carlos III, cazador*

Lienzo, 2,07 × 1,26.

Apoyado en la escopeta; el perro dormido a sus pies; fondo de paisaje.

Carlos III, hijo de Felipe V y de Isabel de Farnesio, nació en Madrid el 20 de enero de 1716. Duque de Parma, primero; rey de las Dos Sicilias, desde 1738; y de España, desde 1759; murió en Madrid el 14 de diciembre de 1788.

Se conocen varios ejemplares de este retrato: el de la duquesa de Fernán Núñez (que Beruete consideraba el mejor), el de la Colección Argentaria (Madrid), el del Ayuntamiento (Madrid) y el de la Colección Lord Margadade (Inglaterra).

Procede de las Colecciones Reales. Ingresó en el Museo en 1847.

737

738 *El cardenal don Luis María de Borbón y Vallabriga*

Lienzo, 2,14 × 1,36.

En pie. Viste hábitos cardenalicios; al cuello, el pectoral, las cruces de Carlos III y del Saint-Esprit y una medalla. En la mano derecha, un libro de rezo.

Versión de un original de Goya que, propiedad de los marqueses de Acapulco, está hoy en el Museo de Sao Paulo (Brasil), pintado con mayor desenfado; el cardenal, más joven, está vuelto hacia la derecha.

Hijo del infante-cardenal don Luis Antonio, hijo del infante don Luis de Borbón y de doña María Teresa de Vallabriga, nació en Cadalso de los Vidrios (Madrid) el 22 de mayo de 1777. Fue conde de Chinchón, cardenal y Arzobispo de Toledo; y murió en Madrid el 19 de marzo de 1823.

Enviado al Museo en 1906 por el Ministerio de Estado.

739 *Los duques de Osuna y sus hijos*

Lienzo, 2,25 × 1,71.

La duquesa, sentada, de traje blanco y botones de porcelana con paisajes. El duque, en pie, de uniforme. Don Francisco de Borja y don Pedro Alcántara visten de verde; el primero, montado en un bastón; el segundo, sentado en un cojín. Las niñas, de blanco; doña María Manuela, de la mano de su padre, y doña Joaquina, junto a su madre.

738

Don Pedro Téllez-Girón, IX duque de Osuna, nació en Madrid el 8 de agosto de 1755; murió el 7 de enero de 1807; casó el 29 de diciembre de 1774 con María Josefa Alonso Pimentel, condesa-duquesa de Benavente; nació en Madrid el 26 de noviembre de 1752; murió el 5 de octubre de 1834.

Don Francisco de Borja fue con el tiempo X duque de Osuna; bautizado

739

741

en Madrid el 6 de octubre de 1785. En 1816 lo retrató de nuevo Goya; murió en Pozuelo (Madrid) el 21 de mayo de 1820. Don Pedro de Alcántara fue príncipe de Anglona; nació en Quiruelas (Zamora) el 15 de octubre de 1786; fue director del Museo del Prado, presidente de la Academia de San Fernando; murió en Madrid el 29 de enro de 1851.

Doña María Manuela nació en Barcelona el 17 de agosto de 1783; murió el 11 de noviembre de 1838.

Doña Joaquina, por matrimonio (11 de junio de 1801) marquesa de Santa Cruz, nació el 21 de septiembre de 1784; murió el 17 de noviembre de 1851. Goya la volvió a pintar en 1805; y fue retratada en el n.° 2581, por Esteve. El cuadro le fue pagado a Goya el 27 de febrero de 1790.

Fue regalado al Museo en 1879 por los descendientes de los retratados.

740 *Doña Tadea Arias de Enríquez*

Lienzo, 1,90 × 1,06.

En pie, en un jardín. Viste traje de tul sobre fondo rosa, con encajes y lazo negros; en actitud de estirar el guante de la mano diestra. A la derecha, un jarrón. En el ángulo inferior izquierdo, dos escudos de armas; el de la derecha, de Arias, y su compañero, de León.

Nació en Castromocho (Palencia) en abril de 1770; y murió en 1855.

Pintado probablemente hacia 1790, con motivo de sus primeras nupcias con el capitán retirado Tomás de León, fallecido en 1793.

Regalado en 1896 por los nietos de la retratada, Luisa y Gabriel Enríquez y Valdés.

740

741 *La maja vestida*

Lienzo, 0,95 × 1,90.

Viste de blanco y chaquetilla amarilla con adornos negros; cinturón ancho color de rosa. La otomana, tapizada de verde; colcha blanca.

Pareja del n.° 742, *La maja desnuda*. Ambos lienzos se suponían pintados hacia 1797-98; pero de la historia de la *Maja vestida* el primer dato seguro es que en 1.° de enero de 1808 figuran con su compañera en el *Catálogo* de los cuadros confiscados a Godoy, quien, quizá, los encargó.

Entre 1808 y 1813 estuvieron depositadas en La Academia, adonde volvieron en 1836 después de haber estado secuestrados por la Inquisición. En 1901 ingresaron en el Museo.

742 *La maja desnuda*

Lienzo, 0,97 × 1,90.

Muéstrase acostada en una otomana tapizada de azul; sábana blanca, como las almohadas.

Pareja de *La maja vestida,* n.° 741.

Glendinning (1996) ha sugerido que pudo haber sido realizada por encargo de Sebastián Martínez. En 1800 formaba parte de la Colección de

742

;odoy. A partir de 1808 su histo-
ıa es similar a la del cuadro compa-
ero.

'43 *El majo de la guitarra*

.ienzo, 1,37 × 1,12.

entado, cantando, acompañándose
on la guitarra. Detrás, tres figuras.
;ntregado en la Real Fábrica de Ta-
ices el 5 de enero de 1779. Robado
e Palacio en 1869.
'ara el antedormitorio de los Prínci-
es en el Palacio del Prado.
Regalado por don Raimundo de Ma-
razo en 1895, como el n.° 753.

'44 *Un garrochista*

.ienzo, 0,57 × 0,47.

'iste traje corto y montera; bajo el
razo derecho, una larga garrocha.
'ondo de paisaje, con un río.
'intado probablemente hacia 1797-
799.
'intado sobre un retrato ecuestre de
;odoy, lo que ha llevado a pensar en
n repinte de hacia 1808, e incluso
Wilson, 1994] en la intervención de
na mano ajena a la de Goya.
;n 1819 fue traspasado desde el Pa-
ıcio Real hasta el Museo, en cuyo ca-
álogo de 1821 se incluye.

745 *Cristo crucificado*

Lienzo, 2,55 × 1,54.

Clavado con cuatro clavos; la cruz, labrada y con supedáneo. Vivo y la cabeza alzada. Parece representarse el momento en que exclama: *¿Por qué me has abandonado?*
Presentó Goya este cuadro a la Academia de San Fernando para ser admitido «por uno de sus individuos», el 5 de julio de 1780; fue elegido académico el 7. Pasó al Museo de la Trinidad desde San Francisco el Grande (Madrid), en donde estaba desde 1785.

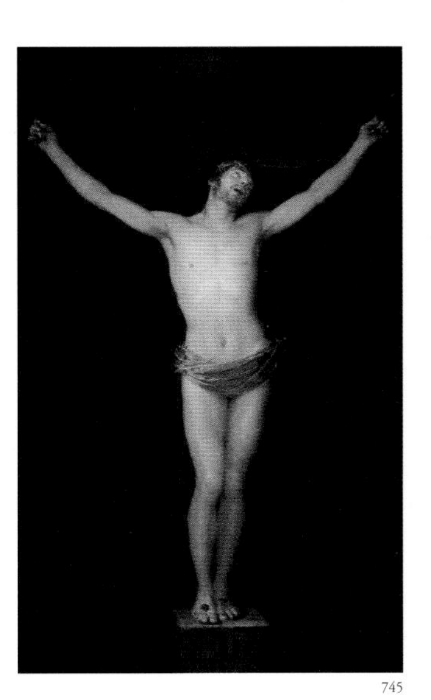

745

746 *La Sagrada Familia*

Lienzo, 2,03 × 1,43.

La Virgen, sentada, con el Niño en brazos; a su izquierda, san Juanito, y a su derecha, san José con la vara florecida en el extremo.
Obra juvenil, pintada bajo la influencia de Mengs y de la misma época que el n.° 745.
Adquirido a los herederos de don Manuel Chaves, el año 1877.

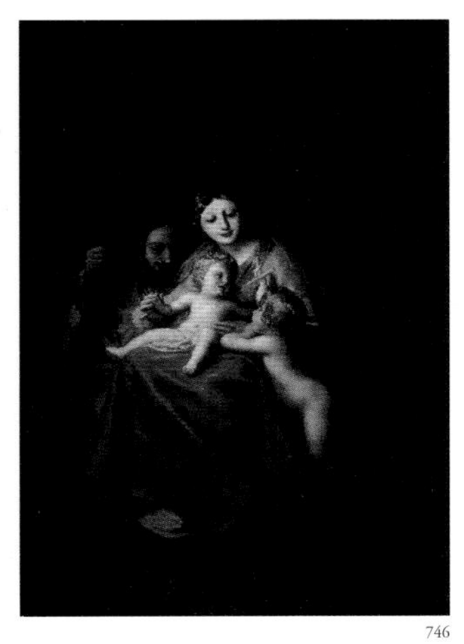

746

74

747 *El exorcizado*

Lienzo, 0,48 × 0,60.

En una iglesia el poseso en el suelo, sujeto por un clérigo y una mujer, tiene puesta al cuello la estola. A la derecha, un sacerdote leyendo y rociándole de agua bendita con el hisopo; detrás, un grupo de gente; a la izquierda, el altar.

Obra de atribución muy incierta, que se tiende a excluir de entre las autógrafas de Goya.

Comprado para el Museo de la Trinidad en 1866 a don Ramón de la Huerta.

748 *El 2 de mayo de 1808 en Madrid: La lucha con los mamelucos*

Lienzo, 2,68 × 3,47.

Hombres del pueblo acometen con furia, valiéndose de navajas y cuchillos, a un grupo de soldados egipcios —«mamelucos»— y a un coracero de la Guardia Imperial. La escena, en una plaza madrileña, que tradicionalmente se supone la Puerta del Sol, pero que en el lienzo no se reconoce.

Seguramente, según Beroqui conjeturó, este lienzo y su pareja (n.° 749) se pintaron después del 9 de marzo de 1814, fecha en la que la Regenci concedió a Goya un auxilio de 1.50 reales —pedido el 24 de febrero— para «perpetuar por medio del pinc las más notables y heroicas acciones... de nuestra gloriosa insurrección contra el tirano de Europa».

En 1834 estaban estos dos lienzos e el depósito del Museo.

Ambos sufrieron desperfectos con mo

75

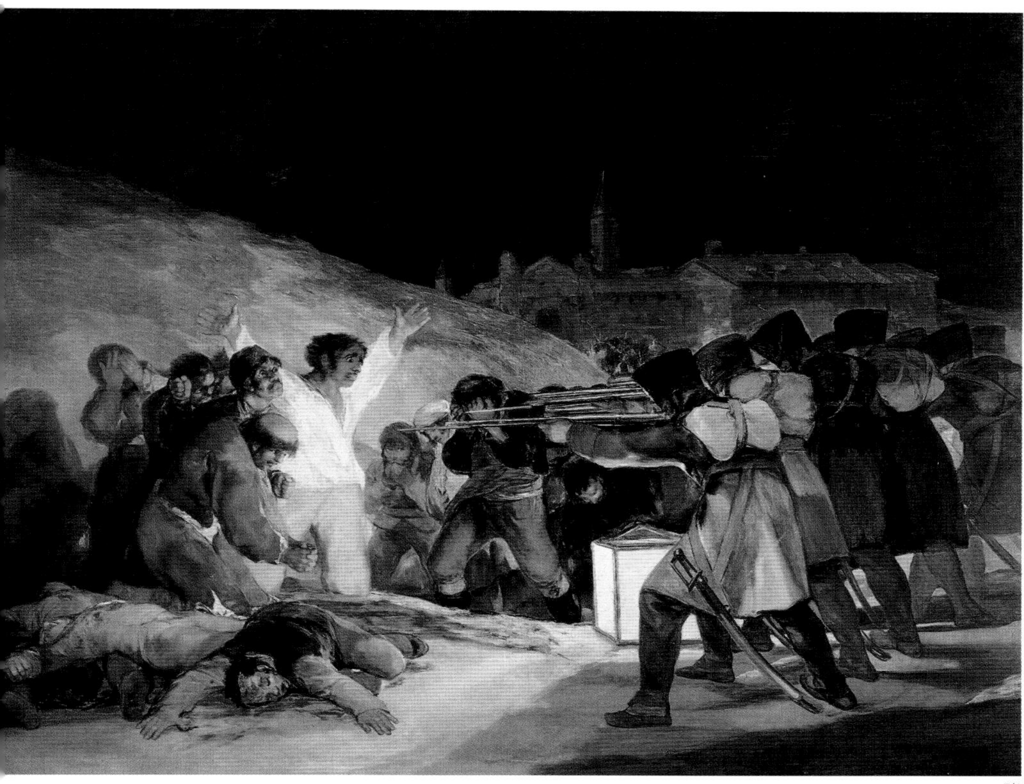

749

.vo de su traslado a Valencia durante
ı guerra civil.

'49 *El 3 de mayo de 1808 n Madrid: Los fusilamientos n la montaña del Príncipe Pío*

.ienzo, 2,68 × 3,47.

. la derecha, los soldados alineados ue se aprestan a disparar; a la izuierda, un fraile y cinco hombres del ueblo que aguardan la descarga; en el .ıelo, tres cadáveres, y al fondo, grupo e sentenciados. En la oscuridad del ltimo término se divisa el caserío de 'Iadrid.
;ompañero del n.° 748.

'50 *La pradera de San Isidro*

.ienzo, 0,42× 0,90.

'ista de la pradera el día 15 de mayo, .esta de San Isidro, con variadísima oncurrencia popular; al fondo, el Manzanares y panorama de Madrid, en el que destacan el Palacio Real y San Francisco el Grande.
Boceto de uno de los cartones para tapiz destinados a decorar el dormitorio de las Infantas en El Pardo, en el que Goya trabajaba en mayo de 1788. En 1799 pertenecía a la casa ducal de Osuna, en cuya venta de 1896 los adquirió el Ministerio de Fomento con destino al Museo.

751 *Un pavo muerto*

Lienzo, 0,45 × 0,62.

El pavo, tendido; la cabeza, apoyada en una cesta de mimbres.
Firmado en el suelo, en medio, casi verticalmente: *GOYA*. Pintado después de 1808. Probablemente es uno de los que figuran en el inventario de 1812 junto con once más, alguno de los cuales se ha conservado. Entre ellos el n.° 752.
Fue propiedad del hijo y el nieto del pintor; el último de los cuales lo vendió, junto con el siguiente, al conde Yumuri. Adquirido en 1900 por el Ministerio de Fomento a Rafael García Palencia, con destino al Museo.

752 *Aves muertas*

Lienzo, 0,46 × 0,62.

A la izquierda, una cesta; en medio, cinco aves muertas.
Véase nota al n.° 751.

752

754

753 *Perros en traílla*

Lienzo, 1,12 × 1,74.

Dos perros, dos escopetas, un cuerno de pólvora, etc.
Es uno de los cartones desaparecidos de Palacio en 1869, según *La Ilustración de Madrid* (12 de febrero de 1870). Cruzada Villaamil lo atribuía a Ramón Bayeu; pero Sambricio demostró documentalmente que es de Goya, quien lo entregó en la Real Fábrica el 24 de mayo de 1775. Pintado para el comedor de los príncipes de Asturias en El Escorial.
Donación de don Raimundo de Madrazo en 1895.

754 *Una manola: Doña Leocadia Zorrilla*

Pintura mural al óleo, pasada a lienzo: 1,45 × 1,29.

Ataviada con mantilla y traje negro, acodada en una piedra; encima, la verja de un sepulcro (?).
Según Iriarte, representa a doña Leocadia Zorrilla, madre de Rosario Weiss. Así consta, además, en el inventario de la Quinta, hecho por el pintor Brugada en 1828.
Con ésta y las trece pinturas del mismo género y de igual técnica decoró Goya, entre el 27 de febrero de 1819, fecha en que compró la Quinta, y el 17 de septiembre de 1823, en que la regaló a su nieto, dos salas de la finca de que fue propietario, situada a orillas del Manzanares. Según Iriarte, las 14 pinturas estaban distribuidas: seis, en el comedor (planta baja), y ocho, en el salón de la planta principal.
La Quinta era en 1860 propiedad de M. R. Caumont y, en 1873, del banquero alemán barón Emile d'Erlanger, que dispuso se arrancasen y pasasen a lienzo las pinturas, operación realizada por Salvador Martínez Cubells. Figu raron con poco éxito en el Palacio d Trocadero, en la Exposición Univer sal de París de 1878; y D'Erlange las regaló al Prado, aceptándose pc R. O. de 20 de diciembre de 1881.
Leocadia estaba en el comedor, al lad de la puerta; al otro lado quizá estab el n.° 762.

755 *Peregrinación a la fuente de San Isidro [El Santo Oficio]*

Pintura mural pasada a lienzo: 1,27 × 2,63.

Por entre montes escarpados descier de un tropel humano; a la derecha, u grupo en que se ve a un caballero ve tido al uso del siglo XVII, de golill con un vaso en la mano, y a su dere cha, y detrás, otras figuras.
El asunto entre corchetes, según inventario de la Quinta e Iriarte.
Véase el n.° 754.
Estaba en el salón de la planta prir cipal, enfrente de los números 757 758.

756 *Al aquelarre [Asmodea]*

Pintura mural pasada a lienzo: 1,27 × 2,63.

Dos seres por el aire parece que se d rigen al cerro escarpado; en su cima asienta un edificio redondo. En falda, un grupo de soldados, sorprer didos por otros que coronan un r bazo. Uno de los jinetes toca la corn ta; en el ángulo de la derecha, dos so dados apuntando.
El boceto con variantes —faltan l soldados— se conserva en el Muse de Basilea.
El asunto entre corchetes, según el ir ventario de la Quinta e Iriarte.
Asmodea es el demonio del qu hablan *El libro de Tobías* y *El Diab cojuelo* de las novelas de Vélez d Guevara y de Lesage.
Véase el n.° 754.
Estaba en el salón de la planta princ pal, frente al n.° 757.

57 *Las Parcas [Atropos]*

intura mural pasada a lienzo:
,23 × 2,66.

n un campo, a la izquierda, una eja contempla a un niño; un viejo ira a través de una lente. En medio, na figura sentada, y a la derecha, una ujer con tijeras: ¿la Parca?
éase el n.° 754.
staba en el salón de la planta principal, al lado del n.° 758 y enfrente del .° 756.

58 *Duelo a garrotazos*

intura mural pasada a lienzo:
,25 × 2,61.

os hombres enterrados hasta la rolla en arena o fango, para no poder quivarse, se apalean. Fondo de ontes pelados.
éase el n.° 754.
n el salón de la planta principal, al do del n.° 757 y enfrente del núero 755.

758

759 *Dos frailes*

Pintura mural pasada a lienzo:
1,42 × 0,65.

Un fraile anciano y sordo, apoyado en su bastón, escucha lo que otro le grita al oído. Véase el n.° 754.
En el comedor, enfrente del 759 y al lado del n.° 754.

760 *La romería de San Isidro*

Pintura mural pasada a lienzo:
1,38 × 4,36.

A la izquierda, un grupo de hombres cantando, acompañados por un guitarrista. En el centro, dos mujeres y dos embozados; a la derecha y por el fondo, grupos diversos, sin detallar.
Véase el n.° 754.
Decoraba el comedor, enfrente del n.° 761.

761 *Aquelarre [El gran cabrón]*

Pintura mural pasada a lienzo:
1,40 × 4,35.

En medio, una bruja sentada, con tarros y frascos; a la izquierda, el macho

760

761

cabrío vestido con hábito de fraile; al fondo, concurrencia de brujas; en el extremo de la izquierda, una enhebrando una aguja (?); y en el de la derecha, una maja con mantilla y manguito sentada en una silla.
Véase el n.° 754.
Decoraba el comedor, enfrente del n.° 760. En la restauración se perdió más de metro y medio de longitud.

762 *Dos viejos comiendo*
Pintura mural pasada al lienzo:
0,49 × 0,83.

Figuras de menos de medio cuerpo. Estaba en el salón de la planta principal. Se vendió a don José Salamanca, antes de ser la Quinta de D'Erlanger, quien pudo unirla a los demás.
Véase el n.° 754.
Hay muchas dudas sobre su ubicación, e incluso sobre la sala en la que estaba instalada.

763 *Saturno devorando a un hijo*
Pintura mural pasada a lienzo:
1,43 × 0,81.

El dios desnudo tiene el brazo izquierdo del hijo en la boca.
Véase el n.° 754.
Decoraba el comedor; enfrente del n.° 759.

767

764 *Judith y Holofernes*
Pintura mural pasada a lienzo:
1,43 × 0,81.

La heroína, de rodillas, con un cuchillo en la mano derecha; se ven el extremo del lecho de Holofernes y part de su cabeza. A la izquierda, la criac de Judith.
Véase el n.° 754.
Decoraba el comedor; enfrente d n.° 754.

765 *Dos mujeres y un hombre*
Pintura mural pasada a lienzo:
1,25 × 0,66.

Figuras de poco menos que cuerpo entero. A la derecha, un hombre; a la izquierda, una joven; al fondo, otra, riendo.
Véase el n.° 754.
Estaba en el salón de la planta principal; pareja del n.° 766.

766 *La lectura [Los políticos]*
Pintura mural pasada a lienzo:
1,25 × 0,65.

Cinco hombres escuchan con avidez la lectura de un papel que hace el de la derecha.
Véase el n.° 754.
Estaba en el salón de la planta principal; pareja del n.° 765.

767 *Perro semihundido*

Pintura mural pasada a lienzo: 1,31 × 0,79.

De una masa de agua o tierra sobresale la cabeza de un perro; a la derecha, una roca o el terreno cortado a pico.
Véase el n.° 754.
Estaba en el salón de la planta principal, enfrente del n.° 765.

768 *La merienda*

Lienzo, 2,71 × 2,95.

Cinco jóvenes sentados, bebiendo, brindando y fumando; en el suelo, platos, botellas, comida, etc. En pie, una naranjera; más lejos, dos grupos; a la derecha, un can roe un hueso.
Cartón para tapiz destinado al comedor de los príncipes de Asturias en El Pardo, como los números 769-777. Fue entregado por Goya a la Fábrica de Santa Bárbara, de Madrid, el 30 de octubre de 1776. El tapiz se conserva en El Pardo.
Ingresó en el Museo en 1870, procedente del Palacio Real.

769 *El baile a orillas del Manzanares*

Lienzo, 2,72 × 2,95.

Dos parejas bailan al son de guitarra, bandurria y palmas; otras tres, sentadas; al lado corre el río, y al fondo se ve la cúpula de San Francisco el Grande.
Cartón para tapiz, entregado el 3 de marzo de 1777. Encargado el 30 de octubre anterior.
Véase el n.° 768.

770 *La riña en la Venta Nueva*

Lienzo, 2,75 × 4,14.

A la derecha, la Venta Nueva y la mesa en que el juego fue origen de la riña; dos grupos de combatientes y otros que intentan poner paz. Fondo de campo con un pueblo lejano.
Cartón para tapiz. Se conoce el boceto en colección particular suiza, que presenta muchas variantes; en la muestra de la venta se lee *EL MESON DEL GALLO*.
Entregado el 12 de agosto de 1777, y comenzado el 3 de marzo. Este tapiz fue entregado en el cambio de obras de arte con Francia en 1941.
Véase el n.° 768.

771 *La maja y los embozados [El paseo de Andalucía]*

Lienzo, 2,75 × 1,90.

En un bosque, una maja con un galán; otro embozado a la izquierda, sentado; otros dos al fondo; vense, más distantes, una maja, sentada, y un majo en pie.
Cartón para tapiz. Entregado el 12 de agosto de 1777. Hay dos ejemplares del tapiz en El Escorial.
Véase el n.° 768.

772 *El bebedor*

Lienzo, 1,07 × 1,51.

Sentado, empina la bota; a la izquierda, un muchacho; delante, un pan y dos cebolletas. A la derecha, tres majos.
Cartón para tapiz [sobrepuerta] entregado el 12 de agosto de 1777.
Véase el n.° 768.

773 *El quitasol*

Lienzo, 1,04 × 1,52.

Joven sentada con un perrillo en la falda; detrás un majo que le quita el sol con una sombrilla verde.
Cartón para tapiz [sobrepuerta] entregado el el 12 de agosto de 1777.
Véase el n.° 768.

774 *La cometa*

Lienzo, 2,69 × 2,85.

Grupo de jóvenes en el campo, soltando una cometa; otros contemplándola; en primer término, un fumador,

769

770

773

777

786

780

etc. Al fondo, la iglesia de San Francisco el Grande, en construcción.
Cartón para tapiz entregado en la Real Fábrica el 25 de enero de 1778 para el comedor de los príncipes de Asturias de El Pardo.
Véase el n.° 768.

775 *Los jugadores de naipes*

Lienzo, 2,70 × 1,67.

Tres jugadores sentados en el suelo y cuatro mirones, uno de los cuales hace señas al jugador de la izquierda.
Cartón para tapiz entregado el 25 de enero de 1778. Véase el n.° 768.

776 *Niños inflando una vejiga*

Lienzo, 1,16 × 1,24.

Dos chicos; detrás, una pareja. Fondo de campo.
Cartón para tapiz [sobrepuerta] entregado el 25 de enero de 1778. El tapiz se conserva en El Escorial.
Véase el n.° 768.

777 *Muchachos cogiendo fruta*

Lienzo, 1,19 × 1,22.

Un chico sobre las espaldas de otro sube a un árbol y hace caer manzanas; la derecha, dos chicos que miran.
Cartón para tapiz [sobrepuerta] entregado el 25 de enero de 1778. El tapiz en El Escorial.
Véase el n.° 768.

778 *El ciego de la guitarra*

Lienzo, 2,60 × 3,11.

Canta el ciego acompañándose con la guitarra; escúchale variado concurso; un negro aguador, más al fondo a la derecha, y un puesto de melones.
Cartón para tapiz destinado al antedormitorio de los Príncipes en El Pardo. Entregado el 27 de abril de 1778. El tapiz, en El Pardo.
Ingresó en el Museo en 1870, procedente del Palacio Nuevo.

779 *La feria de Madrid*

Lienzo, 2,58 × 2,18.

Una pareja ante el puesto de un ropavejero que muestra vasijas de cobre latón y peltre; una cómoda, un retrato, ropas usadas. Grupos ante otras tiendas. Al fondo, la cúpula de San Francisco el Grande.
Cartón para tapiz destinado al dormitorio de los Príncipes, en El Pardo, como los números 780 784. Entregado el 5 de enero de 1779.
Ingresó en el Museo en 1870, procedente del Palacio Nuevo.

780 *El cacharrero*

Lienzo, 2,59 × 2,20.

Puesto de loza de Alcora, una jovencita con una taza en la mano; un coche con dos lacayos, y una dam

dentro contemplada por los galanes que están de espaldas; en el fondo, a la izquierda, otras figuras.
Fecha, destino y circunstancias de su ingreso en el Museo iguales al n.º 799. Hay ejemplares en El Pardo y en El Escorial.

781 *El militar y la señora*

Lienzo, 2,59 × 1,00.

La dama mira, hacia la izquierda, a una pareja asomada a un muro; detrás de la dama y su acompañante, un caballero, y a la derecha, otra pareja sentada.
Cartón para tapiz. El tapiz, en El Escorial.
Véase el n.º 779.

782 *La acerolera*

Lienzo, 2,59 × 1,00.

La vendedora; detrás, tres embozados, uno de los cuales la saluda, y un grupo apiñado.
Cartón para tapiz [sobrepuerta]. El tapiz, en El Pardo.
Véase el n.º 779.

783 *Muchachos jugando a los soldados*

Lienzo, 1,46 × 0,94.

Dos chicos, escopeta al hombro; otro bate un tambor; a la izquierda, otro niño.
Cartón para tapiz. El tapiz, en El Pardo.
Véase el n.º 779.

784 *El juego de pelota a pala*

Lienzo, 2,61 × 4,70.

Siete jugadores y varios espectadores. Fondo de cerros con gente.
Cartón para tapiz entregado el 20 de julio de 1779. El tapiz, en El Escorial.
Véase el n.º 779.

785 *El columpio*

Lienzo, 2,60 × 1,65.

Una joven columpiándose; una vieja, cuatro niños; al fondo, otras figuras y un coche; arboleda.
Cartón para tapiz. El tapiz, en El Pardo.
Véase el n.º 778.

786 *Las lavanderas*

Lienzo, 2,18 × 1,66.

Una joven, dormida sobre las piernas de otra. Esta y una amiga pretenden asustar a la primera valiéndose de un cordero; otras dos, detrás.
Cartón para tapiz entregado el 24 de enero de 1780. El tapiz, en El Escorial.
Ingresó en el Museo en 1870, procedente del Palacio Nuevo.

787 *La novillada*

Lienzo, 2,59 × 1,36.

El novillo y cuatro lidiadores; del que viste de color carmesí se ha dicho que es un autorretrato. Detrás del muro presencian la lidia varios espectadores. Dos ejemplares del tapiz, en El Escorial.
Véase el n.º 786.

788 *El resguardo de tabacos*

Lienzo, 2,62 × 1,37.

En un campo, a la orilla de un río, dos guardas; detrás, tres hombres del pueblo.
Cartón para tapiz. Ejemplares del tapiz, en El Pardo y en El Escorial.
Véase el n.º 786.

789 *El niño del árbol*

Lienzo, 2,62 × 0,40.

Un chico medio colgado en una rama; detrás, otro con un cesto.
Cartón para tapiz. El tapiz, en El Escorial.

790 *El muchacho del pájaro*

Lienzo, 2,62 × 0,40.

Sentado, de espaldas, con un jilguero entre las manos. Fondo de campo.
Cartón para tapiz. El tapiz, en El Escorial.
Véase el n.º 786.

791 *Los leñadores*

Lienzo, 1,41 × 1,14.

Tres hombres, dos con hachas, deshaciendo un árbol caído.
Cartón para tapiz. El tapiz, en El Escorial.
Véase el n.º 786.

792 *La cita*

Lienzo, 1 × 1,51.

Mujer sentada, en espera. Al fondo, varias figuras. Luz como de atardecer.
Cartón para tapiz [sobrepuerta]. El tapiz, en El Pardo.
Véase el n.º 786.

793 *Las floreras o la primavera*

Lienzo, 2,77 × 1,92.

Una joven con un niño de la mano; otra, a la derecha, arrodillada, con flores; detrás, un hombre que quiere sorprender a la primera con un conejillo. Fondo de campo con pueblo y montes.
Cartón para tapiz. Pintado, como los números 794-798, 2524, 2895, 2896, 6323, después del 25 de junio de 1786, fecha en que fue nombrado Goya pintor del rey, para el comedor del Príncipe en el palacio de El Pardo, donde se conserva el tapiz. La reducción o boceto, que estuvo en la Alameda de Osuna, está en colección particular madrileña. Ingresó en el Museo en 1870 procedente del Palacio Nuevo.

794 *La era o el verano*

Lienzo, 2,76 × 6,41.

Grupo de gañanes; mientras unos descansan, otro iguala la parva con rastrillo, y dos chicos con bieldos amontonan las gavillas. Al fondo, un castillo.

795

796

Cartón para tapiz. El boceto, que fue presentado al rey en 1786, pasó a la Alameda de Osuna, y hoy se conserva en una colección particular madrileña. Véase el n.° 793.

79

795 *La vendimia o el otoño*

Lienzo, 2,75 × 1,90.

El joven sentado da un racimo de uvas negras a una damisela; un niño, de espaldas, quiere cogerlas; detrás, otra mujer en pie con un cesto de uvas; a la derecha, la viña con siete vendimiadores. Fondo de montañas.
Cartón para tapiz. Pintado en el otoño de 1786.
Véase el n.° 793.

796 *El albañil herido*

Lienzo, 2,68 × 1,10.

Dos obreros transportan a otro, herido; al fondo, andamios.
Pintado a fines de 1786. El tapiz, en El Pardo. El boceto, cambiando en borracho al herido, entró en el Museo del Prado con el Legado de Fernández-Durán, n.° 2782.
Véase el n.° 793.

797 *Los pobres en la fuente*

Lienzo, 2,77 × 1,15.

Una mujer entre un niño y un enano; en la fuente, un cántaro. Al fondo una casa pobre. Véase el n.° 793.

798 *La nevada o el invierno*

Lienzo, 2,75 × 2,93.

Cinco hombres, seguidos de un perro y un mulo que lleva un cerdo muerto atraviesan montañas nevadas.
El tapiz se conserva en El Pardo.
Véase el n.° 793.

799 *La boda*

Lienzo, 2,69 × 3,96.

Preceden a la comitiva los músicos y chicos: los novios —joven ella y viejo grotesco él—, seguidos del cura, padrino, etc. Al fondo, un arco.
Cartón para tapiz. Pintado en 1791-92, junto con los números 800-803 y 7112 para el despacho del Rey en El Escorial; en El Pardo se conserva el tapiz. Ingresó en el Museo en 1870 procedente del Palacio Nuevo.

800 *Las mozas de cántaro*

Lienzo, 2,62 × 1,60.

Tres aguadoras con cántaros; a la iz-

799

800

quierda, un niño; la fuente con gran pilón. Fondo de campo con un edificio y montes.
Cartón para tapiz. Su boceto se conserva en la Colección madrileña de don Luis Mac-Crohon, y el tapiz en El Pardo.
Véase el n.° 799.

801 *Los zancos*

Lienzo, 2,68 × 3,94.

Dos jóvenes sobre zancos, acompañados por dos dulzaineros, chicos y hombres y mujeres; a la derecha, una joven a la ventana.
Cartón para tapiz. Se conserva el tapiz en El Pardo.
Véase el n.° 799.

802 *El pelele*

Lienzo, 2,67 × 1,60.

Cuatro jóvenes mantean un muñeco. Fondo de arboleda.
Cartón para tapiz.
Véase el n.° 799.

803 *Muchachos trepando a un árbol*

Lienzo, 1,41 × 1,11.

Un chico subido sobre la espalda de otro, y ayudado por un tercero, intenta trepar a un árbol; a la derecha, un castillo.
Cartón para tapiz.
El tapiz se conserva en El Escorial.
Véase el n.° 799.

804 *La gallina ciega*

Lienzo, 2,69 × 3,50.

En un campo, a la orilla de un río —¿Manzanares?—, cuatro damiselas y cinco jóvenes juegan a la gallina ciega, o «cucharón». Fondo montuoso.
Entregado en los primeros meses de 1787 como cartón para tapiz en El Pardo. Al cartón original se le cortó una franja horizontal de más de medio metro.
El boceto se conserva en el Museo (n.° 2781).
Este cartón ingresó en El Prado en 1870, procedente del Palacio Nuevo.

805 *El cazador con sus perros*

Lienzo, 2,62 × 0,71.

El cazador, con la escopeta al hombro, de espaldas, con dos perros; fondo de bosque y montes.
Pintado por Goya para el comedor de los príncipes de Asturias, en El Escorial y entregado el 24 de mayo de 1775.
Ingresó en el Museo desde el Palacio Nuevo en 1870.

2446 *Cornelio van der Gotten*

Lienzo, 0,62 × 0,47.

De menos de medio cuerpo. Viste casacón azul, chaleco, camisa y corbatín blancos.
Firmado en el ángulo superior de la izquierda: *C.° VANDERGOTEN GOYA 1782*. Se duda que la inscripción pueda considerarse firma e incluso que la pintura sea autógrafa de Goya.
Cornelio, hijo de Jacobo, primer director de la Fábrica de Tapices de Santa Bárbara, la dirigió desde 1774 hasta 1786, en que murió.
Adquirido por la Junta Iconográfica en 1881.

2447 *Doña María Antonia Gonzaga, marquesa de Villafranca*

Lienzo, 0,87 × 0,72.

De más de medio cuerpo; viste traje gris con listas azules, pañoleta blanca; en el pecho, una rosa y un lazo azul, otro en la cabeza; el abanico entre las manos; sentado en un sillón tapizado de azul.
Hija de don Francisco, príncipe del Sacro Romano Imperio, y de doña Julia de Caracciolo, fue bautizada en Madrid el 8 de febrero de 1735; casó el 27 de abril de 1754 con el X marqués de Villafranca, murió el 27 de febrero de 1801.

2546

En 1926 entró en el Museo, con los números 2448, 2499, por legado de Alonso Alvarez de Toledo y Caro, XXI conde de Niebla y XV marqués de los Vélez.

2448 *La marquesa de Villafranca*

Lienzo, 1,95 × 1,26.

Sentada en un sillón, está pintando el retrato de su marido; traje de tul con viso amarillo. En la diestra, el pincel; en la mano izquierda, el tiento; la paleta, sobre un velador a su derecha. En un caballete, el retrato de medio cuerpo, sin acabar, del marqués de Villafranca, que viste de azul.
Firmado en el brazo del sillón: *GOYA 1804*.
En la paleta se lee: *DÑA MARIA TOMASA PALAFOX*. Hija de la condesa de Montijo, nació el 7 de enero de 1780; casó con don Francisco de Borja Alvarez de Toledo y Gonzaga, que reunió los títulos y estados de Villafranca y Medina-Sidonia. Fue pintora y Académica de Bellas Artes; murió en Portici (Nápoles) el 14 de octubre de 1835. Este lienzo estuvo expuesto en la Academia de San Fernando en 1805.
Legado del conde de Niebla (1926).
Véase el n.° 2447.

2449 *El marqués de Villafranca y duque de Alba*

Lienzo, 1,95 × 1,26.

En pie, apoyado en un piano; viste casaca de color pasa, chaleco blanco moteado de azul, calzón gris de punto, ceñido y lleva botas de montar negras, con espuelas. «Cuatro Canc.s con Acomp.to de Forzp del S.r Haydn» encima del piano, un violín y el sombrero.
Pintado, seguramente, en 1795, como pareja del retrato de la duquesa, su mujer, de la colección de los duques de Alba, que lleva esta fecha. Don José Alvarez de Toledo y Gonzaga, primogénito de los marqueses de Villafranca (n.° 2447), nació en Madrid el 16 de julio de 1756 y casó el 15 de enero de 1775 con la famosa duquesa de Alba, Cayetana; fue aficionado a la música y a la pintura y consiliario de la Academia; murió sin sucesión el 9 de julio de 1796. El título pasó a su hermano, esposo de la mujer retratada en el n.° 2448.
Entró en el Museo como el n.° 2447.

2450 *Don Manuel Silvela*

Lienzo, 0,95 × 0,68.

Figura hasta las rodillas, sentado; viste levita gris amarillento, chaleco amarillo y corbatín azul y blanco.
Don Manuel Silvela y García Aragón nació en Valladolid el 31 de octubre de 1781; fue alcalde de Casa y Corte bajo José I, emigrado primero en Burdeos y después en París, donde murió el 9 de mayo de 1832.
Por la edad que aparenta y por su indumentaria, pintado probablemente en Burdeos hacia 1824.
Adquirido en junio de 1931 a su bisnieto Jorge Silvela por el Ministerio de Instrucción Pública.

2524 *Niños con mastines*

Lienzo, 1,12 × 1,45.

El mastín, entre los dos chicos. Fondo de paisaje.
Cartón para tapiz, destinado a decorar el comedor del Príncipe en El Pardo. Aunque antes se atribuía a Castillo, Sambricio probó la autoría de Goya, que hubo de pintarlo en 1786-1787. Véase el n.° 793

27

2546 *El comercio*

Lienzo, 2,27 de diámetro.

Dos hombres ¿turcos? escribiendo e una mesa. Al fondo, una pareja qu consulta un libro.
Compañero de los números 2547-48
Pintado con los números siguien tes, para el palacio de Godoy, ho Instituto de Estudios Constitucio nales y previamente Ministerio d Marina, de donde vino al Prado e 1932 como depósito de dich ministerio.

2547 *La agricultura*

Lienzo, 2,27 de diámetro.

Flora coronada de espigas y un hom bre con un cesto de flores y frutas.
Véase el n.° 2546.

2548 *La industria*

Lienzo, 2,27 de diámetro.

Dos mujeres devanando madejas otras personas trabajan al fondo.
Véase el n.° 2546.

2650 *Santa Justa y santa Rufina*

Tabla 0,47 × 0,29.

Represéntase con sus emblemas, pal mas y pucheros; al pie, un león, y a fondo, la Giralda y la catedral de Se villa.
Boceto para el cuadro de la catedral d Sevilla «encargado» por el cabildo Ceán Bermúdez, quien dio a Goy «por escrito una instrucción para qu pintase el cuadro», y le hizo «hacer tre

o cuatro bocetos». El 27 de septiembre de 1817 estaba bosquejado el cuadro, y ya colocado en 14 de enero siguiente. Legado Pablo Bosch.

2781 *La gallina ciega*

Lienzo, 0,41 × 0,44.

Reducción o boceto con variantes, cuales la adición de una figura en el corro y la de innumerables en el fondo, etc., del cartón para tapiz n.° 804 del Prado, entregado a principios de 1787.
En 1799 pertenecía a la casa ducal de Osuna, en cuya venta de 1896 lo adquirió Pedro Fernández Durán, quien lo legó al Museo en 1930.

2782 *El albañil borracho*

Lienzo, 0,35 × 0,15.

Reducción o boceto, transformando la expresión de los rostros del cartón para tapiz *El albañil herido,* n.° 796 del Prado, comprado por los duques de Osuna para la Alameda.
Legado de Fernández-Durán (1930).

2783 *La ermita de San Isidro el día de la fiesta*

Lienzo, 0,42 × 0,44.

Ante la ermita, majos y majas beben el agua de la fuente milagrosa.
Como *La pradera,* n.° 750 del Prado, en relación con un cartón para tapiz en que trabajaba en mayo de 1788, y que no llegó a terminar.
Ambos estarían destinados a decorar el dormitorio de los Infantes en El Pardo.

2784 *El general don Antonio Ricardos*

Lienzo, 1,12 × 0,84.

Retrato desde las rodillas; sentado; viste casaca azul con bordados y chaleco, y pantalón, de ante; ostenta la venera de santiaguista y la banda y placa de Carlos III; fajín de general. En la frente se observa la diferencia de color en la parte de la tez protegida por el sombrero.
Nació en Barbastro el 12 de septiembre de 1727 y murió el 13 de marzo de 1794. Su vida militar culminó en la victoria de Tuilles, en el Rosellón, el 22 de septiembre de 1793.
Se pintó muy poco antes de la muerte porque ostenta el tercer entorchado, obtenido por la batalla de Truilles. El retrato procede de la Colección de la condesa de Chinchón, en Boadilla del Monte. Lo adquirió el 23 de marzo de 1899, Pedro Fernández Durán, quien lo legó en 1930 al Museo.
En la Colección de los herederos de D. F. de Selgas (Cudillero) se conserva una réplica (?) y una copia en la Walters Art Gallery, de Baltimore.

2785 *El coloso*

Lienzo, 1,16 × 1,05.

Un pueblo en éxodo se desparrama en todas direcciones ante la visión de un enorme gigante por encima de los montes; sólo permanece quieto un asno en medio de las figuras del primer término.
El gigante probablemente ha de relacionarse con la guerra de la Independencia. El nombre más difundido, *El coloso,* se ha dado por su relación lejana con la famosa estampa de Goya. En 1812 figura en el inventario de los bienes de Goya con el título *Un gigante.*
Fue heredado por el hijo de Goya, Javier, y en 1930 fue legado al Museo por Pedro Fernández Durán.

2856 *Caza con reclamo*

Lienzo, 1,12 × 1,76.

Puesto con red y dos jaulas con reclamos y un perro.
Cartón para tapiz destinado al comedor de los príncipes de Asturias, en El Escorial. Pintado en 1775.

2785

Ingresó en el Museo en 1870 desde el Palacio Real.

2857 *Partida de caza*

Lienzo, 2,90 × 2,26.

En un bosque, con pueblo en la lejanía y castillo que corona un cerro, ocho cazadores: dos jinetes que corren libres; uno a pie apunta a una codorniz y otro carga su escopeta.
Cartón para tapiz destinado al comedor de los príncipes de Asturias en El Escorial.
El 30 de octubre de 1775 se recibieron éste y tres cartones más (números 2857, 2897).
Ingresó en el Museo en 1870 desde el Palacio Nuevo.

2862 *La reina María Luisa, con tontillo*

Lienzo, 2,20 × 1,40.

Tocada con un gran sombrero, viste tontillo a la moda en el siglo XVII.
Compañero del n.° 3224. Pintado hacia 1789.
En 1847 entró en el Prado procedente del Buen Retiro.

2895 *Pastor tocando la dulzaina*

Lienzo, 1,31 × 1,30.

Figura entera.
Cartón para tapiz; pareja del siguiente. Atribuidos a Goya desde Vicente López.
Véase el n.° 793.

2896 *Cazador al lado de una fuente*

Lienzo, 1,30 × 1,31.

Figura entera.
Pareja del anterior.
Véase el n.° 793.

2898 *Don Juan Bautista de Muguiro*

Lienzo, 1,03 × 0,85.

Figura hasta las rodillas; sentado.

2898

A la derecha: *DON JUAN DE MUGUIRO POR SU AMIGO GOYA, A LOS 81 AÑOS EN BURDEOS, MAYO DE 1827*. El banquero navarro don Juan Bautista de Muguiro e Iribarren había nacido en 1786; intimó con Goya en Burdeos y hubo de favorecerle.
Legado por el II conde de Muguiro, su sobrino nieto, entró en el Prado a la muerte del III conde, don Fermín (1945), que lo tuvo en usufructo.

2899 *La lechera de Burdeos*

Lienzo, 0,74 × 0,68.

Media figura, seguramente cabalgaría en un asno.
Firmado: *GOYA*.
En carta de 9 de diciembre de 1829, dice Leocadia Zorrilla que Goya le indicó que esta pintura «no la tenía que dar menos de una onza» (!!!).
Adquirida entonces por Juan B. de Muguiro.
Legada por su sobrino nieto, entró en El Prado a la muerte del III conde de Muguiro, Fermín, que la tenía en usufructo (1945).

2995 *Don Joaquín Company, arzobispo de Zaragoza y Valencia*

Lienzo, 0,44 × 0,31.

Retrato de busto.
El arzobispo nació en Penáguila (Valencia) el 3 de enero de 1732 y murió el 13 de febrero de 1813. Franciscano,

2899

fue arzobispo de Zaragoza en 1797, siendo trasladado en 1800 a Valencia. Lo retrató Goya de cuerpo entero con destino al Palacio Arzobispal de Zaragoza, donde se conserva.
Otro retrato, destinado a la iglesia de San Martín, de Valencia, fue destruido en la guerra civil.
Comprado por el Ministerio de Educación Nacional en 1957.

3045 *Los cómicos ambulantes*

Hojalata, 0,43 × 0,32.

Sobre un escenario, al aire libre, ante una tienda, Colombina, Arlequín, Pantalón y un enano; numeroso público asiste al espectáculo. En primer término, a la izquierda, una figura grotesca con una cartela en la que se lee: *ALEG. MEN.*
El letrero, para el doctor, Lecaldano,

3045

es abreviatura de «Alegoría menandrea» que Goya recordaría de su estancia en Italia, pues acostumbraba emplearlo la *Commedia dell'Arte.*
Quizás una de las 12 pinturas sobre hojalata que realizó durante su convalecencia de 1793.
Adquirida por el Ministerio de Educación Nacional, en 1962, a los señores de Jordán de Urries; perteneció a sus abuelos los vizcondes de Roda, propietarios de una parte de la Colección de cuadros del conde de Adanero.

3047 *Corrida de toros*

Lienzo, 0,38 × 0,46.

Dos picadores. Caballo muerto a la izquierda. Espectadores levemente apuntados.
En relación con una de las litografías de *Los toros de Burdeos* (1825-1826), existen dudas sobre su autoría.
Donado por don Thomas Harris en 1962.

3113 *Prendimiento de Cristo*

Lienzo, 0,40 × 0,23.

Boceto para el cuadro de la sacristía de la catedral de Toledo, obra de 1798.
Fue propiedad de los condes de Sobradiel, cuyos herederos lo vendieron al Museo en 1966.

3224 *Carlos IV*

Lienzo, 2,03 × 1,37.

Viste traje de tonalidades grisáceas y rojizas. En la diestra, la bengala; bajo el brazo izquierdo, el sombrero; sobre el pecho, el Toisón y la banda de la Orden de Carlos III.
Pintado, como su compañero número 2862, hacia 1789.
Ingresó en el Museo en 1847, procedente del Buen Retiro.

3236 *Don Gaspar Melchor de Jovellanos*

Lienzo, 2,04 × 1,33.

Sentado a una mesa, con la cabeza apoyada en la mano izquierda, y en la derecha, caída, un papel en el que se lee: JOVELLANOS POR GOYA. Sobre la mesa, una estatua de Minerva y diversos legajos.
Pintado en 1798, cuando desempeñaba el Ministerio de Gracia y Justicia.
Legado por Jovellanos en su testamento a Arias Saavedra, en cuya familia permaneció hasta finales del siglo pasado. A continuación pasó por varias Colecciones particulares (Mariano Santamaría, duquesa de las Torres, vizcondesa de Irueste) hasta que fue adquirido en 1974 para el Museo.

3236

3254 *El cardenal Luis María de Borbón*

Lienzo, 2,00 × 1,14.

En pie, vestido de cardenal, con un libro de oraciones en la mano izquierda. Al cuello, diversas condecoraciones.
El personaje, nacido en 1777, hijo del infante don Luis, hermano de Carlos III y de su esposa doña María Teresa Villabriga, fue varias veces retratado por Goya (véase n.º 738). Este retrato es una versión posterior del que guarda el Museo de Sao Paulo.

Donado al Prado en 1975 por don Fernando de Aragón y Carrillo de Albornoz, marqués de Casa Torres y vizconde de Baiguer, con reserva de usufructo. Ingresó en el Museo a su muerte, en 1984.

3255 *Don José Moñino, conde de Floridablanca*

Lienzo, 1,75 × 1,12.

Al dorso, en la tela: FLORIDABLANCA.
En pie, de frente, vestido de azul, con la Orden de Carlos III, sostiene papeles en ambas manos. En el que lleva en la derecha se lee: MEMORIA PARA LA FORMACION DEL BANCO NACIONAL DE SAN CARLOS.
De autoría dudosa, Salas (1978) lo consideraba obra de Goya, mientras que Pérez Sánchez (1989) lo cree obra de taller.
Donado al Prado en 1975 por don Fernando de Aragón y Carrillo de Albornoz, marqués de Casa Torres, con reserva de usufructo. Ingresó en el Museo a su muerte, en 1984.

3260 *Inmaculada*

Lienzo, 0,80 × 0,41.

De pie sobre nubes, y el creciente de la luna, rodeada de tres ángeles, uno portando una vara de azucenas. Viste túnica blanca y manto azul; las manos, juntas.
Se cree boceto para uno de los cuadros del Colegio de Calatrava en Salamanca, destruidos durante la invasión napoleónica, y pintados en 1784 por encargo de Jovellanos. Adquirido en 1891 a doña Eulalia García de Rivero.

4194 *Doña Juana Galarza de Goicoechea*

Cobre, 81 mm de diámetro.

De busto, con cofia de encaje sobre la cabeza.
La retratada y su esposo, don Martín de Goicoechea, fueron consuegros de Goya. Su hija Gumersinda casó en 1805 con Francisco Javier Goya, hijo del pintor. Debió de pintarse dicho año y forma parte de una serie de retratos familiares, dispersos, a la que también pertenece el n.° 7461.
Desde finales del siglo XIX en poder de la familia Pidal, que lo vendió al Museo en 1978.

5539 *Cazador cargando su escopeta*

Lienzo, 2,89 × 0,90.

En primer término, un perro perdigón sentado, detrás un cazador cargando su escopeta y, un poco más al fondo, dos cazadores hablando. Fondo de paisaje.
Cartón para tapiz, pintado en 1775, con destino al comedor de los príncipes de Asturias en El Escorial.
En el Museum of Fine Arts (Boston) se conserva un dibujo preparatorio para este cartón.
Ingresó en el Museo desde el Palacio Nuevo en 1870.

6323 *Gatos riñendo*

Lienzo, 0,56 × 1,93.

Sobre un muro, dos gatos en actitud de enfrentamiento, arqueando los dos el lomo.
Véase el n.° 793.

7020 *La duquesa de Alba y su dueña*

Lienzo, 0,30 × 0,25.

La duquesa, situada de espaldas asusta con un objeto rojo a la «Beata», una de sus sirvientas, que esgrime, como defensa, un crucifijo.
María Teresa Cayetana de Silva y Alvarez de Toledo, XIII duquesa de Alba, nació en 1762 y casó, a la edad de trece años, con su primo José María Alvarez de Toledo, marqués de Villafranca.
Su dueña, identificada, por Ezquerra del Bayo (1928), como Rafaela Luisa Velázquez, conocida familiarmente como la «Beata» por su afición a los rezos.
Firmado y fechado en el ángulo inferior derecho: GOYA AÑO *1795*.
Fue propiedad de Luis Berganza, hijo del administrador de la duquesa. Permaneció en su familia hasta que fue adquirido por el Estado por derecho de tanteo, en subasta de Sotheby's, en fecha 27 de febrero de 1985.

7070 *La marquesa de Santa Cruz*

Lienzo, 1,24 × 2,07.

Figura recostada, paralela al plano del lienzo, sobre unos almohadones. Viste traje de moda Imperio, con amplio escote, y sostiene una lira con su mano izquierda y un pañuelo con la derecha. Su cabeza se adorna con hojas de roble, símbolo del tiempo, la virtud y la constancia, y unas flores amarillas. De fondo, un cortinaje rojo.
Doña Joaquina Téllez Girón, segunda hija de los duques de Osuna, nació el 21 de septiembre de 1784. Casó, en 1801, con don Gabriel de Silva y Bazán, primogénito del marqués de Santa Cruz y heredero del título. Fue camarera mayor de Palacio y aya de la reina doña Isabel II. Murió el 17 de noviembre de 1851.
Firmado y fechado: D.ª JOAQUINA GIRON, MARQUESA DE SANTA CRUZ /POR GOYA *1805*, abajo a la derecha.
Procede de la colección de los marqueses de Santa Cruz, de quienes pasó a su hijo, el conde de Pie de la Concha. Perteneció a la colección Valdés, de Bilbao.
Adquirido por el Ministerio de Cultura en 1986.

7102 *Carlos IV*

Lienzo, 1,26 × 0,94.

De más de medio cuerpo; viste de rojo, con el Toisón y la banda de Carlos III.
Pintado hacia 1789; antes, desde luego, de junio de 1792, en que se adoptó la combinación definitiva en los colores de la orden de Carlos III.
Como en los dos siguientes, en este

7070

retrato se discute el grado de participación de Goya.
Sobre Carlos IV, véase el n.° 719.

7103 *Carlos IV*

Lienzo, 1,52 × 1,10.

De pie, figura hasta las rodillas vestido en traje de Corte con condecoraciones y la banda de la Orden de Carlos III. A la derecha, sobre una mesa, el manto real y la corona. Al fondo, cortinaje.
Véase el n.° 7102.

7104 *La reina María Luisa*

Lienzo, 1,52 × 1,10.

De pie, figura hasta las rodillas; en la mano derecha, un abanico, y tocada con un gran sombrero. A la izquierda, sobre una mesa, la corona y el manto de armiño. Al fondo, cortinaje.
Compañero de 7103.

7106 *La reina María Luisa*

Lienzo, 1,14 × 0,81.

Más de media figura. Vestido escotado; pluma en la cabeza; en el pecho, la Orden de la Cruz Estrellada; muy enjoyada; el abanico, en la mano derecha. Fondo de cortinaje; encima de la mesa, la corona.
Muy probablemente se trata de una obra de Esteve basada en el retrato de cuerpo entero conservado en el Palacio Real de Madrid, pintado en 1800. Compañero del n.° 7105, en el Museo de La Coruña.
Ingresó en El Prado en 1911, procedente de la Facultad de Farmacia de Madrid.

7110 *La degollación*

Hojalata, 0,29 × 0,41.

Una mujer desnuda, arrodillada, sujeta por un hombre que empuña un cuchillo; a derecha e izquierda, un hombre sentado y otro tendido. Fondo de paisaje luminoso.
De autoría dudosa, es una repetición de la tabla (0,33 × 0,47) propiedad de doña Teresa Maldonado, de Madrid.
Legado al Museo en 1912 por don Cristóbal Férriz.

7111 *La hoguera*

Hojalata, 0,32 × 0,43.

Siete hombres desnudos ante el resplandor de las llamas.
De autoría dudosa es una repetición de la tabla (0,33 × 0,47) propiedad de los marqueses de Valdeolmos.
Legado al Museo en 1912 por don Cristóbal Férriz.

7112 *Las gigantillas*

Lienzo, 1,37 × 1,04.

Cuatro chicos jugando; otro detrás. Fondo de campo.
Cartón para tapiz destinado al despacho del rey de El Pardo.
Véase el n.° 799.
El tapiz, en El Escorial.
Robado del palacio en el periodo revolucionario; salió a la venta en París en 1913, evitándose ésta por gestiones de don José Lázaro y del embajador marqués de Villa Urrutia. Fue regalado al rey Alfonso XIII por el barón Herzog, de Budapest, y entregado en el museo el 1 de marzo de 1914.

7461

7346 *Pájaros*

Lienzo, 2,79 × 0,28.

Sobre un fondo de paisaje, una urraca y un pinzón, identificado por su color rojizo, posan sobre las ramas de un árbol.
Cartón para tapiz.
Datado entre 1786-1787.
Véase el n.° 793.

7461 *Manuela Goicoechea*

Cobre, 8,1 cm de diámetro.

Manuela Goicoechea, hija de doña Juana Galarza y de don Martín Miguel de Goicoechea, era hermana mayor de Gumersinda, nuera del pintor. Aparece representada de perfil, tocada con rico sombrero de encaje, a la edad de veinte años.
La obra forma parte de una serie de retratos, en miniatura, de la familia, realizados por el pintor en 1805, en vísperas de la boda de su único hijo Javier, a la que también pertenece el n.° 4194.
Perteneció a las colecciones de Pablo Bosch y Xavier de Salas, a cuya viuda la compró el Museo en 1989.

7695 *María Teresa de Vallabriga*

Tabla, 0,47 × 0,39.

De busto y perfil.
Compañero de un retrato similar del infante don Luis de Borbón (Colección de los duques de Sueca).
Pintado para el infante don Luis, permaneció entre sus descendientes hasta su venta en 1985. Ingresó en el Museo como pago de deuda tributaria.

2978

GOYEN. Jan van Goyen (copia)

Nació en Leyden el 13 de enero de 1596; murió en La Haya el 27 de abril de 1656.

2978 *Paisaje*

Lienzo, 0,38 × 0,58.

Un río que rodea un hayedo.
Beck (1973, II) considera que es copia del original de la Colección Polak de Sarasota, fechado en 1636.
Comprado por el Patronato del Museo en Madrid en 1953.

GRAMMATICA. Antiveduto della Grammatica

Nacido en un lugar entre Siena y Roma en 1571. Muere en Roma el 13 de enero de 1626. Escuela italiana.

353 *Santa Cecilia*

Lienzo, 1,28 × 1.

De más de medio cuerpo, tocando el órgano. Al fondo, un ángel; a la izquierda, encima de una mesa, un laúd.
En los catálogos anteriores, a nombre de Lionelo Spada, aunque ya en 1928 Longhi lo había atribuido correctamente a Grammatica.
En 1794, en la Casa de Campo, atribuido a Domenichino.

35

GRECO. Domenicos Theotocopoulos, o Theotocópuli, llamado en España Domenico Greco, o «el Greco»

Nació en Candía (Creta), en 1541, quizá el 1 de octubre —fiesta de un San Domenikos—; murió en Toledo, en donde residía, al menos desde 1577, el 7 de abril de 1614. Escuela española.

806 *Un caballero*

Lienzo, 0,44 × 0,42.

Busto, de frente; gorguera estrecha de lienzo blando.
Firmado a la derecha por encima del hombro: δομηνικος θεοτοκοπουλος εποιη. De 1584-94 según Cossío; y de 1585-1590, según Wethey.
En 1666, 1686 y en 1700, en el Alcázar de Madrid.

807 *El médico (¿Dr. Rodrigo de la Fuente ?)*

Lienzo, 0,93 × 0,82.

De más de medio cuerpo; en actitud de comentar un texto. Ropa verde oscura, casi negra; cuello y puños de lienzo blando. La mano izquierda, con sortija en el pulgar, sobre un libro abierto.
Firmado en el fondo por encima del libro: δομηνικος θεοτοκοπουλος εποιη.
Pintado, según Cossío, entre 1577 y 1584, y según Wethey, entre 1585-1589.
La identificación es meramente probable y basada en un retrato que se guarda en la Biblioteca Nacional. El doctor De la Fuente era médico muy famoso en Toledo, citado por Cervantes en *La ilustre fregona.* Allí murió en el segundo semestre de 1589.
En 1686 estaba en la Galería del Cierzo del Alcázar de Madrid. Después de 1734 pasó al Retiro.

808 *Don Rodrigo Vázquez, presidente de los Consejos de Hacienda y de Castilla*

Lienzo, 0,62 × 0,40.

De menos de medio cuerpo; de negro, con gorguera estrecha de lienzo blando. De una cinta cuelga, casi invisible, la venera de la Orden de Alcántara. En la parte superior, el letrero *RODRIGO VAZQUEZ PRESIDENTE DE CASTILLA.*
Nació en Avila hacia 1529; murió en un lugar del Carpio el 24 de agosto de 1599. Fue clavero de la Orden de Alcántara y uno de los jueces de Antonio Pérez.
En mayo-junio de 1962 fue restablecido su ancho, alterado y, así, centrada la figura. Wethey, con anterioridad a la labor realizada, lo tachaba de copia del siglo XVII.
En 1700, en el Alcázar de Madrid; en 1794, en la Quinta del duque del Arco.

809 *El caballero de la mano al pecho*

Lienzo, 0,81 × 0,66.

De medio cuerpo. Viste de negro con cuello y puños de puntas de encaje blanco. Al cuello, cadena fina, de la que pende una medalla o una venera. La guarnición de la espada, de oro labrado.
La firma en el fondo a la derecha, en mayúsculas: ΔΟΜΗΝΙΚΟΣ ΘΕΟΤΟΚΟΠΟΥΛΟΣ ΕΠΟΙΗ.
Pintado en torno a 1580.
Por el marqués de Hermosilla y el señor Moreno Guerra se ha indicado que pudiera identificarse con el santiaguista Juan de Silva, marqués de Montemayor y notario mayor de Toledo.
Para Angulo, el retratado era manco del brazo izquierdo.
En 1794, en la Quinta del duque del Arco.

806

807

809

810 *Un caballero*

Lienzo, 0,64 × 0,51.

Busto. Barba cana. Traje negro, con capa; gorguera de lienzo.
Firmado a la izquierda, por encima δομηνικος θεοτοκοπουλος εποιη.
De 1604-1614, según Cossío; y de 1600-1605, según Wethey.

En 1794, en la Quinta del duque del Arco.

811 *Caballero joven*

Lienzo, 0,65 × 0,49.

Menos de medio cuerpo. Viste traje de terciopelo negro con adornos y gorguera de lienzo duro.
Firmado a la izquierda, por encima del hombro izquierdo: δομηνικος θεοτοκοπουλος εποιη.
Pintado, según Cossío, entre 1604 y 1614; y entre 1600 y 1605, según Wethey.
En 1794, en la Quinta del duque del Arco.

812 *El licenciado Jerónimo de Cevallos*

Lienzo, 0,71 × 0,62.

Menos de medio cuerpo; gorguera ancha de lienzo almidonado; ropa verde oscuro y capa.
Pintado, según Cossío, entre 1604 y 1614. Quizá en 1608.
La identificación, puesta en duda por Roteta, se basa en una estampa de Pedro Angel.
El licenciado nació en Escalona entre 1559 y 1562; jurista, regidor de Toledo, escritor de Derecho y Política en latín y romance. Vivía en 1623. El lienzo en 1794 estaba en la Quinta del duque de Arco.

813 *Un caballero*

Lienzo, 0,65 × 0,55.

Menos de medio cuerpo. Traje negro, gorguera de lienzo blando.
Pintado, según Cossío, entre 1584 y 1594; y según Wethey, entre 1580 y 1585.
En 1794, en la Quinta del duque del Arco, con los números 809-812. Ponz los menciona en el mismo sitio algunos años antes.

814 *San Pablo*

Lienzo, 0,70 × 0,56.

Casi de medio cuerpo; túnica azul y manto rojo; un libro en la mano izquierda.
Según Cossío, pintado entre 1594 y 1604.
Según Wethey representa a san Bartolomé.
En 1686, en el Alcázar de Madrid. En 1694, en el Obrador de los Pintores de Cámara. Después de 1734, en el Retiro.

815 *San Antonio de Padua*

Lienzo, 1,04 × 0,79.

De más de medio cuerpo, con una vara de azucenas en la diestra y un libro abierto sobre la mano izquierda. Encima del libro, un medallón con el Niño Jesús desnudo.
Firmado en la corte superior del libro: ΨΕΙΡ ΔΟΜΗΝΙΚΟΣ [esto es: «de mano de Domingo»].
Firma que se lee también en la *Magdalena* que fue del Colegio de Ingleses de Valladolid y para hoy en el Museo de Worcester (Estados Unidos), y en la *Verónica* que estuvo en la colección de doña María Luisa Calturia. Mayer creíalo anterior a 1585, por la firma en mayúsculas. También Wethey lo fecha hacia 1577-1579.
Vino del Museo de la Trinidad, en donde se ignoraba su procedencia.

817 *San Benito*

Lienzo, 1,16 × 0,81.

De más de medio cuerpo; en la mano izquierda el báculo de plata, oro y pedrería. Viste cogulla negra.
Es pareja de *San Bernardo,* que fue de la Colección Cheramy, y ambos provienen del retablo mayor de Santo Domingo el Antiguo de Toledo, pintado entre 1577 y 1579.
El infante don Sebastián poseyó el *San Bernardo* con la *Asunción* del mismo retablo.
El *San Bernardo* mide 1,15 × 0,80; es

817

el n.° 20 del Catálogo de la venta de la *Collection du Prince Pierre de Bourbon Duc de Durcal; Tableaux provenant de La galerie de... D. Sebastian Gabriel de Bourbon...*, subastada en el hotel Drouot en febrero de 1890;

82

ue vendido en 4.000 francos; el año 1908, en la venta Cheramy, alcanzó 8.000 francos.
Vino del Museo de la Trinidad; en su *Catálogo* (n.° 446) se supone que representa a *San Basilio.*

820 *San Juan Evangelista y San Francisco de Asís*

Lienzo, 0,64 × 0,50.

San Juan con el cáliz, del que sale el dragón, en la mano izquierda, y a su derecha, el águila. San Francisco, encapuchado, con la diestra sobre el pecho. Fondo de paisaje.
Para Wethey, obra de escuela y ya de comienzos del siglo XVII; juicio defectivo, en parte, causado por la conservación deficiente.
Vino del Museo de la Trinidad.

821 *El bautismo de Cristo*

Lienzo, 3,50 × 1,44.

En la mitad inferior, Cristo, desnudo, la rodilla izquierda sobre una piedra, recibe el bautismo del Precursor, que está a la derecha, en pie, con una piel atada a la cintura. Asisten cinco ángeles mancebos, uno de los cuales sostiene el manto rojo de Jesús. En la mitad superior aparece el Padre Eterno rodeado de ángeles y la paloma del Espíritu Santo.
Firmado en la piedra, sobre la que está la rodilla de Cristo, en un papel: δομηνικος θεοτοκοπουλος εποιη. Pintado entre 1596 y 1600 para el retablo de la iglesia del Colegio de Agustinas de doña María de Aragón de Madrid, al que también pertenecía el n.° 3888.
Procede del Museo de Trinidad.

822 *Cristo abrazado a la cruz*

Lienzo, 1,08 × 0,78.

De más de medio cuerpo. Viste túnica roja y manto azul; coronado de espinas.
Firmado en la cruz, cerca del borde inferior: δομηνικος θεοτοκοπουλος εποιη. Según Cossío, entre 1594 y 1604. Para Busuioceanu, relaciónase con el Cristo de *El Expolio* y puede fecharse entre 1591 y 1593; para Mayer es posterior y más bello que el que fue de Beruete. Según Wethey, hacia 1600-1605.
En 1786 se registra este lienzo, o una repetición suya, en San Hermenegildo, de Madrid.
El Greco repitió varias veces este tema.
Vino en 1877 del Museo de la Trinidad, aunque no figura en su *Catálogo.*

822

823 *La Crucifixión*

Lienzo, 3,12 × 1,69.

Cristo en la cruz, muerto, entre dos ángeles; el de la izquierda recoge el chorro que mana de la llaga del costado. Al pie de la cruz, la Virgen, san Juan y, arrodillados, la Magdalena y un ángel que enjugan la sangre que corre por el madero.
Firmado en el astil de la cruz, cerca del borde inferior: δομηνικος θεοτοκοπουλος εποιη.
Fechable hacia 1600.
San Román le aplicó un documento de 1607, pero consta en él que el Cristo que se encargaba había de representarse vivo. Se ignora su procedencia segura, pero lo más probable es que sea el ático del retablo del Colegio de Doña María de Aragón.
Es tema que repitió el pintor.
Vino del Museo de la Trinidad.

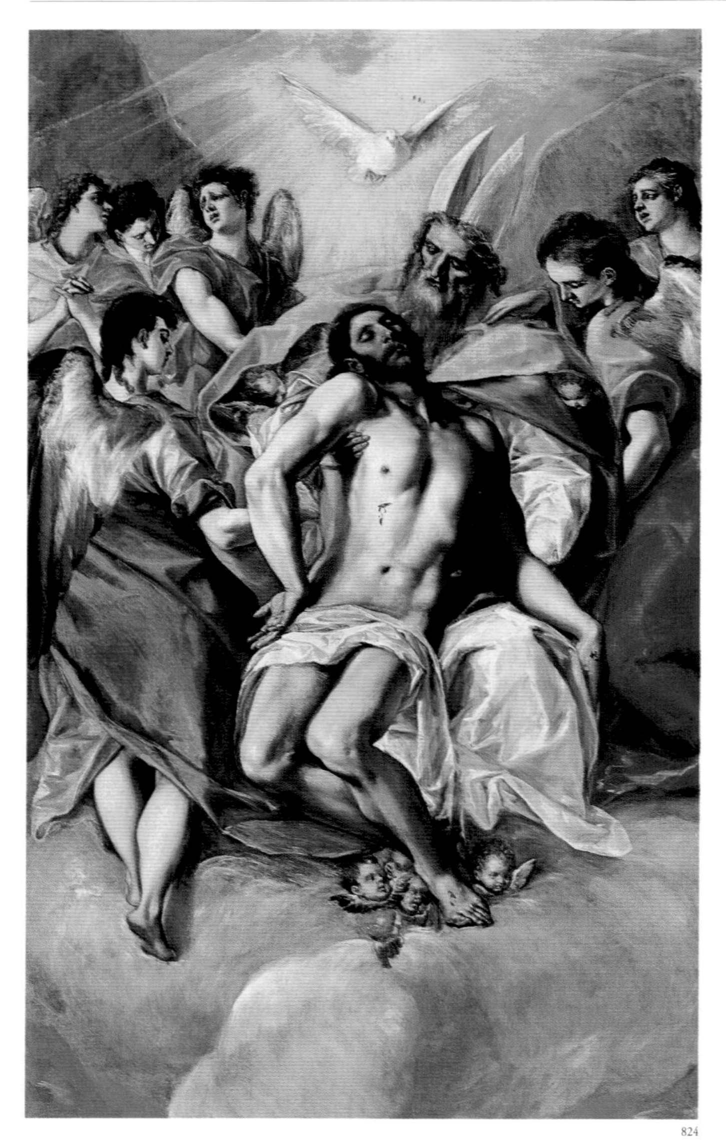

824

824 *La Trinidad*

Lienzo, 3 × 1,79.

El Padre Eterno, que viste túnica blanca, manto amarillo forrado de azul y tiara oriental, tiene entre sus manos a Cristo muerto; seis ángeles mancebos a derecha e izquierda. Encima, la paloma del Espíritu Santo; a los pies de Jesús, y bajo el manto del Padre Eterno, cabezas de querubines.
Pintado para el ático del retablo de Santo Domingo el Antiguo, de Toledo, al cual pertenecían la *Asunción* (hoy en el Museo de Chicago), que está fechada en 1577 y el n.° 817. Primera obra del Greco en Toledo.
Adquirido por Fernando VII el año 1827, al escultor Valeriano Salvatierra.

825 *La Resurrección*

Lienzo, 2,75 × 1,27.

Cristo en los aires, desnudo, con un bandera blanca en la mano izquier da; detrás el manto rojo volante; sie soldados, presa de confusión y asom bro, y uno dormido.
Firmado cerca del pie izquierdo d soldado de la derecha que vist armadura azul.
Aunque se ha discutido su fecha su procedencia, es muy probabl que formase parte, con el n.° 828, d segundo cuerpo del retablo mayo del Colegio de doña María de Aragón al que pertenecieron también los nú meros 821, 823 y 3888.
Ponz meciona un cuadro del Grec con este tema en el camarín de l Virgen de Atocha, de Madrid, que n parece pueda ser éste.
Vino del Museo de la Trinidad.

826 *La Sagrada Familia*

Lienzo, 1,07 × 0,69.

La Virgen, con el Niño, abraza a sant Ana; a la derecha, san José y san Jua con una cesta de frutas. Fondo d nubes.
Según Cossío, del decenio 1594 1604; para Wethey, de 1595-1600 Está firmado en bajo, a la derecha.
La composición, con variantes, sigu la de la *Sagrada Familia* del Hospitali llo de Santa Ana, hoy en el Museo d Santa Cruz (Toledo).
Procede de un convento suprimido sin que conste cuál sea en el inventari de incautación de 1836, firmado po don Antonio de Zabaleta.

827 *La Anunciación*

Tabla, 0,26 × 0,19.

La Virgen, arrodillada en un reclina torio; a la derecha, el ángel Gabrie sobre una nube. Rompimiento d gloria con ángeles y el Espíritu Santo Arco con fondo de calle.
Pintado, según Cossío, entre 1577

580, según Wethey, en 1570-75; y ɛgún Jordan antes de 1570.
e compró a doña Concepción Parody or R. O. de 25 de junio de 1868.

28 *La Pentecostés*

ienzo, 2,75 × 1,27.

a Virgen en medio; rodeándola trece póstoles y una joven. En lo alto, el spíritu Santo, y sobre las cabezas, las nguas de fuego.
irmado en el centro de la parte baja, n el segundo peldaño: δομηνικος εοτοκοπουλος εποιη.
l tercer apóstol, a la derecha de Ma- a, parece retrato y recuerda a Cova- ubias.
e ha pensado que perteneció al re- blo del Colegio de Doña María de ragón (véase el n.º 825).

29 *La Virgen María*

ienzo, 0,52 × 0,41.

usto; de frente. Túnica roja, tocas ancas y manto azul; nimbo lumino-) alrededor de la cabeza.
irmado a la derecha: δομηνικος εοτοκοπουλος εποιη.
ehechos los trazos al restaurarla.
intado, según Cossío, entre 1594 y 604, y entre 1595 y 1600, según Vethey
n ejemplar, todavía más bello, posee Museo de Estrasburgo.

2444 *San Juan Evangelista*

Lienzo, 1,00 × 0,78.

De más de medio cuerpo. En la diestra, el cáliz con el dragón; túnica verdosa y manto carmesí.
Pintado, según Cossío, entre 1594 y 1604; para Wethey, no posterior a 1600.
Donativo del doctor César Cabañas en 1921.

2445 *Julián Romero y su santo Patrono*

Lienzo, 2,07 × 1,27.

San Julián, de pie, armado, con manto azul flordelisado; de rodillas, el caballero viste manto de la Orden de Santiago, y cuello y puños anchos de lienzo. A la derecha, puede verse el casco empenachado y la corona ducal del santo. A la izquierda, en el pedestal de una columna, el letrero: *JULIAN ROMERO EL D. LAS AZAÑAS NL. DE ANTEQUERA COM OR EN LA ORN DE S N TIAGO MTE D CAMPO EL MAS FAMOSO D LOS EGERCITOS D YTALIA Y FLANDES DE CUIOS HECHOS GLORIOSOS ESTAN LLENAS LAS HISTORIAS.*
A pesar del letrero, el señor Cossío no juzga segura la identificación. El letrero yerra en cuanto a la patria del héroe, puesto que nació en Torrejoncillo de Huete o en Huélamo (Cuenca). Se le concedió el hábito de Santiago por cédula de 10 de julio de 1558; la información, que no fue aprobada, da para su nacimiento fechas que oscilan entre 1503 y 1518; pero nació en el último de estos años, y murió en 13 de octubre de 1578, cerca de Cremona, camino de Flandes. Pintado, según Cossío, entre 1594 y 1604.
Suponíase el patrono san Luis rey de Francia, por las lises; pero el marqués de Montes, biógrafo del caballero, ha rectificado la identificación, que acepta Wethey.
Dícese que se conservó hasta 1890 en Alcalá la Real (Jaén), en casa de descendientes de una hermana de Julián, que casó con Pedro de Miota.
Legado por don Luis de Errazu en 1926.

2644 *Un fraile trinitario o dominico*

Lienzo, 0,35 × 0,26.

Busto.
En la Exposición del Greco de 1902 se tenía por retrato de Fray Juan Bautista Maíno.
Según Cossío, de última época (1604-1614). Para Wethey, de 1600-1605.
Legado Pablo Bosch.

2645 *La coronación de la Virgen*

Lienzo, 0,99 × 1,01.

La escena, entre nubes; a la izquierda, un ángel; a la derecha, querubines,

827

829

2444

2645

2889

2988

como en el centro de la parte alta, rodeando al Espíritu Santo, y a los pies de María, que es coronada por el Padre y el Hijo.
Según Wethey, de 1590-1595. Conócense otros cuatro cuadros de este asunto y composición análoga; Hospital de Illescas, San José de Toledo, Colección Epstein y Talaveruela; pero en éste figuran los fundadores de las Ordenes religiosas, y en el de Toledo, dos donantes.
Firmado a la derecha, en la parte baja: δομηνικος θεοτοκοπουλος εποιη.
Legado Pablo Bosch.

2819 *San Andrés y San Francisco*

Lienzo, 1,67 × 1,13.

Fondo de paisaje; el apóstol, con la cruz aspada; el santo fundador ostenta los estigmas.
Firmado en un papel frente al pie izquierdo de san Francisco.
Según Wethey, pintado hacia 1590-1595.
Fue propiedad del duque de Abrantes, cuya hija, la madre Ana Agustina del Niño Jesús, lo donó a su monasterio de la Encarnación de Madrid, donde ha permanecido hasta que fue adquirido para el Prado en 1942.

2874 *La Santa Faz*

Lienzo, 0,71 × 0,54.

Lienzo de la Verónica con el rostro del Señor estampado.
Según Wethey, pintado hacia 1590-1595.
Adquirido a la parroquial de Móstoles, en cuya sacristía se conservó hasta la guerra, en diciembre de 1944, con fondos del Legado del conde de Cartagena.

2889 *El Salvador*

Lienzo, 0,72 × 0,55.

Media figura.
Formaba parte, con los tres siguientes, de un Apostolado incompleto de la iglesia de Almadrones (Guadalajara), nunca mencionado. Llevados, cuan[illegible] la guerra, al Fuerte de Guadalaja[illegible] reparó en ellos el marqués de Lozo[illegible] traídos nueve al Prado, forrados limpios, fueron adquiridos los cuat[illegible] que se catalogan por el Ministerio [illegible] Educación Nacional en 1946. L[illegible] cinco restantes paran hoy: *San Jua[illegible]* en Fort Worth (Texas); *San Andr[illegible]* en Los Angeles (County Museum), *San Lucas, San Mateo* y *San Simón,* [illegible] Indianápolis (Clowes Foundation[illegible] Según Wethey, datarán de 1610-14 son obra de El Greco ayudado por [illegible] taller.

2890 *Santiago el Mayor*

Lienzo 0,72 × 0,55.

Media figura.
Véase el n.º 2889.

2891 *San Felipe o santo Tomás*

Lienzo, 0,72 × 0,55.

Media figura.
Véase el n.º 2889.

2892 *San Pablo*

Lienzo, 0,72 × 0,55.

Media figura.
Véase el n.º 2889.

2988 *La adoración de los pastores*

Lienzo, 3,19 × 1,80.

Composición apretada: la Sagra[illegible] Familia, tres pastores y ángeles; il[illegible] minada por la luz que emana d[illegible] cuerpo del Niño y de sus pañales.
Por la técnica parece cercano a l[illegible] pinturas de la Caridad de Illesc[illegible] (1603-1605), pero, según Wethey, [illegible] 1612-1614.
Estuvo en el altar de la capilla se[illegible] pulcral del pintor en Santo Doming[illegible] el Antiguo, de Toledo, quedando e[illegible] ella después del traslado de sus rest[illegible] mortales. Lo tasó Tristán el 26 [illegible] septiembre de 1618. Al vender l[illegible] monjas *La Trinidad* (hacia 1820), [illegible] sustituyeron por *La Adoración.*

2819

3888

Adquirido por el Estado. Entró en el Museo el 31 de diciembre de 1954.

3002 *San Sebastián*

Lienzo, 1,15 × 0,85.

Algo más de media figura. El mártir, atado a un tronco, recibe en su cuerpo numerosas flechas que se hincan en la carne.

Pintura de la última época, como la análoga, que se conservaba en el Palacio Real de Bucarest, y que, según Wethey, será de 1600-1605. Para el mismo crítico hay en el lienzo participación del taller; hipótesis poco problable. En el verano de 1962 se ha dado a conocer un fragmento con unas piernas (n.° 7186) que pudieran corresponder a alguno de estos lienzos, o a otro simila
Regalado por la condesa viuda d
Mora, y marquesa de Casa-Riera, e
memoria de su padre el marqués d
Casa-Torres, entregado en diciemb
de 1959.

3888 *La Anunciación*

Lienzo, 3,15 × 1,76.

En la mitad inferior, la Virgen, arr
dillada sobre un reclinatorio, con el l
bro de Horas, se vuelve ante la pre
sencia del arcángel San Gabriel. qu
aparece sobre una nube algodonosa. U
cesto de costura y, encima, una zarz
ardiendo, aludiendo a la zarza de Mo
sés que ardía sin consumirse cuando
Señor se apareció; análogamente,
Virgen recibió la luz divina en el mo
mento de la Concepción sin perder s
virginidad. En el centro, el Espírit
Santo, en forma de paloma, y en
parte superior un coro de ángeles mú
sicos cierra la composición.
Firmado sobre el escalón, bajo el ces
to, en letras cursivas griegas: δομηνικο
θεοτοκοπουλος εποιη.
Pintado entre 1596 y 1600 para e
retablo del colegio de Agustinas d
Doña María de Aragón, de Madrid
donde ocupó el lugar central. S
conocen dos versiones pequeñas d
esta obra, una en el Museo de Bella
Artes de Bilbao, considerada réplic
de taller; otra en la Colección Thysse
Bornemisza, atribuida a El Greco
considerada como estudio prelimina
de esta obra.
Procede del Museo Nacional de l
Trinidad.

7186 *Piernas de San Sebastián*

Lienzo, 0,91 × 1,15.

Anotar en el n.º 3002, *San Sebastián*
En 1962, se dio a conocer un frag
mento con unas piernas, correspon
dientes a esta figura.
Fueron adquiridas por el Museo a do
José Osinalde Peñagaricano, en 1987
Véase el n.° 3002.

7657 *Fábula*

Lienzo, 0,49 × 0,64.

En el centro, de frente, un muchacho soplando un tizón, que sostiene con una mano, mientras con la otra prende una delgada candela; tras él, un mono, sujeto con una cadena, contempla la escena. Una figura, de perfil con aire burlesco, rostro barbado, cubriendo su cabeza con un gorro carmesí, cierra la composición por la derecha.
Fechado hacia 1600. Se conocen dos versiones más de este mismo tema, una en la Colección de Harewood y otra en la National Gallery de Edimburgo.
La obra aparece citada, por vez primera, en el inventario de los bienes del arzobispo de Valencia san Juan de Ribera, muerto en 1611. En el siglo pasado fue propiedad del crítico y pintor Zacharie Astruc, tras cuya muerte pasó por varias colecciones europeas y americanas.
Adquirido por el Museo, en 1993, al señor Stanley Moss, con fondos del Legado Villaescusa.

7657

GRECO. Copias por su hijo Jorge Manuel

Nació en Toledo en 1578, donde murió el 29 de marzo de 1631.

830 *El entierro del señor de Orgaz (parte baja)*

Lienzo, 1,89 × 2,50.

San Esteban y San Agustín llevan a sepultar el cadáver del caballero.
Por general equivocación se llama conde a quien no podía llevar un título creado mucho después. En el *Catálogo* de 1920 se considera como copia de la mano de Jorge Manuel Theotocópuli, «retocada por su padre».
Procede de la casa profesa de la Compañía de Jesús en Toledo, de donde pasó a la Real Academia de San Fernando en febrero de 1774, después de la expulsión de los jesuitas.
Vino al Prado por R. O. de 12 de septiembre de 1901.

832 *El expolio*

Lienzo, 1,07 × 0,69.

Cristo, rodeado de soldados; a la izquierda, las Marías; a la derecha, un sayón, de medio cuerpo, en primer término, que taladra los agujeros de la cruz. Para Wethey, datable en 1595, poco más o menos, y para Soehner, de 1600.
Firmado en el papel blanco que se ve en el ángulo inferior derecho: JORGE MANUEL THEOTOCOPULY. Copia del lienzo pintado por El Greco en 1579 para la catedral de Toledo (sacristía). Procede del Museo de la Trinidad.

GRECO. Copia anónima

831 *San Eugenio (?)*

Lienzo, 2,41 × 1,62.

También identificado con San Basilio, es copia del *San Ildefonso* de El Escorial.
Estuvo en el convento madrileño de San Basilio, de donde pasó a la Trinidad.

GREUZE. Jean-Baptiste Greuze (copia)

Nació en Tournus el 21 de agosto de 1725; murió en París el 21 de marzo de 1805. Escuela francesa.

2590 *Joven de espaldas*

Lienzo, 0,46 × 0,38.

Busto. Muestra desnudo el hombro izquierdo y la parte alta de la espalda; la cabeza, vuelta.
Repite sin variantes el cuadro n.° 591 del Museo Fabre, de Montepellier, y que fue grabado por H. Legrand con el título *La pudeur agaçante*. En la venta de la Colección T. Sternkeim (Amsterdam, 11 febrero 1919) figuró un estudio para ese lienzo.
Legado de don José Brunetti y Gayoso de los Cobos, duque de Arcos. Entró en el Museo en 1935.

GRIMALDI. Giovanni Francesco Grimaldi, llamado «il Bolognese»

Nació en Bolonia en 1606; murió en Roma el 28 de noviembre de 1680. Escuela italiana.

80 *Paisaje con barcos, pescadores y la huida a Egipto*

Lienzo, 1,19 × 1,68.

En el centro, un cerro con árboles y edificios en su cima; a la derecha, un río y tras él un pueblo. En primer término, a la derecha, la Sagrada Familia de camino, y en el centro, en una presa, pescadores y muchachos que hacen música en un barco.
Atribuido a Annibale Carracci en los *Catálogos* del museo hasta 1972, como copia de Domenichino en el de 1985. Pérez Sánchez (1965) lo considera obra de J. F. Grimaldi, copiando a Domenichino. Procede de la Colección Maratta, donde ya se consideraba de Grimaldi.

81 *Paisaje con río y barcas*

Lienzo, 1,12 × 1,49.

Cerro con amplias edificaciones en lo alto. A la derecha, río con puente y dos barcas con remeros.
Atribuido en los viejos catálogos a Annibale Carracci, recogiendo una atribución verbal de Voss, se ha publicado otras veces como de Domenichino. Pérez Sánchez lo atribuyó a Grimaldi. Procede de la Colección Maratta, donde ya se consideraba de Grimaldi. En 1746 en La Granja, Colección de Felipe V.

81

3111

GUERAU GENER y GONÇAL PERIS

Documentados en el primer tercio del siglo XV. Escuela española.

3111 *Santo Domingo*

Tabla, 1,55 × 0,87.

De frente, de pie, sobre una alfombra roja decorada con rosetes y gallinetes. Porta unos lirios blancos en su mano derecha, mientras que en su izquierda sostiene el libro de la regla de la Orden de los Predicadores. En las entrecalles laterales, las figuras de la Magdalena, san Lorenzo, santa Lucía y san Vicente.
Considerado como anónimo valenciano de comienzos del siglo XV, en el catálogo del Museo del Prado de 1985. Según Dubrueil y Aliaga (1994), es obra de colaboración de los pintores Guerau Gener y Gonçal Peris.
Como señaló Pitarch (1986), probablemente se trata de la tabla central de un retablo dedicado a santo Domingo, san Cosme y san Damián, para la capilla de santo Domingo de la catedral de Valencia, encargado en 1405.
Ingresó en el Museo en 1966.

GUERCINO. Giovan Francesco Barbieri, llamado «il Guercino»

Nació en Cento (Emilia) el 8 de fe brero de 1591; murió en Bolonia e 22 de diciembre de 1666. Escuela ita liana.

200 *San Pedro, libertado por un ángel*

Lienzo, 1,05 × 1,36.

El ángel, a la izquierda; a la derecha al fondo, el guarda dormido.
Característico del estilo del Guercin hacia 1620-1623.
Perteneció al marqués de la Ensena da. Desde 1772 a 1814, en el Palaci Nuevo.

201 *Susana y los viejos*

Lienzo, 1,75 × 2,07.

Susana, enjugándose después del ba ño; a la izquierda, los dos jueces libi dinosos, Arquian y Sedequía.
Obra capital del artista en su eta pa juvenil, pintada en 1617 para e cardenal Ludovisi, juntamente co *Lot y sus hijas,* hoy en El Escorial fueron ambas regaladas por el prín cipe Niccoló Ludovisi en 1664 Felipe IV, que los instaló en el Mo nasterio.
Estuvo en las habitaciones reales d El Escorial, donde la menciona e padre Ximénez (1764) con la ab surda indicación de que «alguno la juzgan de Jordán, imitando Guercino»; en 1814, en el Palaci Nuevo.
Se conocen varias copias antigua de la composición (Colección par ticular canadiense; Colección Loi gorri, Madrid y Palacio Colonna en Roma).

202 *San Agustín meditando sobre la Trinidad*

Lienzo, 1,85 × 1,66.

El santo, escribiendo a la orilla de mar, y el niño, que compara s

200

203

201

ntento de comprender el misterio on el de meter el agua del océano entro de un hoyo hecho en la rena.
intado en 1635, para un abate eretti, napolitano. En 1746 es- aba en La Granja, Colección de sabel de Farnesio; en 1794, en ranjuez; en 1814, en el Palacio Juevo.

203 *Magdalena penitente*

Lienzo, 1,21 × 1,02.

De más de medio cuerpo, con el pecho desnudo y la cabeza vuelta a un crucifijo.
Obra de fecha muy tardía, del momento más clásico de su producción, imitando a Reni.
Procede de la Colección de Isabel de Farnesio en La Granja (1746), de donde pasó a Aranjuez, donde se cita en 1794 y 1818.

5122 *San Jerónimo y un rabino*

Lienzo, 1,00 × 1,36.

San Jerónimo señala, con el dedo índice de su mano izquierda, una página en hebreo que le presenta un rabino; mientras que con la mano derecha se dispone a escribir. Alusión a la traducción hecha por el santo de los textos bíblicos.
Atribuido, en el catálogo del Museo de 1872, a Benedetto Gennari; Pérez Sánchez, que, en un primer momento lo creyó obra de Cesare Gennari, posteriormente lo fecha hacia 1620-1625 y lo considera como de mano de Guercino.
Procede de las Colecciones Reales.

GUTIERREZ. Francisco Gutiérrez

Nació hacia 1616; en 1670 ya había muerto. Escuela española.

571 *El juicio de Salomón*

Lienzo, 1,10 × 1,40.

Perspectiva arquitectónica con figuras pequeñas; a la derecha, Salomón en su trono; delante, el ejecutor de la justicia, las dos mujeres, que litigan, etcétera.

571

Hasta 1933 se clasificó como de «Escuela italiana indeterminada». Luego (1942-1972) se consideró de Vicente Cieza por indicación de Gómez Moreno. Sánchez Cantón admitió su semejanza con otra obra firmada *F. G.*, que correctamente interpretó como de Francisco Gutiérrez, cuyas perspectivas elogia Díaz del Valle en 1667. Obras seguras de este artista aparecidas después confirman esta última atribución.

HAMEN. Juan van der Hamen y León

Nació en Madrid y fue bautizado el 8 de abril de 1596; murió en Madrid el 28 de marzo de 1631. Escuela española.

1164

1164 *Bodegón*

Lienzo, 0,52 × 0,88.

Sobre una mesa, tres vasos de vidrio, una botella de vino blanco, un tarro de barro y dos fruteros, uno con higos y bizcochos; barquillos.
Firmado en el ángulo inferior izquierdo: *JU.° VANDERHAMEN Y HAEC FA.ᵗ 1622.*
De la cuarta palabra, la única letra segura es la *H*; las otras tres están restauradas.
Desde 1702 a 1814 en el Palacio del Buen Retiro.

1165 *Frutero*

Lienzo, 0,56 × 1,10.

Cesta con albaricoques y ciruelas; fuera de ellas, una calabaza, brevas, etcétera.
Firmado a la derecha del centro: *JUAN VANDERAMEN, FAT. 1623.*
Procede del Museo Nacional de la Trinidad.

2877 *Ofrenda a flora*

Lienzo, 2,16 × 1,40.

Un niño presenta a la diosa una canastilla de rosas. Fondo de jardín con estatua; en primer término, muchas flores.
Firmado en una piedra en el centro: *JU° UAN DER HAMEN FAC. 1627.*
De composición y carácter análogo a una *Pomona* o *Ceres*, firmada en 1620, que hoy guarda el Banco de España.

2877

Legado por el conde de la Cimera (1944).

4158 *Florero y bodegón con perrito*

Lienzo, 2,28 × 0,95.

Sobre una mesa con tapete verde adamascado, un florero con rosas, tulipanes, jazmines, etc., centra la composición. A su lado, vasijas de vidrio y una bandeja de dulces completan la escena. En la parte inferior, un perrito, situado sobre un suelo de baldosas, juega con una pelota.
Perteneció junto con el siguiente a Jean de Croy, conde de Solre, y Felipe IV los compró tras su muerte en 1638. Figuran en el inventario del Alcázar de Madrid, en 1666, donde ocupaban «el cuarto en el que cenaba su majestad». En el Palacio del Buen Retiro, en 1794.

6413 *Florero y bodegón con perro*

Lienzo, 2,28 × 0,95.

Sobre una mesa con tapete verde adamascado, un florero con rosas, jazmines, tulipanes centra la composición. A los lados, un reloj, cajas de dulces y un frasco con cerezas en su interior. En un plano inferior, sobre un suelo de baldosas, en perspectiva, un perro sentado y a su izquierda un cubo de plata.
Datado hacia 1625.
Véase el n.° 4158.

7065 *Retrato de enano*

Lienzo, 1,22 × 0,87.

En pie y ricamente ataviado. Con su mano izquierda sostiene la empuñadura de la espada y porta un grueso bastón de mando en la derecha. El pintor presenta a este enano, de nombre desconocido, con apariencia noble y gran dignidad.
Jordan sugiere que pueda tratarse de «Bartolo» o «Bartolillo», personaje que formó parte del cortejo real durante la

7065

visita del príncipe de Gales a El Escorial en 1623.
Fechado hacia 1626.
Donado al Museo del Prado en 1986 por la Fundación Bertrán, a través de la Fundación Amigos del Museo del Prado.

HARLEM. Cornelis Cornelisz. van Harlem

Nació en 1562 en Haarlem, donde murió el 11 de noviembre de 1638. Escuela holandesa.

2088 *Apolo ante el tribunal de los dioses*

Tabla, 0,44 × 0,98.

Apolo, sentado ante Júpiter, Mercurio, Baco; Neptuno, de espaldas, como Marte, etc.

Firmado en la piedra en que está Apolo sentado: *C. C. H. 1594.*
En 1666 se atribuía a H. Goltzius, en el Alcázar. Se trajo en 1827 de la Academia de San Fernando.

HAYE

Véase CORNEILLE DE LYON

HECKEN. Abraham van der Hecken (?)

Trabajó en Amberes y de 1636 a 1655 vivió en La Haya y Amsterdam. Escuela flamenca.

2974 *Un filósofo*

Tabla, 0,71 × 0,55.

De cuerpo entero, sentado, viste ropón y gorra de terciopelo. Vense libros y otros objetos de estudio.

2974

2088

2755

2756

Firmado: *S. K. 1635.*
Atribuido a Salomón Koninck en los *Catálogos* de 1963 y 1972. Del cuadro hay repeticiones sin firma en los Museos de Amsterdam, Bruselas —aunque sólo de busto— y Copenhague.
Misme y Gerson atribuyen a Abraham van der Hecken esta obra, considerando dudosa la firma.
Adquirido en Madrid, por compra del Patronato en 1953.

HEDA. Willem Claesz. Heda

Nació en Haarlem, en 1594; murió entre 1680-1682. Escuela holandesa.

2754 *Bodegón*

Lienzo, 0,54 × 0,71.

Jarra, vasos y fruteros, toronjas, nueces, un cuchillo encima de una mesa.
Firmado en el borde de la mesa: *HEDA 1657.* Vroom relaciona esta pintura y la n.° 2756 con la obra de F. Elout.
Legado de Fernández-Durán (1930).

2755 *Bodegón*

Lienzo, 0,52 × 0,74.

Mesa con mantel de color, recogido en un extremo, y encima, vasos, platos, cuchillos, conchas, nueces; un reloj con su llave pendiente.
Firmado en la hoja del cuchillo: *HEDA, 1635.*
Legado de Fernández-Durán (1930).
Compañero del anterior y el siguiente.

2756 *Bodegón*

Lienzo, 0,52 × 0,73.

Una bandeja con ostras, un limón, vasos con vino, un porrón, un reloj, etcétera.
Firmado en el canto de la mesa: *HEDA, 1632.*
Compañero de los números 2754-5.
Legado de Fernández-Durán (1930).

HEEM. Jan Davidsz. de Heem

Nació en Utrecht en 1606; murió en Amberes entre el 14 de octubre de 1683 y el 26 de abril siguiente. Escuela holandesa.

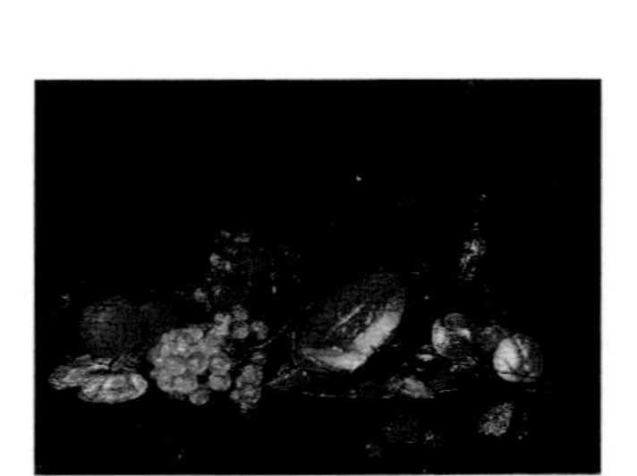

2089

2090

2089 *Mesa*

Lienzo, 0,43 × 0,60.

Naranjas, uvas, melón, ostras, cerezas, vasos, etc.
Firmado *DE HEEM.*
Díaz Padrón y Royo Villanova (1987 y 1996) lo creen obra de Cornelis de Heem (1631-1695).
Procede de las Colecciones Reales.

2090 *Mesa*

Tabla, 0,49 × 0,64.

Sobre la mesa, un reloj, vasos, un frutero volcado, uvas, cerezas, limón, ostras.
Firmado en el ángulo superior izquierdo: *J. DE HEEM F.*
Véase n.° 2089.

HEERE (?). Lucas de Heere, llamado Lucas de Holanda

Nació en Gante en 1534; murió en 1584, en París. Escuela holandesa.

1949 *Felipe II*

Tabla, 0,41 × 0,32.

Busto: gola de lienzo y cuello de piel.
Felipe II, hijo de Carlos V y de la emperatriz Isabel, nació en Valladolid el 21 de mayo de 1527; murió en El Escorial el 13 de septiembre de 1598.
La atribución descansa, además de en razones de estilo, en la mención que hace Granvela, en carta de 13 de noviembre de 1553, al «pourtraict de monseigneur nostre prince, que Lucas

1949

a entre ses mains, sur bois et grand... encoires qu'il n'y aye que la teste». Quizá no llegó a pintarse el resto y se aserró la tabla.
En 1746, en La Granja, Colección de Isabel de Farnesio, como de la escuela de Tiziano.

HEIL. Daniel van Heil

Nació en Bruselas en 1604, donde murió hacia 1662. Escuela flamenca.

1459 *Ciudad incendiada*

Tabla, 0,54 × 0,78.

Por la arquitectura, es una ciudad flamenca. ¿Amberes?
Atribuido en los *Catálogos*, hasta 1972, a Pieter Bruegel el Joven, aunque ya Hulin de Loo había dado la atribución correcta.
Procede de las Colecciones Reales.

HEMESSEN. Jan Sanders van Hemessen, o de Hemessen

Nació en Hemiksen (próximo a Amberes) hacia 1500; murió en Haarlem hacia 1564-1566.
Escuela flamenca.

1541 *El cirujano*

Tabla, 1 × 1,41.

Figuras de más de medio cuerpo y tamaño natural. El operador extirpa la piedra de la locura; el padre se desmaya; la madre sujeta la cabeza del paciente; detrás, una joven prepara unturas. Vense en primer término el instrumental y las medicinas; bajo la muestra con letrero hay varias piedras como anuncio; a la derecha, fondo de ciudad con obreros de extraños trajes.
Según Hymans, se pintó hacia 1555. Friedländer lo cree de la madurez de Van Hemesen; y Van de Velde lo fecha en torno a 1550.
Figura en el inventario de El Pardo de 1614.

1542 *La Virgen y el Niño*

Tabla, 1,35 × 0,91.

El Niño desnudo. Fondo de paisaje. Firmado con un monograma: *A O D 1543*. Los rasgos del monograma y las letras parecen indicar una firma falsa de Durero; pero, según Mont, el monograma puede leerse A[nn]o D[omini].
La atribución a Van Hemessen, repetida en los *Catálogos*, está aceptada por Winkler y por Friedländer.
En 1746, en La Granja; en 1794, en Aranjuez.

1541

1542

HERRERA, el Mozo. Francisco de Hererra

Nació en Sevilla, donde fue bautizado el 28 de junio de 1627; murió en Madrid el 25 de agosto de 1685. Escuela española.

833 *El triunfo de san Hermenegildo*

Lienzo, 3,28 × 2,29.

El rey mártir, con el crucifijo en la diestra y rodeado de ángeles músicos, cantores, portadores de la corona, el cetro, las cadenas y el hacha. En la parte baja, aterrados, Leovigildo con armadura y un obispo arriano, de cuyas manos el mártir se negó a recibir la comunión.
Pintado en 1654 para el altar mayor de la iglesia del convento de los Carmelitas Descalzos, de Madrid. Vendido por el convento en 1786, fue comprado el año 1832 por Fernando VII para el Museo.

833

7113 *El papa san León I «el Magno»*

Lienzo, 1,64 × 1,05 (óvalo).

Poco menos de cuerpo entero, sentado; viste de pontifical con tiara, cruz papal de tres travesaños y la llave. Se ha sugerido que en vez de san León sea san Pedro. Compañero de otros seis de análogo formato, decoraron la cúpula de la iglesia del convento de Agustinos Recoletos de Madrid, donde lo citan Palomino, Ponz y Ceán. Aunque los viejos inventarios los consideraron siempre de Herrera el Mozo, se ha catalogado a veces como de Herrera el Viejo.
Procede del Museo de la Trinidad.

HERRERA, el Viejo. Francisco de Herrera

Nació en Sevilla hacia 1590; murió en Madrid en 1654 (?). Escuela española.

3058 *Cabeza de santo degollado*

Lienzo, 0,51 × 0,65.

Firmado: *FRAN.co DE HERRERA F.*
Adquirido por el Patronato en 1963.

7134 *San Buenaventura recibe el hábito de san Francisco*

Lienzo, 2,31 × 2,15.

La escena, en un templo; a la derecha, el altar; al fondo izquierda, una tribuna. San Buenaventura, que viste traje talar negro, arrodillado ante san Francisco; en el suelo, el hábito y el cordón franciscanos. El santo fundador está sentado entre la comunidad, y a su derecha, un fraile anciano parece presentar al postulante.
Pintado, con otros tres de Herrera y con cuatro de Zurbarán, para la iglesia del Colegio de San Buenaventura, de Sevilla; serie contratada en 30 de diciembre de 1627.
Tras permanecer requisado durante la guerra de la Independencia, fue devuelto al convento, y en 1836 lo compró el embajador británico en Madrid.

7134

Fue regalado en 1925 al Museo por el doctor Joaquín Carvallo.

HIJO PRODIGO. Maestro del Hijo Pródigo

Activo en Amberes, mediados del siglo XVI.

5987 *Adoración de los Reyes*

Tríptico en tabla: centro, 1,11 × 0,72; laterales, 1,11 × 0,31.

En la tabla central, la Virgen sentada con el Niño en brazos, sobre un fondo arquitectónico clásico. En primer término, arrodillado, Melchor, en actitud de besar la mano del Salvador. En segundo plano, Gaspar, de pie, con tocado en la mano derecha, símbolo de respeto, y la ofrenda. Al fondo, paisaje con figuras.

5987

En el ala de la izquierda, como continuación de la escena, Baltasar con cetro, copa y corona. Detrás, la comitiva. En la tabla de la derecha, san José, relegado de la escena central, anciano, pensativo, con la vara en su mano diestra y el sombrero en la izquierda. Sobre el suelo, capiteles rotos, símbolos de la antigua Ley.
En el anverso, una grisalla, con el tema de la Anunciación, simbolizando el paso del Antiguo Testamento al Nuevo.
Un tríptico del mismo tema, pero de inferior calidad, se conserva en el Museo Nacional de Varsovia.
La obra, considerada anónima, en los distintos inventarios y catálogos del Museo, la atribuyó Díaz Padrón, en 1981, al Maestro del Hijo Pródigo.
Procede del Museo Nacional de la Trinidad.

HOLBEIN. Hans Holbein (?)

Nació en Augsburgo en el invierno de 1497-1498; murió entre el 7 de octubre y el 29 de noviembre de 1543. Escuela alemana.

2182 *Retrato de anciano*

Tabla, 0,62 × 0,47.

Anciano, de medio cuerpo, con un pergamino arrollado en la mano izquier-

da; viste de negro con solapas labradas; la gorra, negra también.
No es aceptada por Winkler ni por otros críticos la identificación con Sebastián Münster (1489-1519).
Según comunicación del doctor Helmut Eggerphed, de Berlín, el retratado padecía de *rhinophym* o de *rhynoskleron*.
Este admirable retrato se atribuía en el Museo a Holbein, y desde 1873, con interrogante. La opinión de muchos críticos hizo que desde 1920 se pusiera el nombre de Joos van Cleve, del que sería su obra maestra de la última época. Actualmente es la opinión generalmente aceptada.
Procede de las Colecciones Reales. Salvado del incendio en 1734.

2182

HONDECOETER. Melchor de Hondecoeter

Nació en Utrecht en 1636; murió en Amsterdam el 3 de abril de 1695. Escuela holandesa.

7686 *Bodegón con animales*

Lienzo, 1,41 × 1,72.

Sobre un fondo de follaje destaca, en primer término, un zorro sentado, con la cabeza vuelta a la derecha, un cisne muerto en el suelo y detrás, en segundo término, tres gallos, uno en el suelo y dos sobre la cerca, en actitud de pelea. A la derecha de la composición, en la lejanía, se divisa un grupo de animales y sobre el celaje un milano en vuelo.

7686

Firmado: *M. D. HONDECOETER*, en el travesaño de la cerca.
Adquirido por el Museo por derecho de retracto, en 1994.

HOPPNER. John Hoppner

Nació en Whitechapel el 4 de abril de 1758 (?); murió en Londres el 23 de enero de 1810. Escuela inglesa.

2474 *Desconocida*

Tabla, 0,64 × 0,55.

De menos de medio cuerpo, con gran sombrero.
Es pintura que suscita muchas dudas. Semeja obra del siglo XX.
Legado por don Luis de Errazu en 1925.

3040 *Mrs. Thornton*

Lienzo, 0,76 × 0,62.

De más de medio cuerpo. Está sentada y de frente.
Es probable que la retratada fuese la esposa de Henry Thornton.
Donado al Museo por Mr. Appleby, de Londres, en 1959.

HOREMANS. Jan Jozef Horemans, el Viejo

Nació en Amberes en 1682, donde murió el 7 de agosto de 1759. Escuela flamenca.

6402 *Maestro de escuela*

Tabla, 0,30 × 0,30.

En una estancia con ventanas emplomadas, un maestro de escuela, en pie, blande con su mano derecha unas varas de disciplina. Dos niños, de espaldas, se alinean esperando el castigo, otros discípulos contemplan la escena; uno de ellos, con un papel en la mano, señala con el índice la figura de su superior. En la pared y en la ventana, repisas con libros, papeles, una jarra y un reloj de arena.
Adquirido a don Tomás Perla Arroyo el 29 de julio de 1980.

6402

HOUASSE. Michel-Ange Houasse

Nació en París en 1680. Fue pintor de Felipe V desde 1715 hasta 1730; murió en Arpajon el 30 de septiembre de 1730. Escuela francesa.

2264 *La Sagrada Familia con san Juan*

Lienzo, 0,63 × 0,84.

La Virgen, vestida de encarnado y manto azul, con el Niño Jesús dormido, hace ademán de imponer silencio al Precursor. A la izquierda, san

226

José; en el suelo, la cesta de costura de María.
Firmado en el escalón alto de la derecha: *MIKEL ANGE HOVASSE, 1720* (o *1726*).
En 1746 estaba entre las pinturas de Felipe V, en La Granja. Después pasó a Aranjuez.

2267 *Bacanal*

Lienzo, 1,25 × 1,80.

La escena, en un bosque, a la izquierda, un hermes de Pan; en medio, el busto de Baco coronado de yedra y laurel; delante, el ara; una mujer ofrece una copa a un anciano desnudo; otra estruja un racimo en la cara de un fauno; varios grupos de adoradores del dios.
Firmado en las piedras donde se apoya el anciano: *MIKEL ANGE HOUASSE, 1719.*
En 1746 estaba en La Granja, Colección de Felipe V; de allí vino en 1820.

2267

2268 *Sacrificio a Baco*

Lienzo, 1,25 × 1,80.

La escena, en un bosque; ante l estatua del dios, a la izquierda, vacían en la hidria un odre de vino; un hombre ofrece un cántaro, una joven trae una cesta de uvas, etc.; en medio el ara y el sacerdote incensando; a l derecha, un niño, un mancebo y un joven dormida. Al fondo, faenas d vendimia.
Firmado a la derecha, en la piedr donde reclina su cabeza la muje dormida: *MIKEL ANGE HOUSASSE 1720.*
Véase el n.° 2267.

2269 *Vista del monasterio de El Escorial*

Lienzo, 0,50 × 0,82.

Del edificio se ve la fachada principa y, en escorzo, la de mediodía; al fondo la llanura. En primer término, u monje jerónimo leyendo.
Forma parte de un nutrido grupo d vistas de Sitios Reales realizadas por e pintor, y que en su mayor parte guard el Patrimonio Nacional.
El nombre del autor figura ya en e inventario de 1746, La Granja, pin turas de Felipe V.

2269

2387 *Luis I*

Lienzo, 1,72 × 1,12.

Viste traje blanco y gris plata; gran corbata de encaje; en la mano derecha, el sombrero.

Al pie, el letrero: *LOVIS DE BOVRBON. PRINCE. DES. ASTURIES AGE. DE DIX ANS. LE MOIS D'AOVST. 1717.* Luis I, hijo de Felipe V y de María Luisa Gabriela de Saboya, nació el 25 de agosto de 1707; rey en 9 de febrero de 1724; murió el 31 de agosto del mismo año.

Procede de las Colecciones Reales.

2387

3231 *Retrato de bufón*

Lienzo, 1,66 × 1,10.

En pie. Sobre fondo de paisaje, de frente al espectador, ricamente ataviado, sosteniendo un papagayo en su mano derecha, que alude, probablemente, a su misión de parlanchín dentro de la Corte.

Como obra de García de Miranda en el Inventario de 1857; sin embargo, presenta tan notables afinidades con el estilo de Houasse, que ha permitido considerarlo de mano de este pintor.

Procede de las Colecciones Reales. En 1794 se hallaba en el Palacio del Buen Retiro.

3054

HUDSON. Thomas Hudson

Nació en Devonshire en 1701; murió en Twickenham en 1779. Escuela inglesa.

3054 *Retrato de dama con su hija*

Lienzo, 1,25 × 0,99.

Figura femenina, sentada, de más de tres cuartos, acoge con su mano izquierda a su hija, a quien entrega una fruta, símbolo de amor y de inocencia. Al fondo, a la izquierda, una columna truncada, aludiendo a la fortaleza.

Firmado en el ángulo inferior izquierdo: *HUDSON... FINA...*

Adquirido en 1993.

HUGUET. Jaume Huguet

Nació en Valls en 1414-15, y trabajaba en Barcelona entre 1434 y 1487. Escuela española.

2683 *Un profeta*

Tabla, 0,30 × 0,26.

Probablemente tabla de una una *subpredella*, como las que se ven en retablos de la Corona de Aragón.

Atribuido un tiempo a Martín de Soria. La nueva clasificación fue realizada por Gudiol y Ainaud (1948).

Legado Pablo Bosch.

2683

2270

2271

HUGUET. Discípulo de Jaume Huguet

2680 *La crucifixión*

Tabla, 0,88 × 0,63.

Represéntase el momento de la frase: *Sed tengo.* Las Marías y san Juan, al pie de la cruz; los dos ladrones, crucificados; numerosos soldados.
Legado Pablo Bosch.

HUTIN. Charles-François Hutin

Nació en París el 4 de julio de 1715;

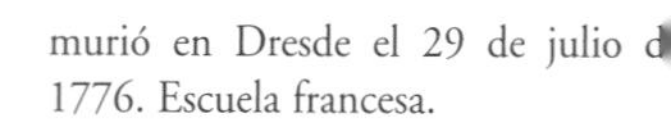

murió en Dresde el 29 de julio de 1776. Escuela francesa.

2270 *Aldeana sajona en la cocina*

Lienzo, 0,83 × 0,55.

La joven aldeana, que viste saya gris y corpiño blanco, está ante el fogón encendido.
Procede de las Colecciones Reales.

2271 *Un aldeano*

Lienzo, 0,83 × 0,57.

Viste chaleco azul, calzas color castaño, sombrero con pieles y mandil; empuja una carretilla con un barril.
Firmado en una piedra cerca del ángulo izquierdo: *C. HUTIN 1756.*
Compañero del n.º 2270.

HUYS. Peeter Huys

Maestro en Amberes en 1545. Se ha dado como fecha de muerte el 15 de octubre de 1581, pero es incierta. Escuela flamenca.

2095 *El infierno*

Tabla, 0,86 × 0,82.

Luchas de ángeles y demonios, y tormentos infernales.
Firmado a la izquierda, en la ventana, debajo del autorretrato (?): *1570 PEETER HUYS FE.*
Según Friedländer, un cuadro semejante y firmado hay en el Museo Mayer Van de Bergh, de Amberes.
Procede de El Escorial.

2095

NDIA. Bernardino India

Jació en Verona en 1528; murió en 590. Escuela italiana.

3259

259 *Retrato de Giovanni Mateo Ghiberti*

Tabla, 0,210 × 0,145.

La figura, de busto, de perfil hacia la zquierda. Giovanni Mateo Ghiberti, bispo de Verona, fue datario en Roma del pontífice Clemente VII y amio y mecenas de Giulio Romano. Fue ersonalidad notable en el mundo lierario y enemigo acérrimo de Pietro Aretino.

Existe otro ejemplar idéntico en el Museo de Castelvechio, Verona.

El cuadro procede de las Colecciones Reales.

2514

INZA. Joaquín Inza

Nació en Agreda (Soria) hacia 1736; murió en Madrid en 1811.

2514 *Don Tomás Iriarte*

Lienzo, 0,82 × 0,59.

De más de medio cuerpo; viste casaca azul con chaleco y bocamangas rojas; la mano izquierda en un ejemplar de *La Música*, que está sobre una mesa en que hay tintero y plumas.

Nació en La Orotava (Canarias) en 1750; fabulista, autor del poema *La Música*, etc.; murió en 1791.

Adquirido por el Patronato del Tesoro Artístico en 1931.

IRIARTE. Ignacio Iriarte

Bautizado en Santa María de Azcoitia (Guipúzcoa) el 16 de enero de 1621; murió en 1685, en Sevilla. Escuela española.

836 *Paisaje con un torrente*

Lienzo, 1,12 × 1,98.

A la derecha, el torrente; a la izquierda, cazadores entre árboles; en el centro, valle amplio.

Pareja probable del n.° 2970, firmado en 1665.

Procede de las Colecciones Reales.

837 *Paisaje con ruinas*

Lienzo, 1,37 × 1,04.

A la derecha, edificio romano de orden compuesto, en ruinas; a la izquierda, río con un puente en la lejanía.

Desde 1700 a 1794 en el Palacio del Buen Retiro.

2970 *Paisaje con pastores*

Lienzo, 1,06 × 1,94.

La vista abarca un amplio paisaje con arboleda y riscos fantaseados; un pastor con asno, cabras y ovejas en el centro; a la derecha, parejas de viandantes hacia un río.

Firmado: *IGNACIO IRIARTE F 1665.*

Donado por M. Frederick Mont en 1952.

2970

7044

7044 *Paisaje fantástico con lago y cascada*

Lienzo, 1,64 × 2,42.

A la derecha, una cascada; en el centro paisaje con arboleda y riscos; al fondo varios jinetes dirigiéndose a una posada; detrás un gran lago y, a la izquierda, un árbol con follaje cerando la composición.
Procede de la colección que el infante don Luis Antonio de Borbón poseía en el palacio de Boadilla del Monte.
Adquirido por el Estado en 1985.

IRIARTE. Valerio Iriarte

Nacido en Zaragoza, hacia 1680-1690. En Madrid desde 1711. Murió en 1741. Escuela española.

1162 *Don Quijote en la venta*

Lienzo, 0,56 × 0,79.

Sentado a la mesa, servido por los venteros.
Atribuido, lo mismo que su compañero n.° 1163, en *Catálogos* anteriores a 1985 a Cristóbal Valero, por una errónea interpretación del inventario de La Granja de 1746.

1163 *Don Quijote, armado caballero*

Lienzo, 0,56 × 0,79.

El hidalgo de rodillas, en el acto de ir a recibir el espaldarazo que le administra el ventero.
Se ha señalado su relación con escenas análogas de M. A. Houasse.
De la misma procedencia que el anterior.

ISENBRANT. Adriaen Isenbrandt, o Ysenbrant

Obtuvo la dignidad de maestro, en Brujas, el 29 de noviembre de 1510; murió en esa ciudad en julio de 1551. Escuela flamenca.

1943

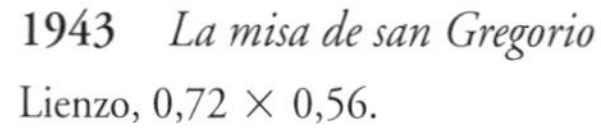

1943 *La misa de san Gregorio*

Lienzo, 0,72 × 0,56.

Aparición de Cristo al papa san Greg rio; sólo los ayudantes participan d prodigio; detrás, el séquito papal. A quitectura del Renacimiento flamenc La atribución a Isenbrant la dio Wea y la confirmó Friedländer.
Vino en 1822 del Palacio Nuevo.

2544 *La Virgen, el Niño, san Juanito y tres ángeles*

Tabla, 0,165 × 0,123.

La Virgen sentada en su trono. Fond de paisaje con castillo próximo.

26

281

En esta tablita, algo barrida por las restauraciones, ve Friedländer la influencia de Gossaert sobre Isenbrant, y le encuentra relación con el tríptico Malvagna, de Palermo, pintado por el primero.
Legado de don Luis de Castro y Solís, en 1925.

2664 *María Magdalena*

Tabla, 0,45 × 0,34.

De más de medio cuerpo, con un libro en la mano.
En el ungüentario se lee *MAGDELE.*
Para Friedländer, es réplica libre de la de la Colección Pannwitz, que considera cabeza de la serie.
Legado Pablo Bosch.

2818 *Cristo, varón de dolores*

Tabla, 0,46 × 0,29.

Jesús coronado de espinas, con las manos atadas a la cruz, sentado; fondo de paisaje amplio; a la izquierda, caída en el camino del Calvario; a la derecha, la comitiva que se dirige al lugar de la crucifixión, representada en la cumbre. Un peñasco abrupto divide el campo, con el río en la lejanía y Jerusalén en segundo término.
El cuadro ingresó en el Museo en 1941.

JIMENEZ. Miguel Jiménez

Véase XIMENEZ

JIMENEZ DONOSO. José Jiménez Donoso

Nació en Consuegra (Toledo) hacia 1632; murió en Madrid el 14 de septiembre de 1690.

694 *Visión de san Francisco de Paula*

Lienzo, 1,72 × 1,63.

El santo, de camino, seguido de un fraile que lleva a hombros un apestado; otro en tierra; en el cielo, dos ángeles, con el letrero *CHARITAS.* Al fondo, un convento.
Vino del Museo de la Trinidad; procede probablemente del convento de la Victoria, de Madrid.

694

JOHNSON. Cornelius Johnson, llamado Janssen van Ceulen

Nació en Londres en 1593; murió en Amsterdam hacia 1664. Escuela holandesa.

2588 *Joven con la mano ante el pecho*

Lienzo, 0,74 × 0,60.

De medio cuerpo. Gran cuello de encaje.
Figuraba ya correctamente atribuido en la Colección del duque de Arcos como obra de «Janssen».
Legado por don José Brunetti y Gayoso de los Cobos, duque de Arcos; entró en el Museo en 1935.

2588

JOLI. Antonio Joli

Nació en Módena hacia 1700 y murió el 29 de abril de 1777; vino a España desde Inglaterra en 1750; marchó a Italia en 1754. Escuela italiana.

232 *Embarco de Carlos III en Nápoles*

Lienzo, 1,28 × 2,05.

En primer término, en un coche, el marqués de Tanucci, primer ministro; los muelles, llenos de gente, y el golfo, de naves.
El embarco se hizo el 6 de octubre de 1759; lo declara el letrero que se ve en la muralla, a la izquierda, en el muro: *IMBARCO DI S. M. IN NAPOLI IL 6 OT. JOLI DE. DIPI. 1759.*
Esta firma, mal interpretada, dio origen a que se apellidase al pintor en

232

los catálogos viejos Joli DE DIPI —cuando significa: *DELINEAVIT, DIPINXIT*.
Este lienzo y su compañero proceden del Museo de la Trinidad, adonde cree Urrea que pudieron llegar desde las Colecciones Reales.
Se conocen otras cuatro versiones autógrafas de esta obra, una de ellas desaparecida en el incendio de la embajada de España en Lisboa.

233 *Embarco de Carlos III en Nápoles*

Lienzo, 1,28 × 2,05.

Vista de la escuadra mandada por el marqués de la Victoria; al fondo, el puerto.
En la vela de una lancha, a la derecha se lee: *IMBARCO DE S. M. C. IL DI 6 OTTO.ER IN NAPOLI 1759. A. JOLI.*
Véase el n.° 232.

JORDAENS. Jacob Jordaens

Nació en Amberes el 19 de mayo de 1593; murió el 18 de octubre de 1678 en la misma ciudad.
Escuela flamenca.

1539 *La derrota de los titanes*

Lienzo, 1,71 × 2,85.

Caen los gigantes aplastados por peñas desgajadas por los rayos de Júpiter.
Pintado por un boceto de Rubens (Museo de Bruselas), para la Torre de la Parada, donde se atribuía a Rubens en 1700. Hasta 1972 se catalogó como obra de Gowy. Díaz Padrón lo devolvió a Jordaens.
En 1700, en la Torre de la Parada; en 1772 en el Buen Retiro; en 1776 en el Palacio Nuevo. Ingresó en el Museo en 1829.

1546 *Meleagro y Atalanta*

Lienzo, 1,51 × 2,41.

Figuras de más de medio cuerpo. A la izquierda, los cazadores, dos de ellos jinetes; a la derecha, Meleagro y Atalanta; detrás, sus tíos con el jabalí robado.
Según Rooses, pintado hacia 1628; pero Kurt y Von Manteuffel han probado que se pintó en dos épocas y hasta en dos lienzos distintos, añadiéndose la mitad izquierda.
Figura en San Ildefonso en 1746; más tarde (1794), en Aranjuez.

1547 *Ofrendas a Ceres*

Lienzo, 1,65 × 1,12.

La diosa, sobre un pedestal, mas no es estatua, y teniendo el cuerno de Amaltea, está rodeada por portadores d frutas, cántaros de leche y miel, u ternero, un caballo, etc.
Obra juvenil de Jordaens, pintad hacia 1618-1620. Se conserva un di bujo preparatorio en el Courtlan Institute de Londres.
Figura en el Inventario del Retiro d 1722.

1548 *Diosas y ninfas después del baño*

Lienzo sobre tabla, en parte pintada directamente: 1,31 × 1,27.

La escena, en un jardín con fachada que recuerdan la casa de Rubens Varias mujeres, terminado el baño, s enjuagan y atavían; a la derecha, al pi de una fuente, quizá la diosa Juno, Venus, servida por ninfas, es peinad por una esclava negra y recibe a u genio alado que tiene una copa e la diestra; otros genios aportan un bandeja, un pavo real, flores, vinos, vuelan descorriendo una cortina sembrando flores.
Aunque veníase definiendo como «E baño de Diana», se trata de un episo dio sobre el encuentro de Cupido Psique.
Según Wurzbach, la arquitectura es d otra mano.
El cuadro figuraba en 1666, 1686 1700 en el Alcázar como de Rubens, en 1746 y 1772, en el Retiro.

1549 *La familia de Jordaens en un jardín*

Lienzo, 1,81 × 1,87.

Cuatro figuras: la dama, sentada co la niña a su lado; el caballero, en pi con un laúd en la mano; en medio en segundo término, una joven co una cestilla de frutas. Detrás, un amo cabalga en un delfín de escultura, u guacamayo y un perro.
Supuso Hymans autorretrato de Jordaens el caballero del laúd; negáronl Wurzbach y Rooses, quien cree el cuadro pintado antes de 1623. Sin embar

1547

1539

1548

1546

1549

1550

go, el autorretrato de hacia 1640, publicado por Gluck en *The Burlington Magazine*, en noviembre de 1934, demuestra, con su parecido, que en este cuadro el pintor se ha representado a sí mismo.
La mujer de Jordaens se llamaba Catalina van Noort —el matrimonio fue el 15 de mayo de 1616—; Isabel nació el 26 de junio de 1617.
La pintura se registra en La Granja en 1746, y en Aranjuez, en 1794.

1550 *Tres músicos ambulantes*

Tabla, 0,49 × 0,64.

Figuras de menos de medio cuerpo. Dos cantores acompañados por un clarinete.
Para Rooses es dudosa la atribución, porque Jordaens no empleó en otros cuadros estos modelos.
Hymans cree la tabla pintada por Van Dyck.
Vino del Palacio de la Moncloa en 1827.

1551 *Apolo, vencedor de Pan*

Lienzo, 1,81 × 2,67.

Cuatro figuras. Apolo es coronado por Júpiter; Pan toca la siringa, mientras crecen las orejas de Midas, en castigo por haber juzgado injustamente.
Fondo de paisaje.
Firmado: *J. JOR F.*
Pintado hacia 1637 sobre un boceto de Rubens, conservado en el Museo de Bruselas.

1551

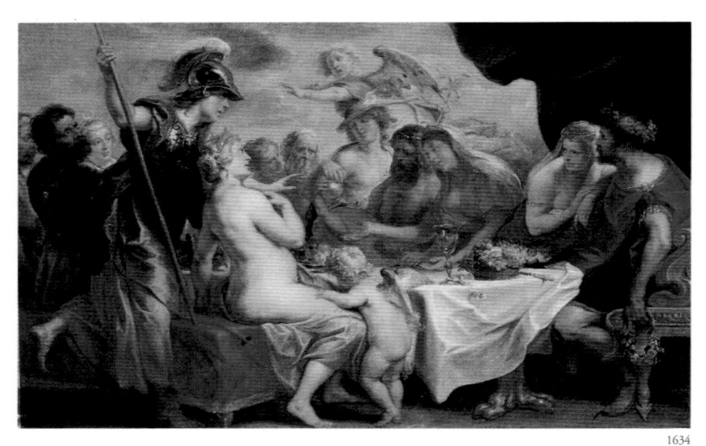

1634

1713

La copia, por Mazo, de este lienzo, n.° 1712 del Museo, se ve en el fondo de *Las Meninas.*

Estuvo en la Torre de la Parada, donde se cita en 1700. En 1772 y 1794 estaba en el Palacio Nuevo.

1634 *Las bodas de Tetis y Peleo*

Lienzo, 1,81 × 2,88.

La Discordia, por no haber sido invit da, acaba de arrojar la manzana de o que, disputada por Venus, Juno y Mine va, es entregada por Júpiter a Mercuri Firmado en el asiento de Júpiter, a izquierda: *IIR FECIT A° 163* [no legib la última cifra].

Pintado sobre un boceto de Ruben en el Art Institute de Chicago.

Atribuido hasta 1972 a Jan Rey Díaz Padrón lo atribuyó a Jordaens.

En 1700 y 1747 se cita en la Torre la Parada. En 1772, 1794 y 18 estaba en el Palacio Nuevo.

1713 *Cadmo y Minerva*

Lienzo, 1,81 × 3,00.

A la izquierda, el dragón muerto p Cadmo; éste oye de Minerva la profec de que los hombres nacidos de los die tes del monstruo guerrearán siempre.

Pintado para la Torre de la Parada s gún un boceto de Rubens de Colección de Sir Edmund Bacon.

Se atribuyó a Rubens, pero ya Ponz el siglo XVIII lo consideró de Jordaen

En 1700 y 1747 estaba en la Torre la Parada. En 1772 y 1794 se cita en Palacio Nuevo.

6392 *La Piedad*

Lienzo, 2,21 × 1,69.

La Virgen sentada, con el cuerpo Cristo apoyado en sus rodillas, alza l ojos al cielo. La Magdalena, arrod llada, quita dos espinas de la cabe del señor, María Salomé besa la m no derecha de Cristo. En pie, tras grupo, san Juan, con las manos junta y Nicodemus y José de Arimatea, un de ellos acodado, lloroso, en la escale que ha servido para descender a Jesú Obra significativa del pintor, de la qu se conocen algunas otras versiones e la Casa de Rubens de Amberes, en Kunsthalle de Hamburgo y en l Beguinas de Amberes. Puede fechar entre 1650-1660.

Procede de la iglesia de San Alberto de Sevilla. Adquirido en 1981.

JORDAENS. Copia por Mazo

1712 *Apolo, vencedor de Pan*

Lienzo, 1,81 × 2,23.

Pudo haberse pintado sobre un boceto de Rubens; pero es copia del n.° 1551, firmado por Jordaens.
Es el único cuadro que se identifica con seguridad entre los que se ven en *Las Meninas;* el inventario palatino confirma que es este ejemplar.
Procede de las Colecciones Reales.

JOUVENET. Jean-Baptiste Jouvenet

Nació en Rouen en abril de 1644; murió en París el 5 de abril de 1717. Escuela francesa.

2272 *El «Magnificat»*

Lienzo, 1,03 × 1.

La Virgen, al visitar a santa Isabel que la saluda reverente, prorrumpe en el *Magnificat anima mea;* a la izquierda, san Joaquín con un asno. La escena, en una escalinata entre dos grandes edificios. En el costado izquierdo, retratos del autor y del canónigo Laport, que encargó el cuadro.
Es el pasaje narrado por san Lucas en el capítulo I, versículo 45 y siguientes.
Es una reducción de calidad del gran lienzo pintado en 1716, para el altar mayor de Notre-Dame de París, retirado en 1860 y conservado en el Museo del Louvre.
Procede de las Colecciones Reales.

JUANES. Vicente Juan Masip, Joanes, llamado Juan de Juanes

Nació en Fuente la Higuera(?) (Valencia) en 1523(?); murió en Bocairente en diciembre de 1579. Escuela española.

838

839

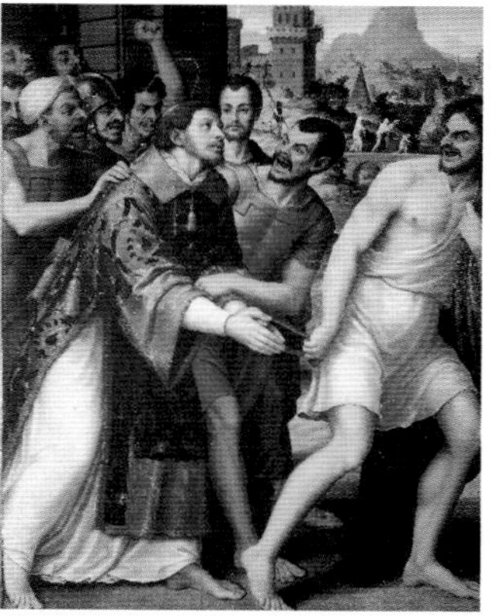

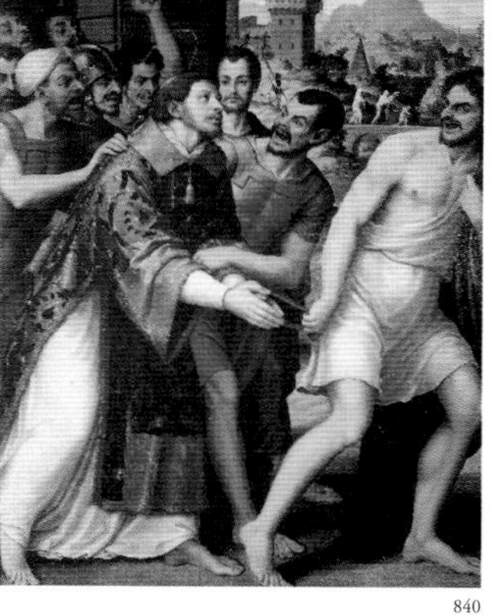

840

841

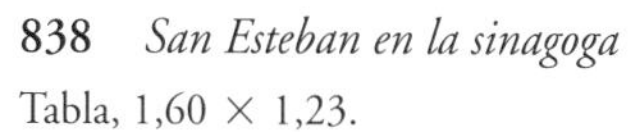

838 *San Esteban en la sinagoga*

Tabla, 1,60 × 1,23.

El santo diácono discute con los doctores de la ley mosaica. Al fondo, por un arco, se ve el paisaje, con un obelisco, ruinas, mar y montes.
Refiérese el pasaje en el cap. VI de los *Hechos de los Apóstoles.*
Este cuadro y sus compañeros, números 839-842, se pintaron para el retablo mayor de San Esteban, de Valencia. Estuvieron en esa iglesia hasta que en 1801 los adquirió Carlos IV, mediando el arzobispo don Juan del Río.

839 *San Esteban, acusado de blasfemo*

Tabla, 1,60 × 1,23.

Los rabinos se tapan las orejas para no escuchar al santo diácono. En la parte alta, la aparición de Cristo, con ángeles.
Véase el n.° 838.

840 *San Esteban, conducido al martirio*

Tabla, 1,60 × 1,23.

Detrás del grupo del santo y sus verdugos, Saulo, en segundo término. Fondo de paisaje con río, puente y edificios.
Un dibujo para la composición se guarda en el Courtauld Institute de Londres. Véase el n.° 838.

841 *Martirio de san Esteban*

Tabla, 1,60 × 1,23.

De rodillas, apedreado. Fondo de paisaje, en el que se ve a Saulo guardando

845

las vestiduras de los verdugos.
Refieren el martirio los *Hechos de los Apóstoles,* VII, 56.
Véase el n.° 838.

842 *El entierro de san Esteban*

Tabla, 1,60 × 1,23.

Cuatro varones lo colocan en el sepulcro. Tres presencian la escena llorando; a la izquierda, en segundo término, el autorretrato de Juanes (?); viste de negro con cuello blanco. Fondo de paisaje con obeliscos y ruinas.
El pasaje se encuentra en el cap. VII, vers. 2 de los *Hechos de los Apóstoles.*
En el ángulo inferior izquierdo, un escudo: águila explayada en campo de oro, que corresponde a los Aguiló de Codirats.
Véase el n.° 838.

845 *El Salvador*

Tabla, 0,73 × 0,49.

Figura de medio cuerpo. En la diestra, la Sagrada Forma; en la mano izquierda, el cáliz. Fondo de oro.
Vino al Museo en 1827, procedente de la Real Academia de San Fernando.

846

846 *La última cena*

Tela, 1,16 × 1,91.

Jesús instituye la Eucaristía; en su diestra, la Sagrada Forma; rodeándole los Apóstoles. Detrás de la figura de Cristo, un arco que da vista al campo. Los Apóstoles llevan los nombres en sus nimbos.
Estaban en el banco del retablo mayor de San Esteban, de Valencia —del que proceden los cuadros de la vida del titular—, pero ha de advertirse que su reverso, que estuvo dorado y labrado con una corona y adornos, indicaba su colocación en lugar visible por detrás. Tras pasar a ser propiedad real en 1801, se lo llevó José I y lo tuvo en su Colección de Orleáns; fue devuelto el 23 de noviembre de 1818; figura en el *Catálogo* del Prado de 1819.

848 *Ecce-homo*

Tabla, 0,83 × 0,62.

De medio cuerpo; coronado de espinas, manto de púrpura, atadas las muñecas y en la diestra el cetro de caña.
Procede del Palacio de Aranjuez.
Perteneció a la Casa Profesa de los Jesuitas de Valencia, de donde pasó a manos de un canónigo que lo regaló a la catedral, la cual a su vez se lo dio en 1802 a Carlos IV; el Rey le envió una copia por Maella.

853 *Melquisedec, rey de Salem*

Tabla, 0,80 × 0,35.

Fondo de oro. Portezuela de un tríptico o de un sagrario.
El reverso, dorado con labores.
Como el siguiente, lo registra en 1801 Orellana en la iglesia de Fuente la Higuera.
En 1818, en Aranjuez.

853

854 *El sumo sacerdote Aarón*

Tabla, 0,80 × 0,35.

Fondo de oro. Portezuela de un tríptico.
Compañero del n.° 853.

855 *Don Luis de Castellví y Vilanova*

Tabla, 1,05 × 0,80.

De las rodillas arriba. Traje negro, como la gorra, que adorna una pluma; las mangas, verdes con bordados de oro; en la diestra, un librito encuadernado; la mano izquierda, enguantada, en el cinturón de la espada, que asoma por el lado derecho del caballero; en el pecho, la venera de Santiago.
La atribución a Juan de Juanes no es aceptada por algunos críticos, y se ha pensado en Vicente Masip como su autor.
Probable adquisición de Carlos IV en Valencia, no aparece hasta 1814 en Palacio.

855

JUANES. Discípulo de Juan de Juanes

1262 *San Esteban, ordenado de diácono*

Tabla, 1,60 × 1,23.

San Pedro extiende la mano sobre la cabeza de Esteban.
Este cuadro, compañero de los números 838-842, aparece atribuido, con interrogante, en el *Catálogo* de 1985, a los discípulos de Juanes, Miguel Juan Porta y Nicolás Borrás (nació en Cocentaina en 1530; murió en 1610). Benito Domenech (1986) lo cree obra de Vicente Requena el Viejo (nacido hacia 1530).
Procede de las Colecciones Reales.

JULIA. Ascensio, o Asensio Juliá

Valenciano, nacido hacia 1771; murió en Madrid en 1816. Escuela española.

2573 *Escena de una comedia*

Lienzo, 0,42 × 0,56.

Un petimetre, rodilla en tierra, se atraviesa, ante las candilejas, con la espada que apoya en el suelo.
Pintado para la Alameda de Osuna; aunque consta su autor, Sentenach, en el *Catálogo* de la venta (1898), lo clasificó como de «estilo de Goya».
El cuadro perteneció a los señores de Baüer y a don Félix Boix.
Adquirido en 1934 por el Ministerio de Instrucción Pública.

JULIEN DE PARME. Jean-Antoine Julien

Nacido en Cavigliano en 1736 y fallecido en París en 1799. Escuela francesa.

6772 *Rapto de Ganymedes*

Lienzo, 2,49 × 1,28.

El joven Ganymedes es arrebatado al cielo por un águila que representa a Júpiter, ante los gestos asombrados de los pastores que contemplan impotentes el extraño progidio.
Firmado: *JULIEN DE PARME, 1778.*
Forma serie con los números 6773 y 6774, los tres pintados para el duque de Nivernois.
Adquirido por el Ministerio de Cultura en 1982, junto con las otras obras del mismo autor.

6773 *La Aurora raptando a Céfalo*

Lienzo, 2,49 × 1,28.

Destacándose sobre un paisaje costero, una figura femenina arrebata a un muchacho elevándolo al cielo.
Firmado: *JULIEN DE PARME, 1779.*
Adquirido en 1982.
Véase el n.° 6672.

6774 *Despedida de Héctor y Andrómaca*

Lienzo, 2,50 × 1,22.

Narra el conocido pasaje de la *Ilíada* de Homero, cuando el héroe troyano va a salir de la ciudad para combatir con Aquiles.
Adquirido en 1982.
Véase el n.° 6672.

6772

JUNCOSA. Fray Joaquín Juncosa

Nació en Cornudella (Tarragona) en 1631; murió en Roma en 1708. Escuela española.

2652 *Santa Elena y su hija*

Lienzo, 1,70 × 1,24.

Santa Elena, caminando como peregrina; de rodillas, su hija (?), caído el bordón en el suelo; a la derecha, monte con una cruz.
Atribución dudosa.
Legado Pablo Bosch.

KAUFFMANN. Angelica Kauffmann

Nació en Coire (Suiza) el 20 de octubre de 1741 y murió en Roma el 5 de noviembre de 1807.
Escuela alemana.

2473

2473 *Anna von Escher van Muralt*

Lienzo, 1,10 × 0,86.

Poco menos de cuerpo entero, sentada; viste de anaranjado. Fondo de campo con un templete. A la izquierda, sobre un apoyo, un ramo de rosas.
La retratada nació el 12 de febrero de 1767; casó con Hans Conrad von Escher, burgomaestre de Zúrich, y murió en 1830. Se identifica por una miniatura propiedad de la familia Escher (1932).
Legado por don Luis de Errazu, en 1925.

KEIL. Eberhard Keil, llamado «Monsu Bernardo»

Nació en Helsingör (Dinamarca) en 1624; murió en 1687 en Roma, donde estaba desde 1656.

3127 *Bacanal infantil*

Lienzo, 0,72 × 0,96.

Tres niños; uno de ellos coronado de pámpanos, tiende una copa para que la llene otro con el vino de una gruesa garrafa.
Obra muy significativa de este artista, de quien consta que envió muchas pinturas a España. Adquirido en 1968.

KESSEL I. Jan van Kessel, el Viejo

Bautizado en Amberes el 5 de abril de 1626, donde murió el 17 de abril de 1679. Escuela flamenca.

1552 *Guirnalda con el Niño Jesús y san Juan*

Cobre, 1,01 × 0,80.

En el centro, los dos santos niños jugando con el cordero. Alrededor, guirnalda de variadas flores.
Firmado: *J. V. KESSEL.*
Los *Catálogos* anteriores al de 1933 advierten que las figuras son de Van Tulden; se ignora el fundamento. Adquirido con el siguiente por Carlos IV.
Vino de Aranjuez en 1828.

1552

1554 *Los animales*

?ormado por 40 cuadritos de cobre. Mide cada uno 0,17 × 0,23, y el conunto, 1,75 × 1,23.

Represéntase variedad de animales, agrupados en muchos casos caprichoamente; no faltan los fantásticos: sireas, unicornio, etc. Fondos de paisaje con algunas ciudades.

.a colección, adquirida por Carlos IV, onstaba en la Casita de El Escorial de 8 cuadritos. En el cuadrito central de a fila exterior, la firma: *I. V. KESEL ECIT*, y en el extremo izquierdo de la nisma fila, la fecha, 1660, que obligó rectificar la anterior atribución a Van Kessel, el Mozo, nacido en 1654. Con l legado de Fernández-Durán entraon dos cobres de una serie similar.

/éanse los números 2749 y 2750. Se coocen numerosas réplicas de los cobres.

)onativo del conde Hugo (en 1865), uien hizo constar que había perteneido a José Bonaparte.

2749

749 *Pescados y paisaje*

Cobre, 0,14 × 0,19.

En la orilla, varios peces y crustáceos; fondo, barcos, casas y una iglesia.

irmado a la fecha, en bajo: *J. V. KESEL F. 1656* (la decena es dudosa).

ertenece a una serie similar a la del .° 1554.

egado de Fernández-Durán (1930).

750 *Pescados y marina*

Cobre, 0,14 × 0,19.

eces y moluscos; al fondo, dos veleros gaviotas.

7614

Véase el número que precede.

Legado de Fernández-Durán (1930).

KESSEL II. Jan van Kessel, el Mozo

Nació en Amberes el 23 de noviembre de 1654; murió hacia 1708 en Madrid, donde residía desde 1680. Escuela flamenca.

2525 *Familia en un jardín*

Lienzo, 1,27 × 1,67.

La dama, sentada en una terraza; delante, dos niños; a la izquierda, dos jóvenes; a la derecha, caballero con un laúd. En la fuente, un aguador; fondo de arquitectura de jardín. En la ventana, asomado, el pintor.

Firmado debajo del autorretrato: *VAN KESEL F. MATRITI 1680.*

2525

Palomino describe este cuadro, y dice que representa una familia flamenca protectora de Van Kessel.

Existe una réplica fechada en 1679 en el Museo de Varsovia.

En el siglo XIX fue propiedad de Valentín Carderera. Adquirido en 1928 por el Patronato del Tesoro Artístico para el Museo.

KEY. Adriaenz Thomasz Key

Nació en Amberes hacia 1544; murió en la misma ciudad en 1590. Escuela flamenca.

7614 *Retrato de familia*

Tabla, 0,91 × 1,15.

Sobre un fondo oscuro, como eje de la composición, la figura del padre, representado de tres cuartos sentado en un sillón a la edad de 57 años. Detrás, a su derecha, los varones, y a la izquierda, sus hijas. Todos ellos, vestidos de negro y con grandes cuellos, según la moda holandesa de fines del siglo XVI. En primer término, una mesa en la que aparecen apoyados una calavera, un libro y un reloj de arena, como signos de *vanitas*. Firmado y fechado en anagrama: *ATK 1583.*

Adquirida el 13 de diciembre de 1991, con fondos del Legado Villaescusa.

KUNTZ. Taddëus Kuntz

Pintor polaco de origen alemán, nacido en Grünberg (Silesia) en 1733; murió en Roma en 1793.

2640 *Moisés en el Sinaí*

Lienzo, 1,40 × 0,60.

El Padre Eterno, rodeado de ángeles, se aparece a Moisés, a quien un ángel le presenta las Tablas de la Ley.
Boceto para un techo.
Atribuido a Corrado Giaquinto hasta 1972, es obra característica del pintor polaco Taddëus Kuntz, su discípulo, a quien lo han devuelto simultáneamente diversos investigadores.
Legado Pablo Bosch.

2640

l

LAGRENEE. Louis-Jean-François Lagrenée «l'ainé»

Nació en París el 30 de noviembre de 1724; murió el 19 de junio de 1805. Escuela francesa.

2273 *La Visitación*

Tabla, 0,49 × 0,58.

Cuatro figuras: Zacarías, escribiendo, santa Isabel, María y san José.
Firmado en el ángulo inferior derecho: *L. LAGRENEE.* Sandoz, conservador que ha sido del Museo de Poitiers, sugiere si será el cuadro expuesto en el Salón de l'Académie en 1781, propiedad del marqués de Serant.
Parece identificable con una pintura que se registra en 1818 en Aranjuez.

6770 *El olfato*

Lienzo, 1,36 × 0,86.

Firmado: *L. LAGRENEE, 1775.*
Pertenece a una serie de los cinco sentidos, en la que se incluye el lienzo siguiente, el n.° 6771.
Adquirido en 1981.

6771 *El tacto*

Lienzo, 1,35 × 0,86.

Forma parte de la misma serie que el precedente, n.° 6770.
Firmado: *L. LAGRENEE 1775.*
Adquirido en 1982.

LAMEN. Christoph Jacobsz. van der Lamen

Nació probablemente hacia 1615 en Bruselas o en Amberes, donde murió antes de 1652. Escuela flamenca.

1555 *Banquete de cortesanas y soldados*

Tabla, 0,47 × 0,63.

Cuatro hombres y dos mujeres; uno toca el laúd; sobre la mesa, un pollo asado y pasteles.
Las figuras de la derecha repiten las del cuadro n.° 2586, atribuido a Palamades, pero, sin duda, también de Van Lamen.
En 1746, en La Granja, pinturas de Isabel de Farnesio. En 1814, en el Palacio Nuevo.

2586 *Escena de soldadesca*

Tabla, 0,44 × 0,33.

Soldado calentándose ante la chimenea y galanteando a una mujer.
Las figuras repiten las de la doncella del n.° 1555.
Estuvo atribuido a Palamedes.
El cuadro recuerda también al de Willen Cornelisz. Duyster, de la Colección J. J. Bachofen.
Legado de don José Brunetti y Gayoso de los Cobos, duque de Arcos; entró en el Museo en 1935.

258

6770

6771

ANFRANCO. Giovanni anfranco

Jació en Parma el 26 de enero de 582; murió en Roma el 29 de no- iembre de 1647. Escuela italiana.

34 *Las exequias e un emperador romano*

ienzo, 3,35 × 4,88.

n medio, la pira con el cadáver; en rimer término, sus legionarios dán- ose muerte; a derecha e izquierda, el ueblo; se ve el Panteón, en segundo rmino.

De la serie del Buen Retiro, fechable ntre 1634-1637, y encargada por el onde de Monterrey. En alguna oca- ón (*Catálogo* del Prado, 1952) se ha onfundido este lienzo con el de omenichino, de idéntico asunto 1.º 2926).

35 *Naumaquia romana*

ienzo, 1,81 × 3,62.

ucha en unos barcos, dentro de un es- nque o piscina; fondo de arquitec- ra; a la derecha, los espectadores, en gundo término. En el ángulo infe- or derecho, Lanfranco en el agua, co- do a un barco.

a identificación del retrato parece se- ra, si se compara con el de lord Fo- y, publicado en *Paragone,* mayo de 952.

n 1772 estaba en palacio con el si- uiente.

éase el n.º 234.

236 *Los auspicios de un emperador romano*

Lienzo, 1,81 × 3,62.

Un sacerdote ante el ara, donde está el fuego sagrado, tiene en la mano las entrañas del carnero sacrificado; a la derecha, el guerrero —¿Alejandro?— que consulta el porvenir.

En 1700 en el Retiro; en 1772 en el Palacio Nuevo.

Véase el n.º 234.

2943 *Escena de triunfo*

Lienzo, 2,30 × 3,32.

A la izquierda, sobre un podio, un general romano acompañado de soldados ofrece coronas de laurel a otros guerreros situados al fondo, en plano ligeramente inferior. Comparsas y un enorme perro blanco, en primer término.

Firmado en capitales: *EQUES 10. LANEGRANCVS.*

Pintado con su compañero, n.º 3091, por encargo del conde de Monterrey para el Buen Retiro, donde todavía estaban en 1700.

En 1772 se citan en el Palacio Nuevo.

3091 *Gladiadores en un banquete*

Lienzo, 2,32 × 3,55.

A la derecha, gladiadores combatiendo desnudos; a la izquierda, banquete de patricios.

Véase el n.º 2943.

2943

2277

LARGILLIERRE. Nicolás de Largillièrre

Bautizado en París el 10 de octubre de 1656; murió el 20 de marzo de 1746. Escuela francesa.

2277 *María Ana Victoria de Borbón*

Lienzo, 1,84 × 1,25.

En pie. Viste de gris perla; manto de terciopelo azul con lises de oro, forrado de armiño; en la mano izquierda, el abanico. La diestra, sobre un cojín que sustenta la corona.
Hija de Felipe V, nació el 31 de marzo de 1718; se concertó su boda con Luis XV a los tres años, y se deshizo a los siete; casó el 19 de enero de 1729 con José I de Portugal; murió el 15 de enero de 1781.
Firmado en el ángulo inferior derecho: *N. DE LARGILLIÉRE PINX 1724.*
En 1746, en La Granja, entre las pinturas de Felipe V.
Vino al Museo en 1848.

2288 *Felipe de Orleans, regente de Francia*

Lienzo, 1,05 × 0,87.

De las rodillas arriba, vestido a la heroica, con media armadura romana; manto rojo; la mano izquierda sobre un cetro flordelisado; representa alrededor de siete años de edad.
Atribuido hasta 1972 a Mignard.
Es obra de cierta calidad, aunque no superior; tal vez sea réplica en lugar de original. Forma pareja con el n.° 2351.
Hijo de Felipe de Orleans y de Isabel Carlota de Baviera, nieto de Luis XIII, nació el 2 de agosto de 1674. Regente de Francia en la minoría de Luis XV; fue suegro de Luis I de España. Murió el 2 de diciembre de 1723.
En 1772 figuraba en el Inventario del Retiro.

2351 *Isabel Carlota de Orleans*

Lienzo, 1,02 × 0,86.

Es la llamada «mademoiselle de Chartres», hija del duque de Orleans, hermano de Luis XIV y de su segunda esposa, Isabel Carlota, la «Princesa Palatina»; más tarde llegará a ser duquesa de Lorena y de Bar por su matrimonio.
Es obra de calidad, pintada entre 1680 y 1682.
Pareja del n.° 2288.

LA TOUR. Georges de la Tour

Nació en Vic-Sur-Seille en 1593; murió en Lunéville en 1652. Escuela francesa.

7613 *Ciego tocando la zanfonía*

Lienzo, 0,84 × 0,61.

De perfil, de más de medio cuerpo, barba descuidada, bigote y melena desordenada. Vestido con amplia capa y camisa con cuello encañonado. La figura de este músico mendigo, ciego, se representa en actitud de tocar la zanfonía, con su mano derecha en la manivela y la izquierda en el teclado. Probablemente, como indica Shepper, se trate de un fragmento de un lienzo de mayores dimensiones, donde el personaje aparecía de cuerpo entero.

300

Obra desconocida hasta 1986, en qu aparece en el mercado londinense. Publicada por Rosenberg (1990) com autógrafa del pintor, estimándos realizada entre 1610-1630.
Adquirida por el Museo en fecha 1 de diciembre de 1991, con fondos de Legado Villaescusa.

LAWRENCE. Thomas Lawrence

Nació en Bristol el 13 de abril d 1769; murió en Londres el 7 de ener de 1830.
Escuela inglesa.

3001 *John Fane, X conde de Westmoreland*

Lienzo, 2,47 × 1,47.

De cuerpo entero, apoyado en el pe destal de una columna; viste tra de corte, característico de los Lor —rojo con franjas de armiño, forrad de seda blanca—; en la pierna izquie da, la liga de la Orden de la Jarreter con el conocido lema francés *Hon soit qui mal y pense.* Bajo el manto, c saca de terciopelo y medias blanca Peinado *coup de vent* de la época de Regencia y Jorge IV.
Para la descripción y las noticias

3012

ın tenido en cuenta datos proporcio-
ıdos por el marqués de Montesa. Hi-
del IX conde y de Augusta Monta-
ı, nació en 1759 y murió en 1841; se
ısó en 1782. Fue virrey y ministro en
800.
dquirido en Londres por el Patrona-
del Museo a Mr. C. Marshall Spink
ı 1958.

011 *Dama de la familia Storer*

ienzo, 2,40 × 1,48.

e cuerpo entero, sentada en una ga-
ría abierta a un parque. Viste traje de
olor asalmonado y chal.
onsta el nombre del pintor al dorso.
dquirido, con dos retratos masculi-
os pintados por Shee, de personajes
e la misma familia.
dquirido por el Patronato del Mu-
o, en Madrid, en 1959.

012 *Miss Marthe Carr*

ienzo, 0,76 × 0,64.

ledia figura, sentada. Viste corpiño
on volantes de tul. La cabellera, em-
olvada; detrás, cortina.
dquirido en Londres a Appleby Bros,
ı junio de 1959, con fondos del Pa-
onato.

LEMAIRE. Jean Lemaire

Nació en Dammartin en 1598 y murió en Gaillon en 1659. Vivió en Roma más de veinte años, a partir de 1613.

2308 *Paisaje con ruinas*

Lienzo, 0,72 × 0,98.

Un caminante señala un sepulcro de estilo etrusco; otro personaje parece meditar; a la derecha y al fondo, ruinas; en el centro, un edificio inspirado en Palladio.
Anteriormente se atribuía a Poussin. Aparecen varias manos en su ejecución, y no se encuentra lejos tampoco de Dughet.
Procede de la Colección Maratta. Desde 1746 a 1814 se cita en La Granja.

2323 *Ruinas*

Lienzo, 0,92 × 1,10.

En el fondo del paisaje se ven la pirámide de Cayo Cestio y un obelisco; exterior de un circo con figurillas en el campo; en primer término, un foso; a la derecha, restos de altos muros; dos mujeres y dos figuras al pie de la columnata; otras en el campo.
En 1701 estaba en el Retiro, como anónimo. Desde 1843, en los *Catálogos,* como original de Poussin.

LEONARDO. Jusepe Leonardo

Nació en Calatayud (Zaragoza) en 1601; murió en Zaragoza en 1656; demente desde 1648. Escuela española.

2308

2316 *Anacoreta entre ruinas*

Lienzo, 1,62 × 2,40.

Está arrodillado y rodeado por restos de edificios: teatro, obelisco, sepulcro. Puede tratarse de san Ignacio de Antioquía. Blunt demostró la autoría de Lemaire.
Hasta el *Catálogo* de 1920, como de Poussin.
En 1701 estaba en el Buen Retiro.

67 *San Sebastián*

Lienzo, 1,92 × 0,58.

De cuerpo entero, de pie; átanle dos sayones para el martirio.
Atribuido de antiguo a Vicente Carducho, y otras veces a su hermano Bartolomé, se acepta hoy sin discusión su atribución a Leonardo.
En 1746, en La Granja, Colección de Isabel de Farnesio, y en 1794, en Aranjuez.

858 *La rendición de Juliers*

Lienzo, 3,07 × 3,81.

Ambrosio Spínola, acompañado por don Diego Felipe de Guzmán (después marqués de Leganés) y escolta de lanzas, recibe las llaves que, rodilla y sombrero en tierra, le entrega el gobernador holandés; detrás, los servidores de éste con el caballo. Al fondo, la ciudad murada con el foso inundado. Por el puente levadizo sale la guarnición vencida, mientras las tropas españolas rinden honores.
Juliers es la población renana de Jülich.
El 3 de febrero de 1622, Ambrosio Spínola, marqués de los Balbases, logró el fin del sitio.
El Prado posee el dibujo preparatorio (F. D. 331).
Pintado en 1635 para el Salón de Reinos del Buen Retiro, donde se cita en 1794.

859 *Toma de Brisach*

Lienzo, 3,04 × 3,60.

A la derecha, el duque de Feria (véase el n.° 636, de Carducho), seguido de escolta de lanzas, recibe informes de un soldado. Al fondo se ve la ciudad renana, con foso inundado, de la que huyen sus defensores. En las afueras, un fortín en llamas; por el campo, las tropas españolas.
Acción de la guerra de los Treinta Años (1633).
Pintado, como su compañero, para el Salón de Reinos del Buen Retiro, en 1635; estaba allí en 1794.

860 *El nacimiento de la Virgen*

Lienzo, 1,80 × 1,22.

Al fondo, santa Ana en el lecho, atendida por tres mujeres; por la puerta entra san Joaquín, seguido de un niño y dos personas. En primer término, la recién nacida, rodeada por seis afanosas servidoras y tres damas.
Un pequeño lienzo de la colección del marqués de Almunia presenta una primera versión de esta composición.
Comprado por el Museo de la Trinidad en 1864 a don B. Hernández Callejo.

LEONARDO DE VINCI. Copia

Nació en Vinci, cerca de Empoli, el 15 de abril de 1452; murió en Cloux, cerca de Amboise (Francia), el 2 de mayo de 1519. Escuela italiana.

504 *Mona Lisa, «La Gioconda»*

Tabla, 0,76 × 0,57.

De más de medio cuerpo.
Presenta diferencias en relación con el original del Louvre, no sólo en la supresión del fondo.
Mona Lisa era florentina y nació e[n] 1476; su apellido familiar era Ghera[r]dini. Casó en 1495 con uno de lo[s] doce *buonomini* de Florencia, Mice[r] Francesco di Bartolomeo di Zanob[i] del Giocondo.
Sobre sugerencias de Croce y de Venturi, la escritora belga A. Everst sostiene que la retratada es Constanz[a] Davalos, duquesa de Francavilla, hij[a] de español, leal a Carlos V, que la titulós princesa. Fue gobernadora d[e] Ischia.
Según Berenson, podría ser copia d[e] mano española. La tabla sobre la qu[e] está pintada es de roble, lo que indic[a] procedencia nórdica.
En el Alcázar de Madrid, figuraba y[a] en 1686.

LEONARDO DE VINCI. Imitación antigua

349 *Santa Ana, la Virgen y el Niño*

Lienzo pasado a tabla, 1,05 × 0,74.

Santa Ana, la Virgen, el Niño Jesús [y] el cordero; fondo de paisaje, con u[n] pueblo.
Según A. Venturi, es obra de Cesare d[a] Sesto, inspirada en una composición de Leonardo, en relación con el cuadro de pequeño tamaño del Museo Poldi Pezzoli, de Milán. Sin embargo

858

8[59]

349

otros han pensado en Gaudencio Ferrari y en artistas no italianos. En el paisaje se ha querido ver la mano de El Bernazzano, colaborador de Sesto.
Ingresó en las Colecciones Reales en 1664, procedente de la Colección del marqués de Serra. En 1667 estaba en El Escorial, de donde vino en 1837.

LEONARDONI. Francisco Leonardoni

Nació en Venecia en 1654. Vivió en Madrid como pintor de doña Mariana de Neoburgo desde junio de 1694; murió en 1711 en Madrid. Escuela italiana.

3043 *Autorretrato*

Lienzo, 0,60 × 0,46.

Busto. En la mano izquierda, la paleta y los pinceles.
Al dorso: *FRANCUS LEONARDUS VENETUS, 1501.*
La inscripción copia, sin duda, erróneamente, la original, invisible por el reentelado. La fecha sería, por supuesto, 1701.
Donado en 1958 por don Rafael Lafora.

LEONE. Andrea de Leone

Véase LIONE

504

LEYENDA DE SANTA CATALINA. Maestro de la Leyenda de Santa Catalina (¿Pieter van der Weyden?)

Pintor de la generación siguiente a la de Roger van der Weyden, Friedländer, en 1926 y 1949, y Würkler, en 1942, creen que este anónimo pintor puede identificarse con Pieter van der Weyden, hijo de Roger, que vivió y trabajó en Bruselas.

2663 *La Crucifixión*

Tabla, 1,00 × 0,71.

Al pie de la cruz, la Virgen, san Juan y las tres Marías. A los lados, dos ángeles volando; fondo extenso de paisaje con edificios y jinetes.
Repite, excepto los donantes, reemplazados aquí por las Marías —y el castillo de la izquierda—, el centro del tríptico de Viena de Roger van der

2663

289

Weyden. Friedländer lo cree de mano del Maestro de Santa Catalina.
Legado Pablo Bosch.

2706 Hoja de un tríptico; cara interna: *Los desposorios de la Virgen.* —Cara exterior: *Cristo «Patiens».*

Tabla, 0,45 × 0,29.

Un obispo bendice a los contrayentes; a la izquierda, el donante arrodillado. Cristo, varón de dolores, sentado en el sepulcro.
Clasificación de Friedländer.
Legado Pablo Bosch.

LEYENDA DE SANTA LUCIA. Maestro de la Leyenda de Santa Lucía

Documentado en Brujas, en la segunda mitad del siglo XV.
Escuela flamenca.

7023 *La anunciación y la visitación*

Sarga, 2,00 × 1,70.

Ambas escenas aparecen representadas en un mismo plano, bajo arcos angrelados, separados por una columna central. A la izquierda, el tema de la Anunciación; la Virgen, en pie, con la mirada baja y los brazos cruzados, aceptando el anuncio del a cángel san Gabriel; sobre ella el E píritu Santo. En primer plano, jarrón con azucenas, símbolo de virginidad, y el banquillo, sobre que reposa el libro de oraciones. A derecha de la composición, la Vis tación de la Virgen a su prima san Isabel, mostrando el momento del s ludo.
El escudo central es propio de la f milia Velasco y los telares correspo den a los Manrique leoneses. Prob blemente fuera un encargo hecho p don Pedro Fernández Velasco, conde de Haro, señor de Frías, pr mer condestable hereditario de Ca tilla, hijo de doña Beatriz Manrique don Pedro Fernández Velasco, c marero mayor de Juan II de Ca tilla.
Atribuido por Elisa Bermejo (1995) Maestro de la Leyenda de Santa Lucí por sus afinidades estilísticas con es pintor.
Se fecha entre 1485-1490.
Adquirido a don Arcadio Torres M rín, por el Ministerio de Cultura, e marzo de 1985, con destino al Muse del Prado.

LICINIO. Bernardino Licinio

Nació en Poscanti di Bérgamo en 148 murió en Venecia en 1560.
Escuela italiana.

289 *Agnese, cuñada del pintor*

Lienzo, 0,98 × 0,70.

De más de medio cuerpo; viste tra gris claro, con un libro en la diestra. Suponíase que la retratada era la mu jer del pintor; según Modigliani es esposa de su hermano, retratada co marido e hijos, en el cuadro firmad de la Galleria Borghese, de Roma.
Salvado del incendio de 1734. E 1794, en el Palacio Nuevo.

1556

6778

LIGNIS. Pietro Dubois, Van der Houte, Vandenauta, del Legno o de Lignis

Miembro de una familia de Malinas, Pedro estaba domiciliado en Roma en 1599, donde murió en 1627. Escuela flamenca.

1556 *La Adoración de los Reyes*

Cobre, 0,70 × 0,54.

A la derecha, la Virgen con el Niño de pie sobre sus rodillas; uno de los Magos ríndele acatamiento; su manto, llevado por dos pajes; otro tiene el turbante; detrás, el séquito. Fondo de paisaje. Firmado en el trozo de piedra que está cerca del ángulo inferior derecho: PIETRO DE PIGNIS FIAMENGO IN ROMA 1616. En Aranjuez, en 1818 y 1828.

LIGOZZI. Jacopo Ligozzi

Nació en Verona en 1547; murió en Florencia, como pintor de cámara de Francisco I de Médicis, en 1626. Escuela italiana.

6778 *El nacimiento de la Virgen*

Lienzo, 2,36 × 3,32.

A la izquierda, varias mujeres atienden a la Virgen niña; a la derecha, otras se acercan al lecho, donde yace santa Ana, todas ellas con ricas vestiduras y tocados a la moda del siglo XVI.

El lienzo procede de la Colección del infante don Sebastián Gabriel de Borbón, en cuyo inventario de 1835 se menciona. Adquirido por el Estado, con destino al Museo del Prado, en 1982.

LIN. Herman Van o Hans Van Lin, llamado Sthilheid

Trabaja en Utrecht entre 1659 y 1670. Escuela holandesa.

2120 *Choque de caballería*

Lienzo, 0,61 × 0,50.

En medio luchan dos jinetes, otro yace en tierra junto a la bandera azul y blanca, y un tambor. En segundo término, otras luchas.

2120

Valdivieso (1973) ha atribuido esta obra a Herman van Lin, seguidor de Philips Wouwerman.
En *Catálogos* anteriores a 1985 se consideraba de Eglon van der Neer.
Procede de la Colección de Felipe V, en La Granja, en cuyo inventario (1746) se le cita como Wouwerman.

LINARD. Jacques Linard

Nacido quizá en París en 1600 y muerto en 1645. Escuela francesa.

3049 *Vanitas*

Lienzo, 0,31 × 0,39.

Sobre un grueso libro, una calavera; a la derecha, florero de vidrio con un clavel. Repite, simplificando, una de sus obras más famosas, en colección particular de París, fechada en 1644. Adquirido por el Patronato en 1694.

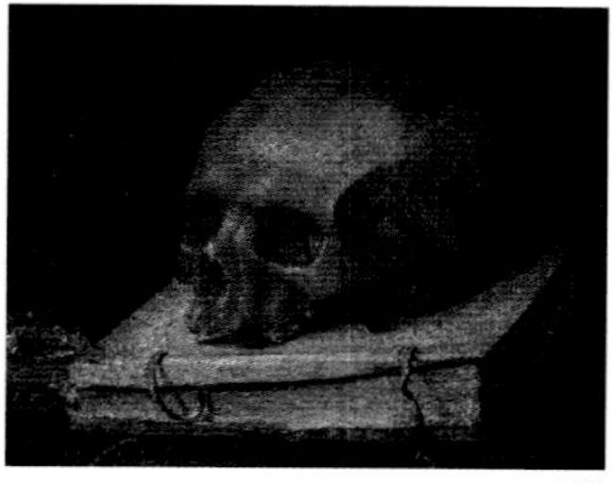

3049

LIONE. Andrea di Lione

Nació en Nápoles el 18 de septiembre de 1610; murió en Nápoles el 12 de febrero de 1685.

86 *El viaje de Jacob*

Lienzo, 0,99 × 1,23.

Pastores y rebaño.
Se atribuía a Castiglione, pero es obra muy semejante a los cuadros de Viena y Dresde, que están firmados por Lione.
Se relaciona con estampas del mismo Castiglione, números 29 y 30, de Bartsch.
En 1666 se cita en el Alcázar; y en 1818 en Aranjuez.

91 *Elefantes en un circo*

Lienzo, 2,29 × 2,31.

Preceden a los elefantes, montados por hombres con turbantes y ramos de olivo, músicos coronados de laurel, etc.; en las gradas, el público.
Formó parte de la serie de escenas de tema romano encargadas para el Buen Retiro al inicio de los años 1640.
En el *Catálogo* de 1932, a nombre de Castiglione. Soria lo publicó como pintura de Andrea de Leone.
En 1701, en el Retiro, donde se atribuía a Pietro Testa.

239 *Lucha de Jacob con el ángel*

Lienzo, 0,99 × 1,25.

A la derecha, jinetes y vacas. A la izquierda, la escena. Fondo de paisaje. Firmado: *ANDREA DE LEONE F.*, y una fecha ilegible. Atribuido a Castiglione hasta 1872. Soria creyó leer la fecha como 1670 o 1676, pero podría, quizá, ser anterior.
Procede de las Colecciones Reales. Salvado del incendio del Alcázar en 1734.

239

2314 *Noé después del Diluvio*

Lienzo, 1 × 1,27.

El Patriarca, rodeado de su familia, ofrece sacrificios a Jehová.
Atribuido en los *Catálogos* anteriores al de 1933 a Poussin, aunque con muchas dudas. En 1746 se le daba en La Granja la atribución a Castiglione, y con ella vino al Museo en 1829.
Se ha señalado su analogía con obras napolitanas del círculo de Falcone y con algunas firmadas por Andrea de Leone. En Dresde, una versión algo diferente.

LISAERT. Peeter Lisaert III

Nació en Amberes en 1574, donde murió en 1629-1630. Escuela flamenca.

2724 *Las vírgenes locas y las prudentes*

Tabla, 0,73 × 1,05.

A la izquierda, las prudentes; enciende una las lámparas, hila la otra, la tercera cose y las dos restantes leen y oran. A la derecha, las locas: baila la primera, dos tañen, bebe la cuarta y duerme la quinta. Al fondo, Cristo; y un ángel anuncia la llegada del esposo, cuando las doncellas, tarde ya, compran el aceite.
Parábola del capítulo XXV del *Evangelio* de san Mateo. Igual composición, con variantes, está en la Colección sevillana del conde del Sacro Imperio, firmada: *Peeter Lisaert.*
Legado de don Pedro Fernández-Durán (1930).

87

LLORENTE. Bernardo Germán Llorente (?)

Nació en Sevilla en 1685. Muere en la misma ciudad en 1757. Escuela española.

2724

871 *Divina pastora*

Lienzo, 1,67 × 1,27

Sentada en un peñasco, con una rosa en la mano izquierda y acariciando con la derecha a una oveja que lleva otra rosa en la boca. Otras ovejas rodean a la Virgen. En la parte superior, ángeles entre nubes. Al fondo, el arcángel san Miguel baja con su espada a liberar a la ovejuela acometida por el lobo.

Inventariado en el Palacio Nuevo de Madrid, en 1814, como de Murillo. En los *Catálogos* del Museo (Eusebi y Madrazo) anteriores al de 1872 se atribuía a Tobar.

2283

LOO. Louis Michel van Loo

Nació en Tolón el 2 de marzo de 1707; murió en París el 20 de marzo de 1771. Trabajó en España, al servicio de la Corte de Madrid, entre 1737 y 1752. Escuela francesa.

2281 *Luisa Isabel de Borbón, mujer de don Felipe de Parma*

Lienzo, 1,42 × 1,12.

Casi de cuerpo entero y sentada. Viste de oro viejo con corpiño azul y manto rojo forrado de armiños. Al fondo, una pilastra y un nicho con estatua.

Hija de Luis XV, nació el 14 de agosto de 1727; casó en 1739 con el infante don Felipe; murió el 6 de diciembre de 1759.

Firmado debajo del nicho: *L. VAN LOO 1745, MADRID.*

Procede de las Colecciones Reales.

2281

2282 *El infante don Felipe de Borbón, duque de Parma*

Lienzo, 0,90 × 0,73.

De más de medio cuerpo, en pie; casaca color pasa, chaleco amarillo; bandas del Saint-Esprit y Saint-Michel. Manto rojo; bajo el brazo, el sombrero.

Hijo de Felipe V, nació el 15 de marzo de 1720; casó con Luisa Isabel de Francia, hija de Luis XV, en 1739; murió el 18 de julio de 1765.

Vino de Palacio en 1847.

2283 *La familia de Felipe V*

Lienzo, 4,06 × 5,11.

Se retratan, de izquierda a derecha: María Ana Victoria, Bárbara de Braganza, el príncipe Fernando, Felipe V, el infante-cardenal don Luis, Isabel de Farnesio, don Felipe, duque de Parma, Luisa Isabel de Francia, María Teresa, María Antonia Fernanda, María Amalia de Sajonia y Carlos, rey de Nápoles. En el suelo juegan María Luisa, hija del duque de Parma, y María Isabel, hija de Carlos. El grupo, en un salón abierto a un jardín, escucha un concierto.

Firmado en la parte inferior derecha: *L. M. VAN LOO 1743.*

Sobre María Ana Victoria, véase el n.° 2277. Sobre Bárbara de Braganza, el n.° 2414. Sobre el príncipe Fernando, el n.° 2333. Sobre Felipe V, el n.° 2326. Sobre el infante-cardenal don Luis, el n.° 2265. Sobre Isabel de Farnesio, el n.° 2330.

Sobre don Felipe, duque de Parma, el n.° 2282. Sobre Luisa Isabel de Francia, el n.° 2281. Sobre María Teresa, el n.° 2394. Sobre María Antonia, el n.° 2392.

Sobre María Amalia de Sajonia, el n.° 2358. Sobre Carlos, el n.° 2334. Sobre Isabel María Luisa, Hija de los duques de Parma, el número siguiente. María Luisa, hija de Carlos III y de María Amalia de Sajonia, nació en Nápoles el 29 o el 30 de abril de 1743; murió el 5 de marzo de 1749.

En la Academia de San Fernando se conserva el dibujo para este lienzo; falta en él la menor de las niñas, nacida, como se ha visto, en el mismo año en el que está firmado el cuadro. En 1772 y en 1779 estaba en el Retiro.

2285 *Felipe V*

Lienzo, 1,48 × 1,10.

De más de medio cuerpo, armado. Semeja pintado hacia 1737.
Procede de las Colecciones Reales.

LORENA. Claude Gellée, «le Lorrain»; en España llamado Claudio de Lorena

Nació en Chamagne, cerca de Mirecourt, hacia 1600. Murió en Roma el 21 de noviembre de 1682. Escuela francesa.

2252 *Paisaje: entierro de santa Serapia*

Lienzo, 2,12 × 1,45.

Paisaje con ruinas; santa Sabina y sus acompañantes presencian el sepelio de santa Serapia.
En la cubierta del sarcófago se lee: *SEPULTURA-S-SABIN. SEPELIRI. IVBET SANCTE SERAPE.*
Pintado para Felipe IV, n.° 48 del *Liber Veritatis.* Llegó a Madrid en la cuarta década del siglo XVII, destinado a la galería de Paisajes del Palacio del Buen Retiro. Forma pareja con el n.° 2253, y es parte de una serie a la que también pertenecen los números 2254 y 2255. Todos ellos se citan en el Retiro en 1701 y 1794 y en el Palacio Nuevo en 1772.

2254

2252

2253

2255

2260

2261

2253 *Paisaje: Moisés salvado de las aguas*

Lienzo, 2,09 × 1,38.

El Nilo, arboledas, ciudad al fondo; en la orilla, la hija del faraón y sus damas. Pintado para Felipe IV, n.° 47 del *Liber Veritatis,* donde aparece con la inscripción «quadro per il Re di Spagna». Compañero del n.° 2252.

2254 *Paisaje: embarco en Ostia de santa Paula Romana*

Lienzo, 2,11 × 1,45.

Puerto con edificios a uno y otro lado; numerosas figurillas. En el embarcadero, la santa con sus tres hijos.
En una lápida se lee: *IMBARGO STA PAVLA ROMANA PER TERRA STA;* y en un pillar: *PORTVS OSTIENSIS A (AVGVSTI) ET TRA (IANI).*
Pintado para Felipe IV, n.° 49 del *Liber Veritatis.* Es una de las obras maestras de Lorena. Forma pareja con el n.° 2255. Véase el n.° 2252.

2255 *Paisaje: el arcángel Rafael y Tobías*

Lienzo, 2,11 × 1,45.

Arboleda en las márgenes del Tigris; ante el Arcángel, Tobías procede a despipar el pez. Una ciudad en la lejanía. En bajo, a la derecha, la inscripción *CLAUDIO.*
Pintado para Felipe IV, n.° 50 del *Liber Veritatis.* Es compañero del n.° 2254. Véase el n.° 2252.

2256 *Paisaje con san Onofre*

Lienzo, 1,58 × 2,37.

El penitente, arrodillado y medio desnudo, tiene en la diestra las disciplinas y un crucifijo en la mano izquierda; bosque: entre los árboles, una palmera. Fondo luminoso en lontananza. Compañero del n.° 2259. Pintado para Felipe IV hacia 1635-1636.
En 1701 se registraba en el Retiro como obra de «El Italiano».
En 1772, en el Palacio Nuevo. En 1794, de nuevo en el Retiro.

2257 *El vado*

Lienzo, 0,68 × 0,99.

Un pastor, sentado a la orilla de un río que vadean cuatro vacas; dos templos, uno de planta circular como el de Vesta en Tívoli; un puente lejano.
N.° 85 del *Liber Veritatis.* Tema muchas veces tratado por Claudio.
En bajo, a la derecha, la inscripción: *CLAUDIO GELLE F. ROMA 164...*
En 1746 estaba en La Granja, colección de Felipe V; allí permanecía en 1774; y en 1794 y 1818 se cita en Aranjuez.
Es pareja de un lienzo hoy perdido.

2258 *Paisaje con las tentaciones de san Antonio Abad*

Lienzo, 1,59 × 2,39.

El santo, en oración al pie de un pilar; en el río, una barca con demonios; edificios en ruinas y un puente distante. Luz lunar.
Figura, con el n.° 32, en el *Liber Veritatis,* y la nota: *Claudio fecit in V. R. —[Urbe Romae] per il Re di Spagna.* Forma serie con los números 2256 y 2259.
En 1701 y 1794 en el Buen Retiro. En 1772 en el Palacio Nuevo.

2259 *Paisaje con santa María de Cervelló* (?)

Lienzo, 1,62 × 2,41.

Bosque oscuro. Penitente arrodillada ante un crucifijo: valle al fondo con la luz del alba.
Hay dibujos para este lienzo en el British Museum y en la Albertina.
Compañero del n.° 2256.
Pintado para Felipe IV y destinado a la galería de Paisajes del Palacio del Buen Retiro. En 1701 y 1794 en el Buen Retiro; en 1772 en el Palacio Nuevo.

2260 *La salida del rebaño*

Lienzo, 0,98 × 1,30.

En un prado, una pareja de pastores precedida de cabras, ovejas, una vaca y un asno, y seguida de dos pastores. A la derecha, confluencia de un arroyo y un río; una torre domina la ribera.
Según Gerstenberg, este lienzo y el n.° 2261 son obras juveniles de Lorena, lo que confirma Röthlisberger.
Procede de las Colecciones Reales.

2261 *Vado de un río*

Lienzo, 0,98 × 1,31.

Sobre un fondo de puesta de sol,

240

puente y río que divide en profundidad el paisaje; arboledas a derecha e izquierda; en primer término, tres pastores, siete cabezas de ganado vacuno y dos cabras.
Forma pareja con el anterior.
Colecciones Reales.

LOTTO. Lorenzo Lotto

Nació en Venecia hacia 1480; murió en Loreto, siendo oblato, en 1556. Escuela italiana.

240 *Micer Marsilio y su esposa*

Lienzo, 0,71 × 0,84.

Un amor impone el yugo a los desposados. Figuras de más de medio cuerpo. Firmado en el extremo izquierdo del yugo: *L. LOTUS PICTOR* [1523].
Descríbelo el «Anónimo» de Morelli, en Bérgamo, en casa de la familia Cassotti.
En 1664 ingresó en las Colecciones Reales, procedente de la Colección del marqués de Serra. En 1666, 1686 y 1700 estaba en el Alcázar de Madrid. En 1772 y 1794 se cita en el Retiro.

448 *San Jerónimo, penitente*

Lienzo, 0,99 × 0,90.

San Jerónimo, arrodillado. Grandes peñas y fondo de paisaje con león. El ángel es portador de un rótulo: *NUNC LEGIT NUNC ORAT NUNC PECTORE CRIMINA PLORAT.*

En el *Libro dei Conti,* de Lotto, se registra el 1 de abril de 1554 un «Sancto Hieronimo al heremo in penitentia»

44

pintado para Niccolò da Mula, per que quedó en el taller por no habe pagado. Otro se anota el 29 de juli de 1546, pintado para Vincenz Frigieri.
Aunque ya en la entrega de cuadro hecha a El Escorial por Felipe II el de junio de 1593 se pone a nombre d Lotto «buena mano», hasta 1920 lo *Catálogos* del Prado lo atribuían Tiziano.

LOUTHERBOURG. Jacques-Philip de Loutherbourg

Nació en Estrasburgo el 31 de octubr de 1749; murió en Londres en 1813 Escuela inglesa.

279

242

243

799 *Paisaje con ganado*

ienzo, 0,36 × 0,46.

n pastor con vacas y ovejas, seguido or un perro.

rmado a la izquierda, en bajo.

egado de Fernández-Durán (1930).

UINI. Bernardino Luini

ació en Luino (Lombardía) entre 1480 1490; murió en Milán en enero o brero de 1532.

scuela italiana.

42 *La Sagrada Familia*

abla, 1,00 × 0,84.

a Virgen y san José, de más de medio uerpo; san Juan y el Niño Jesús, abrados. Detrás de María, una vara de ucenas; y detrás de san José, hiedra.

Aunque original excelente de Luini, se cree que la composición procede de Leonardo.

Regalo en Florencia a Felipe II, se atribuye, en las entregas a El Escorial, de abril de 1574, a Leonardo, dándose mayores dimensiones, quizá por medirse el marco. Vino del monasterio al Museo el 13 de abril de 1839.

243 *Salomé recibiendo la cabeza del Bautista*

Tabla, 0,62 × 0,78.

Las figuras de Salomé y el verdugo son de medio cuerpo.

Luini trató varias veces este tema de manera semejante; un ejemplar próximo al del Prado es el de los Uffizi, en el que se ha añadido la figura de la sirviente de Salomé.

Pompeo Leoni poseyó en Madrid una *Degollación de san Juan Bautista* de mano de Luini.

En 1700 estaba en el Alcázar.

LUINI. Copia de Bernardino Luini

241 *Jesús y san Juan, abrazándose*

Tabla, 0,30 × 0,37.

Figuras de menos de medio cuerpo.

La actitud y la posición de los brazos son idénticas a las del grupo que aparece en el n.° 242 del Prado; pero se diferencian en el modelo del san Juan y en que no se ven las manos sobre los hombros; por este último detalle se relaciona, más que con el cuadro citado, con el dibujo de Leonardo que se guarda en la Ecole des Beaux Arts de París.

En 1746, en La Granja, entre las pinturas de Isabel de Farnesio.

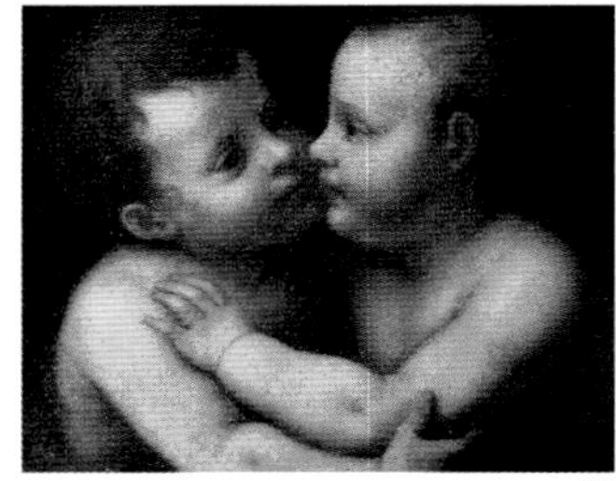

241

LUYCK. Franz Leux, Lux o Luycx

Bautizado en Amberes 17 de abril de 1604; murió en Viena el 1 de mayo de 1668. Escuela flamenca.

2441

1267 *Fernando IV, rey de romanos*

Lienzo, 2,14 × 1,28.

En pie, sobre una tarima. Viste de negro con capa y espada; guantes amarillos; en una mesa, el sombrero. Hijo del emperador Fernando III, que le sobrevivió, nació el 8 de septiembre de 1633, electo rey de romanos en 1654; murió el 9 de julio del mismo año.
En Viena hay un ejemplar de este lienzo, que en 1659 dábase como copia de Luyck. El cuadro del Prado lleva un letrero: *JOSEPH R. DE ROMS.* En 1794 estaba en el Retiro.

1272 *Doña María de Austria, reina de Hungría*

Lienzo, 2,15 × 1,47.

En pie; viste de traje gris con abanico en la mano izquierda; corona y cetro sobre un bufete.
Doña María, hija de Felipe III, nació en El Escorial el 18 de agosto de 1606; casó con Fernando III en 1631; murió en Linz, siendo emperatriz, el 13 de mayo de 1646.
En 1734, en el Alcázar.

2441 *Doña Mariana de Austria*

Lienzo, 1,77 × 1,16.

Tiene el abanico en la mano izquierda y apoya la diestra en una mesa con un florero; fondo de arquitectura.
Sobre la retratada véase el n.° 644.
La atribución e identificación fueron dadas por Allende-Salazar y Sánchez Cantón.
En 1686 y 1694 se cita en el Alcázar.

LUYCKS. Lucks, Lukx o Luycks, Christiaan o Cerstiaen

Nació en Amberes el 17 de agosto de 1623; murió después de 1653. Escuela flamenca.

1460 *Guirnalda con tres amores*

Lienzo, 1,02 × 0,72.

En el centro de la guirnalda: tres genios o amores, uno con la antorcha, otro con el tirso y otro con el cuerno de la Abundancia.
Firmado en el centro, parte inferior: *CARSTIAN LUCKX FET.*
Pintado hacia 1646.

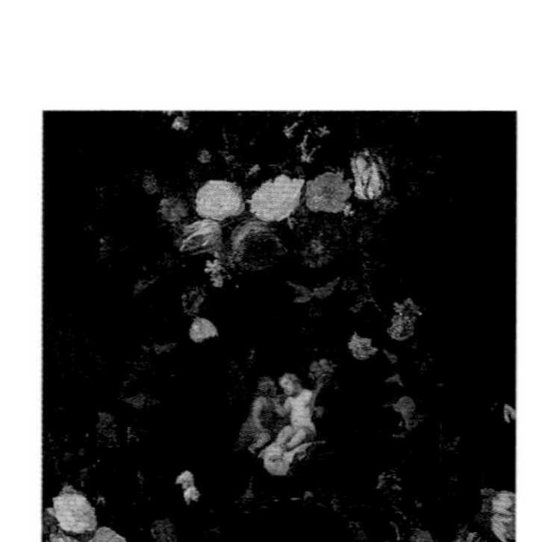

1460

En 1700 se cita en el Alcázar; luego pasó al Retiro; y en 1818 estaba en Aranjuez.

LYON. Cornelis de Lyon

Véase HAYE

entregó como anónimo el 18 de agosto de 1584. Vino en 1839.

m

ƗABUSE. Jan Gossart de Ɨaubege, conocido por Mabuse

Ɨació en Maubege (Henao) hacia 1478; ıurió en Amberes el 1 de octubre de 532. Escuela flamenca.

1510

510 *Cristo entre la Virgen Ɨaría y san Juan Bautista*

abla, 1,22 × 1,33.

as cabezas, pintadas sobre papel peıdo a la tabla. Figuras de menos de ıedio cuerpo, dentro de arcos góticoɔridos, dorados. En la claraboya asoɑa un ángel cantor.

ɔopia libre de las figuras corresponɨentes del altar de San Bavón de Gan-, de Van Eyck, ejecutada por Jan ossart, según Friedländer, en la épo- de su madurez.

rocede de El Escorial, adonde se entregó como anónimo el 18 de agosto de 1584. Vino en 1839.

1930 *La Virgen con el Niño*

Tabla, 0,63 × 0,50.

La Virgen, sentada. Fondo de arquitectura del Renacimiento.

Mündler y Robinson, seguidos por los *Catálogos* desde el de 1873, lo consideraban de Gossart. E. Weisz, en su *Gossaert,* la da por obra indudable, pintada hacia 1527. Confírmanlo Winker y Friedländer, indicando aquél si será portezuela de un díptico cuya mitad sería el retrato número 656 de la National Gallery, de Londres; hipótesis insostenible, pues la copia de Hans Baldung (Museo Germánico de Nuremberg) revela que existió otra *Virgen con Niño,* de Mabuse, con el mismo fondo de arquitectura que el cuadro de Londres; que en eso difiere del nuestro. Tampoco convienen las medidas, ya que las del retrato son 0,68 × 0,48.

Fue entregado en El Escorial en 1572. En 1814 estaba en el Palacio Nuevo.

1930

MACHUCA. Pedro Machuca

Nació en Toledo a fines del siglo XV; murió en Granada en 1550. Escuela española.

2579 *La Virgen y las ánimas del purgatorio*

Tabla, 1,67 × 1,35.

La Virgen, con el Niño, sentada, rodeada de ángeles; en la parte baja, el Purgatorio; las ánimas pacientes reciben gotas de leche de la Madre de Dios, que apagan las llamas que les queman; a la derecha, el paso del cielo de las almas purgadas.

Firmado al dorso: *PETRUS MACHVCA. ISPANYS. TOLETANVS. FACIEBAT. A. D. MCCCCC. XVII.*

Adquirido en Italia en 1935 con cargo a la subvención del Estado.

2579

3017

3017 *El descendimiento de la Cruz*

Tabla, 1,41 × 1,28.

La escena, desarrollada con los personajes y en la forma acostumbrada; es de notar, sin embargo, el armado y los dos niños, uno de ellos con venda en la cabeza; rasgo realista singular.
Su marco auténtico, rico y bello, con talla que recuerda el estilo de Siloé, prueba que constituía un retablito. En cartela del borde inferior se lee: «Este retablo mandó hacer Doña Inés del Castillo/Muger de García Rodríguez de Montalvo, Regidor de esta villa. Acabóse año de 1547».
Se ignora a qué localidad pueda referirse.
La fecha se leyó con dificultad. Según Gómez Moreno, debe suponerse posterior a la pintura, quizá de la época italiana del artista.
Griseri dio a conocer un dibujo para la composición, con variantes (Museo del Louvre).
La tabla, antes de 1870, pertenecía a Gourgeois Frères, de París; luego, fue del barón M. de Herzog (Budapest); después, de Mme. Dimitri Angelupulo. Adquirida por el Patronato en Londres en 1961 a P. and D. Colnaghi.

MADONNA DELLA MISERICORDIA. Maestro de la Madonna della Misericordia

Pintor florentino, activo en la segunda mitad del siglo XIV. Escuela italiana.

2841 *San Eloy ante el rey Clotario*

Tabla, 0,35 × 0,44.

El rey merovingio, en su trono, encarga al santo la silla de montar de oro. A la derecha, san Eloy cuando pesan los lingotes.
Compañero del siguiente.
Como obras de Tadeo Gaddi, en los distintos catálogos del Museo hasta 1985, recientemente, siguiendo las opiniones de Offner, Zeri y Boscovits, se atribuyen al Maestro della Madonna della Misericordia.
Una tercera pieza de esta serie, con los *Funerales de san Eloy,* se encuentra en la Colección Drey de Múnich, atribuida allí a Tadeo Gaddi.
Estas tablas figuraron en el catálogo de la subasta de la Colección Toscanelli, en Pisa, en 1883. Fueron de Mr Joseph Spiridon desde 1898. Adquiridas en 1929 por don Francisco de Asís Cambó, en diciembre de 1941 las regaló al Museo del Prado.

2842 *San Eloy en el taller de orfebrería*

Tabla, 0,35 × 0,44.

El santo cincela para Clotario la silla de montar; a su lado, otro oficial trabaja en una cruz; a la izquierda, un tercero labra un portapaz. En segundo término, un aprendiz en la fragua y otro con el soplete. Dos grupos de visitantes del taller admiran el trabajo. Véase el n.° 2841.

MAELLA. Mariano Salvador Maella

Nació en Valencia el 21 de agosto de 1739; murió en Madrid el 10 de mayo de 1819. Escuela española.

873 *Marina*

Lienzo, 0,55 × 0,28.

Pescadores; al fondo, ruinas.
Preparatorio para el cartón en el que trabajaba en 1785 Zacarías González Velázquez (2,70 × 1,80) depositado en la Embajada de España en La Haya

2841

2842

873

esde 1948 (cat. n.° 6214). El tapiz, n el Palacio del Pardo.
rocede de las Colecciones Reales.

74 *Marina*

ienzo, 0,56 × 0,74.

uerto levantino, con marineros, dama y caballero, etc.
reparatorio para el cartón en el que abajaba en 1785 Zacarías González elázquez (2,70 × 4,25) depositado n la Embajada de España en La Haya esde 1948 (cat. n.° 6126). El tapiz, n el Palacio del Pardo.
éase n.° 873.

75 *Pescadores*

ienzo, 0,56 × 0,75.

Jn caballero comprando pescado; narineros tirando de una red; castio al fondo.
reparatorio para el cartón en el que abajaba en 1785 Zacarías González elázquez (270 × 4,25) depositado n la Embajada de España en La Haya esde 1948 (cat. n.° 6215). El tapiz, n el Palacio del Pardo.
éase n.° 873.

2440 *Carlota Joaquina, infanta de España, reina de Portugal*

Lienzo, 1,77 × 1,16.

En pie, viste traje color rosa; en la diestra, un canario.
Hija de Carlos IV, nació el 25 de abril de 1775; casó con el que había de ser Juan VI de Portugal, en 1785; murió el 7 de enero de 1830.
Muy relacionado con un retrato similar que guarda el Palacio de la Moncloa. Da la atribución el inventario de Palacio de 1814.

2484 *Visión de san Sebastián de Aparicio*

Lienzo, 1,72 × 1,23.

El santo franciscano gallego, de familia labradora, ve sorprendidos sus rezos por dos ángeles músicos; a la izquierda, aperos de labranza y ganado.
Donativo de don Enrique Puncel, en memoria de su esposa, doña María de Muguiro, en 1929.

2497 *Las estaciones: la primavera*

Lienzo, 1,44 × 0,80.

Flora, con coronas en la cabeza y en las manos, en un jardín; a la derecha, un genio que coge una rosa de la cesta. Compañero de los siguientes (números 2498, 2499, 2500).
Los bocetos preparatorios de la serie están en la colección del conde de Villagonzalo de Madrid.
En 1814 estaba en el Palacio Nuevo.

2498 *Las estaciones: el verano*

Lienzo, 1,44 × 0,79.

Ceres, en figura de aldeana, con una antorcha en la diestra y una gavilla bajo el brazo; a la derecha, un hombre ata un haz de trigo. Al fondo, dos segadores.
Véase el n.° 2497.

2499 *Las estaciones: el otoño*

Lienzo, 1,44 × 0,74.

Baco, de pie, con la piel de león, coronado de hojas de vid, una copa en la diestra y un racimo en la mano izquierda, apoyado en un tonel; a la izquierda, un fauno sobre un odre, y a la derecha, Sileno sobre un asno.
Véase el n.° 2497.

2497

2499

7602

2500 *Las estaciones: el invierno*

Lienzo, 1,43 × 0,85.

Dos viejos, al lado de una chimenea; por la puerta se divisa el campo nevado. Véase el n.° 2497.

7052 *Retrato de don Froilán de Berganza*

Lienzo, 1,42 × 1,07.

De más de tres cuartos, mirando al espectador, con un cortinaje a la derecha y una columna truncada, al fondo Una mesa, en primer plano, sobre l que apoya una escribanía, libros y u memorial en el que se lee: «Excmo Señor/Froylan de Berganza/Suppl (75)», símbolos todos ellos de su alt estatus. Viste rica casaca y lleva en su manos otro memorial con el text SUPL. V. G. / CONCEDERLE / MARIANO MAELLA. Fue caballero de la Orden d Santiago, como puede advertirse po la cruz que luce sobre su pecho.

Datado hacia 1795.

Adquirido por el Estado por derech de tanteo el 29 de octubre de 1985.

7602 *Inmaculada Concepción*

Lienzo, 1,42, × 0,74.

Centrando la composición, de cuerp entero, sobre nubes, la figura de l Virgen rodeada de ángeles y querubi nes portando algunos de los atributo marianos.

En la parte inferior, en primer tér mino, la serpiente; en lo alto, en u rompimiento de Gloria, Dios Padr rodeado de ángeles.

Se trata de un boceto preparatori para la gran obra de la capilla de Sa Antonio, en la iglesia de San Francis co el Grande, de Madrid, datada e 1784.

Adquirido por el Estado por derech de tanteo en 1991.

MAESTRO DE:

Arguis, Estimariu, Hoogstraten, Leyenda de Santa Catalina, Leyenda de Santa Lucía, Madonna della Misericordia Medias Figuras, Miraflores, Once Mil Vírgenes, de la Colección Paculty, Papagayo, Robredo, San Nicolás, Santa Sangre, Sisla, Ventosilla, Virgo Inter Virgines, Visitación

Véanse en sus respectivos lugares.

7052

AGNASCO. Alessandro agnasco

ació en Génova en 1677, donde mu- en 1749. Escuela italiana.

24 *Cristo servido r los ángeles*

enzo, 1,93 × 1,42.

un bosque de grandes árboles. Las guras, de escala muy menuda.
artín-Mery lo fecha hacia 1730.
dquirido por el Patronato en 1967.

AINERI DA PARMA. Gian ancesco de Maineri da Parma

s fechas conocidas de sus obras tán comprendidas entre 1489 y 04. Escuela italiana.

3124

244 *La Virgen y san José adorando al Niño*

Tabla, 064 × 0,46.

Figuras de medio cuerpo, excepto el Niño, que juega con una bola de cristal. Fondo de paisaje con la mula y el buey; a la izquierda, en alto, san Francisco recibiendo los estigmas. Se conocen tres ejemplares originales y diferentes de esta composición: el del Prado es el único que tiene fondo de paisaje; el de los otros dos es arquitectónico; uno se guarda en el Museo de Berlín.
En 1746 en La Granja, Colección de Isabel de Farnesio.

244

MAINO. Fray Juan Bautista Maíno

Nació en Pastrana (Guadalajara) en enero de 1578; murió en Madrid el 1 de abril de 1649. Escuela española.

885 *Recuperación de Bahía del Brasil*

Lienzo, 3,09 × 3,81.

A la derecha, don Fadrique de Toledo presenta al acatamiento general un tapiz en el que se ve a Felipe IV, al conde-duque de Olivares y a la Victoria hollando los cadáveres de la Herejía, la Ira y la Guerra; el tapiz, que sirve de dosel, se corona con un escudo en el que se lee: *Sed dextera tva.* En medio, la cura de un herido; a la izquierda, grupos de hombres, mujeres y niños. Fondo de mar con barcos y tierra en la lejanía; en la orilla, soldados e indios.
Pintado para el Salón de Reinos del Palacio del Buen Retiro en 1635.
El puerto brasileño de Bahía de Todos los Santos y ciudad del Salvador, dominado por los holandeses, fue re-

885

886

cobrado por don Fadrique de Toledo (n.° 654) el día de san Felipe —1 de mayo— de 1625.
Los dos personajes que están a la derecha del general quizá sean su teniente don Juan de Orellana y el jefe de la Armada, don Juan Fajardo de Guevara.
El lienzo fue llevado al Museo de Napoleón; devuelto de París en octubre de 1815, estuvo en la Academia de San Fernando desde el 30 de junio de 1816 hasta 1827, en que se trajo al Museo.

886 *La adoración de los Magos*

Lienzo, 3,15 × 1,74.

A la derecha, la Virgen con el Niño en brazos; detrás, san José; a la izquierda, el grupo de los Magos; el negro, con una naveta de nácar.
Firmado en el sillar, asiento de la Virgen: *FTE, 10" BT ATISTA (SIC) MAINO F.*
Procede del retablo mayor de San Pedro Mártir, de Toledo, dedicado a las «Cuatro Pascuas» *(Navidad, Epifanía, Resurrección y Pentecostés)*, pintado entre 1611 y 1613. Maíno profesó este último año como fraile en el mismo convento. Los lienzos (números 3018, 3227, 3212, 3218, 3226, 3227 y 5080) en la desamortización, pasaron al Museo de la Trinidad.

2595 *Caballero*

Lienzo, 0,96 × 0,73.

De medio cuerpo; gorguera grande, con guantes y espada.
Firmado: *FRAI JUAN BAP.^{TA} MAINO F.*
En el *Catálogo de la Galería del Excmo. Sr. don José de Madrazo* (1856), el n.° 372 es un retrato de caballero que mide 0,93 × 0,76, pintado por Maíno y que procede de la Casa de Altamira.
Perteneció a la infanta doña Cristina, viuda de don Sebastián Gabriel; figura en el *Catálogo* de su venta, París, 1902; pasó después a su hijo don Alfonso de Borbón Braganza.
Adquirido a don Cristóbal Colón —casado con una sobrina de don Alfonso— en abril de 1936 con fondos del legado del conde de Cartagena.

3018 *Pentecostés*

Lienzo, 2,85 × 1,63.

En apretado grupo, la Virgen, la Magdalena y los doce apóstoles. La paloma desciende entre fulgores. Todos alzan las cabezas, salvo el Evangelista Juan, que escribe.
Del retablo de San Pedro Mártir de Toledo.
Véase el n.° 886.

3128 *San Juan Evangelista en Patmos*

Lienzo, 0,74 × 1,63.

Sentado a la derecha, en actitud de e cribir en un libro sobre sus rodillas, co el águila a sus pies. Amplio paisaje mar timo, a la izquierda. Véase el n.° 886.

3212 *San Juan Bautista*

Lienzo, 0,74 × 1,63.

Sentado, a la izquierda, con el corder A la derecha, amplio paisaje con u río y arboledas.
Es obra importante por evidenciar s relación con los paisajistas roman del círculo carraciesco.
Una copia de la figura sola se encuer

321

tra aún en la sacristía de San Pedr Mártir, de Toledo.
Véase el n.° 886.

3226 *San Antón*

Tabla, 0,61 × 1,55.

Fondo de paisaje de inspiración roma na. En primer término, a la izquierd de la composición, la figura del santo con un libro en las manos y el bácul con una campanilla colgando. A l derecha, la cabeza de un cerdo atributo personal del santo, aludiend a la curación que hizo a un cochinill que carecía de patas y ojos. Véase n.° 886.

227 *Adoración de los pastores*

enzo, 3,15 × 1,74.

. Niño, a la derecha, sobre el pesebre. n José le besa la mano y la Virgen le ora. Un pastor se acerca, arrastrando na cabra. Delante un pastor niño ca la flauta y otro, sentado en el elo, sujeta un cordero. Arriba, ánges mancebos.

éase el n.° 886.

)80 *Resurreción de Cristo*

enzo, 2,95 × 1,74.

)bre la sepultura, adosada a un lieve de Jonás y la ballena, se alza risto triunfante con una bandera en mano izquierda. Tres guardias, uno midesnudo, dormitan, y un cuarto, mado, desenvaina su espada con un sto de evidente asombro.

rmado: *F. J. B. MAINO.*

éase el n.º 886.

ALAINE. Joseph-Laurent alaine, Malin, Malines, etc.

ació en Tournai el 21 de febrero de '45; murió en París el 5 de mayo de 309. Escuela francesa.

286 *Florero*

ıbla, 0,38 × 0,28.

n un vaso amarillo con relieves, dirsidad de flores: rosas, dalias, alhes, miosotis, etc.

rmado: *L. MALAINE.*

n 1814, en el Palacio Nuevo.

287 *Florero*

ıbla, 0,48 × 0,33.

n un vaso de cristal tallado, rosas, napolas, pensamientos y otras flores; bre ellas, una mariposa y otro insec-; a un lado, un colorín.

rmado en el ángulo inferior derecho: *MALAINE CY DEV. PEINTRE AUX GOBENS.*

ocede de las Colecciones Reales.

MALOMBRA. **Pietro Malombra**

Nació en Venecia en 1556, donde murió en 1618. Escuela italiana.

245 *La sala del Colegio de Venecia*

Lienzo, 1,70 × 2,14.

Recepción de un embajador, tal vez la del español don Alonso de la Cueva. El dux Leonardo Donato lo tiene sentado a su derecha.
Adquirido por el embajador en Venecia, marqués de Bedmar, don Alonso

2286

de la Cueva (nació en Granada el 25 de julio de 1574, embajador desde finales de 1606 hasta la conspiración de 1618; murió en 1655, a 2 de julio, en Málaga, de donde era obispo). Ridolfi dice que Malombra fue el primero que pintó la Sala del Colegio, y que don Alonso trajo algunas de estas pinturas a España.
Probablemente, el artista se especializó en pintar este asunto. Un lienzo casi igual, conservado en Hampton Court, se considera como audiencia por el dux Leonardo Donato y el Senado al embajador de Inglaterra, sir Henry Wotton, pintado por Odoardo Fialetti. Otro similar, según Fiocco, de El Greco, propiedad de M. Raymond di Romare, en Londres. Existe otra versión o copia en la iglesia de Saint-Aubin (Côte d'Or), fechado en 1643. En 1746, entre los cuadros de Felipe V, en La Granja.

MANETTI. **Rutilio Manetti**

Nació en Siena el 1 de enero de 1571; murió allí el 22 de julio de 1639. Escuela italiana.

2688-9 *Visión de san Bruno*

Lienzo dividido en dos: de 0,66 × 0,84 y 1,20 × 0,84.

En la parte inferior: cuatro cartujos, con rosario, calavera, corazón y libro. En la superior, san Bruno ante la Virgen, y la Trinidad y ángeles.
Seguramente los dos trozos son del mismo cuadro. En el *Catálogo* de 1920 se clasificaban, el n.° 10, como de Philippe de Champaigne, y el 56, como anónimo español del siglo XVII. La atribución actual se debe a Voss y ha sido unánimemente aceptada.
Legado de Pablo Bosch.

MANTEGNA. **Andrea Mantegna**

Nació en Isola di Cartura, entre Padua y Vicenza, en 1431; murió en Mantua el 13 de septiembre de 1506. Escuela italiana.

248 *El tránsito de la Virgen*

Tabla, 0,54 × 0,42.

La Virgen rodeada por once apóstoles. Al fondo, una vista de Mantua: el puente de San Giorgio entre los lagos *mezzo e inferiore.*
Pintado, según unos, hacia 1462; según otros, en 1492, cuando el maestro, desde Roma, volvió a Mantua. Para Berenson es de fecha próxima a las portezuelas de un tríptico en el Museo de los Uffizi.
Fue vendido a Carlos I de Inglaterra (tiene su marca) y en su almoneda lo compró don Luis de Haro para regalárselo a Felipe IV. Se conservó en el Palacio de Madrid.

248

En la Colección de Carlos I se inventariaba juntamente con la *Sacra conversazione* del Museo Gardner, que, técnicamente, parece distante veinte años. Longhi ha identificado como parte superior incompleta de la tabla del Prado la que en la Colección Vendeghini de Ferrara muestra a Cristo dentro de una mandorla, rodeado de ángeles, recogiendo el alma de la Virgen. Mide 2,65 × 17,5.

MARATTA. Carlo Maratta o Maratti

Nació en Camerano (Ancona) el 15 de mayo de 1625; murió en Roma el 15 de diciembre de 1713.
Escuela italiana.

327

327 *El pintor Andrea Sacchi*

Lienzo, 0,67 × 0,50.

Busto.
Antes creído autorretrato de Sacchi.
Se identifica y atribuye certeramente en el inventario de la Colección Maratta, de donde procede. Confírmalo una estampa de G. Vellet, fechada en 1662; el retrato se pintó hacia 1660, y lo menciona Bellori.
En 1746, en la Colección de Felipe V, en La Granja. En 1794, en Aranjuez.

543 *La huida a Egipto*

Lienzo, 0,69 × 0,54.

La Virgen sostiene al Niño Jesús, que alarga sus brazos a san José, para ser conducido al otro lado del arroyo. En la parte superior, cierra la composición una gloria de ángeles entre nubes, que portan una corona de flores y, a la izquierda, en tierra, un ángel.
La obra es repetición del cuadro, de gran formato, realizado por el artista para la capilla Chigi, de la catedral de Siena, pintado en 1664. El modelo de la Virgen aparece representado repetidamente en sus obras hacia 1670.
Atribuido a Maratta por primera vez en la Colección del príncipe Carlos IV, de la Casita del Príncipe de El Escorial (1789). Considerado de escuela boloñesa en los catálogos del Museo, Pérez Sánchez lo devolvió a su autor.
Procede de las Colecciones Reales.

MARATTI

Véase también DUGHET

MARCH. Esteban March

Nació en Valencia en 1610; murió en 1668. Escuela española.

879 *Vieja bebedora*

Lienzo, 0,73 × 0,62.

Figura femenina, casi de medio cuerpo, con una botella en la mano derecha.
Figuraba, en 1746, entre las pinturas de Isabel de Farnesio en La Granja atribuida a Ribera.

880 *Vieja con una sonaja*

Lienzo, 0,80 × 0,62.

Figura femenina, casi de medio cuerpo con unas sonajas en la mano derecha.
En el Alcázar, en 1700, atribuido Ribera; lo mismo en el Buen Retiro en 1772 y 1794.

883 *El paso del mar Rojo*

Lienzo, 1,29 × 1,76.

A la derecha, los israelitas y su ganados en la orilla, a salvo. A la izquierda, los ejércitos egipcios entr las olas. Firmado: *ESTEVE*.
Muy interesante por mostrar, co evidencia, la relación estilística co Orrente.
En 1772, en el Buen Retiro.

8

MARINUS

Véase REYMERSWAELE

MARTINELLI. Giovanni Martinelli

Nació en Florencia, hacia 1610; murió hacia 1668 en la misma ciudad
Escuela italiana.

2989 *Santa Águeda curada por san Pedro en la prisión*

Lienzo, 1,09 × 0,88.

El apóstol cura los pechos cortados d la santa mártir.
Considerado anónimo toscano de m

7685

diados del XVIII, su semejanza con otras obras de Martinelli garantiza la atribución propuesta, separadamente, por varios estudiosos.
Regalo del médico don Angel Pulido, de Madrid, aceptado por el Patronato en 12 de noviembre de 1955.

MARTINEZ DEL BARRANCO. Bernardo Martínez del Barranco

Nació el 21 de agosto de 1738 en la provincia de Soria; murió el 22 de octubre de 1791. Escuela española.

2780 *El conde de Floridablanca, protector del comercio*

Lienzo, 0,35 × 0,27.

Boceto para un cuadro. El ministro sentado a una mesa, sobre la que está un plano extendido; luce la orden de Carlos III; detrás, Mercurio y Plutón. Don José Moñino, conde de Floridablanca, nació en Murcia el 21 de octubre de 1728; murió el 30 de diciembre de 1808.
Figura, hasta 1985, como obra de Ferro en los catálogos del Museo. Ceán Bermúdez (1800), en el artículo del pintor Bernardo Martínez del Barranco, menciona un cuadro grande «que representa al Sr. conde de Floridablanca..., y el puerto de Santander». Urrea (1987) lo atribuye a este pintor, datándolo hacia 1786.
Legado Fernández Durán (1930).

MARULLO. Giuseppe Marullo

Nació en Orta di Atella hacia 1610; murió en Nápoles en 1685. Escuela italiana.

7685 *San Pedro liberado por un ángel*

Lienzo, 1,27 × 1,59.

San Pedro, de más de medio cuerpo y portando las llaves en su mano derecha, es conducido hacia la salida de la prisión. En el ángulo inferior derecho, cerrando la composición, se encuentra la figura de un vigilante dormido.
Firmado: *JOSEPH MARULLO*. Según Pérez Sánchez, por sus semejanzas con modelos de Stanzione y su acercamiento a prototipos caravaggiescos, habría sido pintado entre los años 1630 y 1640.
Procede de la Colección del Infante don Sebastián Gabriel de Borbón. Donado al Museo por don Manuel González López, en memoria de su hijo Manuel, en 1993.

843

851

MASIP. Juan Vicente Masip

Nació hacia 1475; testó, «en edad de senectud», el 27 de diciembre de 1545; murió antes de 1550. Fue padre de Juan de Juanes.
Escuela española.

843 *El martirio de santa Inés*

Tabla, 0,58 de diámetro.

La santa muere decapitada abrazando al cordero; a la izquierda, el juez, sentado; a la derecha, los cristianos, llorosos. Detrás, cuatro jinetes y las gradas de un templo con mendigos; dentro, una diosa desnuda y un ara con fuego. Dos ángeles, portadores de coronas y palma.
Compañero del n.° 851. Orellana los menciona como del hijo del pintor, en la capilla de Santo Tomás de Villanueva, del convento de San Julián, de agustinos, extramuros de Valencia; pero —añade— «no las busque allí el curioso, pues... por costear... [el] actual retablo mayor los enajenó... dicho convento a don Manuel Xaramillo, grande apreciador de pintura, Inquisidor» muerto en la Corte en 1781, marqués de Jura Real; de sus herede-ros los adquirió Fernando VII para el Museo en 1826.

849 *Cristo con la cruz a cuestas*

Tabla, 0,93 × 0,80.

Jesús, camino del Calvario entre sayones; a la derecha, el grupo de María, la Magdalena y san Juan.
Atribuido en el *Catálogo* de 1945 a Juanes; débese el cambio a Post.
Procede de la iglesia del Temple de Valencia y fue regalado a Fernando VII en 1814 por la Academia de San Carlos, de Valencia.

851 *La visitación*

Tabla, 0,60 de diámetro.

Santa Isabel cae de rodillas ante María. Detrás, san José abraza a Zacarías, una moza hilando. A la derecha, un criado descarga el asno. Fondo de paisaje con el Jordán, y en él, el bautismo de Jesús; edificios y montes, en la lejanía.
Pareja del n.° 843.

852 *La coronación de la Virgen*

Tabla, 023 × 0,19; óvalo.

María, coronada por el Padre y el Hijo; coros de santos.
La atribución a Juanes, padre, se debe a Tormo.
Adquirido por Fernando VII para el

1612

MASSYS. Cornelys Massys, Metsys o Metssis

Nació en Amberes hacia 1510 y murió hacia 1562.
Escuela flamenca.

1612 *Descanso en la huida a Egipto*

Tabla, 0,68 × 1,12.

Paisaje extenso: a la izquierda, un castillo; a la derecha, un río, otra fortaleza y grupo de casas. En el centro, la Sagrada Familia bajo un árbol; figuras diminutas, campesinos y pastores.
Atribuido a Patinir o a su hijo Henri. Se expuso en Bruselas en 1963, «Le Siècle de Brueghel» (n.° 193), y se generalizó entonces la atribución a Cornelys Metsys.
Procede de las Colecciones Reales.

MASSYS. Jan Massys

Hijo de Quintin. Nació en Amberes hacia 1509; donde murió antes del 8 de octubre de 1575.
Escuela flamenca.

1561 *El Salvador*

Tabla, 0,44 × 0,35.

Busto, visible a la diestra, en ademán de bendecir.

Detrás, la tabla está jaspeada, y en letras de oro se lee: *OPVS QUINTINI METSYS AN. M D XXIX.* A pesar de ello, Friedländer cree esta tabla y su compañera obras de Jan Massys, como ya venían creyéndolo los *Catálogos* anteriores al de 1933. Sin embargo, algún especialista sostiene que no cabe dudar de la firma al dorso.

1562

1561

1562 *La Virgen María*

Tabla, 0,44 × 0,35.

Busto; visibles las manos juntas, en actitud de súplica.

Pareja del n.° 1561. El dorso de la tabla, jaspeado, pero sin el letrero que ostenta el compañero. Ambos fueron entregados en El Escorial el 7 de diciembre de 1597; de allí vinieron en 1837.

MASSYS. Quintin Massys, Metsys o Metsijs

Nació en Lovaina el 10 de septiembre de 1465, o el mismo día del año siguiente, y murió en Amberes el 13 de julio, o el 16 de septiembre de 1530. Escuela flamenca.

2801

2801 *Cristo presentado al pueblo*

Tabla, 1,60 × 1,20.

En el balcón del suntuoso pretorio, adornado con grupos y estatuas de mármol, Cristo rodeado de sayones, que le injurian; a la izquierda, Pilatos. Fue en el siglo XIX de la Colección del marqués de Remisa.
Legado por don Mariano Lanuza en 1936; entró en el Museo en 1940.

3074 *Vieja mesándose los cabellos*

Tabla, 0,55 × 0,40.

De más de medio cuerpo, de frente. Probablemente alegoría de la Ira o la Envidia.
Perteneció en el siglo XVII al marqués de Leganés (inventario núm 33).
En el reverso se lee: *MAESTRO QUINTIN.*
Adquirido por el Patronato en 1964.

MASSYS

Véase también PATINIR, n.° 1615.

MATEU. Jaime Mateu

Pintor valenciano, sobrino de Pedro Nicolau, documentado en Valencia desde 1402 a 1452, fecha de su muerte. Escuela española.

2720 *El arcángel Gabriel*

Tabla, 0,34 × 0,23.

Portezuela de un díptico.
Considerado anónimo valenciano, en relación con Pedro Nicolau. Dubreuil lo atribuye decididamente a Mateu.
Legado Pablo Bosch.
Compañero del siguiente.

2720

2721 *La Virgen anunciada*

Tabla, 0,34 × 0,23.

Compañero del anterior.
Legado Pablo Bosch.

MATHEIS. Paolo de Matheis

Nacido en Cilento en 1662, murió en Nápoles en 1728.

6943 *San Juan Bautista señalando al Mesías*

Lienzo, 1,94 × 2,44.

San Juan, con el torso desnudo, sentado sobre una roca, el cordero a sus pies y la cruz en la mano izquierda, señala a Cristo, que aparece caminando, al fondo de la composición. Dos ancianos, uno arrodillado y otro en pie, en actitud de asombro, contemplan al Bautista.
Según Pérez Sánchez, por su semejanza con otro lienzo del Museo de Gijón, firmado, es obra de madurez del artista, es decir, hacia 1723.
Formaba parte, con el siguiente y dos del Museo de Gijón, de una colección de lienzos del pintor que vio Ponz en Huete (Cuenca) en propiedad de Teresa Bértiz, entre cuyos descendien-

2721

tes han permanecido hasta fechas recientes.
Donado al Museo por Vicente Lledó Martínez Unda, en 1984.

6944 *Salomón y la reina de Saba*

Lienzo, 1,94 × 2,44.

A la izquierda de la composición, se encuentra el rey Salomón, sentado en su trono, rodeado de soldados; ante él, la reina de Saba, en pie, acompañada de sus damas. Fondo arquitectónico. Según Pérez Sánchez, este lienzo, que hace pareja con *Rebeca y Eliezer en el pozo,* del Museo de Gijón, pertenece a una fase avanzada del estilo del pintor. Véase el n.° 6943.

MAZO. Juan Bautista Martínez del Mazo

Nació en el obispado de Cuenca probablemente en Beteta, hacia 1611 murió en Madrid el 10 de febrero d 1667. Escuela española.

888 *La emperatriz doña Margarita de Austria*

Lienzo, 2,09 × 1,47.

En pie enlutada, la diestra sobre e respaldo de un sillón; en la man izquierda, los guantes. En la pieza de fondo, Carlos II niño con la enan Maribárbola, una menina y una dama Doña Margarita, hija de Felipe IV y doña Mariana, nació el 12 de julio d 1651; casó con el emperador Leopol do el 12 de diciembre de 1666 y murió el 12 de 1673. Es la infant retratada en *Las Meninas.* El cuadro s pintaría en 1666, año de la boda reciente la muerte de Felipe IV.
El lienzo ostenta el letrero equivocado *D.ª M.ª THERESA, INFTA. DE ESP.* puesto probablemente en el siglo XVIII En 1695, en el Alcázar de Madrid. En el siglo XVIII en el Buen Retiro; después en el Palacio Nuevo. Entró en e Museo en 1847.

889 *Vista de la ciudad de Zaragoza*

Lienzo, 1,81 × 3,33.

Tomada de la orilla opuesta del Ebro, animada con grupos diversos, así como el río con barcas. Enfrente se despliega la ciudad, viéndose la comitiva regia diminutamente apuntada. Se pintó en Zaragoza por orden del príncipe Baltasar Carlos, que indicó el punto de vista (una sala del derruido San Lázaro) y allí murió el 9 de octubre de 1646. Dice el letrero, que está a la derecha, en el ángulo inferior: *IVSSV, PHILIPPI. MAX. HISP. REGI IOANNES BAVTISTA MAZO URBI CAESA AUG.VLTIMVM PENICILLVM... ANNO MDXLVI*
Redactó el texto el cronista aragonés don Juan Francisco Andrés, según se deduce de una carta de Mazo (13 de agosto 1648).

6944

:n el cielo se había representado a la /irgen del Pilar sostenida por ángeles; e cubrió, por estar casi borrada, en iempos del director don Juan Anto-io de Ribera (1857).
)urante mucho tiempo se ha atribui-o a la colaboración de Velázquez y /lazo. En realidad no hay razón algu-a para dudar de la entera autoría de /lazo, perfectamente documentada.
:n 1686 se registra en el Alcázar.

212 *El arco de Tito, en Roma*

.ienzo, 1,46 × 1,11.

:l arco da vista a una calle soleada; a la zquierda, arbolado y muros: en pri-ner término, a la derecha, un pastor, penas visible. Celajes.

La vista está tomada desde la Vía Sacra.
Aunque ya en 1794 Goya, Bayeu y Gómez lo clasificaron como de Mazo, y Aureliano de Beruete siempre lo consideró suyo, los *Catálogos* del Prado lo han venido atribuyendo alternativamente a Velázquez o a su taller.
Al conocerse la estancia de Mazo en Italia, en 1657, parece confirmarse la atribución primera.
En 1794, en Aranjuez.

1214 *La calle de la reina, en Aranjuez*

Lienzo, 2,45 × 2,02.

A la izquierda, el agua del Tajo; en su orilla, grupos descansando; un guarda abre la puerta del paseo, sombreado por grandes árboles.
En 1794, en la «Pieza de comer el príncipe», de Aranjuez.

1215 *Un estanque del Buen Retiro*

Lienzo, 1,47 × 1,14.

Fondo de arbolado; un pabellón; a la derecha, una estatua de mármol; sobre la balaustrada, un pavo real. A la izquierda, una barca lujosa y pareja de dama y galán.
Sus dimensiones son virtualmente las mismas que las del Arco de Tito (n.° 1212), del que podría constituir pareja.
En 1794, en Aranjuez.

1216 *Jardín palatino*

Lienzo, 1,48 × 1,11.

Desde una terraza se ve, a la derecha, el palacio; arboleda en la que descuellan cipreses. Una pareja asomada a la balaustrada de la terraza, que termina en una estatua de mármol. En primer término, un niño y dos mujeres.
Catalogado antes como *El Alcázar de Madrid desde el jardín de la Priora;* pero nada hay que justifique esta localización.
En 1794, en Aranjuez: «Pieza de la mesa».

889

1214

1217

7116

1217 *Paisaje con Mercurio y Herse*

Lienzo, 1,48 × 1,11.

A la izquierda, un templo pagano; en su puerta, una matrona recibe la ofrenda que, arrodillada, entrega una mujer; dos parejas femeninas, con ofrendas también, se dirigen al templo. En los aires, Mercurio.

Lo representado es, con seguridad, el episodio inicial de la historia de Mercurio y Herse que relata Ovidio (*Metamorfosis,* II, 708-831), cuando Mercurio, en vuelo, descubre a Herse y sus hermanas cuando se dirigen al templo de Atenea.

Ha estado atribuido a Velázquez hasta el *Catálogo* de 1910, inclusive. Parece obra segura de Mazo.

En 1794, en Aranjuez.

2571

1218 *Edificio clásico con paisaje*

Lienzo, 1,48 × 1,11.

Fondo arquitectónico clásico, por entre el que se descubren varios trozos de celaje. Una figura femenina y otra masculina, que señala con su mano derecha hacia el edificio.

En los catálogos anteriores al de 1920, entre los «atribuidos a Velázquez».

Procede de las Colecciones Reales.

1221 *El príncipe don Baltasar Carlos*

Lienzo, 2,09 × 1,44.

Viste de negro; la mano izquierda, en el respaldo de un sillón; en la diestra, el sombrero.

En el fondo, a la derecha, en alto: *P.° D. BALTASAR. ETATE SUAE XVI.*

El príncipe Baltasar Carlos nació el 17 de octubre de 1629; murió en Zaragoza el 9 de octubre de 1646.

Pintado en 1645.

Hasta el *Catálogo* de 1920 figuró como de Velázquez, con más o menos dudas.

Beruete, padre, lo consideraba como uno de los mejores cuadros de Mazo.

Estuvo en el Retiro, y desde 1816 a 1827, en la Academia de San Fernando.

2571 *La cacería del tabladillo, en Aranjuez*

Lienzo, 2,49 × 1,87.

Sentadas en el tabladillo, la reina Isabel, sus damas y tres dueñas; Felipe IV, don Fernando y monteros ante dos venados; fuera de las vallas, diversos grupos de servidores; a la derecha se ven un enano negro y Menipo; también aparece la perra que acompaña a don Antonio «el Inglés» (?) en el cuadro de Velázquez n.°1203.

Inventariado como obra de Mazo en la pieza de la torre que cae al Parque del Alcázar de Madrid en 1666; después pasó a la Torre de la Parada; en 1714, a El Pardo, y antes del incendio de 1734 estaba de nuevo en el Alcázar.

Perteneció en el siglo XIX a José Bonaparte, y lo vendió a un antepasado de Lord Ashburton (Bath-House, Londres), etc.; después fue de Sedlmayer y de Marcel Nemes.

Adquirido en Múnich, en 1934, con fondos del legado del conde de Cartagena.

7116 *La muerte de Adonis*

Lienzo, 2,46 × 2,14.

Paisaje de montañas con Adonis muerto, en primer término, y en e

ielo Venus, en ademán de quererse
recipitar de su carro.
nventario de Aranjuez, 1794.

ΛAZO. Copias de Rubens

706 *Demócrito*

ienzo, 1,19 × 0,47.

Copia reducida del n.° 1682.
n 1686 se cita en el Alcázar. Ponz la
io en el Palacio Nuevo.

708 *Mercurio*

ienzo, 1,08 × 0,49.

Copia reducida del n.° 1677.
n 1686 y 1700, en el Alcázar; en
747 en el Retiro.

710 *Hércules y la hidra*

ienzo, 1,17 × 0,49.

l héroe, empuñando la clava, lucha
on la hidra de siete cabezas de los pan-
nos de Lerna; detrás un joven ataca al
onstruo con un tizón encendido.
n 1700 aparece registrado en el
lcázar de Madrid; después se encuen-
a en el Retiro.

711 *Hércules matando al ragón del jardín de las Hespérides*

ienzo, 0,65 × 1,55.

l fondo, el jardín que guardaba el
ragón.

alis (1986) y Díaz Padrón (1995) la
ribuyen a Rubens, y la identifican
on la obra citada en el Alcázar a su
ombre en 1666, 1686 y 1700.

725 *Diana cazadora*

ienzo, 1,19 × 0,49.

a diosa, con su halcón en la mano
quierda, acaricia a un perro; acom-
áñanla otros dos.
rocede de las Colecciones Reales. En
686 se tasó como copia de Rubens
or Mazo; en 1722 estaba en el Pala-
o Nuevo.
os *Catálogos* del Prado lo recogieron,

1919

hasta 1972, como obra de la escuela de Rubens.

MECKENEN. Israhel van Meckenen

En Meckenheim, cerca de Bonn, hubo dos artistas del mismo nombre en la segunda mitad del siglo XV y comienzos del XVI. Vivieron en Bocholt; allí murió el Viejo el 10 de noviembre de 1503, que fue grabador y orfebre.
El hijo, que probablemente fue el pintor, vivía en 1517. Escuela alemana.

2185 *San Jerónimo*

Tabla, 0,53 × 0,70.

El santo en la cueva, de menos de medio cuerpo, adorando el crucifijo; a la izquierda, la calavera; a la derecha, paisaje con su castillo.
Donativo de la marquesa de Cabriñana (1894).

MEDIAS FIGURAS, El Maestro de las

Anónimo de los Países Bajos del Sur; trabajaba entre 1530 y 1560; relacionado con seguidores de Gérard David. Escuela flamenca.

1919 *La Adoración de los reyes Magos*

Tabla, 0,54 × 0,36.

San José, muy anciano; la Virgen, con el Niño; un rey arrodillado y los otros dos en pie. Por el arco del fondo se ve campo con el séquito de los reyes.
La clasificación se debe a Winkler, ratificada por Friedländer, que lo fecha hacia 1525.
Procede de las Colecciones Reales.

2552 *La Anunciación y la presentación en el templo.* Centro: *La Natividad;* a la izquierda, grupo de pastores.

Tabla, 0,83 × 0,70; la central: 0,33 el ancho de las portezuelas.

La clasificación es de Angulo.
Adquirido por el Patronato del Museo con cargo a la subvención del Estado (1933).

MELENDEZ. Luis Egidio Meléndez, o Menéndez

Nació en Nápoles en 1716; en Madrid desde 19 de octubre de 1717; murió en 1780.

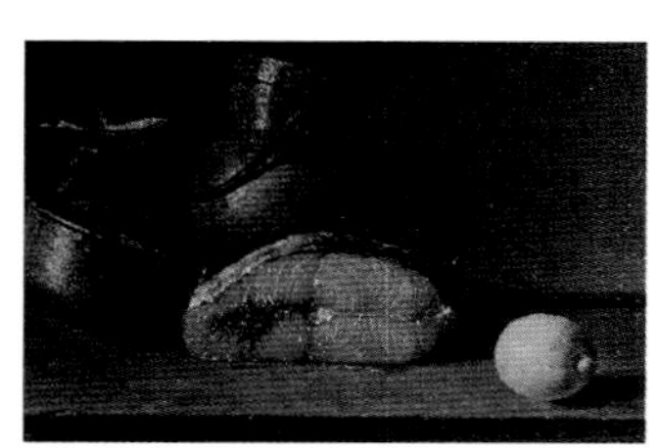
902

902 *Bodegón: un trozo de salmón, un limón y tres vasijas*

Lienzo, 0,41 × 0,62.

Las vasijas son de barro, cobre y azófar.
Firmado en el borde de la mesa, a la derecha: *L.^S M.^Z D.^O IS.^O P. AÑO 1772.*
De una fase tardía en la producción del pintor, compañero del n.° 903.
Desde 1776 a 1778, en la Casita del

906

907

Príncipe de El Escorial; luego, en Aranjuez.

903 *Bodegón: besugos y naranjas*

Lienzo, 0,42 × 0,62.

Dos besugos, dos naranjas, una cabeza de ajo; almirez, alcuza y sartén.
Firmado debajo del paño blanco: *L.ˢ M.ᶻ D.ᵒ 1772.*
Compañero del lienzo anterior.

906 *Bodegón: caja de dulce, rosca y otros objetos*

Lienzo, 0,49 × 0,37.

Frutero, vaso, frasco dentro de un recipiente de corcho, pan.
Firmado en la parte inferior derecha: *E.ᵍ L.ˢ M.ᶻ R.ᵃ D.ᵒ IS.ᵒ P.ᵉ 1770.*

Procede de las Colecciones Reales.
Véase el n.° 902.

907 *Bodegón: pescados, cebolletas, pan y objetos diversos*

Lienzo, 0,50 × 0,37.

Pescado menudo, jarro de barro, alcuza, cesto, etc.
Véase el n.° 902.

909 *Bodegón: plato de acerolas, queso y recipientes*

Lienzo, 0,41 × 0,62.

Barril de conservas, plato de acerolas, frasco de vino, tarro de loza, manzanas y pera.

Firmado a la derecha de la manzana amarilla: *L.ˢ M.ᶻ 1771.*
Véase el n.° 902.

910 *Bodegón: naranjas, sandías, tarro y cajas de dulce*

Lienzo, 0,48 × 0,35

Firmado en la caja de la derecha: *L. M.*

Véase el n.° 902.

911 *Bodegón: cerezas, ciruelas, queso y jarra*

Lienzo, 0,47 × 0,35.

Firmado sobre la jarra: *L.ˢ M.ᶻ.*
Véase el n.° 902.

912 *Bodegón: peritas, pan, jarra, frasco y tartera*

Lienzo, 0,48 × 0,35.

Firmado en el ángulo inferior derecho: *L.ᶻ M.ᶻ D.ᶻᵒ AÑO 1760.*
Una de las naturalezas más antiguas conocidas de la mano del autor. Relacionada con los números 910 y 911 lo cual permitirá fechar a todas ellas en el mismo año.
Véase el n.° 902.

929

9

915 *Sandía, pan, roscas y copa*

Lienzo, 0,35 × 0,48.

Sandía sobre un paño blanco, copa de vino tinto, pan; en un plato, rosquillas, etcétera.
Firmado en el borde de la tabla, en el centro: EUGENIUS LUDOVICUS... EN RIVERA DURAZO S. P. *1770.*
Véase el n.° 902.

919 *Bodegón: peras, melón, platos y barril*

Lienzo, 0,48 × 0,35.

Además de las peras, el melón y el barril de escabeche, cuatro platos.
Firmado en la parte inferior derecha: L.^{s} E.^{g} M.^{z} DER.^{a} IS.^{o} P. ^{e} *1764.*
Véase el n.° 902.

924 *Bodegón: ciruelas, brevas, pan*

Lienzo, 0,35 × 0,48.

Barreño con pescado, barril de escabeche, jarro de loza y platos; un pan.
Firmado en el borde de la mesa, a la derecha: L. M ^{z}.
Véase el n.° 902.

927 *Bodegón: granadas, manzanas, tarros y cajas de dulce*

Lienzo, 0,37 × 0,49.

Firmado en el borde de la mesa, a la derecha: L. M ^{z}.
Véase el n.° 902.

929 *Bodegón: servicio de chocolate*

Lienzo, 0,50 × 0,37.

Chocolatera de cobre, pocillo de porcelana, bizcochos.
Firmado en el ángulo inferior derecho: E. L.^{s} M.^{z} D.^{o} IS.^{o} P. *1770.*
En Aranjuez, en 1818.

930 *Bodegón: pepinos y tomates*

Lienzo, 0,41 × 0,62.

Barreño, alcuza, vinagreta, salero y platos.
Firmado en el borde de la mesa a la derecha: L.^{s} E.^{o} M.^{z} D. R.^{a} D.^{zo} IIS.^{to} P. ^{e} AÑO *1774.*
Procede de las Colecciones Reales.

931 *Membrillos, melocotones, uvas y melón*

Lienzo, 0,42 × 0,62.

Firmado en el borde de la mesa, a partir del centro: EGIDIUS LUDOVICUS MENENDEZ DE RIVERA DURAZO Y ST.° PADRE, AÑO *1771.*
Véase el n.° 930.

932 *Bodegón: cantarilla y pan*

Lienzo, 0,48 × 0,34.

Sobre una mesa, cantarilla, botella, cesto, cuchillo, pan.
Firmado en la servilleta: L. M.^{z}.
Véase el n.° 930.

933 *Bodegón: pichones y cesto*

Lienzo, 0,50 × 0,36.

Barreño con limón, cuchillo, etc.; en el cesto, jamón, cebollas, etc.
Firmado en el borde de la mesa, a la derecha: L. M.^{z}
Compañero del n.° 934.
Procede de las Colecciones Reales.

934 *Bodegón: jamón, huevos, pan*

Lienzo, 0,49 × 0,37.

Vasija de barro y sartén, además de los comestibles.
Compañero del n.° 933.

936 *Manzanas, nueces, tarro y cajas de dulce*

Lienzo, 0,37 × 0,50.

Firmado en el borde de la mesa: L.^{s} M.^{z} D.^{o} *1759.*
La fecha de 1759 convierte a esta pintura en la primera conocida entre los bodegones del autor.
Procede de las Colecciones Reales.

937 *Bodegón: plato de higos y granadas*

Lienzo, 0,36 × 0,49.

Botella y copa de vino blanco, plato de fruta, pan, servilleta y cuchillo.
Firmado en el borde de la mesa, debajo del cuchillo: E.^{o} L.^{s} M.^{z} D. R.^{a} D.^{o} IS.^{to} P.^{e} AÑO *1770.*
Véase el n.° 930.

938 *Bodegón: trozo de carne, etc.*

Lienzo, 0,41 × 0,63.

Con el trozo de carne aparecen pedazos de jamón, vasijas de barro y cobre, ajos, limón, garbanzos.
Véase el n.° 930.

MELENDEZ. Miguel Jacinto Mélendez

Nació en Oviedo en 1679; murió hacia 1734. Escuela española.

958 *San Agustín conjurando una plaga de langosta*

Lienzo sobre tabla, 0,85 × 1,47.

Boceto; el pueblo, presidido por el obispo, impetra la protección del santo, que se muestra en los aires con mitra y báculo.
Procede de San Felipe el Real, de Madrid. Vino del Museo de la Trinidad. Catalogado, como el siguiente, hasta 1952, como obra de Sebastián Muñoz, consta en Ponz y Ceán su verdadero autor. Andrés de la Calleja realizó los cuadros grandes.

959 *El entierro del señor de Orgaz*

Lienzo sobre tela, 0,85 × 1,47.

Boceto. En un templo lleno de gente, al celebrarse las exequias del señor de Orgaz, se aparecen san Agustín y san Esteban, que cogen el cadáver del túmulo, rodeado de cirios, para inhumarlo. En la parte alta vuelan ángeles. Es el mismo prodigio desarrollado por el Greco, en su obra maestra.

7603

7604

Compañero del anterior y de su misma procedencia.

7603 *Felipe V*

Lienzo, 0,81 × 0,63.

Media figura, casi de perfil a la derecha, dentro de un óvalo, con la mirada hacia el espectador, viste armadura completa a la moda francesa. Lleva el Toisón de Oro y la banda del Saint-Esprit.
Datado en fecha posterior a 1724.
Sobre el modelo véase el n.° 2326.
Adquirido por el Estado, por derecho de tanteo, en 1991.

7604 *Isabel de Farnesio*

Lienzo, 0,81 × 0,63.

Media figura, de frente, dentro de un óvalo; viste traje dorado, manto de color berenjena, adorna sus cabellos con unas cintas azules y diadema con una gran piocha, collar de perlas al cuello.
Datado en fecha posterior a 1724.
Inspirado en un prototipo de J. Ranc.
Sobre la retratada, véase el n.° 2330.
Pareja del anterior (n.° 7603).
Adquirido por el Estado, por derecho de tanteo, en 1991.

MELLIN. **Charles Mellin (?)**

Nació en Nancy hacia 1597; murió en Roma en 1649. Escuela francesa.

2317 *Santa Cecilia*

Lienzo, 1,18 × 0,88.

Sentada ante el clavicordio con el que acompaña su canto; dos ángeles sostienen el papel de música a la izquierda, y otros dos a la derecha cantan también.
Durante largo tiempo se atribuyó a Poussin. Actualmente un gran sector de la crítica lo atribuye a Mellin.
En 1734 fue salvado del incendio del Alcázar.

MELOZZO DA FORLI. **Melozzo degli Ambrogi, llamado da Forlí**

Nació en 1438 en Forlí y allí murió el 8 de noviembre de 1494. Escuela italiana.

2843 *Angel músico*

Fresco, 0,68 × 0,52.

Algo más de media figura; sentado, el ángel canta acompañándose de una cítara. Fondo de ramas de limonero.
En 1904 pertenecía, en Roma, a Simonetti, de quien lo adquirió Mr. Joseph Spiridon.
Comprado en la venta de 1929 por don Francisco de Asís Cambó, que en diciembre de 1941 lo regaló al Museo del Prado.

MEMLING. **Hans Memling, o Menlinc**

Nació en Seligenstadt (Alemania) hacia 1433; murió el 11 de agosto de 1494, en Brujas.
Escuela flamenca.

1557 *La Natividad*
— La Adoración de los Magos
— La Purificación

Tríptico en tabla, alto, 0,95; ancho de las portezuelas, 0,63; del centro, 1,45.
La Natividad, en el momento de la adoración de los ángeles; la Virgen y dos de ellos arrodillados; detrás, san José con la vela encendida; fondo de calle con paseantes.

La Adoración. Por la abertura de la izquierda, tres figuras; el rasurado quizá sea el donador; dos Magos son retratos de Carlos *el Temerario* y de Felipe *el Bueno*. Al fondo la ciudad.
La *Purificación*. Dentro de un templo gótico; detrás de Simeón, una figura que parece retrato; a la izquierda, puerta por la que se ve una plaza.
Es notoria la relación con el cuadro del Hospital de Brujas, aunque ambas obras maestras presenten muchas diferencias.
El cuadro de Brujas es menor (0,46 × 0,57) y está firmado en 1479; se pintó a petición de Jan Floreins, uno de los monjes del hospital. Según Friedländer, el del Prado se pintaría hacia 1470.
Es tabla que ha sufrido restauraciones. Según Friedländer, de ser de Memling, será de su última época; Dirk de Vos lo adscribe a Memling, fechándolo hacia 1480.
Donada al Museo en 1894 por la marquesa de Cabriñana.

MEMLING. Copia de Weyden

1558 *La adoración de los Magos*

Tabla, 0,60 × 0,55.

San José, la Virgen con el Niño y los tres Magos; por la derecha asoman cuatro hombres. Al fondo, una calle y campo con figuras diminutas.
Según Hullin de Loo, será el centro del tríptico que se completa con una *Anunciación* que pasó por el comercio de Londres y con la *Presentación* de la Colección Czernin, de Viena, y lo cree copia libre del tríptico de Van der Weyden, de Múnich, pintada por Memling cuando trabaja en el taller de aquél.
Las principales variantes del cuadro estriban —aparte de que el punto de vista está más distante en el ejemplar del Prado— en que el rey negro no lo es en el de Múnich, y en la supresión del paje, que le entrega el copón que ostenta en su mano en nuestra tabla. Asimismo está cambiado el fondo de ciudad, más alejada en el original.
Vino de El Escorial.

1557

El tríptico fue de Carlos V y estaba en el oratorio del castillo de Aceca, Ayuntamiento de Villaseca de la Sagra (Toledo). Vino al Prado en 1847.

2543 *La Virgen y el Niño entre dos ángeles*

Tabla, 0,37 × 0,27.

La Virgen sentada; el ángel de la izquierda ofrece una manzana al Niño; el de la derecha toca el instrumento llamado zanfonía. Fondo de jardín, y en la lejanía, castillo y murallas.

2543

MENGS. Antón Rafael Mengs

Nació en Aussig (Bohemia) el 12 de marzo de 1728; murió en Roma el 29 de junio de 1779. Estuvo en España desde el 7 de septiembre de 1761 hasta finales de 1769, y desde últimos de 1774 hasta igual época de 1776.
Escuela alemana.

2186 *María Josefa de Lorena, archiduquesa de Austria*

Lienzo, 1,28 × 0,98.

De más de medio cuerpo; en la cabeza, una pluma y un pasador; viste de

azul con adornos amarillos; en la diestra, el abanico cerrado; al lado, el manto de armiño y la corona.
Hija de Francisco I y María Teresa, prometida de Fernando IV de Nápoles; murió antes de casar, sustituyéndola en el tálamo su hermana María Carolina, n.° 2194.
En 1794 se registra en el Palacio Nuevo con los cinco siguientes.

2187 *El infante don Antonio Pascual de Borbón*

Lienzo, 0,84 × 0,68.

De medio cuerpo; la diestra en la cintura, el sombrero debajo del brazo; sobre el pecho, las insignias de las órdenes del Toisón, San Jenaro y Santiago.
Sobre don Antonio Pascual, véase el n.° 733. Compañero de los números 2195 y 2196. Antes se identificaba como retrato de don Gabriel.
En 1814, en el Palacio Nuevo.

2188 *Carlos IV, príncipe de Asturias*

Lienzo, 1,52 × 1,10.

Retrato hasta las rodillas; peluca blanca, casaca gris, chaleco de ante; ostenta las bandas del Saint-Esprit y San Jenaro, y el Toisón; con la mano izquierda coge la escopeta; un perro al pie. Fondo de monte con venados.
Sobre Carlos IV, véase el n.° 719.
Pareja del n.° 2189. Pintado hacia

2187

2186

1765 con motivo de su matrimonio. Réplica depositada en el Museo del Traje de Aranjuez, n.° 7130.

2189 *María Luisa de Parma, princesa de Asturias*

Lienzo, 1,52 × 1,10.

Retrato hasta las rodillas; viste de blanco rameado de verde, ostenta la Orden de la Cruz Estrellada; en la diestra, dos claveles, y en la mano izquierda, el abanico cerrado. Fondo de parque.
Sobre María Luisa véase el n.° 720. Compañero del n.° 2188.
Réplica depositada en el Museo de Trajes de Aranjuez con el n.° 7131. Se conocen numerosas copias.
En 1794, en el Palacio Nuevo.

2190

21

2190 *Fernando IV, rey de Nápoles*

Lienzo, 1,79 × 1,30.

En pie. Coraza dorada, casaca azu lleva el Toisón y la Orden de Sa Jenaro, el cetro en la diestra, apoyad sobre la mesa en que se muestra l corona; a la derecha, en el sillón, manto de armiño y el sombrero.
Firmado a la izquierda, en una loset de mármol: EQUES ANT.° RAPHAE MENGS SAXO. FECIT *1760*. Pintado e Nápoles. Hijo de Carlos III, nació e Nápoles el 18 de enero de 1751; re por cesión de su padre el 5 de octub de 1759; murió en Nápoles el 4 d enero de 1825. Véase el n.° 2189.

21

2189

191 *El archiduque Francisco e Austria, después emperador*

ienzo, 1,44 × 0,97.

n pie, apóyase en un sillón; viste de so azul, con gorro y zapatos blancos. ijo de Leopoldo y María Luisa, nieto Carlos III, nació el 12 de febrero de 768, emperador con el nombre de ancisco II el 7 de julio de 1792; fue egro de Napoleón; murió el 2 de arzo de 1835.
n 1794 estaba en Aranjuez con los os siguientes; se trajeron el 10 de ero de 1848.
éase el n.° 2198.

2192 *Los archiduques Fernando y María Ana de Austria*

Lienzo, 1,47 × 0,96.

Fernando, en pie; viste traje amarillo fuerte; gorro y zapatos blancos; ostenta el Toisón; se sostiene apoyado en el silloncito de su hermana, sentada, vestida de blanco, con un chupete de marfil en la diestra.
Hijos de Leopoldo y María (hija de Carlos III), Fernando nació el 6 de mayo de 1769, gran duque de Toscana el 21 de julio de 1790; murió el 1.° de octubre de 1800. Para su retrato se conserva un dibujo en la colección de los señores de Jordán de Urríes y Azara.
Véase el n.° 2198.

2193 *La archiduquesa Teresa de Austria*

Lienzo, 1,44 × 1,05.

En pie, ante el «presidio» de una cotorra; vestida de raso crema; lazos y cenefa del delantal, color de rosa.
Hija mayor de los grandes duques de Toscana, nació el 14 de enero de 1767, casó con Antonio Clemente, después rey de Sajonia, el 18 de octubre de 1787; murió el 7 de noviembre de 1827.
Véase el n.° 2198.

2194 *María Carolina de Lorena, reina de Nápoles*

Lienzo, 1,30 × 0,98.

De más de medio cuerpo; tocado de encaje sujeto por un broche; traje rosa labrado de plata; en la diestra, el abanico cerrado; fondo de paisaje; a la izquierda, cortina azul.
Hija de Francisco I y María Teresa, nació en Schönbrun el 13 de agosto de 1752; se casó con Fernando IV, hijo de Carlos III, el 12 de mayo de 1768; murió el 8 de septiembre de 1814.
Como el n.° 2186, fue sacado de una miniatura, según el inventario de 1772, del Palacio Nuevo. Se conoce como un dibujo preparatorio en una colección particular en Madrid.

2195 *El infante don Javier de Borbón*

Lienzo, 0,82 × 0,69.

De medio cuerpo; señala con la diestra, y tiene la mano izquierda en la cintura; el sombrero debajo del brazo; banda de San Jenaro, el Toisón, etc.
Hijo de Carlos III, nació el 17 de febrero de 1757; murió en Aranjuez el 10 de abril de 1771.
Identificábase antes de 1929 como retrato de don Antonio Pascual. Compañero de los números 2187 y 2196.
En 1814, en el Palacio Nuevo.

2197

2196 *El infante don Gabriel de Borbón*

Lienzo, 0,82 × 0,69.

2198

De más de medio cuerpo; viste casaca gris. En el pecho, la cruz de Malta, el Toisón, San Jenaro y el Saint-Esprit; a la izquierda, un libro sobre una mesa.
Hijo de Carlos III, nació en Nápoles el 12 de mayo de 1752; murió en El Escorial el 23 de noviembre de 1788. Fue prior de Malta y traductor de Salustio. Antes de 1929 se suponía retrato de Carlos IV.
Compañero de los números 2187 y 2195.

2197 *Autorretrato*

Tabla, 0,62 × 0,50.

Menos de medio cuerpo; en la diestra, los pinceles; viste bata de terciopelo color rosa. Presenta técnica abocetada, no está terminado.
En 1814 estaba en el Palacio Nuevo.

2198 *Leopoldo de Lorena, gran duque de Toscana, después emperador*

Lienzo, 0,98 × 0,78.

De medio cuerpo; viste casaca blanca; bocamangas y chaleco rojos; ostenta el Toisón y la Orden de María Teresa de Austria.
Hijo de la emperatriz María Teresa, nació el 5 de mayo de 1747, gran duque de Toscana y emperador desde 1790; murió el 10 de marzo de 1792.

2199

2201

Este retrato y los números 219
2191-3 fueron pintados en Florenc
en el verano de 1770.
En 1794, en Aranjuez, de donde
trajo en 1848.

2199 *María Luisa de Borbón, gran duquesa de Toscana, después emperatriz*

Lienzo, 0,98 × 0,78.

De más de medio cuerpo, sentada; cabellera, empolvada, tocada con e
caje y joyas; traje gris perla.
Hija de Carlos III, nació en Nápoles
24 de noviembre de 1745, casó
Innsbruck el 4 de agosto de 1765, c
Leopoldo de Lorena; murió en Vie
el 15 de mayo de 1792.
Véase su compañero, n.º 2198.
Se conserva una réplica sin acabar
la Casita del Príncipe del Pard
Boceto de la cabeza en la Colección
los duques de Alba.
Desde 1794 a 1818, en Aranjuez.

2200 *Carlos III*

Lienzo, 1,54 × 1,10.

Retrato hasta las rodillas, de pie, a
mado; la bengala en la diestra; sobre
pecho, las insignias del Toisón,
Saint-Esprit y San Jenaro.
Sobre Carlos III, véase el n.º 737.
Pintado quizá al llegar Mengs a E
paña (1761), como «retrato oficial»,
repitió numerosas veces y fue grabac
por Manuel Salvador Carmona. Cop
depositada en la Sociedad Económi
Matritense, n.º 5011.
En 1794, en el Palacio Nuevo.

2201 *La reina María Amalia de Sajonia*

Lienzo, 1,54 × 1,10.

Casi de cuerpo entero, sentada; vis
de «moaré» encarnado, esclavina
encaje negro y cofia; un libro en
mano izquierda; el codo derech
apoyado en una mesa.
Sobre María Amalia, véase el n.º 235
Es retrato hecho probablemente sob

2200

2203

2204

2205

otro, pues la reina había muerto cuando Mengs llegó a Madrid en 1761. Pintado para pareja del n.° 2200; con él en 1794 en el Palacio Nuevo.

2202 *Un apóstol*

Lienzo, 0,63 × 0,50.

Estudio, dejando ver la imprimación del lienzo, para una de las cabezas de *La Ascensión,* de Dresde; cuadro comenzado en 1752, pero que se acabó en Madrid en 1769, y el dibujo lo posee el Prado.

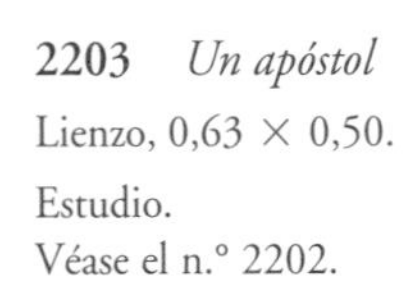

Compañero del n.° 2203, y con él comprado, en 1828, a doña María Gueci.

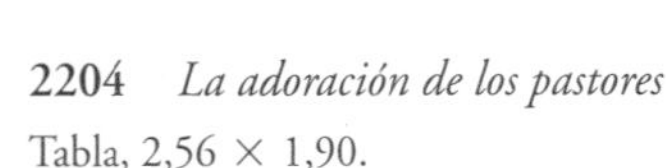

2203 *Un apóstol*

Lienzo, 0,63 × 0,50.

Estudio.
Véase el n.° 2202.

2204 *La adoración de los pastores*

Tabla, 2,56 × 1,90.

A la izquierda, detrás de san José, el autorretrato de Mengs; la Virgen y el Niño, en el centro; a la derecha, el grupo de pastores; en la parte alta vuelan ángeles.
Existe una réplica en lienzo en el Museo de Aranjuez, así como numerosas copias en España y el extranjero.
Pintado en Roma en 1770. Figura ya en Madrid en el inventario de Palacio de 1772.

2205 *La Magdalena, penitente*

Lienzo, 1,10 × 0,89.

De más de medio cuerpo, sentada, contempla una cruz rústica, al pie de la que hay una calavera; la túnica es amarilla, y el manto, malva. Fondo de paisaje oscuro.
En Aranjuez se conserva una réplica.
Comprada por Carlos IV en 1790 a la testamentaría de don Armencio Pini.

2206 *San Pedro, predicando*

Lienzo, 1,34 × 0,98.

Poco menos de cuerpo entero, senta do; la diestra señala el cielo; la man izquierda sobre un libro; túnica verd oliva y manto amarillo.
Comprado con el n.° 2205.

2568 *María Luisa de Parma*

Lienzo, 0,48 × 0,38.

Busto, de frente. Con un lazo rosa a cuello. Sin acabar.
Otro ejemplar del estudio o una copi (0,46 × 0,37) figura en el *Catálog* del marchante Muller, de Amsterdam de la subasta Stuers (1932), con el n. 287, como *Retrato de joven.*
Legado por el duque de Tarifa; ingres en el Museo en 1934.

MESSINA. Antonello de Messina

Nació en Messina (Sicilia) hacia 143 y allí murió en 1479.

3092 *Cristo muerto sostenido por un ángel*

Tabla, 0,74 × 0,51.

Cristo muerto, desnudo salvo el pañ de pureza, sentado al borde del sepul cro; detrás, un ángel niño le sostiene Al fondo, paisaje de ciudad amura llada, quizá Messina.
Pintado en los últimos años de s vida. Repite este tipo en el *Cristo a l columna* del Instituto de Bellas Arte de Detroit.
Obra muy importante y en magnífic estado de conservación. Reciente mente Previtali propone una fech avanzada, entre 1476-1479, despué del regreso del artista a Messina; fu quizá dejada incompleta a su muerte terminada por su hijo Jacobello.
Adquirido por el Patronato del Muse en 1965.

3092

2103

156

METSU. Gabriel Metsu, o Metzu

Nació en enero de 1629, en Leyden. Enterrado en Amsterdam el 24 de octubre de 1667. Escuela holandesa.

2103 *Gallo muerto*

Tabla, 0,57 × 0,40.

Es blanco y una de sus patas cuelga de un cordel; cabeza y cuello, sobre el tablero de la mesa.
Firmado, a la derecha, a media altura, cerca del borde: *G. METSU.*
Esta obra, de excepcional calidad, es junto con otra conservada en el Louvre las únicas naturalezas muertas que se conocen del autor.
Estuvo en la Colección Sandra de Middelburg, vendida en 1713. Más tarde fue adquirido por Carlos IV. Traído de Aranjuez en 1827.

METSYS

Véase MASSYS

MEULEN. Adan Frans van der Meulen

Bautizado en Bruselas el 11 de enero de 1632; murió en París el 15 de octubre de 1690. Escuela flamenca.

156

689

.349 *General saliendo* *ı campaña*

.ienzo, 0,64 × 0,80.

Camino entre cerros; carroza precedida y seguida por la escolta; delante, hasta perderse en la lejanía, soldados.
'irmado a la izquierda, debajo del grupo de los dos jinetes: VAN MEULEN, '*660* (la fecha es de lectura dudosa).
:n los *Catálogos* anteriores al de 1933 e suponía que el general era Luis XVI se parece más bien a Turena), y el paisaje se atribuía a Arthois.
Hay una réplica fechada en 1664 en el :rmitage.
:n 1774 estaba en La Granja.

563 *Choque de caballería*

.ienzo, 0,86 × 1,21.

A la izquierda, un río; al fondo, un puente, donde está trabada la pelea, omo en el centro y a la derecha.
'irmado a la izquierda del centro, lebajo del soldado de a pie con espada n la mano: *A. F. V. MEULEN, 1657, 'RUXELL.*
Adquirido por Carlos IV.

MEULENER. Peeter Meulener, Molenaer

Bautizado el 18 de febrero de 1602 en Amberes, donde murió el 27 de noviembre de 1654. Escuela flamenca.

.565 *Defensa de un convoy*

.ienzo, 0,52 × 0,79.

A la izquierda, el convoy; a la derecha, al fondo, grupos de combatientes.
'irma, poco legible, en el ángulo inferior izquierdo: *P. MEULENER 1644.*
Compañero del n.° 1566.
:n 1746 en La Granja, Colección de Isabel de Farnesio. En 1794 en Aranjuez.

.566 *Combate de caballería*

Tabla, 0,52 × 0,79.

:n el claro de un bosque, lucha encarnizada.
Firmado en el ángulo inferior izquierdo: *F. MEULENER 1644.*
Compañero del n.° 1565.

2527 *Carga de caballería*

Cobre, 0,25 × 0,32.

Arboleda con fronda.
Firmado: *P. M.*
Hasta 1972, considerado obra de Jacques Courtois.
Legado de don Xavier Laffite (1930).
Pareja del n.° 2528.

2528 *Escaramuza de caballería*

Cobre, 0,25 × 0,32.

Campo con troncos, casi sin hojas.
Firmado: *P. M.*
Compañero del anterior.
Legado de don Xavier Laffite (1930).

6891 *Choque de caballería*

Tabla, 0,32 × 0,48.

Enfrentamiento de dos grupos de caballería. En primer término, dos soldados cruzan sus armas, en plena contienda. Abajo, a la derecha, un soldado abatido en el suelo.
Firmado, abajo en el centro: *P. MEV-LENER 1650.*
Adquirido a don Lorenzo Miláns del Bosch, en 1992.

MICHAU. Théobald Michau

Nació en Tournai en 1676; enterrado en Amberes el 27 de octubre de 1765. Escuela flamenca.

1567 *Río con gente y ganado*

Tabla, 0,29 × 0,40.

Embarcadero a la derecha; en el río, barcos de vela.
En 1746, en La Granja. En 1794 en Aranjuez.

1568 *Caseríos junto a un río*

Tabla, 0,29 × 0,40.

Fondo de paisaje en primer término, pastores y ganado; pescadores.
En 1746, en La Granja, Colección de Isabel de Farnesio. En 1794 en Aranjuez.

MIEL. Jan van Bike Miel, llamado «il Cavaliere Gioo», Miele, o della Vita

Nació en Beveren-Waas hacia 1599; murió en Turín el 3 de abril de 1663. Escuela flamenca.

1570 *La merienda*

Lienzo, 0,49 × 0,68.

Al lado de una ventana meriendan

1570

1577

gentes del pueblo y un jinete descansa; a la izquierda, una dama a caballo con quitasol. Fondo abierto con río y puente.
En 1746, en La Granja, Colección de Isabel de Farnesio. Luego, en Aranjuez.

1572 *Parada de cazadores*

Lienzo, 0,50 × 0,67.

Un ciego toca la guitarra; un jinete bebe; grupos diversos; a la derecha, fondo de montes.
Compañero del siguiente.
Fue de Isabel de Farnesio; La Granja, 1746.

1573 *Escenas populares*

Lienzo, 0,50 × 0,67.

Ante unas casas, diversos grupos jugando, conversando, etc.
Compañero del anterior.
Perteneció a Isabel de Farnesio; La Granja, 1746.

1574 *Paisaje con pastores*

Lienzo, 0,43 × 0,37.

En medio, un árbol.
Procede de las Colecciones Reales.

1575 *Conversación en el camino*

Lienzo, 0,48 × 0,37.

Un jinete hablando con otro hombre sentado; al fondo, paisaje extenso.
Procede de las Colecciones Reales.

1577 *El carnaval en Roma*

Lienzo, 0,68 × 0,50.

En medio, una columna; delante, carro con máscaras; otras a caballo y sobre un asno, y otras a pie. Al fondo, ruinas.
Firmado en el ángulo inferior de la derecha; *GIOV. MIELE FECIT ROMA 1653.*
En 1746, entre los cuadros de Felipe V, en La Granja. En 1794 en Aranjuez.

MIEL

Véase también BOTH

MIEREVELT. Michiel Janszoon van Mierevelt, Miereveld, o Miereveldt

Nació en Delft el 1 de mayo de 1567; murió en la misma ciudad el 27 de junio de 1641. Escuela holandesa.

2106 *Dama holandesa*

Tabla, 1,21 × 0,91.

Casi de cuerpo entero, sentada en una silla; viste de negro, con cofia y valona blanca.
Según Valdivieso, obra de primera época de Mierevelt en los primeros años del siglo XVII.
En 1794, en la quinta del duque del Arco.

2976 *Retrato de dama*

Lienzo, 0,63 × 0,51.

Menos de media figura.
Firmado a la derecha: *MIEREVELT.*
En el ángulo superior izquierdo, escu do: león coronado de oro en campo d gules.
Gracias a él ha sido posible determina la identidad de la retratada. Se trata d Elisabeth van Bronckhorts.
Adquirido, con su pareja, a una colec ción de Barcelona por el Patronato e 1953.

2977 *Retrato de caballero*

Lienzo, 0,63 × 0,48.

Viste de negro moteado y lechuguill ancha de lienzo blanco con cañone grandes.
Carece de firma, pero es, evidente mente, pareja del anterior. El escud es cuartelado, con leones sinople sobr oro y leones rojos sobre oro.
De igual origen que el cuadro anterio y ha sido identificado por Hernán dez Díaz (1934) como Guillermo d Baviera, señor de Scheger, esposo de l dama del retrato precedente.

2977

297

2289

MIGNARD. Pierre Mignard

Nació en Troyes el 7 de noviembre de 1612; murió en París el 30 de mayo de 1693. Escuela francesa.

2289 *San Juan Bautista*

Lienzo, 1,47 × 1,09.

El Precursor, adolescente, sentado en unas peñas de las que brota el agua; en la diestra, la caña con el *Ecce Agnus Dei;* a sus pies, el cordero paciendo.
Cuadro encargado por Felipe de Orleans para enviar a su yerno Carlos II, en 1688.
En Turín hay una repetición de menor tamaño.
En 1746, en La Granja.

MIGNARD. Círculo

2369 *Felipe de Francia, duque de Orleans*

Lienzo, 1,05 × 0,86.

De más de medio cuerpo, y armado; manto rojo, la bengala en la izquierda.
El hijo segundo de Luis XIII nació el 21 de septiembre de 1640; murió el 9 de junio de 1701 en Saint-Cloud.
Identificación y atribución de Nicolle, quien recuerda que en 1659 retrató Mignard a *Monsieur frère du Roy.*
Salvado del incendio de 1734.

MIGNARD. Copia

2352 *Isabel Carlota de Baviera, «La princesa palatina» (?)*

Lienzo, 1,07 × 0,84.

De medio cuerpo; traje azul con lises; entre las manos, flores. Fondo de paisaje.
Hija del elector palatino Carlos Luis y de Carlota de Hesse, nació en Heidelberg el 27 de mayo de 1652, casó con el duque de Orleans el 6 de noviembre de 1671; murió en Saint-Cloud el 8 de diciembre de 1722. Fue abuela de la mujer de Luis I. La identificación fue propuesta con dudas por el conde Allard du Cholet.
Es copia de un original perdido de Mignard.
En 1722 estaba en el Retiro.

MIGUEL ANGEL. Discípulo de Miguel Angel

Nació Buonarroti en Caprese el 6 de marzo de 1475; murió en Roma el 18 de febrero de 1564. Escuela italiana.

57 *La flagelación*

Tabla, 0,99 × 0,71.

Cristo atado a la columna, entre dos sayones; al fondo, otros dos con casco. Figuras de cuerpo entero.
Esta tabla se atribuyó a Miguel Angel, y posteriormente a Gaspar Becerra, atribución que acepta Voss. Según Venturi, es de Marcello Venusti (nació en 1515 y murió después del 14 de octubre de 1579).

57

En 1686, en la «Cámara del Alcázar de Madrid, donde se arma el Camón».

MINDERHOUT. Hendrick van Minderhout

Nació en Rotterdam en 1632; murió en Amberes el 22 de julio de 1686. Escuela holandesa.

2104 *Desembarco*

Lienzo, 0,70 × 1,67.

Muelle con una fuente-obelisco; de una lujosa góndola desembarcan damas y caballeros; coches, jinetes y paseantes, en el muelle.
Firmado en el edificio de la izquierda, encima de la puerta: *1668 H. VAN MINDERHOUT.*
Compañero del n.° 2105. De ambos se conocen réplicas.
Adquirido por Carlos IV. En 1818, en Aranjuez.

2104

705

710

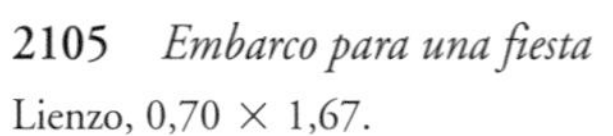

2105 *Embarco para una fiesta*

Lienzo, 0,70 × 1,67.

En un muelle embarca gente en un navío empavesado; a la izquierda, un canal; a la derecha, un velero.
Firmado en la fachada de la casa, a la izquierda del centro: *1668 H. VAN MINDERHOUT FECIT.*
En 1818 en la Colección de Carlos IV.

MIRAFLORES. Maestro de Miraflores

Documentado en la segunda mitad del siglo XV.
Escuela española.

705 *La Visitación*

Tabla, 0,97 × 0,54.

Santa Isabel, la Virgen, san José y dos jóvenes. En el fondo de paisaje con edificios y lejanías, san José y la Virgen.
Proceden esta tabla y sus cinco compañeras (números 706 a 710) de la Cartuja de Miraflores (Burgos) donde estuvieron hasta 1835. En el Museo de la Trinidad se atribuían a Petrus Christus. En el *Catálogo* de 1920 se clasifican como de la escuela de Fernando Gállego; Winkler cree que pudieran atribuirse a Juan Flamenco, distinguiéndolo de Juan de Flandes, opinión de la que participó Post, y también se han señalado en ellas notas derivadas del Maestro de santa Lucía. En el *Catálogo* de 1985, figuran como anónimo español del siglo XV. Silva Maroto (1990) las atribuye al Maestro de Miraflores.

706 *El nacimiento de san Juan Bautista*

Tabla, 0,90 × 0,55.

Santa Isabel desde el lecho entrega el recién nacido a la Virgen, detrás una mujer, y delante, otra calentando un pañal.
Véase el n.° 705.

707 *La predicación de san Juan Bautista*

Tabla, 1,13 × 0,70.

El Precursor habla en el campo ante un concurso de monjes cartujos, damas y caballeros. Fondo de paisaje con edificios torreados.
Véase el n.° 705.

708 *El bautismo de Cristo*

Tabla, 1,13 × 0,70.

Cristo en el Jordán, san Juan en una orilla, y en la otra, dos ángeles con la ropa de Jesús. Fondo con edificios góticos; en los aires, el Padre Eterno y la paloma del Espíritu Santo.
Véase el n.° 705.

709 *Prisión de san Juan Bautista*

Tabla, 0,94 × 0,53.

El Precursor con libro y encima el cordero, rodeado de siete soldados; a la izquierda, un joven que le señala, y a la derecha, el que ordena la prisión. Fondo de casas fortificadas.
Véase el n.° 705.

710 *La degollación del Bautista*

Tabla, 0,98 × 0,54.

El verdugo entrega a Salomé la cabeza del Precursor. Al fondo, Salomé ante Herodes, lloroso; a la derecha, la misma presenta la cabeza a su madre Herodías.
Véase el n.° 705.

MIROU. Antoine Mirou

Nació en Amberes hacia 1570; murió después de 1661.
Escuela flamenca.

1579 *Paisaje con Abraham y Agar*

Cobre, 0,52 × 0,43.

A la izquierda, el ángel avisa al Patriarca que tendrá un hijo; en medio y a la derecha, grupos de figuras; puente y pueblo.
Firmado a la izquierda de centro, en una piedra: *MIROU.*
En 1746, en la Colección de Isabel de Farnesio, La Granja. Después, en Aranjuez.

ɅOMPER. Jan de Momper

.rtista escasamente conocido, hermano de Frans de Momper y presente n Italia a mediados del siglo XVII. scuela flamenca.

586 *Cacería de venados*

ienzo, 0,70 × 1,30.

aís quebrado con arbolado y una ıontaña en lontananza en el centro. 'enados perseguidos por perros y ızadora.

.tribuido a Joost de Momper en los *;atálogos* antiguos, Longhi lo atribuyó «Monsu X», que se ha identificao, con posterioridad, con Jan de Ɂomper.

;olecciones Reales. Inventario de ;abel de Farnesio en el Palacio de La ;ranja en 1746.

587 *Cacería de jabalí*

ienzo, 0,70 × 1,30.

aís quebrado con efectos de sol poiente. Jabalí acosado por perros, lan-eros y un jinete.

;ompañero del anterior.

077 *Un muelle*

ienzo, 0,91 × 1,34.

Jn muelle y playa con ruinas clásicas con varios mendigos, algunos de llos guisando en una hoguera. Al fono, pescadores en una barca, barcos e lotes.

.tribuido hasta 1972 a Jacob Gerritsz. ;uyp, es de la misma mano que los úmeros 1586 y 1587. Figuró atribuio a Momper en la Colección Isabel e Farnesio, lo que corrobora la idenficación del autor de todos ellos.

.n 1746 en La Granja.

ɅOMPER. Joos, Josse de Momper

Ɂació en Amberes hacia 1564; donde ıurió el 5 de febrero de 1635. Escuela amenca.

1586

1440 *La vida en el campo*

Lienzo, 1,65 en cuadro.

Amplio panorama con molino, caseríos e iglesia en la lejanía; diversas labores: siega con hoces y guadañas; ganados paciendo; campesinos peleando; en primer término, camino con viandantes; a la derecha, cerca de unos árboles, un grupo comiendo.

Los tres campesinos del ángulo inferior derecho proceden del cuadro de Bruegel el Viejo, de la Galería Nacional de Praga, *La recolección del heno.*

Atribuido hasta 1972 a Jan Brueghel de Velours y posteriormente a Momper; Díaz Padrón cree de éste el paisaje y de aquél las figuras.

En 1794 estaba en el Palacio Nuevo.

1443 *Mercado y lavadero en Flandes*

Lienzo, 1,66 × 1,94.

A la izquierda, calle con puestos de caza, pesca, flores, etc. A la derecha, un canal y un bosque, en el que se ve una iglesia. En el centro, prado con ropa extendida. En primer término, un lavadero.

Atribuido hasta 1972 a Jan Brueghel de Velours y posteriormente a Mom-

1443

1588

per, Díaz Padrón piensa en una colaboración entre ambos.
En 1700, 1742 y 1749 estaba en la Zarzuela; en 1772 y 1794, en el Palacio Nuevo.

1588 *Paisaje con patinadores*

Tabla, 0,58 × 0,84.

Río helado y pueblecillo con puente.
Los *Catálogos* antiguos, desde 1920 a 1972, atribuyen las figuras a Jan Brueghel de Velours al igual que Ertz (1986).
Perteneció a Carlos I de Inglaterra. En 1701 en el Retiro.

1589 *Paisaje*

Tabla, 0,58 × 0,84.

Al fondo, lomas; a la derecha, casa señorial; iglesia, canal; damas, caballeros, rebaños, etc.
Los *Catálogos,* hasta 1972, consideran que las figuras son obra de Jan Brueghel de Velours.
Procede de las Colecciones Reales.

1590 *Una granja*

Tabla, 0,42 × 0,68.

A la izquierda, la siembra; en medio, carros con toneles y la casa. Fondo de paisaje, con un pueblo.

Los *Catálogos* anteriores a 1917 creían las figuras obra de Peter Bruegel; luego, hasta 1972, se atribuyeron a Jan Brueghel de Velours, a quien también las atribuyen Ertz (1986) y Díaz Padrón (1995).
Procede de las Colecciones Reales.

1592 *Paisaje de mar y montañas*

Lienzo, 1,74 × 2,56.

Sobre un fondo de paisaje de montañas, acantilados y mar, en último término, un grupo de cazadores, jinetes y viajeros.
Madrazo, en 1920, opina que las figuras son de J. Brueghel, atribución aceptada con reservas en los *Catálogos* posteriores.
En 1700 estaba en el Retiro.

2817 *Paso de un río*

Tabla, 0,57 × 0,84.

Camino con viandantes, animales y carros que atraviesan un río; a la izquierda, una iglesia; otra al fondo, en la lejanía; sobre un cerro, un molino de viento.
Atribuido a Peter Brueghel el Joven desde 1943 a 1972. Ertz (1986) y Díaz Padrón lo creen de Joos de Momper y de Brueghel de Velours.
Ingresó en el Museo en 1941.

MOMPER y Jan Brueghel de Velours

1428 *Excursión campestre de Isabel Clara Eugenia*

Lienzo, 1,76 × 2,37.

La infanta soberana, con sus damas y servidores, divirtiéndose en las labores agrícolas. Al fondo, el castillo de Mariemont.
Compañero del n.° 1429.
Se ha atribuido a Jan Brueghel el Joven. Díaz Padrón lo devolvió a Momper y a Brueghel de Velours.

1428

Traídos para la reina Isabel de Borbón en 1623; en 1636 y 1686 estaban en el Alcázar de Madrid; en 1703 y 1772 se localizan en El Pardo y en 1772 y 1794 en el Palacio Real.

1429 *La infanta Isabel Clara Eugenia en el parque de Mariemont*

Lienzo, 1,76 × 2,37.

A la izquierda, el grupo de la infanta y séquito; a la derecha, venados en huida.
Compañero del n.° 1428.

1591 *Paisaje*

Tabla, 0,42 × 0,68.

Camino en un monte desde el que se domina extenso panorama de tierra y agua; grupos de caminantes.
En 1818, en Aranjuez.

MORALES, «el Divino». Luis de Morales

Nació en Badajoz hacia 1500; murió en la misma ciudad en 1586. Escuela española.

943 *La presentación del Niño Dios*

Tabla, 1,46 × 1,14.

El anciano Simeón tiene en las manos al divino Infante, y con María y José forman grupos las doncellas con la ofrenda y hachas encendidas. Sigue el cuadro al *Evangelio* de san Lucas, cap. II.
Fue adquirido por Carlos IV.
Procede del Palacio Nuevo.
En el retablo de Arroyo de la Luz (Cáceres) se repite la composición con variantes.

944 *La Virgen y el Niño*

Tabla, 0,57 × 0,40.

La Virgen, de medio cuerpo, con el Niño en brazos; viste túnica carminosa y manto azul.
Legado Pablo Bosch.

944

947 *San Juan de Ribera*

Tabla, 0,40 × 0,28.

Busto. De negro con cuello blanco.
Identificación documentada en 1945 por Robres y Castell. El Patriarca Juan de Ribera, hijo del duque de Alcalá, obispo de Badajoz y gran arzobispo de Valencia, luego virrey, murió en 1611, y fue canonizado en 1960. Los condes de Oñate poseyeron un tríptico de Morales, que en una de las portezuelas ostenta el mismo retrato. Se identificaba, antes del *Catálogo* de 1920, con san Ignacio de Loyola y, después, con el beato Alonso de Villegas.
Legado de doña María Enríquez de

947

76

Valdés, que se aceptó por R. O. de 16 de junio de 1896.

948 *Alegoría cristiana*

Tabla, 0,70 × 0,48.

Fondo de paisaje. En el centro, de pie, la figura de Cristo portando la Cruz; a su izquierda un penitente arrodillado y, a la derecha, un sayón con una cesta de clavos y un martillo en la mano.
Adquirido, en diciembre de 1862, a doña Francisca Salvatierra.

950 *San Juan Bautista*

Tabla, 0,47 × 0,34.

Busto. El santo vuelve la cabeza hacia la izquierda. Su cuerpo, desnudo, se cubre con una piel de camello y un manto rojo. Fondo oscuro.
Legado al Museo por doña Luisa Enríquez Valdés.

2512 *La Anunciación*

Tabla, 1,09 × 0,83.

La Virgen y el Angel arrodillados.
Legado por don Xavier Laffitte en 1930.

2656

2513 *La Piedad*

Tabla, 0,42 × 0,30.

María sujeta a Cristo, inerte, con su mano izquierda, mientras soporta su cabeza con la derecha. Fondo oscuro, figuras de medio cuerpo.
Legado por don Xavier Laffitte en 1930.

2656 *La Virgen y el Niño*

Tabla, 0,84 × 0,64.

La Virgen, casi de cuerpo entero, sentada, con el Niño en brazos.

Ejemplar del que se conocen varias r
peticiones —n.º 946 del Prado, ent
ellas—, ninguna superior a ésta.
Legado Pablo Bosch.

2770 *Ecce-Homo*

Tabla, 0,40 × 0,28.

Figura de menos que medio cue
po; en la mano izquierda, la caña p
cetro.
Legado Fernández-Durán (1930).

3147 *Sagrada Familia*

Tabla, 0,70 × 0,57.

La Virgen, de medio cuerpo, con som
brero de zíngara, cubre con un velo
Niño, acostado en una cuna. A la iz
quierda, san Juanito indica silencio.
Legado Viuda de Jiménez Díaz, 197

7117 *San Esteban*

Tabla, 0,67 × 0,50.

De menos de medio cuerpo, con un
piedra en la cabeza; fondo de paisaj
a la izquierda, en alto, Cristo ben
diciendo.
Donativo de los herederos de la con
desa de Castañeda, aceptado en 191

7622 *Adoración de los Reyes Magos*

Tabla, 0,98 × 1,67.

A la izquierda, sobre un fondo de ruinas, san José, la Virgen y el Niño. En el centro, el rey Melchor, postrado, besa el pie del salvador; detrás, las figuras de Gaspar y Baltasar con sus correspondientes ofrendas, sobre un fondo de paisaje de inspiración flamenca.
Fechado en torno a 1570-1575. Tanto las figuras como la composición derivan de estampas de Durero y Schongauer.
Probablemente, formaría parte de un retablo, donde ocuparía uno de sus registros superiores.
Adquirido, en 1992, a don Vicente y doña Josefina Giner de los Ríos, con fondos del Legado Villaescusa.

MORAZZONE. Pier Francesco Mazzucchelli, llamado «il Morazzone»

Nació en Morazzone (Lombardía) el 3 de julio de 1573; murió en 1626 en Piacenza (?). Escuela italiana.

3153 *Desposorios de la Virgen*

Papel pegado en lienzo, 0,31 × 0,41.

El sacerdote une las manos de la Virgen y san José. A la derecha, mujeres acompañantes y, a la izquierda, un caballero de espaldas abre la mano con gesto de asombro.
En relación muy estrecha con los frescos del Santo Monte de Varallo, de 1602-1603, y con un lienzo de colección particular romana, del que probablemente sea boceto.
Donado al Prado, en 1970, por don José Milicua.

6998

6998 *Flagelación de Cristo*

Lienzo, 1,66 × 1,15.

Cristo semiarrodillado de perfil, a la izquierda, recibe los golpes de los sayones, uno de los cuales le sujeta el pelo. Al fondo a la derecha, un joven soldado contempla la escena.
Obra capital del artista, fechable hacia 1615-1620 y muy próxima a la *Tortura de Cristo* de Boston, dada a conocer por Longhi.
Adquirida para el Museo en 1983.

MOREELSE. Paulus

Nació en Utrecht en 1571; murió en la misma ciudad antes de 1638. Escuela holandesa.

7292

7292 *Retrato de dama*

Lienzo, 1,22 × 0,96.

Sobre un fondo de cortinaje, de más de tres cuartos, mirando al espectador, con su mano derecha apoyada en un bufete, ricamente ataviada, según la moda holandesa de la primera mitad del siglo XVII. Vestida de negro, con amplio cuello de encaje, de cuatro vueltas, cofia y grandes puños. Un broche sobre el cabello, collar y pulseras de perlas.
Firmado y fechado en monograma, en el ángulo superior izquierdo: *AETA 26. 1625 NP.*
Díaz Padrón lo atribuye a Pickenoy.
Adquirido por el Estado a don Manuel Trallero en 1987.

2872

MORENO. Joseph Moreno

Nació en Burgos en 1642; murió en 1678. Discípulo de Solís. Escuela española.

2872 *La huida a Egipto*

Lienzo, 2,09 × 2,50.

La Virgen con el Niño sobre un asno que conduce de las riendas un ángel. A la derecha, san José, a pie, juega con el Niño. Fondo de palmeras.
Firmado: *JOSEPH MORENO.*
Del Museo de la Trinidad.

2107

MORO. Anton van Dashorst Mor, llamado en España Antonio Moro

Nació en Utrecht hacia 1519; murió en Amberes el 4 de noviembre de 1576. Escuela holandesa.

2107 *Pejerón, bufón del conde de Benavente y del gran duque de Alba*

Tabla, 1,81 × 0,92.

En pie. Con una baraja francesa en la deforme diestra; la mano izquierda, en la espada. Viste jubón y calzas blancas, con tabardo negro, como la gorra.
La identificación la da el inventario de 1600, Alcázar de Madrid, «Pieza segunda de la Casa del Tesoro»: «Pejerón, loco del conde de Benavente». Según Allende-Salazar, podría ser el mismo Perico de Saberbas, «hombre gracioso y apacible sin ofender a nadie», del que habla fray Prudencio de Sandoval. Carlos V, en carta escrita en Bruselas el 17 de febrero de 1545, habla «de lo que pasó en Cigales en casa de Perejón» *(sic)*.
El cuadro aparece inventariado en el Retiro.

2108 *La reina María de Inglaterra, segunda mujer de Felipe II*

Tabla, 1,09 × 0,84.

Figura casi de cuerpo entero, sentada en sillón de terciopelo bordado; traje gris rameado, sobre todo de terciopelo morado; en la diestra, la rosa encarnada de los Tudor; joyas en el tocado, en los puños, en el cinturón, y en el cuello, pinjante.
Firmado a la izquierda bajo el vuelo de la manga: *ANTONIUS MOR PINGEBAT 1554.*
Hija de Enrique VIII y de Catalina de Aragón, nació en Greenwich el 18 de febrero de 1516, subió al trono en 1553, casó con Felipe II el 25 de julio de 1554 y murió el 17 de noviembre de 1558.
Carlos V tuvo este cuadro en Yuste. En 1600 estaba ya en Madrid.

2109 *Doña Catalina de Austria, mujer de Juan III de Portugal*

Tabla, 1,07 × 0,84.

De más de medio cuerpo, en pie, junto a una mesa; viste saya de damasc blanco, sobretodo negro verdoso co bordados de oro, pañuelo y guantes e la mano diestra. La mesa, con tapet verde.
Doña Catalina, hija de Felipe *Hermoso* y de Juana *la Loca,* naci póstuma en Torquemada (Palencia el 14 de enero de 1507; casó el 5 d enero de 1525 con Juan III de Por tugal; murió el 12 de febrero de 157
Este retrato fue pagado a Moro el 2 de septiembre de 1552. Se cuenta hasta cuatro copias antiguas.
En 1600, en el Alcázar de Madrid.

2110

2110 *La emperatriz doña María de Austria, mujer de Maximiliano II*

Lienzo, 1,81 × 0,90.

En pie. Acodada en una mesa cubiert de terciopelo rojo; viste de negro co broches dorados y lazos blancos co cabos metálicos; tocada con velo diadema; cruz al cuello sobre el pech
Firmado en el zócalo del pedestal de l columna que está a la izquierd *ANTONIUS MOR PINX. AÑO 1551.*
Hija de Carlos V, nació en Madrid

21

2108

de junio de 1528; casó en 1548; rió el 26 de febrero de 1603.
aba en el «Guardajoyas» del Alcázar Madrid cuando el inventario de)0, como el número siguiente.

2111 *El emperador Maximiliano II*

Lienzo, 1,48 × 1.

En pie. Viste traje blanco vareteado de oro, gorra negra con pluma; el casco, empenachado de rojo, sobre la mesa, en que se acoda. Al cuello, el Toisón. Los guantes, en la diestra.
Firmado, en el ángulo superior izquierdo: *ANTONIUS MOR PINXIT 1550.*

2112

Hijo de Fernando I, rey de Romanos, nació en Viena el 1 de agosto de 1527; emperador en julio de 1564; murió en Ratisbona el 12 de octubre de 1576.
Compañero del n.° 2110.

2112 *Doña Juana de Austria, madre del rey don Sebastián de Portugal*

Lienzo, 1,95 × 1,05.

En pie, la diestra apoyada en el brazo de una silla; viste de raso negro, cofia, gola, manteleta, de la que pende la figurita de un Hércules (?), y puños blancos; en la mano izquierda, el pañuelo y los guantes.
Hija de Carlos V, nació en Madrid el 24 de junio de 1535; casó con don Juan, príncipe del Brasil, el 5 de diciembre de 1552; murió en El Esco-rial el 7 u 8 de septiembre de 1573; está enterrada en su fundación de las Descalzas Reales de Madrid.
En 1600, en el Alcázar de Madrid, en el «Guardajoyas».

2113

2113 *La dama del joyel*

Tabla, 1,07 × 0,83.

De más de medio cuerpo, en pie; con la diestra coge el joyel que pende de su cuello; viste de negro, cuello, puños y lazos blancos con cabos de metal; collar y cinturón de oro, piedras y perlas; guantes en la mano izquierda.
Adquisición de Carlos III, que lo trajo de Nápoles, como retrato de la emperatriz Isabel, de la escuela de Tiziano; otro papel al dorso dice que representa a doña María de Portugal, prometida de Felipe II, identificación sin fundamento, que, sin embargo, ha logrado fortuna.
En 1772 se registra en el Retiro.

2114 *Retrato de una mujer casada*

Tela, 1,00 × 0,80.

Poco menos de cuerpo entero; sentada, con un perrillo; viste cuerpo n gro, la saya color rojo cárdeno.
Aunque Von Loga, creyéndolo pare del autorretrato de la National Galle de Washington, identificó a la mode con la mujer del pintor; actualmer se tiende a rechazar esta identificació En 1666 estaba en el Alcázar de M drid.

2114

2115 *La duquesa de Feria* (?)

Lienzo, 0,95 × 0,76.

De más de medio cuerpo, y en p Cuerpo y mangas blanco y oro, jub negro con lacitos color de rosa, cor el tocado; cuello y puños de punt ajorca de flores naturales en el bra izquierdo, que se apoya en la mesa c tapete verde.
Hija de sir William Dormer, llam base Juana; nació en 1538; casó con duque de Feria; amiga predilecta María Tudor; murió en 1612.
La identificación se debe a Justi; desca sa sobre fundamentos dudosos. O retrato de la misma dama, por Mo pertenece a la Colección S. del Mon Para Mayer, pareja del n.° 2116, y creía pintados hacia 1575, no ha 1567, como suponía Loga.
Estaba en Aranjuez en el «Cuarto Príncipe». Adquirido, como el guiente, por Carlos IV.

2116 *Dama con cruz al cuello*

Lienzo, 0,94 × 0,76.

De más de medio cuerpo, en pie; c de pedrería al cuello, pendiente de collar de chatones, rubíes y per diadema de pedrería; cuello y puñ de puntas; mangas gris verdoso c adornos dorados y rojos.
Pintado, según Loga, hacia 1567. sido mal identificado con el retr de *Margarita inglesa* que figura er *Descripción* de El Pardo de Arg de Molina (1582), seguramente q mado. Margarita Harinton, hija barón de Extor, casó con don Ben Cisneros y murió en Madrid en16 Su estatua sepulcral en Santa Mar

e Zafra no confirma la identificación
ropuesta.
rocede de las Colecciones Reales.

117 *Doña María de Portugal,*
ujer de Alejandro Farnesio

abla, 0,39 × 0,15.

rrodillada, traje color cobrizo, manas blancas vareteadas de oro, gola y
obles puños blancos, cuatro vueltas
e cadena.
ortezuela de un tríptico; como el n.°
117 bis, pintado hacia 1570.
ija de don Duarte, hermano de
an III, nació en Lisboa el 8 de di-
embre de 1538. Casó con Alejandro
rnesio el 11 de noviembre de 1565;
urió en Parma el 8 de julio de 1577.
compañero del n.° 2117 bis. En
794, en la quinta del duque del
rco.

117 bis *Margarita de Parma*

bla, 0,39 × 0,15.

rodillada, un rosario entre las manos;
negro, con gola y puños blancos.
argarita de Parma, hija de Carlos V
uana van der Gheyst, nació en Au-
narde el 15 de enero de 1521; mu-
en Ortonna el 22 de octubre de
86. Fue la madre de Alejandro Far-
sio.
ase el n.° 2117.

18 *Felipe II*

la, 0,41 × 0,31.

sto; de negro, cuello blanco; gorra
gra; botones de diamante y ca-
nilla de la que colgaría el Toisón.
trato juvenil. Estudio para los cua-
os de El Escorial y de Viena; el pri-
ro, vestido como en San Quintín
) de agosto de 1557).
bre Felipe II, véase el n.° 1949.
1746 estaba en La Granja, entre las
turas de Isabel de Farnesio. Vino
Aranjuez.

2118

2119 *La dama de las cadenas de oro*

Lienzo, 1,12 × 0,97.

De más de medio cuerpo, en pie; cuello y puños blancos, mangas de brocado de oro, sayo negro con botones. Al cuello, tres vueltas de cadena; otra a la cintura; recoge la parte colgante con la mano izquierda. Tocado con menudos lazos carmesíes. En 1794 estaba en la quinta del duque del Arco.

2880 *Retrato de dama*

Lienzo, 0,96 × 0,76.

Más de media figura; joven; cuello escarolado. Viste de negro con botones de oro y perlas. Doble sarta de la que pende un joyel. Cofia de puntas con perlas en el broche.

Legado por el conde de la Cimera (1944).

MORO. Copia por Bartolomé González

1141 *La reina Ana de Austria, cuarta mujer de Felipe II*

Lienzo, 1,07 × 0,86.

De las rodillas arriba. Traje blanco con lazos carmesíes, como el verdugado de las mangas; joyel, cinturón y botones de oro y pedrería; guantes oscuros en la diestra.
Nació en Cigales el 1 de noviembre de 1549; era hija de Maximiliano II y de la emperatriz doña María. Casó en Segovia con su tío Felipe II el 14 de

262

noviembre de 1570; murió en Badajoz el 26 de octubre de 1580.

Copia con variantes —el color del traje es la principal— de una réplica del retrato por Moro, firmado en 1570, que se conserva en el Museo de Viena.

Que el autor de la copia sea Bartolomé González consta en las adiciones de 1617 al inventario de El Pardo de 1614; pero esta copia o una igual fue cobrada por los herederos de Pantoja de la Cruz.

1143 *Caballero de la Orden de Santiago*

Tabla, 0,41 × 0,30.

Busto; traje negro con gorra; en el pe cho, la cruz de Caballero de Santiago Antes, como obra de Sánchez Coe llo, pero repite el retrato, fechado e 1558, del Museo de Budapest, que s atribuye a Moro y es muy superior a nuestro. Para su identificación se ha dado diversos nombres, ninguno cor vincente.

Fue de la Colección de Isabel de Far nesio.

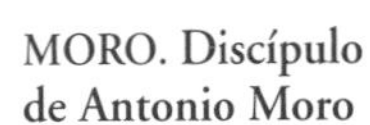

MORO. Discípulo de Antonio Moro

1516 *Caballero de 48 años*

Tabla, 0,71 × 0,55.

Menos de medio cuerpo. Gorra y ta bardo negro, éste con cuello de pie mangas encarnadas; los guantes en mano izquierda; anillo con escudo; so bre campo de oro, franja vertical verd con tres coronas de oro.

A la altura de la oreja derecha: *AETAT 48 1555.* Tabla compañera del n 1517, añadida por la parte superior los costados. Figuran como obras Franz Floris en el *Catálogo* de 192 atribución aceptada por Winkler. E 1746 estaba en La Granja, entre l pinturas de Isabel de Farnesio.

1517 *Dama de 35 años*

Tabla, 0,72 × 0,56.

Menos de medio cuerpo. Viste de ca taño oscuro, cofia o toca, cuello y pu ños blancos, cadena de oro al cuello. A la altura de la oreja izquierda, *AETAT 35 1555.* Compañero del n.° 1516.

2881 *Retrato de dama*

Lienzo, 0,96 × 0,75.

Figura de las rodillas arriba. Viste tra rico encarnado con labores de oro, s bre mangas de tul y cuello alto, abiert que deja ver una gargantilla con joye

3209

960

Legado por el conde de la Cimera (1944).

MORONI. Giovanni Battista Moroni, o Morone

Nacido en Bondio, cerca de Albino, en el Bergamasco, hacia 1523; murió en Bérgamo el 5 de febrero de 1578. Escuela italiana.

262 *Un militar* (?)

Lienzo, 1,19 × 0,91.

Figura de las rodillas arriba, de negro, con mangas y calzas rojas. Apoyado en una columna rota.
En 1666, en el Alcázar de Madrid. En 1794, en el Retiro.

MOSTAERT. Jan Mostaert

Nacido hacia 1472 en Haarlem; murió en 1555 ó 1556 en el mismo lugar. Escuela flamenca.

3209 *Retrato de caballero joven*

Tabla, 0,53 × 0,37.

Busto prolongado. Está tocado con un gran sombrero. La mano derecha sostiene una bolsa, y la izquierda, una moneda. Se ha creído que representaba a Carlos V.
Adquirido por el Museo en 1971.

MUÑOZ. Sebastián Muñoz

Nació en Navalcarnero (Madrid) en 1637; murió en Madrid el lunes santo de 1690. Escuela española.

957 *Autorretrato* (?)

Lienzo, 0,35 × 0,33.

Facciones abultadas; pelo largo.
En el *Catálogo* de 1920 se indicó la opinión de que fuese retrato de Palomino. En 1941, el marqués de Lozoya reforzó la atribución antigua, al publicar otros retratos pintados por Muñoz, de evidente parentesco con el nuestro.

MURILLO. Bartolomé Esteban Murillo

Bautizado en Sevilla el 1 de enero de 1618; murió en la misma ciudad el 3 de abril de 1682. Escuela española.

960 *La Sagrada Familia del pajarito*

Lienzo, 1,44 × 1,88.

San José, sentado; el Niño Jesús con un pajarito en la diestra, que muestra al perro; a la izquierda, la Virgen devanando una madeja de hilo; al lado, la cesta de la costura. A la derecha, el banco de carpintero.

961

Pintado hacia 1650, aún con fuerte influencia tenebrista, aunque la composición evoca una, análoga, de Barocci. La composición fue grabada en el siglo XVIII por Juan Antonio Salvador Carmona.
Aparece por primera vez en 1746, Colección de Isabel de Farnesio, en La Granja. Llevado a París por José I, lo tuvo en Orleans y se devolvió el 22 de noviembre de 1818.

961 *La adoración de los pastores*

Lienzo, 1,87 × 2,23.

La Virgen, dos pastores y una pastora, arrodillados, y san José, de pie, en torno al Niño Jesús; los pastores aportan un cordero, huevos y una gallina.
Aún de notable influencia riberesca. Pintado hacia 1655-1660.
En 1772, en el Palacio Nuevo. Adquirido en 1764 a Kelly.
Fue uno de los 50 cuadros enviados al Museo Napoleón en 1813; devuelto en 1818.

962 *El Buen Pastor*

Lienzo, 1,23 × 1,01.

Jesús Niño sentado en una piedra, en la diestra un cayado y la mano izquierda sobre el cordero. Fondo de paisaje con ruinas clásicas y un rebaño de ovejas.
En la descripción de Torre Farfán de la procesión celebrada para inaugurar en 1665 la iglesia de Santa María la Blanca, de Sevilla, se describe un altar pintado por Murillo, en el que había una *Concepción* y dos lienzos. Angulo no acepta la suposición de que éste sea uno de ellos. Según Mayer, está inspirado en el Cupido de Stéfano della Bella que ilustra unas *Metamorfosis* de Ovidio.
En 1746 aparece en La Granja, Colección de Isabel de Farnesio. En 1794 estaba en Aranjuez en la «Pieza de dormir los Reyes».

963 *San Juan Bautista niño*

Lienzo, 1,21 × 0,99.

Aparece sentado en una piedra, la diestra sobre el pecho; en la izquierda la cruz con el rótulo *Ecce Agnus Dei* encima del cordero.
Véase el n.° 962.

964 *Los niños de la concha*

Lienzo, 1,04 × 1,24.

Jesús Niño da de beber en una concha a san Juanito, arrodillado y apoyándose en la cruz con el rótulo *Ecce Agnus Dei;* el cordero está a la izquierda. Rompimiento de gloria con ángeles.
Según Mayer, fue pintado hacia 1670. Señala parecido con una estampa de Reni (Bartsch, n.° 13), quizá inspirada en Carracci.
En 1746 en La Granja, Colección de Isabel de Farnesio. En 1794 estaba en Aranjuez.

964

962

965 *Ecce-Homo*

Lienzo, 0,52 × 0,41.

Busto.
Adquirido por Carlos IV, como su pareja n.° 977. En 1818, en Aranjuez.

966 *Cristo en la cruz*

Lienzo, 1,83 × 1,07.

Muerto. Fondo oscuro en el que se ve Jerusalén.
Según Mayer, inspirado en el Dendermonde, de Van Dyck.
Se trajo de Aranjuez en 1818.

967 *Cristo en la cruz*

Lienzo, 0,71 × 0,54.

En 1746, en La Granja, entre las pinturas de Isabel de Farnesio. En 1794, en Aranjuez.

970

972

975

968 *Santa Ana y la Virgen*

Lienzo, 2,19 × 1,65.

Santa Ana, sentada; la Virgen, a su izquierda —vestida como una sevillana del siglo XVII—. A la izquierda, la cesta de la costura. En el aire, dos ángeles portadores de una corona. Fondo de arquitectura.
Aunque se ha considerado obra tardía, lo más probable es que, como sugiere Angulo, sea obra de hacia 1655. Adquirido por Isabel de Farnesio (La Granja, 1746). En 1794, en Aranjuez.

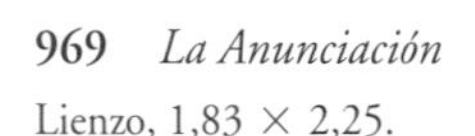

969 *La Anunciación*

Lienzo, 1,83 × 2,25.

Según Mayer, pintado entre 1648 y 1655.
En 1772, en el Palacio Nuevo. Adquirido en 1764 a Kelly. Estuvo en la Academia entre 1816 y 1819.

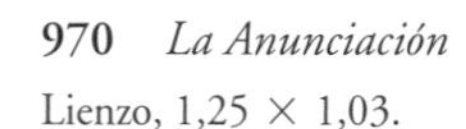

970 *La Anunciación*

Lienzo, 1,25 × 1,03.

La Virgen y el ángel, arrodillados; rompimiento de gloria con el Espíritu Santo rodeado de ángeles. En el suelo, la cesta de la costura; sobre la mesa, un libro y el vaso de azucenas.
Según Mayer, repetición por el mismo maestro del ejemplar del Ermitage.
En 1729 lo adquirió Isabel de Farnesio en Sevilla. En 1746 estaba en La Granja, y en 1794, en Aranjuez, en la «Pieza de dormir los Reyes».

971 *Inmaculada*

Lienzo, 0,96 × 0,64.

Acompañada de ángeles que ostentan varios atributos de la Inmaculada.
Posiblemente de taller.
En 1746 en La Granja, Colección de Isabel de Farnesio. Aranjuez. Oratorio del Rey.

972 *La Concepción «de El Escorial»*

Lienzo, 2,06 × 1,44.

En pie sobre el creciente de la Luna; nubes y cuatro ángeles portadores de azucenas, rosas y palmas y ramos de olivo. En lo alto, nueve serafines.
Durante mucho tiempo se le llamó Inmaculada «de la Granja» por creer que procedía de aquel palacio. En realidad se ignora su procedencia hasta que se registra en la Casita del Príncipe de El Escorial en 1788, entre los cuadros de Carlos IV príncipe. Quizá sea la adquirida en Sevilla por Carlos III, pareja de un *San Jerónimo.* Mayer la fechaba hacia 1670. Angulo señala que debe ser al menos diez años anterior.
Vino al Prado desde Aranjuez.

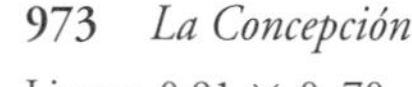

973 *La Concepción*

Lienzo, 0,91 × 0, 70.

De medio cuerpo; delante, el creciente de la Luna; a los lados, seis serafines.
Según Mayer, pintada entre 1660 y 1670.
En 1746 estaba en La Granja, Colección Farnesio. En 1794 estaba en la «Pieza de dormir los Reyes», de Aranjuez.

974 *La Concepción «de Aranjuez»*

Lienzo, 2,22 × 1,18.

Tiene las manos cruzadas sobre el pecho, de pie sobre el creciente de la Luna; nubes y cinco ángeles; dos de ellos llevan azucenas y rosas, y palmas y ramos de olivo, y otros dos ayudan a sostener el pedestal de nubes.
Señala Mayer el parecido de la parte superior con la de la *Asunción de* Guido Reni, del Ermitage.
Vino de Aranjuez en 1818; estaba en la capilla de San Antonio.

975 *La Virgen del rosario*

Lienzo, 1,64 × 1,10.

Sentada, con el Niño en brazos, que tiene en la diestra el rosario. Viste la Virgen de encarnado, con velo blanco; el manto es azul.

Adquisición de Carlos IV.
En el Palacio Nuevo, en 1814. Estuvo en El Escorial de 1819 a 1827.

976 *La Virgen con el Niño*

Lienzo, 1,51 × 1,03.

La Virgen, sentada; el Niño, sobre la rodilla derecha.
En 1818, en Aranjuez; adquirido por Carlos IV.

977 *La Dolorosa*

Lienzo, 0,52 × 0,41.

Busto.
Compañero del n.° 965; como él, adquirido por Carlos IV.

978 *Aparición de la Virgen a san Bernardo*

Lienzo, 3,11 × 2,49.

El santo doctor, arrodillado, recibe de la Virgen, que se aparece con el Niño en brazos y rodeada de ángeles, un chorro de leche en premio a su elocuencia en la defensa y en los loores de María. A la izquierda, la mesa y la librería; en el suelo, el báculo abacial y libros.
Aunque Mayer lo fechaba entre 1665 y 1670, Angulo propone, convincentemente, una data anterior, hacia 1660.
En 1746, en La Granja, Colección de Isabel de Farnesio. En 1794, en el Palacio Nuevo.

979 *La descensión de la Virgen para premiar los escritos de san Ildefonso*

Lienzo, 3,09 × 2,51.

La Virgen, sentada, acompañada por ángeles mancebos, presenta la casulla a san Ildefonso, que la recibe arrodillado; a la derecha, una vieja devota con una vela. Rompimiento de gloria con ángeles y serafines.
El prodigio lo refiere Cíxila, sucesor en la sede de san Ildefonso. La vieja, personaje que figura en un auto de Valdivielso (1616) y en una obra de Lope, se negó a entregar el cirio a un ángel y lo guardó para la hora de la muerte.
Fechable, según Angulo, hacia 1660.
En 1746, en la Colección de Isabel de Farnesio (La Granja). En 1794, en el Palacio de Madrid.

980 *San Agustín entre Cristo y la Virgen*

Lienzo, 2,74 × 1,95.

Arrodillado, viste hábito negro y capa pluvial; entre Cristo crucificado y la Virgen, que a derecha e izquierda se le aparecen, por lo que no sabe hacia qué lado volverse. Un ángel con el báculo y otro con la mitra. En el suelo, tres libros. En el cielo, muchos ángeles.
Representa la meditación de san Agustín: «En medio de los dos, no sé dónde volverme; dudo entre la sangre de Cristo y la leche de su madre».
Pintado seguramente para San Agustín, de Sevilla, en 1663-1664. E tema y composición del que se conoc cen varias versiones con ligeras variantes. Se inspira directamente en un composición de Van Dyck. El cuadr del Prado presenta una adición an tigua en la pare inferior y un evident repinte con la adición de los ángeles querubes que rodean al Cristo y a l Virgen.
Fue del marqués de Llanos.
En 1772 estaba en la sacristía de capilla del Palacio Nuevo.

981 *Visión de san Francisco en la Porciúncula*

Lienzo, 2,06 × 1,46.

Francisco de Asís, arrodillado ant Cristo con la Cruz y la Virgen; lo ángeles derraman rosas en que se ha bían trocado las espinas de las zarzas.
Pintado, al parecer, en 1667.
Adquirido por Carlos IV. En 1814, e Palacio.

982 *El martirio de san Andrés*

Lienzo, 1,23 × 1,62.

El apóstol en la cruz, cuando atan co cuerdas su pierna derecha; a un lado otro, un grupo de soldados y gente. A fondo, templo clásico en ruinas y u castillo.
El apóstol fue crucificado en Patrás 30 de noviembre del año 63.
Es obra maestra de los últimos años d

982

98

978

actividad del pintor, en su estilo más
ɛshecho. Es evidente, en la composi-
ón, la influencia rubeniana.
ue adquirido por Carlos IV y consta
ı el inventario de la Casita de El
scorial; después, en el de Aranjuez de
818.

984 *La conversión de san Pablo*

Lienzo, 1,25 × 1,69.

Saulo, caído del caballo, turbado por el resplandor, dentro del que se le aparece Jesucristo, preguntándole: «¿Por qué me persigues?».

Seguramente, pareja del *Martirio de san Andrés,* y como él de fecha tardía. No figura hasta el inventario de Aranjuez de 1818; probablemente adquirido por Carlos IV.

994

995

987 *San Jerónimo*

Lienzo, 1,87 × 1,33.

Arrodillado en la gruta, meditando ante el crucifijo.
Para Mayer, de 1650 a 1652.
Quizá el adquirido por Carlos III en Sevilla, juntamente con una *Inmaculada* de análogas dimensiones, que será el n.° 972.

989 *Santiago, apóstol*

Lienzo, 1,34 × 1,07.

De más de medio cuerpo; viste de azul y manto rojo; en la mano izquierda, un libro grande; la diestra, en el bordón de peregrino.
Adquirido en la venta del marqués de la Ensenada en 1769. En 1772 estaba en el Palacio Nuevo.

991 *San Francisco de Paula*

Lienzo, 1,11 × 0,83.

Fondo de paisaje. El santo, de tamaño natural, arrodillado sobre una piedra, en actitud contemplativa, apoyado con ambas manos en el báculo.

Datado por Mayer (1923) hacia 167(1680. Para Muñoz (1942), de 167 1680. Considerado como de un dis cípulo del pintor por Angulo; hoy d se cree obra del propio artista.
Procede de las Colecciones Reale Casa del Príncipe de El Escoria 1788. Palacio de Aranjuez, 1818.

994 *La fundación de Santa María Maggiore de Roma —II: El sueño del patricio Juan*

Lienzo, 2,32 × 5,22 (arco rebajado).

Duermen, sentados, al pie del lecho, patricio y su mujer; en los aires, la Vi gen con el Niño, que señala el mon Esquilino; en el suelo, la cesta de labor y un perrillo dormido. A derecha, la mesa en que se apoya patricio; al fondo, en sombra, cabeza del lecho.
La Virgen se apareció en sueños patricio romano Juan en la noche d 4 de agosto de 352, inspirándole erección de una iglesia en el mon Esquilino.
Este lienzo, el n.° 995 y otros d *(Inmaculada,* del Louvre, y *La Fe o la Eucaristía,* o mejor la *Iglesi* propiedad de lord Faringdom, Busc Park, se pintaron para Santa María Blanca, de Sevilla, por encargo de do Justino de Neve; el templo, con la pinturas, se inauguró en 1665. Las d Prado estaban en la nave mayor, bajo media naranja del crucero, y las otra en la cabecera de la naves laterales. E

997

9

996

ariscal Soult regaló los dos lienzos al
luseo Napoleón. En París, y bajo la
irección del arquitecto Percier, se le
ıadieron las enjutas. Se incautó de los
os medios puntos y de la *Santa Isabel*
capitán don Nicolás Miniussir (ayu-
ante del general don Miguel de
lava) el 23 de septiembre de 1815.
or Amberes vinieron a España en la
rimavera de 1816; entraron en la Aca-
emia de San Fernando el 30 de junio.
e trajeron al Museo por R. O. de 12
e septiembre de 1901.

95 *La fundación de Santa Aaría Maggiore de Roma. —II: El patricio revela su ueño al Papa*

ienzo, 2,32 × 5,22 (arco rebajado).

a escena principal, a la izquierda.
l papa Liberio, acompañado de dos
clesiásticos, escucha la relación del
ueño tenido por el patricio, arrodi-
ado, como su mujer. A la derecha se
igura la procesión, que al llegar al
nonte Esquilino lo encuentra cubierto, prodigiosamente, de nieve en agosto. Entre nubes, la Virgen con el Niño
en brazos.
Compañero del n.° 994.

996 *Rebeca y Eliecer*

Lienzo, 1,07 × 1,71.

Cuatro aguadoras rodean el brocal de un pozo; una de ellas, Rebeca, da de beber a Eliecer; a la izquierda, al fondo, caravana con camellos y un caballo.
Representa el pasaje del Génesis (cap. XXIV, vers. 45 y ss.), cuando Rebeca es encontrada por Eliecer, mayoral de los rebaños de Abraham, enviado a Mesopotamia en busca de esposa para Isaac.
Traído de Sevilla por Isabel de Farnesio en 1733; en 1746 en su Colección, en La Granja. En 1819 ya estaba en el Museo.

997 *El hijo pródigo recoge su legítima*

Lienzo, 0,27 × 0,34

Recibe los sacos de dinero que le da su padre. San Lucas, *Evangelio,* cap. XV, vers. 11-12.
Este y sus compañeros (números 998, 999, 1000) son bocetos preparatorios para la serie de lienzos con figuras de dos tercios del natural que posee en Londres Otto Beit.
Las composiciones siguen las de la serie de estampas grabadas por J. Callot sobre la misma parábola.
Con sus compañeros, en 1814, en el Palacio Nuevo.

998 *La despedida del hijo pródigo*

Lienzo, 0,27 × 0,34.

Sale a caballo del pueblo.
Véase el n.° 997.

999 *La disipación del hijo pródigo*

Lienzo, 0,27 × 0,34.

A la mesa, con dos cortesanas y un vihuelista.
Véase el n.° 997.

1000 *El hijo pródigo abandonado*

Lienzo, 0,27 × 0,34.

En medio del campo, con la piara de cerdos.
Véase el n.° 997.

2809 *La Inmaculada «de Soult»*

Lienzo, 2,74 × 1,90.

María, sobre el globo del mundo; a sus pies, la luna, entre nubes, rodeada por ángeles.
Cuadro que se pintó hacia 1678 por encargo, según Ceán, de don Justino de Neve, para la iglesia del Hospital de Venerables Sacerdotes de Sevilla.
El mariscal Soult se llevó el cuadro en 1813; el 2 de marzo pasó por Madrid. En 1837 estuvo convenida su venta a Luis Felipe. A la muerte del mariscal lo adquirió en pública subasta el Louvre, en mayo de 1852. Comprendido en el cambio de obras de arte y documentos concertado con el Gobierno francés, llegó a Madrid el 8 de diciembre de 1940 y fue solemnemente entregado al Museo el 27 de junio de 1941.

2845 *Caballero de golilla*

Lienzo, 1,99 × 1,26.

En pie. Viste de negro y con medias blancas; espada al cinto; la diestra sobre una mesa cubierta de terciopelo rojo; el sombrero y los guantes, en la mano izquierda.
Pintado entre 1670 y 1682, tal vez es el último retrato de Murillo.
En 1818 pertenecía a la viuda del coleccionista y académico don Bernardo de Iriarte, y Ceán Bermúdez gestionaba su compra para don Tomás de Veri. Creíase entonces retrato del «El Judío», secretario de Felipe IV, personaje no identificado. Lo adquirió, al fin, el coleccionista de Mallorca, el 18 de marzo, en 8.000 reales de vellón. Comprado a sus sucesores en 1941 por el Ministerio de Educación Nacional.

3060

3060 *Nicolás Omazur*

Lienzo, 0,83 × 0,73.

De medio cuerpo, dentro de un óvalo de mármol fingido. Muestra una calavera en la mano.
Omazur fue un amigo y admirador de Murillo, nacido en Amberes en 1609. Fue negociante en sedas y poeta, lo que explica un alambicado texto que llevó el retrato y transcribió Ceán Bermúdez. Angulo señala su carácter de *Vanitas,* de acuerdo con el ambiente sevillano de Mañara y Valdés Leal. Tenía como compañero el de su mujer, también de medio cuerpo y con una rosa en la mano. Perdido el original, se conserva una copia en la Colección Stirling, de Glasgow (Inglaterra).
Adquirido por el Patronato en 1964.

MURILLO. Copia (?)

1001 *La vieja hilando*

Lienzo, 0,61 × 0,51.

Menos de medio cuerpo.
Probablemente copia de un original perdido.
En 1746, en la Colección de Isabel de Farnesio, en La Granja; después, en Aranjuez.

MURILLO. Copia

2912 *Autorretrato*

Lienzo, 1,03 × 0,77.

Busto prolongado.
Lleva la inscripción latina siguien
BARTHOLOMEUS MURILLUS HISPALEN SE IPSUM DEPINGENS PRO FILIORUM V TIS AC PRECIBUS EXPLENDIS. EX NICOL OMAZURINO ANTVERPIENS.
Copia puntual del *Autorretrato* q hoy guarda la National Gallery. I inscripción atestigua que copia la e tampa de Richard Collin, hecha p encargo de Nicolás Omazur.
Fue del conde de las Almenas; adqu rido por el Patronato del Tesoro Artí tico en 1927.

MURILLO. Discípulos

1002 *La gallega de la moneda*

Lienzo, 0,63 × 0,43.

De menos de medio cuerpo; en la m no, una moneda.
Según Mayer, pintado entre 1645 1650. En 1756, en La Granja, ent los cuadros de Isabel de Farnesi Como anónimo, en 1772 y en 177 y en 1794, ya a nombre de Murillo.
No es aceptable, según el criterio d Angulo, la atribución a Murillo.

1006 *Paisaje*

Lienzo, 0,95 × 1,23.

A la derecha, una cascada o fuente; rí o ensenada; al fondo, una fortaleza; e la orilla, dos pescadores, y en prime término, dos caballeros.
En 1818 se registra en Aranjuez.

MURILLO (?)

2777 *Dos ángeles*

Lienzo, 0,44 × 0,68.

El grupo de los ángeles se repite, co pocas variantes, en la *Anunciació*

2809

de Murillo del Ermitage y en la del Prado.
Según opinión de Gómez Moreno, es fragmento de un cuadro de Valdés Leal.
Legado de Fernández Durán en 1930.

3008 *Paisaje*

Lienzo, 1,94 × 1,30.

País abrupto con montañas rocosas; en primer término, puente de madera sobre un torrente; acaba de pasarlo una mujer, montada en un asno, que lleva del diestro a un niño y seguida de un campesino. En segundo plano, una mujer que a la puerta de una choza echa grano a las gallinas.
Obra muy bella, de discutida atribución. Mayer la publicó como obra de Murillo y así se recogió en los *Catálogos* desde su ingreso en el museo. Angulo rechaza la atribución, y cree que puede ser obra italiana. Adquirido en Inglaterra para el Patronato en 1952.

NALDA. Juan de Nalda

Documentado en 1493-1505. Escuela española.

1329 *San Gregorio*

Tabla, 0,76 × 0,60.

En pie, bendiciendo, viste de pontifical con mitra y báculo. En el nimbo, san Gregorio.
Como anónimo del siglo XVI, en el *Catálogo* del Museo de 1985. Silva Maroto (1990) lo atribuye a Juan de Nalda. Legado en 1925 por don Luis de Castro y Solís.

NANI. Mariano Nani

Nació en Nápoles hacia 1725. En Madrid desde 1759; murió aquí en 1804. Escuela italiana.

263 *Caza*

Lienzo, 0,67 × 0,46.

Una liebre y dos perdices.

263

1329

Atribuido hasta ahora, con sus compañeros números 264 y 265, a Giacomo Nani (1701-1770). Jesús Urrea ha demostrado que son obras típicas de Mariano, su hijo.
En los inventarios del Palacio Nuevo de 1814 se mencionan todos como de «Nani».

264 *Caza*

Lienzo, 0,72 × 0,48.

Una perdiz, un ganso y otras aves.
Véase el n.º 263.

265 *Caza*

Lienzo, 0,72 × 0,48.

Una liebre y varias aves.
Véase el n.º 263.

NATTIER. Jean-Marc Nattier

Nació en París el 17 de marzo de 1685; murió el 11 de julio de 1766. Escuela francesa.

2591 *María Leczinska, reina de Francia (?)*

Lienzo, 0,61 × 0,51.

Figura de medio cuerpo. Viste traje azul.
Hija de Estanislao, ex rey de Polonia, duque de Lorena, nació en Posen el 23 de junio de 1703; murió en Versalles el 24 de junio de 1768.
La identificación parece probable por

la semejanza con el retrato de la mujer de Luis XV, atribuido a Nattier en la tercera venta Sedelmayer (1907), en el que representa mayor edad, aunque alguna de sus hijas, en particular Enriqueta (1727-1752), semejábase mucho a ella.
Legado por don José Brunetti y Gayoso de los Cobos, duque de Arcos, entró en el Museo en 1935.

NAVARRETE «el Mudo». Juan Fernández Navarrete

Nació en Logroño hacia 1526; murió en Toledo el 28 de marzo de 1579. Escuela española.

1012 *El bautismo de Cristo*

Tabla, 0,49 × 0,37.

Jesús, el Bautista y cuatro ángeles mancebos.
Firmado en una carterilla, en bajo, a la izquierda: I. F. Presentado a Felipe II en El Escorial por su autor.
Figura en la primera entrega de cuadros a El Escorial de 12-16 de abril de 1574; lo cita el padre Sigüenza en la «Celda alta del prior».

1012

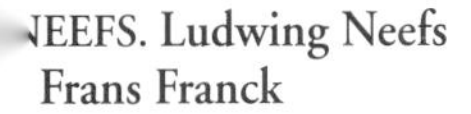

NEEFS. Ludwing Neefs y Frans Franck

Neefs fue bautizado el 22 de enero de 1617 en Amberes. Su última fecha conocida es 1648. Escuela flamenca.

2591

1597 *Interior de iglesia: El viático*

Tabla, 0,28 x 0,25.

Firmado en el pilar de la derecha: P. L. NEEFS *1646;* y debajo: FFRANCK.

Compañero del siguiente. En 1746, en La Granja, entre las pinturas de Isabel de Farnesio. En 1794 en Aranjuez.

1598 *Interior de iglesia*

Tabla, 0,28 × 0,25.

A la izquierda, en una capilla, están celebrando misa.
Firmado en el pilar de la derecha de la nave central: P. L. NEEFS 1646.
Compañero del anterior.
Véase el n.º 1597.

NEEFS el Viejo. Peeter Neefs, o Neeffs

Nació en Amberes en 1577 o 1578; murió entre 1651 y 1656. Escuela flamenca.

1598

1599 *Interior de una iglesia flamenca*

Tabla, 0,84 × 0,72

En un altar de la derecha se está celebrando misa.
1746: Colección de Isabel de Farnesio, La Granja.

1602 *Interior de una iglesia: La adoración de una reliquia*

Tabla, 0,27 × 0,39.

Un sacerdote muestra a la veneración de los fieles un viril.
Firmado en el pilar de la derecha de la nave central: PETER NEEFFS.
Se conservan dos versiones idénticas en Kassel y Florencia (Uffizi).
En 1814 en el Palacio Nuevo.

1603 *Interior de una iglesia: La ofrenda*

Tabla, 0,25 × 0,34.

Una dama, seguida de varias y precedidas de dos hombres con velas.
En 1746, en la Colección de Isabel de Farnesio en La Granja.

1605 *Iglesia de Flandes: La misa*

Tabla, 0,58 × 0,98.

A la derecha, la puerta abierta. A la izquierda, un sacerdote celebrando misa. Firmado en el friso de la puerta: P. NEEFS, y en la cartela del ártico, la fecha: 1618. Se ha supuesto que las figuras pueden ser de Stalbemt. En 1746, en la Colección de Isabel de Farnesio, La Granja. Se trajo de Aranjuez en 1847.

1605

2726

NEEFS el Viejo y Frans Francken II

1600 *El viático en el interior de una iglesia*

Tabla, 0,51 × 0,80.

En primer término, la procesión. A la derecha, en un pilar, la memori sepulcral de VAN HEER ANTHONI LAVTER.
Firmado en el pilar de la derecha de l nave central: PEETER NEEFS, 1636.
Las figuras son de Francken II.
Adquirido por Carlos IV.

NEEFS el Viejo y Frans Francken III

1524 *Interior de una iglesia flamenca*

Tabla, 0,33 × 0,48.

Al fondo, la misa; grupos de devotos visitantes, etc.
Firmado en el pilar de la derecha: D FFRANCK.
Atribuida a Frans Francken el Viejo, obra de colaboración de Francken I con Peeter Neefs, autor de las arqu tecturas.
En 1746 en La Granja; en 1794, e Aranjuez; en 1817, en el Museo.

NEEFS. Peeter Neefs II

Nació en Amberes en 1620; murió a en 1675.
Escuela flamenca.

1601 *Interior de la catedral de Amberes.*

Tabla, 0,31 × 0,44.

A la derecha, una misa.

Firmado: PEETER NEEFFS.

Díaz Padrón (1995) atribuye las guras a Frans Francken el Jove Adquirido por Carlos IV. En 181 en el Palacio Nuevo.

2726 *Interior de la catedral de Amberes*

Tabla, 0,38 × 0,63.

Vista desde los pies. En el tercer altar de la nave central se celebra una misa. Gupos diversos.
Firmado sobre la puerta de la derecha: *PEETER NEEFS,* y en el pedestal del pilar, a la izquierda del centro: *Dº FFRANCK.*
Con algunas varientes en el punto de vista y en las figuras hay otro ejemplar en el Museo de La Haya (n.º 248); mide 34 × 48 y está firmado: *PEETER NEEFS FRANCK*
Este cuadro y su compañero (n.º 2727, depositado en el Museo del Palacio de Carlos V de Granada) proceden de la venta de las pinturas del duque de Osuna (1896), números 113 y 114 del *Catálogo.*
Legado de Fernández-Durán (1930).

NERI. Pietro Martire Neri (?)

Nació en Cremona hacia 1601; murió en Roma el 12 de noviembre de 1661. Escuela italiana.

2475 *Un eclesiástico italiano*

Lienzo, 0,64 × 0,48.

De menos de medio cuerpo, con muceta y gorro negros. A la derecha, el escudo; tres lises de oro, un castillo y roeles, correspondientes a los linajes Giustiniani, Merlini (?).
Obra de un pintor italiano, en quien se advierte la influencia ejercida por Velázquez cuando su segundo viaje a Roma: Mayer ha sugerido, con dudas, la atribución. Berenson indicó que pudiera ser de Giov. B. Gaulli Baciccia (1639, murió 1709).
Legado por don Luis Errazu en 1925.

NESTCHER. Gaspar Nestcher

Nació en Heidelberg hacia 1639, murió en La Haya en 1684. Escuela holandesa.

7608

7607 *Retrato de Lambert Witsen*

Lienzo, 0,49 × 0,40.

Coronel de la Milicia Cívica de Amsterdam, vivió entre 1638-1697. De más de tres cuartos, mirando al espectador, con armadura negra, chalina de encaje al cuello y la espada en el cinto. A su izquierda, sobre un paño rojo con flecos dorados, el yelmo empenachado. A la derecha, al fondo de la composición, una fortaleza en llamas.
Forma pareja con el retrato de su esposa (n.º 7608).
Proceden de las colecciones Wildt, Blaauw.
Adquiridos por el Estado en 1991.

7608 *Retrato de la Sra. Nuyts, esposa de Lambert Witsen*

Lienzo 0,49 × 0,40.

Sobre un fondo de bosque, figura femenina, sentada, de más de tres cuartos, mirando al espectador, ataviada a la moda francesa, con amplio escote, doble collar y pendientes de perlas. Peinada con tirabuzones.
Firmado y fechado, en el ángulo inferior izquierdo: *C. NESTSCHER FEC. 1679.*
Compañero del anterior (n.º 7607).

NEUFCHATEL. Nicolás de Neufchâtel, llamado «Lucidel»

Nació en Mons (Bélgica) en 1527; murió en Nuremberg después de 1567. Escuela flamenca.

1957 *Dama con un perrito*

Tabla, 0,77 × 0,57.

De menos de medio cuerpo; sentada; viste de negro, con sayo blanco y

2545

cuello encañonado; en las manos, un perrillo de lanas.
En el Alcázar se atribuía a Durero. En el *Catálogo* de 1920, entre los anónimos de escuela flamenca, aunque ya indicando la atribución actual.
Procede de las Colecciones Reales.

NICOLAS FRANCES. Maestre Nicolás Francés

Pintaba en León antes de 1434. Vivía en 17 de mayo de 1468. En septiembre del mismo año había muerto ya. Escuela española.

2545 *Retablo de la vida de la Virgen y de san Francisco*
Tabla, 5,57 × 5,58
(en cuadro y sin espiga).

Consta de banco, o predela, con bustos de santos y de tres calles con tres cuerpos cada una:
Calle central: *La Virgen con el Niño entre ángeles músicos, La Asunción* y *El Calvario.*
Calle lateral derecha: *La Anunciación, La Natividad y la Purificación.*
Calle lateral izquierda: *San Francisco ante el Sultán, El sueño de Honorio III y fundación de la Orden franciscan[a] y los estigmas.*
Procede de la capilla de una granj[a] próxima a La Bañeza (León), llamad[a] la Esteva de las Delicias. Adquirid[o] por el Patronato del Tesoro Artístic[o] en 1930 y 1932.

NOCRET. Jean Nocret

Nació en Nancy el 26 de octubre d[e] 1615; murió en París el 12 de no[-]viembre de 1672.
Escuela francesa.

298 *Felipe de Francia, 'uque de Orleans*

ienzo, 1,05 × 0,86.

)e más de medio cuerpo; manto de ·rciopelo negro con el Saint-Esprit; ·aje color oro viejo; en la diestra, el ɔmbrero; la mano izquierda en la intura; calzón negro. Representa nos diez años.
obre el retratado, que era hijo de Luis III, véase el n.° 2369.
alvado del incendio del Alcázar, pasó Retiro.

300 *Luis XIV*

ienzo, 1,00 × 0,88.

intado en 1655 y remitido con otros uadros a la corte española para imulsar la política matrimonial, muesa al monarca todavía muy joven.
ntes de ser reducido de tamaño esıvo firmado: LOUIS *14*. REY DE FRANCE T DE NAVARRRE. NOCRET PX *1655*.
s compañero del n.º 2298.

375 *María Teresa de Borbón*

ienzo, 0,76 × 0,60.

)e más de medio cuerpo, con un món entre las manos.
Iija de Luis XVI y de María Teresa, ació en Saint-Germain el 2 de enero e 1667; murió el 1 de marzo de 672.
a identificación, dudosa, se propone or la semejanza con el retrato seguro el Delfín, su hermano, n.º 2232.
n 1794, en el Retiro, se atribuía a Ieléndez. Vino de Palacio en 1834 y e consideró obra anónima.

380 *Felipe de Francia, 'uque de Orleans*

ienzo, 0,75 × 0,60.

)e medio cuerpo; la armadura, florelisada. Figúrase dentro de un óvalo.
a identificación, señalada por Nicoe, se refuerza al ver una pareja de ste cuadro en el n.º 2400, retrato de nriqueta Ana de Inglaterra, primera nujer del duque de Orleans.
En 1794 se atribuía a Nocret, en el Retiro.

2400 *Enriqueta de Inglaterra, duquesa de Orleans*

Lienzo, 1,05 × 0,86.

De medio cuerpo; vestida de rojo con manto azul; una perrita. Dentro de un óvalo.
Enriqueta, hija de Carlos I de Inglaterra y de Enriqueta María de Francia, nació en Exeter el 16 de junio de 1644; casó con el duque de Orleans el 31 de marzo de 1661; murió en Saint-Cloud el 30 de junio de 1670.
Réplica con variantes en un lienzo de Versalles, atribuido a Pierre Mignard, a quien se atribuyó también este lienzo.
Pareja del n.º 2380, retrato de su marido.
En 1794 estaba en el Retiro.

2409 *Catalina de Portugal, reina de Inglaterra*

Lienzo, 1,02 × 0,88.

De más de medio cuerpo, vestida de negro; escotada; una rosa en la diestra y un ramo de jazmines en la mano izquierda. Fondo de paisaje.
Se trata de la esposa de Carlos II, nacida en 1638 y fallecida en 1705.
Antes se creía representaba a María Teresa de Austria, reina de Francia, y se atribuía a los Beaubrum.

2298

Probablemente pintada durante la estancia del pintor en Portugal en 1657.
Procede de las Colecciones Reales.

NOGARI. Giuseppe Nogari

Nació en 1699 en Venecia, donde murió en 1763. Escuela italiana.

51 *Vieja con una muleta*

Lienzo, 0,54 × 0,43.

Busto; en la mano izquierda, la muleta.
Antes, atribuido a Pietro Bellotti. La atribución actual, propugnada por Berenson y por Voss, ya se indicaba en el *Catálogo* de 1920 como propuesta por Morelli.
En 1746, entre las pinturas de Isabel de Farnesio.

NOVELLI. Prietro Novelli, llamado «il Monrealese»

Nació en Monreale (Sicilia) el 12 de marzo de 1603; murió en Palermo en agosto de 1647. Escuela italiana.

471 *La resurrección del Señor*

Lienzo, 1,63 × 1,81.

Cristo sale del sepulcro; rodéanle cuatro ángeles y cuatro querubines.
Atribución de Justi, confirmada por Voss.
Procede de las Colecciones Reales.

NUÑEZ DEL VALLE. Pedro Núñez del Valle

Nació en Madrid hacia 1590, donde murió en 1649.

7623 *Adoración de los Reyes*

Lienzo, 2,71 × 1,68.

A la izquierda, la Virgen con el Niño en brazos, situada sobre un basamento decorado con roleos de acanto; detrás, de pie, la figura de san José. En el centro, el rey Melchor, postrado,

7623

acompañado de sus pajes, besa el pie del Salvador. En un segundo término Gaspar y Baltasar, ricamente ataviados, portan sus ofrendas. Al fondo, el séquito. En la zona alta, cerrando la composición, un grupo de ángeles cantores y músicos, junto a la estrella que indica el camino de Belén.
Para la configuración de alguna de las figuras principales, el pintor ha utilizado, como fuente de inspiración, una estampa de Schongauer.
Firmado y fechado, en el ángulo inferior derecho: *Pº NUÑEZ FAT AÑO 1631.*
Adquirido, en 1992, a don Andrés Colomer, con fondos del Legado Villaescusa.

NUÑEZ DE VILLAVICENCIO. Pedro

Véase VILLAVICENCIO

NUZZI. Mario Nuzzi, llamado Mario dei Fiori

Nació en Penna Fermana en 1603; murió en Roma en 1673. Escuela italiana.

252 *Florero de plata volcado sobre un paño*

Lienzo, 0,84 × 1,57.

Jarrón de plata, colocado sobre un tapete azul, y flores de diversas especies.
En en el Palacio de Buen Retiro, donde figuraba como obra «de Mario».

3239 *Floreros y cebollas*

Lienzo, 0,83 x 1,54.

Florero de metal y canastillo con flores. En primer término, tres gruesas cebollas.
Ejemplo soberbio del estilo de este artista que influyó mucho en la pintura madrileña, especialmente en Juan de Arellano.
En el Buen Retiro desde 1700.

3239

O

ONCE MIL VIRGENES. El Maestro de las Once Mil Vírgenes

Anónimo castellano, hacia 1490.

1290 *La coronación de la Virgen.*

Tabla, 1,29 x 0,95.

Cristo sentado en trono de mármol; la Virgen, de rodillas; a derecha e izquierda, ángeles cantores y músicos; detrás del trono, serafines.
Compañero de los números 1293, 1294, 1295 y 1328.
Vinieron del Museo de la Trinidad.

1293 *Santa Ursula con las once mil vírgenes*

Tabla, 1,12 × 0,79.

La santa, al frente de sus compañeras, del papa, cardenales y obispos, camino de Roma.
Véase el n.º 1290

1294 *La descensión de la Virgen para premiar a san Ildefonso*

Tabla, 1,65 × 0,91.

La Virgen, acompañada por ángeles e innumerables santas, entrega la casulla al santo arzobispo toledano, en premio a sus escritos marianos; a la derecha, dos pajes caídos de asombro y un grupo de devotos.
El prodigio lo refiere Cixila, sucesor en la Silla de Toledo de San Ildefonso.
Véase el n.º 1290.

1328 *La asunción de la Virgen*

Tabla, 1,56 × 1,05.

La Virgen, acompañada por ángeles, asciende al cielo. En la parte inferior, los Apóstoles.

·gún Ripio González (1994), es obra
el maestro abulense de Piedrahíta
locumentado en la segunda mitad
el siglo XV).

OSTEN. Isaak van Oosten

ació en Amberes el 10 de diciem-
re de 1613; murió en 1661. Escuela
amenca.

388 *Paisaje*

obre, 0,25 × 0,29.

asas a los lados del agua; barcos y
upos.

tribuido a P. Bril en los *Catálogos*
asta 1972. Díaz Padrón lo atribuyó a
ysels en 1975 y en la actualidad lo
ee de Van Oosten.

ompañero de otro (n.° 1387) depo-
tado en la Embajada de España en
ma.

n 1746, en La Granja, Colección de
abel de Farnesio. Allí seguía en 1774.

**OSTSANEN. Jacob Cornelius
an Oostsanen, llamado «Jacobus
mstelodamensis», o Jacobo
an Amsterdam**

ació En Oostsanen antes de 1470;
urió en Amsterdam antes del 18 de
ctubre de 1533. Escuela holandesa.

697 *San Jerónimo*

abla, 0,48 × 0,43.

e medio cuerpo, escribiendo, vestido
e cardenal; fondo de paisaje, con casa
estanque.

egún Friedländer, de la primera
oca del maestro.

e relaciona con el *San Jerónimo* de
Colección T. Christ, de Basilea,
ublicado por Steinbart.

egado Pablo Bosch.

PIE. John Opie

ació en St. Agnes en 1761 y murió
n Londres en 1807. Escuela inglesa.

1293

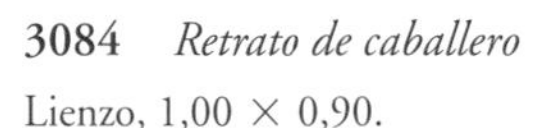

3084 *Retrato de caballero*

Lienzo, 1,00 × 0,90.

De más de medio cuerpo y mediana edad, sentado, con un rollo de pergamino en la mano derecha.

Adquirido por el Patronato en 1965.

ORLEY. Barend, o Bernard van Orley

Nació antes de 1490 en Bruselas, donde murió el 6 de enero de 1541. Escuela flamenca.

1536 *La Virgen de Lovaina*

Tabla, 0,45 × 0,39.

La Virgen con el Niño en brazos. Fondo de arquitectura suntuosa del Renacimiento.

Detrás, en capitales, el letrero: *JOHANNES MABEUS SENAT. P. LOV. QUI CONSTANTI EN DEUM AC PRINCIPEM FIDE EXIGUUN HOC ARTIS NOSTRAE MONUMENTUN INTER CAETEREA DONARIA SACRASQUE IMAGINES IN MEDIO ICONOCLASTARUM RABIE CONSERVAVIT DEUM OPT. MAX. PRECATUR, UT REGEM PHILIPPUM CATHOLICUM ECCLESIAE SUAE DIU INCOLUMEM SERVET AC TUEATUR HOSTIBUS MALISQUE FORMIDABILEM BONIS AC SUBJECTIS PROPITIUM AC BENINGNUM. COLLIGE NOS ANIMIS JUNCTOS CONCORDIBUS UNI QUOS HIC DISTRACTOS VIA FURIALES AGIT.*

1328

La inscripción, auténtica e indubitada en cuanto al hecho del presente dedicado a Felipe II en 1588 por lo que Lovaina le debía a raíz de la peste de 1578, ha sido puesta en tela de juicio en lo que concierne al autor de la pintura. La tabla dista de las obras de Gossaert; en cambio se relaciona estrechamente con las de Van Orley. Casi todos los críticos están de acuerdo con esta opinión de Friedländer.

Pintado hacia 1516.

Fue entregado a Felipe II en 1598.

Vino de El Escorial el 13 de abril de 1839.

1536

1920

1932

1920 *La Virgen de la leche*

Tabla, 0,54 × 0,30.

La Virgen con el Niño; a la izquierda, un ángel arpista y otro cantor; a la derecha, tres cantores. La escena, encuadrada por un arco de estilo Renacimiento.

Es tabla inspirada en un original de Flémalle, según unos, perdido, y que, para otros, pudiera ser el conservado en el Metropolitan Museum de Nueva York. Abundan las copias, y en España han aparecido varias.

Se le ha llamado la *Virgen de Salamanca,* suponiendo, erróneamente, que la capilla copiaba una salmantina; Friedländer la considera como de mano de Van Orley; menciona seis ejemplares, uno de ellos en el Museo de Cádiz y otro en una colección granadina.

Vino de El Escorial.

1932 *La Virgen con el Niño*

Tabla, 0,98 × 0,71.

La Virgen, sentada en un mirador; detrás, san Juan niño. Paisaje con río, hay una pareja de espaldas.

Según Friedländer, obra del maestro, pintada hacia 1516.

Vino de Aranjuez en 1827.

2692 *La Sagrada familia*

Tabla, 0,90 × 0,74.

La Virgen, el Niño y san José, que le ofrece una fruta; a la izquierda, un ángel con una cesta de flores, y otro, portador de una corona; por la ventana se divisa un paisaje de mar y tierra.

Firmado en el ángulo inferior derecho: *BER. ORLEIVS FACIEBAT AN. 1522.*

El Museo de Bruselas posee una réplica de taller.

Procede del convento de Las Huelgas, de Medina de Pomar (Burgos).

Legado Pablo Bosch.

ORLEY. Copia de B. van Orley

2725 *La Virgen «de Carondelet»*

Tabla, 0,56 × 0,40.

De más de medio cuerpo. El Niño acaricia el pecho de María.

La llamada «Virgen de Carondelet» fue pintada hacia 1521; mide 0,50 × 0,37 y era propiedad de Lord Northbrook.

Las variantes en las figuras son muy escasas; cambia el fondo, que en el original es respaldo de un banco de piedra, con dos matas detrás, y aquí es una cortina. Por la fecha que denota la factura, y porque Rubens fue dado a estudiar los pintores antiguos, se ha supuesto si será de s mano esta tabla.

Legado de Fernández-Durán (1930).

ORLEY. Discípulo de Van Orley

1934 *La Virgen y el Niño con Hernán Gómez Dávila y san Francisco*

Tabla, 0,60 × 0,78.

La Virgen, con el Niño, sentada en u trono, y el donador, armado y c rodillas. Fondo de paisaje con río gran edificio conventual.

El maestresala y señor de Navamo cuende murió en un combate, en ducado de Gueldres, el 7 de novien bre de 1511.

De estilo de Orley, próxima al nı mero 1932.

Procede de la capilla ochavada de Sa Francisco, de Avila, donde estuv sepultado Gómez Dávila.

Vino del Museo de la Trinidad.

ORRENTE. Pedro de Orrente

Nació en Murcia, en 1580; murió e Valencia el 19 de enero de 1645. E cuela española.

1015 *La adoración de los pastor*

Lienzo, 1,11 × 1,62.

A la derecha, la Virgen muestra Niño a los pastores; uno de ellos tra un borrego sobre los hombros. Fond de paisaje con luz crepuscular.

En 1772, en el Palacio Nuevo, «Pas de tribuna y trascuartos».

1016 *La crucifixión*

Lienzo, 1,55 × 1,32.

Acompañan al Redentor, entre l dos ladrones, la Virgen, san Juan y Magdalena.

Se conservan varias versiones de es composición.

Inventario del Buen Retiro de 1701.

1017 *Labán da alcance a Jacob*

Lienzo, 1,16 × 2,09.

La caravana hace alto en su camino. Algunos hurgan en los equipajes. Una mujer arrodillada en actitud suplicante ante Labán. Raquel, sentada en la albarda, amamanta a un niño.
Lo representado es el episodio que narra el *Génesis* (31, 25-26), cuando Labán da alcance a Jacob y busca en su equipaje las estatuas *(terafim)* que Raquel ha escondido bajo la albarda en que se sienta.
Hasta ahora se consideraba «Viaje de la familia de Lot», identificación propuesta por Madrazo.
En 1701 se registra en el Palacio del Buen Retiro.

1017

7634

1020 *La vuelta al aprisco*

Lienzo, 0,74 × 0,89.

Un pastor sigue a un asno, un perro, una cabra y dos ovejas. Fondo de paisaje con luz crepuscular.
Procede de las Colecciones Reales.

2771 *Un asno y una oveja*

Lienzo, 0,35 × 0,89.

Legado de Fernández-Durán (1930).
La atribución a Orrente no es enteramente convincente.

2772 *Un caballo con vasijas de cobre y barro*

Lienzo, 0,35 × 0,51.

Legado de Fernández-Durán (1930).

7634 *San Juan evangelista en Patmos*

Lienzo, 0,99 × 1,31.

A la izquierda, sobre un fondo de peñascos, el águila, símbolo de san Juan, y el propio santo, sentado, con las piernas cruzadas, representado de más edad de lo habitual, se dispone a escribir el libro del *Apocalipsis*. Con la mirada en alto, hacia la Virgen, situada entre nubes, sobre el creciente de la luna, coronada de estrellas, entendida como una prefiguración de la Inmaculada.
Firmado en el ángulo inferior izquierdo, sobre la roca: *P. O. F.*
En 1837 se hallaba en la Colección Bravo de Sevilla, en cuyo catálogo se afirma que perteneció a Valcárcel, canónigo de la catedral hispalense.
Adquirido el 27 de octubre de 1992, con fondos del Legado Villaescusa.

7640 *San Juan Crisóstomo*

Lienzo, 1,06 × 1,28.

Sobre un fondo rocoso, destaca la figura del santo, situado a la derecha de la composición, desnudo, barbado, con una larga melena y en actitud penitente. A la izquierda, dos pastores y en primer término dos perros.
El paisaje está inspirado en estampas de origen flamenco, quizá, de Rafael Sadeler; mientras que las figuras parecen proceder de una estampa de Durero.
Fue de la Colección de Gaspar de Haro y Guzmán, marqués del Caspio.
Adquirido, en 1933, con fondos del Legado Villaescusa.

2835

6899

6901

6902

OSONA el Viejo. Rodrigo de Osona.
OSONA el Joven. Francisco de Osona

Rodrigo de Osona el Viejo está documentado en Valencia desde 1464 probablemente hasta 1484. Al hijo se adjudican noticias entre 1504 y 1513.
Escuela española.

2834 *La Natividad*

Lienzo, 0,78 × 0,44.

El Niño recién nacido, adorado por san José y la Virgen y dos ángeles; otro lo acomoda sobre los pañales; sobre el muro asoman tres pastores. Fondo del paisaje con torres.
Compañero del n.° 2835.
Pinturas importantes, de colorido brillante y con pormenores iconográficos nuevos, en directísima relación con la obra firmada de Londres.
Ingresó en el Museo en 1941.

2835 *La adoración de los Magos*

Tabla, 0,78 × 0,46.

El rey viejo besa el pie al Niño, sentado sobre la rodillas de María; detrás, san José, que se descubre respetuoso. A la izquierda, los otros dos Magos. Figuras de extraordinaria elegancia, ricamente vestidas. Fondo de paisaje con la cabalgata de los Magos.
Véase el n.° 2834.
Ingresó en el Museo en 1941.

6897 *Cristo ante Pilatos*

Tabla, 1,26 × 0,84.

Pilatos, sentado, escucha las acusaciones contra Jesús, quien, de pie, maniatado y con soga al cuello, escucha, rodeado de personajes. A la derecha fondo de paisaje. La composición está inspirada en una estampa de Schongauer.
Compañero de los cinco siguientes.
Angulo, primero, y, después, Post los adscriben a Rodrigo de Osona. Por su intensidad expresiva, podrían deberse al taller del padre, con amplia colaboración del hijo. Parece ser que proceden de alguna iglesia de Játiva.
Pertenecieron a la Colección Casas Rojas. Ingresadas en el Museo en 1982.

6898 *Pilatos lavándose las manos*

Tabla, 1,26 × 0,84.

Jesús, con la cara ensangrentada y maniatado, vuelve de nuevo a Pilatos, quien, al no encontrarle culpable, se lava las manos.
El interior, donde se desarrolla la acción, es el mismo del número anterior.
Véase el n.° 6897.

6899 *La flagelación*

Lienzo, 1,28 × 0,84.

Cristo, atado a la columna, centra la escena de gran dramatismo, siguiendo la segunda parte de la profecía de Isaías, LI, 6.
Véase el n.° 6897.

6900 *La oración en el huerto*

Tabla, 1,26 × 0,84.

En primer término, los tres apóstoles, Pedro, Santiago y Juan, dormitan; un poco más alto, Jesús en oración, mientras un ángel desciende con el cáliz. Al fondo, soldados con lanzas y antorchas acompañan a Judas.
Véase el n.° 6897.

6901 *Coronación de espinas*

Tabla, 1,26 × 0,84.

Cristo, sentado con larga túnica y soga y rodeado de cinco sayones; uno le pone en la mano izquierda una caña, mientras otros dos le introducen la corona de espinas.
El acto se realiza en un interior renacentista.
Véase el n.° 6897.

6902 *El prendimiento*

Tabla, 1,26 × 0,84.

Judas besa a Jesús, rodeándoles los soldados con lanzas y antorchas. Pedro, con su espada, le corta la oreja a Malco. Jesús le vuelve a colocar la oreja.
Véase el n.° 6897.

OSTADE. Adriaen van Ostade

Nacido en Harlem el 10 de diciembre de 1610, y allí enterrado el 2 de mayo de 1685. Escuela holandesa.

2121 *Concierto rústico*

Tabla, 0,27 × 0,30.

A la derecha, una mujer flautista; en el centro, tres cantando; en pie, un violinista; a la izquierda, un fumador al fuego y otra figura.
Firmado a la izquierda, en el borde inferior: A VAN OSTADE. Adquirido por Carlos IV.
Traído de Aranjuez en 1827, como el n.° 2122 y el n.° 2123.

2121

2123

2124

2122 *Cocina aldeana*

Tabla, 0,23 × 0,29.

A la derecha, una vieja al fuego; un hombre, jarro en mano, contempla el grupo de la izquierda, formado por dos y un perro; detrás, en pie, canta otro, acompañándose con una cacerola.
Firma, casi ilegible, en el centro del borde inferior: *A. V. OSTADE.*
Compañero del n.° 2123. Adquirido por Carlos IV; estaban en Aranjuez en 1818.

2123 *Aldeanos cantando*

Tabla, 0,24 × 0,29.

Hombre de pie, cantando, con un jarro en la mano; acompáñanle una vieja con libro de música y un niño.
Firmado en el centro del borde inferior. *A. V. OSTADE 1632.*
En los *Catálogos* anteriores del Museo se había leído incorrectamente la fecha como 1672, pero ya Schnackenburg (1970) estudió esta obra y la consideró de los primeros años del artista. Compañero del n.° 2122.

2126 *Concierto rústico*

Tabla, 0,20 × 0,40.

Un violinista, en pie, y un tañedor de zanfonía acompañan a tres cantores: vieja, viejo y niño. A la derecha y en el fondo, dos bebedores.
Firmado en el suelo a la derecha del tonel: *AV OSTADE* 1638. Hasta 1920 no se vio la firma, y se creía copia de Isack van Ostade. Adquirido por Carlos IV. En 1818 figura en Aranjuez.

OSTADE. Copia por A. Victoryns

2124 *Los cinco sentidos: la vista*

Tabla, 0,23 × 0,32.

Una vieja con lentes limpia la cabellera de un hombre; otro examina el líquido de un jarro; al fondo, el tercero se espulga, y un cuarto rebusca en un armario.
Copia de un original perdido de Adriaen. Para Schmidt-Degener tanto esta obra como la siguiente (n.° 2125) serían copias realizadas por Anthoni Victoryns (murió 1656) —artista flamenco que trabajó en Amberes—, de originales no conocidos de Adriaen van Ostade, pero de los que se conocen otras copias. Las composiciones originales constituían una serie de los Sentidos. Adquirido por Carlos IV.

2125 *Los cinco sentidos: el oído*

Tabla, 0,23 × 0,32.

Al son de una gaita cantan, por papeles de música, una vieja y dos viejos; les acompañan desde el fondo dos bebedores y un gato o un mono.
Compañero del n.° 2124.
Adquirido por Carlos IV.

OUDRY. Jean-Baptiste Oudry

Nació en París el 17 de marzo de 1686; murió en Beauvais el 30 de abril de 1755. Escuela francesa.

2793 *Lady María Josefa Drumond, condesa de Castelblanco*

Lienzo, 1,37 × 1,05.

Retrato de las rodillas arriba; la diestra, sobre un perrillo.
En el ángulo inferior izquierdo, escudo y letrero. Debajo: PEINT PAR J. B. OUDRY.
Véase el n.° 2794.
Una copia sin letrero ni escudo estaba en 1934 en el comercio como retrato de la marquesa de Dreve-Brezé, por Largillière.
Legado de Fernández-Durán (1930).

2794 *Don José de Rozas y Meléndez de la Cueva, I conde de Castelblanco*

Lienzo, 1,37 × 1,05.

Figura de las rodillas arriba; armado; peluca; ostenta la venera de la orden de Alcántara. Fondo de mar. En el ángulo inferior derecho, el escudo.
Nació en Lima el 17 de diciembre de 1665; obtuvo el título en 12 de noviembre de 1709; sirvió al pretendiente inglés Jacobo II; casó tres veces, la segunda con la retratada en el lienzo que es pareja de éste (n.° 2793). Aunque no firmado, es también obra segura de Oudry, pues en el que pudiera llamarse su *Liber rationis* se encuentra el dibujo para este lienzo. Los dos lienzos proceden del Palacio de Boadilla del Monte, porque del conde de Castelblanco fue heredera doña María Teresa de Villabriga y Rozas, esposa morganática de don Luis de Borbón, hijo de Felipe V, madre de la condesa de Chinchón, que casó con Godoy.
Legado de Fernández-Durán (1930). Adquiridos en marzo de 1899 por quien los legó al Prado.

PACHECO. Francisco Pacheco

Nació en Sanlúcar de Barrameda; bautizado el 3 de noviembre de 1564; murió en Sevilla en 1644. Escuela española.

1022 *Santa Inés*

Tabla, 1,03 × 0,44.

Lleva la palma y el cordero. Firmado a la derecha, en bajo: F. PACIECUS *1608*. Como los tres siguientes, formaba parte del retablo de doña Francisca de León en la iglesia del convento sevillano del Santo Angel, que el pintor contrató en 1605. Ingresaron en el Museo en 182
cedidos por el deán López Cepero, qu
los había adquirido en 1804.

1022

1023 *Santa Catalina*

Tabla, 1,02 × 0,43.

Ostenta la palma, la espada, la cabez del moro y la rueda. Véase el n.° 1022.

1024 *San Juan Evangelista*

Tabla, 0,99 × 0,45.

En la mano izquierda, el cáliz con e dragón. Véase el n.° 1022.

1025 *San Juan Bautista*

Tabla, 0,99 × 0,45.

En la mano izquierda, la cruz de larg astil. Véase el n.° 1022.

PACULLY. Maestro de la Colección

Documentado a fines del siglo XV.

2971-2972 *Los apóstoles santos Felipe, Bartolomé, Matías-Simón, Judas y Tomás*

Tabla, 0,25 × 0,40.

En una galería, de arcos escarzanos, figu ras de busto. En el alféizar, los nombres d cada uno de los apóstoles. Formaban par te del banco o «predella» de un retablo. Diego Angulo, por su semejanza co otras tablas de la Colección Pacully, la cree obra de este maestro. Atribuida al Maestro de San Ildefonso en el *Ca tálogo* de 1972. Adquiridas por el Es tado a don José Vilches en 1950.

PADOVANINO. Alessandro Varotari, llamado «il Padovanino»

Nació en Padua en 1588; murió e Venecia en 1648. Escuela italiana.

266 *Orfeo*

Lienzo, 1,65 × 1,08.

Ante el dios músico, un león, un uni cornio, un dragón y una serpiente.

271

n 1746, en La Granja, Colección de abel de Farnesio, atribuido a Tiziao; atribución defendida en por A. enturi y que aceptan H. y E. Tietze. na réplica idéntica, en el Museo 'ellington de Londres.

ALMA «il Giovane». Jacopo egretti Palma

ació en Venecia en 1544; murió en 528. Escuela italiana.

71 *David, vencedor de Goliat*

enzo, 2,07 × 3,37.

avid, niño, con la cabeza del gigante, acompañado de soldados; a la derecha, las mujeres, que le aclaman.
Refiérese el hecho en el capítulo XVIII del libro I de los *Reyes*.
Comprado en la almoneda de Carlos I de Inglaterra por don Alonso de Cárdenas, para don Luis de Haro, quien se la regaló a Felipe IV. Pasó a El Escorial, de donde vino el 13 de abril de 1839.

266

272 *La conversión de San Pablo*

Lienzo, 2,07 × 3,37.

Cae Saulo del caballo ante el resplandor del cielo; huyen asombrados los que le acompañaban.
Pasaje de los *Hechos de los Apóstoles,* capítulo IX, versículos 1-7.
Compañero y de igual procedencia que el n.° 271.

380 *Un senador veneciano*

Lienzo, 0,65 × 0,58.

Busto; fondo de paisaje.
Se ha venido atribuyendo a Tintoretto; en opinión de Berenson, es de Palma el Joven. Salvado del incendio del Alcázar en 1734.

402 *La piedad*

Lienzo, 1,36 × 1,83.

Cristo acompañado por las tres Marías, Nicodemus y José de Arimatea.
Atribuido a la Escuela de Tintoretto en *Catálogos* anteriores del Museo, está más cerca de las obras de Palma del primer decenio del siglo XVII.
Procede de las Colecciones Reales.

PALOMINO. Acisclo Antonio de Palomino y Velasco

Bautizado en Bujalance (Córdoba) el 1 de diciembre de 1655; murió en Madrid el 12 de agosto de 1726; fue pintor y tratadista.

2964 *La venida del Espíritu Santo*

Lienzo, 1,64 × 1,08.

En el centro, la Virgen, en actitud de oración, rodeada de los doce Apóstoles, detrás, tres figuras femeninas. En primer término, a la izquierda, san Pedro con las llaves en el suelo y el libro; a la derecha san Juan. En lo alto, el Espíritu Santo en forma de paloma y una serie de querubines, bajo un cortinaje.
Firmado, en el ángulo inferior izquierdo: *PALOMINO FBT.*
Según Pérez Sánchez (1972), corresponde a la época de madurez del pintor, es decir, hacia los años 1695-1700.
Procede del Museo Nacional de Trinidad.

2964

3186

3186 *El fuego*

Lienzo, 2,46 × 1,60.

A la derecha: Venus con Cupido y amorcillos que juegan con fuego. Vulcano en la fragua. Fondo de paisaje con puerto, a la izquierda.
Forma parte con el siguiente (n.° 3187), uno de Ezquerra (n.° 704) y otro de Vaccaro (n.° 4963), de una serie de los *elementos* pintada para el Palacio del Buen Retiro.
En 1734 se cita en el Alcázar; y en 1772 y 1794 en el Buen Retiro.

3187 *El aire*

Lienzo, 2,46 × 1,56.
Entre nubes, Juno en un carro tirado por pavos reales precedido de la ninfa Iris. Fondo de paisaje con el arco iris. A la izquierda, dos amorcillos juegan con pompas de jabón.
Firmado: *A. PALOMINO P.R.F.*
Compañero del anterior.

PALTHE. Gérard Jan Palthe

Nació en 1681 en Degenkamp (Holanda); murió en Deventer, hacia 1750.
Escuela holandesa.

2127 *Joven dibujante*

Tabla, 0,20 × 0,24.

De medio cuerpo, sentado, dibuja a la luz de una vela un busto de Venus.
Firma, poco legible, en el ángulo inferior izquierdo.
Donativo de la marquesa viuda de Cabriñana, aceptado el 27 de noviembre de 1894.

PANINI. Giovanni Paolo Panini o Pannini

Nació en Piacenza en 1691 ó 1692; murió en Roma el 21 de octubre de 1765. Escuela italiana.

273 *Ruinas*

Lienzo, 0,48 × 0,64.

Firmado sobre un sillar: *I.P.P.*
Fragmentos de arquitectura y escultura; detrás, la pirámide de Cayo Cestio (?); a la izquierda, un grupo de figuras.
De la Colección de Carlos IV, príncipe, en El Escorial.

275 *Ruinas con san Pablo (?) Predicando*

Lienzo, 0,63 × 0,48.

Firmado. *I.P. PANNINI ROMA 1735* (?)
El Apóstol, sobre un sillar, predica a varios soldados y a una mujer. A la izquierda, restos del pórtico de un templo jónico; detrás, el templo de Vesta, el mar y vagamente se dibuja la pirámide de Cayo Cestio, cual si se hubiese cubierto con una veladura. Réplica, con variantes, en el Museo de Amiens.
Procede de las Colecciones Reales.

278

21

276 *Ruinas con una mujer dirigiendo la palabra a varias personas*

Lienzo, 0,63 × 0,48.

Una mujer (¿sibila o profetisa?), e pie, habla a ocho personas de vari condición. A la derecha, restos de u templo de orden corintio; a la izquier da, un jarrón.
Con variantes, se repite en el óvalo d la Academia de San Lucas, de Roma.
Figura, con el siguiente, entre las pin turas de Carlos IV, príncipe, en El Es corial.

277 *La disputa de Jesús con los doctores*

Lienzo, 0,40 × 0,62.

Jesús, en pie, en lo alto de las gradas habla, y los doctores, sentados en l tribuna y en el suelo, le escuchan consultando libros.
Firmado en el banco de la izquierda *I.P.P.*
Boceto, con su compañero n.° 278 para unas composiciones descono cidas, pues no son, como se había cre do, bocetos para los lienzos pintado en 1736 para La Granja. Se pueden

2

fechar seguramente con anterioridad, hacia 1725.
Se conoce un dibujo preparatorio para la composición. Estos bocetos fueron adquiridos por Carlos IV. En 1818 estaban en Aranjuez. Vinieron en 1848.

278 *Jesús y los mercaderes del templo*

Lienzo, 0,40 × 0,63

Jesús, empuñando unas disciplinas, expulsa a los vendedores de las gradas del templo. Al fondo, el Arca de la Alianza y el candelabro de siete brazos.
Firmado en el banco del ángulo izquierdo: *I. P. P.*
Véase el n.° 277.

PANTOJA. Juan Pantoja de la Cruz

Nacido en Valladolid en 1553; murió en Madrid el 26 de octubre de 1608.
Escuela española.

1034 *Un santiaguista*

Lienzo, 0,51 × 0,47

Busto. Traje negro, gola de lienzo almidonada. Cruz de Santiago en el pecho y en la capa
Firmado en el fondo, a la altura de la oreja derecha: *JUAN PANTOJA DE LA CRUZ F. EN EL AÑO 1601.*
Se salvó en el incendio del Alcázar.

1038 *El nacimiento de la Virgen*

Lienzo, 2,60 × 1,72.

Santa Ana, en el lecho; tres damas de la Casa de Austria, reconociéndose entre ellas a María de Baviera, suegra de Felipe III, en la que sostiene a la recién nacida; y las infantas Leonor y Catalina-Renata en las otras dos.
Firmado en medio, parte baja: *JN.° PANTOJA DE LA CRUZ FACIEBAT 1603.*
Compañero del n.º 1039.
En 1700, en el Alcázar de Madrid. Estuvo en la Academia y se trajo en 1827.

2562

2562 *Felipe III*

Lienzo, 2,04 × 1,22.

En pie; lleva media armadura y ostenta la bengala.
Firmado. Pareja del n.º 2563.
Felipe III nació el 14 de abril de 1578; murió el 31 de marzo de 1621.
Legado del duque de Tarifa; ingresó en el Museo en 1934.

2563 *La reina doña Margarita*

Lienzo, 2,04 × 1,22.

En pie; viste traje blanco con perlas.

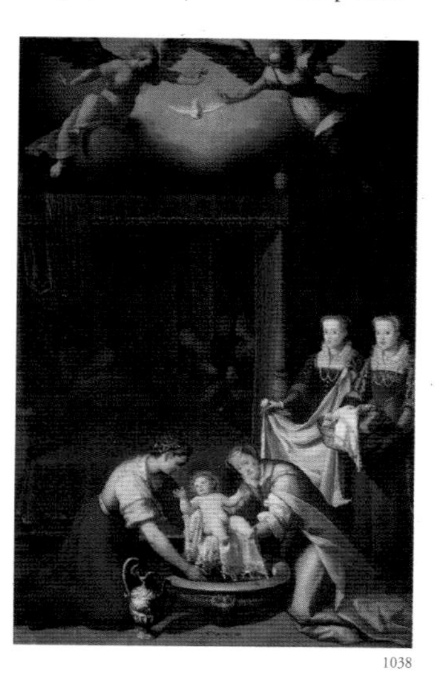

1038

2563

Firmado: *JS. PANTOJA DE LA CRUZ REGIAE MAJESTATIS PHILIPPI 3 CAMERARIUS PICTOR FACIEBAT MATRITI 1606,* en el ángulo inferior de la izquierda.
Para doña Margarita, véase el n.° 716.
Compañero del n.° 2562.
Legado del duque de Tarifa (1934).

7119 *San Agustín*

Lienzo, 2,62 × 1,53.

Viste de pontifical, la pluma en la diestra, y en la izquierda sostiene un templo, como fundador.
Firmado en una piedra, a la derecha: *JOANNES PANTOJA DE LA CRUZ FACIEBAT 1601.*
Pintado, como el siguiente, para el Colegio de doña María de Aragón. Se trajo del Museo de la Trinidad.

7120 *San Nicolás de Tolentino*

Lienzo, 2,64 × 1,35.

Viste hábito agustiniano sembrado de estrellas; un crucifijo en la diestra, y en la mano izquierda, sobre un plato, la perdiz resucitada. En el cielo, un cometa.
Firmado en una piedra, a la izquierda; *JOANNES PANTOJA DE LA CRUZ FACIEBAT 1601.*

1946

Para Bodenhausen es de mano del continuador de Massys, que pintó el cuadro del mismo asunto del Museo de Lieja. Fue la primera pintura adquirida por don Pablo Bosch;

El hábito con estrellas recuerda que así lo vieron los frailes en el coro; el cometa apareció entre Fermo, donde nació, y Tolentino, donde profesó.
Véase el número precedente.

PAPAGAYO. Maestro del Papagayo (Le maître du Perroquet)

Activo en la primera mitad del siglo XVI.
Escuela flamenca.

1946 *Lucrecia*

Tabla, 0,48 × 0,38.

Atribuida a Heinrich Aldegrever en los antiguos *Catálogos* y luego considera-da de anónimo flamenco. Díaz Padrón la atribuye al Maestro del Papagayo, en un momento estilístico próximo a Gossaert.
Procede de las Colecciones Reales.

2655 *La Virgen dando el pecho al Niño Jesús*

Tabla, 0,60 × 0,47.

Al fondo, en un paisaje, la huida a Egipto.
Atribución de Hulin de Loo, que Friedländer también sugiere.

PAREJA. Juan de Pareja

Nació en Sevilla hacia 1610, murió en Madrid en 1670.
Escuela española.

1041 *La vocación de san Mateo*

Lienzo, 2,25 × 3,25.

San Mateo, en su mesa de recaudador de tributos; a la derecha, Jesús. Entre los que figuran en la escena, a la izquierda está el propio pintor mulato.
Firmado en el papel que tiene en la mano Pareja: JO. ° DE PAREJA F. *1661*.
En 1746, en La Granja, entre los cuadros de Isabel de Farnesio; después, en Aranjuez.

PARET. Luis Paret y Alcázar

Nació el 11 de febrero de 1746, en Madrid, donde murió el 14 de febrero de 1799.
Escuela española.

1042 *Ramo de flores*

Lienzo, 0,39 × 0,37.
Ramo de rosas, tulipanes, lirios, claveles, atados por cinta azul, dentro de un óvalo.
Firmado a la derecha de la cinta azul L. PARET FEC^T^.
Adquisición, como el siguiente, de Carlos IV. Estuvieron en la Casita del Príncipe de El Escorial; vinieron de Aranjuez.

1043 *Ramo de flores*

Lienzo, 0,39 × 0,37.

Dentro de un óvalo un ramo atado con una cinta blanca.
Firmado a la derecha, en bajo: L. PARE FEC^T^.
Pareja del n.° 1042.

44 *Las parejas reales*

:nzo, 2,32 × 3,67

:sta hípica celebrada en Aranjuez la primavera de 1770. Al frente de parejas corrieron: el príncipe don rlos —después Carlos IV—; el ante don Gabriel; el infante don is Antonio y el duque de Medinasinia. Desde el segundo palco, en la :hada del Palacio, presencian la sta Carlos III y la princesa María isa de Parma. Variada concurrencia corte y público.

mado en medio de la parte inferior: *DOVICUS PARET ET ALCÁZAR PINXIT A)CCLXX.*

)n Luis Antonio, hijo de Felipe V, ció en Madrid el 25 de julio de 27; murió el 7 de agosto de 1785. bre don Gabriel, hijo de Carlos III, ise el n.° 2196.

duda sobre la fecha del cuadro, licada en los *Catálogos* preceden-, queda aclarada por una carta del rqués de Santa Cruz, con fecha 8 de junio de 1771, en la que se :e que Paret «había hecho con su-) acierto las parejas del año pa-lo».

piada por el propio Paret por cargo del infante don Gabriel. La lica (2,32 × 3,63), de gran cali-d, se encuentra en colección par-ular inglesa.

Aranjuez, en 1818.

1041

1045 *Jura de Fernando VII como Príncipe de Asturias*

Lienzo, 2,37 × 1,59.

Ceremonia celebrada en la iglesia de San Jerónimo el Real, de Madrid, el 23 de septiembre de 1789. Represéntanse dos momentos del acto: el príncipe presta juramento ante el cardenal Lorenzana, y besa la mano de su padre, Carlos IV, quien con María Luisa y su hijo don Carlos María Isidro, ocupa el trono a la derecha. En sillones, bancos y tribunas, la corte, los Consejos, etcétera.

Firmado en el borde inferior, a la derecha: *LUIS PARET ALCAZAR LO PINTO, AÑO DE 1791.*

En enero de 1790 presentó el pintor al rey un dibujo preparatorio.

En el Palacio Nuevo en 1814.

2422 *Carlos III, comiendo ante su corte*

Tabla, 0,50 × 0,64.

El rey, sentado a la mesa, solo; rodéanle los dignatarios de la corte y cuatro perros de caza. El salón de Palacio, fantaseado.

Firmado por humorada en caracteres griegos: *LUIS PARET, HIJO DE SU PADRE Y DE SU MADRE, LO HIZO.*

En el libro del conde de Fernán-Núñez se habla de la costumbre de Carlos III de tener delante los perros

1042

1044

2422

7

2875

de caza mientras comía. Adquirido en junio de 1933, con rentas del Legado conde de Cartagena, en Rusia.

Una fotografía de la Witt Library lo sitúa en la colección Van Diemen de Berlín en 1913. Si esta nota es cierta, es difícil suponer que luego perteneciera a la Colección Gatchina en Rusia como se ha dicho.

2875 *Baile en máscara*

Tabla, 0,40 × 0,51.

Vista del Teatro del Príncipe de Madrid, durante un baile de máscaras. En la sala y en los palcos, deliciosos grupos de figuras disfrazadas.

Firmado: *LUDOVICUS PARET DEVOTIS SUAE XX* en el ángulo inferior derecho.

El dibujo conservado en el British Museum (0,30 × 0,50) a pluma y acuarela de tinta china, lo publicó Mayer. Según comunicación de d A. Rodríguez Moñino, el grabad Juan Antonio Salvador Carmona su *Autobiografía* escribió: «He gr bado otra lámina de pliego..., q representa un *Bayle de Máscara*... p cuadro de don Luis Paret», decl ración terminante que desvanece l dudas motivadas por letreros inexa tos de algunas pruebas de la planch que se guarda en la Calcografía N cional.

Se puede fechar hacia 1767.

Proviene de las colecciones del i fante don Luis y luego del banque Salamanca y fue adquirido por Patronato, con rentas del Lega conde de Cartagena, en noviemb de 1944.

2991 *Ensayo de una comedia*

Lienzo, 0,38 × 0,51.

En la sala, que adorna un cuadro toros, y alumbra una lámpara, a izquierda un caballero, con traje 1600, declara arrodillado su amor una joven; al fondo una dama ocupa en una ropa; en el centro par de bailarines (?), a la derecha cin figuras, entre ellas una niña.

De hacia 1772-73, dada la sem janza de la dama tocada con mantil a las de semejante atavío que apar cen en la *Prendería* del Museo Láz ro y en la *Puerta del Sol* del de l Habana, de la primera y segunda f chas citadas.

Adquirido por el Patronato en Lo dres a la Hallsborough Gallery, 1956, con fondos del Legado duq de Alba.

250 *María de las Nieves*
1ichaela Fourdinier

obre, 0,37 × 0,28.

'ebajo del alféizar de la ventana
scripción en griego, que se traduce:
JIS PARET A SU ESPOSA QUERIDISIMA
'JERIENDO PINTAR EN COLOR LO HIZO
V EL AÑO 178.
ı retratada es, pues, María de las Nie-
ˑs Michaela Fourdinier, con quien
ntrajo matrimonio a su regreso del
ˑstierro en Puerto Rico.
'as un marco de ventana que se
cuadra y que sirve para que sobre
mismo trepen plantas floridas, la
ıma, fastuosamente vestida y con
travagante sombrero, está senta-
ı sobre un rico sillón contemplan-
› una flor. Con las manos sostiene
ıa caja de música. Adquirido en
974.

561 *El Jardín Botánico desde*
paseo del Prado

ıbla, 0,58 × 0,86.

ɔn la puerta del Jardín Botánico
mo fondo, realizado por Juan de
llanueva en 1781, en una gran
ɔoleda, el pintor representa a un
ıpo de personas, ricamente atavia-
s, conversando, caminando o bien
scendiendo de un carruaje; mos-
ındonos una variada gama de los ti-
ˑs más característicos del momento.

3250

279

La obra, inacabada, debió ser realizada en torno a 1790, o quizás un poco más tarde, y pudo formar parte de la serie de «vistas de Madrid, sitios reales y funciones públicas» que el artista recibió la orden de pintar en 1792.
La composición tuvo, al parecer, gran éxito, ya que existen, por lo menos, seis copias conocidas del mismo tema.
La pintura, que perteneció a la colección del marqués de Salamanca, fue adquirida por el Museo, en 1993, con fondos del Legado Villaescusa.

PARMIGIANINO. Girolamo Francesco Maria Mazzola, llamado «il Parmigianino»

Nació en Parma el 11 de enero de 1503; murió el 24 de agosto de 1540. Escuela italiana.

279 *Pedro Maria Rossi, o Roscio, conde de San Segundo*

Tabla, 1,33 × 0,98.

Figura de más de medio cuerpo; a la derecha, estatua de Perseo (?) y libros; en uno se lee: *IMPERIO* fondo de paisaje.
Fechable hacia 1533-35.
El retratado fue militar famoso, unas veces al lado de Carlos V y otras al de Francisco I; primo de Cosme de Médicis; murió en 1547. Fue hijo de Pedro María y de Blanca Riavio.
Este y el n.° 280, su compañero, pertenecieron a la colección del marqués de Serra y fueron adquiridos en 1664 por el conde de Peñaranda con destino a Felipe IV. En 1686 estaba el cuadro en el Alcázar de Madrid; en 1772, en el Retiro.

280

280 *Camilla Gonzaga, condesa de San Segundo, y sus hijos*

Tabla, 1,28 × 0,97.

La dama y los dos niños mayores —seis y ocho años—, de más de medio cuerpo; de menos, el menor, que representa tres o cuatro años.
Considerado en los *Catálogos* del Museo, incluido el de 1972, como obra independiente, Freedberg lo cree con acierto pareja del anterior (nº. 279).
La dama es Camilla Gonzaga, casada en 1523 con el conde de San Segundo, y los niños, tres de los seis hijos del matrimonio, quizá Troilo, Hipólito y Federico, por la posible fecha de realización del cuadro.
Desparejado quizá del retrato anterior en los inventarios, por una atribución errónea a otro artista, se menciona por primera vez en los del Palacio de Madrid de 1772 y 1794.
Véase el n.° 278.

282

282 *Santa Bárbara*

Tabla, 0,48 × 0,39.

Busto de perfil con manos.
Fechado hacia 1522.

En 1624 una santa Bárbara de estas características aparece inventariada entre las obras compradas a la princesa Giulia d'Este por el cardenal Alessandro d'Este. Se cita más tarde, en 1662, en la Colección Muselli de Verona. En 1686 en el inventario del Alcázar de Madrid. Pasó al Palacio de La Granja, donde se inventaría en 1746.

283 *La Sagrada Familia con un ángel*

Tabla, 1,10 × 0,89.

De medio cuerpo, excepto los niños.
Fechado hacia 1524.
Regalado al papa Clemente VII, quien se lo dio a su sobrino Hipólito de Médicis.
Conviene con la descripción que hace Vasari del cuadro pintado por Parmigianino en Parma antes de marchar a Roma y se relaciona con la Sagrada Familia de los Uffizi.
Procede de las Colecciones Reales.

PARMIGIANINO. Copia

281 *Cupido*

Tabla, 1,48 × 0,65.

De cuerpo entero, labrando su arco; encima de unos libros, al fondo, dos amores.
Copia del cuadro del Museo de Viena.
En 1636, en el Alcázar.

28

PARRASIO. Michele, o Michieli Parrasio

Nació hacia 1516; murió en Venecia e
18 ó 19 de abril de 1578.
Escuela italiana.

284 *Cristo yacente adorado por el papa san Pío V*

Cobre, 0,42 × 0,30.

Un ángel levanta el brazo izquierdo d
Jesús; querubines en una nube y en l
alto dos ángeles portadores del cáliz
Debajo, el esqueleto de Adán.
Firmado sobre el fémur del esqueleto
O[PUS] PARRASIL. En el lecho se lee
QVI MORTEM NOSTRAM MORIEND DESTRVSIT.
La figura del Papa es retrato. San Pío V
llamado Micael Ghislieri, nació el 17 d
enero de 1504. Pontífice desde enero d
1566, murió el 1 de mayo de 1572.
En las segundas entregas de obje
tos hechas por Felipe II a El Escoria
se registra este cuadro, aunque dán

4

ole mayores dimensiones, porque e mediría con marco, según cos-umbre. De El Escorial pasó al Auseo.

79 *Alegoría: nacimiento del infante don Fernando, hijo de Felipe II*

ienzo, 1,82 × 2,23.

l recién nacido, rodeado de siete amas, las Virtudes teologales y car-inales; encima del pabellón, la Fama; derecha e izquierda, Marte y Lucina; ondo de campo con figuras.
obre don Fernando, véase el n.° 431.
Descríbese el cuadro en la carta que acompañó, firmada por el artis-a en Venecia el 20 de agosto de 575. Antes de 1919 se creía obra e Carletto Veronese, y alegoría el nacimiento de Carlos V, o del mor.
n 1701, en el Retiro.

PATINIR. Joachim Patinir Patenier

Nació en Dinant hacia 1480. parece como Maestro en Amberes n 1515; murió en la misma ciudad l 5 de octubre de 1524. Escuela fla-nenca.

611 *Descanso en la huida Egipto*

abla, 1,21 × 1,77.

n el centro, María sentada con el Niño en brazos; por la izquierda llega an José con una cantarilla de leche; la derecha, el pedestal del ídolo. ocas desnudas con un templo al ie; a la izquierda se dilata el paisaje l fondo, y a la derecha, hasta el mar. arias granjas con escenas de laboreo recolección, y episodios de la per-ecución y matanza de los inocentes. Winkler supone que el grupo central uede reconocer el mismo origen que l de la tabla n.° 1613.
e trajo de El Escorial.

1614 *Paisaje con San Jerónimo*

Tabla, 0,74 × 0,91.

Paisaje extenso de costa y ría; con poblados y caserío diseminado; a la izquierda, peñascos; encima, un mo-nasterio; debajo, una gruta donde se ve el santo escriturario quitando una espina al león. Por el fondo, esparcidas graciosas figurillas: ermitaños con camellos, campesinos, ciego y laza-rillo, un león que va a lanzarse sobre un hombre que conduce un asno, por lo que le castigó el santo.
Firmado en el borde inferior hacia el centro: *JOACHIM D. PATINIER.*
Según Baldass, es una de las últimas obras importantes de Patinir, contem-poránea del *San Cristóbal* de El Es-corial.
Enviado por Felipe II a El Escorial en 1584. Lo describe el padre Sigüenza en la celda baja del prior. De allí vino en 1839.

1611

1614

1616

1615

1616 *El paso de la laguna Estigia*

Tabla, 0,64 × 1,03.

A la izquierda, los Campos Elíseos, con ángeles y edificios cristalinos; a la derecha, el Tártaro, guardado por el Cancerbero; centro y fondo, ocupados por las aguas que surca la barca de Caronte, con un alma, rumbo al Infierno.
Salvada del incendio de 1734.

PATINIR y Quintín Massys.

1615 *Las tentaciones de san Antonio Abad*

Tabla, 1,55 × 1,73.

Paisaje de las riberas del Mosa: torres, molinos de viento, poblados, etc. A la izquierda, ermita sobre peñascos; en el medio, cabaña donde monstruos y diablos atormentan al santo; en las nubes, otro grupo de demonios que lo arrebataron; a la derecha, san Antonio tentado por visiones de gula y de lujuria. En el centro, el santo rodead por tres hermosas mujeres, una vieja un mono.
Firmado, cerca del ángulo inferic derecho: OPUS JOACHIM. AT. NIER.
En su entrega a El Escorial, de 15 d abril de 1574, se dice que las figura son «de mano de maestre Coyntin», el paisaje, «de maestre Joaquín». Vin de El Escorial.

PATINIR. Discípulo de Patinir

1613 *Descanso en la huida a Egipto*

Tabla, 0,63 × 1,12

El paisaje, más oscuro y reducido qu en los números 1611 y 1612, co mucha fronda; a la derecha, casas d labor. En el centro, la Virgen ama manta al Niño; a la izquierda, apena visible, san José.
Según Winkler, el grupo central pa rece provenir del «Maestro de Fléma lle», conociéndose hasta cinco versic nes, todas con fondo de paisaje de l escuela de Patinir. Friedländer clasific el cuadro como de un discípulo d gran paisajista.
Vino de El Escorial.

PEETERS. Bonaventura Peeters

Bautizado en Amberes el 23 de juli de 1614; murió en Hoboken el 25 d julio de 1652. Escuela flamenca.

1618 *Marina*

Tabla, 0,18 × 0,24.

Un puerto, con barcos y molinos d viento; en primer término, un veler en marcha.
Donado por la marquesa viuda d Cabriñana, en 1894.

PEETERS. Clara Peeters

Nació en Amberes hacia 1594; muri en 1654 ó 1659. Escuela flamenca.

1619

1620

619 *Bodegón*

ıbla, 0,56 × 0,71.

ves, mariscos y vajilla; un pato den- ɔ de un cesto.

rmado en el plato rojo: *CLARA P. A. 611.*

lvado del incendio de 1734. En 1772 1814 estaba en el Palacio Nuevo.

620 *Mesa*

ıbla, 0,52 × 0,73

rra con flores y fuente con higos, ısas, almendras, etc.; plato con ros- ıillas.

rmado en el canto de la mesa, a la quierda: *CLARA P. A.°1611.*

ı 1746, en La Granja.

621 *Bodegón*

ıbla, 0,50 × 0,72.

n candelero, un perol con alcachofas, un tarro, cangrejos, besugos, etcétera.

Firmado en el borde de la mesa, a la izquierda: *CLARA P. A. 1611.*

Colecciones Reales.

1618

1622 *Mesa*

Tabla, 0,55 × 0,73.

Costrada, pollos asados, aceitunas, pan, naranja, vasos, etc.

Firmado en el mango del cuchillo: *CLARA PEETERS.*

En 1746, en La Granja; cuadros de Isabel de Farnesio. En 1794 también en La Granja. En 1814, en Madrid.

PEETERS. Jan Peeters

Nacido en Amberes en 1624; murió en 1677. Escuela flamenca.

2128 *Un puerto de mar*

Cobre, 0,70 × 0,86.

A la izquierda, un faro; a la derecha, un fuerte medio arruinado; dos naos atracadas al muelle.

Firmado en el ángulo inferior derecho: *J. P.*

Hasta 1972 figuró bajo el nombre de Iohannes Parcellis, aunque ya se indicaba la posible —y correcta— lectura de la firma, y que ya había propuesto Bredius.

Vino de Aranjuez en 1827, donde se cita en 1818.

6999

PENCZ. Georges Pencz

Nació en Nuremberg hacia 1500 y murió en Leipzig en torno a 1550. Escuela alemana.

6999 *Leda y el cisne*

Tabla, 0,92 × 1,26

Muestra a una joven semidesnuda apoyada sobre cojines y paños de brocado, rodeada por tres niños. A su lado aparece el cisne en que Júpiter se ha transformado para seducir a la muchacha. Fondo de paisaje.

Firmado con anagrama: *GP* enlazadas.

Donación de Manuel González en 1984.

2128

2678

PENSIONANTE DE SARACENI

Anónimo discípulo de Carlo Saraceni, en Roma, quizá francés de nacimiento. Trabajó hacia 1615-20.

2235 *Vendedor de aves*

Lienzo, 0,95 × 0,71

En el centro, el vendedor ataviado con gran sombrero; a la izquierda, un mozo le muestra dos monedas en la mano derecha; con la izquierda le roba un gallo.
Atribuido en los *Catálogos* del Prado, desde 1854, a un Bernat, francés desconocido. En 1943, Longhi lo atribuyó al Pensionante de Saraceni, de quien parece obra típica.
El lienzo tuvo una banda de tela añadida por la parte superior, que falseaba la composición y que ha sido eliminada en restauración reciente.
Se cita en el inventario de la Quinta del duque de Arco, en 1794.

2235

PEREA. Maestro de Perea

Valenciano, fines del siglo XV; denominado por su obra característica, el retablo del trinchante del rey Pedro, Perea, pintado para Santo Domingo, de Valencia, hoy en el Museo de dicha ciudad.
Escuela española.

2678 *La Visitación*

Tabla, 1,76 × 1,55.

La Virgen y santa Isabel. A la izquier da, san José; a la derecha, en una cas una hilandera. Fondo de paisaje co san José, la Virgen, dos ángeles y bar cos en el Nilo.
Atribución de Tormo, aceptada po Post.
Legado Pablo Bosch.

PEREDA. Antonio de Pereda y Salgado

Nació en Valladolid en 1611; muri en Madrid el 30 de enero de 167 Escuela española.

1046 *San Jerónimo*

Lienzo, 1,05 × 0,84.

De más de medio cuerpo. Desnudo torso; con paños blancos y rojos; en mano, una cruz de palo; encima de mesa, el tintero, una calavera y do libros; en el abierto, el Juicio Final d la *Pequeña Pasión,* de Durero, con s monograma; a la izquierda, en alto, trompeta.
Firmado en la piedra (ángulo in ferior izquierdo) con un enlace y *1643.*
Se conservan varias copias antiguas.
En 1818 estaba en Aranjuez.

10

7126

1047 *Cristo, varón de dolores*

Lienzo, 0,97 × 0,78.

De medio cuerpo, abraza al árbol de la cruz, coronado de espinas, con dogal al cuello y manto de púrpura.
Firmado en el leño cerca del ángulo inferior derecho, con un enlace de *A. T. [ANTONIO]*, y otro de *P. E. R. D. A. 1641*.
Parece inspirado en Durero.
Procede del Museo de la Trinidad.

1340 *San Pedro libertado por un ángel*

Lienzo, 1,45 × 1,10.

Sentados en la cárcel; a los pies, los grillos rotos; detrás, el ángel indicándole la salida. Viste el Apóstol de azul y manto anaranjado.
Firmado en el centro del poyo en que está san Pedro, con un enlace *PE RE. D. A. 1643*.
Adquirido al conde de Leyva por el Patronato del Tesoro Artístico en junio de 1931.

2555 *La Anunciación*

Lienzo, 1,34 × 0,77.

La Virgen, arrodillada sobre una alfombra, escucha, admirada, al Arcángel, de rodillas en una nube traída por querubines. Rompimiento de gloria con muchos ángeles y el Padre Eterno.
Firmado: *ANT.° PEREDA F. 1637*, en el ángulo inferior de la izquierda.
Fue de la Colección del infante don Sebastián.
Legado de Daniel de Carvallo y Prat, conde de Pradere (1933).

7126 *El socorro de Génova por el segundo marqués de Santa Cruz*

Lienzo, 2,90 × 3,70.

El general español, que viste media armadura riquísima, acoge al Dux de Génova, quien seguido de los senadores sale a agradecerle el haber libertado a la ciudad de las tropas francesas. Detrás del marqués, cuatro caballeros —dos santiaguistas y uno alcantarino— y el paje que lleva un casco empenachado y su sombrero. Al fondo, la ciudad —interpretada de manera impropia, pues recuerda más bien a Amberes— y el mar con muchos barcos.
Génova, aliada de España, fue sometida por las tropas del duque de Saboya, de acuerdo con Richelieu. En 1625 se presentó con fuerte escuadra don Alvaro de Bazán, hijo del más famoso de este nombre, y logró la libertad de la República genovesa.
Firmado en el borde inferior, debajo del pie derecho del alabardero que viste calzón carmesí: *ANTONIUS PEREDA AETATIS SVAE... 2* (ilegible el resto).
Pintado en 1634 para el Salón de Reinos del Buen Retiro, donde se cita en 1700 y 1794.
Se lo llevó a París el general Sebastiani; estuvo más tarde en Inglaterra; en 1911 fue comprado en la venta de Lady Ashburton por el comerciante C. Brunner, de París, y en 1912 lo regaló al Prado el coleccionista de Budapest Marzel de Nemes.

PEREZ. **Bartolomé Pérez**

Nació en Madrid en 1634; murió en 1693 en la misma ciudad. Escuela española.

1050 *Florero*

Lienzo, 1,07 × 0,72

Frasco de vidrio revestido de mimbre con claveles y otras flores.
Lienzo añadido en la parte inferior.
Procede de las Colecciones Reales.

1051 *Florero*

Lienzo, 1,12 × 0,71.

En un vaso con relieves mitológicos, claveles, jacintos, miosotis, etc.
Procede de las Colecciones Reales.

1052 *Florero*

Lienzo, 0,75 × 0,56.

Vaso de metal con rosas, claveles, amapolas, etc.

1052

Procede, como los cinco siguientes, del convento de San Diego, de Alcalá de Henares.
En 1836 pasaron a la Academia; pero vinieron del Museo de la Trinidad.

1053 *Florero*

Lienzo, 0,75 × 0,56.

Vaso de metal con rosas, tulipanes y otras flores.
Véase el n.° 1052.

1054 *Florero*

Lienzo, 0,62 × 0,84.

Vaso con relieves de genios y frutas, conteniendo rosas, dalias, tulipanes, etcétera.
Véase el n.° 1052.

1055 *Florero*

Lienzo, 0,56 × 0,84

En un vaso con relieves de genios y

1053

frutas, rosas, tulipanes, nardos, etcétera.
Jordan y Cherry (1995) lo creen de Gabriel de la Corte.
Procede de la Trinidad.
Véase el n.° 1052.

1056 *San Francisco Javier dentro de una guirnalda*

Lienzo, 0,95 × 0,73.

El santo, en pie, con el crucifijo en la mano izquierda; fondo de paisaje. La guirnalda, de rosas, tulipanes, claveles, etcétera.
En los *Catálogos* anteriores a 1963 suponíase que presentaba a san Ignacio: débese la rectificación al R. P. Miguel Batllori. Véase el n.° 1052.

1057 *Santa Teresa de Jesús dentro de una guirnalda*

Lienzo, 0,95 × 0,73.

Guirnalda de rosas, tulipanes, ané-

3655

monas, etc., rodeando un cuadro: Santa Teresa, de rodillas ante el crucifijo.
Compañero del n.° 1056.

3655 *Guirnalda de flores con san Antonio*

Lienzo, 0,65 × 0,84.

Firmado: BME PEREZ RP.
En la guirnalda rosas, tulipanes, pasionarias, narcisos, etc.
En el centro, san Antonio, con las

523

524

manos cruzadas sobre el pecho, arrodillado ante el Niño Jesús, que se le aparece en actitud de bendecir.
Donación de la duquesa de Pastrana en 1889.

PERINO DEL VAGA. Pietro Buonacorsi, llamado Perino del Vaga

Nació en Florencia en 1501; murió en Roma en 1547.
Escuela italiana.

523 *«Noli me tangere»*

Tabla, 0,61 × 0,47.

Cristo, de hortelano, y la Magdalena, arrodillada. Al fondo, el sepulcro con dos ángeles y el Calvario.
Atribución de Voss. En el *Catálogo* de 1920, como anónimo de escuela florentina.
En 1746, en La Granja, Colección de Isabel de Farnesio.

PERUZZI (?). Baldasare Tommaso Peruzzi, o da Siena

Bautizado en Siena el 7 de marzo de 1481; murió en Roma el 6 de enero de 1536.
Escuela italiana.

524 *El rapto de las sabinas*

Tabla, 0,47 × 1,57

La escena se representa con muchas figuras. A la izquierda, Rómulo adjudica una raptada; a la derecha, la paz entre romanos y sabinos. Amplio paisaje. Tablero frontal de un *cassone* de bodas.
Este cuadro y el compañero vienen atribuidos dubitativamente a Pinturicchio desde el *Catálogo* de Eusebi (1828); Madrazo, en 1843, los dio como de Escuela de Siena de 1500; desde 1872 los clasificó como de la Escuela de Umbría del siglo XV. Morelli los creyó de Peruzzi, y fue seguido por Frizzoni y Berenson, que repudió su primera idea de suponerlos pintados por Amico Aspertini. La base para atribuirlos a Peruzzi la dan los frescos de San Onofre, de Roma.
Compañero del n.° 525.
Procede de las Colecciones Reales.

525 *La continencia de Escipión*

Tabla, 0,46 × 1,57.

Publio Cornelio Escipión *el Africano* devuelve al jefe ibero Allucio su prometida, hecha esclava en la toma de Cartagena. Amplio campo. Como el n.° 524, es el tablero de un *cassone* de bodas.
Procede de las Colecciones Reales.
Sobre atribución, véase el número precedente.

7616

PETRINI. Giuseppe Antonio Petrini

Nació en Carona el 23 de octubre de 1677, murió en 1757. Escuela italiana.

7616 *Diógenes*

Lienzo, 0,98 × 0,75.

El filósofo cínico aparece representado de algo más de media figura, anciano, con la linterna en su mano derecha y una candela de la izquierda.
Diógenes de Sínope, discípulo de Antístenes, vivió en Grecia en el siglo V a. C. lleva, como atributo la linterna, con la que buscaba a pleno sol al hombre, tal y como cuenta Diógenes Laercio en su *Vidas de eminentes filósofos de la Antigüedad.*

2171

Adquirido por el Estado a don Arturo Ramón Picas, por resolución de la Dirección General de Bellas Artes y Archivos de 14 de enero de 1992.

PICARDO. León Picardo

Nacería en Picardía, pero se formaría en Flandes, cerca de Massys. Murió en 1547 en Burgos, ciudad en la que estaba desde 1514. Escuela española.

2171 *La Anunciación*

Tabla, 1,71 × 1,39.

La Virgen María, arrodillada, recibe al Arcángel.
Procede, como el número siguiente, del monasterio de Támara (Palencia).
Adquiridas por el Ministerio de Educación (1947).

2172

2172 *La Purificación*

Tabla, 1,70 × 1,39.

Nueve figuras; las centrales, María, san José, la profetisa Ana y el sacerdote Simeón.
Véase el n.° 2171.

PIERRE. Jean Baptiste-Maria Pierre

Nació en París en 1714; fue primer pintor de Luis XV y murió en París en 1789.
Escuela francesa.

3217 *Diana y Calisto*

Lienzo, 1,14 × 1,97.

Júpiter, metamorfoseado en Diana, seduce a una de sus ninfas, Calisto. La escena —extraída de las *Metamorfo* de Ovidio— sucede en medio de u paisaje frondoso.
Pareja del n.° 3218.
Adquirido por el Ministerio de Educ ción Nacional en 1970.

3217

3218 *Júpiter y Antíope*

Lienzo, 1,14 × 1,97.

El padre de los dioses, de acuerd con el texto de Ovidio, se transform en Fauno y se une a Antíope. Tan esta obra como su compañera d bieron ser ejecutadas poco antes d 1750.
Pareja del n.° 3217.

PILLEMENT. Jean Pillement

Nació en Lyon el 24 de mayo de 172 residió en Portugal entre 1780 y 178 murió el 26 de abril de 1808. Escue francesa.

2302 *Paisaje*

Lienzo, 0,56 × 0,76.

Tres pastores, o leñadores, en un bos que frondoso cruzado por un río.
Firmado en la orilla del río, a la iz quierda del centro: *J. PILLEMENT, 177*
Véase el n.° 2303.

2303 *Paisaje*

Lienzo, 0,56 × 0,76.

Tres pastores, dos pastoras y una ovejas; charca o laguna con una balsa y en ella dos muchachos; a la derecha ruinas.
Compañero del n.° 2302.
Probables adquisiciones de Carlos IV siendo príncipe.

7021 *Naufragio*

Lienzo, 0,56 × 0,80.

A la izquierda de la composición, sobre unas abruptas rocas, varios náufragos, rescatados de un navío, estrellado contra unos arrecifes, expresan su te-

7021

ror y desesperación con actitudes gesiculantes. A la derecha, en una mar mbravecida, grupo de personajes obre una barcaza a la deriva, lucha or sobrevivir. Al fondo, celaje encaotado y un peñón.

egún Luna, por sus características eslísticas, pertenece al período de maurez del artista, hacia 1789.

dquirido por el Ministerio de Cultua, en 1985.

2302

PINO. Marco dal Pino, llamado «Marco da Siena»

Nació en Costa del Pino hacia 1525; murió en 1587-88 en Nápoles. Escuela italiana.

58 *Jesucristo, muerto, sostenido por ángeles*

Tabla, 0,43 × 0,28.

En la parte alta, el Padre Eterno entre ángeles.

Atribución debida a Voss. Es semejante al cuadro de la Galería Borghese.

En el *Catálogo* de 1920, como de Escuela de Miguel Angel.

Procede de las Colecciones Reales.

PIOMBO. Fra Sebastiano Luciani, de Lucianis, o Veneziano, del Piombo

Nació en Venecia en 1485 (?); murió en Roma el 21 de junio de 1547. Escuela veneciana.

345 *Jesús con la cruz a cuestas*

Lienzo, 1,21 × 1,00.

Jesús; detrás, el Cirineo y un soldado; figuras de más de medio cuerpo. Fondo: a la derecha, el camino del Calvario con gente.

58

Lo trajo de Roma en 1521 el embajador Jerónimo de Vich, en cuyo palacio valenciano estuvo hasta 1645, en que fue donado a Felipe IV por don Diego de Vich. En 1656-57 fue trasladado a El Escorial, de donde se trajo en 1839.

346 *Bajada de Cristo al Limbo*

Lienzo, 2,26 × 1,14.

Jesús, con la cruz en la mano izquierda, entra en el Limbo; a la izquierda, Adán y Eva (?), arrodillados.

El lienzo original, sin los añadidos, mide 223 × 88 cm. Forma parte de un tríptico al que también pertene[c] un *Llanto ante Cristo muerto* (Muse[o] del Ermitage) fechado en 1516. Ent[re] 1516 y 1521 estaba en Roma, en pro[piedad] del embajador Jerónimo d[e] Vich. De allí pasó al palacio de l[os] Vich en Valencia, donde estuvo hast[a] 1645, en que fue donado a Felipe I[V]

346

por don Diego de Vich. En 1657 estaba en El Escorial, de donde vino al Museo en 1837.

348 *Cristo con la cruz a cuestas*

Pizarra, 0,43 × 0,32.

Menos de medio cuerpo. Variante del cuadro del Ermitage. En 1818, en Aranjuez.

PITATI. Bonifacio di Pitati

Nació en Verona hacia 1487, murió en Venecia, el 17 de octubre de 1553. Escuela italiana.

269 *Adoración de los pastores*

Tabla, 1,18 × 1,68.

San José, la Virgen y el Niño; tres pastores. Fondo de paisaje con casas y figuras.

Atribuido, con reservas, a Palma «il Vecchio» en el catálogo de 1985, hoy día, para la mayoría de los críticos, es obra de Bonifazio di Pitati. En el Louvre hay, a su nombre, un cuadro muy semejante.

348

En 1700, en la «Pieza donde S. M. dormía», en el Alcázar de Madrid.

PITTONI. Giovani Battista Pitoni

Nació en Venecia en 1687; murió en la misma ciudad en 1767. Escuela italiana.

6078 *Virgen con el Niño y santos*

Lienzo, 0,36 × 0,32.

La Virgen y el Niño, entre nubes. A sus pies, san Pedro de Alcántara y san Jerónimo; a su lado, san Miguel. Boceto para una composición conocida por una serie de copias o derivaciones realizadas por el pintor trenti-no Francisco Sebaldo Unterpergher (1706-76), discípulo de Pittoni.
Adquirido en 1980.

POCOCK. Nicholas Pocock

Nació en Bristol en 1740 y murió en Maidenhead en 1821.
Escuela inglesa.

6982 *Paisaje con figura a caballo*

Lienzo, 0,76 × 1,13.

Firmado: *N. POCOCK.*

Donado al Prado por Ghislaine Foley, en 1984.

6078

6982

2130

6775

POELENBURGH. Cornelis van Poelenburgh, o Poelenborch

Nació en Utrecht en 1594 ó 1595; murió en la misma ciudad el 12 de agosto de 1667.
Escuela holandesa.

2129 *El baño de Diana*

Cobre, 0,44 × 0,56.

Diana y sus ninfas sorprendidas por Acteón, que aparece entre las peñas de la izquierda, ya castigado, con cuernos de ciervo. Fondo de paisaje.
Salvado en el incendio de 1734. En 1772 estaba en el Palacio Nuevo.

2130 *Las termas de Diocleciano*

Cobre, 0,43 × 0,58.

A la derecha, las ruinas; grupos de pastores y ganado. En primer término, a la izquierda, dos figuras.

Según Schear (1959) la obra está fechada en 1621, dato difícilmente apreciable.
Inventariado en La Granja, en 1746.

POLO. Diego Polo

Nació en Burgos hacia 1610; murió en Madrid hacia 1655. Escuela española.

3105 *San Roque*

Lienzo, 1,93 × 1,42.

Vestido de peregrino. A la izquierda, ángel mancebo le cura una llaga. A la derecha, el perro. Fondo de paisaje.
Adquirido por el Patronato en 1965.

6775 *La recogida del maná*

Lienzo, 1,87 × 2,38.

En primer término, un hombre semidesnudo, de espaldas, lo recoge y otro anciano, a la izquierda, porta otro cesto. A la derecha, una mujer y dos niños. Al fondo Moisés y otros israelitas recogiendo el alimento celestial.
Un dibujo para la figura arrodillada se guarda en los Uffizi.
Obra importante, pintada, según Palomino, para Alonso Portero, escribano de la Villa. Perteneció en el siglo XIX al infante don Sebastián Gabriel de Borbón, y más tarde al duque de Hernani.

6776 *San Jerónimo*

Lienzo, 1,28 × 1,10

Casi de cuerpo entero, semidesnudo, sentado en una gruta, medita con la cabeza apoyada en la mano izquierda y sostiene una cruz de madera con la derecha.
Perteneció al infante don Sebastián Gabriel de Borbón, en cuyos inventarios de 1835 y 1876 figura.
Adquirido para el Museo en 1982

7294

2844

ꞮNCE. Antonio Ponce

ació en Valladolid, en 1608; murió . Madrid, en 1677.
scuela española.

?94 *Bodegón de cocina*

enzo, 0,56 × 0,94.

bre un tablero, en disposición fron-l, aparecen representados un cesto mimbre con peces, una cantim-ora, un pichel y, detrás de éste, un dero; todo ello rodeado de frutas y res.
rmado, abajo, a la derecha: ANT° NZE FECT.
atado entre los años 1630-40.
disposición lo vincula con obras Loarte o Van der Hamen, de últi-a época; sin embargo, la compo-ión apretada y en sentido, un nto, diagonal recuerda obras más rdías. Según Pérez Sánchez (1983-) presenta una cierta proximidad a ras napolitanas de Recco o Ruop-lo.
rteneció a la colección Lafora. Ad-irido por el Museo a doña Encar-ción Ballesteros Mengs, en 1987.

59 *Guirnalda de flores con la unción de la Virgen*

enzo, 2,01 × 1,44.

entro de una cartela de elementos corativos de origen manierista, una irnalda de flores rosas, claveles, ipanes, lirios del valle, hortensias, jazmines, narcisos, etc., cerrada y compacta, sostenida por dos ángeles, encierra en su interior la figura de la Virgen, con la mirada en alto, una mano extendida y la otra sobre el pecho, rodeada por un grupo de ángeles niños.
Las flores recuerdan, en técnica y composición, obras de Van der Hamen. Según Pérez Sánchez (1993), los modelos y el estilo evocan a Mateo Gallardo.
Firmada y fechada, abajo, a la izquierda: ANT° PONZE FAT. 1654.
La obra, que perteneció a la familia Iñiguez, fue adquirida para el Museo con fondos del Legado Villaescusa, el 18 de mayo de 1993.

PONTE. Giovanni di Marco di Sancto Stefano, llamado Giovanni dal Ponte

Era florentino y vivió entre 1376 y 1437. Escuela italiana.

2844 *Las siete artes liberales*

Tabla, 0,56 × 1,55.

Ocupa el centro la Astronomía, con la esfera armilar, y a sus pies Tolomeo. A la derecha, la Geometría de la mano de Euclides; la Aritmética, emparejada con Pitágoras, y la Música, con un órgano, seguida por su inventor, Tubalcaín. A la izquierda, las otras tres: la Retórica, que conduce a Cicerón; la Dialéctica, con la rama de árbol y el escorpión, acompañada por Aristóteles, y la Gramática con las disciplinas, precedida de dos niños; detrás marcha Donato, o Prisciano.
Tabla para el frente de un *cassone,* del cual se pensaba que un costado, con las figuras de Dante y Petrarca, es el que se guarda en el Fogg Art Museum, de Cambridge (Mass.).
La atribución a Giovanni dal Ponte se debe a Charles Loeser, y ha sido aceptada por todos los especialistas. Carlo Gamba lo supone pintado hacia 1435. Se cree que perteneció a la Colección Toscanelli, de Pisa, de la que pasaría después a la parisiense del Príncipe de Villa Franca, de quien lo adquirió en 1898 Joseph Spiridon. En su venta de 1929 fue comprado por Francisco de Asís Cambó, quien, en diciembre de 1941, lo regaló al Prado.

PONTORMO (?). Jacopo Carucci, o Carrucci da Pontormo, llamado «il Pontormo»

Nació en Pontormo el 25 de mayo de 1494; fue enterrado en Florencia el 2 de enero de 1557. Escuela italiana.

287 *La Sagrada Familia*

Tabla, 1,30 × 1,00.

San José, dormitando; la Virgen, el Niño Jesús sentado en el suelo, y san Juan.

287

Fondo, a la izquierda, de arquitectura; a la derecha, de paisaje.
Relacionado con los seguidores florentinos del artista, es copia de un cuadro de Andrea del Sarto del Palacio Pitti. Fue de Isabel de Farnesio (La Granja, 1746).

PORPORA. Paolo Porpora

Nació en Nápoles en 1617, murió en 1673. Escuela italiana.

569 *Florero*

Lienzo, 0,77 × 0,65.

Vasija de barro con tulipanes, amapolas reales y lirios, sumergida en un charco en el que bebe un gorrión.
En los *Catálogos* del Museo, hasta 1920, considerada como obra italiana

569

476

de escuela indeterminada. Pérez Sánchez, en 1965, lo atribuye a la escuela napolitana, próxima a Paolo Porpora, anticipando soluciones de Andrea Belvedere.
Procede del Palacio del Buen Retiro, donde aparece inventariado sin nombre de autor, en 1700 y 1794.

PORTELLI. Carlo Portelli.

Nació en Loro; murió en Florencia y fue enterrado el 15 de octubre de 1574. Escuela florentina.

476 *La Caridad*

Tabla, 1,51 × 1,15

La Caridad, con tres niños y un gen[illegible] o ángel.
Según Voss, es obra segura de Car[illegible] Portelli, influida por Vasari, a quien [illegible] atribuía hasta 1920, y en relación mu[illegible] estrecha con *La Caridad,* de Salviat[illegible] en los Uffizi. Adquirida por Carlos I[illegible] Se trajo de Aranjuez en 1827.

POTTER. Paulus Potter

Nació en Enkhuyzen y fue bautizad[illegible] el 20 de noviembre de 1625; enterr[illegible] do en Amsterdam el 17 de enero [illegible] 1654.
Escuela holandesa.

2131 *En el prado*

Tabla, 0,30 × 0,35.

Dos vacas y una cabra. En el fond[illegible] otros animales.
Firmado en el muro, a la izquierd[illegible] *PAULUS POTTER F. 1652.*
Donación de la marquesa de Cabriñ[illegible] na; en el Museo desde el 27 de n[illegible] viembre de 1894.

2[illegible]

POURBUS el Joven. Frans Pourbus

Nació en Amberes en 1569 ó 1570; murió en París, donde fue enterrado el 19 de febrero de 1622. Escuela flamenca.

1624 *María de Médicis, reina de Francia*

Lienzo, 2,15 × 1,15.

En pie, en una galería, viste de luto; falda, mangas y cuello muy voluminosos; fondo de celajes.

Firmado en el pretil: *A. ° SAL. 1617. F. PORVUS ANTVERP. CRISTIANI^{mo} MA^{tis} PICT. FAC.*

María de Médicis, hija de Francisco I, gran duque de Toscana, nació el 26 de abril de 1575; caso con Enrique IV en 1600 y murió en Colonia el 3 de julio de 1642. Hay una repetición, de tamaño pequeño, en el Museo de Valenciennes.

Antes de 1734 estaba en el Alcázar de Madrid; más tarde aparece en el Retiro.

1624

1625 *Isabel de Francia, mujer de Felipe IV*

Lienzo, 1,93 × 1,07

En pie; viste de luto; juega con un perrillo. Detrás, ventana abierta a un paisaje llano con árboles y un río.

Hija de Enrique IV de Francia y de María de Médicis, nació en Fontainebleu el 22 de noviembre de 1602, casó por poderes el 18 de octubre de 1615; se consumó el matrimonio en El Pardo el 25 de noviembre de 1620, y murió en Madrid el 6 de octubre de 1644.

El cuadro figura en el Alcázar de Madrid, en 1621 y 1696. En 1794 estaba en el Retiro.

1625

1977 *Isabel de Francia, reina de España*

Lienzo, 0,61 × 0,51.

Menos de medio cuerpo; gorguera de puntas; sartas de perlas. Sobre la retratada véase el n.° 1625.

Representa unos diez años. Se conocen varias réplicas de este retrato. En 1794, en el Retiro.

POUSSIN. Nicolás Poussin

Nació en Les Andelys (Normandía) el 15 de junio de 1594; murió en Roma el 19 de noviembre de 1665. Escuela francesa.

2304 *Paisaje con san Jerónimo*

Lienzo, 1,55 × 2,34

El santo, cubierto en parte por una estera, está de rodillas ante una cruz; la calavera, al pie. Podría identificarse también con san Pablo Ermitaño.

Considerado como original de 1637-1638.

Fue pintado para el Buen Retiro, en cuyo inventario aparece en 1701.

2304

2310

2311

2313

2306 *«Noli me tangere»*

Tabla, 0,47 × 0,39.

Jesús, con túnica azulada en la diestr
la pala de hortelano, esquiva el ad
mán de la Magdalena, arrodillad
vestida de color anaranjado y man
malva. A la derecha, entre árboles
rocas, la puerta del sepulcro.
Grabado por Pietro del Po. Fechab
en 1657.
Procede de la venta Jacques Mey
(Rotterdam, 1714). Perteneció a Fel
pe V, en La Granja, 1746.

2310 *Paisaje con edificios*

Lienzo, 1,20× 1,87.

Paisaje de valle; edificios, un río. Tr
personas sentadas, de espaldas.
Grabado por Châtillon. Pintado hac
1650-51.
Muy probablemente figuró en la ven
Jacques Meyer (Rotterdam, 1746). E
1746, en La Granja, Colección d
Felipe V.

2311 *El triunfo de David*

Lienzo, 1,00 × 1,30.

Una Victoria corona a David de lau
rel; un genio toca un instrumento d
madera; sobre piezas de armadura,
cabeza del gigante Goliath.
Obra muy importante descrita p
Bellori en 1672; pertenecía entonc
al cardenal Girolamo Casanatta. L
misma composición grabó Coelma
en el álbum de la colección de Boy
d'Aiguilles, publicado en 1709, per
probablemente, sobre otro ejempl
que registra Grautoff. Pintado hac
1630.
Adquirido a los herederos de Mara
ta; en 1746 estaba en La Granja, d
donde pasó a Aranjuez.

2312 *Bacanal*

Lienzo, 1,22× 1,69.

En un carro tirado por leones va
dios Baco, que hace subir a Ariadn
cortejo de bacantes y ménades prece
dido por Sileno sobre un asno.

2320

2306

ıntado entre 1625 y 1626. La pin-
ra se ha oscurecido bastante.
 1746, entre los cuadros de Feli-
V, en La Granja, de donde vino en
29, como obra de Castiglione.

13 *El Parnaso*

enzo, 1,45 × 1,97.

olo ofrece la ambrosía a Home-
(?), que es coronado por Calíope;
dean el grupo las demás musas, ge-
os y poetas; en bajo, Castalia encima
la fuente.
chable alrededor de 1631-33.
spirado en el fresco de Rafael en el
ticano. Se conserva un dibujo en la
lección G. Wildenstein.
abó el cuadro Jean Dughet antes de
67.

Aparentemente es el cuadro visto por Felibien en Roma en 1647. Procede de la venta Jacques Meyer (Rotterdam, 1746). En 1746 figuraba entre los cuadros de Felipe V. Vino de Aranjuez en 1827.

2318 *Escena báquica*

Lienzo, 0,74 × 0,60.

Una bacante desnuda tiene cogido un cántaro; un fauno caprípede, coronado y ceñido por hojas de yedra, bebe de un vaso que levanta un amorcillo.
Pintado entre 1626 y 1628. En el Museo Pushkin de Moscú hay una repetición de este lienzo. Presenta semejanzas grandes con *La bacante y el sátiro,* de la Galería de Dublín. Se cree que es uno de los adquiridos en 1722 a los herederos de Carlo Maratta. En 1746, en La Granja, de donde se trajo en 1829.

2320 *La caza de Meleagro*

Lienzo, 1,60 × 3,60.

Meleagro y Atalanta, a caballo, ella de azul, marchan acompañados por la traílla y jinetes en busca del jabalí enviado por Diana.
Pintado entre 1637 y 1638.
Según Blunt, pareja del *Sacrificio a Priapo,* del Museo de Sao Paulo, pintado para Casiano del Pozzo.

2318

En 1701 se encontraban ambos en el Retiro; en 1794 ya se atribuían a Poussin.

POUSSIN (?).

2319 *Paisaje con ninfa dormida*

Lienzo, 0,50 × 0,68.

A la izquierda, bajo los árboles, una ninfa desnuda y dormida. Fondo de arboledas, un sátiro espía. Un amorcillo y un ciervo, desproporcionados, quizá aditamentos posteriores. Por su estilo se relaciona con Dughet en su primera época.
Grautoff cree distinguir varias manos en este lienzo sobre una pintura original, que se aprecia en el fondo.

1059

Whitfield lo cree de juventud del maestro. Blunt (1980), Boisclar (1986) y Thullier (1994) no la creen de Poussin. En 1746, Colección de Felipe V en La Granja; se atribuía a Ludovico Carracci.

POUSSIN. Copia

2322 *Paisaje: Polifemo y Galatea*

Lienzo, 0,49 × 0,63.

Sentado en la cima de un cerro, el gigante toca la siringa: Acis, en un grupo de pastores, y Galatea, entre dos ninfas, escuchan la música de Polifemo.

Lo grabó E. Bauder en 1701. En el Ermitage de San Petersburgo está el original pintado en 1649. En 1746 figuraba entre los cuadros de Felipe V en La Granja. Allí se cita también en 1972, 1794 y 1814.

PRADO. Blas de Prado

Nació en Camarena (Toledo) hacia 1545; murió en Madrid en 1599. Escuela española.

1059 *La Sagrada Familia, san Ildefonso, san Juan Evangelista y el maestro Alonso de Villegas*

Lienzo, 2,09 × 1,65.

La Virgen, el Niño y san José, de cuerpo entero; Jesús tiende sus brazos hacia Villegas.

En letras de oro se lee: *B. MARI IOANNI EVANGELISTE ET ILDEFONSO; PICTORE BLASIO DEL PRADO, M. ALFONSUS DE VILLEGAS PATRONIS D. AÑO 1589.*

2882

Alonso de Villegas Selvago nació en Toledo en 1534 y murió después de 1615. A los veinte años escribió la *Comedia Selvagia;* se hizo eclesiástico y compiló un famoso *Flos sanctorum* (1578-94). Según Mayer, la Virgen se relaciona con una obra de Jerolamo Muziano, grabada por Villamena.

En 1818, en el Palacio de Madrid.

3146

PRETI. Mattia Preti

Nació en Taverna (Calabria) en 1613; murió en Malta en 1699.

Escuela italiana.

3146 *La gloria*

Lienzo, 2,20 × 2,53.

Cristo, en gloria, rodeado de ángeles entre nubes. A ambos lados, la corte celestial. En primer término, muy individualizados, san Francisco, la Magdalena y san Jerónimo.

Es posible que se pintase para una decoración de techo. Adquirida en 1969.

1417

ROCACCINI. Andrea Procaccini

ació en Roma el 14 de enero de
571; murió en La Granja el 17 de ju-
o de 1734. Vino a España en 1720,
mo pintor de Felipe V, arquitecto y
abador.
scuela italiana.

382 *El cardenal Borja*

enzo, 2,48 × 1,76.

e cuerpo entero, la mano izquier-
sobre la birreta que está en un al-
ohadón encima de un bufete. De-
ís, un eclesiástico, el pintor (?) y un
ño. Puerta de un jardín. En el papel
lee: *AL ILLTR.° RE.MO PRINC... SIG.RE*
ARD.l BORGIA.
on Carlos de Borja Centellas Ponce
León, hijo tercero del IX duque de
andía, capellán mayor de Felipe V
1708. Cardenal desde 1720,
urió en La Granja el 8 de agosto de
773.
ue de las Colecciones del duque
Osuna y del marqués de la Torre-
lla.

ROCACCINI. Giulio Cesare rocaccini

ació en Bolonia en 1574; murió en
ilán en 1625.
scuela italiana.

1417 *Virgen con el Niño y ángeles, en una guirnalda*

Cobre, 0,48 × 0,36

La guirnalda de Jan Brueghel de Velours. Hasta 1963 no ha sido aceptada la atribución a Procaccini. Del grupo central hay réplica en la Pinacoteca de Bolonia.
Colecciones Reales: inventario del Palacio Nuevo, 1772.

PROVOST. Jan Provost o Prevost

Nació en Mons hacia 1465. En 1493 figura en la lista de la Guilda de Amberes; murió en enero de 1529. Escuela flamenca.

1296 *Zacarías*

Tabla. Puerta de un políptico: 1,23 × 0,45.

El Patriarca, como asombrado; detrás, seto de rosales, a través y por encima del cual se ve un muro almenado y paisaje. La otra cara de la tabla ostenta, pintado de claroscuro, a *San Bernardino de Sena,* a manera de escultura, en nicho con doselete.
Esta tabla formada con otras tres portezuelas de un retablo descrito en el inventario de 1600, con la *Genealogía de la Virgen,* regalado a Felipe II por don Francisco Zapata, conde de Barajas.
En el Louvre se conserva otra de las puertas —cortada— con *Santa Emerencia,* y en el reverso, pintada de blanco y negro, lo mismo que el San Bernardino del Prado, *Santa Clara.*

2696 *La Virgen con el Niño*

Tabla, 0,18 × 0,15.

La Virgen, de pie, amamantando a Jesús; detrás, un dosel de brocado. Fondo de paisaje a los lados.
Szulberger ha publicado una nota relacionando esta pintura con el estilo del

2696

1296

Maestro de Flémalle y sugiriendo que será obra de Jan Provost. Hasta 1972 figuraba en los *Catálogos* como obra de un discípulo de Jan van Eyck.
Legado Pablo Bosch.

294

PULIGO. Domenico di Bartolommeo Puligo

Nació en Florencia en 1492; murió poco después del 27 de septiembre de 1527. Escuela italiana.

294 *La Sagrada Familia*

Tabla, 1,30 × 0,98.

San José, la Virgen dando el pecho al Niño, dos ángeles, uno tocando el laúd, y san Juan; en primer término, una taza de agua con un jilguero.
Procede de las Colecciones Reales.

QUELLYN. Erasmus Quellinus, o Quellyn

Nació en Amberes el 19 de noviembre de 1607; murió en esa ciudad el 7 de noviembre de 1678.
Escuela flamenca.

1628 *El rapto de Europa*

Lienzo, 1,25 × 0,87.

Europa, sentada sobre el toro —Júpiter—, nadando; fondo de mar.
Firmado, en el paño flotante: E. QUELLINIUS F. Pintado para la Torre de la Parada, donde se cita en 1700, 1747 y 1797. Basado en un boceto de Rubens que guarda el Prado (número 2457).
Estuvo en la Academia de San Fernando desde 1792 hasta 1827, en que ingresó en el Museo.

1629 *Baco y Ariadna*

Lienzo, 1,80 × 0,85.

Detrás del dios, dos bacantes con tirsos.
Firmado en el ángulo inferior izquierdo: E. QUELLIN F. Pintado para la Torre de la Parada, donde se cita en 1700, 1747 y 1794. Basado en un boceto de Rubens que guarda el Museo Boymans de Rotterdam.
En la Academia de San Fernando entre 1796 y 1827.

1630 *La muerte de Eurídice*

Lienzo, 1,49 × 1,95.

Eurídice, en brazos de su esposo Orfeo; en el suelo, la lira; a la izquierda, el áspid que envenenó a la agonizante. Fondo de paisaje.
Firmado en el borde inferior, debajo del pie derecho de Eurídice: E. QUI LLIN. F.
Pintado, según un boceto de Rubens del Museo Boymans de Rotterdam para la Torre de la Parada, donde se cita en 1700 y 1747. En 1794 estaba en la Zarzuela.

1631 *Jasón con el vellocino de oro*

Lienzo, 1,81 × 1,95.

Sale el héroe del templo llevando al brazo el vellocino; a la derecha, la estatua de Marte, y enfrente, el ara con el fuego sagrado.
La firma, en el pedestal de la estatua: E. QUELINUS F. Pintado para la Torre de la Parada, donde estaba en 1700 y 1747, sobre un boceto de Rubens que se conserva en el Museo de Bruselas. En 1794 estaba en la Zarzuela.

162

1718

1630

1631

1632 *Cupido navegando sobre un delfín*

Lienzo, 0,98 en cuadro.

Lleva un arco en la diestra y las riendas en la mano izquierda; aljaba a la espalda. Fondo de mar.

Firmado: *E. QUELLIN F.*

Pintado para la Torre de la Parada sobre un boceto de Rubens que se conserva en el Museo de Bruselas. De la Torre de la Parada, donde se cita en 1747, pasó al Palacio Nuevo, donde estaba en 1772.

1633 *La persecución de las harpías*

Lienzo, 0,99 × 0,98.

Los argonautas Calays y Gethes, hijos de Bóreas, y por ello aliados, persiguen a las harpías o estinfálidas, hasta obligarlas a que se queden en las islas Strófadas.

No está del todo clara la atribución a Quellyn, sobre la que han manifestado sus reservas Alpers (1971) o De Bruyn (1988).

El boceto, de Rubens, en el Museo, n.° 2458.

Se pintó para la Torre de la Parada, donde se cita en 1700 y 1747; pero vino al Museo, desde el Castillo de Viñuelas.

1718 *El amor dormido*

Lienzo, 0,81 × 0,98.

Figura de más de medio cuerpo del dios alado y dormido en el lecho; alúmbrale una lámpara.

Fragmento de una composición mayor, conocida por el boceto de Rubens que guarda el Museo de Bayona, que muestra a Psiquis con la lámpara, observando al Amor dormido. Fue cortado entre 1834, en que aparece entero en la testamentaría de Fernando VII, y 1843, año del primer *Catálogo* de Madrazo, donde se le cita fragmentado.

El estilo del lienzo es el característico de Erasmo Quellinus, pero, además, el inventario de la Torre de la Parada, de 1700, da su nombre para el lienzo de este asunto. En 1794 seguía en ese lugar. Hasta 1973 como obra de la Escuela de Rubens.

r

RAEBURN. Henry Raeburn

Nació en Stockbridge en 1756 y murió en Edimburgo en 1823.
Escuela inglesa.

3116 *Retrato de Mrs. MacLean of Kinlochaline*

Lienzo, 0,75 × 0,63.

De medio cuerpo, mirando al espectador.
Mrs. MacLean era una de las tres hermanas a las que se refiere Samuel Johnson en su *Tour of the Hebrides,* elogiando su hermosura.
Adquirido por el Patronato en 1966.

3116

RAFAEL. Rafaello Santi, Sanzio, o da Urbino

Nació en Urbino el 28 de marzo de 1483; murió en Roma el 6 de abril de 1520. Escuela italiana.

296 *La Sagrada Familia del cordero*

Tabla, 0,29 × 0,21.

San José, la Virgen y el Niño montado sobre el cordero; fondo de paisaje. Firmado con letras de oro en la cenefa del escote de la Virgen: *RAPHAEL URBINAS, MD. VII.*
La composición muestra evidentes influencias de Leonardo y Fra Bartolomeo.
Una versión, fechada en 1504, con algunas variantes, en los árboles principalmente, está en una colección particular alemana. Según Fischel, la fecha 1504 es inexplicable para la composición; en cambio, le parece evidente la de nuestra tabla.
Adquirida a fines del siglo XVIII por Carlos IV de la Colección Falconieri en Roma. Estuvo en El Escorial, de donde vino en 1837.

296

297 *La Virgen del pez*

Lienzo (se pasó de tabla en París, antes del 15 de octubre de 1816), 2,15 × 1,58.

La Virgen, el Niño, san Jerónimo, el arcángel Rafael y Tobías.
Se pintó hacia 1513, durante el mejor período colorista de Rafael, cuando ejecutaba la estancia de *Heliodoro.* Es indudable que en su mayor parte es del pincel del maestro, aunque Grizzoni y Berenson reconociesen la colaboración de Julio Romano.
En los Uffizi (Florencia) se conserva un dibujo preparatorio para la composición. Otro, con variantes, propiedad de N. R. Colvilla, se expuso en la Royal Academy de Londres, en 1953.
Adornó la capilla de G. B. del Duco, dedicada a santa Rosalía, en San Doménico de Nápoles, donde se cita ya en 1524. En 1638 logró el Virrey, duque de Medina de las Torres, que se lo regalase el general de los Dominicos, contra el parecer del prior; al dejar el virreinato, el duque lo presentó al rey, y éste lo envió a El Escorial en 1645. Estuvo en París desde 1813, y entró en Madrid el 22 de noviembre de 1818. Vino de El Escorial en 1837.
En el inventario de la quinta de la Ribera de Valladolid (21-VI-1607) en

297

298

altar del Oratorio se describe un emplar de esta composición «que se tiende de mano de Raphael».

98 *Caída en el camino el calvario*

ienzo (se pasó de tabla en París, 316-18), 3,18 × 2,29.

sús, caído bajo la cruz, precedido y guido por soldados y sayones, dice a s cinco santas mujeres: *No lloréis por 1í; llorad por vosotras y por vuestros ijos.*

rmado en una piedra, en medio: APHAEL URBINAS.

dice pintado en 1517, año en el que e grabado por Agostino, veneciano. stuvo en el convento de Olivetanos Santa Maria dello Spasimo, de alermo (de donde se ha originado el ombre vulgar e improvisado de *El asmo de Sicilia).* Berenson creyó ver intervención de Julio Romano;)ollmayr, la de Penni. Se ha buscado origen de la composición en las *asiones,* de Durero; aunque, según)ehio, proviene de una estampa de chongauer.

ue enviado a España, en 1661 por el irrey conde de Ayala, don Fernando e Fonseca (interviniendo el cardenal raquenotti que en carta a don Luis Méndez de Haro, el 23 de mayo del nismo año, se refiere a la salida del uadro, «alhaja la más preciosa del nundo»), a pesar de lo cual Felipe IV o la estimó como de las obras meores de Rafael; se pagó por la tabla na renta anual de 4.000 ducados al onvento y 500 al prior Staropoli, que trajo a Madrid.

stuvo en Palacio desde 1661, prinero en el «Ochavo» y más tarde, 663, en el altar mayor de la Capilla.)espués del incendio de 1734 pasó al Retiro. En 1772 figura de nuevo en alacio.

Hizo el viaje al Museo de Napoleón n París y volvió a Madrid con el uadro anterior. En 1819 estaba en el rado.

299

299 *El cardenal*

Tabla, 0,79 × 0,61.

Figura de medio cuerpo, sentado. Pintado hacia 1510.

La identificación del retratado con Alidosio ha sido desechada; asimismo, hay razones contra las demás propuestas: Julio de Médicis, Dovizi di Bibbiena, Inocencio Cigo, Silvio Passerini, Antonio Ciocchi, Matías Schinners, Luis de Aragón...

Hace años Suida ha aducido que en un cuadro de la Colección Kress, obra del Piombo, aparece este cardenal, en la campanilla que está encima de la mesa se lee el nombre de Bandinello Suari, cardenal de Julio II, que figura en *La disputa del Sacramento,* de Rafael; hombre inquieto, fue preso en 1517 y murió en 1518.

Adquirido por Carlos IV, siendo príncipe. En 1818 estaba en Aranjuez, como retrato de Granvela por Moro.

300 *La Visitación*

Lienzo (se pasó de tabla en París, 1816), 2,00 × 1,45.

Las figuras de santa Isabel y María destacan sobre el fondo del paisaje; a la izquierda, el bautismo de Jesús en el Jordán, y rompimiento de gloria con el Padre Eterno acompañado por ángeles.

En capitales de oro se lee, a la izquierda: RAPHAEL VRBINAS F.; y en el centro: MARINVS. BRANCONIVS, F. F.- [«hizo hacer»].

300

J. B. Branconio, que era camarlengo y protonotario, encargó este cuadro para la iglesia de San Silvestre de Aquila, en los Abruzzos, hacia 1519.
Pertenece al grupo de obras de Rafael en que la crítica moderna advierte la intervención de discípulos en su ejecución, como Perino del Vaga o Giulio Romano.
Regresó de París con los núms. 297 y 298.

301

301 *La Sagrada Familia, llamada «la Perla»*

Tabla, 1,44 × 1,15.

Santa Isabel, la Virgen, el Niño y san Juan; al fondo, san José trabajando de carpintero. Fondo oscuro de paisaje,

302

con un río que divide un pueblo; puente y grupos de figuras diminutas.
Berenson reconocía la intervención de Julio Romano y, en menor parte, la de Penni. Pintado hacia 1518 por encargo del conde Ludovico de Canossa, obispo de Bayeux. Vincencio Gonzaga, duque de Mantua, lo adquirió en marzo de 1604, del conde Galeazo Canossa, mediante la cesión del feudo

303

de Monferrato y un título de marqués. En 1627 pasó con la Galería de Gonzaga a Inglaterra, donde Alonso de Cárdenas lo compró en la almoneda de Carlos I, para don Luis de Haro, quien se lo regaló a Felipe IV. Este, según Ponz, hubo de exclamar: «¡H aquí la *perla* de mis cuadros!».
Probablemente fue enviado en fech temprana a El Escorial, en cuya s cristía lo cita Ponz.

302 *La Virgen de la Rosa*

Lienzo, 1,03 × 0,84.

La Virgen, san Juanito y san José, más de medio cuerpo. Jesús toma san Juan el rótulo con el *Ecce Agn Dei.*
Pintado hacia 1518.
Está en relación con la «petite Saint Famille» del Louvre. La mesa, la ro y el pie izquierdo del Niño se cons deraban adiciones modernas hech al traer el lienzo de El Escorial e 1837; pero en la catedral de Barcel na hay una copia antigua donde y aparecen.
En 1642 grabó W. Hollard esta com posición, atribuyéndola a Perino d Vaga. En 1667 lo reseña el padre Sa tos en el Capítulo del Prior del mona terio.

303 *La Sagrada Familia del roble*

Tabla, 1,44 × 1,10.

San José, la Virgen, el Niño y sa Juan, que desenrolla el rótulo del *Ag nus Dei.* Fondo de paisaje; a la izquier da, las ruinas de las Termas.
Pintado hacia 1518.
En la versión del Museo Pitti se ve u lagarto sobre la basa de la columna d donde se ha originado el nombre qu se le daba antes, inaplicable al ejem plar del Prado, en el que en lugar de saurio se ve el fruto. El nombre d *Sagrada Familia bajo el roble,* que e expresivo y exacto, se empleó ya po Passavant. Se relaciona con la *Perla* y con la *Virgen de Francisco I,* y form parte del grupo de cuadros de Rafae ejecutados con ayuda de sus discí pulos. En el siglo XVIII estaba en e Palacio Nuevo.
Estuvo en París (véase el n.°197).

304

RAFAEL. Copia

304 *Andrea Navagero*

Lienzo, 0,68 × 0,57.

Figura de menos de medio cuerpo.
Copia parcial del doble retrato que le representaba con Agostino Beazzano (véase el n.° 305) de la Galería Doria, de Roma, pintado en 1516. Reinach, en su *Répertoire*, recoge la idea de que el cuadro romano es copia, de escuela veneciana, de un original perdido de Rafael. Andrea Navagero, escritor y diplomático veneciano, nacido en 1483, murió en 1529. Estuvo en España (1525-28) y escribió su *Viaje*. Como copia, figura (?) con su pareja, el n.° 305, en la «Galería de Mediodía», del Alcázar de Madrid, en 1686.

305 *Agostino Beazzano*

Lienzo, 0,79 × 0,60.

Figura de menos de medio cuerpo.
Véase el n.° 304.
Agostino Beazzano, o Vevazzano de Treviso, poeta —publicó *Rime volgari, 1558*—, fue secretario y amigo del cardenal Bembo, de Navagero y de Baltasar de Castiglione.

313

313 *La Sagrada Familia «dell'impannata»*

Tabla, 1,64 × 1,28.

San Juanito, la Virgen, el Niño, santa Isabel y santa María Magdalena o santa Catalina.
Copia del cuadro conservado en el Museo Pitti, pintado hacia 1514, y que los críticos suponen ejecutado por discípulos. Recibe el nombre del tipo de ventana que aparece al fondo («finestra impannata»). Adquirido por Carlos IV. En 1818 estaba en Aranjuez.

315 *La transfiguración del Señor*

Tabla, 3,96 × 2,63.

Jesús entre Moisés y Elías; en la

315

cumbre del Tabor, los apóstoles Ped[r]
Juan y Santiago el Mayor, y los sant[os]
Agapito y Felicísimo. En primer t[ér]mino, y en bajo, discípulos de Jes[ús]
enfermos y familiares.
El original, comenzado probableme[n]te en 1517, se acabó en 1520; está [en]
el Museo del Vaticano. Dícese que [la]
copia del Prado, que presenta algun[as]
variantes —la supresión de los árbo[les]
de la parte alta, por ejemplo— f[ue]
encargada por Clemente VII a Pen[ni].
Decoró la iglesia del Santo Spiri[to]
degli Incurabili, de Nápoles; fue d[el]
duque de Medina de las Torres, y [su]
hijo don Nicolás la cedió al conven[to]
de carmelitas de Santa Teresa, [de]
Madrid, de donde pasó al Museo de [la]
Trinidad.

RAFAEL. Copias por Pietro Falcchetti

306 *El Sol. Apolo con el signo de Leo*

Lienzo, 1,74 × 1,33.

Apolo, en primer término con el ar[co]
tendido; detrás un fragmento d[el]
Zodíaco con el signo de Leo; en [la]
parte superior, una figura alada con [el]
Sol entre sus manos.
Este cuadro y los siguientes son copi[as]
de los cartones para mosaicos de [la]
capilla del príncipe Chigi, de la igl[e]sia romana de Santa Maria del Popol[o]
para los que Rafael ejecutó los cart[o]nes en 1596.
Proceden de las Colecciones Reales. [Se]
trata de las obras traídas por Ruben[s]
en 1603, como regalo del duque [de]
Mantua al de Lerma. Estuvo dec[o]rando el Salón Planetario del R[ey]
Felipe IV, en el palacio del Bue[n]
Retiro.

307 *La Luna. Diana con el signo de Cáncer*

Lienzo, 1,74 × 1,33.

En primer término, la figura femeni[na]

e Diana sostiene el arco con la mano :quierda, mientras extrae una flecha el carcaj con la derecha. Sobre la ente la Luna; detrás, un fragmento el Zodíaco con el símbolo de Cáncer. n la parte superior, figura alada entada con la mirada en alto.
'éase el n.° 306.

08 *Marte con los signos e Aries y Escorpión*

ienzo, 1,74 × 1,33.

iguras de tamaño natural. Marte con espada en su mano derecha, el escuo en la izquierda, cabeza cubierta con isco y mirada a lo alto. Detrás, un agmento del Zodíaco con los signos e Aries y Escorpión. En la parte suerior, el ángel que, según Dante, prede cada estrella.
'éase el n.° 306.

09 *Mercurio con los signos e Géminis y Virgo*

ienzo, 1,74 × 1,30.

a figura del planeta Mercurio, de ımaño natural, sostiene en su mano quierda el caduceo y señala con el edo índice de la derecha extendido.)etrás un fragmento del Zodíaco con s signos de Géminis y Virgo. En la arte superior, una figura alada con la ıano siniestra levantada.
'éase el n.° 306.

308

310 *Venus con los signos de Libra y Tauro*

Lienzo, 1,74 × 1,30.

El planeta Venus, acompañado de un niño que porta la antorcha, como lucero vespertino. Detrás, un fragmento del Zodíaco con los signos de Libra y Tauro. En la parte superior, figura alada con los brazos extendidos, apoyados en el arco.
Véase el n.° 308.

311 *Saturno con el signo de Capricornio*

Lienzo, 1,74 × 1,30.

El planeta Saturno, de tamaño natural, con la guadaña asida con sus manos. Detrás un fragmento del Zodíaco con el signo de Capricornio. A la izquierda, una figura alada, de forma inclinada, con la mirada en alto.
Véase el n.° 306.

312 *Las constelaciones*

Lienzo, 1,74 × 1,30.

En primer término, de gran tamaño, la bola del mundo, que está siendo poblada de estrellas por un ángel, que aparece en la parte superior, con la mirada en alto.
Véase el n.° 306.

RAMIREZ. Felipe Ramírez

Documentado entre 1628 y 1631; probablemente toledano. Escuela española.

2802 *Bodegón*

Lienzo, 0,71 × 0,92.

Un cardo y un lirio en un vaso dorado sobre el alféizar de una ventana; una perdiz y dos racimos de uvas colgados en su mano.
Firmado: *PHILIPE RAMÍREZ FAC. 1628.*
El cardo repite, sin variaciones apreciables, el pintado por Sánchez Cotán en el *Bodegón* del Museo de Granada.
Adquirido con fondos del Legado Conde de Cartagena en 1940.

2802

RAMIREZ DE ARELLANO. Juan Ramírez de Arellano

Nacido en Zaragoza hacia 1730; murió en 1782. Escuela española.

3145 *La Virgen, el Niño y santa Ana*

Lienzo, 0,46 × 0,30.

La Virgen sentada en un paisaje, con el Niño desnudo, en pie, apoyado en sus rodillas. Tras el grupo santa Ana, con la cabeza alzada. Fondo de paisaje, y en el cielo, grupo de angelitos.
Firmado: *JUAN RA'.*
Boceto preparatorio para un lienzo del Museo Romántico, que se creía —por una mala interpretación de la firma de éste— obra del pintor Juan Vicente Ribera, de comienzos del siglo XVIII.
Donativo de don Adolfo Arenaza en 1969.

3145

RANC. Jean Ranc

Nació en Montpellier el 28 de enero de 1674; murió en Madrid el 1 de julio de 1735; aquí residía desde 1728. Escuela francesa.

2265 *El infante cardenal don Luis Antonio de Borbón*

Lienzo, 1,05 × 0,84.

Dentro de un óvalo. Viste casaca verde rameada de blanco; lleva la banda del Saint-Esprit. Sobre una mesa, el sombrero y un perrillo negro y blanco.
Don Luis, hijo de Felipe V y de Isabel de Farnesio, nació el 25 de julio de 1727; el 9 de septiembre de 1735 fue hecho arzobispo de Toledo, y el 9 de diciembre, cardenal. En 1754 renunció a estas dignidades, y por no estar ordenado de sacerdote, se casó morganáticamente el 27 de julio de 1776 con doña María Teresa Vallabriga; murió el 7 de agosto de 1785. En Palacio, en 1772.

2266 *María Teresa Antonia de Borbón, delfina de Francia*

Lienzo, 1,05 × 0,84.

Dentro de un óvalo; de más de medio cuerpo; con traje azul y manto color de rosa.
Pareja del n.° 2265.
Sobre María Teresa, véase el n.° 2392.
Identificación y atribución constan en el inventario de 1747. Antes del *Catálogo* de 1920 se suponía de M. A. Houasse, siguiendo el inventario de 1794, del Retiro.

2284 *María Antonia Fernanda de Borbón*

Lienzo, 0,84 × 0,68.
Viste de azul; va en un carro que se simula tirado por palomas.
En los inventarios y catálogos antiguos se decía «representada como Venus».
Hija de Felipe V. Suponíase representaba a la archiduquesa de Austria Isabel María de Borbón.
En 1747, entre las pinturas de Felipe V. En 1794 se atribuía a Houasse, en el Retiro. Más tarde se adscribió a Louis Michel van Loo.

2326 *Felipe V, a caballo*

Lienzo, 3,35 × 2,70.

Viste el rey traje azul y media armadura; detrás, un paje, jinete también, portador del casco; en la parte superior vuela la Victoria con la palma en la mano.
Felipe V, hijo del Gran Delfín, nació en Versalles el 19 de diciembre de 1683; proclamado rey de España el 24 de noviembre de 1700, murió en Madrid el 9 de julio de 1746.
Salvado del incendio de 1734, en el que se deterioró. En 1772 estaba en el Retiro; en 1794 en el Palacio Nuevo.

2329 *Felipe V*

Lienzo, 1,44 × 1,15.

Retrato hasta las rodillas, media armadura y traje azul; banda del Saint-Esprit. Fondo de paisaje.
Pareja del n.° 2330.
Salvado del incendio de Palacio, pasó al Retiro como de Rigaud.
Existen numerosas réplicas y copias de esta obra y de su pareja, que son los retratos oficiales ejecutados en 1723.

2330 *La reina Isabel de Farnesio*

Lienzo, 1,44 ×1,15.

Retrato hasta las rodillas. Traje de terciopelo carmesí guarnecido de armiño, como el manto. A la derecha, cortina azul.
Isabel de Farnesio, hija de Eduardo II, príncipe de Parma, y de Dorotea de Baviera, nació el 25 de octubre de 1692, casó con Felipe V el 24 de diciembre de 1714; murió en Aranjuez el 11 de julio de 1766.
Salvado del incendio de 1734.

2332 *Luisa Isabel de Orleans, reina de España*

Lienzo, 1,27 × 0,98.

De las rodillas arriba. Traje y manto de tisú de oro; la diestra sobre la corona que está encima de una mesa.
Hija de Felipe de Orleáns, regente de Francia, nació el 11 de diciembre de 1709, casó con Luis I, siendo príncipe, el 20 de enero de 1722; murió el 16 de junio de 1742. Fue salvado del incendio de 1734 e inventariado como «sin incluir». En 1772 estaba en el Retiro.

2333 *Fernando VI, niño*

Lienzo, 1,44 × 1,16.

Viste casaca asalmonada, chupa de oro viejo y medias encarnadas; luce el Saint-Esprit y el Toisón de Oro. A su lado, un perro.
Hijo de Felipe V y de María Luisa de Saboya, nació el 23 de septiembre de 1713; rey en 1746; murió el 10 de agosto de 1759.
Pareja del n.° 2334.
En 1746, en La Granja, entre los cuadros de Felipe V; se trajo en 1848.

2334 *Carlos III, niño*

Lienzo, 1,42 × 1,15.

Vista casaca azul y medias encarnadas; figúrase en su cuarto de estudio clasificando unas flores.
De este retrato se copió la figura para el cuadro de *La familia,* n.º 2376.
Sobre Carlos III, véase el n.º 737.
En 1746 estaba en La Granja; de allí vino en 1848 con el n.º 2333.

2335 *Fernando VI, siendo príncipe de Asturias*

Lienzo, 0,75 × 0,62.

De más de medio cuerpo; media armadura, casaca asalmonada, manto azul; ostenta el Saint-Esprit; apoya la mano derecha en el casco.
Firmado en el pedestal de la columna: *J. RANC. 1725.*
Sobre Fernando VI, véase el n.° 2333.
En 1746, en La Granja, Colección de Isabel de Farnesio.

2376

336 *María Ana Victoria*
· Borbón, niña

enzo, 0,76 × 0,62.

e más de medio cuerpo; traje azul y
anto carmesí; un clavel en la mano
quierda.

bre la retratada véase el n.º 2277.

lvado del incendio del Alcázar, fi-
ra en los inventarios de 1747, 1772
1794 (Retiro); en este último atri-
uido a Houasse.

2376 *La familia de Felipe V*

Lienzo, 0,44 × 0,65.

Sentados: Felipe V e Isabel de Farnesio; de pie y de izquierda a derecha; sus hijos Fernando, Luis, Felipe, todavía de faldas, y Carlos; en un cuadro ovalado, el retrato de Mariana Victoria de Borbón, hija de Felipe V. A la izquierda, al fondo, una servidora con una bandeja y, en último término, un prelado.

La fecha del boceto se fija en 1722, llegada de Ranc a Madrid, y el 31 de agosto de 1724, en que falleció Luis I. Es boceto para un gran cuadro que se pintaba modificado en 1727, y que después del incendio de 1734 se dice que no estaba concluido.

Para los personajes representados, véase el n.º 2283 y, además, Luis I, n.º 2387.

Procede de las Colecciones Reales.

2326

2329

2334

2[…]

2394 *María Teresa Antonia de Borbón*

Lienzo, 0,93 × 0,68.

De más de medio cuerpo; traje azul, manto color de rosa; de una cesta de flores coge una con la diestra.
Sobre María Teresa Antonia, véase el n.º 2266. Véase el n.º 2376.

2414 *Bárbara de Braganza, reina de España*

Lienzo, 1,03 × 0,84.

De más de medio cuerpo; traje amarillo, manto color de rosa; en la diestra, claveles rojos.
Procede de las Colecciones Reales.

RECCO. **Giuseppe Recco**

Nacido en Nápoles en 1634; murió en Alicante en 1694.
Escuela italiana.

319 *Bodegón de peces y tortuga*

Lienzo, 0,75 × 1,03.

Firmado: *G. R.*
Obra de plena madurez hacia 1680.
Otra muy semejante en Capodimonte.
Colecciones Reales.

REMBRANDT. **Rembrandt Harmensz van Ryn**

Nació en Leyden el 15 de julio [d]
1606; murió en Amsterdam el 4 [d]
octubre de 1669.
Escuela holandesa.

2132 *Artemisa*

Lienzo, 1,42 × 1,53.

La reina de Pérgamo, Artemisa, sent[a]
da a una mesa encima de la que h[ay]
un libro, en el acto de recibir las c[e]
nizas de su esposo en una copa. A [la]
izquierda, una sirviente que se la pr[e]
senta y una vieja al fondo. La rei[na]
viste de blanco amarillento con ma[…]

as bordadas y cuello de armiño. Las guras, de poco menos de cuerpo ntero.
irmado en el brazo del sillón: *REMRANDT, F. 1634*. Se ha supuesto que rvió de modelo Saskia van Uylenorch, esposa de Rembrandt, hija de ombertus, burgomaestre de Leeuarden; nació en 1612, casó con el intor el 22 de junio de 1634, fecha probable ocasión del cuadro del rado, alusivo a la fidelidad y amor onyugales; murió entre el 5 y el 11 de nio de 1643.
e han formulado reiteradas dudas bre el asunto representado y se ha ensado también que pudiera tratarse e Sofonisba recibiendo la copa de eneno enviada por Masinisa.
n 1772 se registra en el Palacio de ladrid, «Pieza de tribuna y trasarto». Adquirido en 1769, entre las) pinturas que fueron del marqués de Ensenada.

EMBRANDT. Copia

808 *Autorretrato*

enzo, 0,81 × 0,65.

e medio cuerpo; con gorro; en las anos, la paleta, el pincel y el tintero. esenta analogías con el *Autorretrato* l Louvre de 1660 y especialmente n el de la Kenwood House de ondres de hacia 1660. Este último ría, para Valdivieso, el original del ado, que habría sido copiado en el ller de Rembrandt por uno de sus scípulos. Perteneció al diplomático n Alejandro Muns, y fue comprado a sus herederos. Ingresado en el Museo en junio de 1941.

2808

319

RENI. Guido Reni

Nació en Calvezzano, cerca de Bolonia, el 4 de noviembre de 1575; murió el 18 de agosto de 1642 en Bolonia. Escuela italiana.

150 *Cupido*

Lienzo, 1,01 × 0,88.

El dios con una flecha que pica una paloma. Fondo de paisaje marítimo. Ejemplares iguales en Roma (Academia) y en Holkam Hall, Colección del conde de Leicester, atribuidos a Reni, y en Berlín a nombre de Albano.
Característico de Reni, a quien se atribuía en las Colecciones Reales desde 1666. Figuraba allí como pareja de un *Amor desinteresado*, de Guercino (Prado, n.° 205, hoy depositado en el Museo de Pontevedra). En los *Catálogos* del Prado se atribuyó, sin razón, a Gessi.

150

209

209 *Cleopatra moribunda*

Lienzo, 1,10 × 0,94.

Media figura de tamaño natural. Con la mirada en alto, en el momento de darse muerte poniéndose un áspid en el pecho, por no haber podido cautivar con su belleza a Octavio. La mano izquierda sobre un cestillo de flores.
Datado hacia finales de los años 1730, según Pérez Sánchez (1965). Se conocen varios ejemplares de calidad semejante.
Procedente de la Colección Real. Aparece inventariado por primera vez en el Palacio Nuevo en 1814.

210 *La Virgen de la silla*

Lienzo, 2,12 × 1,37.

El Niño Jesús, en pie, delante de las rodillas de María; dos ángeles con la corona.
Su reciente restauración le ha devuelto su calidad e importancia oculta por repintes de siglo XIX.
Enviado a El Escorial por Felipe IV; se llevó a Francia por José Bonaparte; se trajo al Prado en 1837.

211

211 *San Sebastián*

Lienzo, 1,70 × 1,33.

Casi de cuerpo entero, atado a un árbol, una saeta clavada en el pecho.
Intermedio entre el ejemplar del Louvre y el de la Dulwich Gallery.
En 1746 estaba en la Colección de Isabel de Farnesio, en La Granja; pas[ó] a Aranjuez (1794) y al Palacio Nuev[o] (1814).

212 *El apóstol Santiago el Mayo[r]*

Lienzo, 1,35 × 0,89.

De más de medio cuerpo; con la[s] manos en actitud de orar; bordón d[e] peregrino.
En 1746, en La Granja (Colecció[n] de Isabel de Farnesio); en 1814, e[n] Palacio.

213 *Asunción y coronación de la Virgen*

Tabla, 0,77 × 0,51.

En el centro, la Virgen coronada por do[s] angelitos, rodeada por la corte celestial. Abajo, ángeles músicos en las esquinas.
Pérez Sánchez y Pepper la fechan e[n] 1602-03.
Otro ejemplar semejante en la Natio[nal] Gallery de Londres puede ser d[e] comienzos del siglo XVII.
Colecciones Reales: inventarios de[l] Alcázar 1666, 1686, 1694, 170[0], 1734. Palacio Nuevo, 1772.

214 *Martirio de santa Apolonia*

Cobre, 0,28× 0,20.

Sujeta a un poste, con la cabeza alzad[a] dos verdugos le extraen las muelas co[n] grandes tenazas.
Característico del estilo juvenil de Re[ni] hacia 1600. Compañero del n.° 215.
Proceden de la Colección Maratta. E[n] 1746 en La Granja, Colección de Felipe V; en 1794 y 1818 en Aranjuez.

215 *Santa Apolonia en oración*

Cobre, 0,28× 0,20.

Arrodillada ante una hoguera. U[n] ángel le trae la palma del martirio.
Compañero del n.° 214.

218 *Muchacha con una rosa*

Lienzo, 0,81 × 0,62.

Asomada a un antepecho de mármo[l] gris.

210

213

Obra característica de la madurez de Reni. El catálogo de 1920 lo consideraba de «escuela de Reni», pero es obra autógrafa.
Colecciones Reales: inventarios del Alcázar 1666, 1686, 1700, 1734, 1747; Buen Retiro, 1772, 1794; Palacio Nuevo, 1814.

219 *San Pedro*

Lienzo, 0,76 × 0,61.

Dentro de un óvalo. Busto con manos. Compañero del «San Pablo» que sigue. Fechable hacia 1617.
Probablemente procede, con su compañero, de la Colección del conde de Castilla. Estuvo en El Escorial y en 1813 se cita en la Academia.

220 *San Pablo*

Lienzo, 0,76× 0,61.

Busto dentro de un óvalo con ambas manos sobre la espada.
Compañero del n.° 219.
Ambos son importantes para la formación de Ribera, que debió conocer y estudiar obras análogas.

230 *Santa Catalina*

Lienzo, 0,98× 0,75.

De más de medio cuerpo, con los ojos levantados al cielo, en actitud de contemplación. Representada con sus símbolos de corona de reina, la rueda y la palma del martirio. Su cuello se adorna con un joyel de perla.
Considerado como de la escuela de G. Reni, en el inventario de 1857; publicado como Domenichino, en 1962; atribuido a Guido Reni, por Pérez Sánchez (1965).
Procede de la Colección Real. Aparece citada por Ponz y Conca, en el siglo XVIII en el Palacio de La Granja.

3090 *Hipomenes y Atalanta*

Lienzo, 2,06 × 2,97.

Atalanta recogiendo las manzanas que Hipomenes va arrojando. Al fondo, a ambos lados, grupos de espectadores.
Obra maestra absoluta fechable hacia 1612. Otro ejemplar de calidad inferior en el Museo de Nápoles.
Perteneció a la Colección del marqués de Serra, y fue adquirido en 1664 por el conde de Peñaranda con destino a Felipe IV.

218

3090

Colecciones Reales: inventarios del Palacio de Madrid, 1666, 1686, 1700, 1734, 1747. Sala reservada de la Academia, 1796.

REYMERSWAELE. Marinus Claeszon van Roymerswaele, Reymerswaele o de Seeun

Nació en Roemerswaele a fines del siglo XV; murió en 1567. Escuela holandesa.

2100 *San Jerónimo*

Tabla, 0,75 × 1,01.

Sentado a una mesa sobre la que hay una calavera, útiles de escritorio, crucifijo y libros; en el que está abierto en el atril se ve el Juicio Final, según composición de Van der Weyden. Detrás, papeles, libros y un candelero. Firmado en el atril: *MDAD* (sic) *ME FECIT A° 1521*. Cabeza de la serie, según Friedländer, quien cita otros dos firmados: el del Prado, 2653, en 1547, y el de Lovaina (Colección Decker), de 1541, y fechado en 1538 —según Van Puyvelde, en 1535—; sin firma el de la Academia de San Fernando. El mismo crítico lo relaciona con el *San Jerónimo* de Durero, pintado en Amberes en 1521 y con la composición de una pintura perdida de Quentin Massys.
En 1636, en el Alcázar; después, en el Palacio Nuevo, de donde se trajo.

2567

2653

2101 *La Virgen amamantando al Niño*

Tabla, 0,61 × 0,46.

María, de más de medio cuerpo, viste túnica verde y manto rojo; al lado de una ventana. Detrás, la cesta de la costura y un libro.
Bajo el alféizar de la ventana, la fecha: 1511, encima de un monograma apócrifo de Alberto Durero, acaso interpretable como *Anno Domini*. Adquisición de Carlos IV; después, en Aranjuez (1814).

2567 *El cambista y su mujer*

Tabla, 0,83 × 0,97.

Sentados a una mesa, pesando monedas. Viste el hombre ropa con cuello y puños de piel; en la cabeza, extraña gorra con brida colgante, y la mujer, traje encarnado y cofia blanca. Sobre la mesa, monedas, una escarcela, un libro, una balanza, la caja de pesas, un candelero.
Firmado: *MARINUS ME FECI AD [¿ANNO DOMINI?] 1539*. La composición, que deriva del cuadro de Massys del Louvre, se repite con variantes en el n.° 2102, firmado un año antes. Hoy, en depósito en El Escorial. Legado del duque de Tarifa; ingresó en el Museo en 1934.

2653 *San Jerónimo*

Tabla, 0,80 × 1,08.

Sentado a una mesa, encima de la que hay libros, útiles de escribir, una calavera; detrás, libros.
Firmado en el atril en que está abierto un libro por la miniatura del Juicio Final: *MARINUS ME FECIT. A° 1547*. Réplica del n.° 2100.
Legado Pablo Bosch.

REYMERSWAELE. Discípulo de Marinus Reymerswaele

Escuela holandesa.

2099 *San Jerónimo*

Tabla, 0,75 × 1,01.

Sentado a una mesa; viste de rojo; con el índice de la mano izquierda señal una calavera; a la derecha, en un atril un códice con el Juicio Final; sobre la mesa, candelero y utensilios de escritura. Detrás, la librería, un claustro gótico y patio con dos hombres arrodillados ante el Santo Doctor; dos camellos y un asno. Por la vidriera abierta de la izquierda se ve una casa. Procede de El Escorial, donde se atribuía a Holbein. En los *Catálogos* anteriores al de 1933, como de Marinus. Según Van der Osten será obra de Jan Massys.

REYNOLDS. Sir Joshua Reynolds

Nació en Plympton-Earl's (Devonshire) el 16 de julio de 1723; murió en Londres el 23 de febrero de 1792. Escuela inglesa.

2858 *Retrato de un eclesiástico*

Lienzo, 0,77 × 0,64.

Menos de medio cuerpo. Viste de negro con cuello vuelto blanco; peluca. Adquirido por el Ministerio de Educa

285

1062

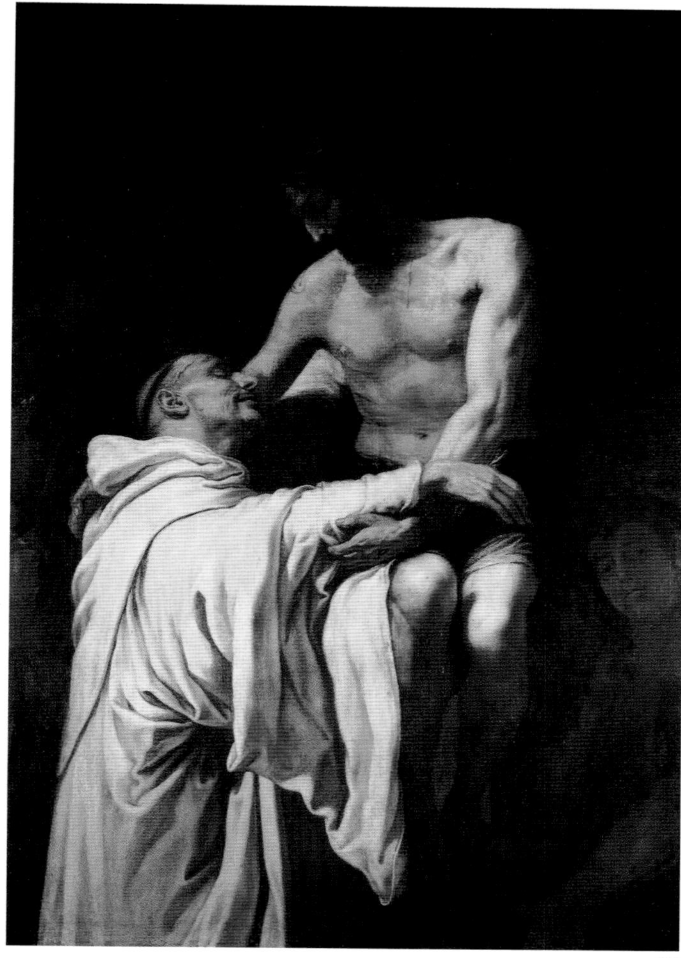

2804

ción Nacional, en octubre de 1943, al marqués de San Miguel.

2986 *Retrato de Mr. James Bourdieu*

Lienzo, 1,26 × 1,03.

Figura casi entera. Sentado, con un papel en la diestra. Viste casaca larga, color naranja, coleto y calzón; camisa con puños y corbatín de encaje.

Se pintó en 1765 y permaneció hasta 1884 en la familia del retratado. En ese año pertenecía a E. Wills, de Londres; en 1930 era de Baid.

Donado por Mr. Bertram Newhouse, de Nueva York, en noviembre de 1954.

RIBALTA. Francisco Ribalta

Nació en Solsona (Lérida), en 1565; enterrado en Valencia el 13 de enero de 1628.

1061 *Cristo con dos ángeles*

Lienzo, 1,13 × 0,90.

Dos ángeles mancebos colocados en opuestas actitudes sostienen a Cristo. Copia una composición de Juan de Juanes, muy famosa en Valencia y repetidamente imitada.

Comprado en Valencia por Carlos IV en 1804. Estaba en el Palacio de Aranjuez en 1818, de donde vino al Museo.

1062 *Un san Francisco confortado por un ángel músico*

Lienzo, 2,04 × 1,58.

El santo, en la tarima que le sirve de lecho; sobre la mesilla, el candil y un libro; a la izquierda, en los aires, el ángel con un laúd. Un corderillo, al borde del lecho. Al fondo, por la puerta, penetra un fraile con un candil y la comida.

Pintado hacia 1620 para los Capuchinos de Valencia. Carlos IV lo compró al convento en 1801-1802, encargando una copia a Vicente López, conservada desde 1838 en el Museo de Valencia. En 1818, en Aranjuez.

2804 *Cristo abrazando a san Bernardo*

Lienzo, 1,58 × 1,13.

Cristo se desprende de la cruz y tiende los brazos para estrechar a san Bernardo, la figura de más de medio cuerpo. En la sombra se distinguen dos ángeles.

La visión apenas es referida por los biógrafos antiguos del santo, aunque ya aparece en el siglo XIII; menciónase en su *Vida* por el padre Rivadeneyra.

A principios del siglo se publicó como de Zurbarán; Ponz lo había encomiado como de Ribalta en la Cartuja de Portacoeli (Valencia), para la que fue pintada.

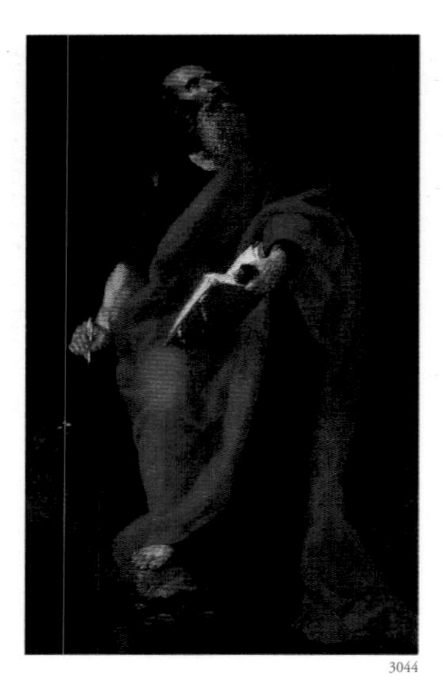

3044

Adquirido a particulares en 1940 con fondos del Legado conde de Cartagena.

RIBALTA. Juan Ribalta

Hijo de Francisco, nació en Madrid en 1596 ó 1597; murió en Valencia el 9 de octubre de 1628. Escuela española.

1065 *San Mateo y san Juan Evangelista*

Lienzo, 0,66 × 1,02.

Figuras completas, sentadas.
Pareja del n.° 2965.
Atribuidos a veces a Francisco Ribalta. Ciertas peculiaridades de su técnica hacen pensar más bien en Juan Ribalta, bajo la influencia de Orrente.
Procede de las Colecciones Reales. En 1828 ya estaban en el Museo.

2965 *San Marcos y san Mateo*

Lienzo, 0,66 × 1,02.

Como su compañero, el n.° 1065, probablemente formaría parte del banco de un retablo.

3044 *San Juan Evangelista*

Lienzo, 1,82 × 1,13.

Figura entera, con el águila.
Firmado: *JOAN RIBALTA.*
Adquirido en Madrid, en 1961, por el Patronato.

RIBELLES. José Ribelles y Helip

Nació en Valencia el 20 de mayo de 1778; murió en Madrid el 16 de marzo de 1835.
Escuela española.

2904 *Don Manuel José Quintana*

Lienzo, 0,66 × 0,50.

Menos de medio cuerpo, el brazo izquierdo sobre el respaldo de una silla.
El poeta Quintana nació en Madrid el 11 de abril de 1772 y aquí murió el 11 de marzo de 1857.
Según Rodríguez Moñino, se pintó en 1806; era en 1880 propiedad de sobrinos del poeta y por gestión de Asenjo Barbieri pasó a la Junta Iconográfica, para las dos salas que se organizaban en el Prado.

RIBERA, «el Españoleto». José o Jusepe de Ribera

Nació en Játiva (Valencia), bautizado el 17 de febrero de 1591; murió en Nápoles el 2 de septiembre de 1652.
Escuela española.

2904

1067 *El Salvador*

Lienzo, 0,72 × 0,65.

Menos de medio cuerpo.
De un Apostolado, adquirido po Carlos IV, que lo tenía en la Casita d Príncipe de El Escorial, de la que pasa ron al Prado.
A la misma serie pertenecen los núme ros 1071, 1074, 1089, 1099, 109 y 1084, además de otros cuadros de positados en varios museos provir ciales.

1069 *La Trinidad*

Lienzo, 2,26 × 1,18.

El Padre Eterno, sentado; ante su pe cho, la paloma del Espíritu Santo entre sus rodillas, el cuerpo del Hij muerto, en una sábana cogida por án geles, seis querubines.
Un ejemplar análogo, firmado e 1632 y en muy deficiente conserva ción, se guarda en El Escorial.
Comprado el 5 de abril de 1820 po Fernando VII, para el Museo, al pin tor Agustín Esteve.

1070 *La Inmaculada Concepción*

Lienzo, 2,20 × 1,60.

En pie sobre el dragón; rodeada d ángeles; en la parte inferior, paisaj con los símbolos marianos.
Comprado por Fernando VII el 26 d abril de 1833 al marqués de Alcán tara.

1071 *San Pedro*

Lienzo, 0,77 × 0,64.

De menos de medio cuerpo, de tre cuartos hacia la derecha; manto ama rillo. En la diestra, las llaves.
Véase el n.º 1067

1072 *San Pedro*

Lienzo, 1,28 × 1,00.

De más de medio cuerpo, en pie; co amplio manto amarillo; en la diestra las llaves y el libro en la mano izquierda

1069

1072

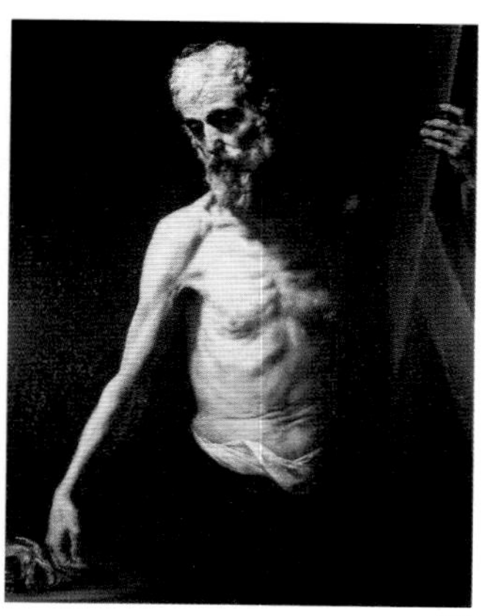
1078

Se cita en el Alcázar desde 1666. Llegó al Museo en 1818.

1073 *San Pedro, libertado por un ángel*

Lienzo, 1,77 × 2,32.

Firmado en el ángulo inferior izquierdo: *JUSEPE DE RIBERA ESPAÑOL F. 1639.*
En 1746 y 1774, en La Granja; cuadros de Isabel de Farnesio; en 1794 y 1818 en Aranjuez.

1074 *San Pablo*

Lienzo, 0,75 × 0,63.

De menos de medio cuerpo.
Véase el n.° 1067.

1075 *San Pablo, ermitaño*

Lienzo, 1,43 en cuadro.

En una gruta, meditando sobre la calavera.
Firmado en la piedra de la derecha, borde inferior: *JUSEPE DE RIBERA ESPAÑOL, VALENCIANO F. 1640.*
Se conoce otro ejemplar, de calidad más pobre, en Estados Unidos.
En 1701 se cita en el Retiro y en 1772 y 1794 en el Palacio Nuevo.

1076 *San Andrés*

Lienzo, 0,76 × 0,64.

De menos de medio cuerpo; de la mano izquierda cuelga un pez; detrás, la cruz aspada.

Según los críticos, es obra de taller, retocada por el maestro.
Se trajo del Casino del Príncipe, de El Escorial.

1077 *San Andrés*

Lienzo, 0,76 × 0,63.

Menos de medio cuerpo, de frente; en la mano derecha, un pez colgando del anzuelo.
Firmado en el fondo, a la derecha, por encima del hombro: *JUSEPE DE RIBERA... 1641 (o 1647?)*
Vino de la Casita del Príncipe, de El Escorial.

1078 *San Andrés*

Lienzo, 1,23 × 0,95.

De más de medio cuerpo, con la mano izquierda en la cruz aspada de su martirio; en la diestra, un anzuelo con un pez.
Se trajo de El Escorial, donde estaba en 1700, en 1837.

1079 *San Andrés*

Lienzo, 1,27 × 1,00.

De más de medio cuerpo; el pez sobre una piedra; al fondo, la cruz en aspa de su martirio.
Procede de las Colecciones Reales.

1073

1083

1095

1099

1082 *Santiago el Mayor*

Lienzo, 0,78 × 0,64.

Menos de medio cuerpo; manto rojo, bordón de peregrino en la diestra y venera en la esclavina.
Véase el n.° 1067.

1083 *Santiago el Mayor*

Lienzo, 2,02 × 1,46.

Al pie de una escalera; en el bordón de peregrino apoya la mano izquierda, y tiene en la diestra un manuscrito.
Firmado en el segundo peldaño: *JUSEPE DE RIBERA, ESPAÑOL, 1631.*
En algunas ocasiones se ha leído la fecha como 1651. Enviado a El Escorial por Felipe IV en 1657. Vino al Museo desde el monasterio en 1837.

1084 *Santo Tomás*

Lienzo, 0,75 × 0,62.

De menos de medio cuerpo, de frente; en la diestra, un pergamino enrollado, y con la lanza de su martirio.
En los *Catálogos* anteriores como san Mateo y en el de 1985 como santo Tomás. Pérez Sánchez (1992) lo cree san Felipe. Véase el n.° 1067.

1087 *San Mateo*

Lienzo, 0,77 × 0,65.

Casi de medio cuerpo; la escuadra de constructor.
Procede del Casino del Príncipe, de El Escorial.

1089 *Santiago el Menor*

Lienzo, 0,75 × 0,63.

De menos de medio cuerpo, con el bastón con que fue martirizado en la mano izquierda.
Véase el n.° 1067.

1090 *San Simón*

Lienzo, 0,74 × 0,62.

De menos de medio cuerpo; manto amarillo. La diestra coge la sierra con que le martirizaron.
Véase el n.° 1067.

1091 *San Simón*

Lienzo, 1,07 × 0,91.

De más de medio cuerpo. Con un libro en la mano izquierda y la sierra de su martirio en la diestra.
En 1700 y 1764 en El Escorial, de donde vino al Museo en 1837.

1092 *San Judas Tadeo*

Lienzo, 0,76 × 0,64.

De menos de medio cuerpo; en la diestra, la alabarda con que fue martirizado.
Véase el n.° 1067.

1094 *San Agustín, en oración*

Lienzo, 2,03 × 1,50.

De rodillas, delante de una mesa, la cabeza vuelta al resplandor celestial.
Comprado por Fernando VII en 1833 al marqués de Alcántara.

1095 *San Sebastián*

Lienzo, 1,27 × 1,00.

De más de medio cuerpo; atado a un árbol, con flechas clavadas.
Firmado: *JUSEPE DE RIBERA, ESPAÑOL F. 1636.*
En el Obrador de los Pintores de Cámara del Alcázar de Madrid, a la muerte de Velázquez. En 1772 y 1794 en el Palacio Nuevo.

1096 *San Jerónimo*

Lienzo, 1,09 × 0,90.

De más de medio cuerpo; con un libro y una calavera.
Firmado en medio del borde inferior: *JUSEPE DE RIBERA ESPAÑOL F. 1644.*
Adquirido por Carlos IV siendo príncipe, para su Casita de El Escorial.

1098 *San Jerónimo, penitente*

Lienzo, 0,77 × 0,71.

De menos de medio cuerpo. Desnudo, con manto rojizo; en la diestra, una piedra con la que se golpea el pecho; en la mano izquierda, una cruz.
Firmado a la altura del omóplato derecho: *JUSEPE DE RIBERA, ESPAÑOL, F. 1652.*

1101

ı 1746, en la Colección de Isabel de ırnesio, en La Granja, donde conıuaba en 1774.

)99 *San Bartolomé*

enzo, 0,78 × 0,64.

e menos de medio cuerpo; túnica ja y manto blanco. En la diestra, el chillo con que lo desollaron.
éase el n.° 1067.

100 *San Bartolomé*

enzo, 1,83 × 1,97.

úbrese con manto blanco; en la diestra, el cuchillo que sirvió para desollarlo.
Firmado: *JUSEPE DE RIBERA ESPAÑOL, F. 1641 (?)*.
Véase el n.° 1103.

1101 *El martirio de san Felipe*

Lienzo, 2,34 en cuadro.

El santo, desnudo, atado al travesaño de la cruz, va a ser subido por tres sayones; a la derecha e izquierda, soldados y gente del pueblo.
Firmado en una piedra, en el ángulo inferior derecho: *JUSEPE DE RIBERA ESPAÑOL, F. 1639*.
El santo representado se creyó siempre san Bartolomé. Estudios recientes demuestran que es san Felipe.
En 1666, en el Alcázar de Madrid («Pieza primera del cuarto bajo»). En 1772, 1794 y 1814 en el Palacio Nuevo.

1102 *San José y el Niño Jesús*

Lienzo, 1,26 × 1,00.

San José, de más de medio cuerpo; en la diestra, la vara florecida, y Jesús, que en una esportilla le presenta las herramientas de carpintero.
Salvado del incendio del Alcázar en

1103

1734. En 1747, 1772 y 1794, en el Palacio Real.

1103 *La Magdalena, o santa Tais*

Lienzo, 1,82 × 1,49.

Arrodillada. Detrás, unas peñas; a la izquierda, campo con árboles.
Firmado: *JUSEPE DE RIBERA, ESPAÑOL, F. 1641.*
Compañero de los números 1100, 1106 y 1108. Quizás son los que se citan en 1658 en la Colección de Jerónimo de la Torre. Más tarde fueron del marqués de los Llanos; en 1772, 1794 y 1814, en Palacio.

1104 *La Magdalena, penitente*

Lienzo, 0,97 × 0,66.

De medio cuerpo, reclinada la cabeza sobre las manos, encima de una calavera; en primer término, el pomo de perfumes.
En 1666, 1686 y 1700, en el Alcázar. En 1772 y 1794, en el Palacio Nuevo.

1106 *Santa María Egipciaca*

Lienzo, 1,83 × 1,97.

Sentada en una cueva; a la derecha, abierta a un paisaje.
Véase el n.° 1103.

1107 *Visión de san Francisco de Asís*

Lienzo, 1,20 × 0,98.

El santo, de más de medio cuerpo, en pie, ante una calavera, ve a un ángel portador de una redoma de vidrio llena de agua, símbolo de la pureza del sacerdocio.
Firmado: *JOSEPH... DE RIBERA HISPANUS SETABEN... FACIEBAT PARTENOPE.*

En 1666, 1686 y 1700 se registra en alcoba de la Galería del Mediodía d Alcázar de Madrid. En 1794 y 181 estaba en el Palacio Nuevo. Ingresó e el Museo en 1819.

1108 *San Juan Bautista en el desierto*

Lienzo, 1,84 × 1,98.

A la izquierda, el cordero; fondo c paisaje.
Véase el n.° 1103.

1109 *San Roque*

Lienzo, 2,12 × 1,44.

A la izquierda, el perro.

Firmado: *JUSEPE DE RIBERA, ESPAÑOL, 1631.*
Enviado por Felipe IV a El Escoria donde se cita en 1667; vino en 1837

1110 *San Roque*

Lienzo, 1,27 × 1,00.

Con el bordón en la mano derecha y perro al lado. Media figura de tamañ natural.
En 1701 en el Retiro; en 1772 y 181 en el Palacio Nuevo.

1111 *San Cristóbal*

Lienzo, 1,27 × 1,00.

De menos de medio cuerpo. Encim del hombro, el Niño Jesús.
Firmado a la derecha de la esfera, en fondo: *JUSEPE DE RIBERA ESPAÑOL. AÑO 1637.*
Salvado del incendio de 1734; e 1772 y 1794, en el Palacio Nuevo.

1112 *El escultor ciego (el tacto)*

Lienzo, 1,25 × 0,98.

De más de medio cuerpo, palpand una cabeza de Apolo.
Firmado a la derecha del antebraz izquierdo: *JUSEPE DE RIBERA F. 1632.*
La identificación con el escultor cieg Giovanni Gomelli, conocido por Gio vanni Gambassi, o «il Cieco da Gam bassi», nacido en Gambassi (Valdebra

1113

1117

4 de abril de 1603; y muerto en
oma en 1664, es imposible, dada la
lad del personaje representado. En
alidad, es una representación ale-
órica del sentido del tacto.
cita en 1764 en El Escorial, de
onde se trajo en 1837.

113 *Ticio*

ienzo, 2,27 × 3,01.

parece atado a la roca en el Tártaro;
apenas visible uno de los dos buitres
ue tiran de sus entrañas por la herida
bierta en el costado.
irmado: *JUSEPE DE RIBERA. F. 1632.*
robablemente adquirido junto con
siguiente en 1634 a la marquesa de
harela con destino al Buen Retiro.
n 1666 estaba en el Alcázar de Marid, «Pieza inmediata de la Aurora».
uego, en el Retiro. En los *Catálogos*
nteriores al de 1933, como Prometeo.
ompañera del Ixión, n.° 1114, y de
n Sísifo y un Tántalo, perdidos.

114 *Ixión*

ienzo, 3,01 × 2,20.

parece atado a la rueda que le
estroza de continuo por sentencia de
Júpiter, en castigo de haber intentado
seducir a Juno; a la izquierda se ve al
que le atormenta.
Firmado a la derecha, sobre la rueda:
JUSEPE DE RIBERA. F. 1632.
Véase el n.° 1113, que precede.

1115 *San Pablo, ermitaño*

Lienzo, 1,18 × 0,98.

De más de medio cuerpo, desnudo,
con una estera atada a la cintura;
medita sobre un libro abierto y una
calavera.
En primer término, un pan.
En 1666, 1686 y 1700 en el Alcázar.
En 1794 en el estudio de Andrés de la
Calleja, y en 1814 en la Casa de Rebeque, junto al Palacio Nuevo.

1116 *Un anacoreta*

Lienzo, 1,28 × 0,93.

De más de medio cuerpo, con la cruz
en la mano izquierda.
Procede de las Colecciones Reales.

1117 *El sueño de Jacob*

Lienzo, 1,79 × 2,33.

El Patriarca, dormido, acodado sobre
el brazo izquierdo. Detrás, a la izquierda, un árbol, y en el centro y a la derecha, la escala de luz por la que suben y
bajan ángeles.
Refiere el sueño misterioso el *Génesis,*
en el capítulo XXVIII.
Firmado en la piedra que está en el
ángulo inferior derecho: *JUSEPE DE
RIBERA, ESPAÑOL, F. 1639.*
Probablemente es el cuadro que se cita
en 1658 en el inventario de Jerónimo
de la Torre y pasó a sus herederos hasta
que fue vendido en 1718. Figura en
1746 en La Granja entre las pinturas de Isabel de Farnesio, atribuido a
Murillo.

1118 *Isaac y Jacob*

Lienzo, 1,10 × 2,91.

Isaac en el lecho, ciego, palpa el brazo de
Jacob cubierto con una piel de cabrito,

1104

1109

1112

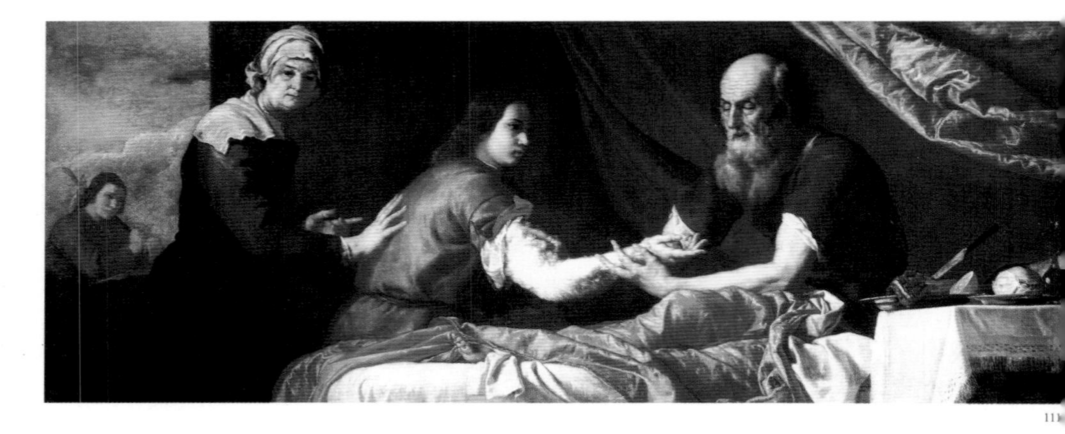

11

para pasar por el velludo Esaú; detrás, Rebeca, que discurrió el engaño; a la izquierda, un joven. A la derecha, en una mesilla, pan, vino, un limón, etcétera.
Pasaje del *Génesis* (cap. XXVII); Isaac, «habiendo palpado [a Jacob], dijo: Cierto que la voz es de Jacob, pero las manos son de Esaú».
Firmado a la derecha: *JUSEPE DE RIBERA ESPAÑOL. F. AÑO 1637.*
Inventariado en 1700 en el Alcázar de Madrid. Entre 1816 y 1818 estuvo en la Academia de San Fernando.

1120 *Aristóteles*

Lienzo, 1,18 × 0,94.

De más de medio cuerpo, con papeles y libros; escribiendo.
Procede de El Escorial. Mencionado por el padre Ximénez como *Esopo.*

1121 *Demócrito*

Lienzo, 1,25 × 0,81.

El compás, en la diestra, y unos papeles, en la mano izquierda.
Firmado en el lomo del libro, a la izquierda: *JUSEPE DE RIBERA ESPAÑOL. F. 1630.*
Procede del Monasterio de El Escorial, donde se registra desde 1700. Ingresó en el Museo en 1837.

1122 *Fragmento de «El triunfo de Baco»*

Lienzo, 0,67 × 0,59.

Media figura de una mujer, de perfil.
Es uno de los tres fragmentos conservados; dos en el Museo, del lienzo que el inventario de 1686 describe como una fábula de Baco; estaba en la «pieza donde su Magd. cenaba», d Alcázar de Madrid, y se quemó e 1734. El otro fragmento es el n 1123. El tercero, una cabeza de Silen está en una colección particular cc lombiana. A partir de 1772 se citan lc fragmentos en el Alcázar.
Se conoce una copia antigua d cuadro completo (Lourdes, colec-ció particular) que demuestra que Riber se inspiró en un relieve clá-sico.

1123 *Fragmento de «El triunfo de Baco»*

Lienzo, 0,55 × 0,46.

Cabeza de anciano, representando Baco con túnica blanca y corona d yedra.
Véase el n.° 1122.

1124 *Combate de mujeres*

Lienzo, 2,35 × 2,12.

Una luchadora en tierra; otra, co escudo y espada, va a acometerla; derecha e izquierda, soldados con pi cas y alabardas.
El asunto, inspirado en el recuerd de un famoso duelo habido e Nápoles, ante el marqués de Vasto el 25 de mayo de 1552, en el qu dos damas, Isabella de Carazi y Diambra de Petinella, se disputaro el amor de Fabio en Zeresola. E mismo asunto puede ser el cuadr de Vaccaro número 472.

1122

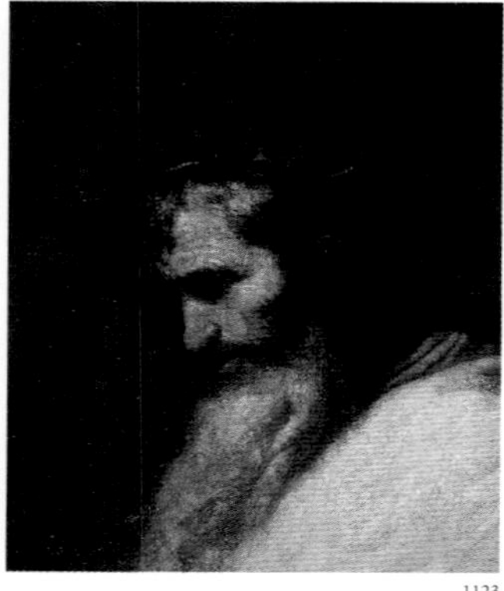

1123

Firmado a la derecha, en bajo: *JUSEPE DE RIBERA VALENCIANO. F. 1636.*
Desde 1666 se cita en el Alcázar; en 1772, en el Palacio Nuevo.

2506 *Vieja usurera*

Lienzo, 0,76 × 0,62.

Casi media figura, con una balanza de pesar monedas de oro.
Firmado en el ángulo inferior izquierdo: *JUSEPE DE RIBERA, ESPAÑOL. F. 1638.*
Existe otra versión en el Museo de Múnich.
Mayer advierte que conviene este lienzo con aquella «mezza figura di una vecchia che pesa l'oro» que del Palacio de Capo di Monte se envió al Museo de Napoleón; pareja de un *Viejo.*
Legado por X. Laffitte en 1930.

RICCI. Marco Ricci (?)

Nació en Belluno, en 1676; murió en Venecia, en 1729.
Escuela italiana.

7043 *San Jerónimo en el desierto*

Lienzo, 1,41 × 1,12.

Fondo de país fantástico. El santo eremita, a la izquierda de la composición, con la mirada en alto y el brazo derecho alzado, buscando la inspiración divina, sostiene con su mano izquierda la Biblia. Sobre la roca, junto a la calavera, otro libro y a sus pies el león.
Adquirido por el Estado, en Madrid, en fecha 27 de febrero de 1985.

RICI o Ricci

Véase RIZI

1121

1120

1124

RIGAUD. Hyacinthe Rigaud Ros

Nació en Perpiñán el 20 de julio de 1659; murió en París el 29 de diciembre de 1743.
Escuela francesa.

2337 *Felipe V*

Lienzo, 1,30 × 0,91.

Retrato de las rodillas, arriba. Viste a la española, de negro, con golilla; el Toisón y el Saint-Esprit; la corona bajo la diestra, sobre un almohadón.
Estuvo firmado por detrás: *RIGAUD PINXIT A PARIS 1701.* Es el primer retrato con traje español que se hizo de Felipe V; se conocen varias réplicas.
Sobre Felipe V, véase el n.° 236.
En 1746, en La Granja, entre las pinturas de Isabel de Farnesio; de allá vino en 1848.

2343 *Luis XIV*

Lienzo, 2,38 × 1,49.

De cuerpo entero, en pie, armado, con la banda del Saint-Esprit; fondo de campo de batalla. La cabeza aparece recortada, como superpuesta.
Firmado: *HYACINTHUS RIGAUD PINXIT 1701.*
Original importante de Rigaud. El fondo de batalla, pintado por Parrocel.
Sobre Luis XIV, véase el n.° 2299.
En 1746 figuraba entre las pinturas de Felipe V, en La Granja, de donde se trajo en 1827.

2343

RIGAUD. John-Francis Rigaud

Nació en Turín, de familia hugonote, en 1742. Residió en Inglaterra; murió en Packington Hall el 6 de diciembre de 1810. Escuela inglesa.

2598 *«Los tres viajeros aéreos favoritos»*

Cobre ovalado, 0,36 × 0,31.

En la barquilla, con la bandera inglesa, Mrs. Letitia Ann Sage, la primera inglesa que subió en globo, se despide de los que quedan en tierra; detrás, el artillero Mr. George Biggin y el aeronauta italiano Vicente Lunardi.
La ascensión se verificó en 1785, duró una hora, cayó el globo en Harrow.
Lunardi hizo una ascensión en Madrid en 1793. Hay del cuadro una estampa de Bartolozzi. Existen otras repeticiones de este lienzo en diferentes colecciones.
Donativo de la duquesa de Pastrana en 1886.

2518

2549

RINCON. Fernando del Rincón de Figueroa (?)

Pintaba a fines del siglo XV en Guadalajara, su tierra; vivía en 1517. Escuela española.

2518 *Don Francisco Fernández de Córdova y Mendoza*

Tabla, 0,51 × 0,40, con marco.

De menos de medio cuerpo; viste hábitos eclesiásticos, con birreta.
Hijo del II conde de Cabra, vencedor de Boabdil, y de doña María Hurtado de Mendoza-Luna; obispo de Oviedo desde 1526 pasó diez años más tarde a Palencia; murió el 29 de marzo de 1539. Unos versos latinos declaran quiénes fueron el retratado y el pintor; en el marco, que es el primitivo, las armas de los apellidos del obispo.
Adquirido en París en 1929 por el Ministerio de Instrucción Pública.

2549 *Milagros de los santos médicos Cosme y Damián*

Tabla, 1,88 × 1,55.

Los santos cambian a un paciente la pierna dañada por la del cadáver de un negro. A la derecha, el hombre que expulsa la serpiente que había tragado estando dormido.
Probablemente, la tabla está incompleta por la parte superior.
Procede de San Francisco (llamado «el Fuerte»), de Guadalajara; depositada en el Prado en 1933.

RIZI. Francisco Ricci, o Rizi, de Guevara

Nació en Madrid en 1614; murió en El Escorial el 2 de mayo de 1685. Escuela española.

1126 *Auto de fe en la Plaza Mayor de Madrid*

Lienzo, 2,77 × 4,38.

Represéntanse diversas fases del auto de fe celebrado el 30 de junio de 1680, presidido por Carlos II.
Firmado: *RIZZI^{O} HISPANIAE REGIS PICT^{O} FAC^{T}. ANNO D. 1683.*
En 1686, en el Alcázar; en 1701, en el Retiro.

1127 *Un general de artillería*

Lienzo, 2,02 × 1,35.

De cuerpo entero, en pie; viste capote, valona, botas de montar; ostenta la venera de la orden de Calatrava; en la mano izquierda, el sombrero con plumas, y en la diestra, la bengala. A la derecha, un cañón. Fondo de paisaje.
Procede de las Colecciones Reales.

1128 *La Anunciación*

Lienzo, 1,22 × 0,96.

María, arrodillada; el ángel, sobre una nube, de cuerpo entero.
Restos de firma ilegibles.
Procede del Museo de la Trinidad.

1129 *La adoración de los reyes*

Lienzo, 0,54 × 0,57.

Figuras de cuerpo entero.
Compañero del n.° 1130. Proceden de un retablito del convento de los Ángeles, de Madrid, donde lo mencionan Palomino, Ponz y Ceán. Vino al Museo de la Trinidad.

1130 *La presentación en el templo*

Lienzo, 0,54 × 0,57.

Figuras de cuerpo entero.
Véase el n.° 1129.

1128

2962 *La presentación en el templo*

Lienzo, 2,04 × 2,49.

La Virgen, arrodillada, presenta el Niño al sumo sacerdote. Detrás, san José y la profetisa Ana. A la izquierda, un acólito arrodillado.
Pintada hacia 1663 junto con una serie de lienzos apaisados, a la que pertenece también el siguiente, número 3136. Procede del Museo de la Trinidad.

3136 *La visitación*

Lienzo, 2,06 × 2,90.

En el centro, la Virgen abraza a santa Isabel. A la derecha, Zacarías y una sirvienta. A la izquierda, san José, con el asno del ronzal.
Véase el n.° 2962.

7051 *San Andrés*

Lienzo, 2,47 × 1,39.

El santo está representado en el momento de ser coronado con rosas por una pareja de angelitos. Lleva un libro en su mano izquierda y se apoya sobre la cruz, en forma de aspa, símbolo de su martirio, que aparece al fondo de la composición.
Firmado y fechado, en el ángulo inferior derecho, sobre el travesaño de la cruz: *FRANCVS/ RIZI/ FAC/ 1646.*
Procede de la iglesia del Salvador de Madrid. Perteneció a la colección de don Antonio Lora, en el siglo XIX. Adquirido por el Estado para el Museo del Prado en 1985.

7122 *La Purísima Concepción*

Lienzo, 2,89 × 1,74.

De cuerpo entero; a sus pies, dos ángeles con flores y querubines.
Firmado en el ángulo inferior derecho: *FRAN^{CUS} RIZI F.* Estuvo en el convento de Capuchinos de la Paciencia, de Madrid, donde lo vio Palomino. Llegó del Museo de la Trinidad.

7636 *San Antonio abad*

Lienzo, 0,96 × 0,41.

De cuerpo entero, anciano, barbado, marchando hacia la izquierda, sostiene entre sus manos el cayado, con una campana, un rosario y una cruz. En la parte inferior izquierda, asoma la cabeza de un cerdo; todos ellos atributos del santo.
Probablemente, junto con el siguiente (n.º 7637), podría proceder de las calles laterales de un retablo de pequeño formato, de la Orden de los Agustinos del que también formarían parte otras dos figuras, san Agustín y santa Catalina, estos últimos en el Museo Lázaro Galdiano de Madrid desde 1950.
Atribuidos anteriormente a Valdés Leal, Diego Angulo (1944) las restituyó a Francisco Rizi, aunque ya E. Tormo (1927) planteaba la duda.
Pintado en torno a 1665. Adquirido en 1992 con fondos del Legado Villaescusa.

7637 *Santa Inés*

Lienzo, 0,96 × 0,41.

De cuerpo entero, de pie, marchando hacia la derecha, con una corona de flores sobre su cabeza. Portando con sus manos el cordero, símbolo de pureza y la palma del martirio.
Véase el n.º 7636.

RIZI. Fray Juan Andrés Ricci, o Rizi, de Guevara

Nació en Madrid en 1600; murió en Montecassino (Italia) el 29 de noviembre de 1681.
Escuela española.

887 *Don Tiburcio de Redín y Cruzat*

Lienzo, 2,03 × 1,24.

De cuerpo entero, en pie. Anchos cuello y puños; sombrero en la mano izquierda; la diestra en la cintura; botas de montar y espuelas. Encima de la mesa, cubierta de terciopelo encarnado, dos pistoletes.
La identificación la da el largo rótulo, tardío ya y con errores. El escudo que se ve en el tapete, si se pintó por descripción, no por copia directa, pudiera suponerse el de Redín; tiene acolada la cruz de Santiago, que compensa, en cierto modo, la falta de la venera al cuello, que argumentaba en contra de la identificación.
Nació en Pamplona el 11 de agosto de 1597, santiaguista, maestre de Campo y barón de Bigüezal; tomó el hábito capuchino el 26 de julio de 1637 con el nombre de Fr. Francisco de Pamplona; murió en el puerto de La Guayra (Venezuela), el 31 de agosto de 1651, en opinión de santidad. Dice el letrero, del siglo XVIII y restaurado: *DN TIBVRCIO DE REDIN Y CRVZAT DEZENDIEN DE LAS ILVSS CASAS DEL S^R^ DE REDN Y VARON DE VGVENZA Y DE LOS S^R^ DE ORN Y MARS DE GONGORA MAES^E^ DE CAMPO DE LA INF^A^ ESPA^L^ EL QUE AVIENDO SERVIDO A S. M. D.ª PHELIPE 4 DESDE EDAD DE 14 A^S^ ASTA LOS 38 Y DESENGAÑADO DEL MVDO POR LOS AÑOS DE 1636 TOMO EL AVITO DE RELI.° LEGO DE CAPVCHINOS EN LA CIVDAD DE TARAZONA Y MVNDO SV NOMBRE EN EL DE FRAY FRANCISCO DE PAMPLONA DONDE ERA NATVRAL FVE EL PRIMER CAPVCHINO QUE PASO DE ESPAÑA A LA CONVERSION DE LOS INDIOS INFIELES DE LA AMERICA Y INDIAS OCCIDENTA^S^ DONDE MVRIO EN LA GVAIA DE CARACAS CON OPINION DE SANTIDAD POR LOS AÑOS DEL S^R^ 1650. ESCRIVIO SU VIDA EL R.P.F. MATHEO DE ANGVRARIO* [*sic* por Anguiano] *CON EL TITVLO DEL CAPVCHINO ESPAÑOL.* El largo letrero biográfico se descubrió y se restauraría con errores hacia 1860; antes se desconocía quién era el retratado.
Atribuíase a Mazo, y Beruete y Moret lo clasificó entre las obras de fray Juan Rizi.
En 1812 estaba en Aranjuez.

2510 *San Benito bendiciendo un pan*

Lienzo, 1,68 × 1,48.

El santo fundador, sentado, bendice un pan que de rodillas le presenta un monje; a la derecha, un caballero.
Vino del Museo de la Trinidad, procedente de San Millán de la Cogolla.

2600 *La cena de san Benito*

Lienzo, 1,85 × 2,16.

El santo, sentado; enfrente, un monje joven con una vela, que ilumina la escena. En la mesa una humilde refacción.
Se ha supuesto si se relacionará este lienzo con uno de los intentos de envenenar al santo fundador.

28

Formó parte de la serie de historias de benedictinos del monasterio de San Martín, de Madrid, donde las citan Ponz y Ceán.
Procede del Museo de la Trinidad.

3108 *San Benito bendiciendo a san Mauro*

Lienzo, 1,88 × 1,66.

El santo, a la izquierda, recibe a los niños Mauro y Plácido, que le presentan el noble Equicio y el senador Tértulo. Detrás del santo, un monje de su orden.
Formó parte de la serie de historias de benedictinos del monasterio de San Martín, de Madrid, donde las citan Ponz y Ceán.

2

1321

Estuvo en las colecciones Beruete y Surna y fue adquirido por el Ministerio en 1962.

ROBERT. Hubert Robert

Nació en París el 22 de mayo de 1733; murió allí en 15 de abril de 1808. Escuela francesa.

2883 *El coloseo*

Lienzo, 2,40 × 2,25.

En una de las galerías, un soldado y gente del pueblo; un hombre mueve un sillar; otro desciende a un hoyo; encima de la bóveda, cuatro mujeres.
Legado del conde de la Cimera (1944).

ROBREDO. El Maestro de Robredo

Anónimo burgalés del siglo XV. Discípulo del llamado Maestro de San Nicolás. Diole nombre Post por la tabla de *San Pedro ante el juez,* del Museo diocesano de Burgos, procedente de Robredo de Zamenzas.
Escuela española.

2596 *La cena en casa del fariseo*

Tabla, 0,39 × 0,51.

Fragmento que comprende las medias figuras de Cristo, el fariseo y san Pedro.
Es el pasaje que refiere el Evangelio de san Lucas, cap. XI, vers. 37 y sigs.
Adquirido, en 1935, a Kleinberger (París).

RODRIGUEZ DE TOLEDO

Pintor castellano conocido por su participación en los frescos de la capilla de san Blas de la catedral de Toledo, hacia 1400. Escuela española.

1321 *Retablo del arzobispo don Sancho de Rojas*

Tabla de las medidas siguientes,
de mayor a menor: 1,50 × 0,82;
1,41 × 0,82; 1,12 × 0,62;
1,08 × 0,62; 1,01 × 0,62;
0,72 × 0,46; 0,58 × 0,32 y
0,16 en cuadro.

En la tabla central: la *Virgen con el Niño,* cuatro ángeles cantores y otros tantos músicos, san Benito y san Bernardo, y arrodillados, el arzobispo, al que la Virgen pone la mitra, y el rey

don Fernando el de Antequera, a quien corona el Niño. Los asuntos de las demás tablas son, de izquierda a derecha y de arriba abajo: Tercer cuerpo: *Isaías,* el *Arcángel Gabriel* y el *Padre Eterno,* la *Virgen María* y *David.* Segundo cuerpo: la *Presentación en el templo,* la *Natividad* (casi totalmente perdida), la *Adoración de los Magos,* la *Crucifixión,* la *Quinta angustia, El Santo Entierro y la bajada al Limbo* (perdida la mitad izquierda). Primer cuerpo: *Ecce-Homo,* la *Flagelación, Jesús con la cruz a cuestas.* Tabla central, antes descrita: la *Ascensión,* la *Pentecostés,* la *Misa de san Gregorio.* En el banco, dieciocho cabezas de santos.
Entre los pináculos del tercer grupo, el escudo de Rojas —cinco estrellas azules en campo de plata—. El escudo sirve para identificar al prelado con don Sancho de Rojas, ya que es el único de tal apellido que fue arzobispo, por lo cual lleva palio, en la primera mitad del siglo XV. Fue, primero, obispo de Palencia; llegó al Arzobispado de Toledo en junio de 1415 y murió el 24 de octubre de 1422. Tuvo mucha relación con el rey don Fernando, acompañándole en la toma de Antequera. El rey de Aragón era hijo de Juan I de Castilla: nació en 1380; murió el 2 de abril de 1416.
Fue retablo de San Benito de Valladolid que precedió al de Alonso de Berruguete (siglo XVI).
Pasó luego a la iglesia parroquial del pueblo de San Román de la Hornija, y de allí se adquirió para el Prado en 1929.
Gudiol ve en él la misma mano de los frescos de la capilla de San Blas, firmados por Rodríguez de Toledo.

ROKOTOFF. Fedor Rokotoff

Nació hacia 1735 y murió en San Petersburgo en 1808.
Escuela rusa.

2791

2791 *La zarina Catalina II*

Lienzo, 0,83 × 0,67, óvalo.

Media figura; escotada, con manteleta de armiño; collar y banda de la orden de San Andrés.
Catalina II la Grande nació en Stetin el 2 de mayo de 1729; murió en San Petersburgo el 17 de noviembre de 1796. Débese la identificación a don A. Perera, que ha aducido una estampa de H. Benner como prueba. Antes se atribuía a la escuela francesa.
Legado de Fernández-Durán (1930).

3077

ROMAN. Bartolomé Román

Nació en Montoro (Córdoba) hacia 1595. Murió en Madrid el 14 de mayo de 1647. Escuela madrileña.

3077 *San Beda*

Lienzo, 2,05 × 1,10.

De pie, con un libro en las manos. A la derecha, un escritorio.
Forma parte de una serie de venerables benedictinos, que, procedente del Museo de la Trinidad, tiene depositada el Prado en diversas entidades.

ROMANA. Pedro Romana

Nació en 1488 en Córdoba, donde murió en 1536. Escuela española.

3233 *Vocación de santa Catalina de Siena*

Tabla, 0,95 × 0,72.

La santa arrodillada en oración ante una imagen de la Virgen y el Niño. Sobre su cabeza, el Espíritu Santo. Tras ella, sus padres, con gesto admirativo. Fondo de arquitectura de notable severidad espacial.
Legado de don Antonio Marichalar, marqués de Montesa, en 1973.

3233

ROMANELLI. Gian Francesco Romanelli

Nacido en Viterbo hacia 1610, murió en la misma ciudad en 1662. Escuela italiana.

329 *San Pedro y san Juan en el sepulcro de Cristo*

Cobre, 0,47 × 0,39.

Los dos apóstoles; a la derecha, el sepulcro y un ángel.
Otro ejemplar idéntico estaba en 1927 en la Colección Thuelin de París con la correcta atribución a Romanelli. La primera mención de éste en la

322

323

Colección de Carlos IV, en la Casita del Príncipe de El Escorial, en 1789, lo atribuye a Andrea Sacchi.

ROMANO. Giulio Pippi, di Pietro de Gianuzzi, llamado Giulio Romano

Nació en Roma en 1499; murió en Mantua el 1 de noviembre de 1546. Escuela italiana.

Gianfrancesco Penni, «il Fattore»

Nació en Florencia hacia 1488; murió en Nápoles en 1528.
Escuela italiana.

322 *Adoración de los pastores*

Tabla, 0,48 × 0,37.

La Virgen, sentada, acerca al Niño a san Juan. Detrás, santa Ana y san José, que presenta a un pastor con su ofrenda. Al fondo, otro pastor.
Inventario de 1746. Colección de Felipe V. Palacio de La Granja.

323 *«Noli me tangere»*

Tabla, 2,20 × 1,60.

Cristo, de hortelano, y la Magdalena arrodillada. Fondo de paisaje.
Parece que es el cuadro que cita Vasari en la iglesia de Trinità dei Monti, en Roma.
Según Voss, el dibujo es de Julio Romano, pero la ejecución, de Penni. Berenson lo cree del segundo.
Existen numerosas copias de este cuadro.
Vino del Museo de la Trinidad, sospechándose que procede de El Paular.

ROMBOUTS. Theodoor Rombouts Roelands

Bautizado el 2 de julio de 1597 en Amberes, donde murió el 14 de septiembre de 1637.
Escuela flamenca.

1635

1635 *El charlatán sacamuelas*

Lienzo, 1,16 × 2,21.

Dos figuras a la izquierda del sacamuleas y el paciente, y seis a la derecha; de más de medio cuerpo. Encima de la mesa, el instrumental, etc.
Se conservan varias versiones y copias, una de ellas (Museo de Praga) firmada: *ROELANDS F.*
En 1674 estaba en El Pardo, y en 1772 en el Palacio Nuevo.

1636 *Jugadores de naipes*

Lienzo, 1,00 × 2,23.

Dos cortesanas y dos soldados juegan a los naipes; otra mujer y tres hombres presencian y dirigen la partida.
Se conocen varias versiones y copias.
En 1674 y 1700 estaba en El Pardo.
En 1827 ingresó en el Prado, procedente del Palacio de la Zarzuela.

3013

ROMNEY. George Romney

Nació en Dalton-in-Furness (Lancashire) el 15 de diciembre de 1734; murió en Kendal el 15 de noviembre de 1802.
Escuela inglesa.

2584 *Un caballero inglés*

Lienzo, 0,76 × 0,64.

De más de medio cuerpo: viste casaca cerrada. El sombrero, bajo el brazo.
Legado de don José Brunetti y Gayoso de los Cobos, duque de Arcos; entró en el Museo en 1935.

3013 *Retrato de Master Ward*

Lienzo, 1,26 × 1,02.

Figura entera de un adolescente sentado en una piedra y medio reclinado bajo un árbol; al lado, un perro; fondo de paisaje con río.
«Master» era apelativo cariñoso en el siglo XVIII equivalente a «señorito» o a «dueño de la casa».
En 1931 permanecía en la familia del retratado, Charlton House, cerca de Canterbury; en 1956 estaba en Nueva York en la Colección de la señora Gondey Lowe.
Adquirido por el Patronato en Londres a Legatt Bros, el año 1958.

ROOS. Philipp Peter Roos, llamado «Rosa da Tivoli»

Nació en Francfort en 1657; murió en Roma en 17 de enero de 1705.
Escuela alemana.

2208 *Pastor con ganado*

Lienzo, 0,94 × 1,30.

A la derecha, el pastor sentado y el perro; llenan el cuadro vaca, cabras, ovejas y, al fondo, un pueblo con torres.
Procede de las Colecciones Reales.

2211 *Pastora con cabras y ovejas*

Lienzo, 1,96 × 2,90.

La pastora, sentada, rodeada por el rebaño. A la izquierda, edificios y ruinas.
En 1746, en La Granja. Colección de Isabel de Farnesio.

5445 *Orfeo y los animales*

Lienzo, 1,94 × 2,91.

En primer término, un grupo de animales de diferentes especies, entre los que destaca un pavo real con la cola abierta. Al fondo, a la derecha, sobre un montículo, la figura de Orfeo, sentada.
Procede de las Colecciones Reales y aparece inventariada en 1857, como obra de «Rosa da Tivoli».

2211

32

ROSA. Salvatore Rosa

Nació en Arenella (Nápoles) el 20 de junio de 1615; murió en Roma el 15 de junio de 1673.
Escuela italiana.

324 *El golfo de Salerno*

Lienzo, 1,70 × 2,60.

Al fondo, puerto con torres; a la derecha, un barco de carga; en primer término, hombres bañándose.
Firmado con monogama *RS* en el fardo de primer término. A la derecha, un escudo, y debajo, una inscripción semiborrada que parece nombrar a Felipe V. Del período florentino de su producción, hacia 1641. En 1794, en el Retiro.

ROSSI. Francesco Rossi, «il Salviati», llamado «il Cecchino de Salviati»

Nació en Florencia en 1510; murió en la misma ciudad el 11 de noviembre de 1563.
Escuela italiana.

477 *La Virgen, el Niño y dos ángeles*

Tabla, 1,14 × 0,99.

Uno de los ángeles entrega a Jesús un periquito.
Al restaurarla (1945-46), aparecieron en el fondo grupos, y en el ángulo superior izquierdo trozos de una figura muy dañada y cubierta.
Hasta el *Catálogo* de 1933, figura atribuido a Vasari; sin embargo, Voss lo cree pintado en Florencia, por Salviati, hacia 1545.
En 1746, en La Granja; Colección de Isabel de Farnesio.

RUBENS. Peter Paul Rubens

Nació en Siegen (Westfalia) el 28 o 29 de junio de 1577. Estuvo dos veces en España; desde el 23 de abril hasta fines del año 1603, y desde septiembre de

1627

1628 a 29 de abril de 1629; murió el 30 de mayo de 1640.
Escuela flamenca.

1627 *La Inmaculada Concepción*

Lienzo, 1,98 × 1,24.

En pie sobre el globo; dos ángeles con la corona y la palma.
Figuró en el Museo del Prado como obra de Quellinus hasta 1972, en que lo devolvió a Rubens Díaz Padrón. Regalado por el marqués de Leganés a Felipe IV. En 1636 estaba en la Capilla del Alcázar, y el rey lo envió a El Escorial; estaba en el Capítulo del prior en 1667; se trajo en 1837.

1638 *La adoración de los Magos*

Lienzo, 3,46 × 4,88.

A la izquierda, san José, la Virgen y el Niño; uno de los Magos le ofrece el oro; a su lado, el paje con un hacha encendida; en el centro, en pie, los otros dos reyes y su séquito, con caballos y camellos; a la derecha, vestido de terciopelo morado, el propio Rubens. Detrás de la Sagrada Familia, la columna de un edificio. La escena, alumbrada por antorchas.
El lienzo fue pintado en 1609 —cobrado su importe, 1.800 florines, en 29 de abril y 4 de agosto de 1610— para el Salón de los Estados del Ayuntamiento de Amberes, por encargo del burgomaestre Nicolás Rockox. El 31 de agosto de 1612 se acordó regalarlo, y se entregó el 2 de septiembre a don Rodrigo Calderón; en la almoneda de sus bienes lo compró Felipe IV (4 de septiembre de 1623). Rubens amplió el cuadro por la derecha y por la parte alta cuando estuvo en Madrid por segunda vez, 1628-1629, y lo repintó, todo, al parecer.
El boceto fue de Hofstede de Groot, y hoy está en el Museo de Groninga;

1638

1639

se advierten numerosos cambios: el edificio es pobre y la composición acaba por la derecha en el hombre desnudo que lleva un cofre sobre los hombres; encima se ve el retrato de otro hombre con sombrero, quizá el burgomaestre que encargó el lienzo. Se cita en todos los inventarios del Alcázar y del Palacio Nuevo.

1639 *La Sagrada Familia con santa Ana*

Lienzo, 1,15 × 0,90.

El Niño Jesús, desnudo; la Virgen, santa Ana y san José, de poco menos de cuerpo entero.
La Virgen recuerda las facciones de Isabel Brandt, primera mujer del pintor (nació en 1591, casó el 3 de octubre de 1609; murió el 20 de junio de 1626). Pintado, según Rosenberg, de 1626 a 1630.
Se conoce un boceto (Colección de la vizcondesa de Galway) y numerosas copias y variantes.
El padre Santos lo menciona en 1667 en el «Capítulo del Prior», de El Escorial. De allí vino el 13 de abril de 1839.

1640 *Descanso en la huida a Egipto*

Tabla, 0,87 × 1,25.

La Virgen, sentada, con el Niño en brazos, dormido; a su derecha, dos santas y san Jorge con el dragón en los pies; un ángel impone silencio a los que juegan con un cordero; otros dos en un árbol. Fondo de palacio, jardín y bosque donde san José duerme y pace el asno.
El modelo para la Virgen fue Elena Fourment (n.° 1669). El estudio a lápiz para el grupo y los árboles de fondo se guarda en el Museo de Poznan.
Probablemente es la que aparece en 1688 en el inventario de la Colección del marqués de Carpio. En 1700 en el Alcázar; en 1746 en el Buen Retiro, en 1772 en Palacio.

1640

1643 *La cena en Emaús*

Lienzo, 1,43 × 1,56.

Cuatro figuras de cuerpo entero. Los discípulos reconocen a Jesús en l

1644

manera de partir y bendecir el pan. La escena, en un pórtico abierto por el que se ve parte de la fortaleza y un ancho balcón barroco con una persona asomada.

Pintado hacia 1638. Lo grabó H. Witdoeck en ese año. Fue adquirido en la testamentaría de Rubens. En 1657 estaba en la antesacristía de El Escorial. De allí vino el 13 de abril de 1839.

1644 *Lucha de San Jorge con el dragón*

Lienzo, 3,04 × 2,56.

A la izquierda, la doncella con un cordero; el jinete blande la espada, y bajo los pies del caballo está el dragón. Según Rooses, pintado, probablemente, entre 1606 y 1610.

Aunque quizás destinado a la iglesia de San Ambrosio de Génova, el pintor siempre lo guardó en su colección, y fue adquirido para Felipe IV en

1646

su testamentaría. En 1674 y 1701 estaba en El Pardo; más tarde, en el Palacio Nuevo, donde se cita en 1772 y 1794.

1646 *San Pedro*

Tabla, 1,08 × 0,84.

Poco más que medio cuerpo, con una llave en cada mano.

Esta tabla, como las demás que constituyen el Apostolado, incompleto, fue pintada quizás para el duque de Lerma, su primer propietario conodo. El 28 de abril de 1618 cita estos iginales el pintor en carta a sir udley Carleton.

r su estilo, puede fecharse hacia 1610.

conocen varias series de estampas y rias copias. No todas identifican a los óstoles con el mismo nombre.

o se encuentra registrado en las lecciones regias hasta la de Isabel Farnesio en La Granja, en 1746; spués estuvo en Aranjuez. Vino al useo el 9 de septiembre de 1829.

547 *San Juan Evangelista*

bla, 1,08 × 0,84.

e medio cuerpo. El cáliz en la mano quierda.

éase el n.° 1646.

548 *Santiago el Mayor*

bla, 1,08 × 0,84.

e más de medio cuerpo, con el bor- n de peregrino y un libro.

éase el n.° 1646.

549 *San Andrés*

bla, 1,08 × 0,84.

e medio cuerpo. Apoya el brazo dere- o sobre la cruz en aspa de su martirio.

éase el n.° 1646.

650 *San Felipe*

bla, 1,08 × 0,84.

e medio cuerpo. La cruz sobre el mbro izquierdo, porque murió ucificado. Véase el n.° 1646.

651 *Santiago el Menor*

bla, 1,08 × 0,84.

e medio cuerpo. En la diestra, la es- adra de constructor.

ntes identificado con santo Tomás y mo san Mateo. Véase el n.° 1646.

652 *San Bartolomé*

abla, 1,08 × 0,84.

e medio cuerpo. En la diestra, el cu- illo con que fue desollado.

éase el n.° 1646.

1647

1648

1649

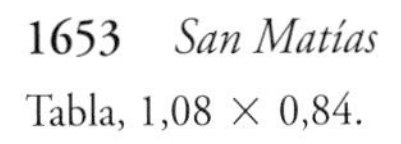

1653 *San Matías*

Tabla, 1,08 × 0,84.

De medio cuerpo. Con el hacha, instrumento de su martirio, en la mano izquierda. Véase el n.° 1646.

1651

1652

1654

1654 *Santo Tomás*

Tabla, 1,08 × 0,84.

De medio cuerpo. Un libro en la mano izquierda; entre el brazo y el tronco, la lanza.

1658

1658 *El rapto de Deidamia, o lapitas y centauros*

Lienzo, 1,82 × 2,20.

El centauro Eurito arrebata a Deida-mia cuando celebraba su boda con Pi-ritoo; Teseo intenta impedirlo. Otr centauro se ha apoderado de una mu-jer lapita; una vieja, en el suelo; a l izquierda, la mesa y los vasos de banquete volcados y dos mujeres y u anciano refugiándose en el palacio Fondo de paisaje.
El boceto se guarda en el Museo d Bruselas; y en la Colección W. Bur-chard de Farnham hay un dibujo pre-paratorio.
Pintado en 1636-1638 para la To-rre de la Parada, donde se cita en 1700. En 1747 estaba en El Pardo y en 1772 y 1794 en el Palacio Nuevo.

1659

166

Antes identificado con san Mateo.
Véase el n.° 1646.

1655 *San Simón*

Tabla, 1,08 × 0,84.

Algo más de medio cuerpo, de perfil; bajo la mano izquierda en que apoya el libro, la sierra con que fue martirizado.
Véase el n.° 1646.

1656 *San Mateo*

Tabla, 1,08 × 0,84.

De poco más de medio cuerpo; con la alabarda de su martirio en la diestra.

Se ha creído a veces santo Tomás y san Judas Tadeo.
Véase el n.° 1646.

1657 *San Pablo*

Tabla, 1,08 × 0,84.

De medio cuerpo. La diestra, en los gavilanes del montante, y en la mano izquierda, un libro.
Véase el n.° 1646.

1659 *El rapto de Proserpina*

Lienzo, 1,80 × 2,70.

Minerva, seguida por Venus (?) y Dia-na, intenta detener a Plutón, que, lle-vando en brazos a Proserpina, sube a su carro, guiado por dos amores.
Composición pareja del *Rapto de Deidamia,* n.° 1658. El boceto, que fue de la Colección ducal de Osuna está hoy en el Museo Bonnat, de Ba-yona.
Pintado para la Torre de la Parada donde se cita en 1700. En 1772 y 1794 estaba en el Palacio Nuevo, y en 1796 ingresó en la Academia de San Fernando, de donde se trajo al Prado en 1827.

660 *El banquete de Tereo*

enzo, 1,95 × 2,67.

ogne, seguida de su hermana Filo-ena, muestra a Tereo la cabeza de su jo Itis, después de haberle dado a mer las entrañas. En la puerta, un rvidor, aterrado; en el suelo, la mesa los vasos del banquete. Fondo arqui-ctónico.

boceto preparatorio, en la Colec-ón Speelman, en Londres.

ntado para la Torre de la Parada, nde se registra en 1700 y 1747. En 72 y 1794 estaba en el Palacio uevo.

562 *Atalanta y Meleagro zando el jabalí de Calidonia*

enzo, 1,60 × 2,60.

boleda espesa. El jabalí, atacado r perros; a la izquierda, venablo en ano, Meleagro a caballo, y, en el cen-, Atalanta a pie disparando su arco; a derecha, un montero con lanza.

ctualmente la crítica está de acuerdo considerarlo obra de Rubens.

oses lo juzgó repetición de mano de n Uden, retocada por el maestro, l cuadro de menor tamaño del useo de Bruselas. En una colección rticular suiza hay un boceto en ación con este cuadro, y se conocen gunos otros bocetos para el grupo de s cazadores.

Se cita en 1666, 1686, 1700 y 1734 en el Alcázar. En 1798 estaba en el Retiro y en 1772 en el Palacio Nuevo. Fue adquirido en la almoneda de Rubens.

1663 *Andrómeda, libertada por Perseo*

Lienzo, 2,65 × 1,60.

En pie, Andrómeda atada al peñasco; Perseo —con armadura del siglo XVII— desata las ligaduras; dos amores volando. Al fondo, el mar, con el dragón, y en la playa, el caballo alado Pegaso.

1663

Según Rooses, fue encargado en 1639 por Felipe IV; quizá sea la última obra de Rubens, la terminó Jordaens magistralmente, siendo irreconocible su colaboración.

Adornaba en 1686 el «Salón de los Espejos» del Alcázar. En 1746 estaba en el Retiro; en 1772 y 1794 en la Casa de Rebeque, junto al Palacio Nuevo, y en 1796 pasó a la Academia, de donde vino al Museo en 1827.

1665 *Diana y sus ninfas sorprendidas por faunos*

Lienzo, 1,28 × 3,14.

A la derecha, una ninfa a punto de lanzar la jabalina para defender a las sorprendidas por los sátiros. A sus pies, otra, dormida, sobre las redes de caza. En tierra, muertos, un ciervo, un zorro y un jabalí. Dos perros acometen a los sátiros. Fondo de bosque y lejanías.

Forma parte de una serie de 18 pinturas de carácter cinegético y mitológico destinada a las bóvedas del Alcázar, cuyos bocetos datan de 1639.

Según Rooses, el paisaje y los animales son de Jan Wildens. Balis y Díaz Padrón piensan, en cambio, en una colaboración de Snyders.

En 1666, 1686, 1700 en el Alcázar; en 1772 y 1794 en el Buen Retiro; en 1793 en la Academia, de donde vino al Museo en 1827.

1665

1666

1668

1669

1666 *Ninfas y sátiros*

Lienzo, 1,36 × 1,65.

Ninfas y sátiros en una arboleda. E grupo central, con el cuerno de l Abundancia. Unos en el suelo, subidos a los árboles, recogen frutos; la derecha, un fauno niño exprime u racimo de uvas sobre la cabeza de u león.

En 1666, 1686 y 1700 se cita en Alcázar. En 1746 se trasladó al Retir y desde 1772 a 1794 estuvo en la Cas de Rebeque. En 1796 se mandó a l Academia de San Fernando, de dond vino en 1827.

1667 *Orfeo y Eurídice*

Lienzo, 1,94 × 2,45.

A la derecha, Plutón y Proserpin sentados; a la izquierda, Orfeo llevan do detrás a Eurídice, y sin mirarla, po mandato de la diosa infernal.
Un boceto preparatorio en la Fun dación Ruzicha, de Zurich.
Pintado para la Torre de la Parad donde se cita en 1700 y 1744. E 1772 estaba en el Buen Retiro y e 1794 en el Palacio Nuevo. Estuvo e la Academia de San Fernando de 179 a 1827.

1668 *El nacimiento de la Vía Láctea*

Lienzo, 1,81 × 2,44.

Juno amamanta a Hércules niño; de trás, el carro de la diosa tirado por pa vos reales, y Júpiter, sentado; a su pies, el águila y los rayos.
Inspirada en el cuadro del mism

16

ema de Tiziano de la National Galle-
y de Edimburgo.
l boceto se conserva en el Museo de
ruselas.
intado para la Torre de la Parada,
onde estaba en 1700 y 1744. En
772 y 1794 adornaba el Palacio
Iuevo.

669 *El juicio de Paris*

ienzo, 1,99 × 3,79.

Iercurio muestra la manzana de oro
e la Discordia; el pastor Paris, sen-
ido; delante, las tres diosas: Minerva
—a sus pies, el casco, la rodela y el
úho—; Venus, con Cupido, y Juno
—detrás, el pavo real—. Fondo de
aisaje con ganado.
itado como acabado en carta del
ardenal infante a Felipe IV de 27 de
ebrero de 1639, en la que le dice que
enus retrata a la segunda mujer del
intor, Elena Fourment, con la que se
asó el 6 de diciembre de 1630 (nació
 1 de abril de 1614), y que le sobre-
ivió.
Iax Rooses sostiene que el fondo de
aisaje es de Lucas van Uden.
l cuadro estaba en 1701 en el Buen
etiro y, llevado el 4 de enero de 1796
 la Academia de San Fernando, con
tros de desnudo, vino al Museo el 5
e abril de 1827.

670 *Las tres gracias*

abla, 2,21 × 1,81.

glae, Eufrosina y Talía, en pie, abra-
adas y desnudas; a la derecha, una
ente. Fondo de paisaje con tres
orzos.
a figura de la izquierda se pintó to-
iando por modelo a Elena Fourment.
egún Rooses, pintado hacia 1639.
n la actualidad se piensa en fecha
lgo anterior, próxima a 1635. Se
onservan bastantes dibujos prepa-
atorios, y se ha pensado que la
uirnalda podría ser de mano de
rueghel, lo que obligaría a ade-
intar su fecha.
dquirido en la testamentaría de Rubens para Felipe IV. Adornó el Alcázar, donde se cita en 1686 y 1700. En 1734 estaba en la Armería. En 1796 pasó a la Academia con los demás cuadros de desnudo, de donde vino en 1827.

1670

1671 *Diana y Calisto*

Lienzo, 2,02 × 3,23.

A la izquierda, bajo un árbol, del que cuelga un corzo muerto, Diana, llevada al baño por una negra, advierte la

1671

16.

resistencia de la ninfa Calisto a desnudarse, temerosa de que se descubra su embarazo. Seis ninfas rodean a la impura. Detrás, una fuente, arbolado y lejanías; un perro ladra a la vista del corzo, y en el suelo útiles de caza y un jarro de perfumes.
Según Bode, el modelo de Diana fue Elena Fourment (n.° 1669).
Pintado entre 1638 y 1640. Rooses pensó en la colaboración de Van Uden. En 1666, 1686 y 1700 estaba en la «Galería del Cierzo» del Alcázar. En 1747 estaba en las Casas Arzobispales de Madrid, de las que fue enviada al Palacio Nuevo.
Pasó con los cuadros de desnudo de la Academia y vino con ellos al Museo el 5 de abril de 1827.

1673 *Mercurio y Argos*

Lienzo, 1,79 × 2,97.

Mercurio va a dar muerte a Argos, después de haberle adormecido con la música de la flauta que lleva en la mano izquierda, para robarle la vaca Io; fondo de bosque con un arroyo a la derecha.
Pintado para la Torre de la Parada, donde se cita en 1700 y 1747. En 1772 y 1794 estaba en el Palacio Nuevo.
El boceto preparatorio está en el Museo de Bruselas.
Hasta 1972 se consideró que el paisaje era obra de Lucas van Uden.
Mazo copió la composición.

1674 *La fortuna*

Lienzo, 1,79 × 0,95.

Navega, desnuda, en el mar, sobre una esfera sirviéndose del manto como vela.
El boceto, sobre tabla, se conserva en Berlín.
Se pintó para la Torre de la Parada, donde se cita en 1700 y 1747. En 1796 ingresó en la Academia de San Fernando, de donde pasó al Museo en 1828.

1676 *Vulcano forjando los rayos de Júpiter*

Lienzo, 1,81 × 0,97.

Con el martillo en la diestra; al fondo, un cíclope; en el suelo, piezas de armadura.
Rooses cree que la ejecución fue de u[n] discípulo, sobre boceto [que se con]serva en la Colección Mosley] y co[n] correciones de Rubens.
Mazo hizo una copia conservada ho[y]

16.

mo depósito del Prado en el Museo
Zaragoza (n.° 1707).
ntado para la Torre de la Parada,
nde se cita en 1700 y 1747. En
794 estaba en el Palacio Nuevo.

677 *Mercurio*

enzo, 1,80 × 0,69.

n pie, con casco alado, como las taloeras, y caduceo en la mano izquierda.
ntado para la Torre de la Parada.
reja del n.° 1681.
n 1700 en la Torre de la Parada; y en
747, 1772 y 1794 se cita en el Palao Nuevo.
azo lo copió en un lienzo que guara el Prado (n.° 1708). No se descarta
posible colaboración de taller.

678 *Saturno devorando un hijo*

enzo, 1,80 × 0,87.

dios, apoyando la diestra en la
adaña, muerde el pecho del niño.
ntado para la Torre de la Parada;
1636, en el Alcázar de Madrid se
gistra otro ejemplar.

Un boceto preparatorio apareció en una venta en Viena (1937-38).
En 1700 estaba en la Torre de la Parada; y en 1747 y 1772 se cita en el Palacio Nuevo.

1679 *El rapto de Ganimedes*

Lienzo, 1,81 × 0,87.

Ganimedes, mancebo, y Júpiter, transformado en águila, que lo lleva al Olimpo.
El boceto está en colección particular sueca.
Pintado para la Torre de la Parada hacia 1636. Después adornó el Palacio Nuevo, donde se cita en 1772 y 1800.

1680 *Heráclito, el filósofo que llora*

Lienzo, 1,81 × 0,63.

Sentado, envuelto en manto oscuro.
Pintado para la Torre de la Parada, forma pareja con el n.° 1682; no con el n.° 1681 como, por equivocación de Madrazo, venían diciendo los *Catálogos.*

Durante mucho tiempo se ha creído que se había pintado en 1603 para el duque de Lerma, fecha que desmienten la técnica y la documentación.
Estuvo en la Torre de la Parada, donde se cita en 1700; en El Pardo, en 1747, y en la Zarzuela en 1794.

1681 *Sileno, o un fauno*

Lienzo, 1,81 × 0,64.

Desnudo, apoya la mano izquierda en una máscara.
Por error, se le supuso *Demócrito,* véase el n.° 1681. Pareja del n.° 1677, *Mercurio.* Pintados ambos para la Torre de la Parada, donde se cita en 1700 y 1747. En 1772 y 1800 estaba en el Palacio Nuevo.

1682 *Demócrito, el filósofo que ríe*

Lienzo, 1,79 × 0,66.

Sentado, tiene el globo terráqueo en las manos.
Durante mucho tiempo identificado erróneamente como *Arquímedes.*

1676

1678

1679

1685

1689

Pintado para la Torre de la Parada, donde se cita en 1700. En 1747 estaba en El Pardo, de donde pasó al Palacio Nuevo. Mazo hizo una copia, que no se ha conservado.

1685 *María de Médicis, reina de Francia*

Lienzo, 1,30 × 1,08.

De poco menos que cuerpo entero, sentada, viste de negro, con gran cuello. Fondo siemplemente manchado.
Sobre María de Médicis, véase el n.° 1624.
Pintada seguramente en 1622, año en que se cita en una carta.
Fue adquirida en la testamentaría de Rubens, y, según Mayse, traída a Madrid en 1656.

En 1686 y 1700 estaba en el Alcázar de Madrid, y en 1772 y 1794 se cita en el Palacio Nuevo.

1686 *Felipe II, a caballo*

Lienzo, 3,14 × 2,28.

Armado: la Victoria le corona de laurel. Al fondo, un campo de batalla.
Según el marqués de Montesa se representa la batalla de San Quintín (10 de agosto de 1557).
Sobre Felipe II, véase el n.° 1949.
Pintado en Madrid en 1628; el 10 de octubre se ordenaba facilitasen al artista cuanto necesitase de armería y caballeriza para modelos.
Se conocen varios dibujos preparatorios. La composición procede sin duda de estampas del siglo XVI.

En 1686, en la «Cámara del Rey», de
Alcázar.

1687 *El cardenal-infante don Fernando de Austria, en la batalla de Nordlingen*

Lienzo, 3,35 × 2,58.

A caballo; en lo alto, el águila de Austria y la Victoria; fondo de campo co
batalla encarnizada.
En una cartela se lee:
FERDINANDVS DEI GRATIA HISPANIARV INFANS PHILIPPI FILIVS PII PHILIPPI PR DENTIS NEPOS INVICTI CAROLI PR NEPOS, PHILIPPI MAGNI FRATRIS AVSP CIIS, AQVILA CESAREA COMITE, VLTION DIVINAE FULMEN DVM VIAM SIBI FERR AD BELGAS APERIT SVECIS ET PER DV LIBVS ROMANI IMPERII DELETIS CAMP NEROLINGAE AD ARAS FLAVIAS VIII ID SEPTEMBRIS XXVI ANNO AETATIS SV NATVS MDCIX AERAE CHRISTI XII KA IVN. HORA 2.30 POST M. —IN REGIA LAVRETII AD SCORIALE DONO PVBLICO.
Sobre Fernando de Austria, véase
n.° 1472.
Se ganó la victoria de Nordlingen el
de septiembre de 1634.
El cuadro se pintó hacia 1636, y de
se conocen varias versiones y réplica
Fue adquirido en la testamentar
de Rubens, para Felipe IV. En 166
y 1686 aparece inventariado en
Alcázar de Madrid. En 1700 y 173
estaba en las Casas Arzobispales, y e
1772 y 1794 en el Palacio Nuevo.

1689 *Ana de Austria, reina de Francia*

Lienzo, 1,29 × 1,06.

De poco menos que cuerpo enter
sentada. Viste traje negro y ancho cu
llo, guarnecido de encaje, la diestra sc
bre un manguito de piel. Detrás, ur
cortina.
Sobre Ana de Austria, véase el n
2234.
Pintado hacia 1622, según demuest
una carta de Peiresc fechada ese añ
Se repite en una copia del Metrop
litan Museum.

1686

1687

1690

1691

ʾrocede de la testamentaría del pintor. :n 1666, 1686, 1700 y 1734 se cita ·n el Alcázar de Madrid.

1690 *El jardín del amor*

.ienzo, 1,98 × 2,83.

\ la izquierda, baila una pareja; otra :onversa sentada; en el medio, cuatro lamas escuchan a un tañedor de laúd entado en segundo término; por la es-alera que adorna la fuente de Venus, ajan dos jóvenes del brazo; en el fon-lo, dos parejas y dos damas rodean la 'uente de las Gracias. Numerosos morcillos vuelan llevando coronas y ntorchas, disparan flechas, arrojan flo-es y enlazan amantes. La escena, en el ardín de la casa de Rubens, en Ambe-es; su portada barroca todavía sub-iste.

:vers cree que el asunto es, más bien, l *Jardín de las Gracias.* Es seguro que l lienzo encierra compleja simbolo-ía en torno al amor, tanto del carnal omo del espiritual en sentido neo-latónico.

;e reconoce a Rubens en el caballero le la izquierda, y a Elena Fourment n la dama que apoya el brazo sobre la odilla de otra en el centro de la com-osición.

'intado hacia 1633-1634. Para Roo-es hay colaboración de un discípulo n el paisaje y accesorios; pero todo lo mportante en el lienzo es de Rubens y ına de sus obras capitales, superior a ı réplica que fue de la Colección 'astrana y pasó a la Rothschild.

e conocen muchos dibujos prepa-atorios para esta composición.

unque se ha dicho que procede de la estamentaría de Rubens, no está pro-ado.

dornó la alcoba de Felipe IV.

691 *Danza de aldeanos*

'abla, 0,73 × 1,06.

orman cadena; cogidos unos de las ıanos, pasan bajo los unidos por los añuelos.

ara Evers: «Danza de pastores ita-lianos»; Díaz Padrón piensa que esta-mos ante un tema mitológico.

Pintado entre 1636 y 1640. Adquirido en la testamentaría de Rubens.

Procede de la almoneda del pintor. En 1666 en el Alcázar de Madrid, en la «Pieza en que comía el Rey en verano». En 1686 y 1700 continuaba en el Alcázar; y en 1834 se cita en el Palacio Nuevo.

1695 *Santa Clara entre padres y doctores de la Iglesia*

Tabla, 0,65 × 0,68.

A la derecha de santa Clara, que os-tenta la Custodia, san Ambrosio, san Agustín y san Gregorio; a su lado, santo Tomás, y siguiéndoles, san Nor-berto y san Jerónimo.

Pintura de la serie, de diecisiete, que Tormo llama *Apoteosis eucarística,* en-cargada a Rubens por Isabel Clara Eugenia para modelos de una tapicería destinada a las Descalzas Reales de Madrid. Terminó el pintor el encargo en 1628. En el taller de Rubens, y mediante estas tablas, se pintaron los lienzos o «cartones» que sirvieron para los tapices, que tejieron Jan Raes y Jacques Geubel; aquél, ayudado por otros tapiceros.

1695

1697

169

169

Los lienzos adornaron la iglesia de las Dominicas de Loeches desde 1648 hasta 1809; cuatro de ellos pasaron a la Colección del duque de Westminster y de allí al Ringling Museum de Sarasota, y dos, que se llevó el general Sebastiani, se guardan en el Louvre. David Teniers, *junior,* copió en gran tamaño los correspondientes a los números 1698 y 1699 del Prado, en 1673; están, en depósito, en el Museo de Pontevedra. Las tablas se trajeron a Palacio, y fueron regaladas a don Luis Méndez de Haro y se adquirieron en la almoneda del marqués de Eliche, don Gaspar, su hijo (murió virrey de Nápoles en 1687); consta en el inventario de 1 de agosto de 1694. Estuvieron en El Pardo, en el Retiro y en Palacio, no siempre reunidas.

Es serie para la que de algunas composiciones se conocen dibujos, bocetos sumarios en el Museo Fitzwilliam de Cambridge, las tablas del Prado, los «cartones», o lienzos grandes, los grabados y, en fin, lo tapices.

Como los números 1697-1699, figur un tapiz con columnas.

El boceto, en Cambridge. El cartó hecho sobre esta tabla pertenece a Ringling Museum de Sarasota.

1696 *Abraham ofrece el diezmo a Melchisedech*

Tabla, 0,87 × 0,91.

El Patriarca, en las gradas del Templo entrega al rey Salem vasos preciosos;

la izquierda, soldados, y a la derecha, servidores del templo. El pasaje bíblico (*Génesis,* cap. XIV) se interpreta como profecía eucarística.
El boceto, en el Museo de Cambridge.
El cartón que corresponde a esta tabla se guarda en el Ringling Museum de Sarasota.
Véase el n.° 1695.

1697 *Triunfo de la verdad católica*

Tabla, 0,86 × 0,91.

La verdad, en brazos del Tiempo, pisoteando las herejías, muestra el *Hoc est Corpus meum* eucarístico. En primer término, lucha de un león con un zorro.
Tormo lo llama *El triunfo de la Verdad eucarística sobre la Herejía.*
El boceto se guarda en el Museo Fitzwilliam de Cambridge.
Véase el n.° 1695.

1698 *El triunfo de la Iglesia*

Tabla, 0,86 × 1,05.

En una carroza, tirada por cuatro caballos, va la Iglesia, portadora del sacramento de la Eucaristía; un ángel le pone la tiara; debajo de las ruedas, la Furia, la Discordia y el Odio; en pie, la Ceguera y la Ignorancia. En primer término, el Mundo, rodeado por la serpiente del Mal.
El boceto, en Cambridge.
Véase el n.° 1695.

1699 *Triunfo de la Eucaristía sobre la Idolatría*

Tabla, 0,63 × 0,91.

Un ángel mancebo, con el Sacramento, ahuyenta a los que se disponían a sacrificar un toro; al fondo, ofrendas ante el altar de Júpiter.
Véase el n.° 1695.

1700 *El triunfo del amor divino*

Tabla, 0,87 × 0,91.

En carro tirado por dos leones y guiado por un ángel, la Caridad, matrona con tres niños; rodeándoles, volando, un coro de ángeles.
Para Tormo, el primero de la serie.
El boceto, en el Museo de Cambridge; y el cartón, en el Ringling Museum de Sarasota.
Véase el n.° 1695.

1703 *La Sagrada Familia rodeada de santos*

Tabla, 0,79 × 0,64.

1703

En lo alto, la Virgen y el Niño entre santa Catalina y san José, san Pedro y san Pablo, y san Juan Bautista; en la parte baja, santa Clara, santa Inés, santa Apolonia, san Jorge, san Sebastián, san Agustín, san Lorenzo, san Benito, etcétera.
Reducción, por mano del propio Rubens, del gran cuadro pintado en 1628 para los Agustinos de Amberes, hoy en el Museo Real de aquella ciudad.
Durante mucho tiempo se creyó copia de Rubens, y luego se atribuyó a Van Balen. Procede de la testamentaría del maestro.
Fue un regalo a don Francisco de Roches por mediar en la compra de cuadros que adquirió Felipe IV, a quien se lo debió de ofrecer, pues consta en las adquisiciones de El Escorial, de donde vino el 13 de abril de 1839.

1727 *Diana, de caza*

Lienzo, 1,82 × 1,94.

Cinco figuras. La diosa camina apoyándose en la lanza, precedida de una ninfa, que hace sonar la trompa de caza, y seguida de otras tres, con lanzas también; le acompañan seis perros. Fondo de paisaje.
Existieron dudas sobre su autoría; y se pensó en una participación de Paul de Vos en los perros.
Probablemente uno de los cuadros enviados en 1623 por Isabel Clara Eugenia con destino a la Torre de la Reina del Alcázar, palacio donde se cita en 1636, 1686 y 1700.

1731 *El juicio de Paris*

Tabla, 0,91 × 1,14.

A la izquierda, Mercurio y Paris, sentado; delante, Juno, Venus y Minerva, despojadas de sus ropas por amorcillos. Fondo de bosque.
En los inventarios palatinos, desde el de 1666, figura como Rubens. De 1843 a 1858 catalógase como de Jordaens; Federico Madrazo, siguiendo a Mündler y Bürger, dio con dudas el nombre de Antonio Sallaert (nació hacia 1590; murió después de 1684), aceptado en el *Catálogo* de 1873. Moderadamente se vuelve a la atribución antigua; Ludwig Burchard la probó, fijando su data en el período italiano, no posterior a 1605.
Citado en el Alcázar entre 1666 y 1734. En 1772 estaba en el Palacio Nuevo, y en 1796 pasó a la Academia de San Fernando, de donde se trajo en 1827.

2040 *Apolo y la serpiente pitón*

Tabla, 0,27 × 0,42.

A la izquierda, Apolo después de disparar su arco. A la derecha, la serpiente, herida. Cupido, volando, asesta una flecha contra el dios.
Boceto original de Rubens para el cuadro de Cornelio de Vos, n.° 1861 del

Prado, pintado para la Torre de la Parada.
Véase el n.° 2038.
Compañero de los siguientes (números 2041-2048) y de los números 2038 y 2039.

2041 *Deucalión y Pirra*

Tabla, 0,26 × 0,42.

Deucalión y Pirra, salvados del diluvio, arrojan en su marcha piedras que se convierten en hombres y mujeres.
Boceto original de Rubens, para un cuadro de Cossiers, pintado con destino a la Torre de la Parada, y perdido.
Llegó al Prado en 1889 con el legado de los duques de Pastrana.
Véase el n.° 2038.

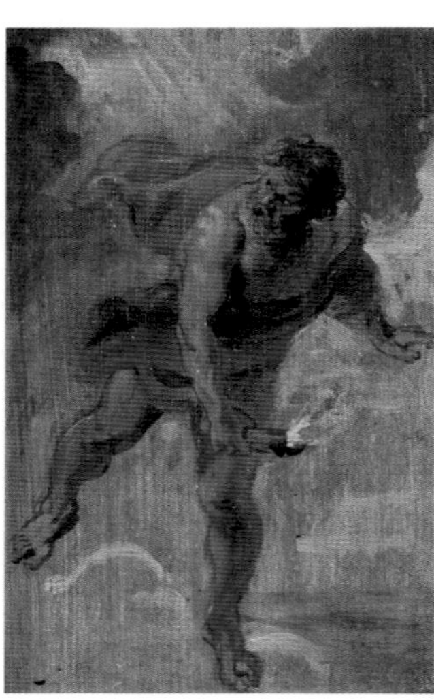

2042

2042 *Prometeo con el fuego*

Tabla, 0,25 × 0,17.

El semidiós, desnudo, con paños rojos, desciende del cielo, siendo portador del fuego en la diestra.
Boceto para el cuadro n.° 1464 del Prado, pintado por Jan Cossiers, con destino a la Torre de la Parada.
Véase el n.° 2038.

2043 *Hércules y el cancerbero*

Tabla, 0,29 × 0,32.

El héroe, con la clava, lucha contra el monstruo; detrás, dos figuras; quizá representen a Plutón, aterrado, y a su esposa Proserpina.
Boceto para un cuadro pintado, o proyectado, seguramente, para la Torre de la Parada, donde en 1700 se registran tres historias de Hércules, sin especificar los pasajes; una de ellas es, desde luego, el n.° 1368 del Prado, de Borkens, y a las otras dos se dan por autores, Languean y Van Thulden.
Véase el n.° 2038.

2044 *Vertunno y Pomona*

Tabla, 0,29 × 0,32.

Vertunno, al abrazar a la diosa, recobra su figura de mancebo. Fondo de huerto.
Boceto original de Rubens para un cuadro de Jordaens (Museo de Caramulo) proyectado para la Torre de la Parada.
Véase el n.° 2038.
Llegó al Prado en 1889 con el Legado de los duques de Pastrana.

2454 *La educación de Aquiles*

Tabla, 1,10 × 0,88.

El centauro Quirón lleva en su grupa al héroe, confiado por su padre para que le instruyese y educase. Fondo de paisaje. Encuadrado con dos estípites. Proyecto para un cartón de tapiz.
Pertenece a una *Historia de Aquiles* que Rooses cree pintada entre 1630 y 1635 por Van Thulden sobre bocetos de Rubens, quien hubo de retocarla también. De igual opinión ha sido Van Puyvelde, pero Burchard sostiene que son de la mano de Rubens y pintados hacia 1625-27. La serie estaba destinada a ser tejida, y hoy en día se conservan varios ejemplares de estos tapices. Palomino afirma que, como la serie de Decio Mus, la pintó Rubens en 1630. De la serie conoció Rooses ocho cuadros: dos se vendieron por Salamanca (París, 25 enero de 1875), y paran hoy en la Colección del conde de Seilern (Londres) y los seis restantes fueron de la duquesa de Pastrana, que regaló dos al Museo de Pau y tres al del Prado; éste y los números 2455 y 2566. En el Museo Boymans, de Rotterdam, se conservan siete bocetos para esta serie, originales de Rubens, de factura muy suelta. El de este cuadro mide 0,38 × 0,45 y presenta variantes; por ejemplo, en primer término hay unos pertrechos de caza; la arquitectura es superior también.

2455 *Aquiles descubierto por Ulises*

Tabla, 1,07 × 1,42.

Deidamia y sus hermanas examinan las telas y las joyas presentadas por Ulises disfrazado de mercader, quien reconoce a Aquiles, vestido de mujer al ver cómo se pone un casco guerrero que había introducido sagazmente entre las presas femeninas; a Ulises acompaña Diomedes.
De la serie *Historia de Aquiles,* como la tabla *La educación de Aquiles,* véase n.° 2454.

2456 *La muerte del cónsul Decio Mus*

Tabla, 0,99 × 1,38.

Confuso montón de caballos y soldados; el suelo, cubierto de cadáveres; el cónsul, armado, cae herido. En los aires, un genio exterminador.
Boceto para el cuadro de la Galería Lichtenstein de Viena. Destinado a una serie de tapices sobre el cónsul Decio Mus, que realizó hacia 1698.
Antes identificado con *La derrota de Senaquerib,* tiene evidente relación con el cuadro de este asunto del Museo de Múnich (fechado en 1614).
Véase el n.° 2454.

457 *El rapto de Europa*

abla, 0,18 × 0,13.

a ninfa, vestida de rojo, sobre el toro. oceto para el n.° 1628 del Museo, bra de Erasmo Quellinus, destinada a Torre de la Parada
egado de los duques de Pastrana 1889).

458 *La persecución le las Harpías*

abla, 0,14 en cuadro.

alays y Gethes, argonautas alados, ersiguen a las Harpías e Estinfálidas. oceto para el n.° 1633 del Museo, bra de Erasmo Quellinus destinada a Torre de la Parada.
egado de los duques de Pastrana 1889).

459 *Céfalo y Procris*

abla, 0,26 × 0,28.

De cuerpo entero, sentados en un osque.
oceto para el cuadro n.° 1971 del rado, que firma Peeter Symons, intado para la Torre de la Parada.
egado de los duques de Pastrana 1889).

461 *La muerte de Jacinto*

abla, 0,14 en cuadro.

acinto, en el suelo, junto al tejo con ue jugaba Apolo, y con que le dio nuerte; Apolo, rodilla en tierra, obser-ando la herida.
l lienzo, que fue pintado para la orre de la Parada, es obra de Cossiers, se conserva en el Palacio Real, muy naltratado.
egado de los duques de Pastrana 1889).

3137

2566 *Briseida, devuelta a Aquiles por Néstor*

Tabla, 1,06 × 1,62.

Briseida, acompañada por los portadores de presentes, se aproxima a la tienda de Aquiles; al fondo, Patroclo muerto. La escena, encuadrada por dos cariátides, genios, cornucopias, etcétera.
«Cartón» para un tapiz de la *Historia de Aquiles,* como los números 2454 y 2455 que, con el 2456, fueron donados por la duquesa de Pastrana (1889). Véase el n.° 2454.

3137 *El duque de Lerma*

Lienzo, 2,83 × 2,00.

El duque marcha, de frente, sobre un caballo blanco. Sobre la armadura destacan el collar y la venera de la Orden de Santiago. Fondo de árboles con una palmera. A la derecha, amplio paisaje, con una batalla.
Firmado: *P. P. RUBENS FECIT 16...*
Pieza de excepcional importancia histórica y artística, perfectamente documentada en las cartas del propio Rubens de 1603 y de amplia influencia posterior, especialmente en Van Dyck y Gaspar de Crayer.
Existen dibujos preparatorios con notables variantes en el Museo del Lou-

vre y en la Colección del duque de Weimar.
Tras ser propiedad del retratado, pasó a las Colecciones Reales, donde estaba en 1635. Felipe IV lo regaló al almirante de Castilla; y en 1800 era del marqués de Denia.
Adquirido por el Patronato y el Ministerio en 1969.

RUBENS. Copia de Holbein por Rubens

1688 *Santo Tomás Moro, Gran Canciller de Inglaterra*

Tabla, 1,05 × 0,73.

De más de medio cuerpo, con gorra negra y ropón de piel con mangas de terciopelo rojo; un papel en las manos.
Sir Thomas Moro nació el 7 de septiembre de 1478 y fue decapitado el 6 de julio de 1535.
Fue canonizado al cumplirse el cuarto centenario de su muerte.
Copia, con algunas variantes —supresión de la gran cadena, etc.—, del retrato de la Colección Frick de Nueva York, fechado en 1527.
La copia datará de la estancia de Rubens en Inglaterra; junio de 1629-diciembre de 1630.
Procede de la testamentaría de Rubens. En 1700 se cita en el Alcázar; y en 1794 en Aranjuez.

RUBENS. Copias de Tiziano por Rubens

1692 *Adán y Eva*

Lienzo, 2,37 × 1,84.

Adán, sentado; Eva coge la manzana, que le ofrece el genio del mal, con cola de serpiente; fondo de paisaje.
Copia muy libre, del cuadro de Tiziano n.° 429, pintada en España cuando el segundo viaje (1628-1629).
Fue adquirida en la testamentaría de Rubens. Estuvo en El Pardo y en el

1692

1693

Palacio Nuevo. Se envió a la Academia en 1816.

1693 *El rapto de Europa*

Lienzo, 1,81 × 2,00.

La ninfa desnuda sobre el toro nadando; escóltanles o persíguenles un genio montado en un delfín y dos amores

1418

volando. En la orilla, las compañeras de Europa, con ademanes de desesperación. Copia, más puntual de lo que acostumbraba Rubens, del cuadro de Tiziano enviado a Felipe II en 1562, que Velázquez copió en el tapiz de *Las Hilanderas,* regalado, el 1 de septiembre de 1704, al duque de Gramont (hoy en el Museo Gardner, de Boston). Pintado por Rubens en su segunda estancia en Madrid y comprado a su testamentaría.
En 1700 estaba en El Pardo, y ya en 1772 y 1794, en el Palacio Nuevo, adonde había llegado desde El Pardo.

RUBENS y Jan Brueghel

1418 *La Virgen y el Niño en un cuadro rodeado de flores y frutas*

Tabla, 0,79 × 0,65.

Dentro del cuadro simulado: la Virgen, con el Niño y dos ángeles, portadores de una corona. El cuadro pende de una guirnalda de flores, frutas y hortalizas. Fondo de campo y cielo, con árboles, pájaros, ciervos, conejos, galápagos, monos, etc.
El cuadro es de Rubens, y la guirnalda, de Brueghel, así como los animales y el fondo.
Fechable entre 1614 y 1618.
Este ejemplar procede de la Colección del marqués de Leganés.

1683 *El archiduque Alberto de Austria*

Lienzo, 1,12 × 1,73.

De más de medio cuerpo; sentado, en el fondo, el castillo de Tervuren rodeado de agua.
Hijo de Maximiliano II y de la emperatriz María, nació el 13 de noviembre de 1559; cardenal en 1577; por no estar ordenado, se casó con la infanta Isabel Clara Eugenia en 1599; murió el 13 de junio de 1621.
Compañero del n.° 1684.
El paisaje es de Brueghel.
Procede de las Colecciones Reales.

1661

1684 *La infanta Isabel Clara Eugenia*

Lienzo, 1,02 × 1,73.

De más de medio cuerpo; sentada; al fondo, el palacio de Mariemont.

Sobre Isabel Clara Eugenia, véase el n.° 1137.

Compañero del n.° 1683.

En 1636 estaba en la «Galería que mira al Mediodía» del Alcázar de Madrid. En 1666, 1686 y 1700 sigue en el Alcázar y en 1740 se cita en las Casas Arzobispales.

RUBENS y Van Dyck

1661 *Aquiles descubierto*

Lienzo, 2,46 × 2,67.

El héroe, disfrazado de mujer, se delata al empuñar la espada escondida por Ulises entre las joyas y ropas de Deidamia, que está acompañada de sus damas. A la derecha, Ulises y Licomedes. Fondo de arquitectura y paisaje.

El 28 de abril de 1618 ofrecía Rubens este cuadro a sir Dudley Carletton, como «fatto del meglior mio discepolo e tutto ritocco de mia mano: quadro vaghissimo». El discípulo aludido es Van Dyck, a la sazón de diecinueve años.

El cuadro lo trajo Rubens a España en 1628. Adornaba el Alcázar de Madrid en 1636. De allí pasó al Palacio Nuevo, donde se cita en 1814.

RUBENS y Frans Snyders

1420 *Guirnalda de flores y frutas*

Lienzo, 1,74 × 0,56.

Dos amorcillos con gran diversidad de flores y frutas.

1420

1664

El *Catálogo* de 1920 clasificaba este lienzo como un producto de la colaboración de Jan Brueghel —flores—, F. Snyders —frutas— y un discípulo de Rubens —genios o amores.
Hoy se tiende a considerar las figuras del propio Rubens y las guirnaldas de Snyders.
En 1636 y 1686 estaba en el Alcázar; y en 1748 en el Retiro.

1664 *Ceres y dos ninfas*

Lienzo, 2,23 × 1,62.

Ceres, con un manojo de espigas, recibe el cuerno de la Abundancia; a su izquierda, una ninfa que juega con un mono; detrás, otra ninfa o servidora.
Los animales y las frutas son de Snyders; según Schäffer, se pintó entre 1620 y 1628.
En 1636 se describe puntualmente en la «Pieza nueva sobre el zaguán» del Alcázar de Madrid. Con los cuadros de desnudo se envió a la Academia en 1776, y de allí se trajo el 5 de abril de 1827.

1672 *Ceres y Pan*

Lienzo, 1,77 × 2,79.

Los dos dioses están sentados. Ceres, con una cornucopia; Pan, con una cesta de fruta; en el suelo, hortalizas y frutas diversas. Fondo de bosque con faunos y ninfas.
Rooses cree que el paisaje y las frutas son de Wildens probablemente; pero en el inventario de Palacio de 1636, «Pieza donde cena S. M. en el Cuarto de Verano», se atribuye a Rubens, y las frutas, a Snyders.
Llegó a España con Rubens en 1628. En 1666, 1686, 1700 y 1734 estaba en el Alcázar. En 1748 se cita en el Retiro; y en 1772 en el Palacio Nuevo.

1851 *Filopomenes descubierto*

Lienzo, 2,01 × 3,11.

El fingido leñador, general de la Liga Aquea en la segunda guerra macedónica, es sorprendido por el esposo de la vieja para quien trabaja. A la izquierda, sobre la mesa, un pavo, un ganso, un gamo, un jabalí, aves, hortalizas y frutas; debajo, un gato.
Aunque se ha atribuido a Jan Boeckhorst (1605-1668), por Gluck, y en los últimos años ha figurado como obra de Adrian de Utrech, es, en realidad, obra de Rubens, con la colaboración de Snyders en las exuberantes naturalezas muertas.
El boceto se conserva en el Museo del Louvre.
En 1666 y 1686 en el Alcázar, a nombre de Rubens y Snyders. En 1772, en el Palacio Nuevo.

RUBENS y Jan Wildens

1645 *Acto de devoción de Rodolfo I de Habsburgo*

Lienzo, 1,98 × 2,83.

El sacerdote portador del Viático, a caballo, que lleva el diestro Rodolfo I; el sacristán, jinete también, acompañado por el escudero. Van con ellos perros de caza. Fondo de paisaje; una casa de labor a la derecha, una iglesia a la izquierda y otras dos en la lejanía.
Rodolfo I vivió de 1218 a 1291; fue emperador de Alemania y tronco del linaje de Austria.
El cuadro se pintó antes de 1636, en que adornaba el dormitorio de Felipe IV.
Según Rooses, el paisaje es una de las obras capitales de Jan Wildens; Evers, siguiendo a Burchard, ha llegado a sospechar si todo el cuadro lo pintaría Wildens.
Procede de la testamentaría del marqués de Leganés. Se cita en el Alcázar entre 1636 y 1734. En 1746 estaba en el Retiro, y en 1772 y 1794 en el Palacio Nuevo.

RUBENS. Taller

1675 *La diosa Flora*

Lienzo, 1,67 × 0,95.

Casi de cuerpo entero, sentada oliendo una clavellina; a la derecha, canastilla y paisaje con una casa y jardín con figuras.
Díaz Padrón (1995) lo cataloga a nombre de Jan Brueghel el Joven.
En 1666, en el Alcázar; después del incendio, en el Retiro.

3048 *Muerte de Séneca*

Lienzo, 1,82 × 1,21.

Séneca, de frente, desnudo, con los pies en una jofaina. A la derecha, un servidor le abre las venas; a la izquierda, joven sentado, escribiendo, y dos soldados.
Réplica de la conocida tabla de la Pinacoteca de Múnich, en la que la cabeza del filósofo es diverso modelo. Aquí se inspira Rubens en el busto helenístico, largo tiempo creído retrato de Séneca, del cual el mismo pintor poseyó una réplica. Pérez Sánchez, Jaffé y Díaz Padrón hablan de una participación de Rubens en las partes esenciales de esta obra.
Procede del Palacio del Buen Retiro, donde se cita entre 1637 y 1779.

RUBENS. Escuela

1543 *El juicio de Salomón*

Lienzo, 1,84 × 2,17.

A la derecha, el rey en su trono; trece figuras, entre ellas las madres litigantes, soldados, y, de espaldas, el que se dispone a ejecutar la sentencia. El pasaje se refiere en el capítulo III del libro de los *Reyes*.
Gluck vuelve a la atribución a Rubens que da el inventario de 1746, y cree se pintaría hacia 1608-10. Mayor supuso, con dudas, que era obra de Jan Bockhorst (nació en Münster en 1605; murió en Amberes el 21 de abril de 1668). Díaz Padrón (1995) lo cataloga a nombre de Rubens y Jan Wildens.
Adquisición de Isabel de Farnesio (La Granja, 1746).

1645

1717 *Vulcano, o el fuego*

Lienzo, 1,40 × 1,26.

Sentado, con la tea en la mano izquierda. Delante, piezas de armería; a la derecha, un cañón con dos servidores, y una fragua en la que trabajan varios obreros.
Díaz Padrón (1995) lo atribuye a Quellyn.
En 1772 estaba en el Retiro, procedente de la Zarzuela, donde se cita en 1700. Allí formaba probablemente parte de una serie de los elementos, a la que también pertenecía el n.° 1716.

2811 *San Agustín meditando sobre el misterio de la Trinidad*

Lienzo, 2,09 × 1,59.

El santo doctor, de pontifical, contempla al Niño, que le demuestra la vanidad de pretender comprender el misterio de la Trinidad, igual a la de vaciar el mar.
El cuadro parece el original del de la calle de la derecha, cuerpo bajo, del retablo de las Agustinas de Monterrey, en Salamanca.
En el *Catálogo* de 1942, puesto a nombre de Crayer. Luego se consideró del propio Rubens.

RUBENS. Copias

1701 *Triunfo de la Eucaristía sobre la Filosofía*

Tabla, 0,86 × 0,91.

En carro arrastrado por dos ángeles van una matrona con el Sacramento y un ángel con la cruz; detrás, la Astronomía, la Filosofía, la Naturaleza, la Poesía y las Razas exóticas. Angeles volando con una antorcha e instrumentos de la Pasión.
El boceto, en Cambridge.
Aunque se catalogó hasta 1972 como obra de Rubens, su pobre calidad obliga a considerarlo copia antigua. Véase el n.° 1695.
En 1694 en el Alcázar; en 1748-1794 en el Buen Retiro.

1702 *Los cuatro evangelistas*

Tabla, 0,86 × 0,91.

San Lucas, con el toro; san Marcos, de espaldas, con el león, san Mateo y el Angel, y san Juan; en alto, el águila. Dos ángeles levantan las cortinas, simuladas tras las columnas.
Cartón propiedad del Ringling Mu-

seum de Sarasota; y el original está en Sudeley Castle. Hasta 1933 se le consideraba copia. Entre 1942 y 1972 se atribuía al maestro.
Véase nota al n.° 1695.
En 1694, en el Alcázar; en 1748-1794, en el Buen Retiro.

1709 *Los cuatro evangelistas*

Tabla, 0,86 × 0,91.

Boceto para un cartón de tapiz, copia del número 1702.
Salvado del incendio del Alcázar en 1734; después pasó al Retiro.

2038 *El gigante Polifemo*

Tabla, 0,27 × 0,15.

En pie, en actitud de arrojar un peñasco contra un barco.
Copia del boceto para un cuadro pintado por Cossiers, hoy perdido, con destino a la Torre de la Parada. Hasta 1972 se consideró original del maestro el n.° 2039. Donado por la duquesa de Pastrana en 1889.

2039 *Atlas sosteniendo el mundo*

Tabla, 0,25 × 0,17.

El héroe, desnudo, abrumado por la carga.
Copia de un boceto perdido. Se supone que el lienzo fue destruido en el saqueo de la Torre de la Parada en 1710.
Hasta 1972, considerado original.
Véase el n.° 2038.

2460 *El rapto de Deyanira*

Tabla, 0,18 × 0,13.

El centauro Neso lleva en su grupa a Deyanira, hija del rey de Calidonia, fingiendo servir a Hércules.
El asunto pasó con muchas variantes y ampliaciones —por ejemplo, Hércules disparando la flecha contra Neso— a la tabla del Museo de Hannover, pintada hacia 1635.
Copia, seguramente del siglo XVIII, del boceto de Rubens para una composición para la Torre de la Parada que

1729

realizó Quellinus y que conocemos por la copia de Mazo que el Prado tiene depositada en el Palacio de Pedralbes.
El boceto original estaba en la Colección Wallis, de Berlín.
Hasta 1972 se consideró original.

RUISDAEL. Jacob Isaacksz van Ruisdael

Nació en Haarlem en 1628-29; enterrado en la misma ciudad el 14 de marzo de 1682. Escuela holandesa.

1729 *Paisaje*

Tabla, 0,61 en cuadro.

Bosque de hayas. A la derecha, una iglesia y agua con una barca.
Firmado cerca del borde inferior y del ángulo derecho: *J. V. RUYSDAEL FC.*
Luigi Malle (1967) consideró esta obra como de los años cincuenta.

302

RUIZ GONZALEZ. Pedro Ruiz González

Nació en Arandilla (Cuenca) en 1640; murió en Madrid el 3 de mayo de 1706. Escuela española.

2807 *Cristo en la noche de la Pasión*

Lienzo, 1,23 × 0,83.

Amplios fondos de arquitectura. Jesús, maniatado, con el dogal al cuello, entre improperios, desciende por la escalinata de Herodes; abajo, en el primer escalón, los sayones preparan la cruz. En la parte superior, grupo de ángeles.
Firmado y fechado: *RUIZ GONZÁLEZ FT 1673.*
Según Soria, puede tratarse del n.° 344 de la venta de los cuadros de Luis Felipe, comprado por Watson.

199

ıgresó en el Museo en 1941, con ɛros fondos del Servicio de Recupeıción.

.UIZ DE LA IGLESIA. Francisco ɡnacio Ruiz de la Iglesia

ǀació en Madrid en 1649; murió el 9 de febrero de 1704. Escuela espaɒla.

029 *Retrato de la duquesa 'e Aveiro*

ienzo, 0,81 × 0,60.

)e más de medio cuerpo, dentro de ɴ óvalo.

n torno, como un marco pintado se :e: *DECVS IN MORTAE TVORUM ETATIS AE 85 AÑ.— FRANCISCUS (¿?) IGNATIUS UIZIS FACIEBAT FAMULUS TUUS.*

)oña María Guadalupe Alencastre ha(a nacido el 11 de enero de 1630, y ɩurió el 9 de febrero de 1715.

a identificación del personaje la proɒrciona una inscripción sobre el ɔrso.

.dquirido por el Ministerio de Educa:ión Nacional.

.UOPPOLO. Giovanni Battista :uoppolo

ǀació en Nápoles en 1610; murió en 685.

990 *Bodegón*

ienzo, 0,78 × 1,51.

;arrafa con trenzado de esparto, vasi.s de cobre, aves, pasteles y un gran ɩueso sobre un papel de música con :xto en italiano.

;atalogado en el Museo, hasta 1920, ɔmo Anónimo Flamenco; atribuido ɒor Pérez Sánchez (1967) a Giovanni ɜattista Ruoppolo, por su semejanza ɔn obras del período juvenil de este ɾtista.

rocede de las Colecciones Reales. ɲventario del Buen Retiro, 1794.

2382

RUTA. Clemente Ruta

Nació en Parma el 9 de mayo de 1685; murió el 11 de noviembre de 1767. Escuela italiana.

2382 *La infanta María Isabel, hija de Carlos III*

Lienzo, 1,02 × 0,74.

Sentada en un trono, dando de comer a un perrillo, en el momento de ser coronada por el genio de la Fama, que toca una trompeta.

Nació en Nápoles el 10 de abril de 1743; murió el 5 de marzo de 1749, cuando aún no había cumplido los seis años de edad. Tercera hija de los monarcas Carlos III y María Josefa Amalia de Sajonia.

Fechado hacia 1745.

Considerado como de escuela francesa, atribuido algún tiempo a Amiconi; Urrea (1977) lo cree obra de Clemente Ruta.

Procede de las Colecciones Reales.

RYCKAERT. Martin Ryckaert

Nació en Amberes en 1587; murió el 11 de octubre de 1631. Escuela flamenca.

2002 *Paisaje quebrado y peñascoso*

Cobre, 0,43 × 0,66.

Amplio fondo de paisaje. A la derecha, dos caballeros con sus guías bajan por un camino; más acá, un pastor con su ganado. En primer término, un pequeño lago con ánades. Al fondo, a la izquierda, un grupo de construcciones, rodeadas de bosque, entre las que destaca un edificio románico de planta circular.

Firmado en anagrama: *M. R. 1617.*

Considerado como anónimo flamenco del siglo XVII, por Madrazo y Gaya Nuño, Wilensky (1960) lo restituyó a M. Rickaert, atribución que reitera Díaz Padrón (1975).

Procede de las Colecciones Reales.

2002

RYCKAERT III. David Ryckaert

Bautizado el 2 de diciembre de 1612 en Amberes, donde murió el 11 de noviembre de 1661. Escuela flamenca.

1730 *El alquimista*

Tabla, 0,58 × 0,86.

Sentado en su laboratorio; un ayudante le entrega una redoma.
Firmado entre el medio y el ángulo inferior de la derecha: *D. RYCKERT PINXIT, 1649.*
En 1666 y 1686, en el Alcázar, como de Teniers; en 1746, en La Granja, entre las pinturas de Isabel de Farnesio.

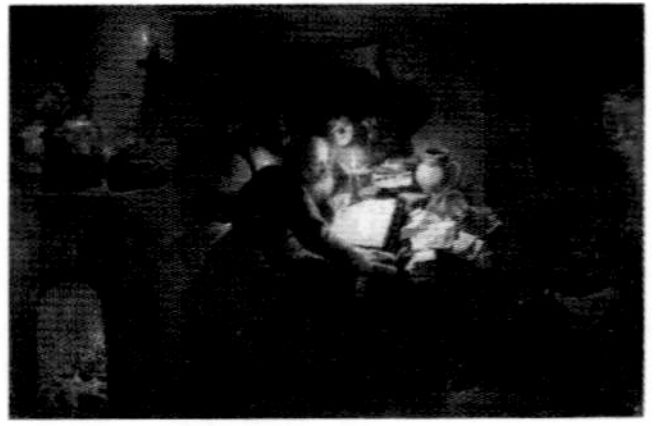

1730

SACCHI. Andrea Sacchi

Nació en Nettuno en 1599; murió en Roma el 21 de junio de 1661. Escuela italiana.

3 *El nacimiento de san Juan Bautista*

Lienzo, 2,62 × 1,71.

Zacarías, en pie, pronuncia el nombre del Precursor; el recién nacido, cuidado por unas mujeres; al fondo, en el lecho, santa Isabel.
Variante del mismo asunto pintado por Sacchi en la cúpula del baptisterio de Letrán.
Catalogado antes como la *Natividad de la Virgen* y de la escuela de Albani, maestro de Sacchi. Perteneció al marqués de la Ensenada. En 1772, en el Palacio Nuevo, cuarto del infante don Javier.

3

32

326 *El pintor Francesco Albani*

Lienzo, 0,73 × 0,54.

Busto; cuello blanco.
En la Academia de San Lucas, de Ro ma, hay una réplica o copia datada e 1664. Procede el nuestro de la Colec ción Maratta, donde se identifica atribuye.
En 1746, en la Colección de Felipe V (La Granja). En 1794, en Aranjuez.

328 *San Pablo y san Antonio, ermitaños*

Lienzo, 1,41 × 1,41.

Sentados: a la izquierda, san Pablo con arpillera; a la derecha, san An tonio. Encima, el cuervo con el pan Fondo de paisaje.
De la década de 1630. Compañero de *Santa Rosalía,* n.° 3189.
Se atribuyó a Reni hasta Ponz. U dibujo preparatorio para la cabeza d san Antón se guarda en el Kunst Mu seum de Düsseldorf.
Colecciones Reales: inventario de Buen Retiro, 1700. Palacio Nuevo 1772.

3189 *Santa Rosalía de Palermo*

Lienzo, 1,40 × 1,40.

De más de medio cuerpo, sentada con los ojos alzados, sostiene un cince y un martillo, mientras un ángel alz un papel con la inscripción *EG*

OSALIA SINIBALDI; otro ofrece más
nceles, y un tercero sostiene una
uirnalda de flores. Al fondo, paisaje,
on el golfo de Palermo y el Etna.
onsiderada de Guido Reni en los
ventarios palaciegos del siglo, Ponz
a señalaba su verdadero autor.
n el Palacio del Buen Retiro forma
areja con los *Santos ermitaños,* del
ropio Sacchi.
olecciones Reales: inventario del
uen Retiro, 1700. Palacio Nuevo,
772.

**ACCHI. Copia de Annibale
arracci**

3 *Coronación de espinas*

ienzo, 0,50 × 0,67.

e describe con precisión en la Colec-
ón Maratta, de donde procede,
omo copia de Annibale por Sacchi.
sí se inventarió siempre en Palacio.
ero en los *Catálogos* del Prado, hasta
920, se atribuyó a Ludovico Carrac-
. El original de Annibale se conserva
 la Pinacoteca de Bolonia.

**ALVADOR GOMEZ. Vicente
alvador Gómez**

ació hacia 1637; murió en 1680. Tra-
ajó en Valencia. Escuela española.

2661

2661 *Expulsión de los mercaderes del templo*

Lienzo, 1,35 × 1,01.

La escena se desarrolla en un interior de grandiosa arquitectura. Los personajes de pequeño tamaño, en actitudes muy movidas.
Firmado en el pedestal de las pilastras, a la derecha: *EN VALENCIA VICENTE SALVADOR.*
Perteneció a la iglesia de San Jerónimo, donde lo describe Ponz y Ceán Bermúdez, y fue luego de la Colección Godoy.
Adquirido en París en 1979.

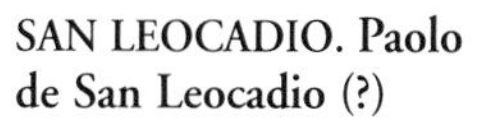

**SAN LEOCADIO. Paolo
de San Leocadio (?)**

Nació en Reggio Emilia el 10 de septiembre de 1447; documentado en Valencia entre 1472 y 1514.
Escuela española.

1335 *La Virgen del caballero de Montesa*

Tabla, 1,02 × 0,96.

La Virgen, con el Niño en brazos, sentada en un trono. A su derecha y a su izquierda, san Benito y san Bernardo; a los pies, arrodillado, un caballero de la orden militar de Montesa. La escena, en la crujía de un claustro; en el campo se ve a un monje leyendo, con dos conejillos.
Obra de gran calidad y atribución muy controvertida, que viene aceptándose en la actualidad como de Paolo de San Leocadio, por su extraordinaria semejanza con las obras firmadas de éste que van siendo dadas a conocer.
Tormo la creyó muy cercana a Rodrigo de Osona, y se ha pensado también (Buendía, 1980) en Francesco Pagano, compañero de San Leocadio en su primer trabajo en Valencia.
Adquirida en 1919 por suscripción pública.

1335

2693

2693 *El Salvador*

Tabla, 0,34 × 0,25.

Busto, con túnica verde y manto rojo; nimbo crucífero.
Pareja del n.° 7135. En el *Catálogo* de 1920, como de escuela de Aviñón. Ya Mayer propuso la atribución al Maestro del Caballero de Montesa, hoy identificado con Paolo de San Leocadio, a quien puede atribuirse casi con entera seguridad.
Legado Pablo Bosch.

7135 *La Dolorosa*

Tabla, 0,34 × 0,25.

Busto. Manto azul, túnica roja.
Véase el n.° 2693.
Legado Pablo Bosch.

2684

SAN NICOLAS. El Maestro de San Nicolás

Pintor burgalés del siglo XV, que probablemente residió en Cataluña.
Escuela española.

2684 *San Agustín, de pontifical*

Tabla, 1,27 × 0,53.

Algo más de la mitad de la tabla: san Agustín —lo dice en la aureola— sentado en el trono; a la derecha, un obispo y un cardenal.
Sanpere y Miquel lo publicó, dubitativamente, a nombre de Juan Lluys de Valls. La clasificación actual es de Post, y, en efecto, el cuadro sigue de cerca la *Consagración de san Nicolás,* del retablo de San Nicolás, de Burgos.
Legado Pablo Bosch (1916).

2922

SANCHEZ. Mariano Sánchez

Nació en Valencia en 1740; murió el 8 de marzo de 1822.
Escuela española.

2919 *Puente de Badajoz*

Lienzo, 0,57 × 1,11.

Grupo de pescadores y una mujer en un mulo.
Forma parte de una serie de 118 vistas de puertos, bahías, islas, arsenales, etc. españoles que le encargó Carlos III en 1781 y le tuvo ocupado hasta 1803.
Procede de las Colecciones Reales.

2922 *Puente de Martorell*

Lienzo, 0,67 × 1,02.

En primer término, lavanderas en el río.
En el ángulo inferior derecho, en una cartela: *PUENTE DE MARTORELL.*
Véase el n.° 2919.

SANCHEZ COELLO. Alonso Sánchez Coello

Nació en la Alquería Blanca (Benifayó Valencia) en 1531 ó 1532; murió en Madrid el 8 de agosto de 1588.
Escuela española.

1136 *El príncipe don Carlos*

Lienzo, 1,09 × 0,95.

De las rodillas arriba, en pie; viste de color anaranjado, capa forrada de armiño, gorra negra con pluma, calzas verdosas. En el fondo se adivina el marco de una ventana interior.
Hijo de Felipe II y de su primera esposa, María de Portugal, nació en Valladolid el 8 de julio de 1545; murió en Madrid el 24 de julio de 1568.
En 1636 se describe en el Alcázar de Madrid, «Aposento de *Las Furias*» este mismo retrato, que entonces er de cuerpo entero.

1137 *La infanta Isabel Clara Eugenia*

Lienzo, 1,16 × 1,02.

De las rodillas arriba, en pie; la diestr apoyada en el respaldo de un silló carmesí. Traje blanco y oro; cuello puños de puntas; tocado con plumas perlas; collar, cinturón y botones d oro, piedras y perlas; pañuelo en l mano izquierda. En el fondo se advier ten la abertura de una puerta y el van de una ventana interior.
En el hueco, encima del sillón, la fir ma: *ALFONSUS... US... 1579.*
Isabel Clara Eugenia, hija de Felipe I y de su tercera mujer, Isabel de Valoi nació en Valsaín el 12 de agosto d 1566; casó el 18 de abril de 1599 co el archiduque Alberto; murió en Bru selas el 1 de diciembre de 1633.
Procede de las Colecciones Reales.

1138 *Las infantas Isabel Clara Eugenia y Catalina Micaela*

Lienzo, 1,35 × 1,49.

Junto a una mesa, Isabel entrega a s hermana una corona de flores.
Sobre las retratadas, véanse los núme ros 1137 y 1139.
Una repetición con variantes, datad en 1571, se guarda en Buckingha Palace.
En 1636, en el Alcázar; después, e el Retiro. Se cita en el Museo desd 1819.

1139 *Catalina Micaela de Austria, duquesa de Saboya*

Lienzo, 1,11 × 0,91.

De más de medio cuerpo, en pie. Say entera negra con cuello y puños d puntas, mangas interiores, blanco oro, lazos blancos; dos vueltas d perlas; collar, cinturón, hombreras botones de oro labrado; los guantes e la mano izquierda.

ija de Felipe II y de Isabel de Valois, ació en Madrid el 10 de octubre de 567; casó en Zaragoza con Carlos Ianuel de Saboya el 11 de marzo de 585; murió en Turín el 6 de noembre de 1597.

usche (1994) lo atribuye a Sofonisba nguisciola.

ocede de las Colecciones Reales.

140 *Joven desconocida*

abla, 0,26 × 0,28.

usto. Gorguera de puntas y cuello de el blanca.

uizá aparece registrada en el inventao del Buen Retiro, hecho a la muerde Carlos II.

142 *La dama del abanico*

abla, 0,67 × 0,56.

e medio cuerpo. Viste de negro, con ordados de oro; estrecha gola; manas abiertas de color noguerado, y las teriores, de seda blanca; entre las anos con sortijas, el abanico cerrado. ocede de las Colecciones Reales.

1137

1136

1138

144 *Desposorios místicos e santa Catalina*

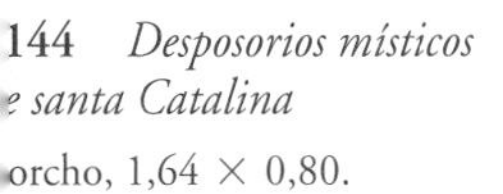

orcho, 1,64 × 0,80.

a Virgen sentada, con Jesús niño, que oraza a la santa. A la escena asisten ras dos.

rmado a la derecha, en bajo: *ALON-*
S. SANTIVS. F. 1578.

Se trajo de El Escorial en 1839; allí se había entregado en1583.

2511 *Autorretrato (?)*

Lienzo, 0,41 × 0,32.

Busto. Viste de negro, con gola blanca. La tabla está añadida; la pintura original ocupa una superficie de 30 × 21 cm. En el testamento del hijo del pintor se citan tres autorretratos.
Adquirido en abril de 1926 a los herederos de don Antonio Vives.

2861 *San Sebastián entre san Bernardo y san Francisco*

Tabla, 2,80 × 0,70.

Los santos fundadores, a derecha e izquierda, reciben el uno el premio por defender la virginidad de María, y san Francisco los sagrados estigmas. Fondo de paisaje con dos arqueros y dos lanceros. Rompimiento de gloria con la Trinidad y la Virgen entre ángeles.
Firmado: *ALFONSUS SANCTIUS. F. 1582.*
Palomino encomia el cuadro en la cuarta capilla a mano derecha de San Jerónimo el Real de Madrid, según Ponz, la sepulcral de Clemente Gay-tán de Vargas, secretario de Felipe II (murió en 1577) y de su mujer, quien tal vez encargó la pintura.
Pasó al Prado en 1841.

SANCHEZ COELLO. Copias por Pantoja

1030 *La reina Isabel de Valois, tercera esposa de Felipe II*

Lienzo, 1,19 × 0,84.

De las rodillas arriba; en pie. Traje negro con mangas carmesíes, como los lazos del vestido y tocado; dos vueltas de perlas; collar, cinturón, botones y cadena del manguito de marta, de oro labrado y pedrería. Apoya el antebrazo derecho en el respaldo de un sillón. Detrás, una colgadura de brocado de oro.
Hija de Enrique II y de Catalina de Médicis, nació el 11 de abril de 1546; casó con Felipe II el 31 de enero de 1560, en Guadalajara, y murió el 3 de octubre de 1568. Conviene el lienzo con la descripción que figura en la «memoria de los retratos que se han hecho para la Casa real de El Pardo»; Pantoja murió antes de haberlos cobrado. Sustituía esta serie a la quemada en el incendio de 13 de marzo de 1604.

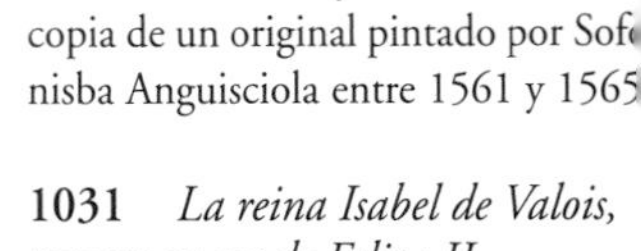
Breuer-Hermann y Kusche lo cree copia de un original pintado por Sofo nisba Anguisciola entre 1561 y 1565

1031 *La reina Isabel de Valois, tercera esposa de Felipe II*

Lienzo, 2,05 × 1,23.

En pie. Viste de negro; gorguera blan ca con puntas amarillas; igual combi nación muestran las mangas; colla broches y cinturón de perlas, pedrería oro; en la diestra, apoyada sobre pedestal de una columna, una mini tura de Felipe II, armado. Al fond hueco de una ventana interior.
Sobre Isabel de Valois, véase el nu mero 1030.
A veces creído de Sánchez Coello, y e el último *Catálogo* de Pantoja com copia de su maestro. Breuer (1990) Kusche (1994) lo creen de Sofonisl Anguisciola.
Llegó al Museo en 1845 proceden de El Escorial.

SANCHEZ COELLO. Discípulos de Alonso Sánchez Coello

861 *Isabel Clara Eugenia y Magdalena Ruiz*

Lienzo, 2,07 × 1,29.

La infanta viste de blanco y or sombrero alto, negro con plumas

1030

1031

1:

7612

ɔyel; en la diestra, un camafeo de 'elipe II. La enana, arrodillada con los monos, viste de negro y tocas; cuello, doble sarta de corales.
'intado hacia 1580.
obre Isabel Clara, véase el n.° 1137.
Λagdalena Ruiz, loca de la princesa oña Juana; acompañaba en Lisboa Felipe II en 1582. Murió en El scorial en 1605.
e describe puntualmente en los nventarios del Alcázar de 1600 y de 636, pero sin dar nombre de autor. Λadrazo lo atribuyó, primero, a Barɔlomé González, y en el *Catálogo* xtenso, a Felipe de Liaño (murió en 625), pintor de retratos pequeños egún sus contemporáneos, y de estilo, asta hoy, desconocido. Breuer (1990) ɔ cree obra de Sánchez Coello, con ntervención de taller.
e menciona en el Alcázar en 1600 y 636.

1284 *La reina doña Ana de Austria, cuarta esposa de Felipe II*

Lienzo, 0,84 × 0,67.

De medio cuerpo. Viste de negro con cuello y puños de puntas; con la diestra coge un collar de cuentas, y la mano izquierda en el brazo de un sillón.
Doña Ana, hija de Maximiliano II y doña María, nació en Cigales el 1 de noviembre de 1549, casó en Segovia el 12 de noviembre de 1570 y murió en Badajoz el 26 de octubre de 1580.
Probablemente se pintó como pareja del n.° 1036, y, como éste, se atribuye recientemente a Sofonisba Anguisciola
Procede de las Colecciones Reales.

SANCHEZ COTAN. Juan Sánchez Cotán

Nació en Orgaz (Toledo), en 1560; murió en 1627 en Granada.
Escuela española.

7612 *Bodegón de caza, hortalizas y frutas*

Lienzo, 0,68 × 0,89.

Apoyado contra la pared de la derecha, del marco de una ventana, destaca un cardo blanco rosado. A su lado, dos rábanos blancos y tres zanahorias; cerrando la composición, por la izquierda, una caña con seis gorriones desplumados. En la parte superior, tres limones colgados, siete manzanas rojas que penden de unos cordeles, y en el centro un par de perdices y otras dos aves más pequeñas.
Firmado y fechado, en la parte inferior central: *JU° SANCHEZ COTAN F. 1602.*
El cuadro, probablemente, fue regalado o vendido por el propio artista a Juan de Salazar, albacea de su testamento. Perteneció al infante don Sebastián Gabriel, a quien le fue incautado en 1835. Pasó al Museo Nacional

7289

de la Trinidad, siendo devuelto, años más tarde, a sus herederos, entre los que permaneció hasta 1991. Adquirido por el Museo a la duquesa de Hernani, en 1993, con fondos del Legado Villaescusa.

SANCHEZ DE SAN ROMAN. Juan Sánchez de San Román

7289 *Cristo varón de Dolores*

Tabla, 0,48 × 0,38.

La figura de Cristo varón de Dolores, de menos de medio cuerpo, destaca sobre fondo dorado, rodeado de una cenefa, realizada a base de florones y círculos yuxtapuestos, hechos a cincel. La cabeza, ligeramente inclinada hacia la izquierda, acentuando la melancolía del rostro, portando la corona de espinas, que resalta sobre un nimbo en relieve, con la cruz de fondo. Con su mano izquierda señala la llaga.
La obra, concebida en su totalidad, es decir, con marco incluido, aparece firmada en el marco, abajo en el centro: *JUº S. PINTOR DE SÃ ROMÃ D. SEVILLA.*
Fechada hacia 1500.
Adquirida a don José Félix Salvador Ayestarán, en 1987.

SANTA SANGRE. El Maestro de la Santa Sangre

Anónimo, de Brujas, discípulo de Quintín Massys; la obra que le da nombre es el retablo de la capilla de la Santa Sangre, en Brujas (hacia 1520).
Escuela flamenca.

1559 *Ecce-homo*

Tríptico, tabla: alto, 1,09; ancho, centro, 0,89; portezuelas, 0,39.

Izquierda: El donador (?); detrás, la Virgen, san Juan y dos judíos; al fondo, edificio con campanario de chapitel bulboso. *Centro:* El Nazareno, Pilatos y dos judíos. *Derecha:* Judíos y soldado que dirigen improperios a Jesús.
El donador (?) está retratado en el número 537a, de Berlín, atribuido al Maestro de Flémalle. La atribución del tríptico es de Friedländer.
Adquirido en Valencia para Fernando VII en 1829.

2494 *La Anunciación-San Jerónimo-San Juan Bautista*

Tríptico: Tabla central, 0,39 × 0,33; portezuelas, 0,43 × 0,15.

Las figuras de las portezuelas, con fondo de paisaje; *La Anunciación,* en un interior.
Adquirido por el Patronato del Tesoro Artístico en abril de 1933.

1559

234

SANTA SANGRE. Estilo del Maestro de la Santa Sangre

2694 *La Virgen y el Niño, con ángeles músicos*

Tabla, 1,21 × 0,87.

Fondo de paisaje
Tabla excesivamente restaurada.
Clasificación de Friedländer.
Legado Pablo Bosch.

SANTERRE. Jean-Baptiste Santerre

Nació en Magny-en-Vexin en 1658 murió en París en 1717. Escuela fran cesa.

2344 *Felipe de Orleans, regente de Francia*

Lienzo, 1,40 × 1,04.

Aparece revestido de coraza y se re corta contra un sumario paisaje.
Pintado entre 1715 y 1716. Es segu ramente réplica del retrato oficial qu hizo Santerre antes de 1717, ho perdido.
Se encontraba en el Alcázar de Madri en 1734. En 1794 se cita en el Bue Retiro.

335

ARTO. Andrea da Angiolo, d'Agnolo, di Francesco, amado del Sarto

Jació en Florencia el 16 de julio de 486; murió el 29 de septiembre de 530. Escuela italiana.

32 *Lucrecia di Baccio del Fede, mujer del pintor*

abla, 0,73 × 0,56.

igura de más de medio cuerpo; escoda; al cuello, el cordón del tocado. a identificación no es segura. Se suone el retrato poco posterior a la boa, que se celebró en 1518, aunque Jatali y Cecchi (1989) creen que hay ue fecharlo hacia 1513-14. Figura en os inventarios del Alcázar y en el del alacio Nuevo de 1794.

332

334

334 *La Virgen y el Niño entre Tobías y san Rafael, o Virgen de la Escalera*

Tabla, 1,77 × 1,35.

La Virgen y el Niño, entre Tobías y san Rafael con un libro. Al fondo, una mujer y un niño de espaldas, caminando, y una ciudad fortificada.

Firmado en el escabel de la Virgen con enlace de A A, una de ellas invertida.

Probablemente quiere significar la afirmación por Jesús de la autenticidad del *Libro de Tobías.* Obra maestra de la época media de Sarto. Vasari la cita como hecho para el banquero Florentino Lorenzo Jacorsa. En 1605 pasó al duque de Mantua, y de éste a Carlos I de Inglaterra, en cuya almoneda fue comprada por don Alonso de Cárdenas para don Luis de Haro, quien se la regaló a Felipe IV. Enviada a El Escorial, descríbela el padre Santos en la sacristía (1657), suponiendo pueda ser san Juan Evangelista la figura sentada. Vino al Museo en 1819.

335 *La Sagrada Familia*

Tabla, 1,40 × 1,12.

San José, y la Virgen con el Niño Jesús en brazos.

En la Galería Borghese hay una repetición con variantes: la Virgen representa más edad; no se ven las ramas del árbol.

Descrito por el padre Sigüenza en El Escorial. Vino al Museo el 13 de abril de 1839.

336

338

336 *El sacrificio de Isaac detenido por el ángel*

Tabla, 0,98 × 0,69.

El patriarca, Isaac y el ángel. Fondo de paisaje con figuras y un castillo.
Según Berenson, quizá es el primer ejemplar de la composición pintada en 1529 para Paolo de Terrarossa, hoy en Dresde; presenta alguna variantes en el fondo, comparado con el de Madrid. Existe otra versión, abocetada, en el Museo de Cleveland.
Fue adquirido por el marqués del Vasto a la muerte del pintor. Comprado por Carlos IV, estuvo en la Casita de El Escorial; después aparece en el inventario del Palacio de Aranjuez hecho en 1814.

337 *La Virgen y el Niño Jesús*

Tabla, 0,86 × 0,68.

La Virgen, de más de medio cuerpo, con el Niño en brazos.
Obra probablemente de taller, repite un original perdido de 1529.
Ingresó en las Colecciones Reales en 1664 procedente de la Colección del marqués de Serra. En 1666, 1686 y 1700, en la «Alcoba de la Galería del Mediodía» del Alcázar de Madrid. En 1772, 1794 y 1814 se cita en el Palacio Nuevo.

338 *La Virgen, el Niño, san Juan y dos ángeles*

Tabla, 1,06 × 0,79.

Al fondo, aparición de un ángel músico a San Francisco de Asís.
Análogo al cuadro de la Colección Wallace, de Londres, firmado. Se discute su autografía.
El Prado posee otros ejemplares (números 333 y 339), el primero de los cuales se ha atribuido a Domenico Puligo.
Procede de las Colecciones Reales.

579 *San Juan Bautista con el cordero*

Tabla, 0,23 × 0,16.

Figura de menos de medio cuerpo.
La clasificación de esta tablita es muy dudosa; mientras Venturi la publicó como de Sarto, otros la suponen obra de Cesare da Sesto (1477-1527); creyéndola algunos milanesa.
Adquirida por el Patronato del Prado en París, en 1923.

330

34

SASSO. Francesco Sasso

Nacido en Piebe de Albenga (Génova hacia 1720. En España desde 1753 Murió en Madrid en 1776. Escuela italiana.

330 *El charlatán de aldea*

Lienzo, 1,05 × 1,26.

El charlatán, sentado en una silla sobre una mesa, habla por un tubo al oído de un ciego guitarrista; mendigos y gente del pueblo.
Atribuido hasta ahora a Doménico María Sani, es probablemente obra de Francisco Sasso, a quien se atribuyen en el inventario de Aranjuez de 1794 «dos pinturas de pobres» que serán seguramente éste y su compañero, el n.° 331

331 *Reunión de mendigos*

Lienzo, 1,05 × 1,26.

Tullido y ciego conversando.
Compañero del n.° 330.

SASSOFERRATO. Giovanni Battista Salvi, llamado Sassoferrato

Nació en Sassoferrato en 1605; murió en Roma en 1685. Escuela italiana.

341 *La Virgen en meditación*

Lienzo, 0,48 × 0,40.

De menos de medio cuerpo, manos

ıntas, en actitud de oración y una
ɔca blanca sobre su cabeza.
egún Pérez Sánchez, la composición
eriva de una estampa de Durero.
e conocen varios ejemplares del mis-
ıo tema, resaltando, por su calidad, el
e San Petersburgo y el de la Pina-
ɔteca de Perugia.
rocede de las Colecciones Reales.
dquirido por Carlos IV; figuró en la
asita de El Escorial. En 1818, en
ranjuez.

42 *La Virgen con el Niño*
'ormido

ienzo, 0,48 × 0,38.

Iaría de más de medio cuerpo.
emejante al ejemplar del Museo de
urín. Se conservan otras muchas va-
antes y copias, algunas en España
catedral de Granada, Hospital de los
enerables en Sevilla, etc.).
s obra muy característica del autor,
ıspirada en una estampa de Guido
eni.
ue adquirido por Fernando VII, en
827 a las Capuchinas de Madrid.

CARSELLINO. Hipólito
carsella, llamado Scarsellino

Jacido en Ferrara en 1550, murió allí
n 1620. Escuela italiana.

44 *Virgen con el Niño*

abla, 0,20 × 0,28.

entada en un paisaje, abraza y besa al
Jiño.
)bra característica, fechable en los
ltimos lustros del siglo XVI.

344

1515

Procede de la Colección Maratta. En 1746 estaba en La Granja, Colección de Felipe V.

SCOREL. Jan van Scorel

Nació en Scorel, cerca de Alkmaar, el 1 de agosto de 1495; murió en Utrecht el 6 de diciembre de 1562. Escuela holandesa.

1515 *El diluvio universal*

Tabla, 1,09 × 1,78.

Múltiples escenas de huida y de muerte de hombres y animales; al fondo, un castillo; en las aguas flota el arca de Noé.
Según Friedländer, es anterior a Floris, a quien se atribuía, y obra, de hacia 1530, de un holandés en el estilo de Jan van Scorel; a quien, sin dudas, lo adscribe Glück, considerándola una de sus composiciones más representativas; señala además que se relaciona con modelos venecianos. Se entregó en 1593 a El Escorial, como anónimo y con la nota «Enviáronla a S. M. de Flandes por la vía de Lisboa».
Se trajo de El Escorial en 1839.

2580 *Un humanista*

Tabla, 0,67 × 0,52.

Figura de medio cuerpo, indicando la

2580

Torre de Babel, que se yergue en el fondo del paisaje.
El tema del retrato puede conducir a su identificación, pues quizá se trate de algún comentarista del pasaje bíblico.
En 1923 era propiedad de A. Chiesa de Milán.
Adquirido en 1935 a G. Stein, de París, por el Patronato del Museo con fondos del legado Conde de Cartagena.

2135

SCHALCKEN. Godfried Schalcken o Schalken

Nació en Made, cerca de Dordrecht, en 1643; murió en La Haya el 16 de noviembre de 1706.
Escuela holandesa.

2135 *Efecto de luz artificial*

Lienzo, 0,58 × 0,47.

Hombre barbado, menos de medio cuerpo, con un papel en la mano; iluminado por una vela.
Firmado en el ángulo inferior derecho: G. SCHALCKEN. Adquisición de Carlos IV. En 1818 estaba en el «Cuarto del Príncipe» en Aranjuez, de donde vino el 16 de enero de 1848.

2587 *Joven con sombrero de plumas*

Tabla, 0,18 × 0,15.

Un joven, menos de medio cuerpo. Sombrero negro con grandes plumas. Cadena de oro con medalla.
Constaba ya como obra de Schalken en la Colección del duque de Arcos y así ha continuado en los *Catálogos* del Museo del Prado. Valdivieso (1973) considera esta atribución plenamente aceptable.
Legado del duque de Arcos. Entró en el Museo en 1935.

SCHOEFF. Johannes Pietersz. Schoeff

Nació en 1608 en La Haya; murió después de 1666 en Bergen. Escuela holandesa.

2087 *Marina*

Tabla, 0,49 × 0,70.

Dos barcas de pescadores; al fondo, veleros; a la derecha, un molino de viento.
Firmado en el ángulo inferior derecho, próximo a la flor de lis: *JOHANNES SCHOEFF.*
En 1746, en La Granja, Colección de Isabel de Farnesio.

SEGHERS. Daniel Seghers, «el Teatino», o el jesuita de Amberes

Nació en Amberes el 5 de diciembre de 1590 y murió allí el 2 de noviembre de 1661. Escuela flamenca.

1905 *Guirnalda con la Virgen y el Niño*

Lienzo, 0,86 × 0,62.

La guirnalda, de rosas, tulipanes, etc., con insectos, como marco del grupo, la Virgen casi de cuerpo entero.
Según el *Catálogo* de 1920, el grupo e de C. Schut o de Diepenbeek, co laboradores de Seghers. Hairs l atribuye a Daniel Seghers.
Procede de la Colección de Carlos IV
Figura en Aranjuez hasta 1827.

1906 *Guirnalda rodeando a la Virgen con el Niño*

Cobre, 0,88 × 0,67.

La Virgen, con el Niño en brazos, pin tados al claroscuro, cual si se repre sentasen de mármol.
Firmado: D. SEG. SOCE JES. A. *1644.*
Hasta la lectura de la firma, se consi deraba de dudosa atribución.
Según Díaz Padrón y De Bruyn, e obra de Seghers con la colaboración d Quellinus.
Adquisición de Carlos IV.
En 1818, en Aranjuez, atribuido a Va Thielen.

208

1906

1907 *Guirnalda con la Virgen y el Niño*

Tabla, 0,76 × 0,53.

La Virgen, sentada, casi de cuerpo entero. La guirnalda, de rosas, tulipanes, etc., con mariposas.
El grupo central es obra de Cornelio Schut.
El n.° 2729 copia esta composición.
Procede de las Colecciones Reales.

1908 *Guirnalda rodeando a san Francisco Javier*

Lienzo, 1,09 × 0,80.

La figura de san Francisco Javier, de peregrino, pintada al claroscuro.
Firmado: *DANIEL SEGHEN. SOC. J. SV. GS. JEM.*
La imagen del santo fue atribuida a Cornelio Schut por Madrazo y a Quellinus por De Bruyn (1988).
Adquisición de Carlos IV.
En 1791 se cita en el inventario de la Colección del infante don Gabriel; y en 1818 en la de Carlos IV en Aranjuez, de donde vino en 1927.

1909 *Guirnalda con la Virgen, el Niño y san Juan*

Tabla, 0,78 × 0,60.

La guirnalda de rosas, tulipanes, claveles, etc., con mariposas, rodea el medallón de las figuras.
El *Catálogo* de 1920 ya atribuye las figuras a Cornelio Schut o a E. Quellinus. Son seguramente del primero. Parece identificable con un cuadro que el inventario del Alcázar de 1666 atribuye al Teatino.

1910 *La Virgen y el Niño, dentro de una guirnalda*

Cobre, 0,84 × 0,55.

La Virgen, casi de cuerpo entero.
En 1746, en La Granja, Colección de Isabel de Farnesio.

1911 *Guirnalda de rosas*

Tabla, 0,39 × 0,65.

Rosas y yedra con dos lazos azules.
Pertenecía a un juego de seis piezas parecidas.
En 1746, en La Granja, Colección de Isabel de Farnesio.

1912 *Guirnalda*

Tabla, 0,93 × 0,70.

Rosas, tulipanes, crucíferas, etc., rodean el nicho o medallón, que no se pintó, prueba de que solía ejecutarlo otro artista.
Procede de las Colecciones Reales.

1991 *Guirnalda con Jesús y santa Teresa*

Lienzo, 1,30 × 1,05.

Flores diversas rodean el grupo, al claroscuro, formado por Jesús, en pie, arrodillada, y ángeles con coronas. Aunque los *Catálogos* anteriores identifiquen la protagonista con santa Teresa, en realidad se trata de santa Catalina de Siena.
Desde 1920 a 1972 se ha considerado obra de Catalina Ykens, siguiendo una indicación de Bredius. Díaz Padrón (1995) sugiere una colaboración entre Seghers y Hoecke.
Perteneció a la Colección de Carlos IV.

1994 *Guirnalda con la Virgen, el Niño y san Juan*

Lienzo, 1,30 × 1,05.

El grupo, pintado al claroscuro; rodean el medallón flores variadas.
En el *Catálogo* de 1920 dábase como anónimo flamenco. Se atribuyó a Catalina Ykens en los sucesivos hasta 1972.
Véase el n.° 1991, su compañero.

SEGHERS. Copias

2729 *La Virgen y el Niño, dentro de una guirnalda de flores*

Lienzo, 0,87 × 0,62.

Copia, seguramente de mano española, del n.° 1907. En el *Catálogo* de 1972 como obra «de estilo de Seghers».
Legado de Fernández-Durán (1930).

SEGHERS. Gerard Seghers, o Zeghers

Nació en Amberes el 17 de marzo de 1591; murió el 18 de marzo de 1651. Escuela flamenca.

1914 *Jesús, en casa de Marta y María*

Lienzo, 2,05 × 2,15.

María, a la izquierda del lienzo, meditando; Cristo, en medio; a la derecha, Marta, con un ave muerta, coliflores, etc.
Pasaje referido por san Lucas, cap. X vers. 38-42. Pintado hacia 1620.
En 1746 estaba en La Granja, Colección de Isabel de Farnesio; luego, en Aranjuez, y en 1814, en Madrid.

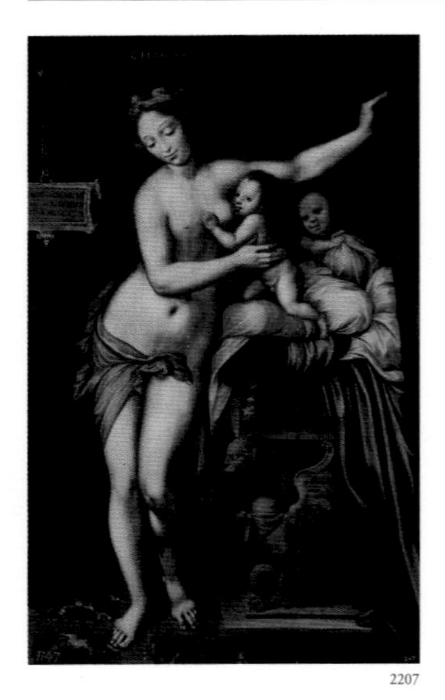

2207

SELLAER. Vincent Sellaer

Nació hacia 1500; murió en Malinas antes de 1589.

2207 *La Caridad*

Tabla, 1,63 × 1,05.

La Caridad, desnuda, en pie, amamanta a un niño; detrás, en un lecho suntuoso, hay otro infante.
Encima, el letrero: *CHARITAS*. Y a la izquierda: *PERFECTA CHARITAS FORAS MITTIT TIMOREM*.
Esta tabla, en la que, según Berenson, se conserva un eco de la perdida *Leda* de Leonardo, se ha venido atribuyendo a Georg Pencz, a Lambert Lombart —bajo cuyo nombre se catalogó hasta 1972— y a Jan Massys. La atribución a Vincent Sellaer parece en la actualidad la más convincente.
Perteneció al conde de Mansfeld y se trajo a España en 1608; estuvo en El Pardo.

SERODINE. Giovanni Serodine (?)

Nació en Ascona (Cantón Ticino) en 1600; murió en Roma en 1630.
Escuela italiana.

246 *Santa Margarita resucita a un joven*

Lienzo, 1,41 × 1,04.

Figuras de medio cuerpo; a la derecha, la santa; a la izquierda, el muchacho sostenido por tres hombres.
Antes atribuido a Rutilio Manetti. La clasificación actual, con dudas, se debe a Voss. Regalado en 1647 por el Almirante de Castilla don Juan Alonso Enríquez de Cabrera, a Felipe IV, quien lo envió a El Escorial, de donde se trajo en 1827. El padre Santos dice en 1657: «tiénese por de mano de M. A. Caravacho»; y en los últimos años se ha vuelto a plantear por algunos críticos, como Volpe o Pérez Sánchez la posibilidad de que se trate de un original, muy maltratado, del propio Caravaggio.

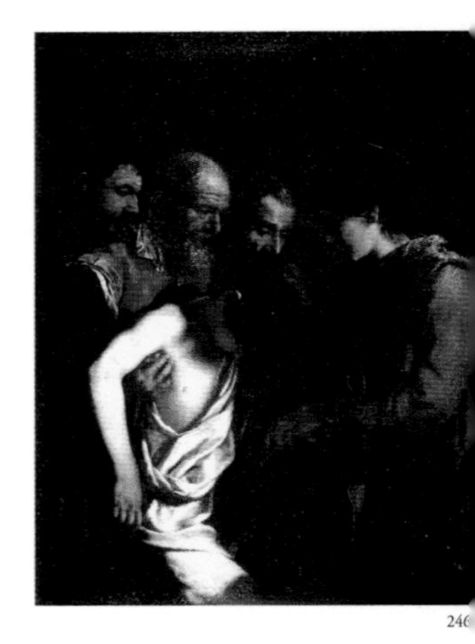

246

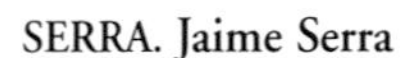

SERRA. Jaime Serra

Trabaja en Cataluña en el último tercio del siglo XIV. Escuela española.

3106 *Historias de la Magdalena*

Tabla, 2,80 × 0,92.

En la escena superior, la Magdalena lava los pies a Cristo. En la central, las Marías ante el sepulcro vacío y el «Noli me tangere». Debajo, la santa asciende a los cielos. En el banco: santo Apóstol, santo Domingo y un obispo.
Compañera del n.° 3107 y, como ella, relacionada con la *Virgen de la Leche* del retablo de Tobed (Zaragoza), encargado por Enrique II de Castilla en 1373. Es posible que las tablas del Prado constituyesen las calles laterales del retablo. Como del taller de los Serra en los *Catálogos* anteriores, recientemente M.ª C. Lacarra los consideraba obra de Jaime Serra.
Adquirido por el Patronato en 1965.

3107 *Historias de san Juan Bautista*

Tabla, 2,80 × 0,92.

En la escena superior, Salomé baila ante Herodes. En la central, la decapitación; en la inferior, el entierro de san Juan por sus discípulos, a la izquierda, y orantes, a la derecha. En el banco: santa, san Lorenzo y san Pablo.
Véase el n.° 3106.

SERRA. Taller

2676 *La Virgen dando el pecho al Niño Jesús*

Tabla, 0,58 × 0,32.

A la izquierda, el donante, arrodillado, y dos ángeles.

2676

epite, en parte, el cuadro del laestro de Tobed, en que aparece re- atado el rey Enrique II; tabla im- ortante de la colección de don Ro- ıán Vicente, de Zaragoza, pintada ıtre 1367 y 1379, con armas de astilla, León y Manuel, y letrero, en que se lee *Enrico Rege*. Post advierte ı semejanza estrecha con las obras e Pedro Serra, y llega a decir que ta reducción puede ser de su propia ıano. Sobre el mismo modelo está ılcada la tabla grande, que de lbarracín pasó a la Colección Plan- ura y con ella al Museo de Bar- elona.
egado Pablo Bosch, n.° 44.

EVILLA. Juan de Sevilla, Juan Hispalense o Juan de Peralta

onocido por su obra firmada del luseo Lázaro Galdiano. Su estilo le túa en el segundo cuarto del siglo XV. scuela española.

327 *San Lucas*

abla, 0,95 × 0,55.

l Evangelista, médico en sus princi- ios, opera en la cabeza de un pacien- ; sobre la mesa, utensilios quirúr-

1327

3106

3107

gicos. Detrás, hombres y mujeres: uno con un brazo cortado, otros vendados, etcétera. De la misma mano que los restos de un retablo, que hoy está en el Museo de México, y perteneció a la Colección Retana, y que Post atribuyó al pintor aragonés de principios del siglo XV Juan de Levi, y Gudiol a Juan de Sevilla. Es posible incluso que formase parte de este retablo.
Adquirido en 1927 por el Patronato del Tesoro Artístico.

1336 *Retablo de san Juan Bautista y santa Catalina*

Cinco tablas: la central, de 1,61 × 1,27; las laterales, de 1,35 × 0,64.

La central: Los santos titulares, de pie. Guarnición de seis figuras, cuatro de apóstoles, reconociéndose sólo a san Bartolomé (segunda de la derecha) y a los santos Lorenzo y Antón.
A la izquierda: *Salomé ante su padrastro Herodes —La degollación del Bautista.* A la derecha: *Santa Catalina entre las ruedas del martirio,* rotas por los ángeles. *La degollación de la santa.* Escudos con leones.
Estas tablas formaron parte de un retablo de la catedral de Sigüenza (hoy sacristía de la capilla de los Arces), donde todavía se conservan tres que lo completarían: una de la calle izquierda —el *Nacimiento de san Juan—;* otra de la derecha —la *Prisión de santa Catalina—*, y la de «espina» o remate, *La Crucifixión.*
Este conjunto sirvió de base para definir la personalidad del Maestro de Sigüenza, bautizado así por Post; Gudiol lo ha identificado con el

1336

«Juan Hispalensis» que firma un tríptico del Museo Lázaro Galdiano, que piensa puede ser el mismo «Juan de Peralta» que firma algunas otras obras de análogo estilo y más pobre calidad.
Las tablas fueron adquiridas por los Patronatos del Tesoro Artístico y del Prado en 1930, al señor Linares; antes habían pertenecido al coleccionista D. W. Retana, y probablemente en el siglo XVIII o en el XIX pasaron de la catedral a alguna iglesia rural.

SEVILLA. Juan de Sevilla Romero

Bautizado en Granada el 17 de mayo de 1643; murió allí el 23 de agosto de 1695.
Escuela española.

1160 *La presentación de la Virgen en el templo*

Lienzo, 1,53 × 1,38.

La Virgen, acogida por el sacerdote en la cima de la escalera; al pie de ella, san Joaquín, santa Ana y tres figuras; una, que parece autorretrato, con un aguamanil.
Atribuido en los *Catálogos* del Museo a Valdés Leal, ya el de 1920 expresaba dudas respecto a esa atribución. En realidad, es obra muy característica, en tipo y técnicas, de Juan de Sevilla.
Procede de las Colecciones Reales.

2509 *El rico Epulón y el pobre Lázaro*

Lienzo, 1,10 × 1,60.

Epulón, a la mesa con su familia; a la derecha, el pobre Lázaro, los perros y un criado que les amenaza. Fondo de arquitectura y un cuadro con la muerte de un justo.
Parábola del *Evangelio* de san Lucas, XVI.
Firmado: SEVILLA, en el ángulo inferior derecho. En el siglo XVIII se describe en el inventario de una colección toledana.
Adquirido por el Patronato del Tesoro Artístico en 1928.

SILVESTRE «le Jeune». Louis Silvestre

Nació en Sceaux el 23 de junio de 1675; murió en 1760, a 10 de abril.
Escuela francesa.

1160

235

2358 *María Amalia de Sajonia, reina de España*

Lienzo, 2,60 × 1,81.

Viste a la moda polaca, de encarnad con gorro y guarniciones de piel; en l diestra, una miniatura con el retrat de su prometido.
Hija de Federico Augusto III, rey d Polonia y elector de Sajonia, y d María Josefa de Austria, nació el 24 d noviembre de 1724; casó con el qu había de ser Carlos III el 19 de juni de 1738; murió en Madrid el 27 d septiembre de 1760.
Pintado en la Corte de Dresde e marzo de 1738 como retrato de es ponsales. Existen diversas copias d medio cuerpo.
En 1772 y 1794 se cita en el Palaci Nuevo.

SISLA. Maestro de la Sisla

Anónimo castellano, hacia 1500, co nocido por las pinturas siguientes, qu proceden del Monasterio Jerónimo d su nombre, en las cercanías de Toledo Escuela hispano-flamenca. Probable mente se trata de dos artistas dife rentes, pues mientras en algunas obra predominan las influencias germá nicas, en otras dominan las italianas.

254 *La Anunciación*

abla pasada a lienzo: 2 × 1.

a escena, en un pórtico almenado. ste cuadro y los cinco siguientes roceden del Monasterio de Jeróimos de la Sisla (Toledo), según ruzada Villaamil. Se ha tenido du-.nte algún tiempo esta serie como ɔra de Pedro Díaz de Oviedo; pero el ropio Mayer, que apadrinó la atri-.ıción, hubo de abandonarla.
:ocede del Museo de la Trinidad.

255 *La Visitación*

abla pasada a lienzo: 2,00 × 1,14.

a Virgen, de azul, y santa Isabel, de ɔjo; a derecha e izquierda, Zacarías y .n José; detrás, dos mujeres. Fondo ɛ ciudad. Véase el n.° 1254.

256 *La adoración de los Magos*

abla pasada a lienzo: 2,14 × 1,09.

iguras de cuerpo entero. Los tres re-:s son blancos; el anciano ofrece al Iiño una esfera de cristal y oro; el lulto y el joven presentan cálices.
a composición está inspirada en una stampa de Martín Schongauer.
'éase el n.° 1254.

257 *La presentación del Niño)ios en el templo*

'abla pasada a lienzo: 2,03 × 1,00.

la izquierda, el sacerdote; a la de-·cha, la Virgen con el Niño; detrás, in José, tres mujeres y un hombre.)esde una tribuna presencian la cere-ıonia cuatro personas. Bóveda clásica ɛ casetones.
'éase el n.° 1254.

258 *La circuncisión del Señor*

'abla pasada a lienzo: 2,13 × 1,02.

l sacerdote, con capa y mitra epis-ɔpal. La Virgen sostiene al Niño; a la quierda, san José, santa Ana (?) y va-os acompañantes. La escena, en un :mplo gótico.
'éase el n.° 1254.

1254

1258

1259 *El tránsito de la Virgen*

Lienzo pasado de tabla: 2,12 × 1,13.

Rodean el lecho de María los doce Apóstoles.

1256

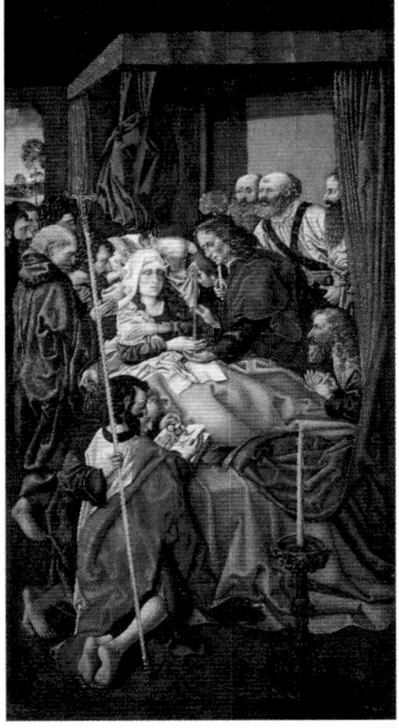

1259

Con muy pocas variantes —paisaje, por ejemplo— repite la composición de una estampa de Martín Schongauer; su dibujo se conserva en el Museo Cívico de Pavía.
Véase el n.° 1254.

1847

SMITS. Theodor Smits

Nació hacia 1635 y murió en Dublín hacia 1707. Escuela holandesa.

1847 *Mesa revuelta*

Tabla, 0,26 × 0,35.

Un cangrejo, ostras, vasos, etc.
Firmado en el canto de la mesa, en medio, *T. S.*
Hasta 1972 se interpretaba erróneamente la firma como de un Theodor Sauts, enteramente desconocido. Mirimonde la publicó en 1957 junto con otras firmadas del mismo autor, con su nombre completo.
Vino de Aranjuez en 1848.

SNAYERS. Peeter Snayers, Snyers

Nació en Amberes el 24 de noviembre de 1592; murió en Bruselas después de 1667.
Escuela flamenca.

1733 *Cacería del cardenal-infante*

Lienzo, 1,95 × 3,02.

A la derecha, los jinetes —damas y caballeros— marchan de caza; a la izquierda, a la orilla del agua, acosan a los ciervos.
Firmado en el tronco del árbol de la izquierda: *P. SNAYERS.*
Sobre el retratado véase el n.° 1472.
Procede de la Torre de la Parada. En 1747 estaba en El Pardo, y en 1794 en el Retiro.

1734 *Cacería de Felipe IV*

Lienzo, 1,81 × 5,76.

En el centro, «la Tela»; dentro, jabalíes, osos y venados; Felipe IV, con los infantes don Carlos y don Fernando, y delante, sentadas, la reina Isabel y la infanta doña María; monteros y demás servidores.
Sobre Felipe IV, véase el n.° 1553.
Pintado para la Torre de la Parada; Justi lo relaciona con los números 1733-37, encargados por el cardenal-infante, pintados quizá antes de diciembre de 1638. En 1714 se trasladó a El Pardo; y en 1794 estaba en el Retiro.

1736 *Cacería de Felipe IV*

Lienzo, 1,80 × 1,49.

El rey, a pie, da muerte con su cuchillo a un jabalí rendido por los perros. Al fondo, varios jinetes.
Firmado en el ángulo inferior derecho: *R. SNAYERS PINX.*
Encargado por el cardenal infante, en 1637.
En 1700 estaba en la Torre de la Parada, y en 1772, en el Retiro.

1737 *Cacería de Felipe IV*

Lienzo, 1,62 × 1,45.

El rey, a pie, a la derecha, tira a unos venados; el séquito, a caballo, a la izquierda.
Firmado a la derecha, por debajo del rey: *P. SNAYERS PIC. C. I.* [Pintor del cardenal-infante]. En 1700 estaba en la Torre de la Parada. En 1746 en El Pardo, y en 1772, en el Retiro.

1738 *El sitio de Gravelinas*

Lienzo, 1,88 × 2,60.

A la derecha, el general con su Estado Mayor; a la izquierda, soldados, unos con lanzas y otros con haces de leña, encaminándose a la ciudad; su recinto es hexagonal con fuertes defensas en los ángulos. En primer término, en el centro, un grupo de soldados y una cantinera. Por el campo, avance de tropas.
En la parte baja, a la izquierda, *GRAVELINGUE.* En el borde derecho, cartela explicativa de las posiciones, y las fechas 2 de abril y 17 de mayo de 1652.
Mandaba el ejército español el archiduque Leopoldo Guillermo de Austria. En 1746 en La Granja, Colección de Isabel de Farnesio, donde Ponz cita la serie completa. Forma serie con los números 1739-1745, alusivos a la campaña del archiduque Leopoldo Guillermo de Austria, bajo Felipe IV, teniendo por general al conde de Fuensaldaña (1648-53). En 1794 estaban en Aranjuez.

739 *Ataque nocturno a Lille*

ienzo, 1,81 × 2,67.

as fuerzas sitiadoras se aprestan al taque con fuego de artillería desde na altura. La acción, iluminada por luna. En el llano, la ciudad forticada, junto al río Deule.

)eclara el sitio el letrero: LILE, en la arte baja del lienzo.

irmado en el ángulo inferior izuierdo: *PETRVS SNAYERS PIÇTOR D'EL S^e^ ^s^ I; ANNO 1650.*

'éase el n.° 1738.

e cita por primera vez en Aranjuez 1794). Vino al Museo, con el siuiente, el 16 de enero de 1648.

740 *Toma de Ypres*

ienzo, 1,84 × 2,63.

la izquierda, el archiduque Leopolo Guillermo a caballo, con la bengala n la diestra; rodéale su Estado Mayor. n medio del llano, la ciudad cercada or los campamentos del ejército sitiaor. En el borde inferior izquierdo: *PRE.*

la derecha, en el borde inferior: *ETRVS SN...*

'pres, antigua capital de Flandes ccidental, Bélgica, fue tomada por el onde de Fuensaldaña y el marqués e Sfonderato, siendo gobernador el rchiduque Leopoldo, en abril de 649.

'éase el n.° 1738.

741 *Sitio de Bar-le-Duc*

ienzo, 1,84 × 2,63.

la derecha, en una altura, grupo de netes. En el campo, dos ejércitos en cha; a la izquierda, la pequeña ciuad, que es evacuada.

n el centro, izquierda, bajo el grupo e tres jinetes: *B LE D,* que se ha nterpretado hasta 1933 como Bois-le-)uc, cuando ha de ser Bar-le Duc, obre el Ornain, en el departamento 'ancés del Mosa, tomada por el conde e Fuensaldaña en 1652.

'éase el n.° 1738.

1736

Vino al Museo el 16 de enero de 1848.

1742 *Toma de Saint-Venant*

Lienzo, 1,84 × 2,63.

En primer término, en el centro, grupo de soldados descansando, y algo a la derecha, quizá los defensores de la ciudad, que son saludados por la retaguardia del ejército conquistador; al fondo se ven los edificios de la plaza, y en el campo, movimiento de tropas y líneas de fortificación.

En la parte baja, centro izquierda: *ST. VENAN.* Saint-Venant, ciudad del departamento francés del Paso de Calais, fue tomado por el conde de Fuensaldaña a las órdenes del archiduque Leopoldo, en marzo de 1649. Véase el n.° 1738. Vino al Museo el 16 de enero de 1848.

1743 *Toma de Breda*

Lienzo, 1,84 × 2,63.

En primer término, soldados descansando; a la derecha, un jefe a caballo con su ayudante, soldados y un mendigo. En el campo, numerosas tropas y fortificaciones; en medio, una plaza de recinto cuadrangular.

En el centro derecha, borde inferior: *BREDA* y la firma cortada por la pierna de un soldado: *PET ... VS. PICTOR DEL. S^e^ C. I^a^ ANNO 1650.*

La ciudad, hoy holandesa (Brabante septentrional), fue tomada por Ambrosio Spínola, marqués de los Balbases, el 5 de junio de 1625; se perdió ya para siempre, en 1637, al conquistarla Federico Enrique de Orange. La toma de 1625 se perpetúa en los lienzos números 1747 y 1748, además de en *Las lanzas.*

Véase el n.° 1738.

El 16 de enero de 1848 se trajo de Aranjuez.

1743

1744 *Socorro de Saint-Omer*

Lienzo, 1,84 × 2,63.

En primer término, grupos de soldados. Al fondo, algo a la izquierda, la ciudad murada. En el campo, los dos ejércitos en luchas parciales.
En la parte inferior, a la izquierda: *ST. OMER.* Hacia el centro: *P ...DEL SE. C. IS. ANNO 16...*
En 1638, estando la ciudad sitiada por Gaspar III de Coligny, mariscal de Chatillon, fue socorrida por los españoles mandados por Tomás de Saboya y el conde Picolomini. Saint-Omer está situada en el departamento francés del Paso de Calais. Quizá el cuadro conmemore un hecho posterior.
Véase el n.° 1738.
No aparece hasta 1794 en Aranjuez; se trajo al Museo el 16 de enero de 1848.

1745 *Asedio de Aire-sur-la-Lys*

Lienzo, 1,84 × 2,63.

En primer término, grupos de soldados, algunos ateridos por el frío; el campo cubierto de nieve. A la izquierda, desfile de tropas con banderas desplegadas. Al fondo, la ciudad fortificada. En el borde inferior, centro, izquierda: *AIRE.*
Firma: *PETR. SNAYERS. ANNO 1653.*
Aire está situado en el departamento del Paso de Calais; en 1641 fue conquistado a los franceses por el ejército del cardenal infante, mandado por don Francisco Manuel de Melo, pues don Fernando, vencida casi la resistencia de Aire, se retiró enfermo a Bruselas, donde murió el 9 de noviembre de 1641. La plaza se rindió seguramente el 7 de diciembre, aunque una carta de Melo, en la que dice «tenemos una vara de nieve», lleva la fecha inverosímil del 7 de septiembre; errata indudable.
Véase el n.° 1738.
Vino al Museo el 16 de enero de 1848.

1746 *Socorro de la plaza de Lérida*

Lienzo, 1,95 × 2,88.

A la izquierda, un general que da órdenes desde un primer término; detrás, trompeteros a caballo; en el paño de la trompeta se ve un escudo con corona de marqués, cruz de Santiago y en los cuarteles un caldero en cada uno de los centrales y serpientes en los laterales, la ciudad a la orilla del Segre, y en el centro, un cerro con la catedral. Otros cerros semejantes en la lejanía. Líneas de fortificación y tropas.
Firmado, pero el marco corta la firma. Desde 1933 creíase representaba la toma de Catillon, a orillas del Sambre, en el departamento francés del Norte, por el marqués de Sfonderato, en la campaña de 1649; la relación habla de «la mota del bosque en medio de la plaza, aunque chica, muy fuerte»; pero el general don Patricio Prieto y Llovera han documentado que se trata del socorro del Lérida en 1646 por el marqués de Leganés y el VII duque del Infantado, don Rodrigo Díaz de Vivar Sandoval Hurtado de Mendoza. Mandaba las fuerzas francesas Enrique de Lorena, conde de D'Harcourt.
En 1655 se cita en la testamentaría del marqués de Leganés.
Estuvo en el Retiro, y en 1794 se registra en Aranjuez, de donde se trajo el 16 de enero de 1948.

1747 *Isabel Clara Eugenia en el sitio de Breda*

Lienzo, 2,00 × 2,65.

En medio del campo, la plaza de Breda; en primer término, a la derecha, en una carroza, la infanta; Spínola, a caballo.
En *Catálogos* anteriores a 1920 se suponía que representaba el sitio de Ostende; y el señor Gómez de Salazar indicó en 1960 que podría representar la salida de Bruselas, en 22 de septiembre de 1622, de la archiduquesa para recibir a don Gonzalo Fernández de Córdoba, venceder en Fleurus el 29 de agosto.
Sobre Isabel Clara Eugenia, véase el n.° 1137.
Enviado por la infanta a su sobrino Felipe IV. En 1636 se registra en el antedespacho de verano del Alcázar de Madrid. Vino de Aranjuez, donde estaba en 1794, el 16 de enero de 1848.

1748 *Vista caballera del sitio de Breda*

Lienzo, 1,40 × 2,26.

En medio, la plaza, rodeada por las fortificaciones y por el campamento. En primer término, a la derecha, en un coche, Ambrosio Spínola y un grupo de jinetes y peones. A la izquierda, una cartela escrita en italiano fija, con letras y cifras de llamada, las diversas posiciones.
Firmado en la jaula que lleva a cuestas el muchacho, en la parte baja, a la mitad entre el centro y el costado derecho: enlace de *P. S.*
Véase el n.° 1743.
Lo trajo el marqués de Leganés. En 1636, 1666 y 1686 se registra este lienzo en el Alcázar de Madrid. En 1794 estaba en castillo de Viñuelas.

2022 *Cazador de ánades*

Lienzo, 1,65 × 4,26.

A la orilla de un lago, en un bosque, varios cazadores.
Atribuido en los *Catálogos* anteriores, con ciertas dudas, a Snayers y a Jan Wildens.
Regalado por el marqués de Leganés a Felipe IV. Figura en el inventario del Alcázar de 1636. En 1700, en El Pardo.

SNYDERS. Frans Snyders

Bautizado en Amberes el 11 de noviembre de 1579; murió allí el 1° agosto de 1657. Escuela flamenca.

1757

1749 *La caza del jabalí*

Lienzo, 1,09 × 1,92.

Perseguido por cuatro perros; otros dos, en el suelo.
Pintado entre 1636 y 1640.
Díaz Padrón (1995) lo cree de Paul de Vos.
Pintado entre 1636 y 1640.
De la Torre de la Parada, donde se cita en 1700 y 1747, pasó a la Zarzuela; allí estaba en 1794.

1750 *Una despensa*

Lienzo, 0,99 × 1,45.

Dos perros y un gato revolviendo comestibles y vasijas.
Firmado: F. SNYDERS FECIT.
En 1636 y 1686 en el Alcázar de Madrid.

1752 *Zorras perseguidas por perros*

Lienzo, 1,11 × 0,83.

Tres perros detrás de tres zorras, uno ha hecho presa. Fondo de paisaje.
En 1772, en el Retiro. Se cree que procede de la Torre de la Parada y que en 1714 pasaría a El Pardo.

1754 *Aves acuáticas, armiños, etcétera*

Lienzo, 1,81 × 0,79.

En la orilla de un río, dos armiños subidos a un árbol; dos aves acuáticas con pescados en el pico; en tierra, una nutria y un gato.
Firmado por encima del gato: F. SNYDERS.
En 1794, en el Palacio Nuevo.

1755 *La zorra y la gata*

Lienzo, 1,81 × 1,03.

La zorra tiene cogida una liebre; la gata mira desde el árbol en el que hay dos armiños, dos ardillas y un mono; en tierra, seis gatitos.
Firmado en el ángulo inferior de la derecha, entre los gatitos: F. SNYDERS.

1750

1758

En 1686 en el Alcázar; en 1794, en el Palacio Nuevo.

1756 *La fábula del león y el ratón*

Lienzo, 1,22 × 0,84.

El león, enredado; el ratón, al pie del árbol royendo la cuerda. Fondo de paisaje.
Firmado, según el *Catálogo* de 1920, pero no se ha podido comprobar.
El mismo *Catálogo* recuerda que una composición análoga de tamaño natural fue regalada por el marqués de Leganés a Felipe IV.
En 1714 fue trasladado de la Torre de la Parada a El Pardo. En 1772 estaba en el Retiro.

1757 *La frutera*

Lienzo, 1,53 × 2,14.

Detrás de la mesa llena de fuentes con fresas, melocotones, higos, melón, etcétera; cesta grande de fruta, y en ella un guacamayo; a la derecha, un mono con un clavel.
Firmado en el tapete rojo, por debajo del melón: F. SNYDERS FECIT.
Procede de la Colección del marqués de Leganés, quien se la regaló a Felipe IV. En 1636, en el Alcázar de Madrid. Después del incendio pasó al Retiro.

1758 *Concierto de aves*

Tabla, 0,98 × 1,40.

En un árbol, diversos pájaros cantando; dirige el concierto un mochuelo, encima de un libro de música colgado de una rama.
Regalado a Felipe IV por el marqués de Leganés. Estaba en el Alcázar en 1696.

17

1768

71

1759 *Jabalí acosado*

Lienzo, 0,98 × 1,01.

Acósanle cinco perros; dos ya han sido heridos por el jabalí.
Firmado en el tronco del árbol de la derecha: *F. SNYDERS.*
En 1794, en el Palacio Nuevo.

1761 *Concierto de aves*

Lienzo, 0,79 × 1,51.

En un árbol; cigüeña, águila, papagayo y diversos pájaros.
Firmado: *F. SNYDERS.*
Quizá regalado a Felipe IV por el marqués de Leganés.
En 1636 se cita en el Alcázar.

1762 *Jabalí acosado*

Lienzo, 0,79 × 1,45.

Un perro muerde la oreja del jabalí, que lo arrastra; varios perros en torno.
Firmado: *F. SNYDERS.*
Salvado del incendio de 1734.

1763 *Toro rendido por perros*

Lienzo, 0,98 × 1,00.

El toro, sujeto por seis perros, dos heridos; otros tres ladran separados. Fondo de campo.
Salvado del incendio de 1734.

1764 *Lucha de gallos*

Lienzo, 1,58 × 2,00.

Dos gallos dispuestos a acometerse; a la izquierda, dos polluelos lo imitan; varias gallinas alrededor. Fondo d
paisaje con un río.
Regalado por el marqués de Legané
a Felipe IV. En 1636 estaba en
Alcázar.

1767 *Mesa*

Lienzo, 1,54 × 1,86.

Encima de la mesa, cubierta por un ta
pete rojo, un cesto de fruta y dos mo
nos; un perro y un gato disputan po
una asadura.
En 1686 y 1734 en el Alcázar. E
1772 en el Retiro.

1768 *Bodegón*

Lienzo, 1,21 × 1,83.

Sobre una mesa con tapete encarnado, una liebre y aves muertas; fuente de loza con fruta, canasto con uvas, peras, etc., y un papagayo.
Firmado en el tapete, a la derecha: *F. SNYDERS FECIT.*
Se atribuía a Fyt, en 1746, en La Granja; a Snyders, ya en Aranjuez (1794).

1770 *El gallinero*

Lienzo, 0,99 × 1,44.

Dos gallos, dispuestos a reñir; una gallina, en el comedero; otra, en sombra, en el ponedero.
Regalado a Felipe IV por el primer marqués de Leganés. Se cita en el Alcázar en 1636, 1666 y 1686.

1771 *Frutero*

Tabla, 0,70 × 1,02.

Sobre una mesa, cubierta por un tapete, se representa un canastillo con uvas; encima una ardilla, símbolo de la avaricia y la glotonería. En primer plano, abajo a la izquierda, un plato y una taza de porcelana china con fresas.
Procede de las Colecciones Reales. En La Granja, en 1774.

772 *La caza del venado*

ienzo, 0,58 × 1,12.

Ocho perros y un venado, en el que os han hecho presa.
Hasta 1972, como de discípulo.
Procede de las Colecciones Reales.

160 *Concierto de aves*

enzo, 2,03 × 3,34.

la derecha de la composición, un vo real con la cola extendida y divers pájaros, en la parte inferior. A la izquierda, aves zancudas y, presidiendo composición, un papagayo, como e de mayor conocimiento, posado la rama de un árbol, con un fragento de partitura musical.

Probablemente obra de colaboración entre Wildens, pintor de paisajes y Snyders, pintor de aves.
Firmado y fechado: *F. SNYDERS 1661,* abajo, a la derecha.
Legado del duque de Pinohermoso, en 1986.

SNYDERS. Taller o copia

1765 *La cocinera en la despensa*

Lienzo, 1,88 × 2,54.

La cocinera, a la izquierda; sobre la mesa, aves, jabalí, venado, mariscos, hortalizas y frutas; en el suelo, cesta con caza, un gato comiendo un pájaro y perro y gato disputándose un trozo de salmón.
Hasta 1972, considerado original de Snyders.
En 1686, en el Alcázar; en 1701, en el Retiro; en 1794, en el Palacio Nuevo.

SOLIMENA. Francesco Solimena, llamado «L'abate Ciccio»

Nació en Nocera en 1657; murió en Bacca (Nápoles) el 5 de abril de 1747.
Escuela italiana.

14 *La infanta María Isabel de Nápoles (?)*

Lienzo, 0,75 × 0,63.

Algo más de medio cuerpo, con un perrillo bajo el brazo izquierdo.
Doña María Isabel, hija primogénita de Carlos III, nació en Nápoles el 6 de septiembre de 1740; murió el 31 de octubre de 1742.
Atribuido a Amiconi en los anteriores *Catálogos* del Prado, es, sin embargo, obra napolitana atribuible a Solimena, como ha señalado Urrea, que la identificó con la primogénita.
Sánchez Cantón pensó en la tercera hija de los reyes napolitanos, también llamada María Isabel, nacida el 30 de abril de 1743 y muerta en marzo de 1749.
Se cita en la furriera de Isabel de Farnesio, en el Palacio Nuevo.

351 *San Juan Bautista*

Lienzo, 0,83 × 0,70.

De más de medio cuerpo, apoyado sobre una piedra; a la izquierda, el cordero.
En 1746, entre las pinturas de Isabel de Farnesio (La Granja), como de «escuela de Solimena».
Parece, sin embargo, enteramente de su mano.

352 *Autorretrato*

Lienzo, 0,38 × 0,34.

Sentado, en actitud de dibujar; a la izquierda, un cuadro en el caballete.

352

El vizconde de Güell poseía una réplica de colorido más brillante; y el retrato, de tamaño natural, se conserva en el Museo de San Martino (Nápoles).
En 1746, en la Colección de Isabel de Farnesio (La Granja).

1954

SOMER (?) «el Viejo». Paul Van Somer

Nació en Amberes hacia 1576; murió el 27 de junio o el 10 de octubre de 1621 en Londres. Escuela flamenca.

1954 *Jacobo I de Inglaterra*

Lienzo, 1,96 × 1,20.

En pie; viste traje gris y capa verde, adornados profusamente con perlas. Ostenta las insignias de la Jarretera. A su derecha, silla con el sombrero.
Hijo de María Estuardo y de Lord Darnley, nació el 19 de junio de 1566; sucedió a Isabel, y murió el 27 de marzo de 1625.
Pintado hacia 1600.
Procede del Museo de la Trinidad, aunque en 1636 había en la pieza V del pasadizo, sobre el Consejo de Ordenes, en el Alcázar, un retrato que por la descripción se identificaría con éste.

SON. Joris (Georg) van Son

Nació en Amberes el 24 de septiembre de 1623; murió el 25 de junio de 1667. Escuela flamenca.

1774 *Bodegón*

Cobre, 0,48 × 0,33.

Sobre una mesa, una bandeja con dos ostras y un limón, y un frutero de loza con uvas, melocotones, guindas, fresas; una mariposa.
Firmado en el tablero inferior de la mesa: *J. VAN SON. F. 1664.*
Vino de Aranjuez.

1775 *Bodegón*

Lienzo, 0,43 × 0,33.

Encima de la mesa, una ostra, un limón, uvas, granada, calabaza y jarrón de vidrio con flores.
Firmado en el tablero inferior de la mesa: *J. V. SON 1664.*
Compañero del n.° 1774.

2728 *La Virgen con el Niño dentro de un festón de frutas*

Lienzo, 1,20 × 0,84.

El grupo de la Virgen y el Niño, de claroscuro.
Legado de Fernández-Durán (1930).

1774

SON. Discípulo de Joris van Son

1779 *Cesta de uvas*

Tabla, 0,28 × 0,35.

A la izquierda, un albaricoque abierto.
En 1814, en el Palacio de Madrid.

SOPETRAN. Maestro de Sopetrán

Pintor hispano-flamenco del siglo XV.

2575 *La Anunciación*

Tabla, 0,98 × 0,60.

María, arrodillada en su dormitorio, primoroso por los pormenores, recibe la visita del Arcángel.
Con las tablas 2576-2578 formó las puertas de un tríptico, o retablo de talla. Descubiertas por Tormo en la ermita de la Fonsanta, próxima al monasterio benedictino de Sopetrán (Guadalajara) de donde fueron trasladados a la dicha ermita en 1639. Fueron estudiadas por Lafuente; también han tratado sobre ellas Pemán y Post. Se ha señalado la relación con el arte de Van der Weyden en sus últimos años y con el juvenil de Memling.
Adquiridas en 1934.

2576 *El I marqués de Santillana o su hijo el I duque del Infantado orante*

Tabla, 0,98 × 0,60.

Con la rodilla izquierda sobre un cojín, el libro sobre el reclinatorio, adora la tabla o imagen central del tríptico. Detrás, el paje con la toca de larga beca. En segundo término, un altar de curiosa estructura, con el Calvario y la Virgen con el Niño, de talla con puertas pintadas, articulados; el monje clavero lee en su libro, otro se aleja por el claustro y otros dos, en fin, entran en la iglesia.

El marqués poeta protegió el monasterio; pero murió en 1458, y su retrato seguro, pintado por Jorge Inglés para Buitrago, no apoya la identificación; por la fecha, podría ser su hijo mayor el representado, a quien su padre encomendó en su testamento que no dejase de pagar al monasterio una renta anual.

Véase la nota al n.° 2575.

2577 *La Natividad*

Tabla, 1,03 × 0,60.

María y san José adoran al recién nacido; a la izquierda, tres ángeles arrodillados; a la derecha, dos pastores; en lo alto, ángeles que cantan el *Gloria;* fondo de paisaje con río y montañas que animan edificios y rebaños.

Véase el n.° 2575.

2578 *Tránsito de la Virgen*

Lienzo, 0,98 × 0,60.

Agoniza María en un lecho ricamente vestido; rodeándola doce apóstoles. San Pedro con capa pluvial, hacía de preste. La estancia es gótica; la puerta abierta deja ver un paisaje con agudos cerros y un pueblo amurallado, con un templo grande.

Véase la nota al n.° 2575.

2575

2576

2577

2578

STALBENT. Adriaen van Stalbent, o Stalbemt

Nació en Amberes el 12 de junio de 1580, donde murió el 21 de septiembre de 1662. Escuela flamenca.

1405 *Las ciencias y las artes*

Tabla, 0,93 × 1,14.

En una sala adornada de pintura, estatuas, instrumentos de músicas, etcétera., tres grupos: a la izquierda, cinco caballeros rodean una mesa y discuten sobre lo que uno lee; en el medio, dos examinan un cuadro; a la derecha, seis; comprueban tres de ellos unos mapas sobre la esfera; por la puerta entra un criado con una bebida.

El grupo de la izquierda se repite en el n.° 1437 del Prado.

Existen tres réplicas de esta tabla.

Suponíase el fondo de Jan Brueghel y

1405

las figuras de Stalbent; ya en 1920 se puso todo a nombre del segundo.
Fue de la Colección de Isabel de Farnesio en La Granja (1746); después pasó a Aranjuez.

1437 *El geógrafo y el naturalista*

Tabla, 0,40 × 0,41.

Interior.
Repite literalmente un detalle del número 1405.
Se atribuía, antes de 1920, a Brueghel de Velours.

En 1818, en Aranjuez, de donde vino en 1827.

STALBENT y Pieter Brueghel, «el Joven»

1782 *El triunfo de David sobre Goliath*

Tabla, 0,88 × 2,16.

El profeta, con la cabeza del gigante, marcha a pie seguido de escolta; a la izquierda, el pueblo, cantando, sale a recibirle.

Firmado a la derecha del centro, debajo del papagayo menor: *A. STALBENT F. A.° 1619;* y más en alto, por encim del tronco: *BRUEGHEL 1618.*
Pasaje descrito en *Samuel* (I, capítulo XVIII).
Adquirido por Carlos IV; en 1814, en el Palacio Nuevo.

STANZIONE. Máximo Stanzione

Nacido en Orta de Antella (Caserta) en 1585; murió en Nápoles en 1658. Escuela italiana.

256 *El nacimiento del Bautista anunciado a Zacarías*

Lienzo, 1,88 × 3,37.

Zacarías, ante el altar, escucha el anuncio del ángel; a la derecha e izquierda, pobres y devotos.
Se refiere el hecho en el Evangelio de San Lucas, cap. I. Pertenece a la serie de la *Vida del Bautista* que forman con éste los números 257, 258, 291 y el 149, de Artemisa Gentileschi. Pintados seguramente hacia 1635.
En 1701 estaban en la Capilla del Retiro; en 1772 se citan en el Palacio Nuevo.

257 *Predicación del Bautista en el desierto*

Lienzo, 1,87 × 3,35.

El Precursor, en un monte; rodéanle diversas personas.
Véase el n.° 256.

291

25

258 *Degollación del Bautista*

Lienzo, 1,84 × 2,57.

San Juan, arrodillado; el verdugo blande la espada; a la derecha, dos soldados.
Una copia en el Bowes Museum de Barnard Castle (Gran Bretaña), se atribuye allí a Vaccaro.
Véase el n.º 256.

259 *Sacrificio a Baco*

Lienzo, 2,37 × 3,58.

Las bacantes rodean con ofrendas al dios, que está en pie sobre un altar.
Firmado en el cántaro que coge una mujer, a la derecha: ... EQUES MAXIMUS.
Se ha pensado si será uno de los doce lienzos encargados por Felipe IV, mediante el conde de Monterrey, en 1630.
En 1666, 1686, 1700 y 1734, en el Alcázar; en 1772, en el Palacio Nuevo.

291 *El Bautista se despide de sus padres*

Lienzo, 1,81 × 2,63.

El Precursor, arrodillado ante sus padres; a la derecha, dos pastores.
Se lee un resto de firma en la piedra de la derecha en que está reclinado un pastor: ... MASSIMUS NEAP.
En 1701, en el Retiro; en 1772 en el Palacio Nuevo. En los *Catálogos* del Prado, hasta 1920, atribuido a Mattia Preti.
Una excelente copia antigua, en el Museo de Bellas Artes de Asturias.
Véase el n.° 256.

STEENWIJCK el Joven. Hendrick van Steenwijck

Nació en Amsterdam o en Francfort hacia 1580; murió en Londres (?), lo más tarde en 1649. Escuela flamenca.

2138 *Jesús en el atrio del Pontífice*

Cobre, 0,41 × 0,50.

Interior iluminado por antorchas; Jesús, entre soldados; a la derecha, al fondo, la negación de san Pedro.
Adquirido para Felipe IV por don Luis de Haro.

2139 *La negación de san Pedro*

Cobre, 0,42 × 0,50.

Interior del atrio del palacio del Pontífice.
Compañero del n.° 2138.

STEENWIJCK. Pieter van Steenwijck o Steenwyck

Admitido en la Gilda de san Lucas de Delft en 1642; en 1654 vivía en La Haya. Escuela holandesa.

2137 *Emblema de la muerte*

Tabla, 0,34 × 0,46.

Sobre una mesa, calavera y otros huesos, vela apagada, cazuela de comida, libros, jarro de cerveza, laúd, cartera, etcétera.
Firmado, debajo de la mesa, a la derecha: P. STEENWYCK.
Adquirido por Carlos IV. Vino de Aranjuez en 1827, donde estaba en 1818.

2137

STELLA. Jacques Stella

Nace en Lyon en 1596 y muere en París en 1657.
Escuela francesa.

3202 *Descanso en la huida a Egipto*

Lienzo, 0,74 × 0,99.

A la izquierda, san José ofrece un racimo de uvas al Niño Jesús, a quien sostiene la Virgen, sobre un fondo de cortinaje. A la derecha, angelitos presentando flores y frutas. Fondo de paisaje.
Firmado: *1652* STELLA.
Enviado por el propio artista a las Colecciones Reales.
En 1774, en La Granja; en 1818 en Aranjuez.

3202

1360

STOCK. Ignatius van der Stock

Maestro en Bruselas en 1660. Su estilo está próximo al de Jacques d'Arthois. Escuela flamenca.

1360 *Paisaje*

Lienzo, 0,70 × 0,84.

Hondonada en un bosque con caminantes; al fondo, paisaje abierto.
Firmado: *IÑ. VS. F. 1660,* abajo, a la izquierda.
Procede de las Colecciones Reales. En 1746, en La Granja, Colección de Isabel de Farnesio. Vino de Aranjuez en 1848.

STOCKT. Vrancke van der Stockt

Nació en Bruselas hacia 1420; murió en Bruselas el 14 de junio de 1495. Escuela flamenca.

1888-1889-1891 *La Redención*

Tabla, alto, 1,95; ancho de la tabla central, 1,72, y de las puertas, 0,77.

Interior del tríptico (el exterior son los números 1890 y 1892). Puerta izquierda: *La expulsión del Paraíso terrenal;* al fondo, la tentación. En las albanegas, *Dios creador* y la *Creación de Eva,* y en el arco, escenas de talla policromada bajo doseletes: *Creación de la luz del mundo, de los ángeles, de los astros, de los animales y plantas, y del hombre.*
Centro: *Cristo en la cruz entre María y san Juan.* Fondo de iglesia gótica (¿Santa Gúdula, de Bruselas?); en los altares del trascoro, la *Comunión* y la *Elevación de la Hostia;* en el arco, pasajes de la Pasión: *Oración del huerto, Flagelación, Camino del Calvario, Descendimiento, Santo Sepulcro* y *Resurrección.* A los costados, bajo doseletes, escenas que contemplan los Sacramentos: *Bautismo, Confirmación y Orden,* a la izquierda; y a la derecha, Matrimonio, Confesión y Extremaunción. Puerta derecha: *El Juicio Final:* Cristo Juez sentado sobre el arco iris, los pies sobre el Mundo entre la espada y la azucena, dos ángeles, la Virgen y san Juan; *La resurrección de la Carne* y la *Separación de justos y réprobos.* En las albanegas: *La conducción de un cadáver* y *Un sepelio.* En la vuelta del arco, las obras de misericordia: *Vestir al desnudo, dar de beber al sediento, de comer al hambriento, aconsejar al necesitado, redimir a los presos y visitar a los enfermos.*

1889

Se creyó poder identificarlo con e retablo encargado el 16 de junio d 1445, a Van der Weyden, por el aba de Saint-Aubert de Cambrai, por lo que también se le conoce con est nombre y aun como del «Maestro d la Redención del Prado».
Procede del convento de los Angeles de Madrid, fundación de doña Leonor de Mascareñas, aya de Felipe II y del príncipe don Carlos.

1890-1892 *La moneda del Césa*

Tabla, 1,95 × 0,77 × 0,77.

Exterior del tríptico: *La Redención* números 1888-89 y 1891. Pintado a claroscuro, simulando esculturas. A l izquierda: *Cristo y sus discípulos.* A l derecha: *Tres fariseos.* En los pedes tales, el texto evangélico.
Véase la nota a los números citados.

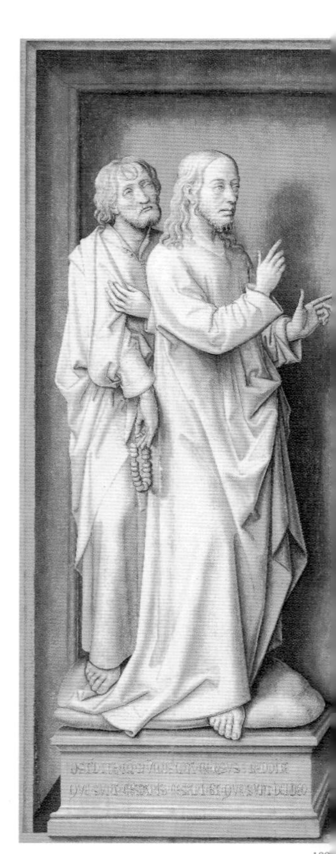
189

TOMER. Matthias Stoom · Stomer

Nacido en Amersfoort (Holanda) ha-
ia 1600. En Italia hacia 1622; murió
n Messina después de 1650. Escuela
olandesa.

094 *Incredulidad*
'e santo Tomás

ienzo, 1,25 × 0,99.

l Apóstol toca con su dedo la llaga
el costado de Cristo. Al fondo, a la
:quierda, otro apóstol. Considerada
ıucho tiempo obra de Honsthort. El
Catálogo de 1963 lo atribuye a Ter
rughen. La atribución a Stomer,
ropuesta ya en 1924, es hoy uná-
imemente aceptada.
n 1700 y 1734, en el Alcázar; en
772, en el Palacio Nuevo, atribuido a
iuercina.

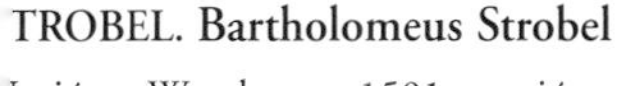

TROBEL. Bartholomeus Strobel

Iació en Wroclaw en 1591; murió en
644. Escuela polaca.

940 *La degollación de san Juan*
Bautista y el banquete de Herodes

ienzo, 2,80 × 9,52.

. la derecha de la composición, la
iecución de san Juan Bautista; en el
entro el banquete de Herodes, al
ue llega Salomé, acompañada de su
:quito, con la cabeza del santo sobre
na bandeja de oro. A la izquierda, un
ufón, dos sirvientes con antorchas, cin-
ɔ hombres y un soldado con alabarda.

2094

En el lienzo figuran retratos de personajes históricos —Wallenstein, Enrique IV, Fernando II, etc.—, algunos con rasgos marcadamente caricaturescos; la cabeza de san Juan Bautista se ha querido identificar con la de Carlos I de Inglaterra.
Fechado entre 1630-1633. Probablemente, encargo del obispo de Wroclaw, para el palacio de Nysa.
Considerado, como anónimo en los catálogos anteriores; en 1970, Neumann sugiere la atribución a B. Strobel, corroborada por Seghers, en 1987.
En 1746, en la Colección de Isabel de Farnesio, en La Granja; luego en Aranjuez.

STROZZI. Bernardo Strozzi

Nació en Génova en 1581; murió en Venecia el 2 de agosto de 1644.
Escuela italiana.

354

354 *La Verónica*

Lienzo, 1,68 × 1,18.

En las manos, el lienzo con el rostro de Cristo.
Se conocen otras tres versiones de esta composición.
En 1746, en la Colección de Isabel de Farnesio (La Granja), atribuido a Velázquez. En 1794, en Aranjuez.

SUSTERMANS. Justus Sustermans

Nació en Amberes el 28 de septiembre de 1597; murió en Florencia el 23 de abril de 1681. Escuela flamenca.

9 *María Magdalena de Austria, gran duquesa de Toscana*

Lienzo, 0,77 × 0,63.

Busto; con tocas de viuda y crucifijo al cuello.

1940

10

Hermana de doña Margarita, mujer de Felipe III. Nació en 1587; casó con Cosme II de Médicis el 19 de octubre de 1608; murió en 1631.
Procede de las Colecciones Reales.

10 *Fernando II, gran duque de Toscana*

Lienzo, 0,77 × 0,63.

Busto, gorguera encañonada, traje negro; las mangas, labradas con oro.
Nació el 14 de julio de 1610; murió el 23 de mayo de 1670. Pintado hacia 1627, fecha en que comenzó a gobernar el retratado.
Procede de las Colecciones Reales.

1962 *El emperador Fernando II*

Lienzo, 1,11 × 0,96.

De más de medio cuerpo, en pie. Viste de negro con gorguera y puños escarolados; ostenta el Toisón. Capa con forro de brocado.
Hasta 1972 considerado de escuela de Rubens. Díaz Padrón (1995) lo cree obra del taller de Sustermans.
Nació en Gratz el 9 de julio de 1578; emperador en 1619 al morir Matías, casó en segundas nupcias con Leonor de Mantua; murió el 15 de febrero de 1639. Por su primera mujer fue cuñado de Felipe III.
El lienzo, en 1794, estaba en la Quinta del duque del Arco.

SUSTRIS. Lambert Sustris

Nacido en Amsterdam hacia 1515, actividad documentada en Italia, desde 1540; murió en 1599 en Múnich. Escuela italiana.

581 *Bautismo de Cristo*

Tabla, 1,25 × 1,65.

En el centro las figuras de Cristo y el Bautista en el río; a los lados, fondo de paisaje con pequeñas figuras.
De las Colecciones Reales.

SWANEVELT. Hermann van Swanevelt, «el Ermitaño»

Nació en Woerden hacia 1600; murió en París en 1655. Escuela holandesa.

2063 *Paisaje con santa Rosalía de Palermo*

Lienzo, 1,58 × 2,34.

Fondo de paisaje. Santa Rosalía de Palermo, a la derecha de la composición, acompañada de dos ángeles que contemplan la escena, esculpe en una piedra su deseo de consagración a la vida cenobita.
Atribuida tradicionalmente a J. Both, Rolisberg (1961) y Waddigham (1964), la consideran como original de Swanevelt.
Procede de las Colecciones Reales, Palacio del Buen Retiro, en 1700.

2064 *Paisaje con san Bruno*

Lienzo, 1,58 × 2,32.

En primer plano un jardín, con una fuente en el centro rodeada de parterres y tulipanes; a la derecha, un monje cartujo, posiblemente san Bruno, con una bandeja de bulbos junto a una gruta con un altar con una Virgen.
Ha estado atribuido en los *Catálogos* a Jan Both. Waddigham (1960) considera el paisaje obra de Swanevelt, y la figura del monje de otra mano.
En 1700, en el Buen Retiro.

2065 *Paisaje con san Benito*

Lienzo, 1,58 × 2,34.

Fondo de paisaje. A la derecha, el santo recoge un cesto con provisiones que desde lo alto del peñasco le enví[a] un ermitaño. Desde el aire amenaza la figura de Lucifer.
Obra atribuida a J. Both en los distintos inventarios y catálogos del Museo hasta 1972. Valdivieso (1973) la considera de H. van Swanevelt con posible colaboración de Both en el paisaje

58

'rocede de las Colecciones Reales. 'alacio del Buen Retiro, en 1700.

.141 *Paisaje de sol poniente*

.ienzo, 2,10 × 1,56.

.n medio, una cascada; a la izquierda, :es pescadores.
;erstenberg (1923) y Waddigham 1964) consideran su atribución tradiional a Swanevelt acertada. Realizado n Roma hacia 1638 por encargo de 'elipe IV a la vez que su compañero el .° 2140, depositado en la actualidad n el Ministerio de Asuntos Exterioes. En 1700 en el Palacio del Buen .etiro, donde se atribuía a Lorena. En 794 y 1814, en el Palacio Nuevo.

223 *Paisaje*

.ienzo, 1,58 × 1,90.

obre un paisaje frondoso, figura al ɔndo una pastora sentada; dos homres y una mujer con un rebaño de vaas y carneros.
.tribuido a Domenico Brandi, en el ɪventario de 1857, es considerado ctualmente, según Valdivieso, obra el holandés Van Swanevelt.
'rocede de las Colecciones Reales.

1971

SYMONS. Peeter Symons

Maestro en Amberes en 1629. Escuela flamenca.

1971 *Céfalo y Procris*

Lienzo, 1,74 × 2,04.

Céfalo, cansado de la caza, en la diestra la jabalina; su esposa Procris, sentada también; fondo de bosque.
El asunto lo cuenta Ovidio (*Metamorfosis,* lib. VII).
Firmado debajo de la figura de Procris: *PEETER SYMONS.*
Su boceto es el n.° 2459, de Rubens.
Pintado para la Torre de la Parada, donde estaba en 1700. En 1772 se cita en el Palacio Nuevo, y en 1796 estaba en la Academia de San Fernando.

TAMM. Franz Werner von Tamm

Nació en Hamburgo en 1658 y murió en Viena en 1724.
Escuela alemana.

2325 *Florero*

Lienzo, 1,30 × 0,97.

En el florero, rosas y azucenas. Al pie, ciruelas y una calabaza.
En La Granja, entre los cuadros de Felipe V, comprados a los herederos de C. Maratta —en su inventario se atribuye a «Monsu da Pre»—; de allí vino al Museo, donde se adscribió a un desconocido François Pret. Estudios recientes lo identifican con toda seguridad como obra de Tamm.

TEJERINA. Juan de Tejerina

Originario de Paredes de Nava; trabajaba entre 1520-1525, relacionado con Juan de Flandes.
Escuela española.

2541 *La visitación de la Virgen a santa Isabel*

Tabla, 0,52 × 0,36.

Santa Isabel y la Virgen, arrodilladas, como el donante, tonsurado y de hábitos negros. Detrás: un ángel a la izquierda y cinco a la derecha.
Como discípulo de Juan de Flandes, en los catálogos anteriores; Díaz Padrón (1986) lo cree, probablemente, obra de Juan de Tejerina, realizada hacia 1525.
Adquirida a la iglesia de San Lázaro, de Palencia, en octubre de 1928, con

2541

parte de la subvención del Ayuntamiento de Madrid de 1927.

TENIERS. Abraham Teniers

Nació el 1 de marzo de 1629 en Amberes, donde murió el 26 de septiembre de 1670 o 1672; hermano de David II. Escuela flamenca.

1783 *Un cuerpo de guardia*

Cobre, 0,49 × 0,68.

Bandera, armas, armaduras, caja, etcétera; un perro; al fondo, tres hombres.
Se conoce una réplica firmada en colección privada madrileña.
Compañero del n.° 1784.
Fue de la duquesa del Arco. En 1772, en el Palacio Nuevo. Estuvo en la Academia de San Fernando, entre 1816 y 1827.

1784 *Un cuerpo de guardia*

Cobre, 0,49 × 0,68.

A la izquierda, un negro con una espada; a la derecha, una bandera; pertrechos de guerra; al fondo, varios soldados al fuego.
Véase el n.° 1783.

TENIERS II. David Teniers

Bautizado en Amberes el 15 de diciembre de 1610; murió en Bruselas el 25 de abril de 1690. Escuela flamenca.

1391 *La música en la cocina*

Tabla, 0,33 × 0,55.

Cinco hombres cantando al lado de la chimenea; a la izquierda, tonel y otras vasijas.
Schmidt-Degener sugirió la atribución a Sorgh. Atribuido hasta 1972 a Adriaen Brouwer.
En 1746, en La Granja, pinturas de Isabel de Farnesio; luego, en Aranjuez, con el siguiente.

1392 *La conversación*

Tabla, 0,33 × 0,56.

En una cocina, cinco hombres bebiendo y fumando; junto al fuego, tres y una mujer; otro, en la puerta; a la derecha, cazuelas y jarros de barro.
Se atribuyó un tiempo a Brouwer.
Winkler supone esta tabla obra de Teniers, imitando a Brouwer.
En 1746, en La Granja, Colección de Isabel de Farnesio. Allí seguía en 1794.

1785 *Fiesta aldeana*

Cobre, 0,69 × 0,86.

Grupos que comen, beben y bailan; en el medio, sobre una cuba, el gaitero. A la izquierda, dos damas, dos caballeros y un niño. Fondo de paisaje.
Firmado debajo de la dama de traje azul: *DAVID TENIERS FEC.*
Adquisición de Carlos IV. En 1814, en el Palacio Nuevo.

1786 *Fiesta campestre*

Lienzo, 0,75 × 1,12.

Grupos que comen, beben, fuman y bailan al son de una gaita y una zanfonía. A lo lejos, a la izquierda, en un grupo de caballeros y damas, el archiduque Leopoldo.
Firmado a la izquierda debajo del joven fumador sentado: *DAVID TENIERS FEC. A 1647.*
En 1772 y 1794, en el Palacio Nuevo.

1787 *Fiesta campestre*

Cobre, 0,77 × 0,99.

A la izquierda, el gaitero; grupo de hombres y mujeres bailando; otro, al fondo, rodea una mesa. A la derecha paisaje con iglesia y río.
Firmado en el centro de la piedra, en que está apoyada una escoba: *D. T.*
En 1746, en La Granja, Colección de Isabel de Farnesio; después pasó a Aranjuez.

1783

1788 *Fiesta y comida aldeanas*

Lienzo, 1,20 × 1,88.

En el corral de una casa, comen, bailan, cantan; a la izquierda, el gaitero. Será comida de bodas, porque preside el banquete una joven coronada.
Firmado a la izquierda, debajo del pie del hombre sentado que canta con un vaso de vino en la diestra y la pipa en la mano izquierda: DAVID TENIERS *1637*.
En 1746, en el Palacio Nuevo.

1789 *Juego de bolos*

Tabla, 0,42 × 0,71.

En el exterior de unas casas. A la derecha, un obelisco; iglesia y casas al fondo.
Firmado a la derecha del centro, en tierra: *D. TENIERS F.*
En 1700, en el Alcázar, «Cuarto de la Reina».

1790 *El tiro de ballesta*

Tabla, 0,54 × 0,88.

En el campo; casas a la derecha.
Firmado en el ángulo inferior derecho: *D. TENIERS F.*
Colección de Isabel de Farnesio; La Granja, 1746.
En 1794, en el Palacio Nuevo.

1791 *El soldado alegre*

Tabla, 0,47 × 0,36.

Sentado, cantando; un vaso en la diestra, la pipa en la mano izquierda. Detrás, un fumador.
Firmado en el madero que está debajo del pie derecho: *D. TENIERS.*
Colección de Isabel de Farnesio; La Granja, 1746. En 1794, en el Palacio Nuevo.

1793 *Una taberna*

Tabla, 0,52 × 0,65.

Tres fumadores sentados alrededor de una cuba; otro en pie, al fondo.
Firmado en el ángulo inferior derecho: *D. TENIERS F.*
Colección de Isabel de Farnesio; La Granja, 1746.

1787

1788

1794 *Fumadores y bebedores*

Tabla, 0,34 × 0,48.

Tres en primer término; al fondo, grupo de jugadores de cartas. Por la ventana asoma un hombre.

1794

Firmado en el ángulo inferior derecho: *D. TENIERS F.*
Colección de Isabel de Farnesio; La Granja, 1746.

1795 *Bebedores y fumadores*

Lienzo, 0,40 × 0,50.

En una taberna, hombres y mujeres rodean una mesa, bebiendo; a la derecha, al fondo, otro grupo; y dos hombres asoman por una ventana.
Firmado en el ángulo inferior izquierdo: *D. TENIERS FEC.*
En 1746, en La Granja, Colección de Isabel de Farnesio. En 1794, en Aranjuez.

1797

1808

1796 *Fumadores*

Tabla, 0,40 × 0,62.

En primer término, dos sentados; al fondo, cuatro rodeando una mesa; en la puerta, una mujer.
Firmado en el ángulo inferior derecho: *D. TENIERS F.*
Colección de Isabel de Farnesio; La Granja, 1746.

1797 *«Le Roi Boit»*

Cobre, 0,58 × 0,70.

Fiesta familiar; el «rey» de ella, coronado de papelón, bebe, otro baila; otro canta, etc.
Firmado en el ángulo inferior izquierdo: *D. TENIERS FEC.*
En 1700, en el «Cuarto de la Reina», del Alcázar. En 1794, en el Palacio Nuevo.

1798 *La cocina*

Tabla, 0,35 × 0,50.

A la derecha, hortalizas, frutas y va sijas; al fondo, el fogón; a la izquier da, en primer término, un hombr abriendo mejillones.
Firmado en el madero en que está sen tado el hombre: *D. TENIERS F.*
En el dibujo de la pared aparece l fecha *1643*. En 1746, entre los cua dros de Isabel de Farnesio, en La Gran ja; después, en Aranjuez, donde se cit en 1794.

1799 *El viejo y la criada*

Lienzo, 0,55 × 0,90.

La joven fregatriz sorprendida por e amo, que la acaricia; a la derecha, e gallinero y el establo.
Fue de Ensenada; en 1794, en Palacio

1802 *Operación quirúrgica*

Tabla, 0,38 × 0,61.

Un hombre es operado en la cabeza una mujer presencia la operación; a l derecha, un joven sentado; otro en l puerta del fondo.
Firmado en el ángulo inferior izquierdo debajo del tarro de loza: *D. TENIERS F.*
En 1700, en el Alcázar. En 1794, en e Palacio Nuevo.

1803 *Operación quirúrgica*

Tabla, 0,33 × 0,25.

Interior. El paciente, sentado; delante de rodillas, el cirujano que va a operar le un pie; detrás, dos mujeres.
Firmado en el ángulo inferior izquier do: *D. TENIERS FEC.*
En 1700, en el Alcázar; en 1747, er el Retiro, y en 1794, en el Palacic Nuevo.

1804 *El alquimista*

Tabla, 0,32 × 0,25.

En pie, maneja el fuelle; alrededor, li bros, tarros y vasijas diversas; al fondo el ayudante muestra un frasco a do visitantes.

1804

irmado en el ángulo inferior derecho:
. TENIERS.
ompañero del n.° 1803.

805 *El mono pintor*

abla, 0,24 × 0,37.

n el estudio, ante el caballete, dibuja aliéndose del tiento, en una tabla; de-ás, otro mono; varios cuadros, un re-ato, un paisaje de tipo Teniers, una atalla, etcétera.
irmado en el ángulo inferior derecho:
. TENIERS F.
n 1772 y 1794, en Palacio.

806 *El mono escultor*

obre, 0,23 × 0,32.

l mono esculpe un sátiro bicorne; la derecha, contempla la obra con nte un «aficionado». Al fondo, esta-as, para algunas de las cuales sir-eron de modelos monos, entre ellas na sepulcral.
irmado en el sillar inferior del ángulo quierdo: D. TENIERS F.
n 1772 y 1794, en el Palacio Nuevo.

807 *Monos en una bodega*

obre, 0,21 × 0,30.

la izquierda, un grupo juega a los aipes; al fondo otro conversa y bebe; la derecha, una mona llena una jarra.
rmado en el ángulo inferior izquier-): D. TENIERS F.
ino en 1827 de Aranjuez.

1808 *Monos en la escuela*

Cobre, 0,25 × 0,34.

Los «alumnos» vuelven la cabeza para ver cómo el maestro azota al desaplicado; uno de ellos intercede por la víctima.
Firmado en el ángulo inferior izquierdo: D. TENIERS F.
Vino de Aranjuez en 1827.

1809 *Monos fumadores y bebedores*

Tabla, 0,21 × 0,30.

Cuatro a la mesa; a la izquierda, uno ebrio; la mona sirviente coge entremeses de un barreño; al fondo, un mono llena un jarro.
Firmado en el ángulo inferior derecho: D. TENIERS F.
Adquirido, como el siguiente, por Carlos IV. Vino de Aranjuez en 1827.

1810 *Banquete de monos*

Tabla, 0,25 × 0,34.

Cuatro en una mesa comiendo y bebiendo; otros en grupos sirven y cocinan, etc.
Firmado en el ángulo inferior derecho: D. TENIERS F.
Véase el n.° 1809.

1811 *El vivac*

Tabla, 0,63 × 0,89.

Soldados descansando; unos juegan y fuman; otro arregla la armadura, a la derecha, otro sentado, al que ayudan a descalzarse.
Firmado, a la izquierda del centro, debajo del brazal de armadura: D. TENIERS FEC.
En 1666, 1686 y 1700, en el Alcázar; en 1747, posiblemente en el Buen Retiro; en 1794, en el Palacio Nuevo.

1812 *Un cuerpo de guardia*

Cobre, 0,67 × 0,52.

Bandera, caja, pertrechos y uniformes; un joven a la izquierda; al fondo, un grupo de soldados.
Díaz Padrón (1995) lo cree de Abraham Teniers. Adquirido por Carlos IV. En 1814, en la Casita del Príncipe de El Escorial.

1811

1813 *El archiduque Leopoldo Guillermo en su galería de pinturas en Bruselas*

Cobre, 1,06 × 1,29.

El archiduque, con sombrero puesto; destocados los otros cuatro caballeros; entre las pinturas, algunas con cartela,

1813

se ven obras de Tiziano, Rafael, Palma, Ribera, Giorgione, Van Dyck, Gossaert, Veronés, etc. Acompañan al archiduque el conde de Fuensaldaña y Teniers.
Firmado a la izquierda, cerca del *San Sebastián* de Veronés: DAVID TENIERS F. PINTOR DE LA CAMERA DE S. A. S.
Pintado hacia 1647.
Leopoldo, hijo del emperador Fernando II, nació el 6 de enero de 1614; fue gobernador de Flandes por Felipe IV (1646-55); murió en Estrasburgo el 20 de noviembre de 1662.
Encargada por el archiduque para regalársela a Felipe IV. En 1653, 1666 y 1686 se cita en el Alcázar. En 1747 estaba en el Retiro, y en 1794, en el Palacio Nuevo.

1814 *Coloquio pastoril*

Lienzo, 0,75 × 0,89.

Dos pastores en conversación; uno apoyado en un jumento; ganado vacuno y lanar. Fondo de paisaje. A la izquierda, en alto, un castillo.
Firmado en donde se apoya el caldero de cobre, a la izquierda: D. TENIERS FEC.
En 1700, en el Alcázar; en 1794, en el Palacio Nuevo.

1815 *Aldeanos conversando*

Tabla, 0,41 × 0,63.

En el exterior de una casa, dos mujeres y tres hombres; sale de la casa una mujer con un ternero. A la derecha, fondo de campo e iglesia.
Firmado en el centro, derecha, cerca del perro: D. TENIERS F.
En 1700, en el Alcázar. En 1747, en el Retiro.

1816 *La casa rústica*

Tabla, 0,41 × 0,63.

Exterior; hombre con una pala, mujer fregando; joven con un barreño; a la izquierda, fondo con casas.
Firmado a la izquierda de las gallinas: D. TENIERS FEC.
En 1772, en Palacio; perteneció a Isabel de Farnesio.

1817 *Paisaje con ermitaños*

Lienzo, 1,77 × 2,30.

Una cueva; dentro, ermitaños rezando; fuera, un caballero que habla con un ermitaño; dos viandantes; a la izquierda, el ermitaño cocinero; fondo de paisaje, arriscado a la derecha, con figuras.
En 1746, entre los cuadros de Isabel de Farnesio, en La Granja.

1818 *Paisaje con gitanos*

Lienzo, 1,77 × 2,39.

A la derecha, tres gitanas y una niña en el centro, otra gitana dice la buenaventura a un viejo. A la izquierda, cas y cuatro figuras. Fondo de paisaje amplio.
Firmado en bajo, a la derecha del grupo de gitanas sentadas. D. TENIERS F.
Según Puyvelde, cartón para un tapiz del que hay un ejemplar en una colección de Gante.
En 1746, en la Colección de Isabel d Farnesio, en La Granja.

1819 *Paisaje con un ermitaño*

Lienzo, 0,95 × 1,43.

Sentado, a la izquierda, con un caminante al lado. Fondo de rocas y cueva. A la derecha, un camino y un viandante.
Firmado cerca del ángulo inferior izquierdo: D. TENIERS.
Adquisición de Carlos IV. Vino d Aranjuez en 1827.

1820 *Las tentaciones de san Antonio Abad*

Tabla, 0,51 × 0,71.

El santo en una gruta orando, turbad por monstruos y por una vieja co cuernos que le presenta una joven.
Firmado a la derecha, debajo del jarr de barro: D. TENIERS.
En 1746, en La Granja, Colección d Isabel de Farnesio. En 1790, en el Palacio Nuevo.

1821 *Las tentaciones de san Antonio Abad*

Lienzo, 0,79 × 1,10.

Entre unas ruinas, el santo arrodillado, asaltado por monstruos y una mujer con cuernos que le presenta un joven.
Firmado en la piedra en que está e cántaro y se apoya la cruz grand D. TENIERS.
En 1700, en el Alcázar. En 1747, en e Retiro. En 1794, en el Palacio Nuev

322 *Las tentaciones*
· san Antonio Abad

obre, 0,55 × 0,69.

santo, arrodillado; rodéanle mons-
ıos grotescos: un joven con un pavo
al y una muchacha.

rmado en el poyo donde está el cru-
ijo, el reloj de arena, la calavera, etc.:
TENIERS FEC.

ı 1772 y 1794, en el Palacio Nuevo.

323 *San Pablo, primer*
mitaño, y san Antonio Abad

enzo, 0,63 × 0,94.

ı una cueva, sentados, conversando
bre los libros que tienen abiertos. El
ervo trae en el pico un pan. A la de-
cha, por la boca de la cueva, se ve el
isaje con un castillo.

rmado en medio, en una de las pie-
as en que se apoya el libro, firma ca-
ilegible: *T... F.*

ı 1746, probablemente en La Gran-
En 1818, en el «Oratorio de la Rei-
», en Aranjuez.

325 *Armida ante Godofredo*
· Bouillon

obre, 0,27 × 0,39.

etrás, las tiendas del campamento.

rmado en el ángulo inferior de la de-
cha: *D. TENIERS, F.*

ste y los once siguientes forman una
rie inspirada en la *Jerusalén liberta-*
, de Tasso.

tema en el canto IV del poema.

ribuidos algún tiempo a David Te-
ers el Viejo (1582-1649), son con
guridad del hijo.

326 *Consejo convocado por*
odofredo sobre el socorro a Armida

obre, 0,27 × 0,39.

odofredo, sentado, delante de las tien-
ıs; al fondo, la muerte de Gernando.

rmado en el ángulo inferior izquier-
: *D. TENIERS F.*

anto V del poema.

éase el n.° 1825.

1815

1819

1821

7615

1827 *El mago descubre a Carlos y Ubaldo el paradero de Reinaldo*

Cobre, 0,27 × 0,39.

La escena, junto al lago de Ascalón.
Firmado en el ángulo inferior izquierdo: D. TENIERS F.
Canto XIV del poema.
Véase el n.º 1825.

1828 *Reinaldo enamorado de Armida, en la isla de Orontes*

Cobre, 0,27 × 0,39.

Reinaldo, reclinado; Armida, con una ballesta, en pie. Fondo de mar con un faro.
Firmado en el ángulo inferior izquierdo: D. TENIERS.
Canto XIV, como el siguiente.
Véase el n.º 1825.

1829 *Reinaldo llevado en sueños a las islas afortunadas*

Cobre, 0,27 × 0,39.

Va en el carro de Armida, precedido y acompañado por genios.
Firmado en el ángulo inferior izquierdo: D. TENIERS FEC.
Véase el n.º 1825.

1830 *Carlos y Ubaldo en las islas afortunadas*

Cobre, 0,27 × 0,39.

Ninfas desnudas, bañándose, les ofrecen manjares; otra, vestida, en una barca con papeles de música.
Firmado: D. TENIERS F.
Canto XV del poema.
Véase el n.º 1825.

1831 *El jardín de Armida*

Cobre, 0,27 × 0,39.

Reinaldo, reclinado sobre Armida, q
se mira en un espejo; rodéanles amo
cillos con las armas del caballero; a
izquierda, contemplan la escena Ca
los y Ubaldo.
Firmado en el ángulo inferior de la d
recha: D. TENIERS FEC.
Canto XVI del poema.
Véase n.º 1825.

1832 *Separación de Armida y Reinaldo*

Cobre, 0,27 × 0,39.

A la izquierda, Armida llorando; Ca
los, Ubaldo y Reinaldo; a la derech
la barca que les espera.
Firmado, en el ángulo inferior izquie
do: D. TENIERS FEC.
Canto XVI, como el siguiente.
Véase el n.º 1825.

1833 *Huida de Reinaldo de las islas afortunadas*

Cobre, 0,27 × 0,39.

Armida desaparece por los aires en u
carro; Reinaldo y sus acompañante
en la barca.
Firmado, a la derecha: D. TENIERS FE
Véase el n.º 1825.

1834 *Proezas de Reinaldo*

Cobre, 0,27 × 0,39.

El héroe, a caballo, lucha contra tr
musulmanes.
Firmado en el ángulo inferior izquie
do: D. TENIERS FEC.
Canto XVIII del poema.
Véase el n.º 1825.

1835 *Armida animando a los moros en la batalla*

Cobre, 0,27 × 0,39.

Armida, en su carro, rodeada de m

sulmanes, a los que excita para la lucha.
Firmado en el ángulo inferior izquierdo: *D. TENIERS FEC.*
Canto XIX.
Véase el n.º 1825.

1836 *Reconciliación de Reinaldo y Armida*

Cobre, 0,27 × 0,39.

En un bosque, a la orilla de un río, Armida, sentada, con una flecha en la diestra; el héroe, de pie, la abraza.
Firmado en el ángulo inferior izquierdo: *D. TENIERS F.*
Canto XX del poema.
Véase el n.º 1825.

2732 *Los fumadores*

Tabla, 0,18 × 0,17.

Medias figuras. El más joven enciende la pipa; el otro la carga.
Con variantes de los tipos y supresión de un jarro de encima de la mesa repite la composición del cuadro que grabaron C. Boel y Lepicié en 1774, que describe John Smith (*Catalogue raisonné,* III número 612) y que figuró con el número 36 en la venta de octubre-noviembre de 1928 de la casa Goustiker, de Amsterdam.
Legado de Fernández-Durán (1930).

7615 *Retrato de Francesco Donato*

Tabla, 0,22 × 0,16.

Sentado, de poco más de medio cuerpo, en traje de ceremonia, con el gorro de dux, toga de tela dorada y manto de armiño con grandes botones dorados. Al fondo, a la derecha, una vista de la ciudad de Venecia.
Francesco Donato nació en 1468; fue embajador en España, Inglaterra y Florencia. Mantuvo la neutralidad de Venecia durante la guerra entre Carlos V y Enrique II; terminó de construir la biblioteca de San Marcos. Fue elegido dux cuando tenía 77 años de edad, cargo que siguió ejerciendo hasta su muerte, en 1553.
Firmado: *D. T.*
La obra es copia reducida del cuadro que perteneció al archiduque Leopoldo Guillermo, hoy en el Museo de Arte de Viena, atribuido a un pintor veneciano de la segunda mitad del siglo XVI.
Adquirido por el Estado, en fecha 28 de octubre de 1991.

TENIERS y Van Uden

1801 *Merienda de aldeanos*

Tabla, 0,42 × 0,58.

A la izquierda, una casa de la que sale una mujer con un plato; cinco hombres alrededor de un tonel, etc. Fondo de paisaje extenso, con iglesias a la derecha y en el fondo.
El fondo es obra de Lucas van Uden.
En 1746, en La Granja, Colección Isabel de Farnesio.
En 1794, posiblemente en el Palacio Nuevo.

TER BORCH. Gérard Ter Borch

Nació en Zwolle en 1617; murió en Deventer el 8 de diciembre de 1681. Escuela holandesa.

6892 *Petronella de Waert*

Tabla, 0,40 × 0,32.

De más de medio cuerpo, en pie, junto a una mesa cubierta de terciopelo gris, donde hay un espejo, un cofre abierto, un abanico, etc. Viste de terciopelo negro con adornos negros; collar de perlas.
Inscripción a la izquierda sobre el espejo: *AETATIS SUAE 42/1670.*
Gudlaugssen (1960) identifica a la retratada con Petronella de Waert (1628-1709), esposa de Nicolaes Pancreas, burgomaestre de Amsterdam, y considera que podría tratarse del retrato femenino de la pareja de retratos de Ter Borch citados en 1887 por

6892

Emil Michel en la Colección del marqués de Castro Serna.
Adquirido el 20 de mayo de 1982.

THIELEN. Jan Philips van Thielen, van Rigouts, o van Couwenberg

Nació en Malinas el 1 de abril de 1618; murió en Boisschat en 1667. Escuela flamenca.

1843 *San Felipe en una hornacina rodeada de flores*

Cobre, 1,26 × 0,96.

El apóstol, pintado al claroscuro; encima del barroco nicho, una cesta de frutas.
Firmado en la moldura del nicho, a la izquierda, cerca del borde inferior: *I. P.*

1843

VAN. THIELEN F. AN 1651. Vino al Palacio de Aranjuez en 1827. En 1814 estaba en el Palacio Nuevo.

1846

THOMAS. Jan Ypres Thomas

Nació en Ypres en 1617; murió en Viena en 1678. Escuela flamenca.

1496 *La Virgen de las rosas*

Lienzo, 1,11 × 0,86.

La Virgen y san Juan, de poco menos que cuerpo entero. El Niño Jesús da a oler a su Madre una rosa de las que presenta san Juan.
Se catalogó hasta 1972 como obra de un discípulo anónimo de Van Dyck; Díaz Padrón en 1975 lo creyó de Jan Ypres Thomas; Larsen (1988) lo cree de Van Dyck; De Bruyn (1988) lo atribuyó a Quellinus; y Vlieghe lo cree de Jan van der Hoecke.
Fue adquirido por Carlos IV como obra de Rubens. Estaba en Aranjuez en 1818.

TIEL. Justus Tilens, o Tiel

De este pintor se conoce la firma del cuadro siguiente y la noticia de los retratos de los Papas Urbano VII y Clemente VII, entregados en 1593 a El Escorial. Escuela flamenca.

1846 *Alegoría de la educación de Felipe III*

Lienzo, 1,59 × 1,05.

De pie, cuerpo entero, armado; el Tiempo aparta a Cupido y le pone delante de la Justicia, quien le presenta su espada.
Inscripción: *AETATIS SUAE A°12 SUPERATO ADIVIGET.*
Firmado en el ángulo inferior de la derecha: *IVSTVS TIL.*
Sobre Felipe III, véase el n.° 2562.
Los guanteletes de la armadura que lleva el príncipe se conservan en el Metropolitan Museum.
En 1600 estaba en la Casa del Tesoro del Alcázar. En 1772, en el Retiro.

TIEPOLO. Giovanni Battista Tiépolo

Nació en Venecia, fue bautizado el 16 de abril de 1696. Llegó a Madrid el 7 de junio de 1762 y murió aquí el 27 de marzo de 1770. Escuela italiana.

363 *La Purísima Concepción*

Lienzo, 2,79 × 1,52.

La Inmaculada sobre el Mundo con los símbolos marianos, ángeles y la paloma del Espíritu Santo.
Firmado a la derecha, en bajo: *DN. JUAN BATTA TIÉPOLO INV: ET PINX.*
Pintado antes del 29 agosto de 1769 para el altar colateral del Evangelio, en San Pascual, de Aranjuez; arrancado a los pocos años. A la misma serie pertenecen los números 364, 364ª, 7096 y 3007; *San Pedro de Alcántara* (Palacio Real) y *San José y San Carlos* en Norteamérica.
Se conserva el boceto en las Courtauld Institute Galleries de Londres.
Figura en el *Catálogo* de 1828.

364-364ª *Visión de san Pascual Bailón*

Lienzo, 1,53 × 1,12 y 1,85 × 1,78.
Montados en tablero de 3,40 × 1,80.

Arrodillado, en éxtasis ante un ángel mancebo que porta la Eucaristía acompañado de querubines. Fondo de arquitecturas.
Se han montado conjuntamente los dos fragmentos subsistentes del lienzo pintado antes del 29 de agosto de 1769 para el altar mayor de San Pascual de Aranjuez, de donde fue arrancado poco después y sustituido por otro de Mengs.
La composición se conocía bien por su boceto, en las Courtauld Institute Galleries de Londres, los dibujos preparatorios, en diversas colecciones, y la

3007

3(

stampa que de la composición defini-
iva hizo Juan Domenico Tiépolo y que
a permitido la reconstrucción actual.
a parte superior se guardó siempre en
l Prado.
a inferior fue legada en 1926, por el
atrono del Museo, don Luis Errazu.
'éase el n.° 363.

65 *El Olimpo*

ienzo, 0,86 × 0,62.

n el centro, Júpiter, Juno y Diana; ha-
ia ellos se dirigen Mercurio y Venus;
n la parte baja, Minerva y Saturno.
oceto o modelo para un techo, pro-
ectado en Madrid, para la corte im-
erial rusa de San Petersburgo, según
inscripción de la estampa de Lo-
enzo Tiépolo, que lo reproduce. Pin-
ado, seguramente, entre 1761 y
764. En 1834 ya estaba en el Museo.

83 *Angel con corona de azucenas*

ienzo, 0,40 × 0,53.

ragmento de un cuadro.
eguramente es parte de *San José* pin-
ado para San Pascual, de Aranjuez,
ue fue de don Lorenzo Moret, y salió
e España en 1931 (se conserva en el
Auseo de Detroit).
obre esta serie de cuadros de Tiépolo, véase el n.° 363.
erteneció a Eugenio Lucas; adquiri-
o en julio de 1933 al coleccionista de
arís Dr. Frey, con rentas del legado
Conde de Cartagena.

464 *Abraham y los tres ángeles*

ienzo, 1,97 × 1,51.

l Patriarca, rodilla en tierra, recibe la
isita de tres ángeles mancebos; el de
n medio apoya su pie izquierdo en
na piedra; los otros, sobre nubes.
ondo de paisaje con un pino.
epresenta el pasaje a que se refiere el
ap. XVIII del *Génesis*.
in duda, de fecha muy próxima a los
enzos de Aranjuez, de los que repite
l modelo del ángel.

2464

Donado en 1924 por los señores de Sainz, en memoria de su padre, don Mariano.

3007 *San Antonio de Padua con el Niño Jesús*

Lienzo, óvalo, 2,25 × 1,76.

El santo franciscano, que regresaba al convento con alforja, cesto y flores, cae de rodillas ante el prodigio de que el Niño Jesús se le aparezca entre las manos llegando en una nube acompañado por dos ángeles; desde la puerta un fraile presencia el milagro.
Pintado para San Pascual, de Aranjuez (véase el n.° 7096).
Bayeu poseía el boceto, hoy perdido.
Obra importante y que, sin duda, ejerció influencia sobre Goya. Pallucchini (1968) y Pedrocco (1993) piensan en una colaboración de los hijos.
Adquirido en 1959 por el Ministerio de Educación Nacional a doña María Bauzá, viuda de Rodríguez.
Véase el n.° 363.

3243 *La reina Zenobia ante el emperador Aureliano*

Lienzo, 2,60 × 4,80.

A la izquierda, sentado en un solio, Aureliano. Ante él, la reina de Siria, Zenobia, con sus hijos e hijas, habla al emperador. Amplio séquito y figuras de prisioneros.
Durante mucho tiempo se creyó que el asunto representado era *La continencia de Escipión*. En 1979, Knox ha mostrado, convincentemente, que se trata de un

324

episodio de la historia de la reina de Palmira, que formó parte de la decoración de un salón en el Palacio Zenobio de Venecia, con escenas de la vida de la reina, cuyo nombre era el de la familia. Los viejos textos indican que ésta fue una de las primeras obras realizadas por Tiépolo, lo que la sitúa hacia 1717, según el razonamiento de Knox.
Adquirido en 1975.

7096 *San Francisco de Asís recibiendo los estigmas*

Lienzo, 2,78 × 1,53.

El santo y un ángel que muestra su herida del costado; en el cielo, el serafín. Fondo de paisaje con pinos.
Firmado: *DN. JUAN TIÉPOLO INV. ET PINX.*
Pintado para el altar colateral de la Epístola en San Pascual, de Aranjuez, antes del 21 de agosto de 1769; arrancado a los pocos años, lo descubrió en los depósitos, arrollado y roto, el subdirector del Museo, don José Garnelo, en 1914. Restaurado por F. Amutio; es nueva una parte que comprende el extremo del ala derecha del ángel hasta el borde inferior. Se conserva el boceto en las Courtauld Institute Galleries de Londres. Véase el n.º 363.

TIEPOLO. Giovanni Domenico Tiépolo

Nació en Venecia el 30 de agosto de 1727. Acompañó a España a Giovanni Battista, su padre; murió en Venecia en 1804.
Escuela italiana.

355 *La oración del huerto*

Lienzo, 1,25 × 1,42.

Jesús, de rodillas; el ángel, con el cáliz. Pintado en Venecia, con los siete que siguen (números 356 a 362), en 1772, para el convento de San Felipe Neri, de Madrid, de donde pasaron al Museo de la Trinidad en 1836.

356 *Cristo atado a la columna*

Lienzo, 1,24 × 1,44.

Jesús, atado a la columna, tres sayones lo apalean; al fondo, espectadores.
El boceto de este cuadro pertenece al Museo Lázaro Galdiano (Madrid).
Véase el n.º 355.

357 *La coronación de espinas*

Lienzo, 1,24 × 1,44.

Cristo, sentado; un judío encaja la corona sobre sus sienes; otro amenaza con un palo; a la izquierda, Pilatos y e[l] pueblo; a la derecha, en el fondo, bus[-]to de Tiberio.
Véase el n.º 355.

358 *Caída en el camino del calvario*

Lienzo, 1,24 × 1,44.

Jesús, caído bajo el peso de la cruz[;] detrás, el Cirineo y las Santas Mu[-]jeres; sayones, etc. Al fondo, el Cal[-]vario.
El boceto para este lienzo está en e[l] Museo Lázaro Galdiano (Madrid).
Véase el n.º 355.

359 *El expolio*

Lienzo, 1,24 × 1,44.

Varios soldados rodean a Jesús, ras[-]gándole la túnica; a la derecha, e[l] pueblo.
Véase el n.º 355.

360 *La crucifixión*

Lienzo, 1,24 × 1,44.

Jesús en el momento en que va a se[r] clavado a la cruz.
El boceto para este lienzo está en e[l] Museo Lázaro Galdiano (Madrid).
Véase el n.º 355.

355

359

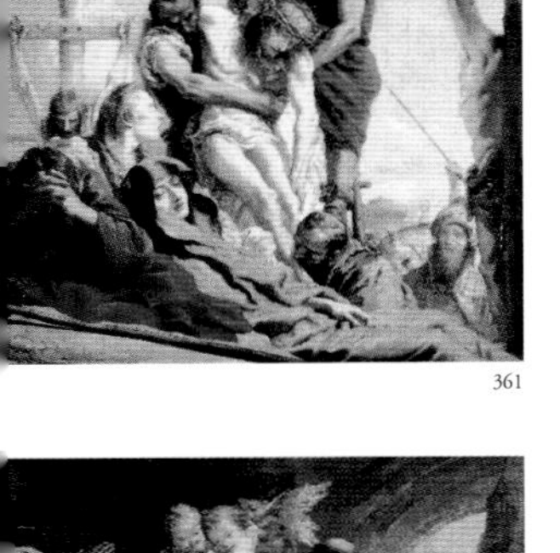

361

362

61 *El descendimiento*

ienzo, 1,24 × 1,42.

n primer término, la Virgen María y n Juan; detrás, Jesús, muerto, desendido por los Santos Varones. éase el n.° 355.

362 *El entierro de Cristo*

Lienzo, 1,24 × 1,44.

José de Arimatea, Nicodemo y otro discípulo colocan el cuerpo en el sepulcro; las Santas Mujeres y serafines. En el testero del sepulcro, la firma: *O V R [RAGE?] D. DOMINGO TIEPOLO ANNO 1772.*
Véase el n.° 355.

TINTORETTA. Marietta Robusti, llamada Tintoretta

Hija de Jacopo. Nació en Venecia en 1560; murió en 1590.
Escuela italiana.

381 *Autorretrato*

Lienzo, 0,60 × 0,51.

Busto; con la mano izquierda cubre parte del pecho.
Según Ormaston, retrato de Marietta por su padre. Suelen datarse éste y los demás hacia 1580.
Forman serie con otros retratos similares atribuidos a Tintoretto.
Procede de las Colecciones Reales.

383 *Joven veneciana*

Lienzo, 0,77 × 0,65.

De medio cuerpo; collar de perlas.
Atribución de Berenson, indicada como probable desde el *Catálogo* de 1873.
Procede de las Colecciones Reales.

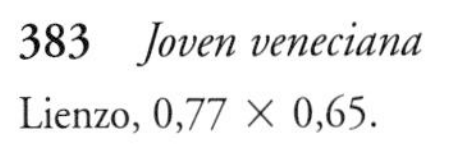

400 *Dama veneciana*

Lienzo, 0,77 × 0,65.

Figura de medio cuerpo; escotada, con una pañoleta sobre el pecho.
Procede de las Colecciones Reales.

TINTORETTO. Domenico Tintoretto

Nació en Venecia en 1560; murió allí el 17 de mayo de 1635.
Escuela italiana.

383

387 *La prosperidad, o la virtud ahuyentando los males*

Lienzo, 2,07 × 1,40.

Una matrona con casco, caduceo y un manojo de espigas hace huir a la Lujuria, el Robo, la Traición y el Rencor. Figuras de cuerpo entero.
Lienzo central de un techo.
La atribución a Domenico Tintoretto, indicada por Berenson, parece indudable. Se relaciona con una composición de Jacopo de la Colección Italico Brass, de Venecia, que se interpreta como *Minerva persiguiendo a Venus,* como antes el cuadro del Prado.
Procede de las Colecciones Reales.

TINTORETTO. Jacopo Robusti, llamado «il Tintoretto»

Nació en Venecia en septiembre de 1518 (?); murió el 31 de mayo de 1594. Escuela italiana.

366 *General veneciano: Sebastián Veniero*

Lienzo, 0,82 × 0,67.

Figura de menos de medio cuerpo.
Debajo tenía una cartela con el nombre: *SEBASTIAN VENIERO*, que, comprobado que era un añadido posterior, que ocultaba parte del brazo derecho, se suprimió en 1951. Veniero nació en 1496; murió el 3 de marzo de 1578; mandaba las galeras venecianas en Lepanto.

378

No hay seguridad en la identificación, declarada por el apócrifo letrero; es la misma persona retratada en los Uffizi, pero no coincide con los retratos de Viena y Schverin. En cambio, se parece mucho al Vicenzo Capello atribuido a Tiziano en el Museo de Narbona. Regalado a Felipe IV por el marqués de Leganés.

369 *El arzobispo Pedro*

Lienzo, 0,71 × 0,54.

Busto; birreta en la cabeza.
En el fondo se lee: PETRUS ARCHIEPISCOPUS.
¿Será Pedro Jacobo de Borbón, arzobispo de Pisa desde el 27 de mayo de 1574 hasta el 22 de noviembre de 1575, fecha en que murió?
La radiografía demuestra que está pintado en un lienzo en que había una cabeza femenina.
En 1746, en La Granja, cuadros de Isabel de Farnesio; en 1794, en Aranjuez.

370 *Un jesuita*

Lienzo, 0,50 × 0,43.

Busto; con sotana, manteo y bonete.
Tiene un vago parecido con los retratos del jesuita Pedro Laínez (1512; murió el 19 de enero de 1564). Para Berenson, es un original; Rossi lo cree de Domenico Tintoretto.

Procede de la Colección del marqué de Leganés, inventariándose en el Al cázar en 1686, como «un cura co bonete, de Tiziano».

371 *Un senador, o secretario veneciano*

Lienzo, 1,04 × 0,77.

De más de medio cuerpo, con cap negra y gorro.
Para Berenson y Ormaston, origina opinión que no comparte Rossi.
En 1772 estaba en el Palacio Nuevo.

373 *Magistrado veneciano*

Lienzo, 0,54 × 0,43.

Viste toga color verdoso con cuell vuelto.
La atribución es segura para Ormas ton; en cambio, Berenson piensa e Jacopo Bassano y Rossi en Domenic Tintoretto.
Procede de las Colecciones Reales.

37

374 *Un magistrado veneciano*

Lienzo, 0,54 × 0,43.

Busto. La toga color ceniciento es in dicio de profesión curial.
Berenson sospecha que sea obra d Jacopo Bassano.
Procede de las Colecciones Reales.

377 *Un patricio veneciano*

Lienzo, 0,83 × 0,69.

De medio cuerpo. Con la diestra coge una medalla que cuelga sobre el pecho; ropa con piel de marta.
Procede de las Colecciones Reales.

378 *El caballero de la cadena de oro*

Lienzo, 1,03 × 0,76.

Figura de más de medio cuerpo; los guantes, en la diestra.
Allende-Salazar y Sánchez Cantón apuntaron la idea de si será retrato de Pablo Veronés; opinión que es ahora rechazada.
En 1666, 1686 y 1700, en la «Galería del Mediodía» del Alcázar de Madrid.

379 *Un procurador de la república de Venecia*

Lienzo, 0,77 × 0,63.

384

Algo menos de medio cuerpo. Toga granate con armiños.
Parécese el retratado a Vincenzo Zeno.
Según Rossi, se trata de Marco Grimans.
En 1686, en el Alcázar.

382

382 *La dama que descubre el seno.*

Lienzo, 0,61 × 0,55.

De algo menos que medio cuerpo.
Es el más fino y más bello de la serie de cinco lienzos de mujeres venecianas, que posee el Prado (números 381-385).
Quizá es la misma retratada en el número 384, y con muchas dudas, la del número 381, que, según Ormaston, es Marietta Tintoretta, pintada por su padre, y que, según Villaurrutia, puede ser la famosa cortesana Verónica Franco.
Procede de las Colecciones Reales.

384 *Marietta Robusti «la Tintoretta»* (?)

Lienzo, 0,65 × 0,51.

Busto; prolongado.
Véase el n.° 382.

385 *Retrato de dama desconocida*

Lienzo, 0,61 × 0,55.

Con una rosa en la mano y traje de escote bajo.
Véase el n.° 382.

386 *Susana y los viejos*

Lienzo, 0,58 × 1,16.

Fondo de árboles y celajes.
Este lienzo y sus cinco compañeros —388, 389, 394, 395 y 396— se han venido definiendo como bocetos para un friso. Seguramente son cuadros definitivos para un techo, que, teniendo por centro el número 393, adquirió Velázquez en Venecia. En el Alcázar de Madrid estuvo armado el techo en la «alcoba» de la primera pieza de las «bóvedas de Tiziano»; se describe en los inventarios de 1686 y 1700.

386

388

Después figuran en La Granja entre las pinturas de Isabel de Farnesio.

388 *Esther ante Asuero*

Lienzo, 0,59 × 2,03.

Esther, aunque reina, no podía presentarse ante su esposo sin ser llamada, bajo pena de la vida; para interceder por los judíos se arriesgó, y Asuero «alargó hacia ella el cetro en señal de clemencia, diciendo: —¿Qué es lo que quieres? Aunque me pidas la mitad de mi reino, te será dada» (*Libro de Esther,* caps. IV y V.).
Véase el n.° 386.

389 *Judith y Holofernes*

Lienzo, 0,58 × 1,19.

La heroína, la sirviente y Holofernes en su lecho bajo la tienda.

En 1794 y 1814 en La Granja.

390 *La muerte de Holofernes*

Lienzo, 1,98 × 3,25.

La criada entrega a Judith la cabeza del general. La escena, en la tienda de Holofernes.
Quizá fue adquirido por Velázquez. Estaba en el «Salón de los Espejos» del antiguo Alcázar de Madrid, viéndose en el fondo del retrato de doña Mariana de Austria atribuido a Carreño, en la Academia de San Fernando. Se cita allí en 1686 y 1700.

391 *Judith y Holofernes*

Lienzo, 1,88 × 2,51.

Judith cubre el cuerpo del guerrero, mientras su sirviente guarda la cabeza en un saco.

Perteneció al marqués de la Ensenada; en 1772, en el Palacio Nuevo.

392 *La violencia de Tarquino*

Lienzo, 1,88 × 2,71.

Tarquino ata a Lucrecia con sus propias ropas.
Considerado recientemente como obra de taller.
El francés F. Quilliet refiere, quizá fantaseando, que Lucas Jordán modificó este lienzo y que él lo hizo restituir a su primitivo aspecto.
Es cuadro que ha sufrido muchos deterioros.
Salvado del incendio de 1734; en 1772, en el estudio del Pintor de Cámara, La Calleja.

389

394

393 *La purificación del botín de las vírgenes madianitas*

Lienzo, 2,95 × 1,81.

Jóvenes a la orilla del agua, algunas desnudas. Al fondo, en alto, Moisés, que escucha el mandato divino de purificar por el agua de expiación las treinta y dos vírgenes que fueron dedicadas al Señor entre las dieciséis mil cogidas como botín en la victoria sobre los madianitas.
Fondo del techo al que pertenecían los cuadros números 386, 388, 389, 394, 395 y 396, comprado por Velázquez en Venecia. Véase el n.° 386.

394 *Visita de la reina de Saba a Salomón*

Lienzo, 0,58 × 2,05.

A la izquierda, Salomón en el trono; la reina de Saba, ante él; delante, sus damas.
Véase lo dicho en el n.° 386.

395 *José y la mujer de Putifar*

Lienzo, 0,54 × 1,17.

Véase el n.° 386.

396 *Moisés sacado del Nilo*

Lienzo, 0,56 × 1,19.

La hija del Faraón y dos de sus damas; la de la derecha, con la cesta en que apareció Moisés. Fondo de árboles.
Véase el n.° 386.

397 *El bautismo de Cristo*

Lienzo, 1,37 × 1,05.

Paisaje del Jordán con una cascada a la derecha.
Anterior y superior al cuadro de San Silvestre de Venecia (1580?), del cual puede ser como prueba preliminar.
Mayer y Bercken publican otro *Bautismo* que suponen es el original. En 1818 consta en el Palacio de Aranjuez.

397

398 *El paraíso*

Lienzo, 1,68 × 5,44.

La Gloria, representada por coros de bienaventurados. Debajo se ve el Mundo. El busto que aparece a la derecha será el de la donadora.

Relaciónase con el gran lienzo del testero del Salón del Palacio Ducal de Venecia, pintado entre 1588 y 1592, y con el boceto del Louvre, y aunque recuerda más a éste, no conviene puntualmente con ninguno, ni con la obra del mismo tema de la Colección Thyssen Bornemisza.

Fue comprado en Venecia por Velázquez en su segundo viaje.

En 1686 y 1700 se cita en el Alcáza después del incendio de 1734, en Retiro.

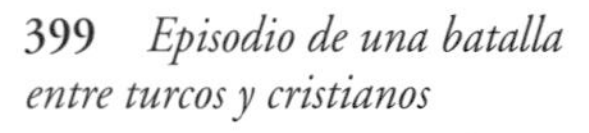

399 *Episodio de una batalla entre turcos y cristianos*

Lienzo, 1,86 × 3,07.

A la izquierda, en un barco, una muj raptada; al fondo, hombres y caball en el agua; en la orilla, un combate.

Beroqui sospecha si estará este cuadr en relación con la «battaglia turchesc que el 9 de mayo de 1562 tenía ac bada Tintoretto para el cardenal Erc le Gonzaga; pero otros críticos s ponen posterior el lienzo. También ha supuesto que el asunto sea el rap de Helena.

Dos cuadros del mismo asunto figur ban en la Galería de Mantua en 160 de donde puede proceder el del Prad

El lienzo fue adquirido en Venecia p Velázquez, y se cita en el Alcázar 1686 y 1700.

399

28

324 *El lavatorio*

enzo, 2,10 × 5,33.

la derecha, Jesús lava los pies a san dro; los demás Apóstoles, en dife-ntes actitudes, sentados a la mesa, ıitándose las calzas, etc. Fondo ad-irable de arquitectura y canal con ndola; un interior con luz artificial a derecha.

ntado para San Marcuola de Venecia 1547, pasó a la Colección de Car-s I de Inglaterra, en cuya almoneda adquirió don Alonso de Cárdenas ra don Luis de Haro, quien se lo galó a Felipe IV.

1656 lo llevó Velázquez con otras nturas a las Salas Capitulares de El corial.

na versión, original también, de énticas dimensiones, pero con algu-s variantes, se conserva en la Sala apitular de la catedral de San Nico-s en Newcastle-upon-Tyne, conside-da por algunos artistas como la pro-dente de San Marcuola.

exhibe en el Prado desde 1939.

INTORETTO (?)

57 *Pedro de Médicis (?)*

enzo, 0,68 × 0,56.

e menos de medio cuerpo; armado, n banda de general.

ijo de Cosme I y de Leonor de oledo, nació el 3 de junio de 1554; no a España en 1578. Murió en adrid el 25 de abril de 1594.

orelli lo creía pintado por el Gre-. Berenson no lo atribuye a Tinto-tto, como tampoco Ormaston ni sca.

1794 estaba en la Quinta del ıque del Arco.

84 *Señora joven*

enzo, 1,14 × 1,00.

e más de medio cuerpo, sentada.

o es segura, tampoco, la atribución terior a Veronés. Para Berenson, tal vez de Tintoretto o de Jacopo Bassano, imitándole.

Procede de las Colecciones Reales.

407

TINTORETTO. Discípulo de Jacopo Tintoretto

401 *El cardenal Andrea de Austria*

Lienzo, 1,12 × 0,96.

De más de medio cuerpo, sentado; viste muceta roja y birreta cardenalicia.

Hijo del archiduque Fernando del Tirol y de Felipa Welser, nació en 1553; cardenal el 19 de noviembre de 1576; gobernó Flandes en una ausencia del archiduque Alberto; murió en Roma el 12 de noviembre de 1600.

TIZIANO. Vecellio di Gregorio Tiziano

Nació en Cadore hacia 1485; murió en Venecia el 27 de agosto de 1576. Escuela italiana.

407 *Autorretrato*

Lienzo, 0,86 × 0,65.

Medio cuerpo. Gorro negro; al cuello, dos vueltas de cadena; el pincel en la diestra.

Su fecha la da, tal vez, el texto de Vasari, quien, visitando a Tiziano en 1566, vio un retrato suyo «e lo trovò, ancorchè vecchissimo fusse, con i pennelli in mano», e indica que había sido pintado cuatro años antes.

Parece que fue adquirido en la almoneda de Rubens. En 1666, 1686 y 1700 figura en el Alcázar de Madrid. Llegó al Museo en 1821.

408 *Federico Gonzaga, I duque de Mantua*

Tabla, 1,25 × 0,99.

De más de medio cuerpo, viste de azul; con un perro de lanas.
Firmado bajo el lazo del cinturón: *TITIANUS F.*
Hijo de Isabel de Este y de Juan Francisco Gonzaga, nació el 17 de mayo de 1500 y murió el 28 de junio de 1540. Casó el 17 de noviembre de 1531 con Margarita Paleólogo.
Se cita en los inventarios de 1642 y 1655 de la Colección del marqués de Leganés. En 1666 estaba ya en el Alcázar, donde se cita en 1686 y 1700. Ingresó en el Prado en 1821.

409 *El emperador Carlos V*

Lienzo, 1,92 × 1,11.

Cuerpo entero; viste el traje con que fue coronado rey de Lombardía; a su lado, un perro, quizá el llamado *Sampere.*
Hijo de Felipe el Hermoso y de doña Juana la Loca, nació en Gante el 25 de febrero de 1500; murió en Yuste el 21 de septiembre de 1558.
Este retrato debió de pintarse en Bolonia entre el 13 de diciembre de 1532 y el 28 de febrero de

409

1533, y sigue el modelo del cuadro de Seisseneger de 1532 (Museo de Viena).
Acaso esta pintura es el retrato del emperador, que el 4 de noviembre de 1534 avisa don Lope de Soria que va a enviar desde Venecia. En 1600 estaba en la «Primera pieza del guardajoyas», en el Alcázar de Madrid. El cuadro lo regalaría Felipe IV a Carlos I de Inglaterra en 1623 y volvió a España comprado en su almoneda. Se cita en el Alcázar en 1666, 1686, 1700 y 1734. Vino al Prado en 1821.

4

410 *El emperador Carlos V, a caballo, en Mühlberg*

Lienzo, 3,35 × 2,83.

Armado, con armadura que se conse va en la Armería de Palacio, embra la lanza; fondo de paisaje arbolado un río; el Elba.
Sobre el emperador, véase el n.° 409 Represéntase al emperador en el d 24 de abril de 1547, dirigiéndose Elba; monta un caballo español, cast ño oscuro. La victoria sobre los prote tantes fue completa, cayendo preso herido Juan Federico de Sajonia (véa el n.° 533.)

408

412

4

:l retrato se pintó en Augsburgo y se omenzó en abril de 1548; en 1 de eptiembre estaba acabado; pero —se- ;ún una carta del pintor Amberger Granvela, publicada por Beinert— uando estaba el lienzo al aire libre, ecándose, una ráfaga de viento lo rrojó contra un palo, rompiéndolo en a grupa del caballo, restaurándolo el ropio Tiziano y Amberger; todavía se dvierte el deterioro.
'ino a España entre las pinturas que rajo María de Hungría en 1556. En 600 estaba en la Casa del Tesoro del lcázar, en 1614 en El Pardo. Desde 626 se cita de nuevo en el Alcázar, en uyo incendio de 1734 se vio afectado. ngresó en el Museo en 1827.

11 *Felipe II*

.ienzo, 1,93 × 1,11.

:n pie; viste media armadura. El casco mpenachado, sobre una mesa.
obre Felipe II, véase el n.° 1949.
Io hubo tiempo para que Tiziano etratase de cuerpo entero a Felipe II n Milán, y lo pintó en Augsburgo ntre noviembre de 1550 y marzo de 551. Hízolo de «priesa», según el etratado, que quedó poco complaci- o, pues «si hubiese más tiempo, yo se hiciera tornar a hazer»; así escribía elipe II al enviarlo a María de Hun- ría el 16 de mayo. Sirvió el retrato ara que conociese María de Inglate- a, antes de la boda, a su prometido. a armadura se conserva en la Armería e Palacio.
)esde 1600 se cita en todos los in- entarios del Alcázar. Entró en el Mu- eo en 1827.

12 *El caballero del reloj*

ienzo, 1,26 × 1,06.

)e más de medio cuerpo. Traje negro. a mano izquierda en un reloj, que stá sobre una mesa. Ostenta sobre el echo una cruz blanca, quizá la de la)rden de Malta.
e ha identificado, sin fundamento, on Juanelo Turriano, con un maestre de Malta y con un caballero de la familia Cuccina.
En 1666 se registra como de Tintoretto en el Alcázar de Madrid. En 1747 se atribuye a Tiziano.

410

413 *El hombre del cuello de armiños*

Lienzo, 0,81 × 0,68.

De medio cuerpo, tamaño natural. Un letrero dice: *ANNI AETATIS XXXVII.*
Las identificaciones propuestas: Francesco María della Rovere y Juan Jacobo de Médicis, no han podido comprobarse. En 1666, 1686 y 1700, en el Alcázar.

414 *Daniello Barbaro, patriarca de Aquileya*

Lienzo, 0,81 × 0,69.

Figura de medio cuerpo. Tiene un libro en la mano izquierda.
Barbaro nació el 8 de febrero de 1513; murió el 14 de abril de 1570. Fue literato y embajador.
Se pintó en 1545 (?), enviándose una copia con letrero a Paulo Jovio (Museo de Ottawa). En 1666, 1686 y 1700 se describe en el Alcázar.

415 *La emperatriz doña Isabel de Portugal*

Lienzo, 1,17 × 0,98.

De más de medio cuerpo, sentada, con un libro. Al fondo, ventana con paisaje de montes, que recuerda las Marmarolle de Pieve di Cadore.
Hija de don Manuel *O Venturoso,* nació el 25 de octubre de 1503; casó el 10 de marzo de 1526; murió el 1 de mayo de 1539.
Beroqui probó que es el retrato que doña María, reina de Hungría, heredó de doña Juana y se inventarió el 20 de

415

417

octubre de 1573. Deduce que lo pintó Tiziano en Augsburgo, de enero a septiembre de 1548. Sirvióle de modelo un retrato, obra de mediocre pintor. La radiografía ha revelado una hermosa cabeza juvenil bajo el paisaje, mostrando que Tiziano utilizó un lienzo a medio pintar.
En 1636, 1666, 1686 y 1700, inventariado en el Alcázar. Vino al Museo en 1821.

417 *Alocución del marqués del Vasto a sus soldados*

Lienzo, 2,23 × 1,65.

El protagonista y su hijo Ferrante, el paje; los soldados, algo más que medias figuras.
Don Alonso de Avalos, marqués del Vasto y de Pescara, nació el 25 de mayo de 1502; murió el 31 de marzo de 1546. En diciembre de 1539 lo envió a Venecia Carlos V a saludar al nuevo dux, Pietro Lando, y entonces encargó este lienzo, entregado, probablemente, en agosto de 1541. Adquirido en la almoneda de Carlos I de Inglaterra; en 1666 y 1686 estaba en el Alcázar de Madrid y sufrió en el incendio de 1734 o en el de El Escorial de 1671, donde se cita en 1667. Entró en el Museo en 1828.

418 *La bacanal*

Lienzo, 1,75 × 1,93.

A la derecha, Ariadna dormida; faunos, bacantes y jóvenes. En lo alto, a la derecha, Sileno dormido. Fondo de paisaje: mar azul con un barco de vela.
La bacante vestida de rojo que tiene la flauta en la mano es Violante, la amada del pintor; ostenta su emblema, dos violetas en el pecho y otra en la oreja, y el letrero *TICIANUS F. N.° 101.*
Al parecer, fue encargado por el duque de Ferrara en 1518, con las otras *Bacanales:* la siguiente y la de Baco y Ariadna, de la National Gallery, para su «Camerino d'Alabastro». Parece que estaban pintadas en octubre de 1519. El asunto está inspirado, según unos, en Filostrato; según Beroqui, en Catulo.
En 1598 el cardenal Aldobrandini la llevó a Roma; y en 1621 fueron ofrecidas al cardenal Ludovisi. En 1637 Niccoló Ludovisi las regaló a Felipe IV a través del conde de Monterrey. Aparecen mencionadas en los inventarios del Alcázar de 1666, 1686 y 1700. Pasaron del Palacio Nuevo al Museo.

419 *Ofrenda a la diosa de los amores*

Lienzo, 1,72 × 1,75.

Multitud de amorcillos jugando en un campo y dos ninfas a los pies de una estatua de Venus.
El letrero: *N.° 102 DI TICIANUS F.*, en el paño blanco de primer término.

419

42

418

. cuadro repite la composición de ıo de los sesenta y cuatro de una ga-ría de Nápoles, que Filostrato descri-:, vistos o imaginados.
éase el n.° 418.

20 *Venus recreándose ı la música*

ːenzo, 1,36 × 2,20.

ːnus con un perrillo y el organista. ɔndo de jardín; fuente con un sátiro pavo real; un ciervo, una pareja, cétera.
ırece que es la *Venus* que pintó Ti-ano para el jurisconsulto Francesco ssonica; pasó a Inglaterra y la adquirió la almoneda de Carlos I don Luis de ːaro para regalársela a Felipe IV.
En 1686, 1686 y 1700 estaba en el Alcázar. En 1796 fue enviada desde el Palacio Nuevo a la Academia. Se la llevó José I, y en 1818 volvió a la Academia, de donde vino en 1827.

421 *Venus recreándose con el amor y la música*

Lienzo, 1,48 × 2,17.

Venus, Cupido y el organista; fondo de parque con fuente, pavo real, ciervo, zorro, asno y pareja de enamorados.
Firmado en medio, bajo el alféizar de la ventana: *TITIANVS F.*
Se supone que lo entregó el pintor a Carlos V en Augsburgo, en enero de 1548; que el emperador lo regaló a Granvela; que su sobrino Francisco, conde de Cantecroix, lo vendió en 1600 a Rodolfo II, y éste lo regalaría a Felipe III. Sin embargo, no existe ninguna prueba de estos hechos.
En 1626 Cassiano del Pozzo la cita en el Alcázar, donde estaba en 1666, 1686 y 1700. En 1796 fue enviada desde el Palacio Nuevo a la Academia de San Fernando, de la que ingresó en el Museo en 1827.

422 *Venus y Adonis*

Lienzo, 1,86 × 2,07.

Venus, Adonis, los perros, y Cupido durmiendo a la sombra. Fondo de boscaje; en el cielo, Júpiter.
El cuadro se describe magistralmente en una carta de Ludovico Dolce a Ales-

422

425

sandro Contarini. Prometió Tiziano enviarlo junto con el siguiente a Felipe II en 1553, quien no lo recibió hasta el 10 de septiembre de 1554, estando en Londres, para casarse. Llegó «maltratado de una doblez por medio del» (que todavía se advierte), según carta del Rey a Vargas, de 6 de diciembre.
De este cuadro y su compañero (n.° 425) se conservan varias réplicas y copias.

Se cita en el Alcázar desde 1623. En 1796 ingresó, desde el Palacio Nuevo, en la Academia, de donde se trajo en 1827.

425 *Dánae recibiendo la lluvia de oro*

Lienzo, 1,29 × 1,80.

Dánae, echada, con un perrillo; la servidora, de más de medio cuerpo.
Véase el n.° 422, su compañero.

426 *Sísifo*

Lienzo, 2,37 × 2,16.

Abrumado por el peso de la roca.
Encargó María de Hungría a Tizia los *Condenados* o *Furias*, durante estancia en Augsburgo (23 de octu de 1547-13 de marzo de 1548). El de junio de 1549, según carta Granvela, tenía dos pintados. Po después pintó el tercero, pues menciona Calvete de la Estrella c corando el Palacio de Binche. V nieron a Madrid en 1556 y se «ma daban adereçar» en 1566. En 16 1666, 1686 y 1700 estaban en el cázar. Fueron afectados por el ince dio de 1734, e ingresaron en el Mus en 1828.

427 *Ticio*

Lienzo, 2,53 × 2,17.

Encadenado, un buitre devora s entrañas.
Para fecha e historia, véase lo dicho el n.° 426. Aunque, por tratarse uno de los *cuatro condenados* por m hechores, ha de ser Ticio —que vi a Latona—, se le confundió, por Va ri y modernamente, con *Prometeo*, p ser el mismo el castigo infligido ambos.

428 *Salomé con la cabeza del Bautista*

Lienzo, 0,87 × 0,80.

De más de medio cuerpo.
Quizá sea retrato de Lavinia, hija c pintor; por esto tal vez pueda aplic sele una carta escrita a Tiziano des Módena el 26 de abril de 1549.
Según Gronau, se pintó hacia 155 es superior al ejemplar de Berlín, en que la cabeza de san Juan está sustit da por flores y frutas.
Lavinia nació antes de agosto de 153 fecha de la muerte de su madre.
Al parecer, se adquirió en la testame taría del marqués de Leganés (166 En 1666, 1686 y 1700 estaba en Alcázar de Madrid.

:29 *Adán y Eva*

.ienzo, 2,40 × 1,86.

.dán, sentado, y Eva, de pie. En el rbol, un niño con cola de serpiente ue entrega a Eva la manzana; fondo e paisaje.

irmado en la piedra del ángulo inerior izquierdo: TITIANUS F.

)uizá el pintor se inspiró en la estampa de Durero. En 1600 estaba en el lcázar de Madrid. Sufrió bastante en incendio de 1734.

.xiste una copia libre de Rubens 1.° 1692).

30 *La Religión socorrida or España*

ienzo, 1,68 en cuadro.

la izquierda, España con las armas ales y una lanza con bandera, seguia de una mujer que lleva una espada, de varios lanceros, etc. A la derecha, Religión, sola y casi desnuda. Fondo e marina, con Neptuno vestido de ırco, aludiendo al poder naval otoıano.

ırmado en la piedra que a la derecha stá detrás de la cruz: TITIANUS F.

l visitar Vasari al pintor en 1566, vio describe un cuadro que había coenzado para Alfonso I de Ferrara, de ɔmposición semejante, pero de asun- mitológico. Después de la victoria e Lepanto lo acabó, personificando ı Minerva a España y poniendo turınte a Neptuno. El 24 de septiembre de 1575 envió este lienzo, juntamente con el n.° 431, a Felipe II. En 1600 estaba en el Alcázar de Madrid. En 1614, en El Pardo. En 1636, en la «Pieza en que duerme Su Majestad en el cuarto bajo de verano», del Alcázar. Enviado por Felipe IV a El Escorial; de allí se trajo el 13 de abril de 1839.

428

431 *Felipe II, después de la victoria de Lepanto, ofrece al cielo al príncipe don Fernando*

Lienzo, 3,35 × 2,74.

El rey, el príncipe, el ángel portador de la palma y el turco encadenado. A la derecha, columnata; al fondo, batalla naval.

Firmado: TITIANUS VECELIUS EQUES CAES FECIT, en una cartela de papel en la tercera columna.

427

429

430

431

En la palma, el mote *MAJORA TIBI:* esto es, «Mayores triunfos te están reservados».
Para Felipe II, véase el n.º 1849.
La victoria se logró el 7 de octubre de 1571, y don Fernando, nacido el 5 de diciembre del mismo año, murió el 18 de octubre de 1578, frustrándose el vaticinio del pintor.
Según Jusepe Martínez, el encargo del lienzo fue acompañado de un diseño y del retrato de Felipe II por Sánchez Coello; se encargó para pareja de *Carlos V en Mühlberg.* El 9 de mayo de 1573 estaba a medio pintar. El 24 de septiembre de 1575 lo envía el embajador en Venecia, Guzmán de Silva, con otros dos cuadros. En 1600 estaba en la Casa del Tesoro, dependencia del Alcázar madrileño. En 1636, en la «Pieza nueva sobre el zaguán». En 1700, en el «Salón de los Espejos». Después del incendio de 1734 estaba también en Palacio.

432 *La Gloria*

Lienzo, 3,46 × 2,40.

En la parte superior, la Trinidad; en pie, la Virgen; en el centro de espaldas, la figura de la Iglesia; vense, además, Moisés, Abraham, Job, san Juan Evangelista; en el grupo alto de la derecha se reconoce a Carlos V; detrás, la emperatriz Isabel; Felipe II, casi en el borde, y debajo, doña María de Hungría, la princesa doña Juana y doña Leonor y el propio Tiziano, de perfil. En la parte inferior, escena del martirio de san Pedro de Verona, en un paisaje.
Encargado el cuadro por Carlos V en 1551, en 30 de junio de 1553 prometía el embajador Vargas que Tiziano lo acabaría para septiembre; mas no salió de Venecia hasta mediados de octubre de 1554.
El lienzo acompañó en Yuste al emperador, que pidió contemplarlo antes de morir.
En 1574 se llevó a El Escorial, de donde se trajo en 1837 o 1839.

433 *La Adoración de los Magos*

Lienzo, 1,41 × 2,19.

La escena, con muchas figuras de cuerpo entero. Fondo de paisaje con lejanías azules.
El 2 de abril de 1561 escribe Tiziano a Felipe II contento porque hubieran sido de su gusto tres cuadros que le había enviado, entre ellos *Los Reyes de Oriente.* Pero el lienzo así documentado es el que desde 1574 se guarda en El Escorial, superior al nuestro. El ejemplar del Prado es adquisición de Carlos IV. Inventariado en Aranjuez en 1818 y antes en la Casita del Príncipe de El Escorial.
Para Morelli, obra de Polidoro Veneciano. Según Venturi y Berenson, original indubitable de Tiziano y superior a la réplica de la Ambrosiana. Hay en el Fogg Art Museum una versión menor.

437

432

434 *La Virgen y el Niño con san Jorge y santa Catalina* (?)

Tabla, 0,86 × 1,30.

Figuras de medio cuerpo, excepto el Niño. El san Jorge, con armadura y lanza.
Fechan unos críticos el cuadro hacia 1505, y otros, hacia 1518. Es dudoso quiénes son los santos representados; según el padre Sigüenza, han de ser Jorge y Catalina; después se creyeron Brígida y su esposo, Hulfo; alguien pensó también en Justina, o Dorotea, y Liberal. Al enviarlo Felipe II a El Escorial en 8 de julio de 1593 se dice que son san Jorge y una santa de Venecia.
Según señala Suida, la composición está inspirada en el cuadro de Giorgione de la Academia de Venecia: *La Virgen con santa Catalina y san Juan Bautista.* En los siglos XVII al XIX se atribuyó a Giorgione, aunque ya en 1593 se adscribía a Tiziano.
Una copia, con ligeras variantes, se encuentra en Hampton Court. La radiografía de este cuadro muestra algunas variantes.
Vino de El Escorial en 1839.

436 *La oración del huerto*

Lienzo, 1,76 × 1,36.

Efecto de luz artificial dada por el farol. Figuras de cuerpo entero.

434

El lienzo fue prometido a Felipe II en carta el 19 de junio de 1559 y fue enviado en abril de 1562. Se entregó en 1574 a El Escorial, de donde vino al Museo en 1837. Es pintura que ha sufrido mucho. En la sacristía de El Escorial queda otro ejemplar que Ponz juzgaba «pintura ya casi destruida».

437 *«Ecce-homo»*

Pizarra, 0,69 × 0,56.

De medio cuerpo.
Firmado: TITIANUS.
Puede ser el mismo cuadro que llevó el pintor a Carlos V, en Augsburgo, el mes de enero de 1548. Estuvo en Yuste; el 15 de abril de 1574 lo envió Felipe II a El Escorial, y de allí pasó al Alcázar de Madrid, donde se registra ya en 1600 como compañero de una imagen de la Virgen que a veces se ha identificado con el número 444. Se cita en el Alcázar en 1666, 1686 y 1700. Pasó al Museo en 1821.

438 *Cristo y el Cireneo*

Lienzo, 0,67 × 0,77.

Figuras de medio cuerpo.
Firmado en la cruz, cerca de la diestra del Cireneo: *TITIANUS. AEQ. CAES. P.*

439

440

Son inciertos la fecha y el origen de este lienzo; probablemente de hacia 1560. Su primera mención se lee en el inventario de 1666 del Alcázar de Madrid, donde vuelve a citarse en 1686 y 1700. Quizá se trate de una compra de Felipe IV.

439 *Jesús y el Cireneo*

Lienzo, 0,98 × 1,16.

Vencido por el peso de la cruz, Jesús tiene las rodillas en tierra.
Está firmado en la piedra en que apoya Jesús la mano izquierda: *I. B.* y debajo: *TITIANUS;* pero los trazos están rehechos. *I. B.* se ha interpretado como Ioannes Bellinus, que comenzaría el cuadro, mas no parece probable.
Figura en las entregas a El Escorial de 1574, en vida de Tiziano y como de su pincel. Se trajo del monasterio el 2 de agosto de 1845.

440 *El entierro de Cristo*

Lienzo, 1,37 × 1,75.

Los personajes de la sagrada escena, de

cuerpo entero, con expresión de dolor acerbo.
Firmado en la piedra apoyada en el sepulcro: TITIANUS VECELLIUS OPUS AEQUES CAES.
Fue encargado en julio de 1559 por Felipe II, y Tiziano anuncia su envío el 27 de septiembre del mismo año. Entró en El Escorial en 1574 y vino desde allí al Museo en 1837.
Algunos críticos consideran este lienzo más tardío y quizá pudo ser el que vio Vasari en 1566 en el taller de Tiziano.

441 *El entierro de Cristo*

Lienzo, 1,30 × 1,68.

La composición presenta muchas variantes sobre la del número anterior.
Firmado en el borde del sepulcro: TITIANUS F.
En 1657 lo menciona, en el «Aula de Escritura» de El Escorial como original el padre Santos. Se trajo en 1 de junio de 1839. Longhi lo considera también de mano del maestro.
Procede probablemente de la colección de Antonio Pérez, confiscada por Felipe II en 1585. En 1600 estaba en el Alcázar; en 1626 en Aranjuez; y en 1677 en El Escorial, de donde vino al Museo el 1 de junio de 1839.

442 *El Salvador, de hortelano*

Lienzo, 0,68 × 0,62.

De menos de medio cuerpo. Fragmento de un cuadro que tenía por tema el pasaje evangélico de la aparición de Cristo resucitado a María Magdalena.
El cuadro se pintó para María de Hungría, y lo vio el embajador Vargas en el estudio de Tiziano en 1553. Al ser entregado en El Escorial el 15 de abril de 1574, no quedaba de la pintura más que este fragmento, cortado por el Mudo, obedeciendo a Felipe II, en 1566. La radiografía revela el mal estado en que quedó el lienzo que entró en el Prado en 1839.

442

443

En El Escorial hay una copia de la composición completa realizada por Sánchez Coello.

443 *La Dolorosa*

Tabla, 0,68 × 0,53.

De medio cuerpo, con las manos cruzadas.
Realizada para Carlos V en 1554.
Figuró entre los cuadros que tuvo en Yuste Carlos V, y el 15 de abril de 1574 lo envió Felipe II a El Escorial, de donde se trajo en 1839.

444 *La Dolorosa*

Mármol, 0,68 × 0,53.

Figura de medio cuerpo, con las manos alzadas, en contemplación. Manto azul.
Firmado a la izquierda: TITIA... S.
Remitió Tiziano esta pintura en octubre de 1554, al mismo tiempo que *La Gloria,* a Carlos V, a la sazón en Flandes. Fue enviada por el emperador a Yuste; y en 1574 se llevó a El Escorial. A partir de entonces su trayectoria fue similar a la del n.º 437.

445 *Santa Margarita*

Lienzo, 2,42 × 1,82.

La santa, de cuerpo entero, sale del dragón, que revienta por virtud de la Cruz. Fondo de paisaje, con mar y pueblo en la lejanía.
Firmado: TITIANUS, a la derecha a la altura de la cabeza.
Al parecer, es el cuadro que cita Pacheco en San Jerónimo del Prado, de Madrid, aunque recientemente se ha sugerido que lo que vio Pacheco pudo ser una réplica de este cuadro, que se cita en el Alcázar en 1666, 1686, 1700.

533 *El elector Juan Federico, duque de Sajonia*

Lienzo, 1,29 × 0,93.

De más de medio cuerpo; con armadura y montante.
Nació en Torgau el 30 de junio de 1503; murió en Jena el 3 de marzo de 1554.
Preso en la batalla de Mühlberg, fue retratado en Augsburgo por Tiziano.
Quizá copia del original de Tiziano traído a España por doña María de Hungría; inventariado en 1600, 1666, 1686 y 1700, en el Alcázar, salvado del incendio de 1734, debió de sufrir deterioros, sobre todo en el rostro.

TIZIANO (?)

42 *«Ecce-homo»*

Lienzo, 1,00 en cuadro.

Figuras de más de medio cuerpo, salvo la de la izquierda.
Procede de El Escorial, donde se entregó como de Tiziano en 14 de abril de

444

574, cuando vivía el pintor. La atri-
ución fue aceptada desde el padre
igüenza hasta Ponz; la siguieron Caval-
aselle y los *Catálogos* de 1843 a 1858.
e trajo en 1837. Hay una réplica en Dresde, atribuida a Francesco Vecellio, y copias en el Ermitage y en Hampton Court.

Según Berenson, es una imitación de Tiziano, hecha por Jacopo Bassano en su juventud. Beroqui y Suida insisten en que debe volverse a la primitiva atribución; opinó en contra Mayer, al publicar el que cree original de Tiziano.

TIZIANO. Taller de Tiziano

446 *Santa Margarita*

Lienzo, 1,16 × 0,91.

Figura hasta la rodilla; la palma, en la mano izquierda; a los pies, el dragón. Un cuadro igual se cataloga en los Uffizzi como de Palma el Joven, que Longhi cree de Tiziano. Fue entregado el 15 de abril de 1574 a El Escorial, de donde vino en 1839.

452 *Felipe II*

Lienzo, 1,03 × 0,82.

De más de medio cuerpo, con ropilla negra, forrada y ribeteada con «piel de cisne» o «armiño».
Sobre Felipe II, véase el n.º 1849.
Arreglo de taller del pintado en Augsburgo en 1551; réplicas en la Galería Corsini y en el Palacio Brignole de Génova. Recibido por Felipe II en la primavera de 1553, apreciándolo como de mano del maestro.
En 1636 y en 1700, en el Alcázar, en 1772 y 1794 en Palacio, siempre considerándolo original. Ingresó en el Prado en 1839.

TIZIANO. Copias por Mazo (?)

423 *Diana y Acteón*

Lienzo, 0,96 × 1,07.

Acteón sorprende a Diana y sus ninfas en el baño.
El original y el del n.º 424, en la National Gallery of Scotland, iban a ser regalados a Carlos I de Inglaterra por Felipe IV; deshecha la boda con su hermana María, quedaron en el Alcázar; pero los entregó Felipe V al duque de Gramont en 1704 (1 de septiembre). En 1746 estaba en el Retiro; de 1796 a 5 de abril de 1827 estuvo en la Academia.

27

424 *Diana descubre la falta de Calisto*

Lienzo, 0,98 × 1,07.

La diosa, en el baño con sus ninfas, advierte el estado de Calisto.
El mismo origen e historia que su compañero n.º 423.

TOBAR. Alonso Miguel de Tobar (?)

Nació en Higuera, junto a Aracena (Huelva), en 1678; murió en Madrid en 1758. Escuela española.

1153 *Bartolomé Esteban Murillo*

Lienzo, 1,01 × 0,76.

De menos de medio cuerpo; viste ropilla negra y valona de lienzo.
Copia reducida del autorretrato que fue propiedad del conde Spencer (Althrop House), que mide 1,25 × 1,07 y que en la actualidad se encuentra en la Galería Nacional de Londres.

TOLEDO. El capitán Juan de Toledo (?)

Nació en Lorca (Murcia) en 1611; murió en Madrid el 1 de febrero de 1665 (?). Escuela española.

2775 *Batalla*

Lienzo, 0,62 × 1,46.

El centro y la izquierda muestran un escaramuza de caballería; a la derech un parapeto con lanzas; al fondo, u cañón y combatientes.
Se relaciona, como su compañero, co la batalla atribuida a Salvator Rosa e la Galería Corsini, de Florencia. Nad permite en el estado actual de nuestr conocimiento considerar de Juan d Toledo ni éstas ni ninguna de las «Ba tallas» que hasta ahora le han sido atri buidas.
Legado de Fernández-Durán (1930).

11

2776 *Batalla*

Lienzo, 0,63 × 1,46.

Ataque a un puente por encima del cual está un castillo.
Compañero del n.º 2776.
Legado de Fernández-Durán (1930).

TOURNIER. Nicolás Tournier

Nació en Montbéliard en 1590, viajó a Roma hacia 1619 y regresó a Francia ocho años después. Murió entre 1638 y 1639. Escuela francesa.

2788 *La negación de san Pedro*

Lienzo, 1,72 × 2,52.

A la derecha, el Apóstol niega conocer al Maestro, preguntado por una sirviente y un soldado; a la izquierda, cuatro soldados juegan a los dados.
El mismo tema, con muchas variantes —seis figuras y más movidas—, lo repitió en el cuadro para la Cartuja de San Martino, en Nápoles. Anteriormente atribuido a Valentín.
Legado de Fernández-Durán (1930).

TRAINI. Francisco Traini

Pisano; hay noticias suyas de los años entre 1321 y 1345. Escuela italiana.

2944 *La Virgen con el Niño*

Tabla, 0,48 × 0,42.

María de menos que media figura, casi completa la del Niño que desarrolla un letrero: *VENITE AD ME OMNES...*
Fondo dorado, con labores en los nimbos.
Atribución de Laclotte. Procede de las Colecciones Reales.

2944

TRISTAN. Luis Tristán

Nació en algún pueblo de Toledo hacia 1585; murió en Toledo el 7 de diciembre de 1624.
Escuela española.

1158 *Anciano*

Lienzo, 0,47 × 0,34.

Menos de media figura. Viste de negro con lechuguilla. Una restauración antigua tapó la mano derecha, que coge una vara; se advierte en la radiografía. En el inventario de Palacio hecho después del incendio de 1734 se clasifica como de escuela del Greco.

1158

1159 *San Antonio Abad*

Lienzo, 1,67 × 1,10.

En el desierto, sentado en una peña, con un libro sobre las rodillas; a su derecha, hay otros libros y una calavera. Fondo oscuro y pequeño celaje. Había una versión firmada en colección particular madrileña.
Procede del Museo de la Trinidad.

2836 *Santa Mónica*

Lienzo, 0,42 × 0,40.

Busto, de perfil. Anciana llorosa, enlutada.
Como el siguiente, procede del retablo de Yepes; firmado en 1616; destrozado en 1936, se trajeron al Museo siete lienzos pequeños y cuatro grandes; uno de ellos, *La Epifanía,* en siete pedazos; restaurados, se devolvieron en 1942, excepto éste y el siguiente, que se sustituyeron

7679

por copias puntuales, en las que consta que lo son y cuándo se hicieron.

2837 *Santa Llorosa*

Lienzo, 0,42 × 0,40.

Busto, de perfil. Joven enlutada.
Véase el número anterior.

3078 *San Pedro de Alcántara*

Lienzo, 1,69 × 1,11.

Arrodillado en actitud orante. Delante de libros, tintero y calavera. Fondo de nubes y paisaje.
Probablemente compañero del n.° 1159.
Procede del Museo de la Trinidad.

2416

7679 *La última cena*

Lienzo, 1,07 × 1,64.

Cristo rodeado de los doce Apóstoles y un sirviente, centra la escena. El Salvador, con la mirada en alto, en el momento de bendecir el Pan, que sostiene con su mano izquierda. En primer término, destaca la figura de Judas, el traidor, vuelto hacia el espectador, con la bolsa de monedas en su mano. La mesa aparece cubierta por un mantel sobre el que están representadas diversas viandas, a modo de gran bodegón. En primer término jarra de metal sobre una fuente y un perrillo; al fondo, ventana abierta y cortinajes.
Adquirido por el Museo, a través de Fervisa, a Kyoto London Ltd. Ingresó en el Museo el 15 de abril 1993

2367

TRONO. Giuseppe Trono o Tronus

Nació en Turín en 1739; murió en Lisboa en 1810.
Escuela italiana.

2416 *Carlota Joaquina, reina de Portugal*

Lienzo, 1,72 × 1,28.

De cuerpo entero. Viste traje blanco con adornos azules y ostenta sobre el pecho el retrato en miniatura del príncipe del Brasil, luego Juan VI.
Sobre Carlota Joaquina, véase el n.° 726.
Firmado: *JOSEP TRONUS PINXIT 1787.*
Por no ver la firma, Goya y Francisco Bayeu, al inventariar este lienzo en Aranjuez (1794), lo atribuyeron a su compañero Maella (!!), «opinión» que aceptaron Allende-Salazar y Sánchez Cantón hasta 1920.
Una réplica, de medio cuerpo, firmada en colección particular portuguesa y una copia, también de medio cuerpo, en el Museo de Coches de Lisboa. Procede de las Colecciones Reales.

TROY. Copia de François de Troy

Nació en París el 27 de enero de 1679; murió en Roma el 26 de enero de 1752.
Escuela francesa.

2367 *Luis de Francia, «El Gran Delfín»*

Lienzo, 1,05 × 0,87.

De más de medio cuerpo.
Sobre Luis de Francia, véase el n.° 2232.
Para la identificación puede señalarse la estampa de P. van Schuppen (1684), de un retrato de Troy.
En 1794, en el Retiro, como copia de Rigaud.

1844

TULDEN. Theodore van Tulden, o Thulden

Nació en Bois-le-Duc el 9 de agosto de 1606, donde fue enterrado el 12 de julio de 1669. Escuela flamenca.

1845 *El descubrimiento de la púrpura*

Lienzo, 1,89 × 2,12.

A la orilla del mar, cerca de un pueblo con puerto, Hércules observa a un perro con el hocico tinto en sangre del caracol que sujeta con una pata; en la arena hay otros moluscos.
Firmado, bajo las caracolas: *T. V. THULDEN.*
Pintado para la Torre de la Parada según un boceto de Rubens del Museo Bonnat de Bayona. En 1772 y 1794 estaba en el Palacio Nuevo.

1845

TULDEN y Frans Snyders

1844 *Orfeo*

Lienzo, 1,95 × 4,32.

A la derecha, el dios pulsando la lira; rodéanle diversos animales. Fondo de paisaje.
Firmado: *F. SNYDERS* y *T. VAN THULDEN.*
Pintado para la Torre de la Parada, donde en 1700 se registra como de Rubens.
En 1772 estaba en el Palacio Nuevo, «Antecámara del infante don Gabriel».

TURCHI. Alessandro Turchi, llamado «l'Orbetto»

Nació en Verona en 1578; murió en Roma el 22 de enero 1649. Escuela italiana.

461 *La huida a Egipto*

Lienzo, 2,84 × 2,00.

La Virgen, con el Niño sobre el asno, llevado del ronzal por un ángel; otro muestra el camino a san José.
Figuró en un altar en San Romualdo de Roma, donde lo describen textos antiguos.
Una copia de tamaño reducido, en el Museo de Nápoles, y otras en colección particular de Bolonia, en San Lorenzo de Malta y en San Pedro de Sassoferrato. Esta última ha sido atribuida a Simone Cantarini.
Adquirido en 1810 en Roma por Carlos IV. A su muerte pasó a Fernando VII, quien lo destinó al Museo Real.

u

UDEN. Lukas van Uden

Nació en Amberes el 18 de octubre de 1595; murió el 4 o 5 de noviembre de 1672. Escuela flamenca.

1848 *Paisaje*

Tabla, 0,49 × 0,68.

A la derecha, un barranco; al fondo, un cerro con una iglesia detrás, a la izquierda, un río.
Procede de las Colecciones Reales.

1852

UTRECHT. Adriaen van Utrecht

Nació en Amberes el 12 o el 22 de enero de 1599; murió el 5 de octubre de 1652. Escuela flamenca.

1852 *Una despensa*

Lienzo, 2,21 × 3,10.

La habitación está llena de hortalizas, frutas, aves muertas, venado, jabalí, liebres, conejos, un crustáceo; además un papagayo y un mono, vivos.
Firmado en el canto de la mesa, a la izquierda: *ADRIAEN VAN UTRECH A. 1642.*
En 1746, en la Colección de Isabel de Farnesio.

1853 *Festón de frutas y verduras*

Lienzo, 1,86 × 0,76.

Uvas, granadas, coliflores, alcachofas, remolachas, zanahorias, etc.
Firmado cerca del borde inferior, a la izquierda del centro: *A. VAN UTRECH F. 1638.*
Procede de las Colecciones Reales.

UYTEWAEL

Véase WITEWAEL

v

VACCARO. Andrea Vaccaro

Nació en Nápoles en 1604; murió en la misma ciudad en 1670.
Escuela italiana.

462 *San Cayetano ofrecido a la Virgen por su madre*

Lienzo, 1,23 × 0,76.

María Porto, madre del santo, ante el altar de la Virgen; detrás, dos mujeres, dos hombres y un niño.
Firmado, según el *Catálogo* de 1920.
En 1700, en el Alcázar de Madrid, con los números 463-465 del Prado, y otros seis que se conservan en Palacio. Probablemente, estos cuadros son aquellos «originales, ¡cosa superior!», que poseía don Cristóbal Ontañón, caballero de la Orden de Santiago, y que copió puntualmente Alfaro, según Palomino.
Son bocetos para las pinturas de la nave de la iglesia de San Paolo Maggiore de Nápoles, pintados al fresco por Andrea de Leone, sobre estas composiciones de Vaccaro. Obra tardía en la producción del pintor.

463 *San Cayetano ante la Sagrada Familia*

Lienzo, 1,23 × 0,76.

Arrodillado ante la Virgen, sentada sonriendo al Niño, que extiende sus brazos hacia el santo.
Véase el n.° 462.

464 *Desinterés de san Cayetano*

Lienzo, 1,23 × 0,76.

El santo hace gesto de desdeñar una bandeja llena de monedas que le muestra un caballero.
Véase el n.° 462.

465 *Muerte de san Cayetano*

Lienzo, 1,23 × 0,76.

El fundador de los teatinos, en el lecho; a la derecha, cuatro religiosos entonando preces; a la izquierda, san Miguel y un ángel; en lo alto, el santo, en la gloria.
Firmado, a la izquierda, en bajo, con enlace de *A* y *V*.
Véase el n.° 462.

466 *La Magdalena, penitente*

Lienzo, 1,79 × 1,28.

Sentada en la gruta.
Firmado en el ángulo inferior derecho, con el enlace conocido de *A* y *V*.
En 1772 y en 1794, en el Palacio Nuevo. Perteneció a Florencio Kelly.

468 *Encuentro de Rebeca e Isaac*

Lienzo, 1,95 × 2,46.

A la derecha, el brocal del pozo. (Pasaje del cap. XXIV del *Génesis*.)
Firmado en el borde de la fuente con el enlace de *AV*.
Adquirido por Carlos III al comerciante irlandés Kelly. En 1772, en el Palacio Nuevo.

469 *El tránsito de san Jenaro*

Lienzo, 2,07 × 1,54.

El santo, acompañado por ángeles, dos de ellos portadores de las ampollas de la sangre, y otro del báculo; debajo, vista de Nápoles desde el mar.
Firmado en la nube sobre la que está el santo con el enlace de *A* y *V*.
Inspirado en la composición de Ribera en las Agustinas de Salamanca, de 1636.
En 1772 se cita en La Granja.

470 *Santa Rosalía de Palermo*

Lienzo, 2,28 × 1,72.

La santa en éxtasis, entre dos ángeles mancebos; encima vuelan otros cuatro dejando caer rosas.
Firmado en el ángulo inferior derecho, debajo de la túnica del ángel, con el enlace de *AV*. En 1772, en el Palacio Nuevo.

468

VACCARO (?)

17 *Santa Agueda en la prisión*

Lienzo 1,04 × 1,27.

Recostada en el suelo, con grilletes.
Atribuido tradicionalmente en el Museo a Antonio Barbalonga. Su estilo es, sin embargo, el de las obras más características de Vaccaro.
Una réplica con variantes muy ligeras, que guarda la Universidad de Leeds, se atribuye al pintor napolitano.
Procede de las Colecciones Reales.

465

472 *Mujeres luchando*

Lienzo, 1,75 × 1,99.

Cae una, herida de espada; otra, en tierra, muerta, como la que a la izquierda lleva un hombre; espectadores y fondo arquitectónico.
Probablemente inspirado en el recuerdo del mismo hecho que sirvió a Ribera para asunto del número 1124. En el inventario de 1834 se suponía «asunto de Ariosto».
Niega Voss la atribución a Vaccaro y Bologna ha sugerido la de Lucio Massari (1569-1633) en su etapa más clasicista.
En 1772 y en 1794, en el Palacio Nuevo.

VALCKENBORCH. Lucas van Valckenborch

Nació en Lovaina después de 1534; fue enterrado en Francfort el 27 de enero de 1612.

1854

1857

1446 *Paisaje con la curación del poseso*

Tabla, 0,34 × 0,58.

Paisaje con un lago y pueblo en la lejanía entre enormes peñascos; y en el borde del agua, grupo formado por Jesús y sus discípulos curando al endemoniado; los malos espíritus, en forma de cerdos, se arrojan al lago. Otro grupo más cercano presencia el milagro. En primer término, otras figuras.
Representa el pasaje del cap. VII, vers. 32 del Evangelio de San Mateo.
Antes de 1920 se atribuía a Brueghel.
Fue de Isabel de Farnesio (1746); pasó a Aranjuez; vino al Museo el 16 de enero de 1848.

1854 *Paisaje con ferrerías*

Tabla, 0,41 × 0,64.

En primer término, un pozo y obreros; en el medio, un alabardero; a la derecha, cascada, horno, etc.; fondo de paisaje.
Según el *Catálogo* de 1920, quizá representa un lugar de tierra de Lieja.
Firmado a la derecha del medio, en bajo: *A 1595 LV* [enlace].
Salvado del incendio del Alcázar de 1734.
Compañero del n.º 1855.

1855 *Paisaje con ferrerías*

Tabla, 0,41 × 0,60.

La montaña, horadada por galerías; diversas instalaciones mineras y de fundición; numerosas figurillas de obreros. A la derecha, fondo de paisaje.
Firmado en el ángulo inferior derecho en la piedra sobre la que está sentado un hombre con chaqueta roja.
Procede de las Colecciones Reales.
Compañero del n.º 1854.

1857 *El palacio real de Bruselas*

Lienzo, 1,68 × 2,57.

El foso, con agua; en su orilla, músicos y cantores; peatones, paseantes en coche, a caballo, etcétera.
De atribución dudosa, Díaz Padrón (1995) lo cree obra de Vrancx y de Brueghel. El palacio de Bruselas está visto por la misma fachada que en el n.º 1451, de estilo de Brueghel.
Procede de las Colecciones Reales.

VALDES LEAL. Juan de Valdés Leal

Bautizado en la parroquia de San Esteban, de Sevilla, el 4 de mayo de 1622; murió en la misma ciudad, enterrado el 15 de octubre de 1690. Escuela española.

1161 *Jesús, disputando con los Doctores*

Lienzo, 2,02 × 2,12.

A la derecha, el Niño; rodéanle los Doctores; a la izquierda, san José y la Virgen le miran desde la puerta.
Firmado debajo del banco de la derecha: *JOAN BALDES LEAL A. DE 1686.*
Comprado a don Luis de Echevarría por R. O. de 8 de junio de 1880.

2582 *Un mártir de la Orden de San Jerónimo*

Lienzo, 2,49 × 1,30.

En la diestra, una palma con tres coronas; en la mano izquierda, un libro. Al fondo, escena de tentación. Al pie cartela que quedó sin letrero.
El lienzo pertenece a la serie de la que es cabeza el número 2593.

Dícese que fue llevado de Sevilla por Soult, y, desde luego, figura con el n.º 274 en el *Catalogue des tableaux de la Galerie espagnole exposés au Louvre* en 1838 como «un mártir dominico»; vendido con gran parte de la Colección Luis Felipe en Londres por Christie's el 22 de mayo de 1853 (n.º 455 del *Catalogue*); fue adquirido por Scanlan. Ultimamente perteneció a la princesa Orloff, en París.
Fue adquirido en 1935 a don Apolinar Sánchez Villalba por el Patronato del Prado, con cargo a la subvención del Museo.

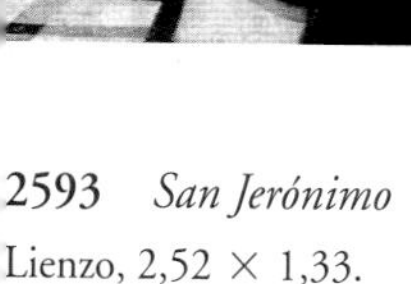

1161

7080

2593 *San Jerónimo*

Lienzo, 2,52 × 1,33.

De cuerpo entero, en pie, vestido de cardenal, la pluma en la diestra; en la izquierda, el libro que está encima de un bufete, ante un crucifijo. A los pies, el león; en la parte alta, dos ángeles portadores del capelo.
Firmado con anagrama en la base de la pilastra: *JUAN VALDÉS LEAL FT.*
Encabeza la serie de cuadros pintados para la sacristía del convento de San Jerónimo de Sevilla, a la que pertenecen: el n.º 2582 del Prado; los números 155 a 160 del de Sevilla, y otros de Barnard Castle y Grenoble (*Fray Atanasio de Ocaña);* algunos de ellos firmados en 1657.
Fue de la Colección de Luis Felipe: n.º 268 del *Catalogue* citado en el número anterior, y en 16 de mayo de 1853 vendido por Christie´s en Londres a M. Hipp en 20 libras (n.º 236 del *Catalogue).* Adquirido en enero de 1936 a la Casa Agnews, de Londres, con fondos del legado Conde de Cartagena.

3149 *San Miguel*

Lienzo, 2,05 × 1,09.

Con lanza, casco y escudo amenaza al demonio derribado bajo sus pies.
Probablemente inspirado en una estampa de Gillis Rousselet.
Legado Viuda de Jiménez Díaz, 1970.

7080 *Cristo camino del Calvario*

Lienzo, 1,67 × 1,45.

Sobre fondo de paisaje, en el que se vislumbran las laderas del Monte Calvario, aparece representada, en primer término, la monumental figura de Cristo, doblada por el peso de la Cruz. Detrás, la Virgen, consolada por san Juan Bautista y una de las Marías en actitud doliente.
Una versión similar, de distinto formato, se conserva en la Hispanic Society de Nueva York, firmada en 1661.
Adquirido por el Estado en 1986.

VALENTIN

Véase BOULLOGNE

VANNI. Francesco Vanni (?)

Nació en Sienne hacia 1563; murió el 26 de octubre de 1610. Escuela italiana.

474 *Encuentro de las Marías y san Juan*

Díptico en tabla, 0,58 × 0,25.

La Virgen, acompañada de las otras

474

Marías, se encuentra con san Juan, que vuelve del sepulcro. Fondo de paisaje.
Voss lo considera próximo a Calvaert. Pérez Sánchez (1965) lo cree más cerca de la manera de Francesco Vanni.
Procede de las Colecciones Reales.

VASARI. Discípulo de Giorgio Vasari

Nació en Arezzo el 30 de julio de 1511; murió en Florencia el 27 de junio de 1574.
Escuela italiana.

98 *La oración del huerto*

Tabla, 1,20 × 1,25.

Cristo, el ángel, dos Apóstoles dormidos; al fondo, a la izquierda, Judas y soldados con antorchas.
Según Voss, anterior a Chimenti da Empoli (muerto el 30 de septiembre de 1640), a quien lo atribuían los *Catálogos* hasta el de 1920; probablemente, obra de un seguidor de Vasari; le recuerda a Battista Naldini (1537-1591).
Procede de las Colecciones Reales.

VEEN (?). Otto van Veen, «Venius» o «Vaenius»

Nació en Leyden en 1556; murió en Bruselas el 6 de mayo de 1629.
Escuela flamenca.

1858 *Don Alonso de Idiáquez, duque de Ciudad Real (Città Reale en Nápoles)*

Tabla, 1,19 × 0,37.

Puerta de un tríptico. Cara exterior, de claroscuro, *San Ildefonso.* Cara interior: el caballero orante, armado; detrás, su santo patrono. Escudo de armas.
Nació en San Sebastián el 14 de febrero de 1565; murió en el castillo de Milán el 7 de octubre de 1618; fue santiaguista, virrey de Navarra, etc.
De procedencia ignorada, ingresó en el Museo con el n.º 1859, en 1870.

1859 *Doña Juana de Robles, duquesa de Ciudad Real (Città Reale en Nápoles)*

Tabla, 1,19 × 0,37.

Puerta de un tríptico. Cara exterior: de claroscuro, *San Juan Bautista.* Cara interior: la dama, orante; detrás, el Precursor. Escudo de armas.
Hija de don Gaspar de Robles, gobernador de Frisia, y de la baronesa de Mollefriene y de Villi, casó con el duque de Ciudad Real en Flandes, en 1589, fecha aproximada de la tabla.
Véase el n.º 1858.

1166

VELAZQUEZ. Diego Velázquez de Silva

Nació en Sevilla y fue bautizado el 6 de junio de 1599; murió en Madrid el 7 de agosto de 1660.

1166 *La adoración de los Reyes Magos*

Lienzo, 2,03 × 1,25.

La Sagrada Familia, a la derecha; a la izquierda, los tres Magos y un mozo servidor. Fondo de paisaje crepuscular. Fechado en 1619 en la piedra, debajo del pie de la Virgen. Todas las figuras, excepto quizá el san José, son retratos, queriéndose ver en el rey de edad madura a Pacheco; en el rey mozo, a Velázquez, y en la Virgen, a su mujer, Juana Pacheco.
Fue propiedad de don Francisco de Bruna, ofrecido a su muerte en 1804 a Fernando VII por su sobrino, don Luis Meléndez; en el Museo desde 1819.

1167 *Cristo crucificado*

Lienzo, 2,48 × 1,69.

Muerto. Con cuatro clavos y supedáneo. Sobre el fondo se señala apenas la sombra de la Cruz.
Se pintó hacia 1632. Procede del convento de San Plácido, de Madrid, y se suponía en relación con un suceso de la vida de Felipe IV, fuente de leyendas.
El Cristo, con cuatro clavos, responde a la iconografía vigente a comienzos del siglo XVII en Sevilla.
Pacheco, en 1614, pintó un Cristo que se ha señalado como precedente de éste.
Del convento pasó hacia 1808 a la Colección Godoy, y la condesa de Chinchón, mujer de Godoy, anunció su venta en París en 1826; promovido el expediente de adquisición para el Prado se convino la cesión en 30.000 reales. Muerta la condesa, no quisieron los herederos cumplir el acuerdo; pero el duque de San Fernando de Quiroga, legatario de la alhaja que eligiese, escogió el lienzo y lo regaló a Fernando VII, quien en 1829 lo envió al Museo.

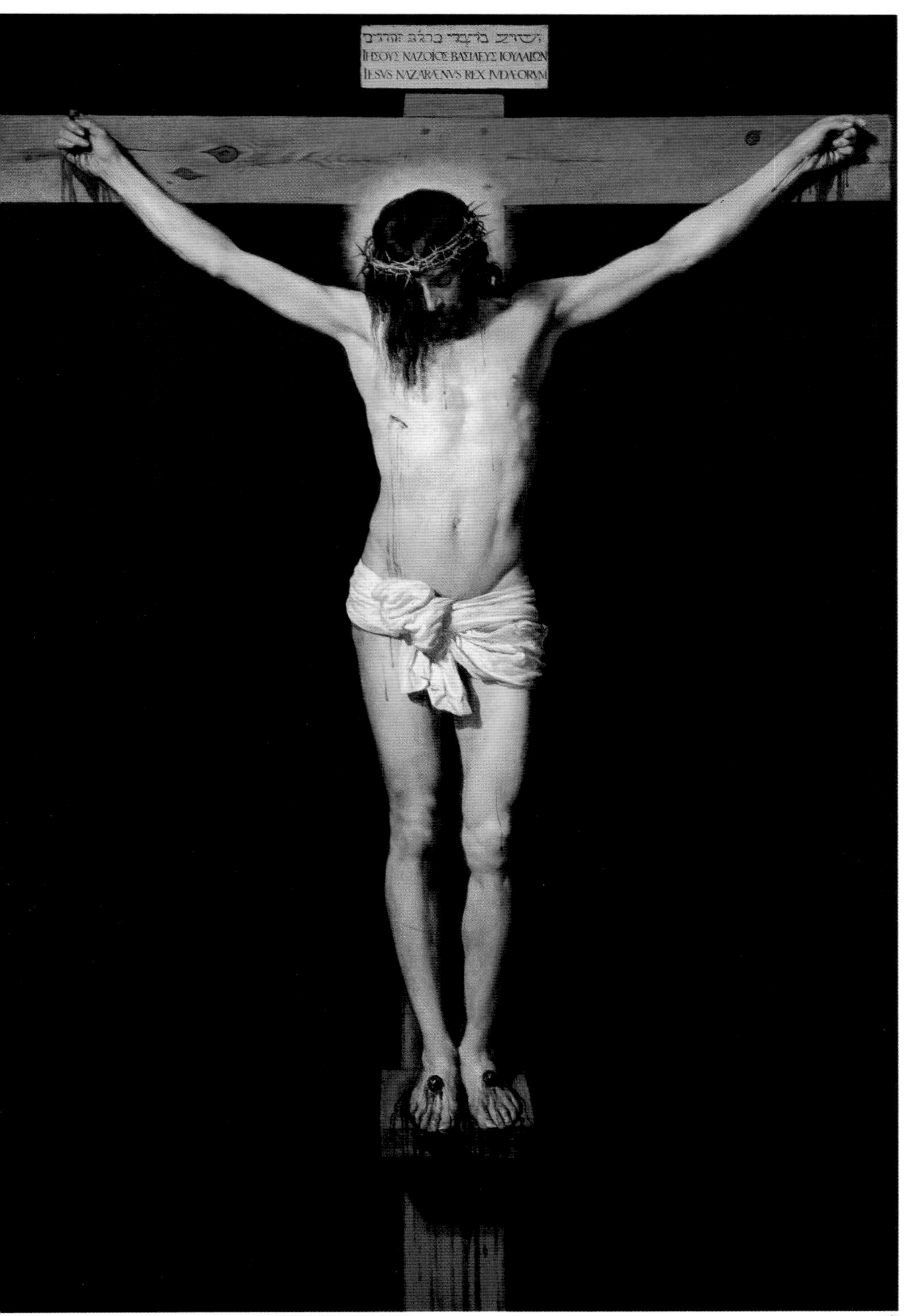
IHΣOYΣ NAZOIOΣ BAΣIΛEYΣ IOYΛAIΩN
IESVS NAZARÆNVS REX IVDÆORVM

1167

1168

1170

1168 *La coronación de la Virge*

Lienzo, 1,76 × 1,24.

El Padre Eterno, Dios Hijo, el Espíri Santo y la Virgen, ángeles niños querubines.

Pintado hacia 1641-1642 para el «Or torio del cuarto de la Reina», en palacio de Madrid. Recuerda vag mente *La Coronación,* del Greco.

Tras el incendio de 1734 estuvo d positado en el convento de San G En 1772 y 1794 se cita en el Palac Nuevo. Desde 1819 está en el Prad

1169 *San Antonio Abad y san Pablo, primer ermitaño*

Lienzo, 2,57 × 1,88.

Los santos ermitaños, de cuerpo enter sentados, dan gracias a Dios, que por cuervo les envía un pan. Fondo de pa saje, con peñas y un río, donde se repr sentan los encuentros de san Anton con un centauro y con un fauno y a s Antonio ante el cadáver de san Pabl mientras dos leones cavan la fosa.

Pintado para la ermita de San Pabl en el Buen Retiro. La fecha del lien ha sido muy discutida, pero hoy acepta como más probable la de 163 La composición suscita el recuerdo la del mismo asunto por Pinturricch en las Salas del papa Borja, en Vaticano, y Angulo aduce la estamp de Durero *Los santos ermitaños.*

Hacia 1660 ya había pasado a la e mita de San Antonio del Retiro; y e 1772 figura en el Palacio Nuevo. Es en el Museo desde 1819.

1170 *Los borrachos, o el triunfo de Baco*

Lienzo, 1,65 × 2,25.

Baco, desnudo, acompañado por u mancebo, desnudo también, que al una copa de vidrio, corona con hoj de vid a un bebedor; rodéanles, otr coronado ya, cuatro que esperan serl y uno que se acerca al alegre grup Fondo de paisaje.

Se pagó el 22 de julio de 1629.

1171

Mayer cree que estaba pintado en 1626 y que fue modificado, en parte, al regresar de Italia en 1631. Para el origen de la composición se ha aducido el relato de una fiesta celebrada en Bruselas en ¿1612?

1169

Figura en el inventario del Alcázar de 1636; en 1772 y 1794, en el Palacio Real. Ingresó en el Museo en 1819.

1171 *La fragua de Vulcano*

Lienzo, 2,23 × 2,90.

Apolo visita a Vulcano, que está con cuatro cíclopes forjando una pieza de armadura, y le cuenta el adulterio de su esposa Venus con Marte.
Pintado en Roma en 1630.
Fue adquirido por Felipe IV en 1634 por el protonotario don Jerónimo de Villanueva.
Se cita en el Retiro en 1701, y en el Palacio Nuevo en 1772 y 1794. Ingresó en el Museo en 1819.

1172 *«Las lanzas», o La rendición de Breda*

Lienzo, 3,07 × 3,67.

Ambrosio Spínola, acompañado por militares españoles y escoltado por lanceros o piqueros, recibe la llave de la ciudad de manos de Justino de Nassau, al que siguen soldados con lanzas y alabardas, y un arcabucero. Al fondo, la ciudad, inundados sus campos, y humaredas. En el ángulo inferior de la izquierda, la cartela en blanco para la firma.
La rendición fue el día 2 de junio de 1625, y la entrega fue el 5. Ambrosio Spínola nació en Génova en 1569; marqués de los Balbases desde el 17 de diciembre de 1621; murió en Castelnovo de Scrivia el 25 de septiembre de 1630. Velázquez hizo su primer viaje a Italia (1629) en el mismo barco en que Spínola hacía el último.
Justino de Nassau, hermano natural del príncipe de Orange, nació en 1559 y murió en 1631.
Se ha creído, sin razón, retrato de Velázquez la cabeza que aparece entre

117.

el caballo y el marco. Jamot ha indicado como origen de la composición el *Abraham y Melchisedec* grabado por Bernard Salomón en *Quadrins historiques de la Bible* (Lyon, 1553), y Angulo ha señalado alguna otra fuente iconográfica. Pintó Velázquez tan maravilloso lienzo para el Salón de Reinos del Buen Retiro, seguramente antes del 28 de abril de 1635.
Del Buen Retiro paso al Palacio Nuevo. Ingresó en el Museo en 1819.

1173 *Las hilanderas, o La fábula de Aragne*

Lienzo, 2,20 × 2,89.

Los *Catálogos,* hasta el de 1945, lo describían: «Obrador de hilado y devanado y pieza para ventas en la fábrica de tapices de Santa Isabel, de Madrid. Cinco mujeres trabajando. En la habitación alta, tres damas contemplan un tapiz de tema mitológico, en el que se ve a Minerva y a Juno.» Después se averiguó que lo representado es la contienda entre Palas y Aragne, cuando ésta tejió en un tapiz las flaquezas de Júpiter, entre ellas el rapto de Europa —que se ve en la pintura— y Palas la castigó convirtiéndola en araña.
Su veneno tiene como antídoto la música —lo que motiva la presencia del instrumento—. Las damas serán las de tierra de Licia, que acudían a ver cómo tejía Aragne.
Debióse la interpretación a Angulo Iñiguez, y poco después María Luisa Caturla halló la prueba en un inventario de los cuadros que poseía en Madrid en 1664 el montero del rey don Pedro de Arce, entre los que figura la fábula de Aragne, de Velázquez. Ello explica la entrada tardía del lienzo en las colecciones regias, que no se comprueba hasta el siglo XVIII.
Pintado hacia 1657.
Perteneció a los duques de Medinaceli. Estuvo en el Buen Retiro entre 1734 y 1772 y en el Palacio Nuevo, donde se cita en 1772 y 1794. Debió de sufrir en el incendio de 1734, que dio origen a una restauración en la que se hicieron importantes adiciones en las partes superior y laterales. Ingresó en el Museo en 1819.

1174 *«Las meninas», o La familia de Felipe IV*

Lienzo, 3,18 × 2,76.

Velázquez pintando un lienzo con los retratos de Felipe IV y doña Mariana, que se reflejan en el espejo, al fondo; doña María Agustina Sarmiento «menina» de la infanta doña Margarita, le ofrece, en bandeja, un búcaro con agua; la infanta, en medio; a su izquierda, doña Isabel de Velasco, también «menina»; siguen la enana Maribárbola y Nicolás de Pertusato, con el pie izquierdo sobre el perro echado. En segundo término, doña Marcela de Ulloa, «guardamujer de las damas de la reina», y un guardadamas. En la puerta del fondo, descorre una cortina el aposentador don José Nieto Velázquez. En las paredes del aposento —en el cuarto del Príncipe— se ven lienzos de escuela de Rubens, alguno conservado, como el *Certamen de Apolo y Pan,* n.° 1712 del Prado, copia de Mazo del firmado por Jordaens, n.° 1551.

Sobre Felipe IV, véase el n.° 1553; sobre doña Mariana, el número 644; doña María Agustina Sarmiento era hija de don Diego Sarmiento de Sotomayor, calatravo y del Consejo de Guerra; para doña Margarita, el n.° 888; doña Isabel de Velasco, hija del conde de Colmenares, fue nombrada «menina» de la reina el 26 de diciembre de 1649; murió el 24 de octubre de 1659; Maribárbola era alemana; aparece también con Carlos II en el cuadro de Mazo, n.° 888. Nicolás de Portosanto, o Pertusato, entró en la Casa Real en 1651 y, al parecer, regresó a su tierra en 1700; era enano de la reina y gozaba de ración desde el 16 de junio de 1650; nació en Alessandria de la Palla; en 1645 se le hace ayuda de cámara; murió antes del 20 de junio de 1710, de setenta y cinco años. Doña Marcela de Ulloa era viuda de un don Diego de Peralta y había sido criada de la condesa de Olivares; entró como guarda menor de damas el 22 de noviembre de 1643; murió el 13 de enero de 1669. José Nieto Velázquez, que fue «jefe de la tapicería de la reina» y después aposentador, tuvo cargos en palacio desde 1631, y murió en 1684.

1173

1174

Pintado en 1656. Llamábasele el cuadro de *La familia.*

En 1666 se registra en el despacho de verano del Alcázar de Madrid, figura en todos los inventarios del Alcázar y del Palacio Nuevo hasta su ingreso en el Museo en 1819.

En 1984 se procedió a su limpieza.

1175

1175 *Mercurio y Argos*

Lienzo, 1,27 × 2,48.

Argos, dormido por la flauta de Mercurio, que se acerca cauteloso para matarle, y la vaca Io.

Lienzo pintado hacia 1659, con otro de *Apolo desollando a un sátiro,* para el sobrebalcón del «Salón de los Espejos» del Alcázar de Madrid. En la misma pieza se registran dos fábulas más de Velázquez, *Psiquis y Cupido* y *Venus y Adonis,* algo menores que las de *Mercurio y Apolo,* que se perdieron cuando el incendio de 1734.

Se cita desde 1666 en todos los inventarios del Alcázar y del Palacio Nuevo. Está en el Museo desde 1819.

1176 *Felipe III, a caballo*

Lienzo, 3,00 × 3,14.

Viste el rey media armadura, calzas blancas, gorguera de holanda fina; sombrero de fieltro negro con plumas y la perla «peregrina»; banda roja y bengala de general. El caballo blanco, en corveta; a la orilla del mar, viéndose al fondo un poblado entre la bruma.

Sobre Felipe III, véase el n.° 2562.

Ha estado hasta hace poco vigente la opinión de Beruete, que suponía los retratos números 1176, 1177 y 1179 obras de Bartolomé González, retocadas por Velázquez. Parece más razonable: 1.°) descartar el nombre de Bartolomé González, muerto en 1627; 2.°) recordar la orden de 3 de septiembre de 1628 para que se le entregue a Velázquez el arnés para el retrato de Felipe III, y el pago del 28 de junio de 1629 por las pinturas «que hace», y deducir que Velázquez, el marchar a Italia, dejaba compuestos y encajados los retratos; 3.°) que los lienzos hubieron de acabarse por un artista hoy desconocido; y 4.°) que después del regreso del maestro, y tal vez al disponerse la decoración del Salón de Reinos del Retiro, los modificó en las partes que se reconocen como de su mano.

En éste de Felipe III señala Beruete como trozos indudables de Velázquez: la mayor parte del caballo, el brazo derecho, la pierna, el pie y la espuela, el bocado y los arreos que caen sobre la grupa y parte de la marina del fondo.

Estuvo en el Salón de Reinos en el siglo XVII. En 1772, en el «Paso tribuna y trascuartos» de Palacio. En 1794, en la «Pieza de comer». Figura en el Museo desde 1819.

1177 *La reina Margarita de Austria, mujer de Felipe III*

Lienzo, 2,97 × 3,09.

Viste basquiña negra bordada con coronas y adornos de plata, jubón blanco, vuelos y gorguera de gasa; en el pecho, el «joyel rico» formado por el diamante «el estanque» y la perla «peregrina»; tocado con plumas y perlas; montada a mujeriegas en una hacanea

1176

1177

1178

1179

castaña y blanca, con una roseta sobre el testuz y gualdrapa ricamente labrada. Fondo de monte, descubriéndose a la izquierda la pintura primitiva de unos jardines con recuadros de boj y fuente en medio.
Sobre doña Margarita, véase el número 1032.
Según Beruete, de los tres retratos (números 1176, 1177 y 1179), es en el que en menor parte se advierte el pincel de Velázquez; porción inferior de las patas delanteras del caballo, retoques diseminados para aligerar los adornos secos y duros de la gualdrapa y los árboles del paisaje.
Véase el n.° 1176.

1178 *Felipe IV ecuestre*

Lienzo, 3,01 × 3,14.

Retrato ecuestre. Viste el rey media armadura; ostenta la banda y la bengala de general; en la mano izquierda, la brida. Fondo de paisaje de El Pardo. En el ángulo inferior izquierdo, cartela para la firma, en blanco.
Sobre Felipe IV, véase el n.° 1553.
Pintado hacia 1636, para el Salón de Reinos del Retiro. En el Palacio Nuevo, de 1734 a 1814. Ingresó en el Museo en 1819.
Obsérvense las correcciones hechas en

1180

1181

la cabeza y busto del rey, en un principio más hacia la derecha, y en las patas traseras y cola del caballo.

1179 *La reina doña Isabel de Francia, mujer de Felipe IV*

Lienzo, 3,01 × 3,14.

Retrato ecuestre. El caballo, blanco. La reina viste saya noguerada recamada de oro, y jubón de seda bordado con estrellas de plata; gorguera. Fondo de paisaje.
Sobre Isabel de Francia, véase el número 1625.
Era aficionada a montar sobre caballos blancos; cuando en 1616 asistió a las fiestas de la consagración de la capilla de la Virgen del Sagrario en Toledo, cabalgaba «en un palafrén blanco con gualdrapas y aderezos de terciopelo negro».
Quizá comenzado a dibujar antes de la marcha a Italia, como los números 1176 y 1177. Ejecutado en 1635-1636, interviniendo otro pintor en vestido, etc. Son patentes las correcciones o arrepentimientos.
Adornó, con los demás retratos regios ecuestres, el Salón de Reinos del Buen Retiro.
En 1772, 1794 y 1814 estaba en el Palacio Nuevo. Ingresó en el Museo en 1819.

1180 *El príncipe Baltasar Carlos*

Lienzo, 2,09 × 1,73.

A caballo, de cuerpo entero. Sombrero de fieltro negro, con pluma; coleto de tisú de oro y calzón de terciopelo verde recamado de oro, valona de encaje; banda y bengala de general. El caballo, al galope. Fondo de paisaje.
Sobre don Baltasar Carlos, véase el n.° 1221.
Se pintó el lienzo para sobrepuerta del Salón de Reinos, en el Palacio del Buen Retiro, en 1635 o 1636. Después estuvo en el Palacio Nuevo. En el Museo desde 1819.

1181 *Don Gaspar de Guzmán, conde-duque de Olivares*

Lienzo, 3,13 × 2,39.

Retrato ecuestre. Media armadura, sombrero, banda y bengala de general. Fondo de paisaje amplio, con batalla y humareda distantes. En el ángulo izquierdo, cartela, en blanco, para la firma.
Pintado hacia 1634. Imitó Jusepe Leonardo la actitud de Olivares en su *Toma de Brisach,* número 759.
Olivares fue hijo del segundo conde de Olivares, don Enrique, y de doña María Pimentel; nació en Roma, siendo su padre embajador, el día de Reyes de 1587; valido de Felipe IV hasta el 17 de enero de 1643; murió en Toro el 22 de julio de 1645.
Fue adquirido por Carlos III en la venta de los bienes del marqués de la Ensenada el año 1769. Estuvo en palacio desde 1772. Ingresó en el Museo en 1819.

1182 *Felipe IV*

Lienzo, 2,01 × 1,02.

De pie. Viste de negro; en la diestra, un pliego de papel; la izquierda en la espada. Sobre un bufete, el sombrero.
Sobre Felipe IV, véase el n.° 1553.
Pintado antes de 1628, en que se modificarían la actitud y el traje.
Las correcciones o «arrepentimientos» son notorios y prueban que en la postura seguía este retrato inicialmente las líneas del pintado en 1624, hoy en el Metropolitan Museum, de Nueva York. Estuvo en el Retiro, donde se cita en 1700, y después en Palacio. Desde 1828 está en el Museo.

1182

1183 *Felipe IV*

Lienzo, 0,57 × 0,44.

Menos de medio cuerpo; armado; golilla y banda de general.
Al ser forrado en 1923, se comprobó que es fragmento de un lienzo mayor, seguramente retrato ecuestre, dadas la línea del peto y la actitud.
Sobre Felipe IV, véase el n.° 1553.
De cronología controvertida, se fecha entre 1625 y 1628.
En 1794 estaba en la Quinta del duque del Arco.

1184 *Felipe IV*

Lienzo, 1,91 × 1,26.

En pie. Viste de cazador: coleto de largas haldas, brahones y mangas bobas; valona; sombrero; arcabuz largo en la mano derecha; al mismo lado, un perro. Fondo de campo.
Sobre Felipe IV, véase el número 1553.
Se advierten patentes arrepentimientos.
Pintado hacia 1634-1636 para la Torre de la Parada, de donde pasó al Palacio Nuevo entre 1747 y 1772 con los lienzos números 1179 y 1186.

1184

1185 *Felipe IV*

Lienzo, 0,69 × 0,56.

De menos de medio cuerpo. Viste de seda negra y golilla.
Sobre Felipe IV, véase el n.° 1553.
Pintado entre 1655 y 1660. Anterior al de la National Gallery de Londres, con el Toisón y botones.
Entre 1816 y 1827 estuvo en la Academia de San Fernando, de donde se trajo al Museo.

1186 *El cardenal-infante don Fernando de Austria*

Lienzo, 1,91 × 1,07.

En pie. Traje de cazador, con capote; al cuello, un pañuelo de seda (?) anudado y montera enfaldada; guantes largos de ante, arcabuz terciado. Al lado, un podenco color canela. Fondo de campo.

1186

1188

1189

Sobre don Fernando, véase el n.° 1472.
Pintado entre el 12 de abril de 1632 y 1636 para la Torre de la Parada, de donde pasó al Palacio Nuevo, donde se cita en 1772 y 1794. Desde 1819 está en el Museo.

1187 *Doña María de Austria, reina de Hungría*

Lienzo, 0,58 × 0,44.

De menos de medio cuerpo. Vestida de gris y leonado, y con voluminosa gorguera.
Sobre doña María de Austria, véase el n.° 1272.
Se pintó este cuadro en Nápoles entre el 13 de agosto y el 18 de diciembre de 1630. Se registra el lienzo en el aposento de Velázquez, cuando su muerte. En 1794, en la Quinta del duque del Arco. En 1808, en el Retiro.

1188 *El infante don Carlos*

Lienzo, 2,09 × 1,25.

De pie. Traje negro, golilla; cadena de oro en cabestrillo y Toisón; guante cogido por la diestra y sombrero en la izquierda.
Don Carlos fue el hijo segundo varón entre los de Felipe III; nació el 15 de septiembre de 1607; murió el 30 de julio de 1632. Tuvo aficiones pictóricas y poéticas.
Pintado hacia 1626-1627.
Estuvo en el Alcázar y en el Palacio Nuevo, y entre 1816 y 1827, en la Academia de San Fernando, confundido con el n.° 1182.

1189 *El príncipe don Baltasar Carlos*

Lienzo, 1,91 × 1,03.

En pie, bajo un árbol. Viste de cazador: capote verde, valona de puntas, la diestra en el arcabuz; entre un perro perdiguero y un galgo. Fondo de paisaje madrileño.
En el letrero: *ANNO AETATIS SVAE VI.*
Sobre don Baltasar Carlos, véase el n.° 1221.
Pintado en 1635 o 1636.
El arcabuz es el que regaló el virrey de Navarra a Felipe IV niño.
Estuvo en la Torre de la Parada y en el Palacio Nuevo, donde se cita en 1772 y 1794.

1187

1191 *La reina doña Mariana de Austria*

Lienzo, 2,31 × 1,31.

En pie; viste jubón galoneado, con bolsillos fingidos; valona cariñana; basquiña-guardainfante. La diestra apoyada en el respaldo de una silla; en la mano izquierda, el pañuelo; detrás, un bufete con un reloj.
Sobre doña Mariana, véase el n.° 644.
Se fecha el retrato hacia 1652-1653.
El cuadro que lleva el n.° 1190, y que es una repetición de éste, fue enviado a Francia por el convenio entre los dos Gobiernos firmado en 1941, y se conserva en el Louvre.

Vino de El Escorial, donde se registra en 1700, el 2 de agosto de 1845.

1192 *La infanta doña Margarita de Austria*

Lienzo, 2,12 × 1,47.

En pie. Viste valona cariñana, jubón degollado de grandas haldas, guardainfante rosa de lama de plata; pañuelo en la diestra y una rosa en la mano izquierda.
Sobre doña Margarita, véase el n.° 888. Será la última obra de Velázquez, acabada por Mazo después de su muerte (cara, cuello y manos probablemente). Mazo retrató a su suegro, pintando un lienzo, de igual composición pero con distintos colores, al fondo del cuadro de su familia, del Museo de Viena.
Salvado del incendio de 1734; en 1747, 1772 y 1794, en el Palacio Nuevo. Ingresó en el Museo en 1819.

1193 *Don Juan Francisco Pimentel, X conde de Benavente*

Lienzo, 1,09 × 0,88.

De más de medio cuerpo, con armadura, banda de general y el Toisón; la diestra sobre el casco y la mano izquierda en la espada.
Nació en Benavente, el 19 de noviembre de 1584. Fue presidente del Consejo de Italia; caballero del Toisón el 3 de abril de 1648; murió en 1652.
Data el lienzo del tiempo que media entre la concesión del Toisón y el mes de noviembre del mismo año, en que marcha a Italia Velázquez.
Es de los cuadros de Velázquez más influidos por Tiziano, tanto en la composición como en el colorido; la armadura de Benavente parece la misma que ostenta Felipe II en el cuadro n.° 411. El lienzo, forrado anti-guamente, ha sido recortado por los cuatro lados.
¿Sería un retrato de cuerpo entero?
En 1746 figura en La Granja, entre las pinturas de Isabel de Farnesio, como de Tiziano. En 1774 sigue allí; en 1794 se cita en el Palacio Nuevo; y en 1819 figura en el Museo.

1191

1194 *Juan Martínez Montañés*

Lienzo, 1,09 × 0,88.

De más de medio cuerpo; viste de negro, con golilla; en la diestra, un palillo, con el que está modelando en barro el busto de Felipe IV.
El gran escultor nació en Alcalá la Real (Jaén) el 16 de marzo de 1558 y murió en Sevilla el 18 de junio de 1649. La fecha del cuadro está ya fijada entre fines de junio de 1635 y fines de enero siguiente.
La identificación es muy discutida

1192

—pues se ha insistido en que representa a Alonso Cano— y se basa en un retrato de menos años guardado en el Ayuntamiento de Sevilla. Sin embargo, recientemente Bernis ha demostrado que viste sotana, lo que obliga a replantear la posibilidad de que sea retrato de Alonso Cano realizado hacia 1658.
No aparece en las colecciones regias hasta 1794, en la Quinta del duque del Arco. Está en el Museo desde 1819.

1195 *Don Diego de Corral y Arellano, oidor del Consejo Supremo de Castilla*

Lienzo, 2,05 × 1,16.

De pie; viste toga negra, golilla y os-

1193

1194

1195

tenta la cruz de santiaguista. Sobre la mesa, sombrero alto, negro.

Don Diego nació en Silos hacia 1570; jurisconsulto y juez íntegro, votó en contra de la sentencia de muerte de don Rodrigo Calderón; murió el 20 de mayo de 1632. Era de la Orden de Santiago desde 1622.

Da la identificación un inventario familiar de 1668.

1196

Se pintó el lienzo hacia 1631.

El cuadro permaneció en poder de la familia hasta que fue legado en 1905 por la duquesa de Villahermosa, con el n.° 1196, retrato de su esposa.

1196 *Doña Antonia de Ipeñarrieta y Galdós, y su hijo don Luis*

Lienzo, 2,05 × 1,16.

De pie. La dama viste traje negro, cuello blanco y cadena y botones d oro. El niño, con delantal blanco vestido de vareteado de oro; del cin turón cuelga una campanilla.

Doña Antonia nació en Madrid e año que se ignora, entre 1599 y 160. o en 1608. Casó en primeras nupci con García Pérez Araciel, y en segun das con don Diego de Corral y Ar llano, en 1627; murió en 1635, de pués del 30 de julio. Sobre la figu del niño ha habido muchas dudas. P casi todos los críticos se niega que se de Velázquez; se ha supuesto que r presenta a una niña (¡!), al princip Baltasar Carlos, y, según un inventari de 1668, es retrato de don Luis, hi de doña Antonia, que tuvo dos de es nombre: el primogénito y el últim seguramente será el primero bautiz do, Luis Vicente.

Lienzo pintado hacia 1631.

Legado en 1905, como el n.° 119 por la duquesa de Villahermosa.

1197 *Doña Juana Pacheco, mujer del autor* (?)*, caracterizada como una sibila*

Lienzo, 0,62 × 0,50.

De menos de medio cuerpo. Viste tr

1198

1199

12

je gris plomizo y manto amarillo. Con la mano izquierda sujeta una tabla.
La identificación no es segura. Doña Juana era hija del pintor Francisco Pacheco, fue bautizada en Sevilla el 1 de junio de 1602 y casó con Velázquez el 23 de abril de 1618. Sobrevivió siete días a su marido. Dos dibujos de la Biblioteca Nacional se suponen retratos suyos, y también se han querido reconocer sus rasgos en la Virgen de *La adoración de los Reyes* (n.° 1166).
El cuadro se pintaría hacia 1632.
Adquirido por Isabel de Farnesio; en 1746, en La Granja, como «la mujer de Velázquez».
En 1774 y 1794 se cita en el mismo lugar; y en 1814 estaba en el Palacio Nuevo.

1198 *Pablo de Valladolid*

Lienzo, 2,09 × 1,23.

En pie. Viste de negro con capa y golilla.
En el expediente personal del Archivo de Palacio se le llama Pablo, no Pablillos. A este bufón, u hombre de placer, se le concedió aposento en 1633. Parece que hubo de morir en 1648, dejando dos hijos. Féchase el retrato hacia 1633. Son patentes las correcciones o arrepentimientos.
En 1701 estaba en el Retiro; en 1772, 1794 y 1814, en el Palacio Nuevo, y estuvo en la Academia desde el 19 de agosto de 1816 hasta 1827, denominándolo retrato de un alcalde.

1199 *El bufón «Barbarroja», don Cristóbal de Castañeda y Pernía*

Lienzo, 1,98 × 1,21.

En pie. Viste a la turca. Espada desnuda en la diestra, y en la mano izquierda, la vaina.
El retratado presumía de militar y mataba toros. Fue emisario del cardenal-infante, y figuró en la Corte desde el 24 de mayo de 1633. En 1634 fue desterrado a Sevilla por una alusión al conde-duque. Cobró gajes hasta 1649.
Pintado hacia 1636; pero quedó sin acabar, según se observa y declaraba ya el inventario del Retiro de 1701.
En 1772, 1794 y 1814 se cita en el Palacio Nuevo. Entre 1816 y 1827 estuvo en la Academia de San Fernando, de donde pasó al Prado.

1197

1200 *El bufón llamado «don Juan de Austria»*

Lienzo, 2,10 × 1,23.

En pie. Viste de negro y carmesí, con sombrero; la mano izquierda en la empuñadura de la espada, y en la diestra, un largo y grueso bastón; una llave de hierro al pecho. A sus pies, piezas de armadura, balas y un arcabuz. Al fondo, batalla naval.
No hay noticia del verdadero nombre de este bufón o «loco» de Felipe IV. Hay datos suyos desde 1624 hasta 1654; mas no tuvo ración ni sueldo fijo, y el traje con que está retratado se lo regalaron en 1632.
El lienzo se supone pintado hacia 1636. Pero Mayer vuelve a la idea de Justi, de suponerlo del último decenio de la vida de Velázquez. El dato aducido del traje obliga a no retrasar su fecha; antes bien, inclina a fijarla coincidente con el regalo, o poco después.
Estaba en el Buen Retiro en 1700; en el Palacio Nuevo, en 1772 y 1794, y en la Academia de San Fernando, donde se decía retrato del marqués de Pescara, entre el 10 de de junio de 1816 y 1827.

1201 *El bufón don Diego de Acedo, «el Primo»*

Lienzo, 1,07 × 0,82.

Sentado en el campo hojeando info-

1201

1204

lios, alimento quizá de manía nobiliaria. Viste ropilla negra, como el sombrero.
Don Diego de Acedo debió de entrar en palacio en 1635. En Molina, cuando dispararon contra Olivares en 1642, resultó herido. En 1644, en la jornada real a Aragón y Cataluña, le retrató Velázquez en Fraga, en el mes de junio, cuando se pintó el *Felipe IV* de la Colección Frick, de Nueva York. Sin embargo, no es seguro que tal sea el retrato del Prado. El cardenal-infante pensionó a un caballero y una dama apellidados Acedo y Velázquez, quizá de la familia o padrinos del bufón, que tal vez se creía «primo» del pintor. Consta que asistía a la estampa; esto es, a la firma regia con estampilla; por ello, Velázquez le rodeó de útiles de escritorio. En 1669 ya había muerto.
En 1666 y 1700 se cita en el Alcázar. En 1714 pasó de la Torre de la Parada a El Pardo, y en 1772 y 1794 estaba en el Palacio Nuevo. Ingresó en el Museo en 1819.

1206

1207

1202 *El bufón don Sebastián de Morra*

Lienzo, 1,06 × 0,81.

Sentado; viste coleto y calzón verd sobretodo encarnado y valona.
Vino de Flandes en 1643; allá sirvi al cardenal-infante y aquí al princip Baltasar Carlos. Murió en octubre d 1649.
Se pintó en 1643-1644.
Se cita en el Alcázar en 1666, 1686 1700. Tras el incendio pasó al Retir y en 1772 y 1794 estaba en el Palaci Nuevo. Entró en el Museo en 1819.

1204 *El niño de Vallecas Francisco Lezcano*

Lienzo, 1,07 × 0,83.

Sentado al abrigo de una peña. Vis tabardo y calzón verde. En las man tiene unos naipes.
Este bufón se llamaba Francisco Le cano y era natural de Vizcaya.
Consta en los documentos palatin desde 1634 como enano del princip murió en octubre de 1649. Se cre pintado hacia 1646; pero los doc mentos obligan a fecharlo en u década antes.
Estuvo en la Torre de la Parada, en Pardo (1714) y en el Palacio Nue (1772 y 1794). Está en el Muse desde 1819.

1205 *El bufón Calabacillas, llamado erróneamente el Bobo de Coria*

Lienzo, 1,06 × 0,83.

Sentado entre dos calabazas. Viste d color verde.
Don Juan Calabazas —así le nombr ron los documentos— sirvió al card nal-infante, y en julio de 1632 pasó la servidumbre de Felipe IV. Murió e octubre de 1639.
Se creía pintado hacia 1646-164 mas los documentos fuerzan a adela tar su fecha en diez años al menos. advierten correcciones en la calaba de la derecha, etc. Parece el mism

bufón retratado por Velázquez, con un molinillo de papel, en el lienzo del Museo de Cleveland.
No se le da el nombre de «el Bobo de Coria» hasta el inventario de 1794, de palacio.
En 1700 estaba en la Torre de la Parada; y en 1772 y 1794 en el Palacio Nuevo. Ingresó en el Museo en 1819.

1206 *Esopo*

Lienzo, 1,79 × 0,94.

En pie. Un libro bajo el brazo derecho. Viste un sayo pardo. A sus pies, un cubo de madera. En el ángulo alto de la derecha, *AESOPUS*.
Interpretación burlesca del famoso fabulista, que se supone vivió del siglo VII al VI antes de Cristo.
Pintado hacia 1639-1640 para la Torre de la Parada. El lienzo se cita en 1714 en El Pardo, y en 1772 y 1794 en el Palacio Nuevo. Está en el Museo desde 1819.

1207 *Menipo*

Lienzo, 1,79 × 0,94.

En pie. Embozado; su capa está raída. En el suelo, varios libros, y encima de una tabla, sostenida en dos piedras, una jarra. En el ángulo superior izquierdo, *MOENIPPUS*.
Interpretación burlesa del satírico y filósofo cínico griego del siglo III antes de Cristo.
El mismo personaje aparece en la *Cacería del tabladillo* de Mazo, n.° 2571.
Pintado hacia 1639-1640 para la Torre de la Parada. Entre 1714 y 1734, en El Pardo. Estuvo, por fin, en el Palacio Nuevo, donde se cita en 1772 y 1794. Está en el Museo desde 1819.

1208

1208 *El dios Marte*

Lienzo, 1,79 × 0,95.

Sentado y desnudo, con morrión. Paño azul arrebujado en el vientre y manto carminoso. A sus pies, el escudo y otras piezas de armadura.
Fechase entre 1640 y 1642. Pintado para la Torre de la Parada, de donde pasó, antes de 1772, al Palacio Nuevo. Entre el 19 de agosto de 1816 y 1827 estuvo en la Academia de San Fernando.

1209 *Francisco Pacheco (?)*

Lienzo, 0,40 × 0,36.

Busto; viste de negro con gorguera de lienzo.
Según Allende-Salazar, será el retrata-

1210

121

do Francisco Pacheco, el pintor y tratadista, maestro y suegro de Velázquez.
Se clasifica este lienzo entre los pintados en Sevilla hacia 1619.
En 1746, en La Granja. Ingresó en el Prado en 1819.

1210 *Vista del jardín de la «Villa Médicis», en Roma*

Lienzo, 0,48 × 0,42.

Dos hombres delante del muro, con balaustrada y puerta; a la derecha, un busto, y una estatua en el nicho. En la parte alta y a la izquierda, masa de cipreses.
Este cuadro y su compañero se han solido fechar en 1630, porque Velázquez, en su primer viaje a Roma, habitó dos meses la «Villa»; algunos críticos los consideran, sin embargo, obras de la segunda estancia romana del pintor: 1650-1651. Recientemente Milicua ha ofrecido nuevas y convincentes pruebas que refuerzan la teoría de una datación temprana.
Figuran ya en el inventario del Alcázar de Madrid en 1666. Después del incendio pasaron al Buen Retiro, y desde 1819 figuran en el Museo.

1211 *Vista del jardín de la «Villa Médicis», en Roma*

Lienzo, 0,44 × 0,38.

Tres hombres, bajo árboles soleados, delante de la *loggia,* que en su arco central tiene la estatua de Ariadna. Fondo de cipreses y casitas.
Véase el n.° 1210.

1219 *Felipe IV, armado, con un león a los pies*

Lienzo, 2,31 × 1,31.

Armado; en la diestra, la bengala de general. El león está poco más que abocetado.
Sobre Felipe IV, véase el n.° 1553.
Pintado hacia 1653.
Lo magistral de algunos trozos declara la intervención de Velázquez. Adviértase que en El Escorial este retrato tenía por pareja el admirable original n.° 1191, de iguales dimensiones y con el que vino al Museo en 1845.

1224 *Autorretrato (?)*

Lienzo, 0,56 × 0,39.

Busto de hombre joven. Viste de negro, con golilla.
La dirección de la mirada, la semejanza con el modelo del *San Juan e Patmos,* de la National Gallery d Londres, etc., han llevado a la hipó tesis de que sea autorretrato.
Pintado hacia 1623, Beruete, padre, l consideraba copia; después fue colo cado entre los «atribuidos»; la críti ca vuelve a considerarlo original d maestro.
Ingresó en el Museo en 1819.

2873 *La venerable madre Jerónima de la Fuente*

Lienzo, 1,60 × 1,10.

En pie, con el crucifijo en la diestra un libro en la mano izquierda. En l parte superior se lee: *BONVM ET PRES TOLARI CVM SILENTIO SALVTARE DEI.*
En un rótulo volante alrededor de crucifijo se leía (porque, por ser pos tizo, fue eliminado): *SATIABOR DV GLORIA... FICATVS VERIT...,* y a uno otro lado de los pies: *ESTE VERDADER RETRATO DE LA MADRE DOÑA JERÓNIM DE LA FUÊETE RELIXIOSA DESTE CO VÊTO DE SANTA ISABEL DE LOS REYES...*
Está firmado: *DIEGO VELÁZQUEZ 1620.*
Se pintó en Sevilla entre el 1 y el 20 d junio, cuando la retratada embarcab

ıra Filipinas a fundar el convento de ınta Clara de Manila.
: descubrió la firma de este cuadro en exposición franciscana organizada or la Sociedad de Amigos del Arte en)26 (número 18 de su *Catálogo*). En)31 se descubrió un ejemplar, original también, con algunas variantes, en pecial en el crucifijo, propiedad hoy : Alejandro Fernández Araoz (Ma-:id).
dquirido a la comunidad de Santa abel de Toledo por el Ministerio de ducación Nacional con la ayuda del ıtronato del Museo en julio de 1944.

903 *Cristo en la cruz*

ienzo, 1,00 × 0,57.

igura entera; fondo de paisaje con lificios en segundo término.

ırmado: *Dº VELÁZQUEZ FA. 1631.*
: relaciona con la técnica de *La fra-ua de Vulcano,* pero son desconcer-ntes la parte media del paisaje y los lificios.
n cuadro de igual tema y parecidas imensiones se cita en el inventario de ienes de Velázquez.
Descubierto tras la guerra civil entre

1219

3253

los cuadros de las Bernardas del Sacramento (Madrid); regalado por la comunidad, agradecida por la reconstrucción del monasterio, a la Dirección General de Regiones Devastadas; presentado por ésta al ministro de Educación, quien lo destinó al Museo (1946).

3253 *Cabeza de venado*

Lienzo, 0,66 × 0,52.

Fechable, por su técnica, hacia 1634. Se ha querido identificar a veces con «la cuerna del venado» que se menciona en los Inventarios Reales como la del ciervo que cazó Felipe IV en 1626. La expresión *cuerna* parece referirse a un trofeo de caza, y no a un animal vivo como éste, y la fecha, de 1626, no corresponde con el estilo de la obra.
Donado al Prado en 1975 por don Fernando de Aragón y Carrillo de Albornoz, marqués de Casa Torres y vizconde de Baiguer, con reserva de usufructo. Ingresó en el Museo a su muerte, en 1984.

2873

VELAZQUEZ. Taller

1203 *Bufón mal supuesto don Antonio «el Inglés»*

Lienzo, 1,42 × 1,07.

En pie. Con la mano izquierda sujeta una perra mastín; en la diestra, el sombrero con plumas; espada al cinto.
La identificación con don Antonio el Inglés, «loco y enamorado», que cobra en palacio desde 1613, y en 1617 ya había fallecido, es inadmisible en razón del traje y la técnica.
Según Moreno Villa, el retratado es el inglés Nicolás Bodson, u Hodson, quizá el mismo Nicolás que trajo en 1677 de Flandes el duque de Villahermosa, o Antonio Mascareli, genovés, que consta en palacio entre 1673 y 1693. Pero tales candidaturas se basan en que el cuadro sea de Carreño, como ya, por el traje y la técnica creía Allende-Salazar. El argumento de que se trata de la misma perra que figura en la *Cacería del Tabladillo,* de Mazo, número 2571, de hacia 1636, no es en modo alguno convincente.
Procede de las Colecciones Reales; en 1772 y 1774, en el Palacio Nuevo.

1213 *La fuente de los tritones en el jardín de la Isla, de Aranjuez*

Lienzo, 2,48 × 2,23.

La fuente, de mármol, con chorros y surtidores. En primer término, un galán ofrece una flor a una dama; una mujer con un búcaro de agua; dos damas sentadas; un franciscano y un clérigo. En el pedestal de la fuente se lee: *POR MANDADO DE SU MG. AÑO*

1230

1657. GRATIAR. AVTHORI GRATIA HAVD IN MEMOR GRATIAR D. D.

Hasta el *Catálogo* de 1889 se ponía a nombre de Velázquez; desde el de 1907, con la advertencia de «atribuido»; en el de 1920 figura entre las obras de Mazo; Allende-Salazar, en su *Velázquez*, lo devuelve al maestro.

La fuente fue trasladada en el siglo XIX al Campo del Moro del palacio de Madrid.

En 1794, en la «Pieza del cubierto», Cuarto de la Reina, de Aranjuez.

1220 *Felipe IV, orante*

Lienzo, 2,09 × 1,47.

Arrodillado en un reclinatorio, y el sombrero en la mano izquierda.

Sobre Felipe IV, véase el n.º 1553.

1419

Se describe en la iglesia vieja de El Escorial; de allí vino en 1837.

1222 *Doña Mariana de Austria, segunda esposa de Felipe IV, orante*

Lienzo, 2,09 × 1,47.

Arrodillada en un reclinatorio, con un libro de rezo entre las manos.

Sobre doña Mariana, véase el n.º 644.

Pareja del n.º 1220.

VELAZQUEZ. Copias

1223 *Don Luis de Góngora y Argote*

Lienzo, 0,59 × 0,46.

Busto. Viste traje eclesiástico negro con cuello vuelto, blanco.

El gran poeta cordobés nació el 11 de julio de 1561; murió el 23 de mayo de 1627.

Velázquez le retrató en 1622, cuando su primer viaje a la corte; lo cuenta Pacheco. El lienzo original perteneció al marqués de la Vega-Inclán; en 1931 se publicó como propiedad de un comerciante inglés; en 1932 ingresó en el Museo de Boston. Hay otro ejemplar, excelente, en el Museo Lázaro Galdiano.

La copia del Prado es puntual.

Procede de las Colecciones Reales.

1230 *Cacería de jabalíes en el hoyo*

Lienzo, 1,88 × 3,03.

En primer término, servidores, sold dos, etcétera. Dentro del cercado, tela, Felipe IV, el conde-duque, cardenal-infante, el ballestero y trat dista de caza Juan Mateos, etc. I carrozas, la reina y sus damas. Fond el bosque de El Pardo.

El original, pintado hacia 1638, es en la National Gallery de Londres; f regalado por Fernando VII a sir Hen Wellesley.

Este lienzo se consideró original e tre 1700 y 1772; en 1794 y 181 como copia; en los *Catálogos* del Pra de 1823 y 1828, como original; m tarde, en el *Catálogo extenso,* se cre copia de mano de Goya (!).

Procede de las Colecciones Reales.

VERENDAEL. Nicolaes van Verendael

Nació en 1587 en Amberes, don murió en 1661. Escuela flamenca.

1419 *Guirnalda rodeando a la Virgen María*

Cobre, 0,81 × 0,65.

El busto de la Virgen, al claroscuro, e una hornacina; en la peana: *EGO FL CAMPI;* alrededor, rosas, jazmines otras flores.

Una réplica en el Museo de Budapes atribuida un tiempo a Daniel Seghe

Este ejemplar se atribuyó hasta 1972 Jan Brueghel.

Figura en el inventario de La Gran de 1746. Colección Farnesio. Pasó Aranjuez.

VERHAECHT. Tobias Verhaecht

Nació en Amberes en 1561, donc murió en 1631.

Escuela flamenca.

3210

·057 *Paisaje alpino*

.ienzo, 1,70 × 2,67.

. la derecha, jinetes cazadores; a la izuierda, castillo con sus dependencias.
:n el centro, río y barcas. Al fondo,
.na ciudad.

'ERMEYEN. Jan Cornelisz 'ermeyen

Vació en Beverwijk hacia 1500; mu-
ó en Bruselas en 1559.
:scuela flamenca.

·210 *Santísima Trinidad*

'abla, 0,98 × 0,84.

:risto muerto en brazos del Padre,
ue, sentado sobre nubes, le sostiene
or los brazos. Sobre ellos vuela el
:spíritu Santo. Angeles con los atri-
utos de la Pasión los rodean. En la
arte inferior, paisaje.

Atribuida a Peter Coecke van Aelst por Salas en el momento de su adquisición, la atribución actual se debe a Díaz Padrón.
Adquirido en 1971.

VERNET. Claude Joseph Vernet

Nació en Avignon el 14 de agosto de 1714; murió en París el 3 de diciembre de 1789.
Escuela francesa.

2347 *Paisaje con una cascada*

Lienzo, 1,55 × 0,56.

Tres soldados y un pescador; en el centro, una cascada.
Firmado en la peña en que están los soldados: *JOSEPH VERNET, 1782.*
Encargado, como los números 2348 y 2349, por Carlos IV, siendo príncipe, en 1781, para la Casita de El Escorial; el 9 de octubre del año siguiente estaban termindos. En 1814 figuraban en el Palacio Nuevo.

2348 *Paisaje romano a la puesta del sol*

Lienzo, 1,55 × 0,57.

Un arco de triunfo (¿el de Constantino?), la pirámide de Cestio (?), etc. Una fuente con aguadoras y un peregrino sentado.
Véase el n.º 2347.

2350

2349 *La cometa*

Lienzo, 1,55 × 0,34.

Dos muchachos soltando una cometa, otros dos contemplan su ascensión. Fondo de montañas. Véase el n.º 2347.

2350 *Marina: vista de Sorrento*

Lienzo, 0,59 × 1,09.

Playa con rocas en la que desembarcan damas y galanes; recíbenles músicos y cantores; escena pastoril galante. Es el tema llamado «La góndola italiana». Existen diversas repeticiones de esta obra en otras colecciones, entre ellas en el Museo del Ermitage, de San Petersburgo. Según Nicolle, quizá es una de las dos *marinas* de Vernet regaladas por Luis XVI a Carlos IV siendo príncipe.

2347

482

483

6166 *Paisaje quebrado*

Lienzo, 0,98 × 1,36.

La estructura del edificio que se advierte sobre los farallones rocosos evoca el palacio de Caprarola. Pintado probablemente en la quinta década del siglo XVIII.
Procede de las Colecciones Reales.

VERONES. Paolo Caliari, llamado Paolo Veronese; en España, Pablo Veronés

Nació en Verona en 1528 (?); murió en Venecia el 19 de abril de 1588.
Escuela italiana.

482 *Venus y Adonis*

Lienzo, 1,62 × 1,91.

Adonis reposa en el regazo de Venus Cupido refrena a un perro que pug na por partir para la caza. Fondo d paisaje.
Quizá en el siglo XVIII se le añadió un franja de unos 50 cm que ha sid quitada en 1988.
Según Fiocco, pintado hacia 1580 quizá es el cuadro que cita Borghini e 1584.
Es posiblemente pareja del *Céfalo Procris* del Museo de Bellas Artes d Estrasburgo. Posiblemente adquirid por Velázquez en Venecia, aunque s ajusta más a su descripción el n.º 520 (depositado en la Casa Museo de Co lón, de Las Palmas).
En 1666, 1686 y 1700, en la «Galerí del Mediodía» del Alcázar.

483 *Susana y los viejos*

Lienzo, 1,51 × 1,77.

Susana sorprendida por los dos juece al borde del baño (*Daniel,* cap. XIII) Fondo de jardín con cipreses y u palacio de mármol.
Ridolfi menciona en Venecia tres cua dros de este asunto pintados por Ve ronés.
Según Berenson, es obra juvenil.
En 1666, 1686 y 1700, en el Alcáza de Madrid. En 1794, en el Palaci Nuevo.

486 *Livia Colonna*

Lienzo, 1,21 × 0,98.

Sentada, con un perrito; viste de encar nado. Figura de más de medio cuerp Livia Colonna casó en 1540 con Marci Colonna, duque de Zaragollo; enviud en 1546 y murió asesinada en 1552.
La identificación la dan los inventario del Alcázar de 1600 y de 1636; pero de ser cierta, dificultaría un tanto l atribución. Además, es posible que n se refiera a esta pintura, que pued proceder de la almoneda de Ruben entre 1640 y 1645.

La misma dama, y con la misma perrilla, está retratada en un lienzo del Museo Cívico de Verona, puesto a nombre de G. B. Zelotti.
La atribución parece indudable a Fiocco y a Berenson, que antes lo creía de Zelotti.

487 *Lavinia Vecellio*

Lienzo, 1,17 × 0,92.

Retrato de más de medio cuerpo; jubón verde, cinturón de cuentas doradas, que coge con la diestra.
La hija de Tiziano y de Cecilia casó el 19 de junio de 1555 con Cornelio Sarcinelli. Había nacido antes de agosto de 1530.
La identificación parece asegurada por los numerosos retratos de Lavinia pintados por su padre. Berenson cree este cuadro obra juvenil de Veronés.
En 1794 aparece inventariado en el Retiro.

491

492

491 *La disputa con los Doctores en el templo*

Lienzo, 2,36 × 4,30.

Jesús Niño habla desde la cátedra rodeado por los Doctores, que le escuchan sorprendidos; entre ellos, un caballero del Santo Sepulcro, quizá el que encargó el lienzo; en la puerta aparecen María y José, y el pueblo que busca al Niño perdido. Fondo de grandiosa arquitectura paladiana.
El lienzo está fechado en el canto del libro: MDXLVIII, un año excesivamente temprano para las características de la obra.
Es probablemente la pintura citada por Ridolfi (1648) en Casa Contarini, en Padua.
Probablemente compra de Velázquez en Italia; en 1686 y 1700 estaba en el Salón de los Espejos del Alcázar.

492 *Jesús y el centurión*

Lienzo, 1,92 × 2,97.

Acompañan a Jesús dos discípulos; al centurión, soldados y un paje; por detrás de una columna asoma la cabeza de un hombre joven, retrato. Fondo con arquitecturas y celajes.
Es el pasaje que refiere el *Evangelio* de san Mateo en el capítulo VIII.
Aunque se suponía la obra citada por Borghini en 1648 en Casa Contarini (Padua), fue propiedad del conde de Arundel, que murió en 1646, y a cuya viuda fue adquirida por don Alonso de Cárdenas para Felipe IV. Felipe IV la envió a El Escorial; la describe el padre Santos (1667) en el «Capítulo del Prior», de donde vino en 1839.

494 *Las bodas de Caná*

Lienzo, 1,27 × 2,09.

Parecen retratos la mayoría de las figuras; salvo Cristo, María y el anfitrión, todos visten según la moda veneciana del tiempo. Por fondo, una columnata, y, a la izquierda, paisaje.
Según Berenson, obra juvenil, pintada bajo la influencia de Badile. Actualmente se tiende a considerarla obra del círculo de Veronés.
Madrazo identificaba al hombre de barba negra y calvo con el pintor vicentino G. B. Maganza.
Adquirido en la almoneda de Carlos I de Inglaterra, lo envió Felipe IV a El Escorial; lo encomia el padre Santos en 1657; estaba entonces en la iglesia vieja del monasterio. Vino al Museo en 1837.

497 *Martirio de san Mena*

Lienzo, 2,48 × 1,82.

El mártir, ya de rodillas, rodeado de

4[illegible]

500

El letrero no deja lugar a dudas. El mártir era egipcio y fue decapitado bajo Diocleciano en 296. Como confirmación, obsérvese que Veronés repitió el modelo en el *San Mena* del Museo de Módena, pintado, según Ridolfi, para San Gemignano.

Fue regalado a Felipe IV por el almirante de Castilla don Alfonso Enríquez de Cabrera (1644-1646).

El padre Santos (1657) describe el cuadro en el aula de escritura de El Escorial como martirio de un santo «que no es fácil saber quién sea». De allí vino el 25 de septiembre de 1837.

50

soldados y sayones; detrás, el verdugo con la espada. Fondo de arquitectura. Un letrero a la izquierda, en la piedra horizontal, declara: *MARTIRIV SCTI MENN[AS]*.

El dibujo a pluma de la composición estaba en la Colección Mietti de Udine.

Hasta 1933 se suponía que el cuadro representaba el martirio de san Ginés.

498 *La Magdalena, penitente*

Lienzo, 1,22 × 1,05.

Figura de las rodillas arriba.

En el libro, la fecha: *1583*.

Comprado por don Luis de Haro en la almoneda de Carlos I. No se encuentra registrado en las colecciones regias hasta 1746, en La Granja, entre las pinturas de Isabel de Farnesio.

499 *El joven entre la virtud y el vicio*

Lienzo, 1,02 × 1,53.

Fondo de paisaje y arquitectura.

Inspírase el asunto en la ficción d[illegible] Pródico, que cuenta Jenofonte y qu[illegible] comentó san Basilio: Hércules niñ[illegible] solicitado por dos caminos.

Obra de la juventud del pintor. Ri[illegible]

dolfi describe en 1648 un cuadro de este asunto en casa de G. B. Sanuto. Repitió el tema en plena madurez, quizá autorretratándose, en el cuadro de la Colección Frick, de Nueva York. En 1666, 1686 y 1700 se registra en el Alcázar.

500 *El sacrificio de Abraham*

Lienzo, 1,29 × 0,95.

El ángel detiene el brazo del patriarca; Isaac arrodillado sobre el haz de leña, ante el ara. Arboles y celajes.
Obra tardía, según Fiocco; semejante, pero de menor importancia, a la del mismo asunto en Viena.
La menciona el padre Santos (1657) en la sacristía de El Escorial, donde la había colocado Velázquez en 1656, y de donde vino en 1837.

501 *La familia de Caín, errante*

Lienzo, 1,05 × 1,53.

La mujer de Caín amamanta a su hijo; en pie, el fratricida. Fondo de desierto con extraño tronco de árbol a la derecha; cielo nuboso.
Para Berenson, se relaciona con el *San Antonio predicando a los peces*, del Palacio Borghese.
En Viena hay otro ejemplar que Fiocco denomina *La familia de Adán*.
Difiere el del Prado en la composición del cuadro del mismo tema del Palacio Ducal de Venecia.
Figura en los inventarios del Alcázar de Madrid de 1666, 1686 y 1700.

502 *Moisés, salvado de las aguas del Nilo*

Lienzo, 0,57 × 0,43.

La hija del faraón está acompañada por sus damas y servidores y por un enano. Al fondo, una ciudad; el río, entremedias, con un puente; arbolado. Figuritas vestidas a la moda del tiempo.
Según Madrazo, podría ser uno de los tres lienzos con este tema citados por Ridolfi en casa de los marqueses della Torre, en Venecia. Fue tema que repitió Veronés varias veces: Ermitage, Dijon y Lyon.
En 1666, 1686 y 1700 estaba en el Alcázar de Madrid.

490

VERONES (?)

490 *La Virgen y el Niño, santa Lucía y un mártir*

Lienzo, 0,98 × 1,37.

Figuras de medio cuerpo, menos el Niño. Fondo de arquitectura y celajes. El mártir, quizá retrato de un caballero, ostenta la cruz de san Esteban, que es roja, igual en la forma a la de Malta.
En los *Catálogos* anteriores al de 1933, entre los cuadros de Veronés, pero ya como de autenticidad dudosa; según Berenson, es de técnica muy próxima a las obras juveniles de Veronés. Pignatti la cree de Benedetto Caliari.
En 1666, en el Alcázar.

VERONESE. Carlo Caliari, llamado Carletto Veronese

Hijo de Paolo; nació en Venecia; murió allí en 1596.
Escuela italiana.

480 *Santa Agueda*

Lienzo, 1,15 × 0,86.

Figura de más de medio cuerpo. La santa en la prisión, después de martirizada, recibe la visita de un ángel que la conforta.
Firmado: *CARLO VERS F.*
Enviado por Felipe II a El Escorial en 1593.
Vino del monasterio en 1839.

VICTORIA. Vicente Victoria

Nació en Denia (Alicante) en 1658; murió en Roma en 1713.

2934 *Armas y pertrechos de caza*

Lienzo, 0,69 × 0,95.

Sobre un fondo claro destacan, con fuerte sentido volumétrico, un cuchillo de monte, dos polvoreras y dos pistolas, elementos colgados de distintos clavos.

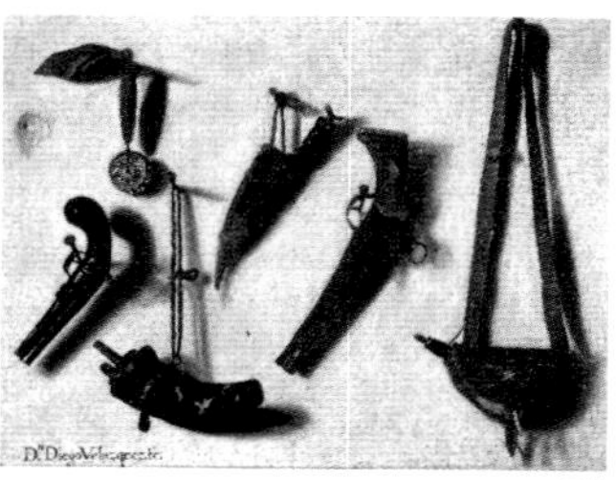

2934

Atribuido a Martínez del Mazo por Cavestany (1954). Pérez Sánchez (1983) reconoció la autoría de Vicente Victoria.
Firma apócrifa, en el ángulo inferior izquierdo: DN DIEGO VELAZQUEZ FE, que podría tratarse de una inscripción posterior.
Legado por don José María d'Estoup al Museo, en 1917, como obra de Diego de Silva y Velázquez.

VIDAL. Pedro Antonio Vidal

Nació en Castellón hacia 1570; en 1617 residía en Madrid. Escuela española.

1950 *Felipe III*

Lienzo, 2 × 1,35.

En pie; armado; a su derecha, una esfera; a su izquierda, piezas de armadura sobre un cojín.
Sobre Felipe III, véase el n.º 2562.
Documentada la atribución por un pago de 1617 y por el inventario de 1636 del Alcázar de Madrid («Pieza del cuarto bajo antes del despacho»).
Colecciones Reales.

VILADOMAT. Antonio Viladomat

Nació el 12 de abril de 1678 en Barcelona, donde murió el 19 de enero de 1755. Escuela española

2662 *San Agustín y la Sagrada Familia*

Lienzo, 1,07 × 0,72.

El Niño Jesús hiere con una flecha el corazón del santo, arrodillado.
Pasaje del capítulo II, libro 9, de las *Confesiones*.
Legado Pablo Bosch.

VILLANDRANDO. Rodrigo de Villandrando

Murió en 1623. Escuela española.

1234

1234 *Felipe IV y el enano «Soplillo»*

Lienzo, 2,01 × 1,10.

Ambos están en pie. El rey, de blanco bordado de oro, calzas blancas, capa verde; gorguera voluminosa, como los puños; sombrero alto con plumas, sobre un bufete. La mano izquierda en la espada, y la diestra sobre la cabeza del enano, que viste de verde, con coleto de ante y sombrero con plumas, en la mano.
En un azulejo, cerca del bufete: R.º DE VILLANDRANDO F.
Sobre Felipe IV, veáse el n.º 1553.
«Soplillo» llamábase Miguelito y fue enviado por doña Isabel Clara de Flandes, en 1614, a Felipe IV, príncipe. Vivía aún en 1637. Figuró en la representación de *La gloria de Niquea* en Aranjuez el 15 de mayo de 1622.
Se describe el lienzo en 1636 en el Alcázar de Madrid, mencionándose a «Soplillo».

7124 *Isabel de Francia, mujer de Felipe IV*

Lienzo, 2,01 × 1,15.

En pie. Viste de blanco y oro; grandes puños y gorguera de puntas; pendientes de coral y perlas; pañuelo en la diestra; la izquierda, en el respaldo de una silla.
Firmado en una cartela, a la izquierda en bajo: VILLANDRANDO.
Sobre Isabel de Borbón, véase el n.º 1625.
Quizá pareja del n.º 1234; pero el retrato de la reina fue legado por don Valentín Carderera.

VILLAVICENCIO. Pedro Núñez de Villavicencio

Bautizado en San Bartolomé de Sevilla el 9 de junio de 1644; en 1698 ya había muerto. Escuela española.

1235 *Juegos de niños*

Lienzo, 2,38 × 2,07.

En medio, dos chicos juegan a los dados; a la derecha, otro coge los ochavos al ganancioso, y los demás presencian el juego; al fondo, dos niños, como de camino.
Firmado en el pedestal de la columna, a la izquierda: FR. D. P.º DE VILLAVICENCIO FABT COM.$_{OR}$ DE VODONAL HISP.$_{SI}$. El pintor era santiaguista y gozó de la encomienda de Bodonal.
Antes de 1703 fue añadida una tira ancha en la parte superior, quizá por Luca Giordano, que pintó un lienzo para que sirviese de pareja, propiedad del Museo, que lo tiene en de-

1235

475

2462

›ósito en la Academia de Jurispru-
lencia (n.º 3939). En 1686 estaba en
l Obrador de los Pintores de Cámara
lel Alcázar de Madrid; en 1703, en la
Zarzuela, y en 1772, en el Palacio
Nuevo.

394 *La Piedad con la Magdalena*

Lienzo, 1,06 × 0,80.

El cuerpo de Cristo reposa en los brazos de la Virgen que, casi de perfil hacia la izquierda, alza los ojos al cielo. A la izquierda de la composición, la Magdalena, llorosa, contempla el cuerpo del Señor.
Firmado: F. D. P.º NUÑEZ DE VILLA-VICEN... F. 168...
Obra importante por mostrar con evidencia la vinculación del estilo de Villavicencio con los modelos italianos de Matia Preti, a quien conoció en Malta.
Adquirido en 1981.

VIRGO INTER VIRGINES. El Maestro de la Virgo inter Virgines

Discípulo anónimo de Geertgen, de Haarlem, denominado por su cuadro típico del Museo de Amsterdam; se formaría en Delft o en Gouda, y pintaba hacia 1480.
Escuela flamenca.

2539 *La Piedad*

Tabla, 0,84 × 0,78.

Cristo muerto en el suelo llorado por la Magdalena, la Virgen y san Juan. Figuras de cuerpo entero. A la derecha, el Calvario. Fondo de paisaje con un castillo y un río.
Adquirido por el Patronato del Tesoro Artístico, en 1928.

VISITACION DE PALENCIA. Maestro de la Visitación de Palencia

Documentado hacia 1505.

1331 *Santiago el Mayor*

Tabla, 0,76 × 0,60.

El apóstol, en pie, con bordón, calabaza, sombrero y conchas de peregrino; en la mano izquierda, una cándula de quince cuentas en azaba-che. En el nimbo: SANTIAGO APOST...
Como anónimo en el catálogo de 1985; Silva Maroto (1988) lo considera del Maestro de la Visitación de Palencia en colaboración con taller.
Legado en 1925 por don Luis de Castro y Solís.

VITELLI. Gaspar van Wittell, Vanvitelli o «degli occhiali»

Nació en Amersfoort (Holanda) en 1655; murió en Roma el 13 de septiembre de 1736. Escuela italiana.

475 *Venecia, vista desde la isla de San Giorgio*

Lienzo, 0,98 × 1,74.

Vense el Campanile, la Piazetta, la Piazza, San Marcos, el Palacio Ducal, la Riva dei Schiavoni, el puente della Paglia, etc.
Firmado en la cuaderna baja del barco que está a la derecha: GAS. V. W. 1697.
En la Galería Doria de Roma hay una réplica de menor tamaño.
En 1746, en la Colección de Isabel de Farnesio (La Granja).

2462 *Alrededores de Nápoles*

Lienzo, 0,32 × 0,37.

Al fondo, la ciudad; en el centro, un fuerte a la orilla del mar; barcos, una falúa adornada. En primer término, damas y caballero pescando.
Compañero del n.º 2463.
Legado por don Xavier Laffitte en 1930.

2463 *La gruta de Posilipo (Nápoles)*

Lienzo, 0,32 × 0,37.

A la izquierda, un monumento con escudo, rodeado por el Toisón, es contemplado por dos parejas; al fondo, la entrada a la gruta; un carro, un asno cargado, etc.
Compañero del n.º 2462.
Legado por don Xavier Laffitte en 1930.

VOET. Jacob-Ferdinand Voet

Nació en Amberes el 14 de marzo de 1639; murió en 1700 (?). Pintó en Italia y en París.
Escuela flamenca.

2561 *Don Luis de la Cerda, IX duque de Medinaceli*

Lienzo, 2,31 × 1,73.

Con gran peluca; bastón en la diestra, los guantes en la izquierda. Casco empenachado encima de una mesa. Fondo arquitectónico y de mar, con barcos.
Nació en El Puerto de Santa María el 2 de agosto de 1660; a los 24 años, general de las galeras de Nápoles —probable ocasión del retrato—, donde estuvo hasta 1687; murió preso en el castillo de Pamplona el 26 de enero de 1711.
Atribución dada por Oliver Miller (1960).
Legado del duque de Tarifa; ingresó en el museo en 1934.

VOLTERRA. Daniel Ricciarelli, llamado Daniele da Volterra

Nació en Volterra en 1509; murió el 4 de abril de 1566.
Escuela italiana.

522

522 *La Anunciación*

Tabla, 1,68 × 1,25.

El arcángel saluda a María; por un rompimiento de gloria, el Padre Eterno, rodeado de ángeles, es portador de la paloma del Espíritu Santo.
Atribución de Voss. En 1920 se consideraba como de escuela florentina.
Procede de las Colecciones Reales.

VOLLARDT. Jan Christian Vollaert, o Vollardt

Bautizado en Leipzig el 29 de marzo de 1709; murió en Dresde el 27 de julio de 1769. Escuela alemana.

2820

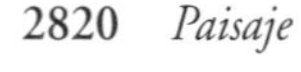

2820 *Paisaje*

Lienzo, 0,38 × 0,51.

Casas de campo a la izquierda. En el centro y a la derecha, remanso de un río. Figuras al borde.
Firmado en el ángulo inferior izquierdo: *VOLLARDT, P. 1758.*
Legado de Fernández-Durán (1930).

2821 *Paisaje*

Lienzo, 0,38 × 0,51.

Grupo de casas de labor; en primer término, un puentecillo de tablas. Figuras.
Pareja del n.º 2820.
Firmado: *VOLLARDT 1758.*
Legado de Fernández-Durán (1930).

VOLLENHOVEN. Herman van Vollenhoven o Vollenhore

Inscrito en la Guilda de Utrecht e 1661, y maestro de ella en 1627.
Escuela holandesa.

2142 *Pájaros muertos*

Tabla, 0,26 × 0,36.

Encima de una tabla, varios pájaros.
Firmado en el centro del borde de l tabla: *H. VOLHOV., F. 16...* La fecha e ilegible.
Sólo existe otra obra segura de est artista, en el Rijksmuseum de Ams terdam.
En 1794, en la Quinta del duque de Arco.

VOS. Cornelis de Vos

Nació en Hulst hacia 1584; murió el de mayo de 1651. Escuela flamenca.

1714 *Apolo persiguiendo a Dafn*

Lienzo, 1,93 × 2,07.

La ninfa, en el momento en que es al canzada por el dios, comienza a con vertirse en el laurel; su pie izquierd echa raíces y sus dedos se alargan er ramas. Fondo de paisaje.

1714

1861

1862

ıntado para la Torre de la Parada. El ɔceto de Rubens se guarda en el luseo Bonnat de Bayona. Considerado hasta 1972 obra de Jan Eyck o eyck, Díaz Padrón lo ha atribuido a ornelis de Vos.
el palacete para donde se pintó pasó Retiro y de allí a la Academia en 792; vino al Museo el 5 de abril de 827.

860 *El triunfo de Baco*

ienzo, 1,80 × 2,95.

n un carro tirado por tigres, acompañado por sátiros y bacante, seguido or Sileno sobre un asno.
irmado en el ángulo inferior izquiero: *CORNELIS DE VOS F.*
e conserva el boceto de Rubens en el luseo Boymans de Rotterdam.
intado para la Torre de la Parada, onde se cita en 1700 y 1747. En 772 estaba en el Retiro.

861 *Apolo y la serpiente pitón*

ienzo, 1,88 × 2,65.

l dios, desnudo, acaba de disparar su rco contra el reptil monstruoso, hedo por cuatro flechas. Cupido, a su ez, dispara contra Apolo.
irmado a la izquierda, cerca del pie quierdo de Apolo: *CORNELIS DE VOS. F.*
l boceto, de Rubens, es el n.º 2040 el Museo.
intado para la Torre de la Parada, onde se cita en 1700, 1747 y 1794.

1862 *El nacimiento de Venus*

Lienzo, 1,87 × 2,08.

La diosa pisa la playa, siguiéndola dos tritones y una sirena que le ofrece una sarta de perlas; dos amores, volando.
Firmado bajo un caracol en el ángulo inferior derecho: *CORNELIS DE VOS F.*
Pintado para la Torre de la Parada sobre un boceto de Rubens, hoy en el Museo de Bruselas. Se cita en la torre en 1700, 1747 y 1794.

VOS. Paul de Vos

Nació en Hulst hacia 1596; murió en Amberes el 30 de junio de 1678. Escuela flamenca.

1760 *Un león y tres lobos*

Lienzo, 1,58 × 1,95.

Se disputan una oveja; a la izquierda, huye un pastor.
Atribuido anteriormente a F. Snyders, Díaz Padrón cree que el paisaje es de

1766

1875

1869

1870

1866

Wilders. En 1794, en la antecámara de los Infantes del Palacio de Madrid.

1766 *La cabra y el lobezno*

Lienzo, 2,14 × 2,12.

Una cabra grande amamanta a un lobezno. Fondo de paisaje marino.
Atribuido anteriormente a F. Snyders.
En 1701, en el Retiro.

1865 *Zorra corriendo*

Lienzo, 0,84 × 0,81.

Fondo de paisaje.
Firmado en la piedra que está a la derecha, en bajo: *P. DE VOS FECIT*. En 1700, en la Torre de la Parada.

1866 *Pelea de gatos en una despensa*

Lienzo, 1,16 × 1,72.

Tres gatos pelean encima de una mesa, en que hay pájaros muertos, fruta, pan, hortalizas, etc.; por la ventana entran dos gatos y asoman tras la vidriera.
Firmado debajo del manojo de espárragos: *P. VOS*. En 1746, entre los cuadros de Isabel de Farnesio, en l Granja.

1867 *Un perro*

Lienzo, 1,16 × 0,82.

Fondo de paisaje llano, con agua.
Firmado a la izquierda, en una piedr *P. DE VOS FECIT*.
En 1700, en la Torre de la Parada. E 1747, en El Pardo. Vino de la Za zuela en 1827.

1868 *El perro y la picaza*

Lienzo, 1,15 × 0,83.

El perro ladra al pájaro y está or nando. Fondo de paisaje.
Firmado a la izquierda del centro, e una piedra: *P. DE VOS FECIT*.
Procede de la Torre de la Parada. E 1747 se cita en El Pardo.

1869 *Cacería de corzos*

Lienzo, 2,12 × 3,47.

Una pareja de corzos jóvenes, acosad por perros, junto a una charca; fond de paisaje abierto, con una iglesia l jana.
Firmado: *P. DE VOS FECIT*.

1870 *Ciervo acosado por la jauría*

Lienzo, 2,12 × 3,47.

El ciervo, acometido por nueve perro dos de ellos en tierra, heridos, y cinc han hecho presa de él.
Firmado en una piedra a la izquierd del centro: *P. DE VOS FECIT*.
Regalado por el marqués de Leganés Felipe IV. Estuvo en la Torre de la Pa rada y en el Buen Retiro.

1871 *Un galgo en acecho*

Lienzo, 1,16 × 0,84.

Fondo de campo.
Firmado en una piedra a la izquierd del centro: *P. DE VOS FECIT*.
Procede de la Torre de la Parada. E 1794 estaba en El Pardo, y en 1817 e la Zarzuela.

539

2987

1872 *Toro rendido por perros*

Lienzo, 1,57 × 2,00.

El toro, rodeado por cinco perros; dos le muerden en las orejas.
En 1707, en la Torre de la Parada.

1875 *La fábula del perro y la presa*

Lienzo, 2,07 × 2,09.

El perro deja caer un trozo de carne, por coger la que ve reflejada en el agua. Fondo de paisaje extenso.
Catalogada en la Torre de la Parada a nombre de Snyders, a quien recientemente la ha atribuido Díaz Padrón.
En 1701, en el Buen Retiro.

1876 *Un galgo blanco*

Lienzo en cuadro, 1,05.

Fondo de paisaje con río e iglesia.
Firmado debajo de las patas traseras: P DE VOS FECIT.
En 1703, en la Torre de la Parada.

1877 *Despensa*

Lienzo, 1,17 × 1,91.

Sobre la mesa, un gamo y pájaros muertos; cesta de fruta y hortalizas. A la izquierda, encima del respaldo de un sillón, un papagayo y, en el asiento, un gato.
Firmado en el ángulo inferior derecho: P DE VOS.

La firma ha sido considerada apócrifa y desde 1920 a 1972 se ha catalogado como obra de F. Snyders, a quien lo atribuían los inventarios de Aranjuez de 1794 y 1818. En 1746, en La Granja, colección de Isabel de Farnesio.

1878 *Aves acuáticas y un lobo*

Lienzo, 0,60 × 2,19.

Tres aves acuáticas en una laguna y un lobo que las contempla desde la orilla, enseñándoles los dientes.
Díaz Padrón (1995) lo cree copia de Paul de Vos por Mazo.
En 1747, en El Pardo.

VOUET. Simon Vouet

Nació en París el 9 de enero de 1590; murió allí el 30 de junio de 1649. Escuela francesa.

539 *La Virgen y el Niño, con santa Isabel, san Juan y santa Catalina*

Lienzo, 1,82 × 1,30.

Fondo de paisaje.
Pertenece al periodo romano del pintor. Fechable entre 1624 y 1626. Hasta 1920, catalogado como de escuela boloñesa.

2987 *El Tiempo, vencido por la Esperanza, el Amor y la Belleza*

Lienzo, 1,07 × 1,42.

Saturno, caído, en el suelo la guadaña y la clepsidra, es sujetado por los cabellos, mientras la Belleza blande sobre él una lanza y la Esperanza le amenaza con un garfio; tres amorcillos. Al fondo, árboles, y a la derecha, lejanía luminosa.
Firmado: SIMON VOUET, ROME. 1627.
La importancia del cuadro ha sido señalada por Sterling y Crelly, considerándose de un instante crucial en la producción del autor.
La figura de Venus es un retrato de Virginia de Vezzo.
Comprado por el Patronato en julio de 1954, en Londres, a William R. Drown.

VRANCK (?). Sébastian Vrancx, o Franck

Nació en Amberes el 22 de enero de 1573; murió allí el 19 de mayo de 1647.
Escuela flamenca.

1882 *Sitio de Ostende*

Lienzo, 0,73 × 1,11.

Las tropas desfilan hacia la ciudad por la calle de tiendas del campamento. Comenzó el sitio el 5 de julio de 1601; Ambrosio Spínola se hizo cargo de la empresa en septiembre de 1603 y se rindió la plaza el 27 de septiembre de 1604. La atribución e identificación se deben a don Federico de Madrazo, en nota manuscrita a un *Catálogo* de 1850; afirma que una repetición firmada por Vrancx poseía en Londres M. H. Gibbs.
Procede de las Colecciones Reales.

VRANCX y Jan Brueghel

1884 *Sorpresa de un convoy*

Lienzo, 0,48 × 0,86.

Un grupo de soldados ocultos en un bosque que atraviesa un arroyo para sorprender a un convoy. Fondo de paisaje abierto.
Firmado por los dos autores según el *Catálogo* de 1920; parece adivinarse la firma debajo del n.º 352 blanco. En 1746, en La Granja, entre los cuadros de Isabel de Farnesio.

WATTEAU. Jean-Antoine Watteau

Nació en Valenciennes el 10 de octubre de 1684; murió en Nogent-sur-Marne el 18 de julio de 1721.
Escuela francesa.

2353 *Capitulaciones de boda y baile campestre*

Lienzo, 0,47 × 0,55.

2353

La escena, en un bosque frondoso. La firma del contrato matrimonial se celebra con danzas. Numerosas figuras animan la composición.
Existen dibujos preparatorios para grupos de figuras de estos dos cuadros. En 1746 estaba en La Granja, entre los cuadros de Isabel de Farnesio, ya atribuido a Watteau. Allí estaba también en 1774. En 1794, en Aranjuez; en 1814, en el Palacio Nuevo.

2354 *Fiesta en un parque*

Lienzo, 0,48 × 0,56.

En un parque umbrío, adornado con fuentes de Neptuno y Ceres, parejas de enamorados y grupos.
Véase lo dicho en el n.º 2353.

WERTINGEN (?). Hans Schwabmaler von Wertingen

Pintor suavo; murió en Landshut 1533. Escuela alemana.

2216 *Federico III, emperador de Alemania*

Tabla, 0,47 × 0,32.

Figura de menos de medio cuerp

2

2225

con gorra, joyel al cuello y una gruesa cadena.
Federico, duque de Austria y padre del emperador Maximiliano I, nació en 1415; emperador desde el 2 de febrero de 1440; murió el 19 de agosto de 1443.
No es completamente segura la identificación. La atribución, según Friedländer.
Procede de las Colecciones Reales.

WERTMÜLLER. Adolf Ulrik Wertmüller

Nació en Estocolmo el 18 de febrero de 1751; murió cerca de Wilmington, Estados Unidos, el 5 de octubre de 1811. Estuvo en España entre 1790 y 1794.
Escuela sueca.

2225 *El conde Jacobo de Rechteren*

Lienzo, 0,62 × 0,52.

De medio cuerpo; viste casaca gris azulada, peluca blanca.
Firmado en el ángulo superior izquierdo: *A. WERTMÜLLER SUECI PT. MADRID 1790.*
El conde de Rechteren-Almelvo, diplomático, nació en Overyssel en el año 1737; en 1783 representaba a Holanda en Madrid; en 1809 era ministro de España en Holanda; cesante en 1811.
Pareja del n.° 2226.

Adquirido por la Junta del Tesoro Artístico en 1932.

2226 *Doña Concepción Aguirre y Yoldi*

Lienzo, 0,62 × 0,52.

De medio cuerpo, con rosas en el pelo. Firmado en el ángulo superior derecho: *A. WERTMULLER PICTOR SUECI PT. MADRID 1790.*
La retratada era gaditana; casó con el diplomático conde de Rechteren; en 1834 vivía en París.
Pareja del n.° 2225.

WEYDEN. Roger van der Weyden, o Roger de la Pasture

Nació en Tournai en 1399 o 1400; murió en Bruselas el 18 de junio de 1464. Escuela flamenca.

2540 *La Piedad*

Tabla, 0,47 × 0,35.

La composición viene del centro del tríptico de Granada-Nueva York y se conoce en cuatro versiones, todas ellas atribuidas a Weyden (Museo de Bruselas, Galería Nacional de Londres, Museo del Prado y Museo del Estado de Berlín). Recientes estudios consideran como mejor ejemplar el de Bruselas. El donante fue identificado desde 1935, por Le Maire, como un miembro de la familia Broers por su relación con un dibujo del Museo Británico, de Londres.
Desde mediados del siglo XIX perteneció a don Fermín Lasala, duque de Mandas. Adquirido por el Patronato del Museo en 1925.

2722 *La Virgen con el Niño*

Tabla, 1,00 × 0,52.

Un ángel corona a la Virgen.
Por el color de las vestiduras de la Virgen y por el nombre de la persona que hizo el legado al Museo se conoce, también, como *Madonna en rojo* y *Madonna Durán.*

2540

El primero en atribuir la obra a Weyden fue Hulin de Loo, y su opinión es unánimemente aceptada. Existen de ella numerosas copias flamencas y españolas, que demuestran que el cuadro se hallaba en España desde épocas tempranas.
Legado de Fernández-Durán (1930). Lo había adquirido el 23 de marzo de 1899 en el palacio de Boadilla (Madrid).

2722

28

2825 *El descendimiento de la cruz*

Tabla, 2,20 × 2,62.

Cristo muerto, las Marías y los santos varones; las diez figuras destacan sobre un fondo de oro, a la manera de esculturas de un retablo con guarnición gótica.

Obra maestra, pintada, al parecer, hacia 1435 para la capilla de los Ballesteros de Lovaina. Fue adquirida por María de Hungría, hermana de Carlos V, y enviada a España.

El documento de entrega a El Escorial, de 1574, describe como portezuelas una *Resurrección* y los *Cuatro evangelistas,* pinturas de las que no hay otra noticia. La copia de San Pedro de Lovaina tiene en las puertas a Santiago y santa Isabel, con donantes.

La magnífica copia, por Coxcie, que mandó pagar Felipe II el 18 de noviembre de 1569 (n.° 1893 del Prado), está ahora en El Escorial. Se conserva una copia reducida, de 1443, en el Museo de Lovaina.

Thürleman (1993) la considera obra de Robert Campin.

Instalada en el Museo del Prado desde 1939.

WEYDEN. Copia por Memling

1558 *La adoración de los Magos*

Tabla, 0,60 × 0,55.

San José, la Virgen con el Niño y los tres Magos; por la derecha asoman cuatro hombres. Al fondo, una calle y campo con figuras diminutas.

Según Hulin de Loo, será el centro d tríptico que se completa con una *Anun ciación,* que pasó por el comercio c Londres, y la *Presentación* de la cole ción Czernin, de Viena, y lo cree cop libre del tríptico de Van der Weyde de Múnich, pintada por Memlin cuando trabajaba en el taller de aque Las principales variantes estriba —aparte de que el punto de vista es más distante en el ejemplar d Prado— en que el rey negro no lo en el de Múnich, y la supresión d paje que le entrega el copón, qu ostenta en su mano en nuestra tabl Asimismo, está cambiado el fondo c ciudad, más alejada en el origina Vino de El Escorial.

'EYDEN. Discípulo de Van
ɜr Weyden

386 *La Crucifixión*

ıbla, 0,47 × 0,31.

risto en la cruz; al pie, la Virgen sos-
nida por san Juan y la Magdalena,
rodillada; a uno y otro lado, María
lomé y María Cleofé. Fondo de pai-
je con castillo y muros.
stenta el monograma apócrifo de Al-
rto Durero y la fecha 1513.
gún Friedländer, es una copia muy
lla, ejecutada en Brujas hacia 1510
r un maestro ya influido por Gérard
avid. Sin embargo, adviértense las
tas características del siglo XV en el
isaje, y no se conoce el original,
esto que el cuadro del Museo de
ena presenta muchas diferencias.
el Alcázar pasó a El Escorial; de allí
no en 1839.

'IERINGEN. Cornelis Claesz
ın Wieringen

ació en Haarlem hacia 1560; murió
17 de octubre de 1643.
cuela holandesa.

43 *Combate naval*

ıbla, 0,43 × 0,90.

ɜrca de la costa, numerosos navíos;
atro grandes, en primer término.
rmado en una piedra a la izquierda
l centro: *C C W.*
ocede de las Colecciones Reales.

ILDENS. Jan Wildens

ació en Amberes en 1586; murió
16 de octubre de 1653.
cuela flamenca.

'33 *Mercurio y Herse*

bla, 0,76 × 2,12.

n amplio paisaje, con río de anchos
árgenes y larga cordillera a lo lejos
tre bruma. Arbolado, en primer tér-

2733

mino, animado con pequeñas figuras y, al fondo, un templo circular romano, típico de Vesta. En el aire, Mercurio. Se trata de un pasaje de la historia de Mercurio y Herse, según las *Metamorfosis* de Ovidio (lib. II, 16).
Las figuras, por sus maneras elegantes, flexibles y de canon alargado, son propias de Frans Franken II; el paisaje es obra de J. Wildens.
Datado hacia 1635.
Legado de Fernández-Durán (1930).

WOLFORDT. Artus Wolfordt (?)

Nació en Amberes en 1581; murió en 1641. Escuela flamenca.

1937 *San Marcos*

Tabla, 0,64 × 0,49.

Menos de medio cuerpo; se le figura escribiendo el *Evangelio.*
Siguiendo la opinión de Hulin de Loo, fue clasificado como de Peeter van Mol en los *Catálogos* del Museo de 1972 y 1985; actualmente, según Díaz Padrón y Orihuela, se cree obra de Artur Wolfordt.
Procede de las Colecciones Reales.

1938 *San Juan Evangelista*

Tabla, 0,61 × 0,49.

El cáliz con el dragón, en la mano izquierda y en actitud de bendecir.
Compañero del anterior y del siguiente.

1939 *San Lucas*

Tabla, 0,61 × 0,49.

Con un libro abierto en las manos y el toro simbólico detrás. Compañero del anterior.

WOUWERMAN. Philips Wouwerman, o Wouwermans

Nació en Haarlem el 24 de mayo de 1619. Fue enterrado allí mismo el 23 de mayo de 1668. Escuela holandesa.

2145 *Un montero*

Tabla, 0,32 × 0,35.

Cazador, con cuerno de montería; chico que lleva un cubo, y una mujer portadora de un vaso. Al fondo, casas. Firmado a la izquierda, detrás del caballo: *PHLS. W.*
En 1746 estaba en La Granja, Colección de Isabel de Farnesio; pasó después a Aranjuez.

2146 *Los dos caballos*

Tabla, 0,33 × 0,32.

Un jinete lleva del diestro a un caballo

1937

2148

2150

2152

blanco, al que ladra un perro amenazado por un campesino. Fondo de montes y mar, y en su orilla, un pescador.
Firmado en el borde inferior, debajo del aldeano: PHLS. W.
Entre las pinturas de Isabel de Farnesio, en La Granja (1746); luego, en Aranjuez.

2147 *Partida de caza y pesca*

Lienzo, 0,76 × 1,15.

A la izquierda, grupo de cazadores; damas en un coche. A la derecha, pescadores que sacan una red. Fondo de paisaje, con ruinas de un fuerte, poblados y el mar a la derecha.
En 1746 estaba en La Granja, entre las pinturas de Felipe V.

2148 *Cacería de liebres*

Lienzo, 0,77 × 1,05.

Damas y caballeros dan caza a una liebre, a la vista de otros que meriendan en el campo y de los que desde una torre cercana presencian la cacería; a la derecha, una fuente. Paisaje con una iglesia.
Firmado junto a la mata verde del ángulo inferior izquierdo: PHLS. W.
En 1748, en La Granja.

2149 *Partida de cetrería*

Lienzo, 0,50 × 0,66.

A la izquierda, grupo de cazadores, dos de ellos con halcones y unos mendigos.
Fondo de paisaje con un río, casas, etcétera.
Firmado: PHLS. W., en el ángulo inferior derecho.

Fue de Isabel de Farnesio (La Granja 1746). Pasó después a Aranjuez.

2150 *Partida para una cetrería*

Lienzo, 0,58 × 0,69.

Salen de una casa de campo; el hal conero, a pie; un jinete que lleva u azor en la mano izquierda y otros qu se despiden; ante una fuente de Nep tuno; a la derecha, un pavo real.
Firmado en el ángulo inferior derecho PHLS. W.
En 1746, en La Granja.

2151 *Salida de la posada*

Tabla, 0,37 × 0,47.

Varios caballeros se disponen a caba gar; el criado pide la propina; a la iz quierda, niños jugando a la puerta co una cabra.
Firmado en el ángulo inferior derecho PHLS. W.
En La Granja, entre las pinturas d Isabel de Farnesio (1746). Vino d Aranjuez.

2152 *Parada en la venta*

Lienzo, 0,61 × 0,73.

Dama y caballero descansan junto una venta; a la derecha, un río; fond de amplio paisaje.
Firmado en el ángulo inferior izquie do: PH. W.
De la Colección de Felipe V (La Gran ja, 1746). Pasó después a Aranjuez.

2153 *Choque de caballerías*

Lienzo, 0,49 × 0,55.

Representa una batalla, empeñada ca cuerpo a cuerpo, con fuego de pis toletes.
Firmado, en el ángulo inferior dere cho: PHLS. W.
Procede de las Colecciones Reales. E 1746, en La Granja, entre las pintur de Felipe V. En 1814, en el Palaci Nuevo.

154 *Refriega entre tropas nemigas*

ienzo, 0,60 × 0,71.

n medio, un jinete abanderado arena a los guerreros; a su lado, otro, arado, empuña un venablo. Otros enuentros, a derecha e izquierda; humada al fondo y por el cielo.

rmado en el ángulo inferior izquiero, casi encima del número 1608: *HLS. W.*

ue adquisición de Felipe V (La Gran, 1746).

/ITEWAEL. Joachim Witewael Uytewael

ació en Utrecht hacia 1566; murió n la misma ciudad en 1638. Escuela olandesa.

157 *Adoración de los pastores*

abla, 0,62 × 0,99.

a Virgen y el Niño, rodeados de pasres que traen innumerables presens. Fondo de arquitectura.

rmado en el respaldo de la silla de ontar con alforjas, primer término: *) WTE WAEL FECIT; A.º 1625.*

dquirido por Carlos IV. Traído de ranjuez en 1827.

XIMENEZ. Miguel Jiménez, o Ximénez

Vecino de Zaragoza; hay noticias suyas entre 1466 y 1503.
Escuela española.

2519 *La resurrección del Señor entre pasajes de la leyenda de san Miguel y del martirio de santa Catalina*

Tabla, 0,70 × 0,40 cada asunto.

Banco de un retablo; consta de cinco tablas: I. *Gárgano, rodeado de sus ganados, dispara una flecha contra el toro huido al monte.* II. *Procesión y aparición de san Miguel a san Gregorio sobre el castillo,* por esto llamado de Sant Angelo. III. *Resurrección del Señor;* guardan el sepulcro cinco soldados armados, tres de ellos dormidos. IV. *Prisión de santa Catalina.* V. *Santa Catalina en el momento en que va a ser decapitada.* Al fondo, sobre un monte, los ángeles con el cuerpo de la santa.
Firmado en el sepulcro de Cristo: *MIGEL XIMENEZ ME PINTO.*
Post ha averiguado que pertenecía este banco a un retablo de Ejea de los Caballeros (Zaragoza). Del retablo se conservan las dos tablas laterales: *San Miguel* y *Santa Catalina* (números 6895 y 6894); la *Virgen,* la central, la *Piedad* y el *Calvario,* terminal, en Ejea. En el banco parece advertirse desigualdad de técnica, siendo notoria la superioridad de las tablas de *San Miguel* sobre las de *Santa Catalina.* Consta que Ximénez colaboró con Martín Bernat y con Salvador Roig en otras obras. Adquirido en 1930 por el Patronato del Patrimonio Artístico Nacional.

6893 *La Trinidad*

Tabla, 0,90 × 0,90.

Sobre un trono con dosel, sentados, el Padre coronado y el Espíritu Santo, representado como un ángel, sostienen por los brazos a Cristo concebido no como el Crucificado sino como el Salvador. A derecha e izquierda, san Miguel y san Gabriel.
Perteneció a la Colección Lanckronsky (Viena), y posteriormente a colección particular de Nueva York.
Comprado en 1982 por el Ministerio de Cultura.

6894 *Santa Catalina*

Tabla, 1,40 × 0,75.

La santa, en pie y de cuerpo entero, lleva en las manos un libro y la palma del martirio, con su brazo izquierdo sujeta la espada, y a derecha e izquierda, la rueda partida, ambos símbolos de su martirio. Viste túnica brocada y amplio manto rojo orlado de oro en relieve, así como la corona y el nimbo que rodea la cabeza.

2519

6895

6894

Adquirido en 1982 por el Ministerio de Cultura. Véase el n.° 2519.

6895 *San Miguel*

Tabla, 1,40 × 0,75.

El arcángel, de pie, vestido de caballero con armadura, y, en sus manos, la lanza que clava en la cabeza de demonio que tiene bajo sus pies. Le cubre un manto con orla de oro.
Adquirido junto con el número anterior en 1982. Véase el n.° 2519.

XIMENEZ. Círculo de

2668 *Traslación del cuerpo de Santiago el Mayor: I. Embarque en Jafa*

Tabla, 1,59 × 0,73.

El apóstol, decapitado, puesto en una barca, en Jafa; al fondo, ante Herodes y su séquito, que presencia el embarco, el verdugo envaina la espada que utilizó para el martirio.

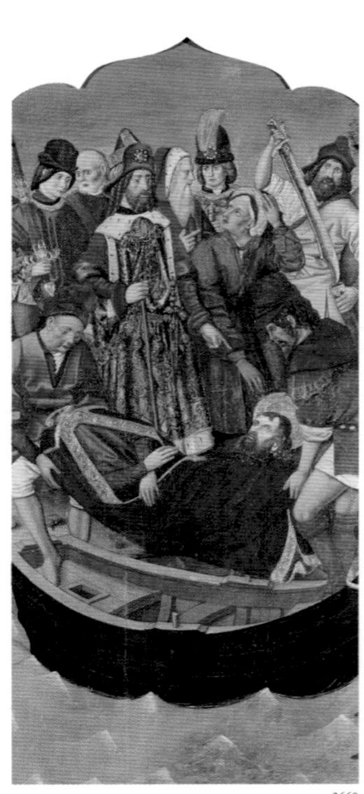
2668

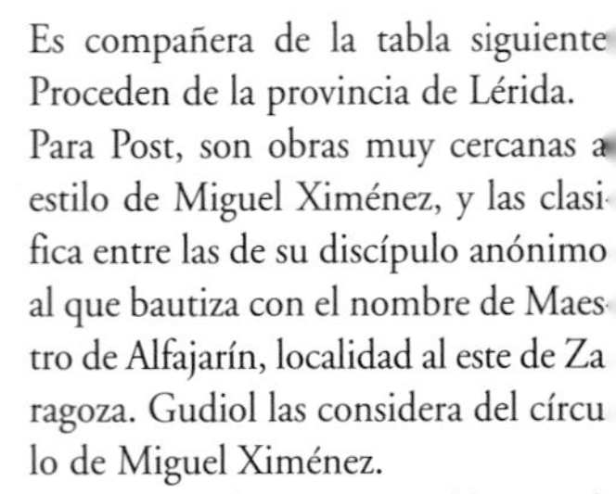
Es compañera de la tabla siguiente.
Proceden de la provincia de Lérida.
Para Post, son obras muy cercanas al estilo de Miguel Ximénez, y las clasifica entre las de su discípulo anónimo al que bautiza con el nombre de Maestro de Alfajarín, localidad al este de Zaragoza. Gudiol las considera del círculo de Miguel Ximénez.
Pertenecen al mismo retablo que la tabla que es propiedad de Mme. Otto O'Meara, de Bruselas, y que representa el bautizo de Hermógenes el Mago por Santiago, viéndose al fondo el apóstol que arroja al mar los libros del converso, y otra más que fue de la Colección Ruiz de Madrid.
Legado Pablo Bosch.

2669 *Traslación del cuerpo de Santiago el Mayor: II. La conducción en Galicia*

Tabla, 1,59 × 0,73.

El santo cuerpo llevado en un carro del que tiran dos novillos feroces; sus discípulos san Atanasio y san Teodoro le siguen de peregrinos; la reina Lupa y dos servidores, asomados a la ventana; al fondo, la barca sobre las olas y la costa gallega.
Compañera del n.° 2668.
Legado Pablo Bosch.

Tabla que probablemente procede del retablo de Almedina, ya que se adquirió a la parroquial de Infantes, en 1941; con fondos del Legado del conde de Cartagena.

2902 *Santa Catalina*

Tabla, 2,12 × 1,12.

Figura de cuerpo entero; con la espada y, a los pies, la rueda rota de su martirio. Clasificado como obra de Yáñez y publicada en 1915 por Tormo.

'AÑEZ DE LA ALMEDINA.
'ernando Yáñez de la Almedina

Nació quizá en La Almedina (Ciudad Real). Estuvo en Italia; el 30 de agosto le 1505 y hasta 1506 consta que traba-a para Valencia; en 1526, para Cuen-a, hasta 1531-1536. Escuela española.

339 *San Damián*

'abla ochavada, 0,95 × 0,73.

)e más de medio cuerpo. Viste túnica ncarnada y manto azul con cuello y orro de piel; gorra negra; en la mano zquierda, una caja de medicinas. Fon-o: la parte inferior sin acabar; la su-erior, con montes y celajes.

Réplica de la parte alta del cuadro de a sala capitular de la catedral de Va-encia; resto de un retablo de los dos antos médicos.

Adquirido por el Patronato con la sub-ención del Estado en abril de 1929.

805 *Santa Ana, la Virgen, anta Isabel, san Juan y Jesús niño*

'abla, 1,40 × 1,19.

. la izquierda, en escena diminuta, el *brazo ante la puerta dorada.*

2805

2902

3203

Adquirido a los herederos del marqués de Casa Argudín por el Ministerio de Educación Nacional (1946).

7618 *Cristo resucitado con María y los padres del Limbo*

Tabla, 1,29 × 1,72.

Cristo, en pie, con la cruz de triunfo sobre la muerte, señala con su mano derecha la figura de la Virgen en oración, que aparece delante de una mesa en la que se apoya la corona de espinas. Detrás, Adán y Eva, arrodillados, seguidos de los profetas.
En la composición, el artista funde dos temas, por un lado, la bajada de Cristo al Limbo, y, por otro, la aparición a su Madre, después de resucitado.
Dado a conocer por Angulo (1954),

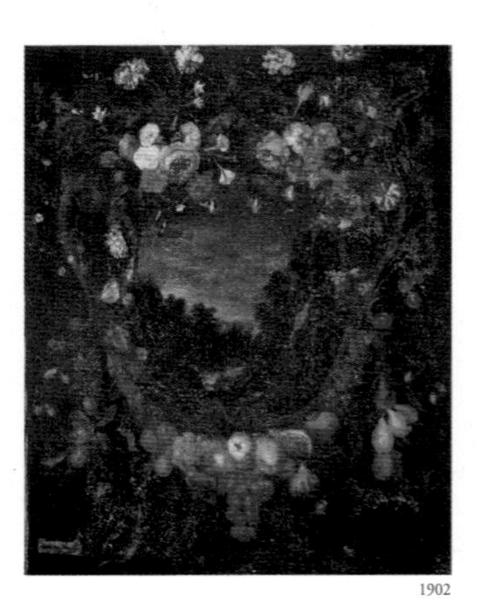
1902

1904

como obra de Yáñez o de su taller. Atribución que recoge Garín Ortiz de Taranco (1978) en la segunda edición de la monografía que dedicó a este pintor. Posteriormente (1995), ha sido publicado como obra del artista conquense Martín Gómez.
Adquirido con fondos del Legado Villaescusa en Madrid, el 20 de febrero de 1992.

YEPES. Tomás Yepes o Hiepes

Nació en Valencia hacia 1610; murió en el mismo lugar el 16 de junio de 1674. Escuela española.

3203 *Bodegón*

Lienzo, 1,02 × 1,57.

Sobre una mesa, a la derecha, vajilla de metal y un plato apoyado en la pared. Colgando encima, una vajilla con naranjas. A la izquierda, ramas con limones, un cesto con panes y fuente con ave.
Firmado: *THOMAS IEPES FECIT 1658.*
Adquirido por el Museo en 1970.

YKENS. Catharina Ykens

Nació en Amberes en 1659; se regist[ró] su nombre en la corporación de Sa[n] Lucas, en 1687. Escuela flamenca.

1902 *Guirnalda con paisaje*

Lienzo, 0,90 × 0,71.

Guirnalda de frutas y flores que enci[e]rra en su interior un fondo de paisaj[e] donde se percibe un río y rocas.
Firmado: *CATHERINA YKENS FECIT*, en [el] ángulo inferior izquierdo, sobre [la] cartela.
Procede de las Colecciones Reale[s]. Palacio de Aranjuez.

YKENS. Frans Ikens, o Ijkens

Nació en Amberes el 17 de abril d[e] 1601; murió antes del 27 de febre[ro] de 1693. Escuela flamenca.

1904 *Despensa*

Lienzo, 1,07 × 1,73.

Una liebre, coliflores, espárragos, av[es] muertas, fresas, flores.
Firmado en el borde de la mesa, [a] la derecha: *FRANCHOIS YKENS FECI[T] 1646.*
Salvado del incendio de 1734.

2757 *Mesa*

Lienzo, 0,74 × 1,05.

Sobre una mesa, panes, ostras, un pesca[-]do guarnecido con aceitunas, un jarr[o], cesta con frutas y cuenco con brevas.
Firmado: *FRANCHOIS YKENS FECIT 164[.]*
Legado de Fernández-Durán (1930).

ZANCHI. Antonio Zanchi

Nació en Venecia el 6 de diciembre de 1631; murió el 12 de abril de 1722. Escuela italiana.

2711 *La Magdalena penitente*

Lienzo, 1,10 × 0,90.

De más de medio cuerpo; desnuda, la mano izquierda sobre la calavera.
Considerada obra de Zanchi desde Voss (1926).
Legado Pablo Bosch.

ZELOTTI. Battista Zelotti

Nació en Verona en 1526; murió en 1578. Escuela italiana.

512 *Rebeca y Eliecer*

Lienzo, 2,19 × 2,70.

Rebeca, junto al pozo, recibe los presentes de Eliecer, en el suelo ante ella. La escena se narra en el *Génesis*, capítulo XXXIV.
Firma apócrifa a la derecha, parte baja: *P. CALIAR. VER. F. 1553.*
De atribución discutida, Ballarin lo cree de Carletto Caliari, y Brugnolo Meloncelli (1993) piensa que es obra del círculo de Maganza.
Salvado del incendio del Alcázar, quedó muy maltratado. En 1772 y en 1774, en el Palacio Nuevo.

ZUCCARO. Discípulo de Federico Zuccaro

Nació en Sant'Angelo del Vado (Urbino) en 1542 o 1543; murió en Ancona en 1609. Escuela italiana.

513 *La resurrección del Señor*

Lienzo, 1,37 × 0,71.

Cristo, en los aires, con el lábaro; un soldado dormido y tres asombrados.
Procede de las Colecciones Reales.

ZURBARAN. Francisco de Zurbarán

Nació en Fuente de Cantos (Badajoz); fue bautizado el 7 de noviembre de 1598; murió en agosto de 1664.

656 *Defensa de Cádiz contra los ingleses*

Lienzo, 3,02 × 3,23.

Don Fernando Girón, gobernador de la plaza, da órdenes a sus generales para la defensa (1 de noviembre de 1625); detrás, un caballero santiaguista, tal vez don Lorenzo de Cabrera; a la derecha, un grupo de tres militares. El mar, casi cubierto de barcos ingleses; en tierra se ven las tropas de desembarco perseguidas por las españolas. Mandaba la escuadra inglesa lord Wimbleton.

2711

Forma parte de la serie de batallas pintada para el Salón de Reinos del Buen Retiro (véase el número 635). La atribución a Caxés descansaba sobre lo dicho por Ponz, seguido por Ceán y aceptado por todos hasta que Longhi sostuvo que es obra de Zurbarán. Caturla confirmó la suposición del crítico italiano al publicar la carta de pago de Zurbarán del 13 de noviembre de 1634. Permaneció en el Retiro hasta que, en 1810-1814, estuvo en el Museo Napoleón. En 1818 estaba en la Aca-

656

1237

demia de San Fernando, y en 1824, en el Prado.

1236 *Visión de san Pedro Nolasco*

Lienzo, 1,79 × 2,23.

Al santo, arrodillado, se le aparece en sueños un ángel mancebo que le muestra la Jerusalén celestial, ciudad murada de la que salen y en la que entran, por puentes levadizos, numerosas personas.

Firmado cerca del borde inferior de la túnica del ángel: *FCO. DE Z. F.*

Pintado, como el número 1237, para el claustro de la Merced, de Sevilla, en 1629. Allí lo citan Palomino y Ceán.

Comprado por el deán López Cepero a los mercedarios antes de 1808 y cedido por él a Fernando VII a cambio de una copia del número 1191 de Velázquez.

1237 *Aparición del apóstol san Pedro a san Pedro Nolasco*

Lienzo, 1,79 × 2,23.

El santo, arrodillado en su celda, se v sorprendido por la aparición de su pa trono tal como fue crucificado, cabez abajo.

Firmado en el centro de la parte baja *FRANCISCVS DE* (enlace) *ZVRBARAN* (en lace de A. N.) *FACIEBAT 1629.*

Compañero del n.º 1236.

Fue cedido en 1821 para el Muse Real con cinco más por el deán Lópe Cepero a cambio de otros 37.

1239 *Santa Isabel de Portugal*

Lienzo, 1,84 × 0,98.

En pie, marchando hacia la derecha viste traje de dama principal del si glo XVII y parece retrato; en la falda los mendrugos de pan convertidos e rosas.

Hasta hace poco, identificada com santa Casilda. Se ha pensado que s trata de un «retrato a lo divino».

En 1814, en la «Pieza de chimenea del Palacio Nuevo.

1241 *Hércules separa los montes Calpe y Abyla*

Lienzo, 1,36 × 1,53.

El héroe, al escindir las montañas, fij las columnas de su nombre.

Este lienzo y los nueve siguiente fueron pintados para el Salón de Rei nos del Palacio del Buen Retiro. N son propiamente los doce *Trabajos* de héroe, por lo que no puede decirs que falten dos. Representan varios pa sajes de su vida; entre ellos, los *Tra bajos* números I, II, III, VIII, X y XII De atribución discutida, el hallazg por la señora Caturla de la carta d pago (13 de noviembre de 1634), sus crita por Zurbarán, resuelve las duda suscitadas.

Permanecieron en el Buen Retiro has ta su traslado al Museo Real.

1243

242 *Hércules vence a Gerión*

ienzo, 1,36 × 1,67.

héroe, de espaldas, empuñando la ava; el rey español, caído de bruces. ue el X de los *Trabajos*. éase el n.º 1241.

243 *Lucha de Hércules n el león de Nemea*

ienzo, 1,51 × 1,66.

héroe tiene abrazado al león para iogarlo. Primero de sus *Trabajos*. éase el n.º 1241.

244 *Lucha de Hércules n el jabalí de Erimanto*

ienzo, 1,32 × 1,53.

héroe, con la clava; a la derecha, el balí, o puerco de Calidonia. Es el III los *Trabajos*. Véase el n.º 1241.

245 *Hércules y el toro de Creta*

ienzo, 1,33 × 1,52.

héroe ataca al toro; fondo de paisaje n lago. Es el VIII *Trabajo*. éase el n.º 1241.

246 *Lucha de Hércules n Anteo*

ienzo, 1,36 × 1,53.

héroe tiene al gigante en vilo. sta victoria no cuenta, para algunos atadistas, en el número de los doce *rabajos* hercúleos. Véase el n.º 1241.

247 *Hércules y el Cancerbero*

ienzo, 1,32 × 1,51.

héroe ata al guardián tricípite para car a Alcestes del infierno. Es el XII los *Trabajos*. Véase el n.º 1241.

248 *Hércules detiene curso del río Alfeo*

ienzo, 1,33 × 1,53.

héroe, sobre el dique que ha consuido. No cuenta esta hazaña entre s *Trabajos*. éase el n.º 1241.

1239

1249 *Lucha de Hércules con la hidra de Lerna*

Lienzo, 1,33 × 1,67.

La serpiente de la laguna de Lerna, cerca de Argos, es atacada por el héroe, seguido de su sobrino Iolao, portador de una antorcha. Es el II de los *Trabajos*. Véase el n.º 1241.

2803

1250 *Hércules abrasado por la túnica del centauro Neso*

Lienzo, 1,36 × 1,67.

El héroe es atormentado por la túnica ardiente que le envió Deyanira y que había sido del centauro Neso, víctima de Hércules.
Véase el n.º 1241.

2442 *San Diego de Alcalá*

Lienzo, 0,93 × 0,99.

A la izquierda, el padre guardián seguido de dos frailes, que pregunta al santo qué lleva en el hábito; a la derecha, san Diego mostrando las flores en que se trocaron los panes de limosna. Fondo de celajes y montes en lejanía. Figuras de las rodillas arriba.
Cuadro quizá del banco de un retablo.
Fechado hacia 1658.
Adquirido a don Emilio de Sola en junio de 1932.

2472 *San Jacobo de la Marca*

Lienzo, 2,91 × 1,65.

En la mano izquierda, un cáliz de cristal, con vino; en el fondo, el mismo santo franciscano libra a un niño de la muerte; arquitectura.
Firmado a la derecha, en la basa de la columna: FRANCISCO DE ZURBARAN.
Pintado para la capilla de San Diego, en Alcalá de Henares. Procede del Museo de la Trinidad; de allí pasó en 1882 a San Francisco el Grande, de Madrid, donde permanecen tres cuadros de la misma serie: uno, también de Zurbarán, y dos de Alonso Cano.

2594 *San Lucas como pintor (¿autorretrato de Zurbarán?) ante Cristo en la cruz*

Lienzo, 1,05 × 0,84.

El título ahorra la descripción.
Fechado en torno a 1630-1635. Perteneció al infante don Sebastián Gabriel, y después, a su hijo don Alfonso de Borbón Braganza. Adquirido en abril de 1936 con fondos del legado del conde de Cartagena.

2803 *Bodegón*

Lienzo, 0,46 × 0,84.

Encima de una tabla, alineadas: una copa de bronce dorado en una bandeja plateada, un ánfora de barro blanco, otra roja de gollete estrecho y muy alta, y una cantarilla vidriada de blanco, estriada, en una bandeja como la de la copa. Fondo oscuro.
La atribución descansa sobre lienzos análogos firmados y sobre la comparación con naturalezas muertas que aparecen en obras de temas religiosos del pintor.
Hay una versión casi idéntica en el Museo de Arte de Cataluña, que también perteneció a Cambó.
Regalado por don Francisco Cambó en 1940.

2992 *La Inmaculada Concepción*

Lienzo, 1,27 × 0,89.

Figura entera, con las manos juntas

2594

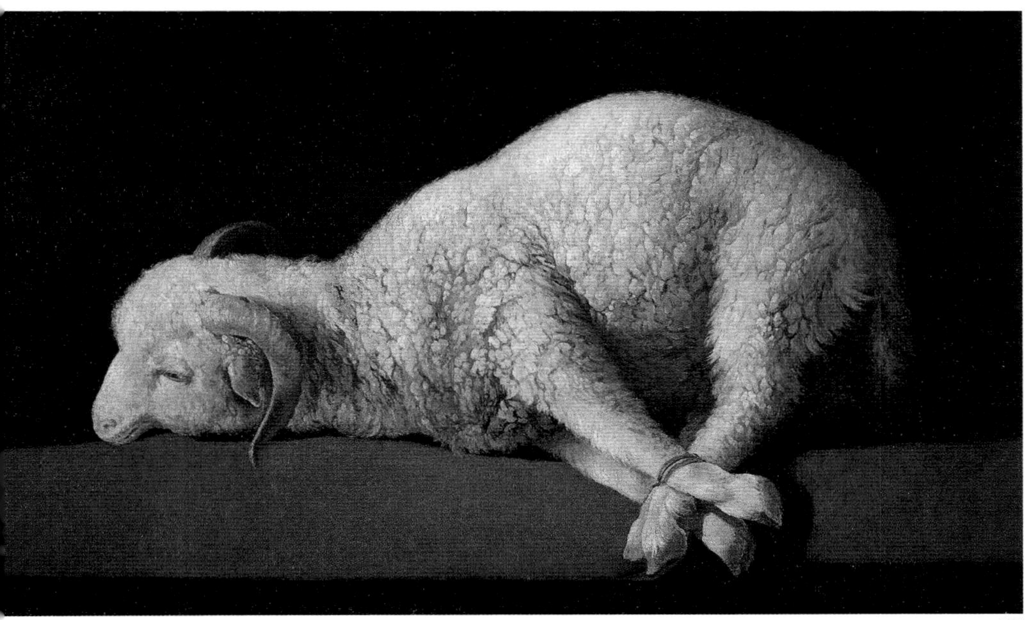

7293

lzase sobre el menguante de la luna; on nimbo de once estrellas. Debajo, l mar con un barco; a la izquierda, rboles, y, aislada, una palmera; a la erecha, edificio torreado y árboles. n rompimientos de nubes, los símolos de la letanía.
dquirida en septiembre de 1956 por l Ministerio de Educación Nacional a as Esclavas Concepcionistas del Sarado Corazón, de Sevilla. Antes fue de la Colección de la marquesa de la Puebla de Ovando.

6074

3010 *San Antonio de Padua con el Niño Jesús*

Lienzo, 1,48 × 1,08.

Figura entera. El santo, de rodillas, contempla emocionado al Niño en sus brazos; cubre el cuerpo de Jesús sutilísimo velo; destacan sobre oscuro, así como el ramo de azucenas. Fondo de paisaje con iglesia que recuerda las italianas.
Para Soria puede fecharse con dudas en 1650; Guinard lo cree de 1635 a 1640.
Adquirido en octubre de 1958 por el Ministerio de Educación Nacional.

3148 *Santa Eufemia*

Lienzo, 0,83 × 0,73.

De medio cuerpo, portando la sierra. Otro ejemplar, de cuerpo entero y de calidad inferior, guarda el Palazzo Bianco de Génova.
Legado viuda de Jiménez Díaz, 1970.

6074 *El Salvador, bendiciendo*

Lienzo, 0,99 × 0,71.

De más de medio cuerpo, de frente, apoya la mano izquierda sobre la bola del mundo y bendice con la derecha. Una esbelta cruz de madera se apoya en su hombro izquierdo.
Firmado: *FRAN^CO DE ZURBARAN FACIEBAT 1638*, abajo, a la izquierda.
Adquirido en 1980.

7293 *Agnus Dei*

Lienzo, 0,38 × 0,62.

El carnero, que destaca sobre fondo oscuro, tiene sus cuatro patas atadas, aludiendo con claridad a su inmediata inmolación.
En el arte cristiano es habitual la representación del cordero como símbolo de la figura de Jesucristo, significando con su sacrificio el triunfo de la vida sobre la muerte.
Tanto Pérez Sánchez como Baticle lo datan hacia 1635-1640, aunque Gudiol lo cree ligeramente anterior.
Se conocen varias versiones del mismo asunto, bien de mano del propio pin-

tor o de taller, destacando entre ellas la del Museo de San Diego.
Adquirido para el Museo en febrero de 1986.

7421 *Martirio de Santiago*

Lienzo, 2,52 × 1,86.

La figura del santo, arrodillado y vestido con una túnica rosada, está representada en el momento en que el verdugo levanta en su mano la espada para ejecutar el martirio, mientras que con la otra agarra un mechón de pelo. Le rodean una serie de figuras, destacando, a la izquierda, la de Herodes Agripa, que simboliza al enemigo. Un ángel que sobrevuela la escena porta la palma del martirio y una guirnalda de flores, alusión al triunfo sobre la muerte.
Firmado, abajo, a la izquierda, en la piedra: *FRAN^co DE ZURBARAN.*
Datado hacia 1639.
Puede tratarse de una de las obras hechas por el pintor para el retablo de la iglesia parroquial de Nuestra Señora de la Granada, en Llerena (Badajoz).
Estuvo en la galería española de Luis Felipe. Adquirida, conjuntamente, por el Estado y el Museo a don Marciano Castell Plandiura, en 1987.

anónimos

ANONIMO ALEMAN

2868 *Ecce homo*

Tabla, 0,45 × 0,37.

De tres cuartos, de frente.
Probablemente de escuela renana del siglo XVII.
Adquirido en 1968, por la Junta de Exportación.

ANONIMOS ESPAÑOLES

Siglo XII

7263-7268 *Pinturas murales de San Baudelio de Casillas de Berlanga*

Seis fragmentos transportados sobre lienzo, armados en bastidores: *Cacería del ciervo* (1,85 × 2,46); *Elefante* (2,05 × 1,36); *Soldado, o montero* (2,90 × 1,34); *Oso* (2,02 × 1,13); *Cacería de liebres* (1,85 × 3,60); *Cortina* (1,55 × 1,14).

Parte de las pinturas que adornaban la notable iglesia mozárabe de comienzos del siglo XI, que se arrancaron que en 1926 se exportaron a Nortea mérica. Hay composiciones en lo museos de Boston, de Indianápolis en The Cloisters' Museum, de Nuev York.
Los fragmentos que se exhiben en e Prado constituyen un depósito tem poral indefinido del Metropolita Museum of Art, de Nueva York correspondido por el Gobierno espa ñol con el depósito, en iguales condi ciones, de las ruinas de la iglesia d San Martín, de Fuentidueña (Sego via), reconstruida en The Cloister Museum, de la misma ciudad ame ricana.
Están en el Prado desde 1957.

72(

72(

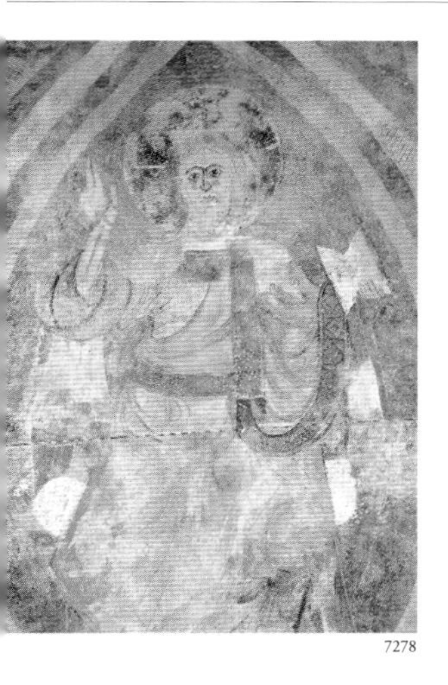

7278

7284

7269-7287 *Pinturas murales de la ermita de la Cruz de Maderuelo (Segovia)*

Transportadas a lienzo.

Mide la instalación 4,98 × 4,50.

Bóveda, centro: *El Pantocrátor sostenido por cuatro ángeles;* costados: izquierdo, *La Anunciación, Angel turiferario, San Mateo y San Lucas;* derecho, *San Marcos, Angel, con rollo, ¿San Juan Evangelista?, Angel turiferario, Angel con libro, Santo Arzobispo.*

Medios puntos: *Caín y Abel presentan ofrendas al Cordero, inserto en la Cruz, La creación de Adán y el pecado original.*

Muros: izquierdo: *Seis apóstoles* y comienzo de la escena del central: *La Magdalena unge los pies del Señor; Adoración de un Mago a la Virgen con el Niño,* que falta; derecho: *Cuatro apóstoles,* dos destruidos.

Las pinturas fueron transportadas por J. Gudiol, de Barcelona, en 1947.

Según Cook y Gudiol, obra de un pintor formado en Italia, compañero del Maestro de Santa María de Taull, que trabajaba en 1123, aunque el mismo Gudiol (1980) y otros especialistas posteriores prefieren hablar de un artista diferente.

Siglo XIII

3055 *Frontal de Guills*

Tabla, 0,92 × 1,75.

En el centro, el Pantocrátor rodeado por los símbolos de los evangelistas. En la parte superior, a ambos lados, lapidación, dos parejas de santos, apóstoles probablemente.

Procede de la iglesia de San Esteban, en Guills, Cerdaña, Gerona. Finales del siglo XIII.

Adquirido por el Patronato en 1963.

Siglo XIV

3150 *Retablo de san Cristóbal*

Tabla, 2,66 × 1,84.

Rematada en cúspide trapezoidal.

En la calle central, la figura gigantesca del santo, con el Niño Jesús sobre los hombros. Encima, el Calvario. En la calle izquierda, tres escenas de la leyenda de san Pedro; en la derecha, dos de san Blas y una de san Millán. El marco de castillos y leones a todo alrededor hace pensar en donativo regio.

Probablemente procede de algún monasterio benedictino riojano.

Donativo de don José Luis Várez Fisa, en 1969.

Siglo XV

1260 *La Virgen de los Reyes Católicos*

Tabla, 1,23 × 1,12.

La Virgen con el Niño en brazos, sentada en un trono. En pie, a la izquierda, santo Tomás, y a la derecha, santo Domingo. Arrodillados: a la izquierda, el rey Fernando V de Aragón, el príncipe don Juan y fray Tomás de Torquemada, inquisidor general, o, como sugiere Yarza, san Pedro de Arbués; y a la derecha, la reina Isabel y el supuesto retrato del cronista Pedro Mártir de

3150

1260

Anglería, representado como su patrono san Pedro Mártir de Verona. Por las ventanas se ve el paisaje.

Fernando V, hijo de Juan II de Aragón y de doña Juana Enríquez, nació en Sos el 10 de marzo de 1452; murió en Madrigalejo (Cáceres) el 23 de enero de 1516. Casó con doña Isabel el 19 de octubre de 1469. La Reina Católica fue hija de Juan II y de doña Isabel de Portugal; nació en Madrigal el 22 de abril de 1451; aclamada reina en Segovia el 27 de diciembre de 1474; murió en Medina del Campo el 26 de noviembre de 1504.

El príncipe nació en Sevilla el 30 de junio de 1478; casó en Burgos con doña Margarita, hija de Maximiliano I, en 3 de abril de 1497; murió en Salamanca el 4 de octubre del mismo año.

Doña Isabel nació en Dueñas el 1 de octubre de 1470; casó con don Alfonso, primogénito de Juan II de Portugal, el 18 de abril de 1490; casó después con don Manuel *o Venturoso* de Portugal y murió de parto en agosto de 1498.

Pedro Mártir de Anghiera, o Anglería, nació en 1457; italiano, cronista y humanista; murió en 1526. La tabla procede de la capilla del Cuarto Real de Santo Tomás, de Avila. Vino al Prado del Museo de la Trinidad.

En el Prado se levantó el repinte que ocupaba la gorra del príncipe y que modificaba su fisonomía. Cruzada la atribuyó en 1865 a Miguel Zitoz (Sittow), hoy bien conocido, y Díaz Padrón y Torné lo atribuyeron al Maestro de Miraflores.

1298 *El descendimiento*

Tabla, 1,28 × 0,78.

Bajan el cuerpo del Señor José de Arimatea, Nicodemus y María Magdalena. A la izquierda, la Virgen, desmayada, sostenida por san Juan. María Salomé y María Cleofé lloran. Fondo de paisaje; Jerusalén, fortificada, es u puerto con barcos. Enmarca la figu un arco que simula ser de piedra, co estatuillas bajo doseletes y dos me dallones de relieve en las enjutas y u escudo en lo alto con el letrero OTTAVIANI.

La composición se basa en el cuadr de Bouts, de Granada, del cual ha réplica en el Patriarca, de Valenci aunque cabría también suponer qu haya existido un original de Weyder Obra de mano española.

Procede del Instituto de Zamora.

1326 *San Miguel arcángel*

Lienzo que estuvo pegado a tabla, 2,42 × 1,53.

El arcángel, armado y con manto ro jo, en la diestra la espada levantad sobre el dragón infernal. El la part alta, los coros angélicos. A los lados la lucha de los ángeles buenos con lo rebeldes, marcándose la transició hasta que en la parte inferior se en cuentran ya del todo trocados en de monios. En el centro del escudo s refleja el donante arrodillado entre e demonio y el ángel de su guarda, qu se aprestan a luchar.

En la espada una inscripción consi derada la firma del armero.

Anónimo hispano-flamenco de haci 1475. Post lo ha publicado com obra de Juan Sánchez de Castro, o d sus más inmediatos seguidores.

Adquirido al hospital de San Migue de Zafra, en 1924 por el Patronat del Museo.

2516 *San Juan Bautista*

Tabla, 0,96 × 0,60.

A la derecha, arrodillada, la donante fondo de paisaje.

Obra castellana, de fines del siglo XV según Angulo, casi seguramente de mismo pintor que la *Visitación* de Lázaro (Madrid), el *Abrazo de sa Joaquín y santa Ana,* y el *Nacimient de la Virgen* de Adanero (Madrid), l *Presentación de la Virgen* del Institut

Arte de Chicago, *la Huida a Egipto* Gor (Madrid), probablemente de *Asunción* del Prado (n.º 2515) y de tres *Historias de santa Ana* de Mau (Barcelona) y quizá de la *Misa de n Gregorio* que fue de Garnelo (Maid). Al autor de *la Piedad* de Curiel ibuyó Post alguna de estas tablas. dquirido por el Patronato del Museo 1930. Procede de Valladolid.

532 *Nuestra Señora de Gracia los grandes maestres de Montesa*

bla, 1,28 × 1,05.

aría acoge bajo su manto a los maeses de la Orden militar de Montesa, e le son presentados por san Benito san Bernardo.

ntura enteramente repintada, en escial la corona y el rostro de la Virn. Según Post, de comienzos del glo XV, valenciana, del tiempo, mas del estilo, de Pere Nicoláu.

onativo del marqués de Laurencín, eptado por el Patronato del Museo 12 de abril de 1920.

537 *Cristo triunfante*

bla, 1,51 × 1,73.

risto con el estandarte de la Cruz soe el globo del Mundo; en los ángus, los símbolos de los Evangelistas; ımerosos ángeles.

ıbla de proporción poco acostumada, quizá sirvió como «antipendio».

ntura castellana de fines del siglo XV, relación con Fernando Gallego.

dquirida en 1932 por el Ministerio Instrucción Pública y Bellas Artes.

566 *La Trinidad rodeada Angeles*

ıbla, 0,97 × 0,86.

Padre Eterno tiene en sus manos a risto en la Cruz; el Espíritu Santo, cima; rodeándoles trece ángeles.

ırece tabla de la espina de un tablo.

tribuido por Tormo a Jorge Inglés, ı figurado bajo su nombre en las nuevas ediciones del *Catálogo* del Prado hasta 1972. Como ya indicó Post, es obra aragonesa de hacia 1450. Para Gudiol, es obra del Maestro de Riglos. Lacarra, recientemente, lo cree obra del Maestro de Velilla de Jiloca, documentado en la primera mitad del siglo XV.

Legado Pablo Bosch.

2670 *El martirio de san Vicente: I*

Tabla, 2,50 × 0,84.

En la escena superior, el santo en la hoguera, arrodillado sobre una parrilla. En la inferior, arrojado al agua con una piedra de molino, y vuelto a la orilla, a pesar de aquel enorme peso. Fondo de mar con barcos; a la derecha, un castillo.

Obra española, probablemente levantina, hacia 1450.

Compañero del n.º 2671.

Legado Pablo Bosch.

2671 *El martirio de san Vicente: II*

Tabla, 2,50 × 0,84.

En la escena superior, el santo, en cruz aspada, es golpeado. En la inferior, el santo, muerto, en la orilla de un río; rodéanle cuervos, perros, un pavo real, etc. al fondo, una fortaleza.

Compañero del n.º 2670

Legado Pablo Bosch.

2673 *Martirio de san Sebastián*

Tabla, 0,86 × 0,80.

El santo, atado a un árbol, acribillado por saetas; a la derecha, el juez y los verdugos. Fondo de paisaje.

Compañero del n.º 2674.

Señala Post los abundantes repintes de estas tablas, que dificultan la clasificación. Sin embargo, las cree obras del pintor aragonés, discípulo de Pedro Espalargues, que llama Maestro de Almudévar.

Legado Pablo Boch.

2674 *Santa Irene arranca las flechas a san Sebastián*

Tabla, 0,85 × 0,60.

El santo, en el lecho, curado por la santa; dos piadosas mujeres y dos ángeles.

Compañero del n.º 2673

Legado Pablo Bosch.

2707 *La Virgen con el Niño*

Tabla, 1,61 × 0,92.

Figuras de cuerpo entero; la Virgen, sentada en un cojín; dosel, fondo de oro.

Clasificada por Suida como obra del «Maestro del Bambino Bispo». Sanpe-

2670

re y Miquel la publicó como de Pedro Scaparra, il Siracusano. Post la cree del maestro Jacobus, que firma la *Santa Ursula* que fue de Plandiura.
La tabla se dice que procede del norte de Cataluña, pero será casi con seguridad valenciana de hacia 1410. Dubreuil la atribuye a Pedro Nicolau y la cree de hacia 1380-90, fecha que parece excesivamente temprana.
Legado Pablo Bosch.

2829 *San Pedro y san Andrés*

Tabla, 1,06 × 0,64.

Sentados, san Pedro, con las llaves, y san Andrés con la cruz; pero no aspada, como usualmente se representa, sino latina.
Escuela aragonesa, probablemente del círculo de los Jiménez y Bernat.
Puede datarse en el último cuarto del siglo XV.
Adquirida por el Ministerio de Instrucción Pública en 1932.

7630-7631-7632-7633 *Cuatro escenas de la vida de santa Ursula*

Temple sobre tabla, 1,84 × 0,67 (cada una).

Fondos dorados. Escenas representadas bajo arcos terminados en gabletes angulares.
En la primera tabla, el rey de Bretaña, sentado en su trono, padre de la santa, recibe al embajador del rey de Inglaterra, que trae un mensaje pidiendo la mano de su hija para el hijo de éste. Ursula, sentada a la derecha del monarca, sobre un estrado, con un libro en la mano. Detrás del embajador, su séquito.
La segunda escena muestra al rey de Inglaterra, sentado en su trono, recibiendo a su emisario con las condiciones que la santa ha impuesto para su boda. Composición muy similar a la anterior.
En la tabla siguiente, bajo una bóveda que recuerda la catedral de Canterbury, se representa el bautismo del pretendiente por inmersión, en presencia de la santa y de los padres de ambos.
Por último, en una embarcación, la santa, acompañada de las vírgenes, camino de Roma. A la derecha, un niño señala la escena, como testigo de lo sucedido.
El tema está inspirado en la *Leyenda dorada* de Jacopo de Vorágine.
Formaban parte de un retablo de la iglesia dominica de San Pablo de Palencia, compuesto por 12 tablas, algunas de ellas en paradero desconocido, y ocupaban la zona superior del mismo.
Pertenecieron a la Colección Gorostiza (Bilbao). Adquiridas por el Museo, en 1992, con fondos del Legado Villaescusa.

7656 *Retrato de Isabel la Católica*

Tabla, 0,21 × 0,13.

Sobre fondo oscuro, retrato de busto prolongado, vuelto a la derecha, con las manos apoyadas en el quicio de la supuesta ventana, con las que sostiene un libro de devoción. Peinada con raya en medio, melena tapando las orejas y cubriendo parte de su cabeza con una cofia. Viste brial escotado, de rico brocado, debajo del cual se ve la camisa blanca y un joyel colgado del cuello.
Dado a conocer por Angulo, en 1954, que lo relaciona con el retrato de Isabel la Católica del Palacio Real de Windsor.
Documentado hacia 1450-1492. Estuvo en la Colección Bromley Davenport. Adquirido por el Museo, en 1993, a Stanley Moss, con fondos del Legado Villaescusa.

Siglo XVI

295 *Don Diego Hurtado de Mendoza (?)*

Tabla, 0,45 × 0,33.

Busto; ropa negra con gorguera estrecha de lienzo.
Don Diego (nació en 1503; murió e 18 de agosto de 1575); fue milita diplomático, poeta e historiador.
A Hurtado de Mendoza le retrató Ti ziano, según Vasari, suponiéndose qu es el lienzo del Palazzo Pitti, en el qu aparece de cuerpo entero, vestido d negro.
No es segura la identificación, y par Voss, inadmisible la atribución a Pul zone de los *Catálogos* anteriores 1920. Según Berenson, pudiera no se de mano italiana.
Según Mayer, a juzgar por la gola posterior a 1560, y el tipo genuina mente español, lo considera «com obra juvenil de la misma mano qu pintó el retrato del Calabrés», nú mero 1276.
En 1818 estaba en Aranjuez.

528 *Retrato viril*

Tabla de nogal: 0,57 × 0,44.

Figura de menos de medio cuerpo y tamaño natural. Tiene un librito en l mano izquierda.
En mayúsculas, en la parte alta, se lee *AETATIS SVAE 54.*
Antes se identificaba con don Fran cisco de los Cobos, secretario y conse jero de Carlos V.
Suscita dudas su clasificación ante rior dentro de la escuela italiana. Ma yer lo cree próximo al estilo de Sán chez Coello.
Procede de la Colección Real.

584 *Cristo con la cruz a cuestas*

Tabla, 0,65 × 0,51.

De medio cuerpo; túnica azul, coron de espinas y nimbo crucífero.
En el ángulo superior de la derecha, l fecha: *1543.*
Legado, en 1930, por Xavier Laffitte.

1276 *El Calabrés*

Lienzo, 0,65 × 0,51.

De más de medio cuerpo, traje negro cuello y puños blancos; cruz al pech pendiente de una cadena.

2517

egún el inventario del Alcázar de Marid, de 1636, es el *Calabrés* a quien el mbajador veneciano Lippomano llaaba «favorito e mezzo spia» de Fepe II.
)urante mucho tiempo se ha atribuido Luis Tristán sin razones ni estilísticas i históricas. Por la moda que viste, ebe de ser pintura de hacia 1590.

299 *Un conquistador de Indias*

'abla, 0,33 × 0,24.

)e medio cuerpo; viste de negro, con orra. En la mano izquierda, los uantes, y en la diestra, un papel con lema: *MI TENER Y MI BALER, ES A VN OLO DIOS QUERER.*
:n el ángulo superior izquierdo, el scudo: águila bicípite entre dos olumnas, torre en campo de plata, obo atado a un árbol; mano cogiendo una cabeza. Los cuarteles 1.º y 4.º parecen corresponder a un navegante o conquistador de América, ennoblecido por Carlos V. Tabla, quizá andaluza, del primer tercio del siglo XVI.
Donativo de don Rafael García Palencia, aceptado por R. O. de 21 de abril de 1911.

1338 *La Virgen del Rosario entre santo Domingo y san Pedro Mártir*

Tabla, 1,34 × 1,50.

La Virgen con el Niño en brazos, sentada en un trono; el dosel, dorado con cenefa de rosas; los santos, arrodillados.
Obra valenciana del primer tercio del siglo XVI.
Es clara la relación con el estilo del padre de Juanes.
Adquisición del Patronato del Tesoro Artístico en 1929.

2517 *El martirio de santa Ursula*

Tabla, 0,97 × 1,22.

En un barco, santa Ursula y cinco compañeras, el Papa, dos cardenales, etcétera; desde la orilla unos arqueros les asaetean. En primer término, un alabardero hiere a una de las vírgenes; en el barco, un soldado esgrime la espada contra el Papa. Fondo de fortaleza e iglesia.
Obra, según Post, de un discípulo de Juan de Flandes muy cercano a él, pero de quien no conoce otras obras. Hasta 1972 considerada obra del siglo XV.
Adquirida en 1933 con la subvención del Ministerio de Instrucción Pública. Procede de Salamanca.

2681 *Santo degollado y dos donantes*

Tabla, 0,72 × 0,47.

El mártir, con traje del siglo XVI, atado a un árbol; a derecha e izquierda, arrodillados, un caballero y una dama. Fondo de paisaje.
En los *Catálogos* de 1933 y 1942 clasificado, indebidamente, entre los anónimos alemanes.
El tema no ha podido descifrarse.
Legado Pablo Bosch.

2686 *Angeles músicos*

Tabla, 1,30 × 0,33.

Puertas de un relicario o altar. Seis tablitas, en cada una de las cuales se figura un ángel músico.
Obra de un «manierista» español probablemente andaluz del tercer cuarto del siglo XVI.
Legado Pablo Bosch.

2717 *La Pentecostés*

Tabla, 0,52 × 0,39.

La Virgen, sentada en el cenáculo, rodeada por once apóstoles.
Obra castellana de mediados del siglo XVI.
Legado Pablo Bosch.

7635 *Martirio de san Acacio*

Tabla central, 0,92 × 0,67;
laterales, 1,00 × 0,31.

En la tabla central, el santo con aureola dorada, junto a Eliades y Theodoro, atados a un árbol, en el momento de la flagelación y alanceamiento. En un segundo plano, los mártires con las cruces al hombro camino del suplicio, y, al fondo de la composición, a la derecha, la crucifixión. En las portezuelas, Acacio y sus compañeros, vestidos con armaduras, coronados de espinas y portando sus cruces, más a modo de estandarte que como instrumento de martirio.
El tema, tomado de la *Passio decem millium martyrum,* poco frecuente dentro de la pintura española, representa la historia de Acacio, centurión de las legiones de Capadocia, al servicio de Adriano y Antonio, que guiado por un ángel obtuvo la victoria en el monte Ararat.
Datado entre 1540-1545. Gudiol lo considera de Juan de Borgoña. Post lo cree del Maestro de Bolea, discípulo de Borgoña. Según Pérez Sánchez, pertenece a un periodo más tardío, dentro del manierismo introducido por Berruguete en Toledo, en torno al año 1540. Posteriormente, Padrón (1955) lo considera del Maestro de Zamora.
Adquirido en 1992 a doña María del Coro y doña Ana Muñoz Amilibia con fondos del legado Villaescusa.

Siglo XVII

191 *El aire*

Lienzo, 1,94 × 0,77.

Una mujer sobre una nube; en su diestra, una redoma agujereada —la lluvia—, y en la mano izquierda, un haz de llamas —el Fuego—; un pájaro y dos cabezas de ángel.
Compañero de los números 3196, 3197 y 3198.
Obra de un pintor madrileño de fines del siglo XVII, muy influido por el estilo de Luca Giordano, al que se ha atribuido hasta 1972.
La diferencia de dimensiones con las otras piezas se debe a una evidente adición de tela en los laterales de los otros.
En 1954, en el Buen Retiro.

1037 *La reina Isabel de Borbón, primera mujer de Felipe IV*

Lienzo, 1,26 × 0,91.

De más de medio cuerpo. Cuello y puños amplios; traje gris, labrado, con flores verdosas. El «joyel rico», cinturón, cadena y botones de oro, piedras y perlas; perlas también en las orejas y en el pelo; abanico en la diestra.
Sobre Isabel de Borbón o de Franci véase el n.º 1625. Cuadro de disc tida identificación, hoy indudable, de muy problemática atribución. S gún Allende-Salazar, podría creers obra de Angelo Nardi; nació éste e Razzo (Vaglia di Mugello, Florenci el 19 de febrero de 1584; vino a E paña en 1607, y aquí murió entre el de marzo de 1663 y el 8 de julio d 1665.
Procede de la Colección Real.

2505 *Un hijo de Francisco Ramos del Manzano*

Lienzo, 1,68 × 0,85.

En pie; viste traje pardo. Represen unos doce años.
Es identificación tradicional. Ram del Manzano murió en 1683 y fue u notabilísimo jurisconsulto. Adquiri al señor Borondo, quien poseía ad más los retratos de los padres y de u hermana del joven; los tres, de la mi ma mano; el último, propiedad de M Taylor (Nueva York).
Comprado en 1930 por el Patronat del Tesoro Artístico.

2534 *Carlos II, niño*

Lienzo, 1,18 × 0,99.

Figura de cuerpo entero, en pie, e lutado, con un arcabuz. Al fondo, fuente de los tritones, que estaba e tonces en Aranjuez.
Sobre Carlos II, véase el n.º 642.
Por el luto ha de ser cuadro de fech cercana a 1665, en que murió Fel pe IV.
Legado de doña Almudena Cuev (1932).

2687 *Bodegón*

Lienzo, 0,30 × 0,44.

Un cardo, almendras y una copa d vino blanco.
Obra que puede datarse hacia 1630.
Legado Pablo Bosch.

33 *El hermano Lucas Texero*
te el cadáver del venerable padre
rnardino de Obregón

nzo, 1,08 × 1,63.

venerable yace muerto; detrás, en , de más de medio cuerpo, señadolo, el hermano Texero, que osta gran collar de cofradía y tiene la mano izquierda su libro: *Rezo evo y cántico nuevo de la Corona de estra Señora.*
va inscripciones:
hermano Lucas Texero de la congación del Benerable Padre Berdino de Obregón e hijo de la horabe estirpe y descendencia de los xeros de Anchuelo sacó a luz el ecimiento de la corona de nuestra iora por las doce excelencias que fican las doce estrellas que forman mperial corona. Año de 1627.»

«La corona de María
Tiene Lucas por tusón
Por escudo y por blasón.»

a los señores secerdotes pido por or de Dios que después de dicha su sa antes de volver a la sacristía me an esta caridad:

Haz este bien a los dos
De que un responso me digas
Pues que con esto me obligas
Que por ti yo ruegue a Dios.»

nardino de Obregón nació el 20 de yo de 1540; murió en Madrid el 6 agosto de 1599. Fundó la Congación llamada de los Obregones en 8. Ingresó en el Museo en 1941.

28 *Camino del Calvario*

nzo, 1,81 × 2,83.

el centro, Cristo caído bajo la cruz zotado por un verdugo, mientras s le ayudan a levantar la cruz. A la echa, la Verónica, y a la izquierda, Marías, la Virgen y san Juan.
uela madrileña.

)6 *La Tierra*

nzo, 2,45 × 1,06.

a izquierda, figura femenina de

3196

cuerpo entero amamantando un niño, con frutos. A sus pies, un león y una tortuga. Fondo de paisaje.
Compañero de los números 191, 3197 y 3198.
Procede de la Colección Real.

3197 *El Agua*

Lienzo, 2,45 × 1,06.

Figura femenina coronada, en pie junto al mar, con una gran caracola manando agua. Al fondo un delfín.
Compañero de los números 191, 3196 y 1319.
Procede de las Colecciones Reales

3198 *El Fuego*

Lienzo, 2,45 × 1,60.

Figura varonil semidesnuda, con manojo de rayos en la mano derecha y el sol en la izquierda, en pie sobre una hoguera en la que remueve una salamandra.
Compañero de los números 191, 3196 y 3197.
Procede de las Colecciones Reales.

ANONIMOS FLAMENCOS

Siglo XV

7689 *El Calvario*

Tabla, 1,68 × 1,27.

Bajo una arquivolta se representan seis escenas de la Pasión de Cristo: Oración en el huerto de los olivos, Beso de Judas, Jesús ante Caifás, Flagelación, Coronación de espinas y Cristo con la cruz a cuestas. En el centro de la composición, la figura de Cristo crucificado en el momento en que Longinos clava la lanza y le acerca la esponja. A ambos lados, los ladrones en la cruz. En primer término, la figura de la Virgen desmayada, sostenida por san Juan y acompañada por las dos Marías. A la derecha, un grupo de judíos, unos a caballo y otros a pie. Fondo de paisaje flamenco con arquitecturas. En las enjutas del arco, el sol, la luna y las estrellas.
Obra de fines del siglo XV. Adquirido por acuerdo del Real Patronato del Museo en fecha 21 de diciembre de 1994.

Siglo XVI

56 *Niño desconocido*

Tabla, 0,81 × 0,68.

De más de medio cuerpo; viste de negro.
Se ha sugerido la hipótesis de que en la tabla se retratara a Francisco, duque de Alençon (nació en 1554; murió en 1584), hijo de Enrique II de Francia.
Atribuido a Bronzino, aunque el *Catálogo* de 1920 advertía dudas y apuntaba su clasificación dentro de la escuela de Pieter Pourbus (1510-1584). Mayer sugirió el nombre de

1361

Sánchez Coello, pero quizá es flamenco, pues está pintado sobre tabla de roble.
Procede de las Colecciones Reales.

1361 *La Adoración de los Magos*

Tabla, tríptico, 0,58; ancho de las puertas, 0,12 y del centro, 0,30.

Puerta izquierda: Herodes recibe presentes de los emisarios de los Magos; al fondo, su cabalgata.
Centro: La Epifanía. Fondo de paisaje, animado por muchas figurillas.
Puerta derecha: La reina de Saba ante Salomón, pasaje bíblico que prefigura la Adoración de los Magos.
Es del mismo autor, según Friedländer, que la *Adoración* de Múnich, con la firma apócrifa *HENRICUS BLESIUS FECIT;* bautizó el mismo crítico a este anónimo el «Maestro A.», y más tarde Pseudo-Blesius. Su fecha, hacia 1520, dentro de la escuela de Amberes.
En El Escorial, de donde vino en 1839, se atribuía a Lucas de Leyden.

1916 *Los desposorios místicos de santa Catalina*

Tabla, tríptico, alto de las puertas, 0,93; de ancho, 0,26; del centro, 0,93 y 0,62.

Puerta izquierda: ¿Donador?; paisaje con casa y dos caminantes.
Centro: Santa Catalina y otra santa —¿Bárbara?— con la Virgen y el Niño; delante, cerezas, manzana y cuchillo; detrás, paisaje con mar y una fortaleza; en el campo, el martirio de santa Catalina.
Puerta derecha: Santa Ursula; en el fondo, la huida a Egipto y la matanza de los inocentes.
Maestro anónimo de Brujas, hacia 1520.
Friedländer advierte clara la influencia de Gérard David. El centro se trajo de El Escorial en 1837, y las puertas, que parecen de distinta mano, se trajer en 1925. El tríptico fue allí entregac el año 1584.

1917 *Milagro en Tolosa de san Antonio de Padua*

Tabla, 1,21 × 0,80.

La mula, hambrienta, se arrodilla an la Hostia, que está en un canasto cebada; un albigense se convierte a vista del prodigio.
Clasificado por Raghianti como ob del «Maestro de las escenas de la P sión», de Brujas. Según Friedländ del mismo maestro que una *Cr cifixión,* fechada en 1500, de la N tional Gallery, de Londres.
Adquirido por Felipe II y enviado el de agosto de 1584 a El Escorial, donde vino en 1839. Allí se atribuía Lucas de Holanda.

1918 *El devoto y el distraído en misa*

Tabla, 0,61 × 0,32 (probablemente parte central de un tríptico).

Interior de una iglesia gótica; en altar, un calvario; el sacerdote alza Hostia. A la izquierda, el devoto mi al altar, mientras el mundano pien en los afanes de su casa, que muestra sin fachada, revelando cin aspectos: cuadra y bodega, cocin comedor y un hombre que trabaja.
En el *Catálogo* de 1933 se titulaba *M de Exvoto.* Terverent creyó que rep sentaba un sacerdote y un seglar; Ha ha sugerido que el tema es *La prière riche et du pauvre;* parece men aventurado limitarse a señalar la diver actitud de los asistentes a la misa.
Según Friedländer, es obra de u maestro flamenco de hacia 150 artista de interés.
Vino de El Escorial.

1953 *El conde de Mansfeld y su hijo*

Lienzo, 0,76 × 1,22.

De menos de medio cuerpo.

1916

dro Ernesto de Mansfeld nació en 20, fue gobernador de los Países jos; murió en 1604. Su hijo se maba Carlos, nació en 1543 y urió en 1595. Identifícanse estos ratos por el inventario del Alcázar, 1636, que describe el lienzo. Obra fines del diglo XVI.

59 *Desconocida*

bla, 0,32 × 0,23.

isto: traje negro, gorguera y tocas. el último tercio del siglo XVI. dquisición de Carlos IV. Vino de anjuez en 1827.

217 *La adoración de los Magos*

bla, tríptico: alto 1,05; cho de la tabla central, 0,71; las portezuelas, 0,34.

rtezuela izquierda: *San José.* Fondo calle.
Centro: *La Virgen, el Niño, dos Magos y séquito.* Fondo de paisaje.
Portezuela derecha: *El rey negro.* Fondo de paisaje.
Friedländer lo clasifica como anónimo flamenco, al que bautiza con el nombre de «el Maestro de 1518».
Procede de El Escorial, pero antes, en el guardajoyas de Felipe II, y en 1636 todavía estaba en el oratorio de S. M.

2224 *La Virgen y el Niño*

Tabla, 0,46 × 0,34.

La Virgen, de medio cuerpo, con el Niño en brazos.
Pintura de comienzos del siglo XVI.
Legado de Ricardo Blanco Asenjo, aceptado el 5 de abril de 1894.

2635 *Nacimiento e infancia de Cristo*

Tabla, 1,35; ancho de las portezuelas, 0,33; de la tabla central, 0,87.

Tríptico, abierto: portezuela izquierda: *El Nacimiento.* Centro: *La adoración de los Magos.* Portezuela derecha: *La huida a Egipto.* Cerrado: *La Anunciación,* de claroscuro. En la base, un añadido del siglo XVIII.
En el *Catálogo* de 1920, como del estilo de Hendrick Met de Bles. Obra de un pintor de Amberes de hacia 1520.
Legado Pablo Bosch.

2636 *El Salvador*

Tabla, 0,34 × 0,27.

De menos de medio cuerpo, bendiciendo; la mano izquierda encima del mundo; esfera de cristal con paisaje de mar y tierra.

1451

En el *Catálogo* de 1920, atribuido a El Bosco. La clasificación como anónimo flamenco de hacia 1510 es de Friedländer.
Legado Pablo Bosch.

2648 *Cleopatra (?)*

Tabla, 0,85 × 0,64.

Figura casi de cuerpo entero; en las manos, un frutero con uvas, donde se ocultará el áspid; fondo arquitectónico.
Suponíase representaba a la reina Ester, y después a Lucrecia.
En el *Catálogo* de 1920, como de Gossaert; y se ha relacionado con su *Dánae,* de Múnich, de 1527. Obra anónima de hacia 1525.
Legado Pablo Bosch.

2685 *Vida y martirio de santa Catalina*

Políptico: cinco tablas:
1,20 × 0,36, las estrechas,
y 1,20 × 1,69, la central.

Cerrado, se ordenaría: dama donante; detrás, santa Isabel (?). Adoración de los Magos (en dos tablas). Caballero donante; detrás, san Juan Evangelista. Abierto: escena destruida. Desposorios místicos. Tabla central, con la Disputa con los sabios, martirio en la rueda y degollación. Entierro de la santa y subida al cielo. Un peregrino ante las reliquias.
Anónimo, hacia 1530.
Legado Pablo Bosch.

2699 *Portezuela de un tríptico.* Anverso: *San Cristóbal.* Reverso: *Virgen anunciada*

Tabla, 0,62 × 0,36.

San Cristóbal, atravesando un río; a la izquierda, un ermitaño. La Virgen, de pie en un nicho, pintada al claroscuro. Con dudas, apunta Friedländer la atribución a Provost.
Legado Pablo Bosch.

2702 *La Crucifixión*

Tabla, 0,83 × 1,32.

Cristo, entre los dos ladrones; al pie, san Juan y las Marías; a la izquierda, dos soldados; fondo de paisaje amplio con edificios y figuras.
Del pintor anónimo de Amberes «el Maestro de 1518», según Friedländer.
Legado Pablo Bosch.

2718 *La Sagrada Familia*

Tabla, 0,38 × 0,33.

San José, la Virgen con el Niño, santa Ana y san Joaquín. A la derecha e izquierda del dosel, fondo de paisaje.
Según Friedländer, del pintor de Amberes «el Maestro de 1518».
Legado Pablo Bosch.

2884 *Judith con la cabeza de Holofernes*

Tabla, 0,98 × 1,20.

La heroína y la sirviente, de más medio cuerpo; a la izquierda, el campamento, viéndose el cuerpo decapitado de Holofernes.
Tabla flamenca en relación con el estilo de Jan Massys —a quien se atribuye el ejemplar de la galería del palacio Barberini, de Roma—; se ha pensado también en emparentarla con Crispijn van den Broeck.
Legado del conde de la Cimera (1944).

Siglo XVII

1386 *Paisaje con un río*

Cobre, 0,25 × 0,29.

Río navegable, con barcos de carga, nadadores, etc.; en las orillas, casas.
Atribuido a P. Bril en los *Catálogos* hasta 1972. Su estilo está más cerca de los contemporáneos de Jan Brueghel.
En 1746, en La Granja, Colección de Isabel de Farnesio. Después, en Aranjuez.

1445 *Puerto*

Tabla, 0,14 × 0,19.

En un altozano, a la derecha, un molino de viento; en el mar, barcas.
Como de Jan Brueghel hasta 197
De estilo que evoca simultáneamente a Brueghel y a Gysels. Díaz Padrón (1995) lo atribuye al taller de Jan Brueghel el Mozo.
Vino de Aranjuez en 1848.

1451 *El palacio de Bruselas*

Lienzo, 1,50 × 2,28.

En primer término, a la izquierda, infanta gobernadora, doña Isabel Clara Eugenia, viuda, paseando; a la derecha, grupos.
Atribuido a Jan Brueghel hasta 197
Díaz Padrón (1995) lo cree de Jan Brueghel el Mozo.

Se trajo de Flandes para la reina doña Isabel, primera mujer de Felipe IV.

1997 *El Valor y la Abundancia: guirnalda de flores y frutos*

Tabla, 0,84 × 0,59.

El grupo lo forman, dentro del medallón, un joven armado y una mujer con una cornucopia.
Atribuido en los *Catálogos* anteriores, hasta 1972, a Davidsz de Heem, con reservas. Díaz Padrón (1995) lo cree de Ykens y Lievens.
Procede de la Colección Real.

1998 *Colgante de frutas y hortalizas*

Lienzo, 1,82 × 0,42.

De una argolla dorada y por medio de cintas azules, cuelgan uvas, manzanas, coliflor, alcachofa, remolachas, etc.
Recuerda algo la técnica de Van Utrecht. Parece anterior a 1650.
Compañero del siguiente.
Procede de las Colecciones Reales.

1999 *Colgante de frutas y hortalizas*

Lienzo, 1,82 × 0,42.

De una argolla dorada y con cintas azules están colgadas uvas, granadas, coles, alcachofas, chirivías, zanahorias, etcétera.
Véase el n.º 1998.

ANONIMOS FRANCESES

Siglo XVI

3524 *La mujer entre las dos edades*

Tabla, 0,75 × 1,05.

Asunto tomado de la *commedia dell' arte italiana.*
Muestra a una muchacha que se deja abrazar por su joven amante, mientras mantienen en sus manos las gafas del anciano, quien probablemente queda así ciego y no advierte la tierna escena.
Semeja obra de un desconocido pintor francés influido por la escuela de Fontainebleau. Fechable hacia 1570.
Existen otras versiones de esa composición.
Adquirido en 1978.

Siglo XVII

2249 *El triunfo de la Prudencia*

Lienzo, 2,57 × 2,95.

En las nubes, y ante un pórtico, la Justicia, la Caridad, la Fortaleza o Hércules y la Templanza; dos genios alados; en el centro, un sol rodeado por cinco estrellas con el mote: SOLIO PRUDENTIA SOL EST.
Repetida la composición en un tapiz bruselés del siglo XVIII que, procedente de la Colección Leverhulme, se anunciaba en 1958 por los anticuarios Seidlitz y Von Baarn, de Nueva York.
Desde 1843 a 1873, tenido como de Sebastián Bourdon. Desde 1876, a nombre de Dorigny. Actualmente se relaciona con un autor de espíritu franco-flamenco no lejos de B. Flémalle.
Procede de las Colecciones Reales.

2359 *Bacanal*

Tabla, 1,00 × 2,51.

En un campo con arboleda, a la derecha, un río, bacantes, faunos, etc., durmiendo, bailando, bañándose ante Baco y Sileno; éste, dormido.
Fue delantera de un clavicordio; todavía se advierte la forma primitiva, hoy resuelta en rectángulo.
Estuvo atribuido a Poussin. Modernamente se ha pensado en Gérard de Lairese, sin fundamento.
En 1772 estaba en el Palacio Nuevo.

2365 *El alma cristiana acepta su cruz*

Lienzo, 0,70 × 0,64.

Una joven coronada de flores, cargada con una cruz, sigue los pasos del Redentor, asimismo con el santo madero, por camino sembrado de cruces.
Se inspira en meditaciones ascéticas del siglo XVII que en España tuvieron eco en el libro de Gracián *Agudeza y arte de ingenio* (discurso LVII): se elegiría la cruz más pequeña, pero la que da el Señor es la menos pesada. Recuerda también una estampa de Jean-Baptiste Corneille. Según Sterling hay un cuadro de igual composición firmado por Champaigne, inspirado en otro de Lelio Orsi. Para Blunt sería obra dudosa de Jacques Stella. Tampoco está muy lejos de la estética de Lauren de la Hyre.
Procede de las Colecciones Reales.

2885

2885 *La primavera*

Lienzo, 1,96 × 1,10.

Figura completa que pudiera ser retrato, con un ramo de rosas; fondo de parterre y lejanías.
Pareja del siguiente. Se han atribuido a J. B. Santerre (1658-1717); pero son evidentemente anteriores a la fecha de

su nacimiento. Acaso relacionadas con estampas de las estaciones. En una colección barcelonesa estaban las dos restantes.
Legado del conde de la Cimera (1944).

2886 *El estío*

Lienzo, 1,96 × 1,10.

Figura completa con un manojo de espigas. Fondo con la siega, una granja, etc.
Véase el n.º 2885.
Legado del conde de la Cimera (1944).

Siglo XVIII

6075 *Venus curando a Eneas*

Lienzo, 1,27 × 0,96.

Describe un pasaje concreto de Virgilio (*Eneida,* XII, 383-424): Eneas, herido, es auxiliado por Japex y curado por Venus.
Es obra próxima a Girodet.
Adquirido por el Ministerio de Cultura en 1979.

ANONIMOS HOLANDESES

Siglo XVII

1728 *Bosque*

Tabla, 0,55 × 0,61.

Arboleda muy espesa; en ella, a la izquierda, asoma un cazador a caballo, y la atraviesan perros persiguiendo a una pieza.
Considerado hasta 1972 en los *Catálogos* del Museo del Prado obra de Jacob van Ruisdael, considerándolo «compañero» del número 1729, a pesar de la no coincidencia de técnica y medidas. Rosenberg (1928) no lo incluyó en su catálogo. Valdivieso (1973) lo relaciona con Jan de Zagoor, discípulo de Ruisdael.
Procede de las Colecciones Reales.

2159 *Combate naval*

Tabla, 0,37 × 0,58.

Dos naos —turca y española—, luchando; a la derecha, la costa.
Esta obra ha sido atribuida en los *Catálogos* anteriores del Museo del Prado a Aert van Antum siguiendo la opi nión de Bredius, que recogió Madraz (1920). Valdivieso (1973) la cree má próxima al estilo de Vroom.
En 1746, en La Granja. Colección d Isabel de Farnesio.

2860 *Paisaje*

Tabla, 0,42 × 0,56.

A la entrada de un bosque de robles un jinete seguido de un perro habla una mujer. A la izquierda se abre paisaje con lejanías luminosas.
Firmado al pie del tronco cortado a l izquierda: *M. HOBBEMA;* la M y la H enlazadas.
Esta firma apócrifa ha sido la causa de la equivocada atribución Meindert Hobbema, recogida en lo *Catálogos* desde 1949 a 1972, a pesa de las diferencias de estilo, con est pintor. Para Valdivieso (1973) serí obra de un discípulo de Jacob va Ruisdael próximo a Jan Loote (1618-1681).
Adquirido en 1944.

ANONIMOS ITALIANOS

11 *Dama veneciana (?)*

Lienzo, 2,15 × 1,45.

Sentada; cuello y puños de lama d plata, y perlas en el cuello. Traje verd muy oscuro con adornos de plata en l basquiña y de oro en el cuerp y mangas. Flores en el pelo; largos pen dientes. Fondo de Venecia. Cortina tapete carmesíes.
Presenta cierta semejanza con Marí Luisa Gonzaga —que casó, sucesiva mente, con los reyes de Polonia Ladis lao IV y Casimiro V—, según la es tampa de Claude Mellan; murió el 1 de mayo de 1667. Era hija de Carlos de Mantua.
Según Voss, sólo puede afirmarse qu es obra veneciana de mediados de siglo XVII.
En los inventarios del Retiro de 1772 y 1794.

1728

270

55 *El tañedor de viola*

Tabla, 0,77 × 0,59.

De medio cuerpo; gorra roja. Tiene en las manos una *viola da bracio.*

La atribución a Bronzino de los *Catálogos* anteriores al de 1933 es rechazada por los críticos modernos. Según Berenson, es obra de un parmesano y, según Voss, puede pertenecer a las escuelas de Parma, Emilia o Módena, hacia 1540.

En 1746, en la Colección de Isabel de Farnesio (La Granja).

35 *La comunión de santa Teresa*

Lienzo, 1,60 × 1,21.

San Pedro de Alcántara da la comunión a la santa, entre san Francisco y san Lorenzo, a juzgar por la dalmática de diácono.

Según Mayer, puede atribuirse a un pintor del círculo de Crespi «spagnuolo». En 1794, en el Palacio Nuevo.

100 *La Magdalena, penitente*

Lienzo, 1,91 × 1,21.

Sentada, con la cruz y la calavera; un ángel con el pomo.

Antes de 1933 atribuido a Ludovico Cardi, «il Cigoli» (nació el 12 de septiembre de 1559; murió en Roma el 8 de julio de 1613); el estilo prueba que es muy posterior a su muerte.

Adquisición de Carlos IV; en 1814 estaba en Aranjuez.

270 *Los desposorios místicos de santa Catalina*

Lienzo, 1,17 × 1,51.

Figuras de más de medio cuerpo; la Virgen, el Niño, santa Isabel, san José y san Juan.

En los *Catálogos* anteriores al de 1933, como de Palma, «il Giovane». Según Berenson, original excelente de Domenico Tintoretto. Según Voss, de la segunda mitad del siglo XVI, quizá de Lamberto Sustris, flamenco, establecido en Venecia.

En 1746, en La Granja: pinturas de Isabel de Farnesio.

368 *El coronel Francisco Verdugo* (?)

Lienzo, 0,54 × 0,37.

Armado; con gorguera de puntas.

La identificación no es segura.

El coronel Verdugo nació en 1537; murió en 1595. Escribió los *Comentarios* (Nápoles, 1610) de la guerra de Frisia, en la que intervino.

Ormaston y Berenson rechazan la atribución anterior al *Catálogo* de 1933 a Tintoretto, que, desde luego, parece infundada.

En la Colección de Isabel de Farnesio, San Ildefonso (1746), como obra de El Greco; en 1794, como Tintoretto.

406 *Paolo Contarini*

Lienzo, 1,17 × 0,91.

Algo más que medio cuerpo; viste toga encarnada, guantes en la diestra.
A la derecha, en alto, el rótulo: *PAVLUS CONTARENVS. DION F. CRETAE. LEGATVS ANNO AET. XLVIII. MDLXXVII IDEM POSTE CONTINENTIS. ORAE LEGATUS MDLXXXIIII.*
Para algunos, debería atribuirse a El Greco.
Procede de las Colecciones Reales.

519 *Un eclesiástico*

Tabla, 0,54 × 0,42.

Menos de medio cuerpo; muceta y gorro, negros.
Pintura, quizá florentina, de hacia 1520.
En el siglo XVII, en el Alcázar.

535 *El diluvio universal*

Lienzo, 0,58 × 0,75.

El arca de Noé flota a la altura de las cimas. Hombres y animales que intentan salvarse.
Clasifícase como de escuela holandesa de mediados del siglo XVI.
En 1746, en La Granja, entre los cuadros de Isabel de Farnesio.

580 *Cristo mostrado al pueblo*

Tabla, 0,78 × 0,53.

La escena en el Pretorio, con la composición habitual. Gran arco clásico dibujado. Pintura sin acabar.
Detrás, la Virgen con el Niño, de calidad artística inferior y de distinta factura.
Rothlisberger ha señalado la semejanza del fondo arquitectónico con un dibujo de Jacopo Bellini.
Adquirido a la iglesia de San Lázaro, de Palencia, en 1928.

7691

2551 *San Jerónimo, penitente.* Reverso: *Paisaje con un cazador*

Tabla, 0,82 × 0,62.

El santo Doctor, desnudo, rodilla en tierra, contempla el crucifijo; en la diestra tiene una piedra para golpearse. En el ángulo bajo de la izquierda, el libro y los lentes. Fondo de paisaje.
Reverso: paisaje; en un lago, o río, aves acuáticas; un cazador, en la orilla, y dos pescadores (?).
Se fechará hacia 1550 y quizá deba clasificarse como pintura del norte de Italia.
Legado del conde de Pradere.

7687 *Conversión de san Pablo*

Cobre, 0,40 × 0,50.

En primer término, la figura del santo, caído del caballo, ante el resplandor celestial, en el que aparece la figura de Cristo, situado en lo alto de la composición, con la cruz en la mano, rodeado de ángeles, preguntándole: «¿Por qué me persigues..?» Gran número de personajes, unos a pie y otros a caballo, acompañan la escena.
Obra anónima del siglo XVI.
Adquirido por el Estado en 1994.

7691 *San Antonio abad, en meditación*

Tabla, 0,42 × 0,30.

San Antonio, con la mirada baja, barbado, sosteniendo entre sus manos el libro de la regla de su orden. La campanilla y el bastón en forma de tau, apoyado contra la roca, símbolos del santo.
Por su estilo, técnica y composición, Mena (1995) lo relaciona con obras

7687

tardías del pintor veneciano G. Bellini (hacia 1432-1516).
Mazo, recientemente (¿1996?) lo atribuye a Giovanni Agostino de Lodi, documentado en torno a 1500.
Adquirido por el Museo del Prado por acuerdo del Real Patronato, en fecha 3 de febrero de 1995.

3115 *Bodegón de aves*

Lienzo, 0,50 × 0,83.

Pavo de pie, sobre una mesa, en la que hay diversas aves muertas. Otras, colgadas, al fondo.
Obra napolitana de fines del siglo XVII o comienzos del XVIII, no lejana de Baltasare de Caro (1689-1750).
Adquirido en 1966.

ILUSTRACIONES EN BLANCO Y NEGRO

A continuación se reproducen en blanco y negro las imágenes de las obras que, comentadas en las páginas anteriores, no habían sido reproducidas.

A la derecha de la reproducción aparece el número de inventario y a la izquierda, la página donde se encuentra su ficha técnica.

3 7

4 8

377

472 11

371 14

413 17

69 20

17 23

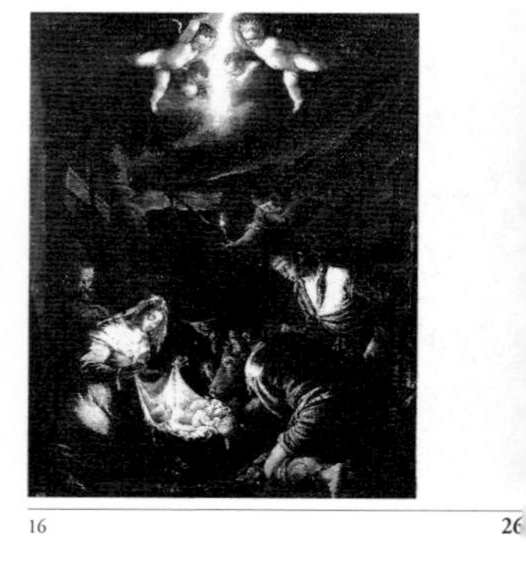

16 26

16 27

16 28

17 29

30
15 34
15 36
39
15 40
406 42
43
17 44
17 45
51
473 55
467 56

1 83

473 85

198 86

8 91

112 92

112 94

95

72 96

416 98

99

473 100

122 105

123 108

123 109

123 1

84 115

84 117

84 1

84 119

84 120

85 1

54 122

27 123

27 1

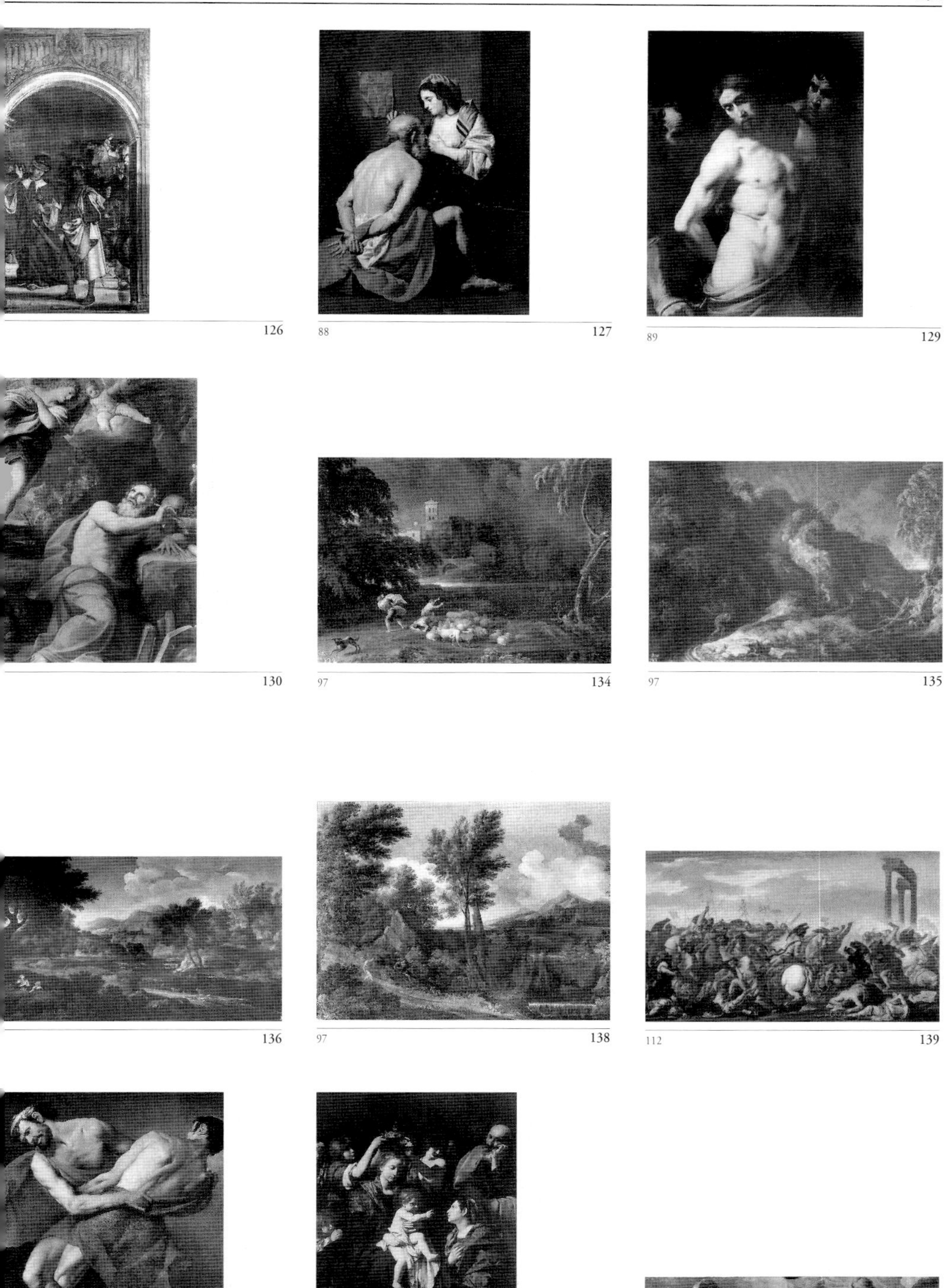

126

88 127

89 129

130

97 134

97 135

136

97 138

112 139

142

70 146

125 151

125 152

125 153

125

125 161

125 162

125

126 165

126 167

126

126 171

126 172

126

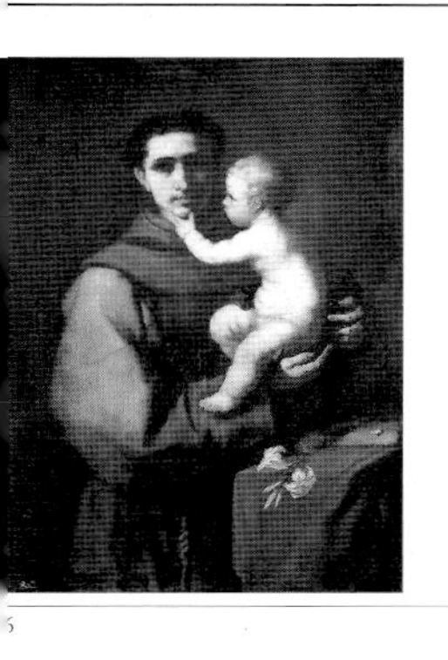

5 178

126 179

126 181

5 182

126 183

127 184

7 187

127 188

127 189

5 191

127 194

127 195

127 196

128 198

168 2

308 212

308 214

308 2

309 219

309 220

325 22

309 230

182 233

191 2

191 235

191 236

121 237

121 238

211 245

262 252

374 256

374 257

375 258

56 264

256 265

287 269

269 272

270 275

270 276

270 277

276 281

276 284

464 295

302 305

302 306

302 307

303 309

303 310

303 311

303 312

30 325

50 328

358 331

358 337

8 341

371 351

390 356

357

390 358

390 360

388 364

388 364 a

389 365

391 366

397 367

473 36

392 369

392 370

32 37

392 373

392 374

393 3

3 379

269 380

391 381

3 385

391 387

394 390

4 391

394 392

395 393

5 395

395 396

391 400

397 401

269 402

63 40

474 406

399 414

401 42

408 423

408 424

402 42

404 433

404 436

405 43

406 441

406 445

408 446

408 452

411 461

412 462

412 463

412 464

413 466

413 469

413 470

261 471

413 472

327 477

439 48

397 484

436 486

437 487

437 494

437 497

438 498

439 501

3 511

455 512

5 513

474 519

283 525

4 528

406 533

474 535

542

212 543

25 550

552

11 556

129 573

24 576

9 577

358

474 580

389 583

464 5

7 585

8 587

8 5

8 590

10 592

10 5

594

10 595

10 596

597

11 599

20 605

606

20 607

27 610

611

28 612

28 613

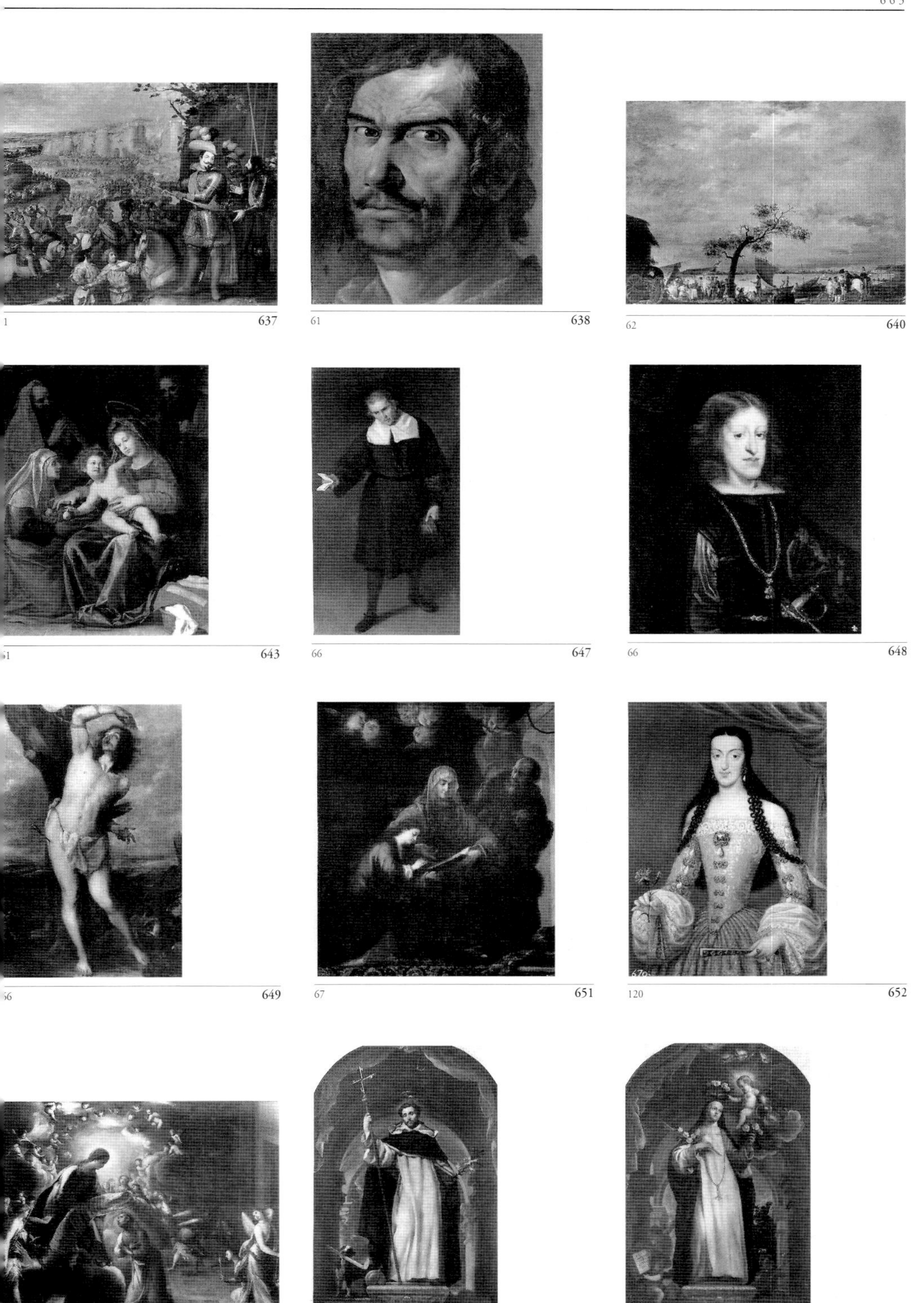

1 637

61 638

62 640

61 643

66 647

66 648

66 649

67 651

120 652

3 657

78 662

78 663

78 665

79 666

81 67

82 692

106 695

106 69

106 697

106 698

108 70

234 706

234 707

234 70

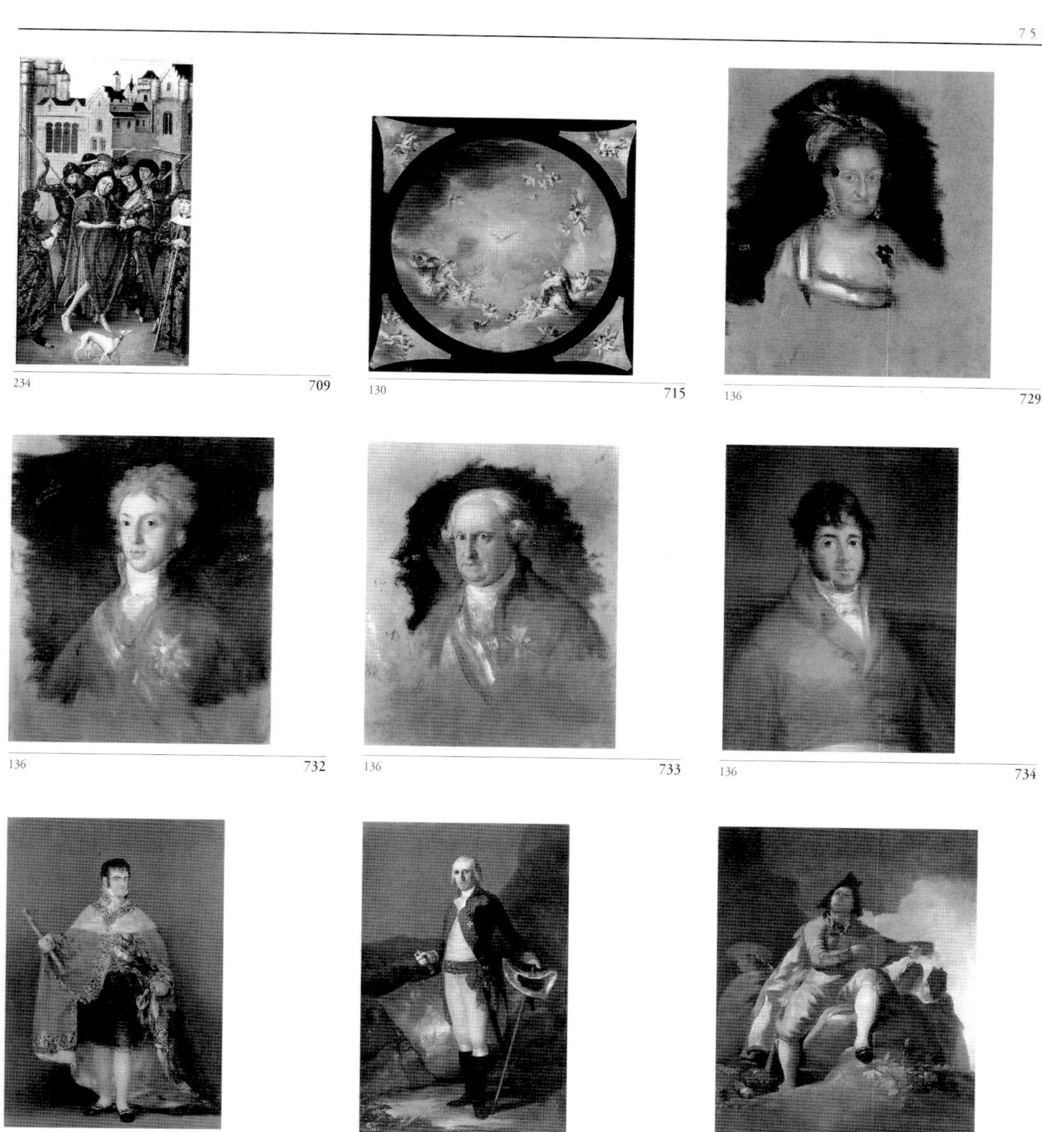

234 709

130 715

136 729

136 732

136 733

136 734

136 735

137 736

139 743

139 744

140 747

141 751

144 753

144 755

144 75

145 757

145 759

146 76

146 764

146 765

146 76

147 768

147 771

147 772

147 774

148 775

148 776

148 778

148 779

149 781

149 782

149 783

149 784

149 785

149 787

149 788

149 789

149 790

149 79

149 792

149 793

149 7

150 797

151 801

151 80

151 803

151 804

151 80

0 808 · 159 810 · 160 811

0 812 · 160 813 · 160 814

0 815 · 161 820 · 161 823

2 825 · 162 826 · 163 828

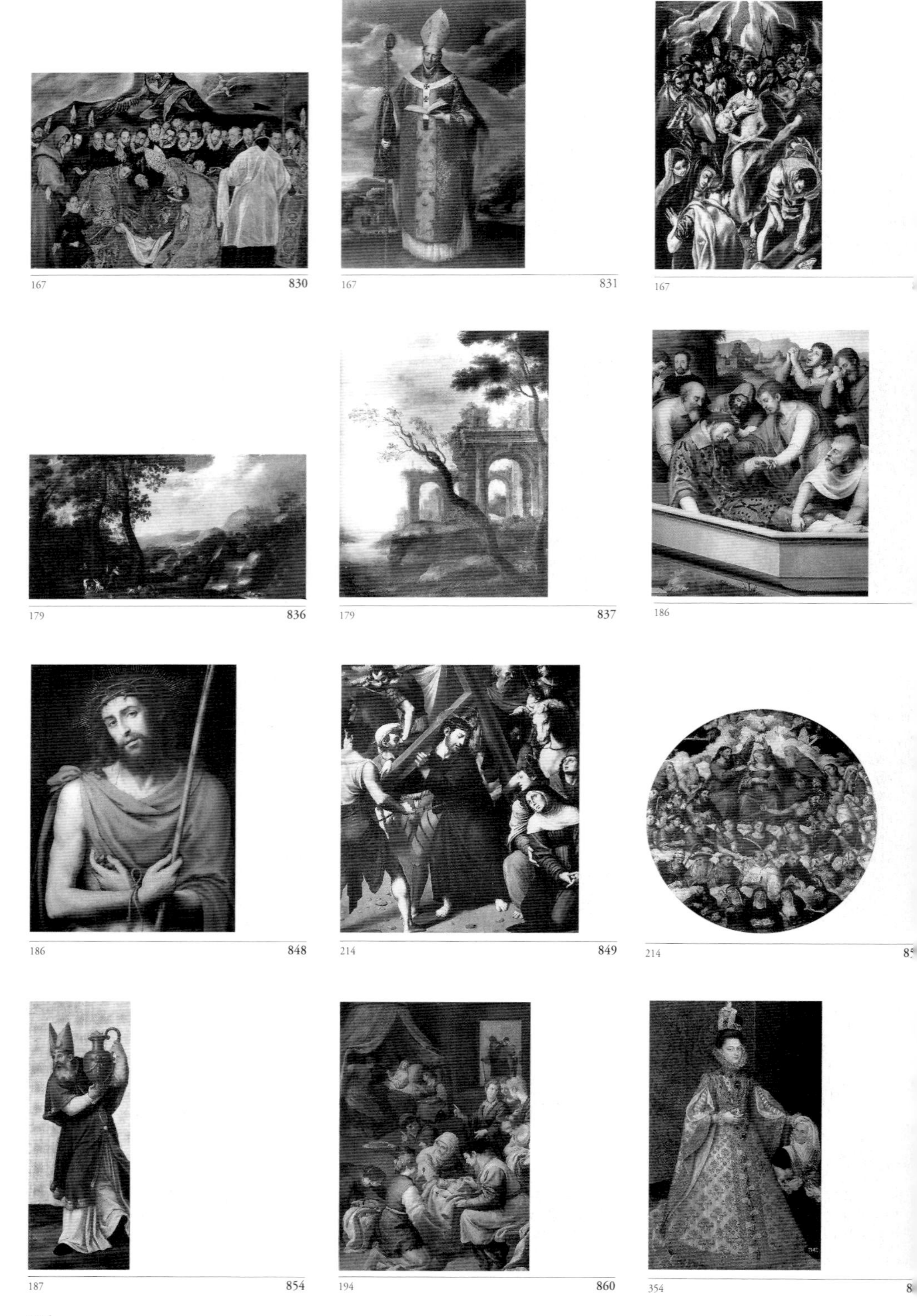

167 830

167 831

167

179 836

179 837

186

186 848

214 849

214 85

187 854

194 860

354 8

874

207 875

32 877

879

212 880

322 887

888

1 890

2 896

897

2 898

2 899

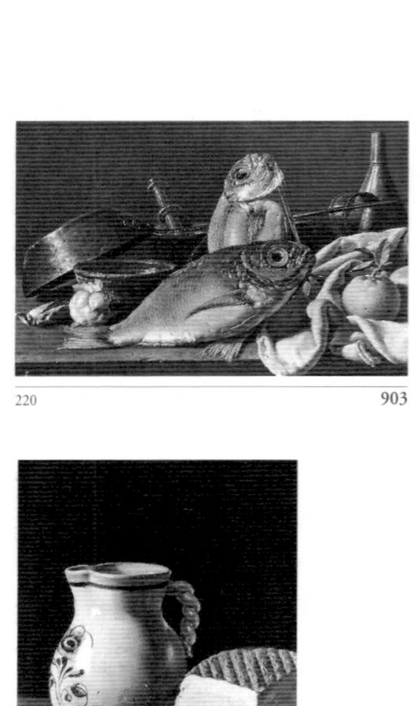

220 903

220 909

220

220 911

220 912

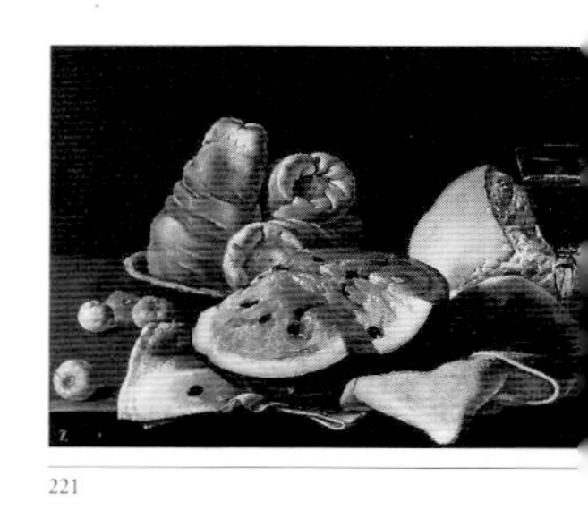

221

221 919

221 924

221 9

221 930

221 931

221 9

933

221 934

221 937

938

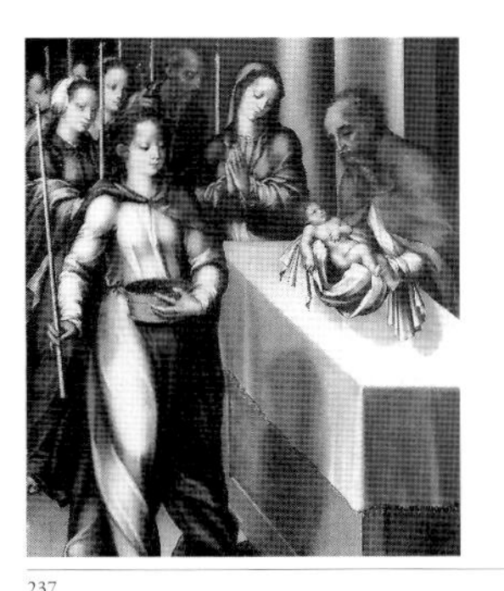

237 943

238 948

950

68 951

68 952

953

68 954

68 955

68 956

245 957

221

221 959

246 963

247

247 966

247 967

248

248 969

248 971

248

974

250 976

250 977

979

250 980

250 981

987

252 989

252 991

992

252 999

254 1000

254 1001

254 1002

254

264 1015

264 1016

265

268 1023

268 1024

268

271 1034

466 1037

272

1045

281 1047

281 1050

1051

282 1054

282 1055

1056

282 1057

311 1061

1065

312 1067

312 1070

312 1071

313 1074

313 10

313 1076

313 1077

313 10

314 1082

314 1084

314 10

314 1089

314 1090

314 10

4 1092
314 1094
314 1096
4 1098
315 1100
315 1102
8 1105
316 1106
316 1107
6 1108
316 1110
316 1111

317 1114 · 317 1115 · 317 111

321 1126 · 321 1127 · 321 112

321 1130 · 352 1139 · 353 114

243 1141 · 353 1142 · 244 114

3 1144

409 1159

180 1162

0 1163

170 1165

425 1183

5 1185

430 1202

433 1203

0 1205

431 1209

217 1212

433 1213

217 1215

217 121

218 1218

434 1220

218 122

434 1222

434 1223

432 122

32 1226

8 1228

456 123

1 1240

456 1241

457 1242

7 1244

457 1245

457 1246

7 1247

457 1248

457 1249

58 1250

365 1255

365 1257

187 1262

204 1267

204 127

464 1276

4 1289

262 129

262 1294

462 1298

465 129

82 1300

82 1301

25 130

2 1326

441 1331

465 1338

3 1339

281 1340

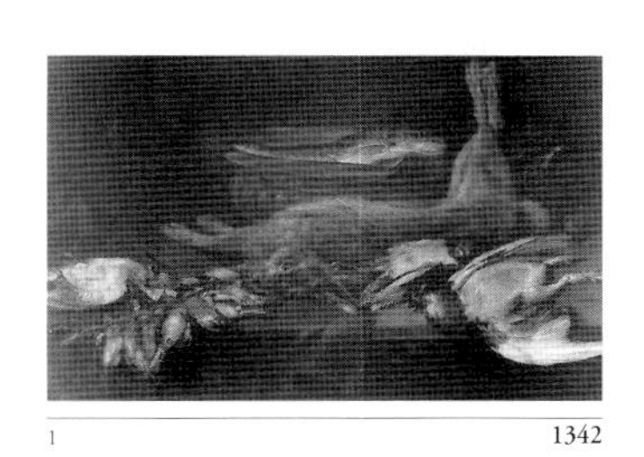

1 1342

1343

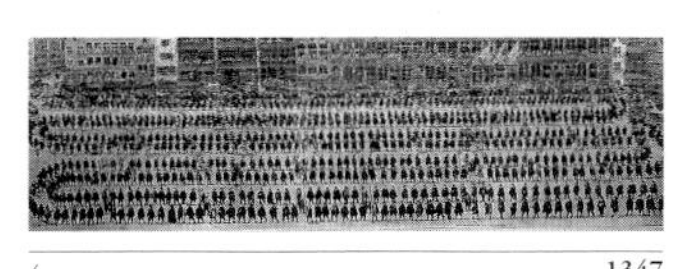

4 1347

4 1348

1 1349

12 1350

12 1351

12 1354

12 1355

74 13

12 1357

12 1359

31 13

31 1363

31 1364

31 13

31 1366

31 1367

33 13

1370

39 1372

39 1373

1374

40 1375

40 1376

1377

40 1378

40 1379

1381

40 1382

80 1385

470 1386

263 1388

87 13

380 1391

380 1392

47 13

50 1401

51 1402

47 140

47 1404

50 1406

50 140

1408

47 1410

47 1412

1414

48 1416

48 1421

1422

48 1424

48 1425

8 1426

48 1427

237 1429

48 1430

48 1431

49 143

49 1434

49 1435

49 143

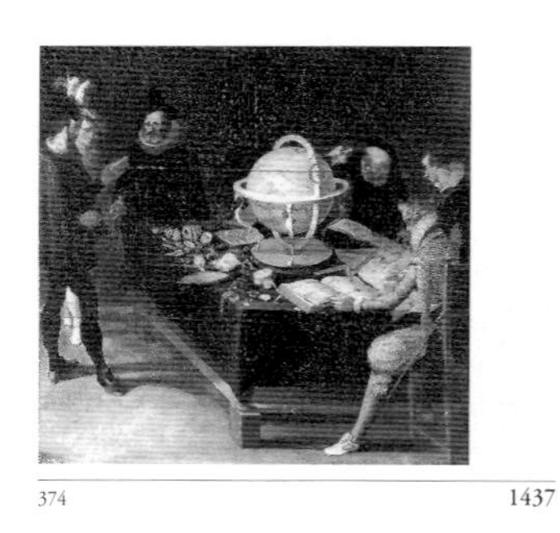

374 1437

49 1438

49 143

235 1440

49 1442

50 144

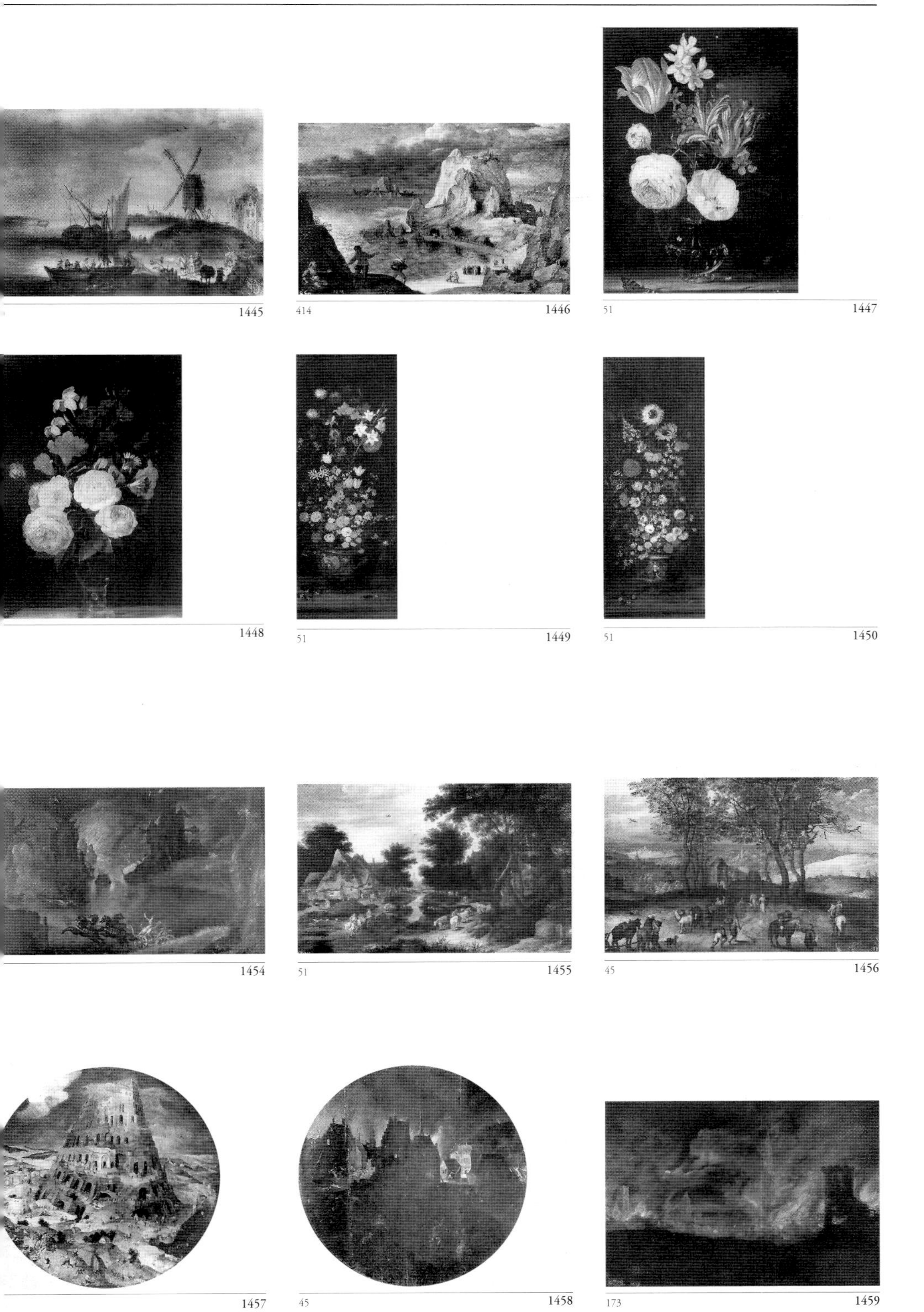

1445

414 1446

51 1447

1448

51 1449

51 1450

1454

51 1455

45 1456

1457

45 1458

173 1459

80 1462

85 1463

85 146

87 1471

105 1475

100 14

101 1483

105 1484

101 148

101 1486

102 1488

102 14

1491

103 1492

103 1494

1495

388 1496

105 1499

1501

105 1502

106 1505

1506

110 1507

110 1509

111 1510

244 1516

244 15

86 1518

115 1519

115 15

115 1521

116 1522

258 15

118 1526

118 1527

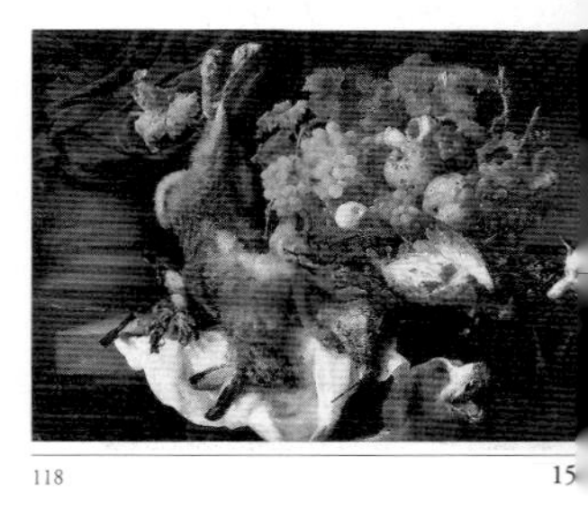

118 15

8 1530

118 1532

118 1533

1535

347 1543

104 1545

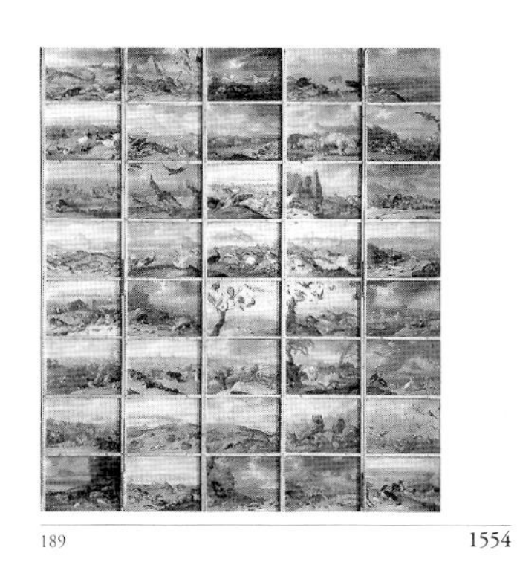

1553

189 1554

190 1555

8 1558

231 1565

231 1567

231 1568

232 1572

232 157

232 1574

232 1575

234 157

76 1580

235 1587

236 158

236 1590

237 1591

236 15

257 1597

258 1599

258 1600

258 1601

258 1602

258 1603

76 1609

76 1610

278 1613

11 1617

279 1621

279 1622

296 1628

297 1632

297 163

326 1636

328 1643

331 165

331 1653

332 1655

332 165

332 1657

333 1662

346 167

7 1675

377 1677

337 1680

7 1681

337 1682

344 1683

5 1684

344 1688

340 1696

1 1700

347 1701

347 1702

219 1706

219 1708

348 170

219 1710

219 1711

185 171

347 1717

219 1725

341 172

341 1731

366 1733

366 17

366 1737

366 1738

367 1739

367 1740

367 1741

367 1742

368 1744

368 1745

368 1746

368 1747

368 1748

369 1749

369 1752

369 1754

369 175

369 1756

370 1759

443 176

370 1761

370 1763

370 176

371 1765

370 1767

371 177

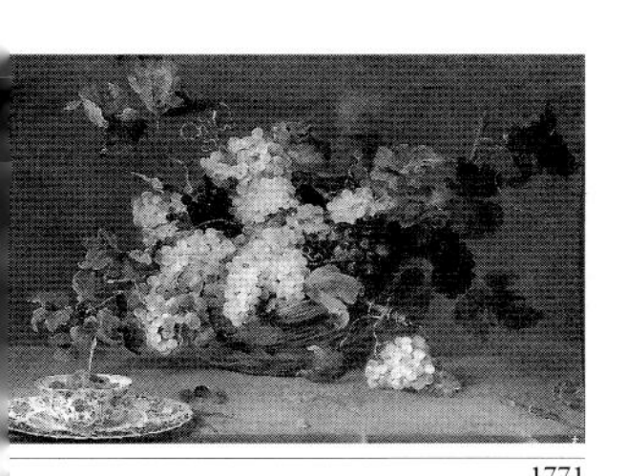

1771

371 1772

372 1775

2 1779

374 1782

0 1784

380 1785

380 1786

1 1789

381 1790

381 1791

381 1793

381 1795

382 17

382 1798

382 1799

387 18

382 1802

382 1803

383 18

383 1806

383 1807

383 18

3 1810

383 1812

384 1814

4 1816

384 1817

384 1818

84 1820

385 1822

385 1823

85 1825

385 1826

386 1827

386 1828

386 1829

386 18

386 1831

386 1832

386 18

386 1834

386 1835

387 18

412 1848

43 1849

346 185

2 1853

414 1855

416 1858

6 1859

443 1860

444 1865

4 1867

444 1868

444 1871

5 1872

445 1876

445 1877

445 1878

32 1879

446 18

446 1884

50 1885

449 18

376 1888

376 1891

376 189

360 1905

361 1907

361 190

1909

361 1910

361 1911

1912

361 1914

56 1915

1917

468 1918

75 1924

1927

25 1928

26 1933

264 1934

449 1938

449 1

115 1941

115 1942

440 1

468 1953

259 1957

80 1

469 1959

378 1962

89

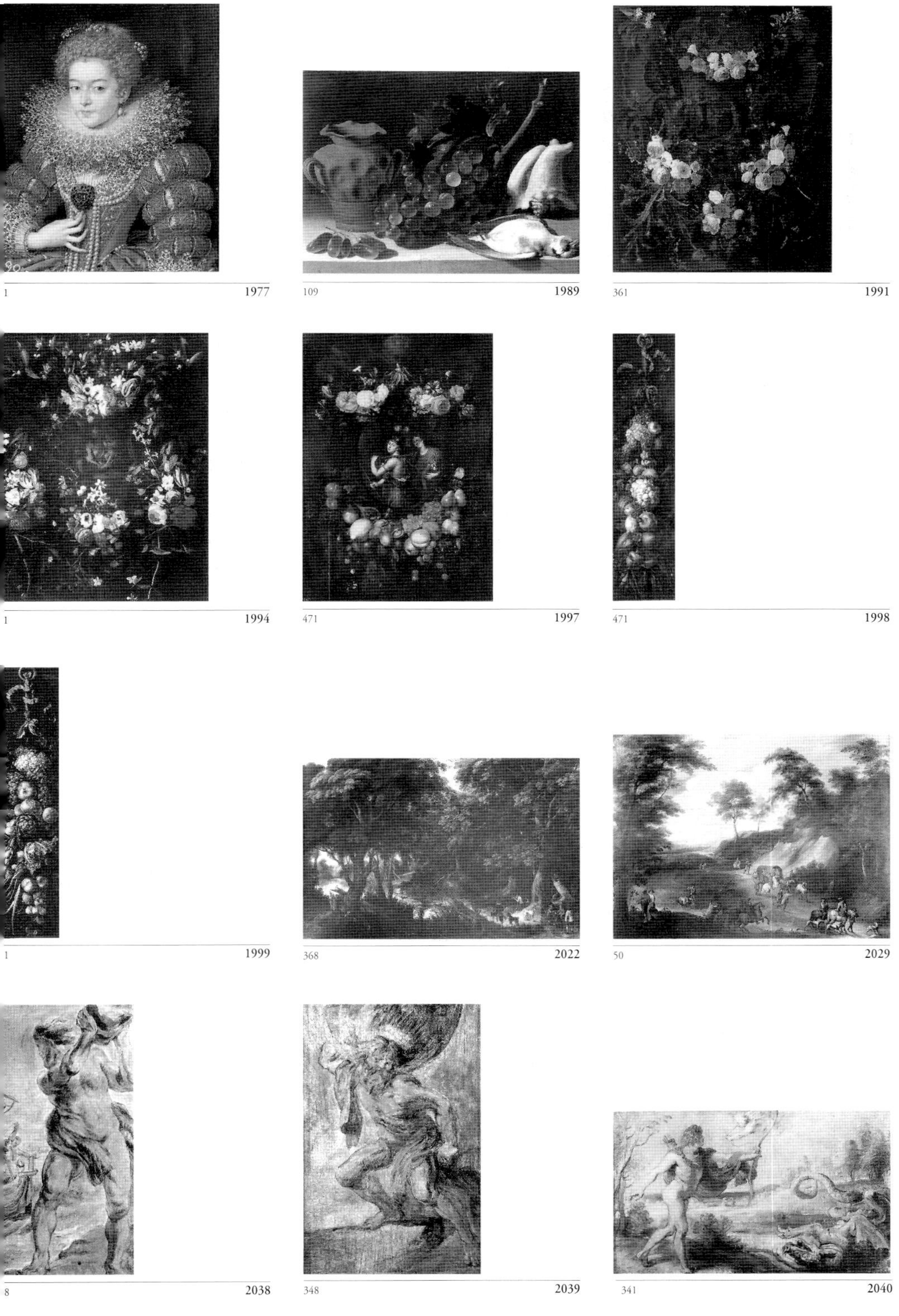

1 1977
109 1989
361 1991
1 1994
471 1997
471 1998
1 1999
368 2022
50 2029
8 2038
348 2039
341 2040

342 2041
342 2043
342 204

45 2045
36 2050
36 205

37 2055
37 2060
37 206

38 2062
378 2063
378 20

8 2065

38 2066

80 2072

) 2074

90 2075

90 2076

5 2077

95 2078

117 2081

2082

25 2093

37 2096

310 2099

310 2100

310 210

234 2105

232 2106

240 210

242 2115

242 2116

243 211

243 2117 bis

243 2119

267 212

7 2125

267 2126

288 2129

2136

375 2138

375 2139

79 2141

442 2142

449 2143

49 2145

449 2146

450 2147

450 2149

450 2151

450 215

451 2154

451 2157

472 215

88 2176

106 2181

219 218

224 2188

225 2191

225 219

5 2195

226 2196

228 2202

8 2206

326 2208

75 2213

6 2216

469 2217

469 2224

7 2226

61 2227

23 2232

23 2233

23 2234

40 2237

114 2239

85 2241

85 2242

86 2243

87 2247

471 2249

201 2256

201 2257

201 225

2259

129 2262

129 2263

2265

304 2266

176 2268

5 2272

190 2273

199 2282

4 2284

200 2285

211 2287

192 **2288**

23 **2291**

23 **229**

43 **2293**

130 **2295**

130 **229**

130 **2297**

261 **2300**

284 **230**

97 **2305**

97 **2307**

292 **231**

8 2314

193 2316

222 2317

3 2319

294 2322

193 2323

9 2325

304 2330

304 2332

04 2333

304 2335

305 2336

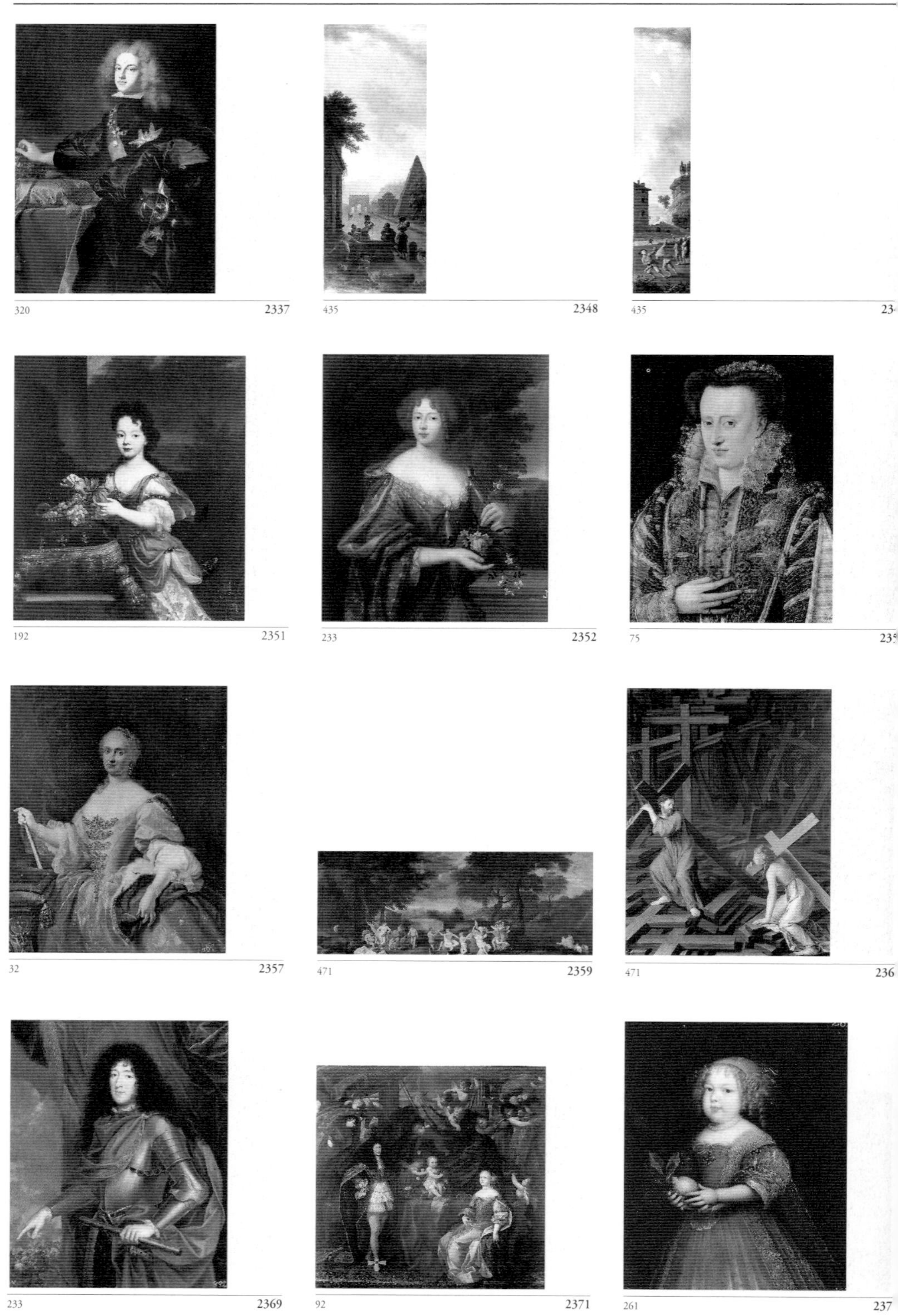

320 2337

435 2348

435 23

192 2351

233 2352

75 23

32 2357

471 2359

471 236

233 2369

92 2371

261 237

261 2380

5 2392

306 2394

261 2400

41 2402

261 2409

306 2414

5 2425

207 2440

458 2442

163 2445

151 2446

151 2447

152 2448

152 2449

152 2450

21 2451

342 2454

342 2455

342 2456

343 2457

343 2458

343 2459

348 2460

3 2461

441 2463

96 2467

2468

45 2470

458 2472

5 2474

259 2475

27 2476

2480

20 2481

20 2482

207 2484

20 2485

20 248

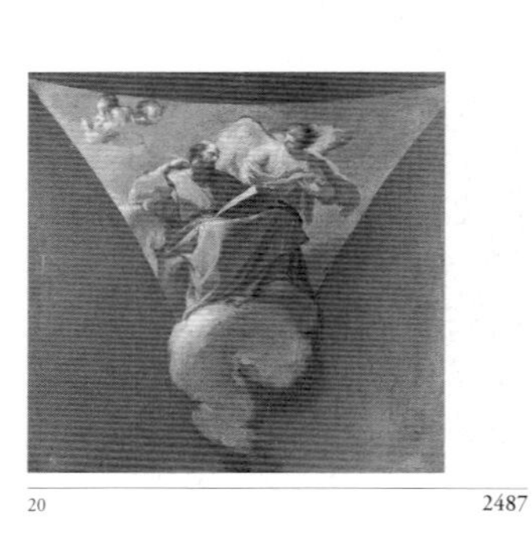
20 2487

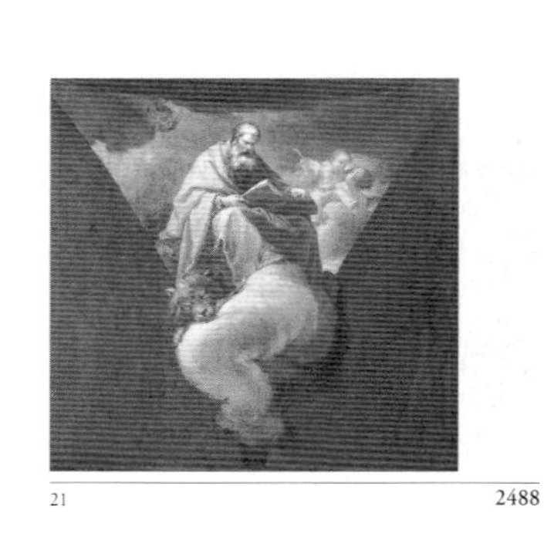
21 2488

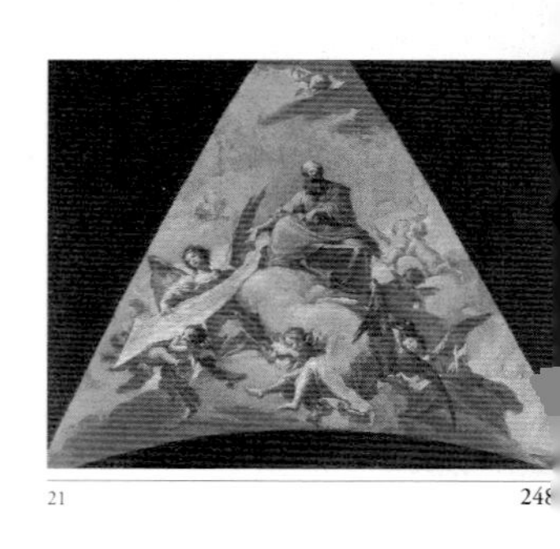
21 248

21 2491

21 2493

356 249

71 2496

207 2498

208 25(

2501

61 2502

68 2503

2504

466 2505

319 2506

2507

10 2508

364 2509

2 2510

354 2511

238 2512

238 2513

462 2516

22 252

22 2522

152 2524

105 252

231 2527

231 2528

21 253

463 2532

466 2534

463 25

41 2539

93 2542

180 2544

52 2547

152 2548

474 2551

19 2552

281 2555

105 2556

3 2557

442 2561

60 2564

105 2565

343 2566

228 2568

4 2570

187 2573

29 2574

109 2581

414 2582

78 2583

326 2584

360 2587

167 259

415 2593

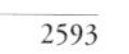

210 2595

320 2598

21 2599

322 2600

114 2629

469 2635

469 2636

87 2641

163 2644

114 2646

470 2648

62 2649

152 2650

188 265

75 2654

272 2655

440 266

463 2666

452 2669

463 2670-267

41 2672

463 2673

463 267

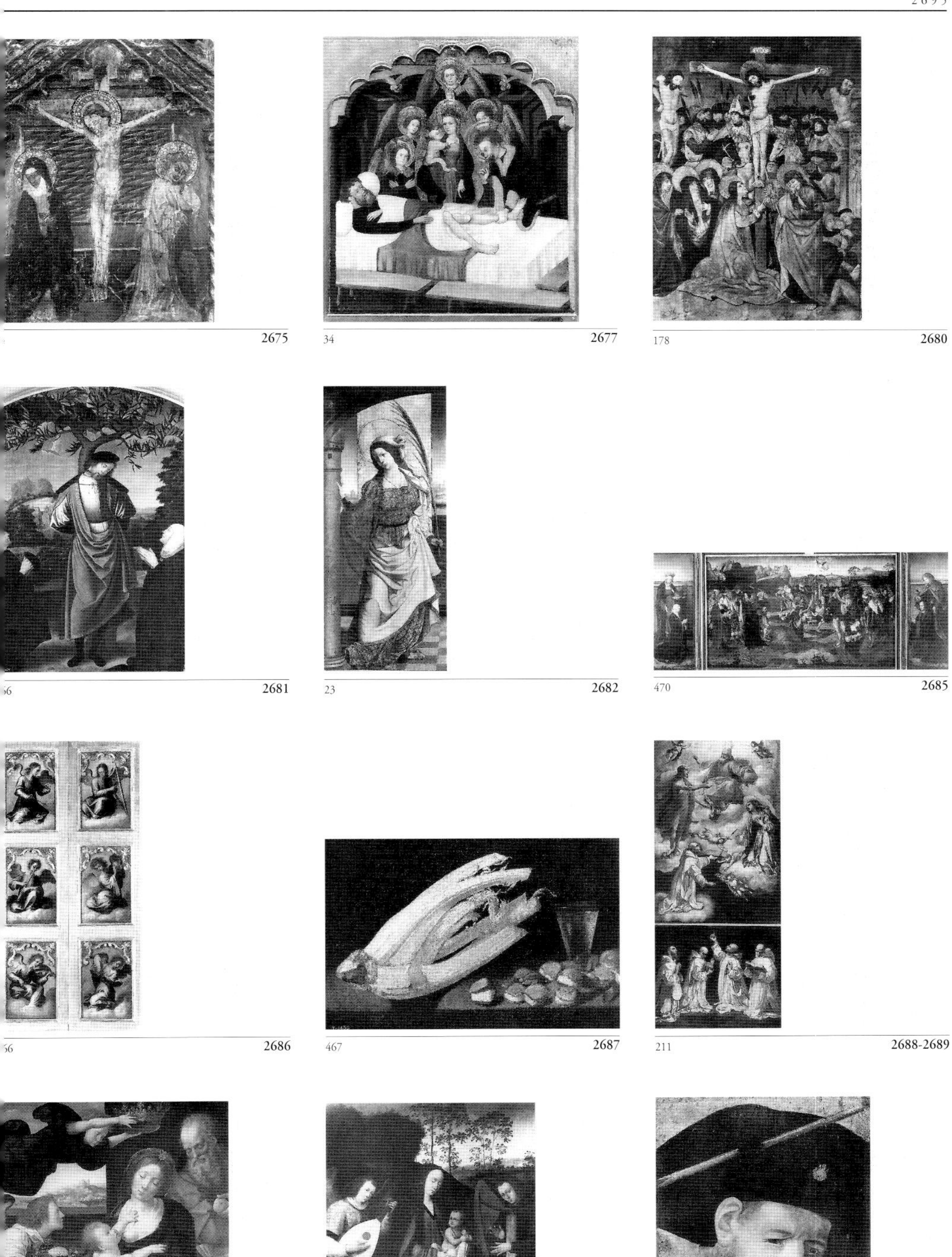

2675

34 2677

178 2680

66 2681

23 2682

470 2685

66 2686

467 2687

211 2688-2689

64 2692

356 2694

35 2695

263 2697

41 2698

470 269

42 2701

470 2702

196 270

463 2707

29 2709

75 271

111 2716

466 2717

470 271

2719

78 2723

264 2725

2 2728

361 2729

44 2731

37 2732

116 2734

116 2735

6 2736

116 2738

116 2739

116 2740

116 2741

117 274

117 2743

117 2744

117 274

189 2750

172 2754

454 275

59 2759

128 2761

128 276

28 2763

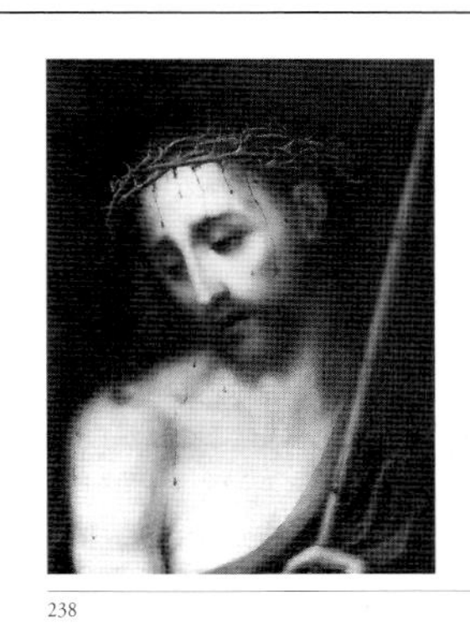

238 2770

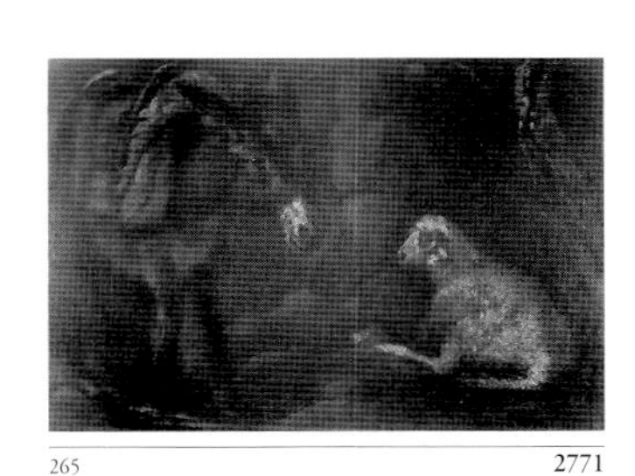

265 2771

55 2772

408 2775

409 2776

54 2777

213 2780

153 2782

53 2783

153 2784

63 2786

63 **2787**

268 **2793**

268 **27**

80 **2795**

80 **2796**

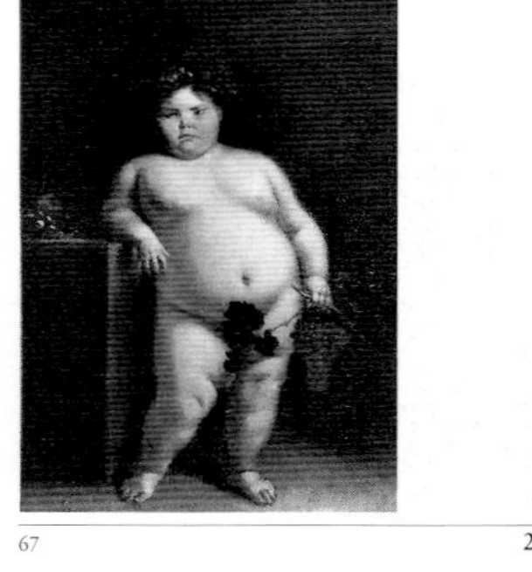

67 **28**

348 **2807**

347 **2811**

45 **28**

236 **2817**

442 **2821**

464 **282**

2832

467 2833

266 2834

9 2836

410 2837

222 2843

4 2845

79 2849

39 2854

2855

153 2856

154 2857

472 2860
354 2861
154 28

460 2868
79 2869
164 28

243 2880
244 2881
470 28

472 2886
113 2888
164 28

2891

164 2892

68 2894

2895

154 2896

131 2897

2903

64 2908

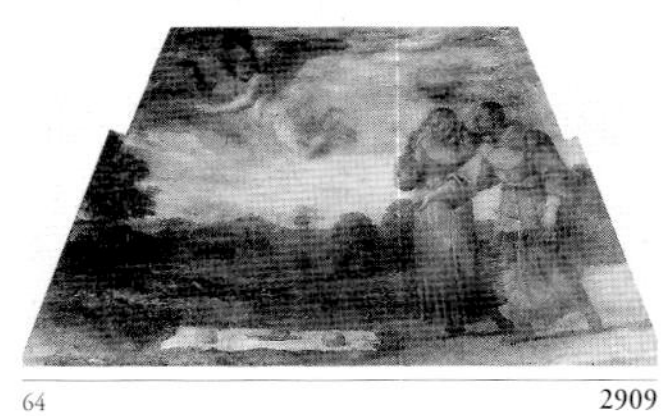

64 2909

2910

254 2912

36 2913

352 **2919**

94 **2926**

113 **2**

61 **2956**

321 **2962**

312 **2**

54 **2966**

268 **2971-2972**

311 **2**

212 **2989**

119 **2990**

274 **2**

458 2992

128 2993

154 2995

13 2997

166 3002

256 3008

459 3010

193 3011

210 3018

79 3027

467 3028

175 3040

58 3041

195 3043

155 304

347 3048

461 3055

435 305

174 3058

61 3061

62 306

215 3074

113 3075

131 307

10 3078

263 3084

36 3085

9 3086

108 3087

191 3091

4 3102

288 3105

322 3108

9 3109

33 3112

155 3113

107 3114

475 3115

53 3120

188 3127

210 3128

123 3131

124 3132

321 3136

10 3139

238 3147

459 3148

415 3149

3152

239 3153

96 3158

2 3159

128 3178

59 3185

270 3187

122 3188

350 3189

24 3193

79 3194

128 3195

467 3197

467 3198

124 320

13 3205

284 3218

122 322

379 3223

155 3224

210 322

211 3227

114 3230

177 323

76 3232

155 3254

156 3255

72 3256

156 3260

129 3261

73 3263

62 3265

68 3311

58 3312

68 3313

69 3314

89 3337

121 3363

62 3364

22 3373

471 3524

69 3534

69 3535

131 3816

171 4158

156 4194

54 4751

211 5080

124 5118

21 5119

169 5122

83 5326

124 5441

124 5444

326 5445

38 5451

156 5539

23 6073

472 6075

73 6076

72 6077

114 6079

436 6166

156 6323

184 6392

441 6394

171 6413

53 6732

187 6773

187 6774

288 6776

69 6779

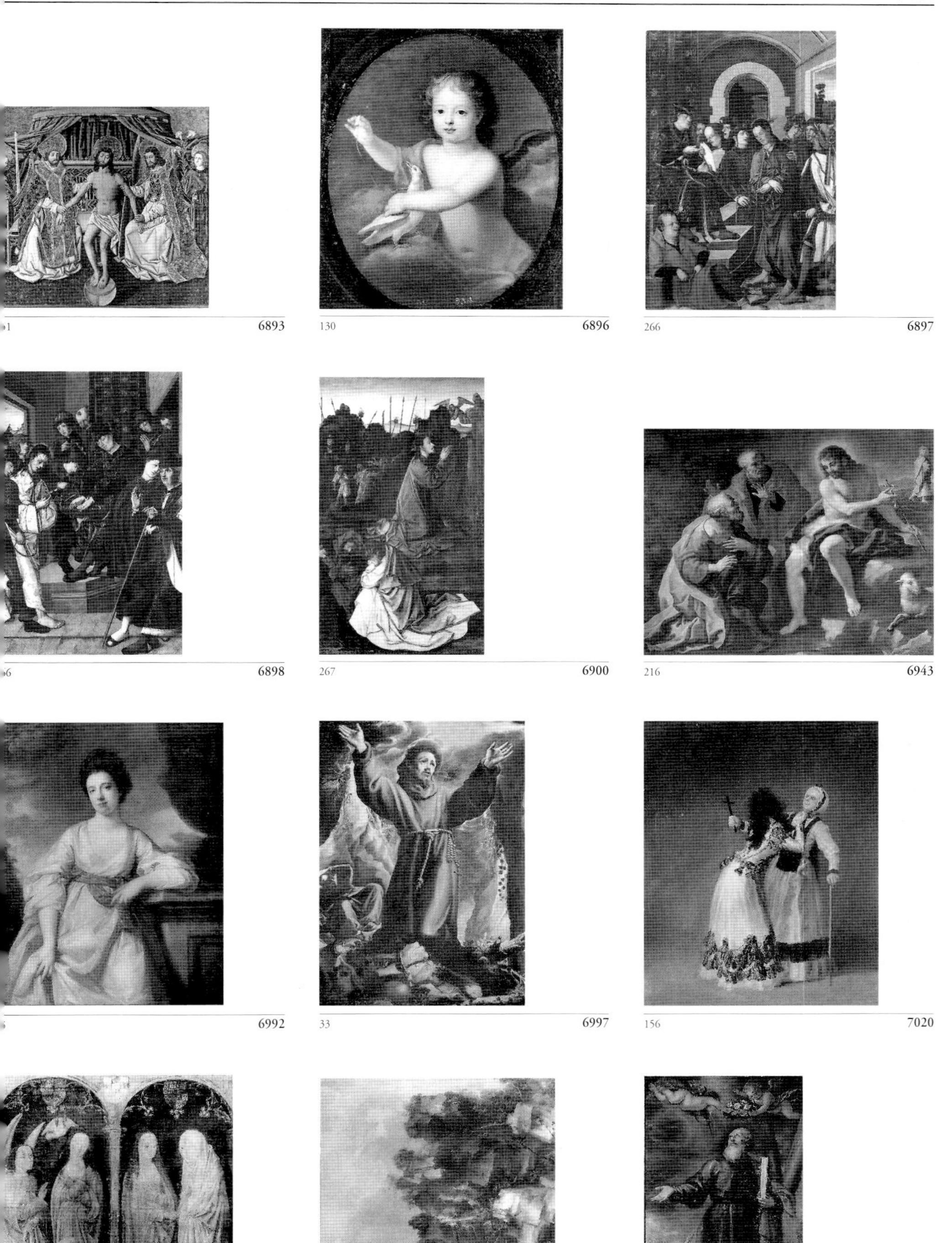

1 6893

130 6896

266 6897

6 6898

267 6900

216 6943

6992

33 6997

156 7020

6 7023

319 7043

321 7051

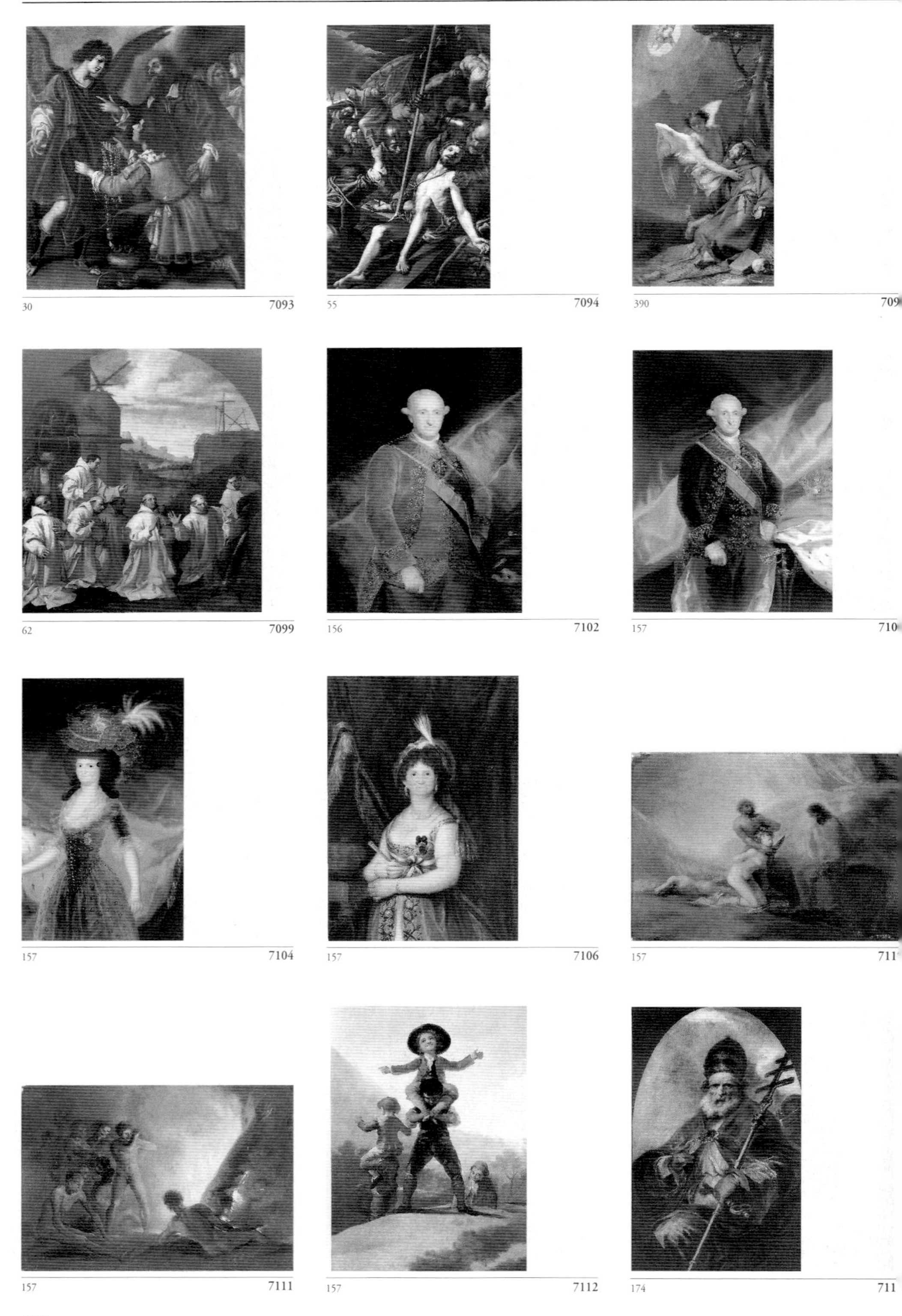

30 7093

55 7094

390 709

62 7099

156 7102

157 710

157 7104

157 7106

157 711

157 7111

157 7112

174 711

238 7117

271 7119

271 7120

321 7122

440 7124

351 7135

31 7159

166 7186

460 7263

460 7266

460 7267

460 7268

461 7269-7270

461 7271-7272-7275-7276

461 7271-7272-727

461 7273

461 7274

461 7279

461 7280

461 7281

461 7282

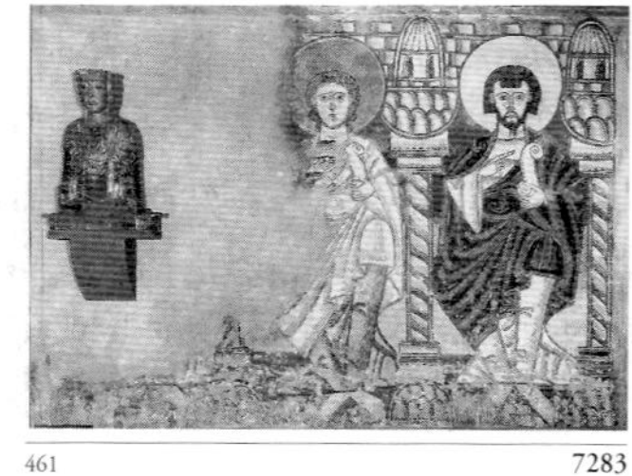

461 7283

461 7284-7285

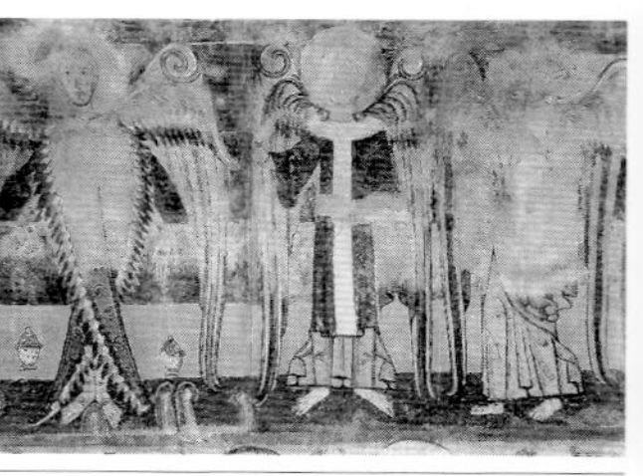

461 7286

61 7287

158 7346

108 7403

60 7421

259 7607

192 7613

54 7618

108 7621

464 7630

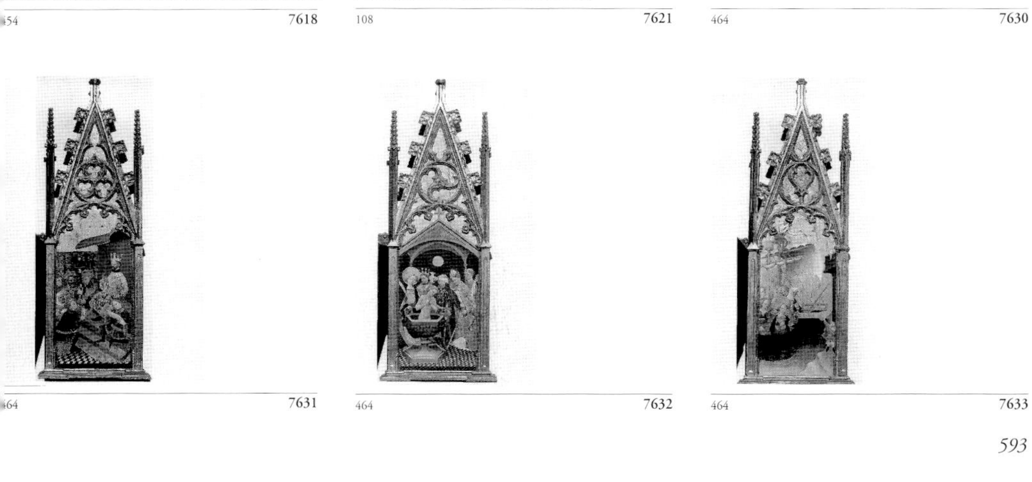

64 7631

464 7632

464 7633

466 7635

321 7636

321 763

265 7640

464 7656

108 765

289 7659

71 7678

467 768

158 7695

ÍNDICE DE OBRAS

En el siguiente índice aparecen ordenadas por número de inventario todas las obras comentadas en el presente catálogo. Así, el primer número, en **negrita,** es el del inventario de la obra, el segundo, en redonda, indica la página donde aparece la ficha técnica y el tercero, en *cursiva,* indica la página donde aparece la ilustración.

invent.	ficha	*ilust.*
1	2	*2*
2	2	*2*
3	350	*350*
5	44	*44*
6	3	*3*
7	3	*478*
8	4	*478*
9	377	*478*
10	378	*378*
11	472	*478*
12	5	*5*
13	114	*114*
14	371	*478*
15	6	*7*
16	6	*7*
17	413	*478*
18	14	*14*
20	69	*478*
21	15	*16*
22	16	*16*
23	17	*478*
25	16	*16*
26	16	*478*
27	16	*478*
28	16	*478*
29	17	*478*
30	16	*479*
32	17	*17*
33	15	*15*
34	15	*479*
36	15	*479*
39	17	*479*
40	15	*479*
41	17	*17*
42	406	*479*
43	17	*479*
44	17	*479*
45	17	*479*
48	18	*18*
49	18	*18*
50	24	*24*
51	261	*479*
54	32	*32*
55	473	*479*
56	467	*479*
57	233	*233*
58	285	*285*
59	55	*480*
60	54	*54*
61	54	*480*
62	54	*54*
63	59	*59*
65	59	*59*
66	60	*480*
67	193	*480*
68	60	*480*
69	63	*63*
70	65	*480*
72	63	*480*
74	65	*65*
75	63	*480*
76	63	*480*
77	64	*480*
78	64	*480*
79	96	*97*
80	95	*480*
81	168	*168*
83	351	*481*
85	473	*481*
86	198	*481*
87	112	*112*
88	67	*67*
91	198	*481*
92	112	*481*
93	112	*112*
94	112	*481*
95	70	*481*
96	72	*481*
97	72	*72*
98	416	*481*
99	73	*481*
100	473	*481*
101	79	*79*
102	79	*79*
103	122	*123*
104	122	*123*
105	122	*481*
106	122	*123*
107	123	*123*
108	123	*482*
109	123	*482*
110	123	*482*
111	83	*83*
112	84	*84*
115	84	*482*
117	84	*482*
118	84	*482*
119	84	*482*
120	84	*482*
121	85	*482*
122	54	*482*
123	27	*482*
124	27	*482*
125	27	*27*
126	27	*483*
127	88	*483*
128	89	*89*
129	89	*483*
130	93	*483*
131	94	*94*
132	64	*64*
134	97	*483*
135	97	*483*
136	97	*483*
137	97	*97*
138	97	*483*
139	112	*483*
142	115	*483*
143	115	*115*
144	117	*117*
145	119	*119*
146	70	*483*
147	121	*121*
148	70	*71*
149	121	*121*
150	307	*307*
151	125	*89*
152	125	*484*
153	125	*484*
157	125	*125*
159	125	*125*
160	125	*484*
161	125	*484*
162	125	*484*
163	125	*484*
165	126	*484*
166	126	*126*
167	126	*484*
168	126	*484*
171	126	*484*
172	126	*484*
174	126	*484*
178	126	*485*
179	126	*485*
181	126	*485*
182	126	*485*
183	126	*485*
184	127	*485*
187	127	*485*
188	127	*485*
189	127	*485*
190	127	*127*
191	466	*485*
193	127	*127*
194	127	*485*
195	127	*485*

invent.	ficha	*ilust.*	invent.	ficha	*ilust.*	invent.	ficha	*ilust.*	invent.	ficha	*ilust.*
196	127	*486*	**259**	375	*374*	**308**	303	*303*	**359**	390	*391*
197	127	*127*	**262**	245	*244*	**309**	303	*488*	**360**	390	*489*
198	128	*486*	**263**	256	*256*	**310**	303	*488*	**361**	391	*391*
200	168	*169*	**264**	256	487	**311**	303	*489*	**362**	391	*391*
201	168	*169*	**265**	256	*487*	**312**	303	*489*	**363**	388	*388*
202	168	*486*	**266**	268	*269*	**313**	302	*302*	**364**	388	*490*
203	169	*169*	**269**	287	*487*	**315**	302	*302*	**364a**	388	*490*
209	308	*308*	**270**	473	*473*	**319**	306	*307*	**365**	389	*490*
210	308	*308*	**271**	269	*269*	**322**	325	*325*	**366**	391	*490*
211	308	*308*	**272**	269	*488*	**323**	325	*325*	**367**	397	*490*
212	308	*486*	**273**	270	*270*	**324**	327	*326*	**368**	473	*490*
213	308	*308*	**275**	270	*488*	**325**	30	*489*	**369**	392	*490*
214	308	*486*	**276**	270	*488*	**326**	350	*350*	**370**	392	*490*
215	308	*486*	**277**	270	*488*	**327**	212	*212*	**371**	392	*392*
218	308	*309*	**278**	271	*270*	**328**	350	*489*	**372**	32	*490*
219	309	*486*	**279**	275	*275*	**329**	80	*80*	**373**	392	*490*
220	309	*486*	**280**	275	*275*	**330**	358	*358*	**374**	392	*490*
229	325	*486*	**281**	276	*488*	**331**	358	*489*	**377**	393	*490*
230	309	*486*	**282**	276	*276*	**332**	357	*357*	**378**	393	*392*
232	181	*182*	**283**	276	*276*	**334**	357	*357*	**379**	393	*491*
233	182	*486*	**284**	276	*488*	**335**	357	*357*	**380**	269	*491*
234	191	*486*	**287**	289	*290*	**336**	358	*358*	**381**	391	*491*
235	191	*487*	**288**	129	*129*	**337**	358	*489*	**382**	393	*393*
236	191	*487*	**289**	196	*196*	**338**	358	*358*	**383**	391	*391*
237	121	*487*	**291**	375	*374*	**341**	358	*489*	**384**	393	*393*
238	121	*487*	**294**	296	*296*	**342**	359	*358*	**385**	393	*491*
239	198	*198*	**295**	464	*488*	**344**	359	*359*	**386**	393	*394*
240	202	*202*	**296**	298	*298*	**345**	285	*286*	**387**	391	*491*
241	203	*203*	**297**	298	*298*	**346**	286	*287*	**388**	394	*394*
242	203	*203*	**298**	299	*298*	**348**	287	*287*	**389**	394	*395*
243	203	*203*	**299**	299	*299*	**349**	194	*195*	**390**	394	*491*
244	209	*209*	**300**	299	*300*	**351**	371	*489*	**391**	394	*491*
245	211	*487*	**301**	300	*300*	**352**	371	*371*	**392**	394	*491*
246	362	*362*	**302**	300	*300*	**353**	158	*158*	**393**	395	*491*
248	211	*212*	**303**	300	*300*	**354**	377	*377*	**394**	395	*395*
252	262	*487*	**304**	302	*302*	**355**	390	*391*	**395**	395	*491*
256	374	*487*	**305**	302	*488*	**356**	390	*489*	**396**	395	*491*
257	374	*487*	**306**	302	*488*	**357**	390	*489*	**397**	395	*395*
258	375	*487*	**307**	302	*488*	**358**	390	*489*	**398**	396	*396*

invent.	ficha	*ilust.*	invent.	ficha	*ilust.*	invent.	ficha	*ilust.*	invent.	ficha	*ilust.*
399	396	*396*	**441**	406	*493*	**501**	439	*494*	**592**	10	*496*
400	391	*491*	**442**	406	*406*	**502**	439	*438*	**593**	10	*496*
401	397	*492*	**443**	406	*406*	**504**	194	*195*	**594**	10	*497*
402	269	*492*	**444**	406	*407*	**510**	76	*76*	**595**	10	*497*
404	63	*492*	**445**	406	*493*	**511**	3	*494*	**596**	10	*497*
406	474	*492*	**446**	408	*493*	**512**	455	*494*	**597**	10	*497*
407	397	*397*	**448**	202	*202*	**513**	455	*495*	**598**	11	*11*
408	398	*398*	**452**	408	*493*	**519**	474	*495*	**599**	11	*497*
409	398	*398*	**461**	411	*493*	**522**	442	*442*	**600**	19	*19*
410	398	*399*	**462**	412	*493*	**523**	283	*282*	**601**	19	*19*
411	399	*398*	**463**	412	*493*	**524**	283	*282*	**604**	19	*19*
412	399	*398*	**464**	412	*493*	**525**	283	*495*	**605**	20	*497*
413	399	*398*	**465**	413	*413*	**528**	464	*495*	**606**	20	*497*
414	399	*492*	**466**	413	*493*	**533**	406	*495*	**607**	20	*497*
415	399	*400*	**468**	413	*413*	**535**	474	*495*	**609**	27	*27*
416	95	*95*	**469**	413	*493*	**539**	445	*445*	**610**	27	*497*
417	400	*400*	**470**	413	*493*	**540**	94	*94*	**611**	28	*497*
418	400	*401*	**471**	261	*493*	**542**	94	*495*	**612**	28	*497*
419	400	*400*	**472**	413	*494*	**543**	212	*495*	**613**	28	*497*
420	401	*492*	**474**	415	*416*	**547**	89	*89*	**614**	28	*498*
421	401	*400*	**475**	441	*441*	**549**	24	*24*	**615**	28	*498*
422	401	*402*	**476**	290	*290*	**550**	25	*495*	**616**	28	*28*
423	408	*492*	**477**	327	*494*	**552**	97	*495*	**617**	28	*28*
424	408	*492*	**479**	277	*276*	**556**	11	*495*	**618**	28	*29*
425	402	*402*	**480**	439	*494*	**569**	290	*290*	**619**	31	*31*
426	402	*492*	**482**	436	*436*	**571**	169	*170*	**620**	71	*498*
427	402	*403*	**483**	436	*436*	**573**	129	*495*	**621**	52	*498*
428	402	*403*	**484**	397	*494*	**576**	24	*496*	**622**	53	*498*
429	403	*403*	**485**	13	*13*	**577**	9	*496*	**623**	54	*498*
430	403	*403*	**486**	436	*494*	**579**	358	*496*	**625**	57	*498*
431	403	*404*	**487**	437	*494*	**580**	474	*496*	**626**	57	*498*
432	404	*404*	**490**	439	*439*	**581**	378	*378*	**627**	57	*57*
433	404	*492*	**491**	437	*437*	**583**	389	*496*	**629**	57	*498*
434	404	*405*	**492**	437	*437*	**584**	464	*496*	**632**	57	*498*
436	404	*492*	**494**	437	*494*	**585**	7	*496*	**633**	57	*498*
437	405	*404*	**497**	437	*494*	**587**	8	*496*	**635**	60	*60*
438	405	492	**498**	438	*494*	**588**	8	*496*	**636**	60	*498*
439	405	*405*	**499**	438	*438*	**590**	8	*496*	**637**	61	*499*
440	405	*405*	**500**	439	*438*	**591**	8	*8*	**638**	61	*499*

invent.	ficha	*ilust.*	invent.	ficha	*ilust.*	invent.	ficha	*ilust.*	invent.	ficha	*ilust.*
639	61	*61*	**699**	106	*107*	**744**	139	*501*	**783**	149	*503*
640	62	*499*	**700**	107	*107*	**745**	139	*139*	**784**	149	*503*
641	62	*62*	**701**	107	*107*	**746**	139	*139*	**785**	149	*503*
642	65	*65*	**702**	108	*108*	**747**	140	*501*	**786**	149	*148*
643	61	*499*	**703**	108	*500*	**748**	140	*140*	**787**	149	*503*
644	65	*65*	**704**	111	*111*	**749**	141	*141*	**788**	149	*503*
645	66	*66*	**705**	234	*234*	**750**	141	*140*	**789**	149	*504*
646	66	*66*	**706**	234	*500*	**751**	141	*501*	**790**	149	*504*
647	66	*499*	**707**	234	*500*	**752**	141	*141*	**791**	149	*504*
648	66	*499*	**708**	234	*500*	**753**	144	*502*	**792**	149	*504*
649	66	*499*	**709**	234	*501*	**754**	144	*144*	**793**	149	*504*
650	66	*66*	**710**	234	*234*	**755**	144	*502*	**794**	149	*504*
651	67	*499*	**715**	130	*501*	**756**	144	*502*	**795**	150	*150*
652	120	*499*	**716**	130	*131*	**757**	145	*502*	**796**	150	*150*
653	52	*52*	**719**	132	*132*	**758**	145	*145*	**797**	150	*504*
654	67	*67*	**720**	132	*132*	**759**	145	*502*	**798**	150	*150*
656	455	*455*	**721**	132	*133*	**760**	145	*145*	**799**	150	*151*
657	53	*499*	**722**	133	*133*	**761**	145	*145*	**800**	150	*151*
658	52	*52*	**723**	133	*133*	**762**	146	*146*	**801**	151	*504*
659	71	*71*	**724**	133	*134*	**763**	146	*502*	**802**	151	*504*
660	77	*77*	**725**	134	*134*	**764**	146	*502*	**803**	151	*504*
661	77	*77*	**726**	134	*135*	**765**	146	*502*	**804**	151	*504*
662	78	*499*	**727**	135	*134*	**766**	146	*502*	**805**	151	*504*
663	78	*499*	**728**	135	*134*	**767**	147	*146*	**806**	159	*159*
664	78	*78*	**729**	136	*501*	**768**	147	*502*	**807**	159	*159*
665	78	*500*	**730**	136	*136*	**769**	147	*147*	**808**	159	*505*
666	79	*500*	**731**	136	*136*	**770**	147	*147*	**809**	159	*159*
671	80	*81*	**732**	136	*501*	**771**	147	*502*	**810**	159	*505*
672	81	*81*	**733**	136	*501*	**772**	147	*502*	**811**	160	*505*
673	81	*500*	**734**	136	*501*	**773**	147	*147*	**812**	160	*505*
687	81	*82*	**735**	136	*501*	**774**	147	*503*	**813**	160	*505*
689	82	*82*	**736**	137	*501*	**775**	148	*503*	**814**	160	*505*
690	82	*82*	**737**	137	*137*	**776**	148	*503*	**815**	160	*505*
692	82	*500*	**738**	137	*137*	**777**	148	*148*	**817**	160	*160*
694	181	*181*	**739**	137	*137*	**778**	148	*503*	**820**	161	*505*
695	106	*500*	**740**	138	*138*	**779**	148	*503*	**821**	161	*160*
696	106	*500*	**741**	138	*138*	**780**	148	*148*	**822**	161	*161*
697	106	*500*	**742**	138	*139*	**781**	149	*503*	**823**	161	*505*
698	106	*500*	**743**	139	*501*	**782**	149	*503*	**824**	162	*162*

invent.	ficha	*ilust.*	invent.	ficha	*ilust.*	invent.	ficha	*ilust.*	invent.	ficha	*ilust.*
825	162	*505*	**886**	210	*210*	**954**	68	*509*	**999**	253	*511*
826	162	505	**887**	322	*507*	**955**	68	*509*	**1000**	254	*511*
827	162	*163*	**888**	216	*507*	**956**	68	*510*	**1001**	254	*512*
828	163	*505*	**889**	216	*217*	**957**	245	*510*	**1002**	254	*512*
829	163	*163*	**890**	1	*507*	**958**	221	*510*	**1006**	254	*512*
830	167	*506*	**895**	2	*2*	**959**	221	*510*	**1012**	257	*257*
831	167	*506*	**896**	2	*507*	**960**	245	*245*	**1015**	264	*512*
832	167	*506*	**897**	2	*507*	**961**	246	*246*	**1016**	264	*512*
833	173	*173*	**898**	2	*507*	**962**	246	*247*	**1017**	265	*265*
836	179	*506*	**899**	2	*507*	**963**	246	*510*	**1020**	265	*512*
837	179	*506*	**902**	219	*219*	**964**	246	*246*	**1022**	268	*268*
838	185	*185*	**903**	220	*508*	**965**	247	*510*	**1023**	268	*512*
839	185	*185*	**906**	220	*220*	**966**	247	*510*	**1024**	268	*512*
840	185	*185*	**907**	220	*220*	**967**	247	*510*	**1025**	268	*512*
841	185	*185*	**909**	220	*508*	**968**	248	*510*	**1030**	354	*354*
842	186	*506*	**910**	220	*508*	**969**	248	*510*	**1031**	354	*354*
843	214	*214*	**911**	220	*508*	**970**	248	*248*	**1034**	271	*512*
845	186	*186*	**912**	220	*508*	**971**	248	*510*	**1036**	7	*7*
846	186	*186*	**915**	221	*508*	**972**	248	*248*	**1037**	466	*512*
848	186	*506*	**919**	221	*508*	**973**	248	*510*	**1038**	271	*271*
849	214	*506*	**924**	221	*508*	**974**	248	*511*	**1041**	272	*273*
851	214	*214*	**927**	221	*508*	**975**	248	*248*	**1042**	272	*273*
852	214	*506*	**929**	221	*220*	**976**	250	*511*	**1043**	272	*512*
853	186	*186*	**930**	221	*508*	**977**	250	*511*	**1044**	273	*273*
854	187	*506*	**931**	221	*508*	**978**	250	*251*	**1045**	273	*513*
855	187	*187*	**932**	221	*508*	**979**	250	*511*	**1046**	280	*280*
858	194	*194*	**933**	221	*509*	**980**	250	*511*	**1047**	281	*513*
859	194	*194*	**934**	221	*509*	**981**	250	*511*	**1050**	281	*513*
860	194	*506*	**936**	221	*220*	**982**	250	*250*	**1051**	281	*513*
861	354	*506*	**937**	221	*509*	**984**	251	250	**1052**	281	*282*
871	199	*198*	**938**	221	*509*	**987**	252	511	**1053**	282	*282*
873	206	*207*	**943**	237	*509*	**989**	252	*511*	**1054**	282	*513*
874	207	*507*	**944**	237	*237*	**991**	252	*511*	**1055**	282	*513*
875	207	*507*	**947**	237	*237*	**992**	78	*511*	**1056**	282	*513*
877	32	*507*	**948**	238	*509*	**994**	252	*252*	**1057**	282	*513*
879	212	*507*	**950**	238	*509*	**995**	253	*252*	**1059**	294	*294*
880	212	*507*	**951**	68	*509*	**996**	253	*253*	**1061**	311	*513*
883	212	*212*	**952**	68	*509*	**997**	253	*252*	**1062**	311	*311*
885	209	*209*	**953**	68	*509*	**998**	253	*252*	**1065**	312	*513*

invent.	ficha	*ilust.*	invent.	ficha	*ilust.*	invent.	ficha	*ilust.*	invent.	ficha	*ilust.*
1067	312	*513*	**1114**	317	*516*	**1171**	419	*419*	**1211**	432	*432*
1069	312	*313*	**1115**	317	*516*	**1172**	419	*420*	**1212**	217	*517*
1070	312	*513*	**1116**	317	*516*	**1173**	420	*421*	**1213**	433	*518*
1071	312	514	**1117**	317	*317*	**1174**	420	*421*	**1214**	217	*217*
1072	312	*313*	**1118**	317	*318*	**1175**	422	*422*	**1215**	217	*518*
1073	313	*313*	**1120**	318	*319*	**1176**	422	*422*	**1216**	217	*518*
1074	313	*514*	**1121**	318	*319*	**1177**	422	*422*	**1217**	218	*218*
1075	313	*514*	**1122**	318	*318*	**1178**	424	*424*	**1218**	218	*518*
1076	313	*514*	**1123**	318	*318*	**1179**	424	*424*	**1219**	432	*433*
1077	313	*514*	**1124**	318	*319*	**1180**	425	*424*	**1220**	434	*518*
1078	313	*313*	**1126**	321	*516*	**1181**	425	*424*	**1221**	218	*518*
1079	313	*514*	**1127**	321	*516*	**1182**	425	*425*	**1222**	434	*518*
1082	314	*514*	**1128**	321	*321*	**1183**	425	*517*	**1223**	434	*518*
1083	314	*314*	**1129**	321	*516*	**1184**	425	*425*	**1224**	432	*518*
1084	314	*514*	**1130**	321	*516*	**1185**	425	*517*	**1226**	32	*518*
1087	314	*514*	**1134**	12	*13*	**1186**	425	*426*	**1227**	8	*8*
1089	314	*514*	**1136**	352	*353*	**1187**	426	*426*	**1228**	8	*518*
1090	314	*514*	**1137**	352	*353*	**1188**	426	*426*	**1230**	434	*434*
1091	314	*514*	**1138**	352	*353*	**1189**	426	*426*	**1234**	440	*440*
1092	314	515	**1139**	352	*516*	**1191**	426	*427*	**1235**	440	*440*
1094	314	*515*	**1140**	353	*516*	**1192**	427	*427*	**1236**	456	*518*
1095	314	*314*	**1141**	243	*516*	**1193**	427	*427*	**1237**	456	*456*
1096	314	*515*	**1142**	353	*516*	**1194**	427	*427*	**1239**	456	*457*
1098	314	*515*	**1143**	244	*516*	**1195**	427	*428*	**1240**	121	*519*
1099	315	*314*	**1144**	353	*517*	**1196**	428	*428*	**1241**	456	*519*
1100	315	*515*	**1153**	408	*408*	**1197**	428	*429*	**1242**	457	*519*
1101	315	*315*	**1158**	409	*409*	**1198**	429	*428*	**1243**	457	*456*
1102	315	*515*	**1159**	409	*517*	**1199**	429	*428*	**1244**	457	*519*
1103	316	*316*	**1160**	364	*364*	**1200**	429	*428*	**1245**	457	*519*
1104	316	*317*	**1161**	414	*415*	**1201**	429	*430*	**1246**	457	*519*
1105	128	*515*	**1162**	180	*517*	**1202**	430	*517*	**1247**	457	*519*
1106	316	*515*	**1163**	180	*517*	**1203**	433	*517*	**1248**	457	*519*
1107	316	*515*	**1164**	170	*170*	**1204**	430	*430*	**1249**	457	*519*
1108	316	*515*	**1165**	170	*517*	**1205**	430	*517*	**1250**	458	*519*
1109	316	*317*	**1166**	416	*416*	**1206**	431	*430*	**1254**	365	*365*
1110	316	*515*	**1167**	416	*417*	**1207**	431	*430*	**1255**	365	*519*
1111	316	*515*	**1168**	418	*418*	**1208**	431	*431*	**1256**	365	*365*
1112	316	*317*	**1169**	418	*419*	**1209**	431	*517*	**1257**	365	*519*
1113	317	*317*	**1170**	418	*418*	**1210**	432	*432*	**1258**	365	*365*

invent.	ficha	*ilust.*	invent.	ficha	*ilust.*	invent.	ficha	*ilust.*	invent.	ficha	*ilust.*
1259	365	365	1344	1	1	1389	43	44	1430	48	526
1260	461	462	1345	110	110	1390	87	524	1431	48	526
1262	187	520	1346	4	4	1391	380	524	1432	49	526
1267	204	520	1347	4	521	1392	380	524	1433	49	48
1272	204	520	1348	4	521	1393	45	44	1434	49	526
1276	464	520	1349	231	521	1394	46	46	1435	49	526
1284	355	354	1350	12	521	1395	46	46	1436	49	526
1289	4	520	1351	12	521	1396	46	46	1437	374	526
1290	262	520	1353	12	12	1397	47	46	1438	49	526
1293	262	263	1354	12	522	1398	47	46	1439	49	526
1294	262	520	1355	12	522	1399	47	524	1440	235	526
1296	295	295	1356	74	522	1400	51	51	1441	49	49
1298	462	520	1357	12	522	1401	50	524	1442	49	526
1299	465	520	1359	12	522	1402	51	524	1443	235	235
1300	82	520	1360	376	376	1403	47	524	1444	50	526
1301	82	520	1361	468	468	1404	47	524	1445	470	527
1303	25	25	1362	31	522	1405	373	374	1446	414	527
1304	25	520	1363	31	522	1406	50	524	1447	51	527
1305	29	29	1364	31	522	1407	50	524	1448	51	527
1321	323	323	1365	31	522	1408	51	525	1449	51	527
1322	15	15	1366	31	522	1410	47	525	1450	51	527
1323	26	26	1367	31	522	1411	50	50	1451	470	470
1324	120	120	1368	33	33	1412	47	525	1454	45	527
1325	120	120	1369	33	522	1414	47	525	1455	51	527
1326	462	521	1370	37	523	1415	45	45	1456	45	527
1327	363	363	1372	39	523	1416	48	525	1457	45	527
1328	262	263	1373	39	523	1417	295	295	1458	45	527
1329	256	256	1374	39	523	1418	344	344	1459	173	527
1331	441	521	1375	40	523	1419	434	434	1460	204	204
1332	11	11	1376	40	523	1420	345	346	1461	41	42
1334	124	125	1377	40	523	1421	48	525	1462	80	528
1335	351	351	1378	40	523	1422	48	525	1463	85	528
1336	363	364	1379	40	523	1423	48	48	1464	85	85
1338	465	521	1380	41	41	1424	48	525	1465	85	528
1339	453	521	1381	41	523	1425	48	525	1467	86	86
1340	281	521	1382	40	523	1426	48	525	1468	86	86
1341	1	1	1385	80	523	1427	48	525	1469	86	86
1342	1	521	1386	470	524	1428	236	236	1470	86	86
1343	1	521	1388	263	524	1429	237	525	1471	87	528

invent.	ficha	*ilust.*	invent.	ficha	*ilust.*	invent.	ficha	*ilust.*	invent.	ficha	*ilust.*
1472	88	*89*	**1515**	359	*359*	**1555**	190	*531*	**1610**	76	*533*
1473	100	*100*	**1516**	244	*530*	**1556**	197	*197*	**1611**	277	*277*
1474	100	*100*	**1517**	244	*530*	**1557**	222	*223*	**1612**	215	*214*
1475	105	*528*	**1518**	86	*530*	**1558**	223	*531*	**1613**	278	*533*
1477	100	*100*	**1519**	115	*530*	**1559**	356	*356*	**1614**	277	*277*
1478	100	*528*	**1520**	115	*530*	**1561**	215	*215*	**1615**	278	*278*
1479	100	*101*	**1521**	115	*530*	**1562**	215	*215*	**1616**	278	*278*
1480	101	*101*	**1522**	116	*530*	**1563**	231	*230*	**1617**	111	*533*
1481	101	*101*	**1523**	116	*116*	**1565**	231	*531*	**1618**	278	*279*
1482	101	*101*	**1524**	258	*530*	**1566**	231	*230*	**1619**	279	*279*
1483	101	*528*	**1526**	118	*530*	**1567**	231	*531*	**1620**	279	*279*
1484	105	*528*	**1527**	118	*530*	**1568**	231	*532*	**1621**	279	*533*
1485	101	*528*	**1528**	118	*118*	**1570**	231	*231*	**1622**	279	*533*
1486	101	*528*	**1529**	118	*530*	**1572**	232	*532*	**1624**	291	*291*
1487	102	*102*	**1530**	118	*531*	**1573**	232	*532*	**1625**	291	*291*
1488	102	*528*	**1531**	118	*118*	**1574**	232	*532*	**1627**	327	*327*
1489	102	*102*	**1532**	118	*531*	**1575**	232	*532*	**1628**	296	*534*
1490	102	*528*	**1533**	118	*531*	**1577**	232	*232*	**1629**	296	*296*
1491	103	*529*	**1534**	118	*118*	**1579**	234	*532*	**1630**	296	*297*
1492	103	*529*	**1535**	122	*531*	**1580**	76	*532*	**1631**	296	*297*
1493	103	*103*	**1536**	263	*263*	**1586**	235	*235*	**1632**	297	*534*
1494	103	*529*	**1537**	92	*92*	**1587**	235	*532*	**1633**	297	*534*
1495	103	*529*	**1538**	131	*132*	**1588**	236	*236*	**1634**	184	*184*
1496	388	*529*	**1539**	182	*183*	**1589**	236	*532*	**1635**	326	*326*
1499	105	*529*	**1540**	132	*132*	**1590**	236	*532*	**1636**	326	*534*
1501	105	*529*	**1541**	173	*173*	**1591**	237	*532*	**1637**	104	*104*
1502	105	*529*	**1542**	173	*173*	**1592**	236	*532*	**1638**	327	*327*
1503	40	*40*	**1543**	347	*531*	**1597**	257	*533*	**1639**	328	*328*
1504	106	*106*	**1544**	103	*103*	**1598**	257	*257*	**1640**	328	*328*
1505	106	*529*	**1545**	104	*531*	**1599**	258	*533*	**1642**	104	*104*
1506	106	*529*	**1546**	182	*183*	**1600**	258	*533*	**1643**	328	*534*
1507	110	*529*	**1547**	182	*183*	**1601**	258	*533*	**1644**	329	*329*
1508	110	*110*	**1548**	182	*183*	**1602**	258	*533*	**1645**	346	*347*
1509	110	*529*	**1549**	182	*183*	**1603**	258	*533*	**1646**	330	*330*
1510	205	*205*	**1550**	183	*183*	**1605**	258	*258*	**1647**	331	*331*
1511	110	*111*	**1551**	183	*184*	**1606**	23	*24*	**1648**	331	*331*
1512	92	*92*	**1552**	188	*188*	**1607**	31	*31*	**1649**	331	*331*
1513	55	*55*	**1553**	88	*531*	**1608**	31	*31*	**1650**	331	*534*
1514	55	*55*	**1554**	189	*531*	**1609**	76	*533*	**1651**	331	*331*

invent.	ficha	*ilust.*
1652	331	*331*
1653	331	*534*
1654	331	*331*
1655	332	*534*
1656	332	*534*
1657	332	*534*
1658	332	*332*
1659	332	*332*
1660	333	*332*
1661	345	*345*
1662	333	*534*
1663	333	*333*
1664	346	*346*
1665	333	*333*
1666	334	*334*
1667	334	*334*
1668	334	*334*
1669	335	*334*
1670	335	*335*
1671	335	*335*
1672	346	*534*
1673	336	*336*
1674	336	*336*
1675	347	*535*
1676	336	*337*
1677	337	*535*
1678	337	*337*
1679	337	*337*
1680	337	*535*
1681	337	*535*
1682	337	*535*
1683	344	*535*
1684	345	*535*
1685	338	*338*
1686	338	*338*
1687	338	*338*
1688	344	*535*
1689	338	*338*
1690	339	*339*
1691	339	*339*
1692	344	*344*
1693	344	*344*
1694	104	*104*
1695	339	*340*
1696	340	*535*
1697	341	*340*
1698	341	*340*
1699	341	*340*
1700	341	*535*
1701	347	*535*
1702	347	*535*
1703	341	*341*
1706	219	*536*
1708	219	*536*
1709	348	*536*
1710	219	*536*
1711	219	*536*
1712	185	*536*
1713	184	*184*
1714	442	*443*
1717	347	*536*
1718	297	*297*
1725	219	*536*
1727	341	*536*
1728	472	*472*
1729	348	*348*
1730	350	*350*
1731	341	*536*
1733	366	*536*
1734	366	*536*
1736	366	*367*
1737	366	*537*
1738	366	*537*
1739	367	*537*
1740	367	*537*
1741	367	*537*
1742	367	*537*
1743	367	*367*
1744	368	*537*
1745	368	*537*
1746	368	*537*
1747	368	*537*
1748	368	*537*
1749	369	*537*
1750	369	*369*
1752	369	*538*
1754	369	*538*
1755	369	*538*
1756	369	*538*
1757	369	*369*
1758	369	*369*
1759	370	*538*
1760	443	*538*
1761	370	*538*
1762	370	*370*
1763	370	*538*
1764	370	*538*
1765	371	*538*
1766	444	*444*
1767	370	*538*
1768	371	*370*
1770	371	*538*
1771	371	*539*
1772	371	*539*
1774	372	*372*
1775	372	*539*
1779	372	*539*
1782	374	*539*
1783	380	*380*
1784	380	*539*
1785	380	*539*
1786	380	*539*
1787	380	*381*
1788	381	*381*
1789	381	*539*
1790	381	*539*
1791	381	*539*
1793	381	*540*
1794	381	*381*
1795	381	*540*
1796	382	*540*
1797	382	*382*
1798	382	*540*
1799	382	*540*
1801	387	*540*
1802	382	*540*
1803	382	*540*
1804	382	*383*
1805	383	*540*
1806	383	*540*
1807	383	*540*
1808	383	*382*
1809	383	*540*
1810	383	*541*
1811	383	*383*
1812	383	*541*
1813	383	*384*
1814	384	*541*
1815	384	*385*
1816	384	*541*
1817	384	*541*
1818	384	*541*
1819	384	*385*
1820	384	*541*
1821	384	*385*
1822	385	*541*
1823	385	*541*
1825	385	*541*
1826	385	*541*
1827	386	*541*
1828	386	*542*
1829	386	*542*
1830	386	*542*
1831	386	*542*
1832	386	*542*
1833	386	*542*

invent.	ficha	*ilust.*	invent.	ficha	*ilust.*	invent.	ficha	*ilust.*	invent.	ficha	*ilust.*
1834	386	*542*	**1887**	56	*56*	**1942**	115	*546*	**2056**	35	*35*
1835	386	*542*	**1888**	376	*544*	**1943**	180	*180*	**2060**	37	*548*
1836	387	*542*	**1889**	376	*376*	**1946**	272	*272*	**2061**	37	*548*
1843	387	*387*	**1890**	376	*376*	**1949**	172	*173*	**2062**	38	*548*
1844	411	*411*	**1891**	376	*544*	**1950**	440	*546*	**2063**	378	*548*
1845	411	*411*	**1892**	376	*544*	**1953**	468	*546*	**2064**	378	*548*
1846	388	*388*	**1902**	454	*454*	**1954**	372	*372*	**2065**	378	*549*
1847	366	*366*	**1904**	454	*454*	**1957**	259	*546*	**2066**	38	*549*
1848	412	*542*	**1905**	360	*544*	**1958**	80	*546*	**2069**	42	*43*
1849	43	*542*	**1906**	360	*361*	**1959**	469	*546*	**2070**	42	43
1851	346	*542*	**1907**	361	*544*	**1962**	378	*546*	**2071**	74	*74*
1852	412	*412*	**1908**	361	*544*	**1965**	89	*546*	**2072**	80	*549*
1853	412	*543*	**1909**	361	*545*	**1971**	379	*379*	**2073**	90	*90*
1854	414	*414*	**1910**	361	*545*	**1977**	291	*547*	**2074**	90	*549*
1855	414	*543*	**1911**	361	*545*	**1989**	109	*547*	**2075**	90	*549*
1856	92	*92*	**1912**	361	*545*	**1990**	349	*348*	**2076**	90	*549*
1857	414	*414*	**1914**	361	*545*	**1991**	361	*547*	**2077**	235	*549*
1858	416	*543*	**1915**	56	*545*	**1994**	361	*547*	**2078**	95	*549*
1859	416	*543*	**1916**	468	*469*	**1997**	471	*547*	**2079**	95	*95*
1860	443	*543*	**1917**	468	*545*	**1998**	471	*547*	**2080**	96	*96*
1861	443	*443*	**1918**	468	*545*	**1999**	471	*547*	**2081**	117	*549*
1862	443	*443*	**1919**	219	*219*	**2002**	349	*349*	**2082**	40	*549*
1865	444	*543*	**1920**	264	*264*	**2022**	368	*547*	**2087**	360	*360*
1866	444	*444*	**1921**	73	*73*	**2029**	50	*547*	**2088**	171	*171*
1867	444	*543*	**1924**	75	*545*	**2038**	348	*547*	**2089**	172	*172*
1868	444	*543*	**1925**	113	*112*	**2039**	348	*547*	**2090**	172	*172*
1869	444	*444*	**1927**	25	*545*	**2040**	341	*547*	**2091**	25	*25*
1870	444	*444*	**1928**	25	*545*	**2041**	342	*548*	**2093**	25	*549*
1871	444	*543*	**1929**	26	*26*	**2042**	342	*342*	**2094**	377	*377*
1872	445	*543*	**1930**	205	*205*	**2043**	342	*548*	**2095**	178	*178*
1875	445	*444*	**1932**	264	*264*	**2044**	342	*548*	**2096**	37	*549*
1876	445	*543*	**1933**	26	*545*	**2045**	45	*548*	**2097**	43	*43*
1877	445	*543*	**1934**	264	*546*	**2047**	24	*24*	**2099**	310	*550*
1878	445	*544*	**1935**	26	*26*	**2048**	34	*34*	**2100**	310	*550*
1879	32	*544*	**1937**	449	*449*	**2049**	34	*35*	**2101**	310	*550*
1882	446	*544*	**1938**	449	*546*	**2050**	36	*548*	**2103**	230	*230*
1884	446	*544*	**1939**	449	*546*	**2051**	36	*548*	**2104**	233	*233*
1885	50	*544*	**1940**	377	*377*	**2052**	35	*35*	**2105**	234	*550*
1886	449	*544*	**1941**	115	*546*	**2055**	37	*548*	**2106**	232	*550*

invent.	ficha	*ilust.*
2107	240	*240*
2108	240	*241*
2109	240	*550*
2110	240	*240*
2111	241	*240*
2112	242	*242*
2113	242	*242*
2114	242	*242*
2115	242	*550*
2116	242	*550*
2117	243	*550*
2117 bis	243	*550*
2118	243	*243*
2119	243	*550*
2120	197	*197*
2121	267	*267*
2122	267	*550*
2123	267	*267*
2124	267	*267*
2125	267	*551*
2126	267	*551*
2127	270	*270*
2128	279	*279*
2129	288	*551*
2130	288	*288*
2131	290	*290*
2132	306	*306*
2135	360	*360*
2136	43	*551*
2137	375	*375*
2138	375	*551*
2139	375	*551*
2141	379	*551*
2142	442	*551*
2143	449	*551*
2145	449	*551*
2146	449	*551*
2147	450	*551*
2148	450	*450*
2149	450	*552*
2150	450	*450*
2151	450	*552*
2152	450	*450*
2153	450	*552*
2154	451	*552*
2157	451	*552*
2159	472	*552*
2167	91	*91*
2171	284	*284*
2172	284	*284*
2175	87	*87*
2176	88	*552*
2177	98	*98*
2178	98	*98*
2179	98	*99*
2180	99	*98*
2181	106	*552*
2182	174	*175*
2183	5	*5*
2184	5	*5*
2185	219	*552*
2186	223	*224*
2187	224	*224*
2188	224	*552*
2189	224	*225*
2190	224	*224*
2191	225	*552*
2192	225	*224*
2193	225	*552*
2194	225	*224*
2195	225	*553*
2196	226	*553*
2197	226	*226*
2198	226	*226*
2199	226	*226*
2200	226	*227*
2201	226	*226*
2202	228	*553*
2203	228	*228*
2204	228	*228*
2205	228	*228*
2206	228	*553*
2207	362	*362*
2208	326	*553*
2211	326	*326*
2213	75	*553*
2216	446	*553*
2217	469	*553*
2219	14	*14*
2220	14	*14*
2223	76	*77*
2224	469	*553*
2225	447	*447*
2226	447	*553*
2227	61	*553*
2231	22	*22*
2232	23	*553*
2233	23	*554*
2234	23	*554*
2235	280	*280*
2237	40	*554*
2238	53	*53*
2239	114	*554*
2240	72	*72*
2241	85	*554*
2242	85	*554*
2243	86	*554*
2244	71	*71*
2247	87	*554*
2249	471	*554*
2250	97	*97*
2251	114	*114*
2252	200	*200*
2253	201	*200*
2254	201	*200*
2255	201	*200*
2256	201	*554*
2257	201	*554*
2258	201	*554*
2259	201	*555*
2260	201	*201*
2261	201	*201*
2262	129	*555*
2263	129	*555*
2264	176	*176*
2265	304	*555*
2266	304	*555*
2267	176	176
2268	176	555
2269	176	*177*
2270	178	*178*
2271	178	*178*
2272	185	*555*
2273	190	*555*
2274	130	*130*
2277	192	*192*
2281	199	*199*
2282	199	*555*
2283	199	*199*
2284	304	*555*
2285	200	*555*
2286	211	*211*
2287	211	*555*
2288	192	*556*
2289	233	*233*
2291	23	*556*
2292	23	*556*
2293	43	*556*
2295	130	*556*
2296	130	*556*
2297	130	*556*
2298	261	*261*
2300	261	*556*
2302	284	*285*
2303	284	*556*
2304	291	*291*

invent.	ficha	*ilust.*	invent.	ficha	*ilust.*	invent.	ficha	*ilust.*	invent.	ficha	*ilust.*
2305	97	*556*	2358	364	*364*	2458	343	*560*	2508	10	*563*
2306	292	*293*	2359	471	*558*	2459	343	*560*	2509	364	*563*
2307	97	*556*	2365	471	*558*	2460	348	*560*	2510	322	*563*
2308	193	*193*	2367	410	*410*	2461	343	*561*	2511	354	*563*
2310	292	*292*	2369	233	*558*	2462	441	*441*	2512	238	*563*
2311	292	*292*	2371	92	*558*	2463	441	*561*	2513	238	*564*
2312	292	*556*	2375	261	*558*	2464	389	*388*	2514	179	*179*
2313	293	*292*	2376	305	*305*	2467	96	*561*	2516	462	*564*
2314	198	*557*	2377	95	*96*	2468	96	*561*	2517	465	*465*
2316	193	*557*	2380	261	*559*	2470	45	*561*	2518	320	*320*
2317	222	*557*	2382	349	*349*	2472	458	*561*	2519	451	*451*
2318	293	*293*	2387	177	*177*	2473	188	*188*	2521	22	*564*
2319	293	*557*	2392	5	*559*	2474	175	*561*	2522	22	*564*
2320	293	*293*	2394	306	*559*	2475	259	*561*	2523	22	*22*
2322	294	*557*	2400	261	*559*	2476	27	*561*	2524	152	*564*
2323	193	*557*	2402	41	*559*	2480	20	*561*	2525	189	*189*
2325	379	*557*	2409	261	*559*	2481	20	*561*	2526	105	*564*
2326	304	*305*	2414	306	*559*	2482	20	*561*	2527	231	*564*
2329	304	*305*	2416	410	*410*	2484	207	*562*	2528	231	*564*
2330	304	*557*	2422	273	*274*	2485	20	*562*	2531	21	*564*
2332	304	*557*	2425	5	*559*	2486	20	*562*	2532	463	*564*
2333	304	*557*	2440	207	*559*	2487	20	*562*	2534	466	*564*
2334	304	*305*	2441	204	*204*	2488	21	*562*	2535	109	*109*
2335	304	*557*	2442	458	*559*	2489	21	*562*	2536	109	*109*
2336	305	*557*	2443	8	*8*	2491	21	*562*	2537	463	*564*
2337	320	*558*	2444	163	*163*	2493	21	*562*	2538	2	*3*
2343	320	*320*	2445	163	*559*	2494	356	*562*	2539	441	*565*
2344	356	*356*	2446	151	*559*	2496	71	*562*	2540	447	*447*
2346	40	*40*	2447	151	*560*	2497	207	*207*	2541	379	*380*
2347	435	*435*	2448	152	*560*	2498	207	*562*	2542	93	*565*
2348	435	*558*	2449	152	*560*	2499	207	*207*	2543	223	*223*
2349	435	*558*	2450	152	*560*	2500	208	*562*	2544	180	*565*
2350	435	*435*	2451	21	*560*	2501	61	*563*	2545	260	*260*
2351	192	*558*	2452	22	*22*	2502	61	*563*	2546	152	*152*
2352	233	*558*	2453	22	*22*	2503	68	*563*	2547	152	*565*
2353	446	*446*	2454	342	*560*	2504	78	*563*	2548	152	*565*
2354	446	*446*	2455	342	*560*	2505	466	*563*	2549	320	*320*
2355	75	*558*	2456	342	*560*	2506	319	*563*	2551	474	*565*
2357	32	*558*	2457	343	*560*	2507	10	*563*	2552	219	*565*

invent.	ficha	*ilust.*	invent.	ficha	*ilust.*	invent.	ficha	*ilust.*	invent.	ficha	*ilust.*
2555	281	*565*	**2635**	469	*567*	**2684**	352	*352*	**2734**	116	*571*
2556	105	*565*	**2636**	469	*567*	**2685**	470	*569*	**2735**	116	*571*
2557	13	*565*	**2637**	58	*58*	**2686**	466	*569*	**2736**	116	*571*
2561	442	*565*	**2638**	73	*73*	**2687**	466	*569*	**2737**	116	*116*
2562	271	*271*	**2640**	190	*190*	**2688**	211	*569*	**2738**	116	*571*
2563	271	*271*	**2641**	87	*567*	**2689**	211	*569*	**2739**	116	*571*
2564	60	*565*	**2643**	93	*93*	**2692**	264	*569*	**2740**	116	*572*
2565	105	*566*	**2644**	163	*567*	**2693**	351	*351*	**2741**	116	*572*
2566	343	*566*	**2645**	163	*164*	**2694**	356	*569*	**2742**	117	*572*
2567	310	*310*	**2646**	114	567	**2695**	35	*569*	**2743**	117	*572*
2568	228	*566*	**2647**	119	*119*	**2696**	295	*295*	**2744**	117	*572*
2570	4	*566*	**2648**	470	*567*	**2697**	263	*570*	**2745**	117	*572*
2571	218	*218*	**2649**	62	*568*	**2698**	41	*570*	**2749**	189	*189*
2573	187	*566*	**2650**	152	*568*	**2699**	470	*570*	**2750**	189	*572*
2574	29	*566*	**2652**	188	*568*	**2700**	75	*75*	**2753**	74	*74*
2575	372	*373*	**2653**	310	*310*	**2701**	42	*570*	**2754**	172	*572*
2576	373	*373*	**2654**	75	*568*	**2702**	470	*570*	**2755**	172	*172*
2577	373	*373*	**2655**	272	*568*	**2703**	76	*77*	**2756**	172	172
2578	373	*373*	**2656**	238	*238*	**2706**	196	*570*	**2757**	454	*572*
2579	205	*205*	**2661**	351	*351*	**2707**	463	*570*	**2759**	59	*572*
2580	359	*359*	**2662**	440	*568*	**2709**	29	*570*	**2761**	128	*572*
2581	109	*566*	**2663**	195	*195*	**2710**	75	*570*	**2762**	128	*572*
2582	414	*566*	**2664**	181	*180*	**2711**	455	*455*	**2763**	128	*573*
2583	78	*566*	**2666**	463	*568*	**2716**	111	*570*	**2770**	238	*573*
2584	326	*566*	**2668**	452	*452*	**2717**	466	*570*	**2771**	265	*573*
2586	190	*190*	**2669**	452	*568*	**2718**	470	*570*	**2772**	265	*573*
2587	360	*566*	**2670**	463	*463*	**2719**	78	*571*	**2775**	408	*573*
2588	181	*181*	**2671**	463	*568*	**2720**	216	*216*	**2776**	409	*573*
2590	167	*566*	**2672**	41	*568*	**2721**	216	*216*	**2777**	254	*573*
2591	256	*257*	**2673**	463	*568*	**2722**	447	*447*	**2780**	213	*573*
2593	415	*567*	**2674**	463	*568*	**2723**	78	*571*	**2781**	153	*152*
2594	458	*458*	**2675**	34	*569*	**2724**	198	*198*	**2782**	153	*573*
2595	210	*567*	**2676**	362	*362*	**2725**	264	*571*	**2783**	153	*573*
2596	323	*322*	**2677**	34	*569*	**2726**	259	*258*	**2784**	153	*573*
2598	320	*567*	**2678**	280	*280*	**2728**	372	*571*	**2785**	153	*153*
2599	21	*567*	**2680**	178	*569*	**2729**	361	*571*	**2786**	63	*573*
2600	322	*567*	**2681**	466	*569*	**2731**	44	*571*	**2787**	63	*574*
2629	114	*567*	**2682**	23	*569*	**2732**	387	*571*	**2788**	409	*408*
2631	64	*64*	**2683**	177	*177*	**2733**	449	*449*	**2791**	324	*324*

invent.	ficha	*ilust.*	invent.	ficha	*ilust.*	invent.	ficha	*ilust.*	invent.	ficha	*ilust.*
2793	268	*574*	**2843**	222	*575*	**2903**	433	*577*	**2993**	128	*579*
2794	268	*574*	**2844**	289	*289*	**2904**	312	*312*	**2995**	154	*579*
2795	80	*574*	**2845**	254	*575*	**2908**	64	*577*	**2997**	13	*579*
2796	80	*574*	**2849**	79	575	**2909**	64	*577*	**2998**	119	*119*
2799	203	*202*	**2854**	39	*575*	**2910**	64	*577*	**3001**	192	*192*
2800	67	*574*	**2855**	39	*575*	**2912**	254	*577*	**3002**	166	*579*
2801	215	*215*	**2856**	153	*575*	**2913**	36	*577*	**3007**	389	*388*
2802	303	*303*	**2857**	154	*575*	**2919**	352	*578*	**3008**	256	*579*
2803	458	*458*	**2858**	310	*310*	**2922**	352	*352*	**3010**	459	*579*
2804	311	*311*	**2860**	472	*576*	**2926**	94	*578*	**3011**	193	*579*
2805	453	*453*	**2861**	354	*576*	**2934**	439	*439*	**3012**	193	*193*
2806	58	*58*	**2862**	154	*576*	**2935**	113	*113*	**3013**	326	*326*
2807	348	*574*	**2868**	460	*576*	**2936**	113	*113*	**3017**	206	*206*
2808	307	*307*	**2869**	79	*576*	**2937**	113	*578*	**3018**	210	*579*
2809	254	*255*	**2872**	239	*239*	**2938**	113	*113*	**3027**	79	*579*
2811	347	*574*	**2873**	432	*433*	**2939**	6	*6*	3028	467	*579*
2816	45	*574*	**2874**	164	*576*	**2943**	191	*191*	**3029**	349	*348*
2817	236	*574*	**2875**	274	*274*	**2944**	409	*409*	**3039**	120	*120*
2818	181	*180*	**2876**	109	*109*	**2956**	61	*578*	**3040**	175	*579*
2819	164	*165*	**2877**	170	*170*	**2962**	321	*578*	**3041**	58	*580*
2820	442	*442*	**2880**	243	*576*	**2964**	269	*269*	**3043**	195	*580*
2821	442	*574*	**2881**	244	*576*	**2965**	312	*578*	**3044**	312	*312*
2822	35	*36*	**2882**	295	*294*	**2966**	54	*578*	**3045**	154	*154*
2823	36	*37*	**2883**	323	*322*	**2970**	179	*179*	**3046**	107	*107*
2824	397	*396*	**2884**	470	*576*	**2971**	268	*578*	**3047**	155	*580*
2825	448	*448*	**2885**	471	*471*	**2972**	268	*578*	**3048**	347	*580*
2828	82	*82*	**2886**	472	*576*	**2974**	171	*171*	**3049**	197	*197*
2829	464	*574*	**2888**	113	*576*	**2976**	232	*232*	**3054**	177	*177*
2832	83	*575*	**2889**	164	*164*	**2977**	232	*232*	**3055**	461	*580*
2833	467	*575*	**2890**	164	*576*	**2978**	158	*158*	**3057**	435	*580*
2834	266	575	**2891**	164	*577*	**2979**	119	*119*	**3058**	174	*580*
2835	266	*266*	**2892**	164	*577*	**2984**	91	*91*	**3060**	254	*254*
2836	409	*575*	**2894**	68	*577*	**2986**	311	*578*	**3061**	61	*580*
2837	410	*575*	**2895**	154	*577*	**2987**	445	*445*	**3062**	62	*580*
2838	38	*38*	**2896**	154	*577*	**2988**	164	*164*	**3074**	215	*580*
2839	39	*38*	**2897**	131	*577*	**2989**	212	*578*	**3075**	113	*580*
2840	39	*38*	**2898**	154	*154*	**2990**	119	*578*	**3076**	131	*580*
2841	206	*206*	**2899**	154	*154*	**2991**	274	*578*	**3077**	324	*324*
2842	206	*206*	**2902**	453	*453*	**2992**	458	*579*	**3078**	410	*581*

invent.	ficha	*ilust.*	invent.	ficha	*ilust.*	invent.	ficha	*ilust.*	invent.	ficha	*ilust.*
3084	263	*581*	**3149**	415	*582*	**3236**	155	*155*	**5122**	169	*587*
3085	36	*581*	**3150**	461	*461*	**3239**	262	*262*	**5260**	6	*6*
3086	79	*581*	**3151**	69	*69*	**3243**	389	*390*	**5261**	6	*6*
3087	108	*581*	**3152**	70	*583*	**3250**	275	*275*	**5326**	83	*587*
3090	309	*309*	**3153**	239	*583*	**3253**	433	*433*	**5441**	124	*587*
3091	191	*581*	**3158**	96	*583*	**3254**	155	*585*	**5444**	124	*587*
3092	228	*229*	**3159**	72	*583*	**3255**	156	*585*	**5445**	326	*587*
3102	84	*581*	**3178**	128	*583*	**3256**	72	*585*	**5451**	38	*587*
3103	84	*84*	**3179**	128	*128*	**3259**	179	*179*	**5539**	156	*587*
3105	288	*581*	**3185**	59	*583*	**3260**	156	*585*	**5987**	174	*174*
3106	362	*363*	**3186**	270	*270*	**3261**	129	*585*	**6073**	23	*587*
3107	362	*363*	**3187**	270	*583*	**3263**	73	*585*	**6074**	459	*459*
3108	322	*581*	**3188**	122	*583*	**3265**	62	*585*	**6075**	472	*587*
3109	29	*581*	**3189**	350	*583*	**3311**	68	*585*	**6076**	73	*587*
3110	33	*33*	**3192**	124	*124*	**3312**	68	*585*	**6077**	72	*588*
3111	168	*168*	**3193**	124	*583*	**3313**	68	*585*	**6078**	287	*287*
3112	33	*581*	**3194**	79	*583*	**3314**	69	*585*	**6079**	114	*588*
3113	155	*581*	**3195**	128	*583*	**3337**	89	*586*	**6166**	436	*588*
3114	107	*582*	**3196**	467	*467*	**3363**	121	*586*	**6312**	16	*17*
3115	475	*582*	**3197**	467	*584*	**3364**	62	*586*	**6323**	156	*588*
3116	298	*298*	**3198**	467	*584*	**3373**	22	*586*	**6392**	184	*588*
3120	53	*582*	**3202**	375	*375*	**3524**	471	*586*	**6393**	1	*1*
3122	122	*122*	**3203**	454	*454*	**3534**	69	*586*	**6394**	441	*588*
3124	209	*209*	**3204**	124	*584*	**3535**	69	*586*	**6402**	176	*176*
3125	93	*93*	**3205**	13	*584*	**3655**	282	*282*	**6413**	171	*588*
3127	188	*582*	**3209**	245	*244*	**3816**	131	*586*	**6709**	26	*27*
3128	210	*582*	**3210**	435	*435*	**3876**	54	*54*	**6732**	53	*588*
3131	123	*582*	**3212**	210	*210*	**3888**	166	*166*	**6733**	53	*53*
3132	124	*582*	**3217**	284	*284*	**3997**	52	*52*	**6770**	190	*191*
3134	58	*58*	**3218**	284	*584*	**4158**	171	*586*	**6771**	190	*191*
3136	321	*582*	**3221**	122	*584*	**4180**	18	*18*	**6772**	187	*187*
3137	343	*343*	**3223**	379	*584*	**4181**	18	*18*	**6773**	187	*588*
3138	10	*10*	**3224**	155	*584*	**4194**	156	*586*	**6774**	187	*588*
3139	10	*582*	**3226**	210	*584*	**4293**	107	*107*	**6775**	288	*288*
3144	57	*57*	**3227**	211	*584*	**4717**	41	*41*	**6776**	288	*588*
3145	303	*303*	**3230**	114	*584*	**4751**	54	*586*	**6778**	197	*197*
3146	294	*294*	**3231**	177	*584*	**5080**	211	*586*	**6779**	69	*588*
3147	238	*582*	**3232**	76	*585*	**5118**	124	*587*	**6891**	231	*230*
3148	459	*582*	**3233**	324	*324*	**5119**	21	*587*	**6892**	387	*387*

invent.	ficha	*ilust.*	invent.	ficha	*ilust.*	invent.	ficha	*ilust.*	invent.	ficha	*ilust.*
6893	451	*589*	**7103**	157	*590*	**7282**	461	*592*	**7633**	464	*593*
6894	451	*452*	**7104**	157	*590*	**7283**	461	*592*	**7634**	265	*265*
6895	452	*452*	**7106**	157	*590*	**7284**	461	*461*	**7635**	466	*594*
6896	130	*589*	**7109**	21	*21*	**7285**	461	*592*	**7636**	321	*594*
6897	266	*589*	**7110**	157	*590*	**7286**	461	*592*	**7637**	321	*594*
6898	266	*589*	**7111**	157	*590*	**7287**	461	*593*	**7640**	265	*594*
6899	266	*266*	**7112**	157	*590*	**7289**	356	*356*	**7656**	464	*594*
6900	267	*589*	**7113**	174	*590*	**7290**	58	*58*	**7657**	167	*167*
6901	267	*266*	**7116**	218	*218*	**7292**	239	*239*	**7658**	108	*594*
6902	267	*266*	**7117**	238	*591*	**7293**	459	*459*	**7659**	289	*594*
6943	216	*589*	**7119**	271	*591*	**7294**	289	*288*	**7660**	91	*90*
6944	216	*217*	**7120**	271	*591*	**7346**	158	*593*	**7661**	275	*274*
6972	30	*30*	**7122**	321	*591*	**7402**	33	*33*	**7671**	108	*108*
6982	287	*287*	**7124**	440	591	**7403**	108	*593*	**7678**	71	*594*
6992	85	*589*	**7126**	281	*281*	**7421**	460	*593*	**7679**	410	*410*
6996	83	*82*	**7134**	174	*174*	**7440**	88	*88*	**7685**	213	*213*
6997	33	*589*	**7135**	351	*591*	**7459**	131	*131*	**7686**	175	*175*
6998	239	*239*	**7159**	31	*591*	**7460**	131	*131*	**7687**	474	*474*
6999	279	*279*	**7160**	371	*370*	**7461**	158	*158*	**7689**	467	*594*
7020	156	*589*	**7186**	166	*591*	**7466**	70	*70*	**7691**	474	*474*
7021	284	*285*	**7263**	460	*591*	**7474**	73	*73*	**7695**	158	*594*
7023	196	*589*	**7264**	460	*460*	**7602**	208	*208*			
7024	30	*30*	**7265**	460	*460*	**7603**	222	*222*			
7038	12	*12*	**7266**	460	*591*	**7604**	222	*222*			
7043	319	*589*	**7267**	460	*591*	**7607**	259	*593*			
7044	180	*180*	**7268**	460	*591*	**7608**	259	*259*			
7051	321	*589*	**7269**	461	*592*	**7610**	10	*10*			
7052	208	*209*	**7270**	461	*592*	**7612**	355	355			
7065	171	*171*	**7271**	461	*592*	**7613**	192	*593*			
7066	39	*39*	**7272**	461	*592*	**7614**	189	*189*			
7070	156	*157*	**7273**	461	*592*	**7615**	387	*386*			
7080	415	*415*	**7274**	461	*592*	**7616**	283	*283*			
7092	15	*15*	**7275**	461	*592*	**7618**	454	*593*			
7093	30	*590*	**7276**	461	*592*	**7621**	108	*593*			
7094	55	*590*	**7277**	461	*592*	**7622**	239	*238*			
7096	390	*590*	**7278**	461	*461*	**7623**	261	*262*			
7097	9	*9*	**7279**	461	*592*	**7630**	464	*593*			
7099	62	*590*	**7280**	461	*592*	**7631**	464	*593*			
7102	156	*590*	**7281**	461	*592*	**7632**	464	*593*			

ÍNDICE DE TEMAS
Y
PERSONAJES RETRATADOS

Índice de lugares representados

CAMBIOS DE ATRIBUCIÓN

ATRIBUCIÓN EN EL CATÁLOGO DE 1985	N.º DE INVENTARIO	ATRIBUCIÓN ACTUAL
Bassano, L.	30	Bassano, J.
Bassano, L.	40	Bassano, F.
Ferro, G.	2780	Martínez del Barranco, B.
Flandes, J. Discípulo de	2541	Tejerina, J.
Gaddi, T.	2841	Madonna de la Misericordia,
Mabuse, J.	1536	Maestro de Orley, van
Mol, P.	1937	Wolfort, A.
Mol, P.	1938	Wolfort, A.
Mol, P.	1939	Wolfort, A.
Palma «il vecchio»	269	Pitati, B.
Serra, Taller de los	3106	Serra, J.
Serra, Taller de los	3107	Serra, J.
Anónimo español s. XV	705	Miraflores, Maestro de
Anónimo español s. XV	706	Miraflores, Maestro de
Anónimo español s. XV	707	Miraflores, Maestro de
Anónimo español s. XV	708	Miraflores, Maestro de
Anónimo español s. XV	709	Miraflores, Maestro de
Anónimo español s. XV	710	Miraflores, Maestro de
Anónimo español s. XV	1289	Álvaro de Luna, Maestro de
Anónimo español s. XV	2425	Álvaro de Luna, Maestro de
Anónimo español s. XV	3111	Guerau Gener y Gonçal Peris
Anónimo español s. XV	6709	Bernat, M.
Anónimo español s. XV	1331	Visitación de Palencia, Maestro de la
Anónimo español s. XV	3112	Borgoña, Juan de
Anónimo, escuela indeterminada	1940	Ströbel, B.

ÍNDICE GENERAL

Ficha técnica

ACTUALIZACIÓN DE LA EDICIÓN

Javier Portús
Montserrat Sabán

COORDINACIÓN

Ediciones El Viso

ÍNDICES

Lola Gómez de Aranda
Maite Garrido

DISEÑO

Rufino Díaz
María José Subiela Bernat

FOTOCOMPOSICIÓN Y FOTOMECÁNICA

Sistegraf

IMPRESIÓN Y ENCUADERNACIÓN

Artegraf

NIPO: 304-95-007-9.
ISBN: 84-87317-53-7.
Depósito legal: M-45.695-1996.